HIMACHAL PRADESH
Págs. 108-133
UTTAR PRADESH E UTTARANCHAL
Págs. 166-211
BIHAR E JHARKHAND
Págs. 212-225
ASSAM E O NORDESTE
Págs. 322-339
BENGALA OCIDENTAL E SIKKIM
Págs. 284-303
Lucknow
Patna
ÍNDIA CENTRAL
KOLKATA (ex- Calcutá)
Págs. 266-83
Bhubaneswar
0 km
250
MADHYA PRADESH E CHHATTISGARH
Págs. 226-255
ORISSA
Págs. 304-321
ANDHRA PRADESH
Págs. 658-683
ILHAS ANDAMAN E NICOBAR (ÍNDIA)
Port Blair
KERALA
Págs. 624-657
TAMIL NADU
Págs. 576-615
ILHAS ANDAMAN
Págs. 616-623

GUIA VISUAL - FOLHA DE S.PAULO

ÍNDIA

GUIA VISUAL - FOLHA DE S.PAULO

ÍNDIA

DK

PUBLIFOLHA

UM LIVRO DORLING KINDERSLEY

www.dk.com

2ª edição brasileira: 2009

ISBN 978-85-7402-823-1

PUBLIFOLHA
Divisão de Publicações do Grupo Folha
Al. Barão de Limeira, 401, 6º andar, CEP 01202-900, São Paulo, SP
Tel.: (11) 3224-2186/2187/2197
www.publifolha.com.br

COORDENAÇÃO DO PROJETO
PUBLIFOLHA
ASSISTÊNCIA EDITORIAL: Camila Saraiva
COORDENAÇÃO DE PRODUÇÃO GRÁFICA: Soraia Pauli Scarpa

PRODUÇÃO EDITORIAL
EDITORA PÁGINA VIVA
EDIÇÃO: Carlos Tranjan
TRADUÇÃO: Anna Quirino, Luis Reyes Gil, Thaïs Costa
REVISÃO: Felice Morabito, Claudia Morato

PRODUÇÃO GRÁFICA
EDITORA PÁGINA VIVA
DIREÇÃO DE ARTE: José Rodolfo Arantes de Seixas
ASSISTÊNCIA: Priscylla Cabral

Atualização da 2ª edição: Editora Página Viva

DORLING KINDERSLEY
EDITOR-CHEFE: Aruna Ghose
DIREÇÃO DE ARTE: Bindia Thapar
EDIÇÃO DO PROJETO: Nandini Mehta
EDIÇÃO: Madhulita Mohapatra, Vandana Mohindra, Ranjana Saklani, Alissa Sheth
DIAGRAMAÇÃO: Benu Joshi, Mugdha Sethi, Priyanka Thakur
CARTOGRAFIA: Uma Bhattacharya, Kishorchand Naorem
EDIÇÃO DE FOTOGRAFIA: Radhika Singh
PESQUISA ICONOGRÁFICA: Kiran K Mohan
COORDENAÇÃO DE DTP: Shailesh Sharma
DESIGN DE DTP: Jessica Subramanian
COLABORADORES PRINCIPAIS: Roshen Dalal, Partho Datta, Divya Gandhi, Premola Ghose, Ashok Koshy, Abha Narain Lambah, Annabel Lopez, Sumita Mehta, George Michell, Rudrangshu Mukherji, Meenu Nageshwaran, Rushad R Nanavatty, Ira Pande, Usha Raman, Janet Rizvi, Ranee Sahaney, Deepak Sanan, Darsana Selvakumar, Sankarshan Thakur, Shikha Trivedi, Lakshmi Vishwanathan
CONSULTORIA: George Michell
FOTOGRAFIA: Clare Arni, Fredrik & Laurence Arvidsson, M Balan, Dinesh Khanna, Amit Pasricha, Bharath Ramamrutham, Toby Sinclair, BPS Walia
ILUSTRAÇÕES: Avinash Ramsurrun, Dipankar Bhattacharya, Danny Cherian, R Kamalahasan, Surat Kumar Mantoo, Arun P, Suman Saha, Ajay Sethi, Ashok Sukumaran, Gautam Trivedi, Mark Warner

Impresso em Singapura pela KHL Printing Co Pte Ltd.

Foi feito o possível para garantir que as informações deste livro fossem as mais atualizadas disponíveis até o momento da impressão. No entanto, alguns dados como telefones, preços, horários de funcionamento e informações de viagem estão sujeitos a mudanças. Os editores não podem se responsabilizar por qualquer conseqüência do uso deste guia, nem garantir a validade das informações contidas nos sites indicados.

Os leitores interessados em fazer sugestões ou comunicar eventuais correções podem escrever para a Publifolha, Al. Barão de Limeira, 401, 6º andar, CEP 01202-900, São Paulo, SP, enviar um fax para: (11) 3224-2163 ou um e-mail para: atendimento@publifolha.com.br

As fronteiras da Índia mostradas neste livro estão de acordo com o governo indiano. Porém, regiões como a da Caxemira são zonas de fronteira indefinidas.

Capitel ashokano, em Sarnath

SUMÁRIO

INTRODUCÃO À ÍNDIA

DÉLHI E O NORTE

ÍNDIA CENTRAL

◁ **Banho ritual de peregrinos, de manhã cedo, nas águas do rio Ganges, emVaranasi** ***(págs. 202-3)***

Vendedoras de frutas nas calçadas de George Town, em Chennai

O Forte Mehrangarh domina a cidade de Jodhpur

Templo Kandariya Mahadev de Khajuraho, em Madhya Pradesh

INTRODUÇÃO À ÍNDIA

ÍNDIA EM DESTAQUE

A Índia é uma das nações mais diversificadas do mundo. Sua área é a sétima maior do planeta e sua população só é suplantada pela da China. Dentro de seus limites geográficos, que vão da cordilheira do Himalaia, no norte, até a área de península tropical, no sul, há uma estonteante variedade de culturas, línguas, grupos étnicos, crenças e estilos de vida raramente encontrada em outros países. O passado é onipresente e fortes e templos seculares convivem com aspectos modernos. As seis páginas seguintes apontam destaques de cada região para que você vivencie ao máximo este país incrível.

Mural com intricadas pinturas

O Qutb Minar, em Délhi, é Patrimônio da Humanidade

DÉLHI

- **Magníficos monumentos**
- **A agitada Chandni Chowk**
- **A grandeza imperial da Nova Délhi de Lutyens**

Délhi, a capital do país, fica no centro da região norte e é um importante centro há cerca de mil anos. Vestígios de seu passado se espalham pela cidade. Entre seus monumentos famosos estão a torre **Qutb Minar** *(pág. 94)*, a **Tumba de Humayun** *(pág. 83)* –que inspirou o Taj Mahal– e o **Forte Vermelho** *(págs. 86-7)*, todos tombados pela Unesco como Patrimônio da Humanidade.

As ruas de **Chandni Chowk** na antiga Délhi *(págs. 84-5)* são repletas de lojas e restaurantes. Experimente a cozinha Mughlai no **Karims's** *(pág. 720)* perto da **Jami Masjid** *(pág. 86)*. O arquiteto imperial Lutyens projetou boa parte de Nova Délhi e o ideal é iniciar seu passeio na **Rashtrapati Bhavan** *(pág. 74)*.

HARYANA E PUNJAB

- **O cintilante Templo Dourado em Amritsar**
- **Palácios e fortes de Patiala**
- **Vibrantes bazares de artesanato**

Com planícies e cidades agradáveis, esta região sedia o glorioso **Templo Dourado**, o santuário sagrado dos sikhs *(págs. 106–7)*, e a cidade sagrada de **Amritsar** *(págs. 104–5)*. Outra cidade esplêndida é o antigo principado de **Patiala** *(pág. 102)*, com fortes dos séculos 18 e 19, palácios e jardins. Os bazares oferecem os famosos calçados de couro *(juttis)* e bordados *(phulkari)* da cidade. A conhecida feira de artesanato *(mela)* anual de **Surajkund** *(pág. 100)* é realizada em fevereiro. Fãs de arquitetura devem ir à capital da região, **Chandigarh** *(pág. 100)*, projetada por Le Corbusier.

HIMACHAL PRADESH

- **Shimla: capital de verão do Raj britânico**
- **Little Tibet**
- **Caminhos panorâmicos**

Shimla *(págs. 110–12)* agora é a capital estadual e caminhar no The Mall dá uma boa noção da charmosa arquitetura colonial do século 19. O cume descortina vistas esplêndidas da cordilheira do Himalaia.

Em **Dharamsala** *(págs. 122– 3)*, sede do Dalai Lama, fica o encrave tibetano de McLeodganj. Aqui, o governo no exílio mantém mosteiros, um centro de artes cênicas e arquivos que preservam a cultura espiritual do Tibete. O estado também tem ótimas trilhas em torno da bela região do **Vale Sangla** *(págs. 118–19)* e da estação montanhosa de **Manali** *(pág. 128)*.

LADAKH, JAMMU E KASHMIR

- **Casas flutuantes de Srinagar**
- **Mosteiros ao longo do Indo**
- **Antigas rotas de caravanas**

Este estado no Himalaia concentra hindus, muçulmanos e budistas. No vale muçulmano de Caxemira, um paraíso de arrozais e canais aquáticos, fica **Srinagar** *(págs. 154–5)*, onde se vêem ornamentadas casas flutuantes ancoradas nos lagos e

Mosteiros budistas com a paisagem de Ladakh ao fundo

◁ Iluminura de um príncipe Rajput rodeado por criadas em um jardim

A visão sublime do Taj Mahal no crepúsculo

graciosas shikaras vendendo flores e legumes nos remansos. Ladakh, onde o Indo deságua, é um deserto frio cujos habitantes seguem o budismo tibetano. Esta região de beleza estupenda tem antigos mosteiros como o **Alchi** *(págs. 144–6)* e o **Hemis** *(pág. 140)*. As antigas rotas de caravanas de Ladakh que ligavam a Índia com a Rota da Seda agora são populares **trilhas de caminhadas** *(págs. 152–3)* e rotas turísticas, como a que passa pelo remoto **Vale Nubra** *(pág. 143)*.

UTTAR PRADESH E UTTRANCHAL

- **O superlativo Taj Mahal**
- **Lucknow dos nababos**
- **Varanasi: Cidade da Luz**
- **O grande Himalaia na região de Garhwal**

Uttar Pradesh, um dos estados maiores e mais populosos da Índia, é irrigado pelos principais rios do país, o Yamuna e o Ganges. Três cidades grandes acompanham o curso dos rios: **Agra** *(pág. 168–77)*, com o **Taj Mahal** *(págs. 172–5)* e outros monumentos magníficos erigidos pela dinastia Mogul; **Lucknow** *(págs. 196–8)*, a cidade dos nababos, é famosa por seu refinamento, arquitetura imponente e excelente culinária; e **Varanasi** *(págs. 202–8)*, a cidade mais antiga do mundo e lugar mais sagrado do hinduísmo. A cordilheira do Himalaia em Kumaon e **Garhwal** *(pág. 187)* é repleta de picos sagrados e excelentes trilhas para caminhadas. Aventureiros adoram expedições como a **Trilha Gaumukh** e a árdua **Trilha Curzon** até o **santuário devi Nanda** *(págs. 188–9)*.

BIHAR E JHARKHAND

- **A Rota Budista**
- **Florestas de Jharkhand**
- **Feira de elefantes em Sonepur**

Foi em Bihar que surgiram os primeiros impérios, e o nome desta antiga região deriva de vihara, ou mosteiro. A Rota Budista inclui **Bodh Gaya** *(págs. 222–3)*, onde Buda atingiu a iluminação; **Rajgir** *(pág. p220)*, onde Buda viveu e transmitiu seus ensinamentos, e a primeira capital imperial; e a grande universidade de **Nalanda** *(págs. 218-19)*. Jharkhand é composta em grande parte pelo platô Chhota Nagpur, uma área de floresta densa habitada pelas tribos Munda e Oraon. O **Parque Nacional Palamau** *(pág. 224)* abriga animais selvagens e algumas aldeias. Para vivenciar o clima local, vá a **Sonepur** *(pág. 216)*, onde é realizada a maior feira de gado da Ásia.

MADHYA PRADESH E CHHATTISGARH

- **O Grande Stupa em Sanchi**
- **Templos de Khajuraho**
- **Reservas de animais selvagens**

A colina de **Sanchi** *(págs. 242–3)* é um dos sítios mais bem preservados da Índia budista. Seu ponto alto é o **Grande Stupa** *(págs. 244–5)*, tombado pela Unesco como Patrimônio da Humanidade, que tem quatro portais impressionantes e entalhes intricados. Os arredores da cidade também têm muitas ruínas antigas.

O grupo de templos de **Khajuraho** *(págs. 236–8)*, outro Patrimônio da Humanidade, exibe arquitetura e esculturas esplêndidas, incluindo os afamados frisos eróticos. O maior templo é o Kandariya Mahadev, dedicado a Shiva.

Dizem que Rudyard Kipling ambientou seu clássico *O Livro da Selva* nas florestas decíduas do **Parque Nacional Kanha** *(págs.254-5)*, um dos melhores lugares para avistar tigres. Outro parque nacional importante do estado é o **Bandhavgarh** *(pág. 239)*.

Tigre no Parque Bandhavgarh, Madhya Pradesh

Victoria Memorial, o principal marco de Kolkata

KOLKATA (CALCUTÁ)

- **O Raj revisitado**
- **Victoria Memorial**
- **O museu mais antigo do país**

Kolkata, capital do Império Britânico até 1911, passou por um brilhante renascimento cultural e intelectual no século 19. No centro desta cidade fascinante, o **BBD Bagh** *(págs. 270-71)* exibe alguns dos mais belos edifícios dos séculos 18 e 19. Ao sul ficam o parque **Maidan** *(pág. 273)* e o **Victoria Memorial** *(págs. 274-5)*, o mais fino legado arquitetônico Raj, cujo nome evoca a rainha Vitória. Aqui se pode ver uma excelente seleção de objetos do período Raj. Datado do século 19, o Museu Indiano *(págs. 276-7)* é o mais antigo do país e tem um acervo mara-vilhoso de miniaturas e es-culturas de pedra e bronze.

BENGALA OCIDENTAL E SIQUIM

- **O delta do Ganges**
- **Templos de terracota**
- **O leste do Himalaia**

A paisagem de Bengala Ocidental e Siquim varia da área nublada do delta ao glacial Himalaia, na divisa com o Tibete. No vasto delta do Ganges-Brahmaputra fica o **Sunderbans** (págs. 288–9), maior pântano do mundo e habitat do tigre-real-de-bengala. Os singulares templos de terracota de **Bishnupur** *(págs. 290-91)*, do século 17, são incomparáveis. O mais famoso é o ricamente decorado Templo Shyama Raya. Atravessando o rio Teesta, o **North Sikkim Tour** *(pág. 300)*, que parte de **Gangtok** *(pág. 298)*, a capital de Siquim, proporciona vistas estupendas do leste do Himalaia, incluindo o **Kanchendzonga** *(pág. 302)*, o terceiro pico mais alto do mundo.

Orquídea de Siquim

ORISSA

- **Templo do Deus-Sol em Konark**
- **Observação de aves**
- **Templos de Bhubaneshwar**

Este belo estado de florestas e litoral tem uma incrível riqueza cultural, além de ser o berço da Odissi, uma das danças clássicas mais refinadas da Índia.

Konark *(págs. 310–12)*, o maravilhoso templo de pedra do Deus Sol, é um dos destaques da costa. Erguido no século 13, foi concebido como uma grande carruagem. Mais abaixo na costa, o grande **lago Chilika** *(pág. 316)* é um paraíso habitado por aves e vida aquática, especialmente golfinhos, sendo também afamado por seus frutos-do-mar.

Bhubaneshwar *(págs. 306–9)*, a capital estadual, é repleta de templos, inclusive o impressionante Lingaraj e os líricos templos Rajarani. Os arredores da cidade são conhecidos por seus sítios arqueológicos e aldeias com artesãos.

ASSAM E O NORDESTE

- **Observação de rinocerontes**
- **Mosteiro Tawang**
- **A colorida Kohima**

Sete estados formam esta parte grande e diversificada da Índia. O caudaloso rio Brahmaputra flui por esta área, dominando a vida em Assam. O **Parque Nacional Kaziranga** *(págs. 330–31)* é habitado por rinocerantes de um só chifre. O **mosteiro budista Tawang** *(pág. 327)* em Arunachal Pradesh, que é o maior dessa religião no país, pertence à seita amarela do budismo tibetano. Por perto, o convento Bramdungchung é cercado por picos nevados e aldeias Monpa. **Kohima** *(pág. 339)*, a capital de Nagaland, é uma introdução à Índia tribal com seus tecidos de padrões vibrantes, peças de madeira com detalhes complexos e danças vigorosas. O Cemitério da Guerra local evoca uma das batalhas mais decisivas da Segunda Guerra Mundial.

Rinocerontes no Parque Nacional Kaziranga, em Assam

O Forte Jaisalmer, um dos mais notáveis do mundo

RAJASTHAN

- **Jaipur e Amber**
- **Fortalezas no deserto**
- **A cidade lacustre de Udaipur**

Região mais turística da Índia, Rajasthan continua instigando a imaginação com suas paisagens perfeitas, fortalezas e um povo com rica história. Datada do século 17, a pitoresca cidade de **Jaipur** *(págs. 352-63)* é um paraíso do consumo. Em volta de Badi Chaupar *(págs. 354-5)* há bazares animados, o **Palácio da Cidade** *(págs. 356-7)*, onde ainda residem os reis de Jaipur, e o **Hawa Mahal** *(págs. 352-3)*, o suntuoso Palácio dos Ventos. No alto de uma colina próxima a Jaipur fica o magnífico palácio fortificado de **Amber** *(págs. 364-6)*. Datada do fim do século 16, esta foi a capital dos governantes de Jaipur por quase 200 anos.

No árido deserto de Thar encontra-se **Jaisalmer** *(págs. 386-91)*, a cidade fortificada de arenito dourado. Entre as várias atrações estão palácios e casas *(havelis)* com entalhes intricados como jóias. Jaisalmer também tem uma vibrante música folclórica tradicional.

Às margens do lago Pichola fica a encantadora cidade de **Udaipur** *(págs. 398-401)*. Visitar as *havelis*, palácios, *ghats*, templos e bazares tradicionais desta cidade e seus interessantes arredores é uma experiência rara. Um dos melhores hotéis do mundo, o **Lake Palace** *(pág. 705)*, situa-se em uma ilha no lago. O pequeno palácio Jag Mandir fica próximo.

GUJARAT

- **A agitada Ahmedabad**
- **Os poços escalonados de Gujarat**
- **Templo do Sol de Modhera**

Principal cidade e centro comercial e industrial de Gujarat, **Ahmedabad** *(págs. 410–13)* tem um rico legado. A Cidade Antiga, um labirinto de portais elevados, bazares, mesquitas e templos, pode ser percorrida a pé em um passeio organizado pela Prefeitura Municipal. Único da cidade, o **Museu Calico** *(págs. 412–13)* oferece uma visão geral das tradições têxteis da Índia. Fora do centro fica o **Sabarmati Ashram**, onde Mahatma Gandhi viveu na época do Movimento de Libertação da Índia.

Uma solução engenhosa livrou Gujarat da penosa escassez de água vivida durante séculos: os poços subterrâneos escalonados. Elaboradamente decorados, além de armazenar água, serviam de ambiente refrescante para contatos sociais. O mais belo é o **Adalaj Vav** *(págs. 414–15)*, que foi construído em 1499 pela rainha Rudabai e exibe 800 esculturas. Outros são o **Dada Harir Vav** em Ahmedabad e o **Rani ni Vav** em Patan *(pág. 417)*. O traçado do **Templo do Sol em Modhera** *(págs. 418–19)*, datado de 1026, tem precisão astronômica. Com ricos entalhes, as partes externa e interna do templo representam divindades hindus detalhadamente e são finos exemplos da escultura medieval. Alguns dos entalhes mais notáveis estão nas paredes do santuário interno.

Esculturas no poço escalonado Rani ni Vav

As antigas cavernas esculpidas na rocha de Ajanta, próximo a Aurangabad

MUMBAI (BOMBAIM)

- **O magnífico Victoria Terminus**
- **Ilha Elefanta**
- **A magia de Bollywood**

Mumbai é uma cidade de contrastes, onde convivem arranha-céus e edifícios vitorianos. O eclético bairro **Kala Ghoda** *(págs. 448-9)* ilustra bem essa característica. Mais ao norte, o **Victoria Terminus** *(págs. 454-5)* exibe uma profusão de domos e espirais, em um belo exemplo da arquitetura gótica vitoriana. Na costa, a **ilha Elefanta** *(pág. 461)* tem templos de Shiva esculpidos nas rochas no século 6° d.C. Mumbai também abriga a vibrante indústria cinematográfica da Índia, **Bollywood** *(págs. 32-3)*, e filmes extravagantes de grande orçamento são rodados na vasta **Film City** *(pág. 460)*.

MAHARASHTRA

- **Antigos afrescos em Ajanta**
- **Fortes ilhéus na cintilante Costa Malvan**

Os Ghats Ocidentais separam a pequena **costa Konkan** *(págs. 438-9)* da lava vulcânica do platô do Decã onde há plantações de algodão. A tradição de esculpir rochas disseminou-se nesta região, e em **Ajanta** *(págs. 479-81)* podem-se apreciar os mundialmente famosos afrescos do século 5° com temas budistas. **Ellora** *(págs. 476-8)* tem cavernas jainistas, budistas e hindus, com destaque para o **Templo Kailasanatha**. Patrimônio da Humanidade, o sítio é escavado em um penhasco maciço. A pitoresca costa Malvan, no sul de Konkan, dispõe de praias de areia, aldeias pesqueiras e fortes ilhéus, como o Murud-Janjira e o Kolaba, próximo a **Alibag** *(pág.466)*.

GOA

- **Clima português na antiga Goa**
- **A velha Cidade de Panaji**
- **Praias idílicas**

Goa é um paraíso turístico com belas praias, mansões grandiosas, como a **Casa de Bragança** *(págs. 508-9)*, cultura indo-portuguesa e cozinha deliciosa. Primeira capital dos portugueses, a **antiga Goa** *(págs. 496-501)* exibe arquitetura portuguesa imperial em suas catedrais, igrejas e mosteiros.

A velha cidade de **Panaji** *(págs. 488-9)*, especialmente São Tomé e Fontainhas, é tipicamente latina, com casas, jardins e restaurantes cobertos de telhas. As **praias de Goa** *(pág. 491)* são esplêndidas e se estendem por mais de 106km de norte a sul.

KARNÁTAKA

- **Palácios de Mysore**
- **O sítio tombado de Hampi**
- **Gol Gumbad, em Bijapur**

Escultura Narasimha em Hampi

Com paisagem extremamente variada, Karnátaka é rica em história e arte. O governo do antigo principado ficava em **Mysore**, cidade com lindos palácios, como as **Amba Vilas** *(págs. 518-9)*, do século 19. Por perto, **Srirangapattana** *(pág. 516)* era o quartel-general do sultão Tipu.

Em meio a imensos penedos perto do rio Tungabhadra ficam as evocativas ruínas de **Hampi** *(págs. 530-33)*, que foi a capital do reino mais rico do Sul da Índia, o Império Vijayanagara. Ao norte, **Bijapur** *(págs. 542-3)* mantém o incrível legado artístico dos sultões Deccani, a exemplo da tumba monumental Gol Gumbad.

Uma das praias idílicas de Goa

CHENNAI (MADRAS)

- **Forte St George**
- **O Complexo do Panteão**
- **A tradicional Mylapore**

Chennai entrou para a história como Madras, primeiro assentamento britânico na Índia, desenvolvido em torno do **Forte St George** *(págs. 560-61)* e perto de **George Town** *(pág. 561)*. Ambos contêm belos exemplos da arquitetura colonial britânica. O **Complexo do Panteão** *(págs. 564-5)* inclui o Museu Governamental Indo-Sarraceno, que tem uma coleção rara de esculturas budistas de Amaravati, a Galeria de Bronzes e a Galeria de Arte Contemporânea. São Tomé, o apóstolo que foi para a Índia em 52 d.C., morreu em Chennai. O **Pequeno Monte** *(pág. 573)*, onde o santo foi ferido de morte, tem a marca de sua mão. Ele está enterrado na Basílica de São Tomé, em Mylapore *(pág. 570)*, um agitado bairro tradicional.

TAMIL NADU

- **Os grandes templos Chola**
- **A espetacular Mamallapuram**
- **A charmosa Pondicherry**

Neste estado com grandes templos de pedra e vastos arrozais no delta do Kaveri fica a cidade de **Thanjavur** *(págs. 596-9)*, onde os reis Chola construíram o magnífico **Templo Brihadishvara** *(págs. 598-9)*. Na mesma área estão os templos de **Chidambaram** *(pág. 590)* e **Darasuram** *(pág. 593)*.

Ao longo da baía de Bengala, **Mamallapuram** *(págs. 578-9)* foi um porto importante dos reis pallavas no século 7°. O imponente Templo da Margem fica na costa, e no interior há o **Panch Rathas** *(págs. 580-81)* esculpido na rocha. **Pondicherry** *(págs. 586-9)*, antiga colônia francesa, abriga o Aurobindo Ashram.

Mergulho nas águas das ilhas Andaman

ILHAS ANDAMAN

- **Recifes de coral e águas transparentes**
- **A história sinistra de Port Blair**

O idílico arquipélago de Andaman abrange vários ecossistemas, incluindo pântanos, floresta tropical e recifes de coral. Mergulhos com sknorkel e scuba diving permitem apreciar a vida aquática, especialmente em torno da ilha Jolly Buoy no **Parque Nacional Marinho de Wandoor** *(págs. 620-21)*.

No século 19 as ilhas foram uma colônia penal; as celas da prisão de **Port Blair** *(pág. 618)* são um símbolo sinistro dessa época.

KERALA

- **Litoral cintilante e remansos pitorescos**
- **Florestas tropicais virgens**
- **Arquitetura com madeira**

Kerala exibe um interessante mosaico de paisagens e culturas, além de um litoral fantástico. Uma visita aqui só é completa com um **Passeio nos Remansos** *(págs. 634-5)* que passa pela malha labiríntica de canais aquáticos. Nas florestas tropicais virgens do **Distrito de Wynad** *(pág. 654)* podem-se avistar elefantes e gigantescos esquilos-malabares. Para ter idéia do tumultuado passado da área visite o **forte Kochi** *(págs. 644-5)* nesta agitada cidade portuária. Outra atração é o **Palácio Padmana Bhapuram** *(págs. 630-31)*, um exemplo notá-vel da singular arquitetura com madeira de Kerala.

ANDHRA PRADESH

- **A velha cidade de Hyderabad**
- **As ruínas de Golconda**
- **Sítios budistas**

Hyderabad *(págs. 660-65)* é uma cidade de palácios, mesquitas e bazares grandiosos. A área de **Charminar** *(págs. 662-3)* é ideal para conhecer o legado dos nababescos Nizam da cidade. Fora da cidade ficam as vastas ruínas de **Golconda** *(págs. 666-7)*, uma lendária cidadela do século 16. Ao longo do rio Krishna, vêem-se os povoados budistas do estado em **Amravati** *(pág. 675)* e **Nagarjunakonda** *(pág. 676)*, que tem o nome do filósofo budista do século 2°.

As muralhas do Forte Golconda, nos arredores de Hyderabad

Norte da Índia dentro do Mapa

O Norte da Índia abrange uma faixa que se estende da cordilheira do Himalaia, ao norte, até a parte superior do planalto do Decã, e cobre 2.331.318km². É banhado por três rios –o Indo, o Ganges e o Brahmaputra–, todos com nascente no Himalaia. A área central é formada pelas planícies indo-gangéticas, densamente povoadas. Cerca de 705 milhões de pessoas vivem aqui e falam dez idiomas importantes. As duas grandes cidades são Délhi, a capital, e Calcutá (ou Kolkata), que têm boas conexões aéreas internacionais.

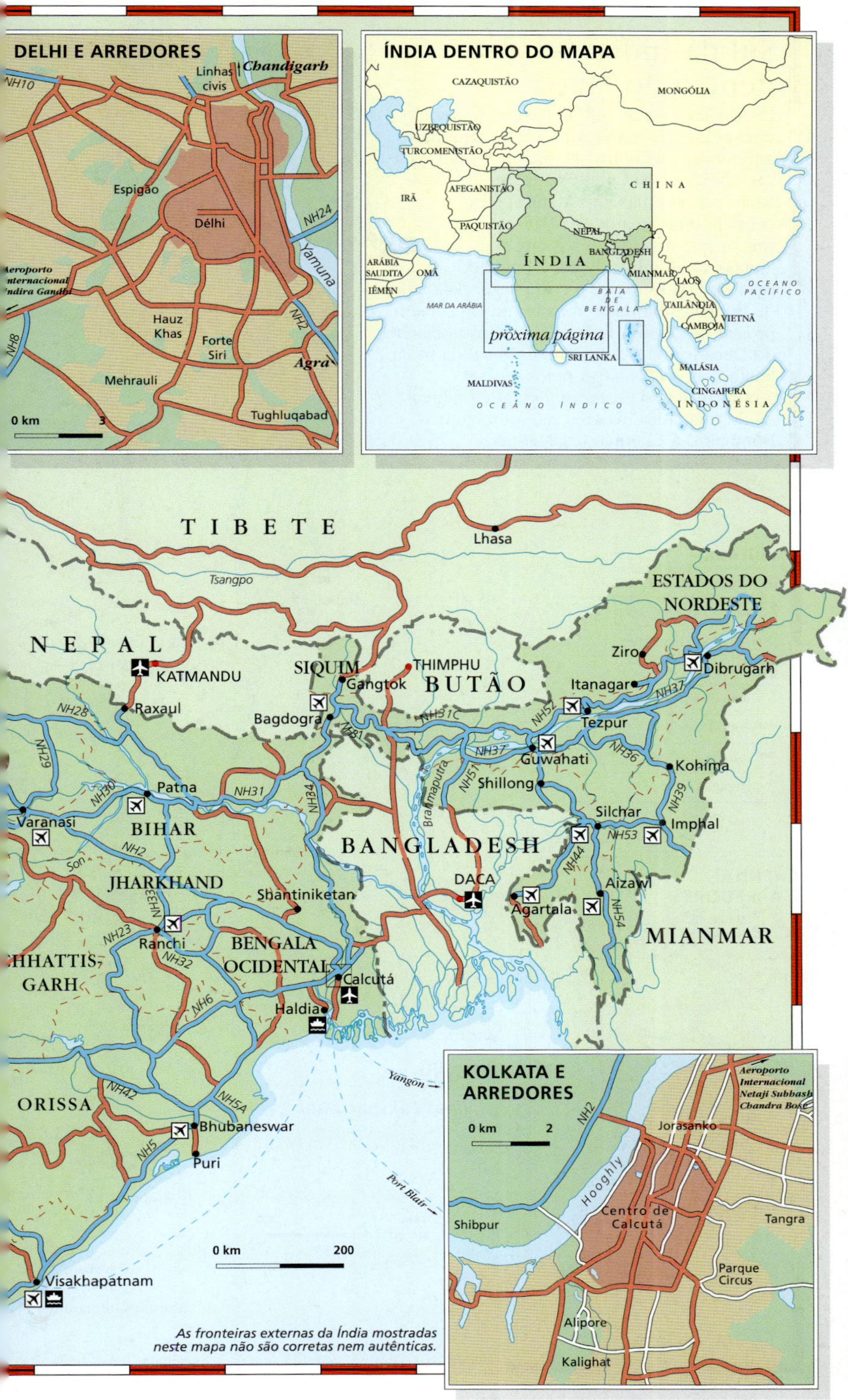

DELHI E ARREDORES
Linhas civis
Chandigarh
NH10
Espigão
Délhi
NH24
Yamuna
Aeroporto Internacional Indira Gandhi
Hauz Khas
Forte Siri
NH2
NH8
Agra
Mehrauli
Tughluqabad
0 km 3
ÍNDIA DENTRO DO MAPA
CAZAQUISTÃO
MONGÓLIA
UZBEQUISTÃO
TURCOMENISTÃO
CHINA
AFEGANISTÃO
IRÃ
PAQUISTÃO
NEPAL
BANGLADESH
ÍNDIA
ARÁBIA SAUDITA
OMÃ
IÊMEN
MIANMAR
LAOS
OCEANO PACÍFICO
MAR DA ARÁBIA
BAÍA DE BENGALA
TAILÂNDIA
VIETNÃ
CAMBOJA
próxima página
SRI LANKA
MALÁSIA
MALDIVAS
CINGAPURA
OCEANO ÍNDICO
INDONÉSIA
TIBETE
Lhasa
Tsangpo
ESTADOS DO NORDESTE
NEPAL
Ziro
THIMPHU
SIQUIM
KATMANDU
Gangtok
BUTÃO
Itanagar
Dibrugarh
NH37
NH28
Raxaul
Bagdogra
NH31C
NH52
Tezpur
NH29
NH31
NH37
Guwahati
NH36
Kohima
NH30
Patna
NH31
NH34
NH51
Brahmaputra
Shillong
NH39
Varanasi
BIHAR
Silchar
Imphal
NH2
BANGLADESH
NH53
Son
NH44
JHARKHAND
DACA
Aizawl
Shantiniketan
NH33
Agartala
NH54
NH23
Ranchi
BENGALA OCIDENTAL
MIANMAR
CHHATTISGARH
NH32
Calcutá
NH6
Haldia
Yangon
NH42
KOLKATA E ARREDORES
ORISSA
NH5A
NH2
0 km 2
Aeroporto Internacional Netaji Subhash Chandra Bose
Jorasanko
Bhubaneswar
NH5
Puri
Port Blair
Hooghly
Centro de Calcutá
Tangra
Shibpur
0 km 200
Parque Circus
Visakhapatnam
Alipore
As fronteiras externas da Índia mostradas neste mapa não são corretas nem autênticas.
Kalighat

Sul da Índia dentro do Mapa

Os seis estados do Sul da Índia ficam em uma península triangular, que forma a parte inferior do subcontinente indiano. Com uma população de 322 milhões de pessoas, que falam seis idiomas importantes, eles ocupam uma área de 955.945km² (maior que a França e a Alemanha juntas). O litoral ocidental é banhado pelo Mar da Arábia, e a costa leste, pela baía de Bengala, enquanto a extremidade sul se projeta no oceano Índico. O rochoso planalto do Decã forma a área central do sul da Índia, limitada dos dois lados pelos morros arborizados dos Ghats Ocidental e Oriental. As duas cidades maiores são Mumbai (ex-Bombaim) e Chennai (ex-Madras).

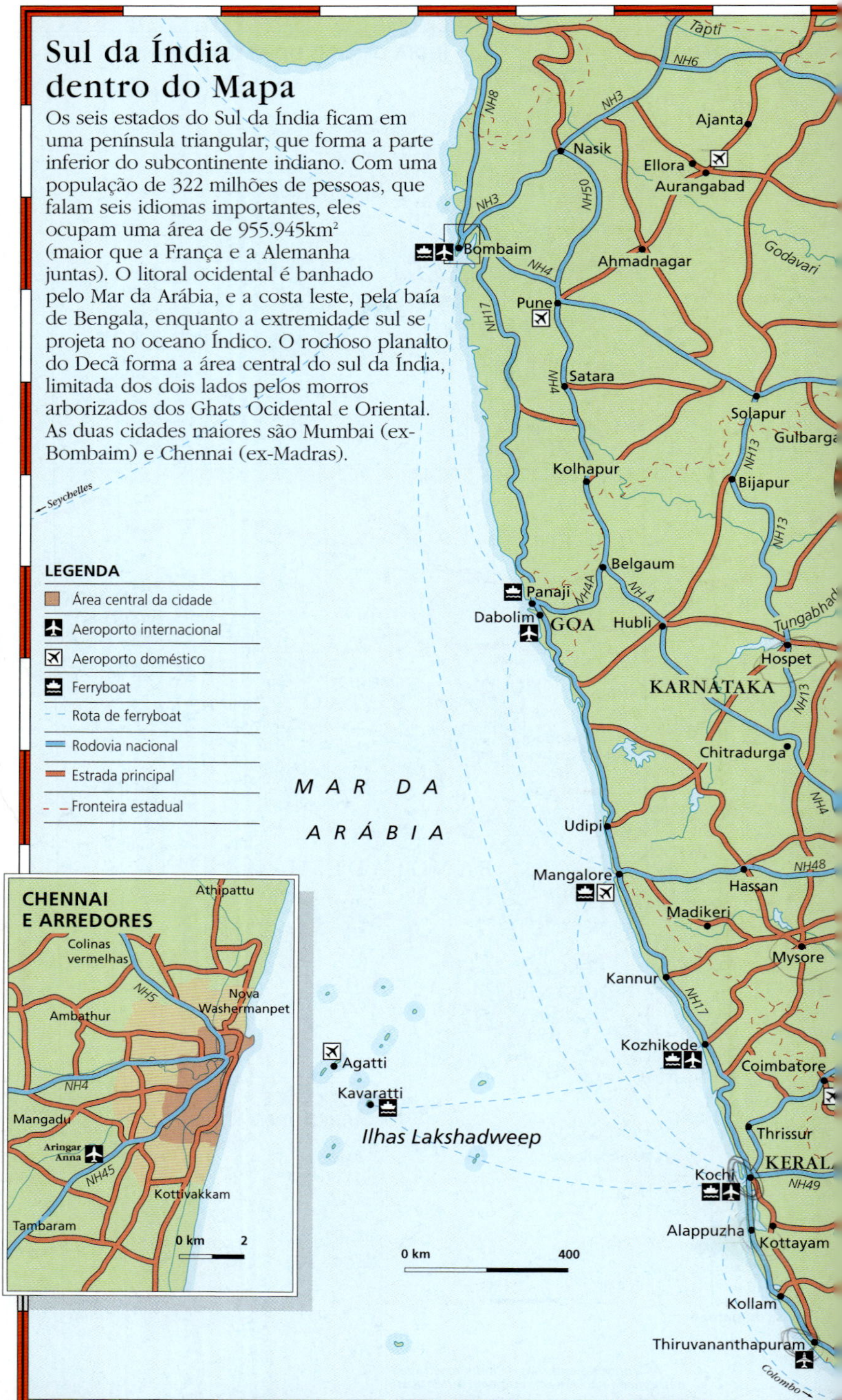

ÍNDIA
MAHARASHTRA
ANDHRA PRADESH
TAMIL NADU
SRI LANKA
BAÍA DE BENGALA
Nagpur
Raipur
Nizamabad
Karimnagar
Warangal
Bidar
Hyderabad
Khammam
Rajahmundry
Vijayawada
Guntur
Nagarjuna Sagar
Krishna
Godavari
Alampur
Kurnool
Gooty
Cuddapah
Penneru
Puttaparthi
Lepakshi
Tirupati
Madras
Vellore
Kanchipuram
angalore
Pondicherry
Salem
Chidambaram
Kaveri
Tiruchirapalli
Thanjavur
Madurai
Jaffna
Rameshvaram
Tuticorin
runelvelli
Tiruchendur
Trincomalee
anniyakumari
NH6
NH16
NH7
NH9
NH18
NH5
NH4
NH46
NH45
NH47
NH49
NH7A
Visakhapatnam
Kolkata
Yangon
Port Blair
Colombo
MUMBAI E ARREDORES
Thane
Andheri
Sahar
Bandra
Trombay
Nova Mumbai
Mazagaon
Nhave
NH8
NH3
NH4
0 km 1
ILHAS ANDAMAN E NICOBAR
Andaman do Norte
Andaman Central
Ilhas Andaman
Andaman do Sul
Port Blair
Pequena Andaman
Chennai
Penang
Car Nicobar
Camorta
Ilhas Nicobar
Pequena Nicobar
Grande Nicobar
0 km 200

Paisagem e Vida Selvagem

Periquito-de-cabeça-roxa

A Índia tem enorme diversidade de paisagens e vegetações, que abrigam e alimentam uma rica variedade de vida selvagem. O país é limitado ao norte pela majestosa cordilheira do Himalaia. Em seu sopé, estendendo-se pela Índia Central, estão as planícies indo-gangéticas, férteis e densamente povoadas. O Oeste é quase todo coberto pelo deserto de Thar. Ao sul das planícies gangéticas fica o planalto do Decã, ladeado pelos Ghats Oriental e Ocidental. O litoral de 7.516km de extensão é banhado pelo Mar da Arábia, pelo Oceano Índico e pela baía de Bengala.

No **Himalaia**, *a paisagem exibe picos nevados, riachos gelados e encostas cheias de pinheiros* (págs. 64-5).

O OESTE ÁRIDO

O deserto de Thar e as terras de vegetação rasteira ao redor dão vida a uma grande variedade de flora e fauna. Mais a oeste, as dunas de areia de Rajasthan dão lugar a campos salinos áridos e pântanos do Rann de Kutch.

O **antílope cervicapra** *está entre os animais mais rápidos, atingindo até 80km por hora numa corrida.*

Os **leões asiáticos**, *antes encontrados por todo o Norte da Índia, agora são vistos apenas na Reserva Gir, em Gujarat* (pág. 423).

A **águia-cobreira-de-crista** *é uma ave de rapina com uma faixa preta e branca por dentro das asas.*

AS PLANÍCIES GANGÉTICAS

O rico solo de aluvião destas planícies, que se estendem do noroeste ao leste da Índia, é cultivado há milhares de anos. Atualmente, aqui se cultivam arroz, trigo e outros grãos, além de cana-de-açúcar.

Os **elefantes asiáticos** *somam apenas 45 mil cabeças (contra os 250 mil elefantes africanos) e se tornaram uma espécie ameaçada de extinção.*

As **cegonhas-pintadas** *migram para lagos e charcos durante o período de reprodução, entre julho e outubro.*

Os **Javalis** *são comuns nas florestas decíduas da Índia. Os machos têm presas e podem ficar muito agressivos.*

As **avocetas** *migram para o litoral e os charcos de Gujarat e Maharashtra em novembro.*

O LITORAL

A diversidade litorânea se revela em praias de areia debruadas de coqueiros, em Goa e Kerala; recifes de coral, nas Andaman; e manguesais em Bengala Ocidental e Orissa. A costa leste é sempre assolada por ciclones.

As **estrelas-do-mar**, *que se agarram às pedras, podem ser vistas em poças de maré baixa, por todo o litoral.*

PLANALTO DO DECÃ

Separado das planícies gangéticas pelas dispersas montanhas Vindhyas, o planalto do Decã é coberto por um solo vulcânico preto e por rochas cristalinas milenares. Sua riqueza mineral conta com ouro e diamante.

Os **Tigres**, *espécie ameaçada e com apenas 3.500 exemplares no país, são encontrados na Índia peninsular.*

Borboletas-daniel *são comuns na região.*

O **langur**, *ou macaco Hanuman* (Semnopithecus entellus), *vive em grandes grupos liderados por um macho adulto.*

O **pavão**, *pássaro nacional da Índia, executa uma dança espetacular quando surgem nuvens de chuva.*

OS GHATS

Os morros dos Ghats Ocidental e Oriental são cobertos de florestas de teca, pau-rosa, *sal (Shorea robusta)* e sândalo *(Santalam album)*, apreciado pela madeira perfumada. Muitas espécies de orquídea nascem aqui.

O **tar-de-nilgiri**, *um caprino, vive nas partes altas dos Ghats Ocidentais* (pág. 649).

O **sapo-boi** *infla seu saco vocal durante o período do acasalamento, na monção.*

A **naja-de-óculos**, *ou naja-indiana, tem um desenho em forma de óculos atrás da cabeça. Outro réptil é a naja-rainha, a maior cobra venenosa do mundo.*

Arquitetura Sacra

Painel do teto de um templo jainista

O legado arquitetônico de 2 mil anos da Índia está intimamente ligado às principais religiões do país. Entre as formas nativas estão *stupas* e mosteiros budistas e templos hinduístas e jainistas *(págs. 396-7)* em diversos estilos. Mas muitos templos indianos revelam traços estruturais comuns, e quase sempre são construídos com colunas de pedra e blocos horizontais, muitas vezes entalhados com imagens sacras e motivos decorativos. O arco verdadeiro e a cúpula, assim como o uso da argamassa, foram introduzidos no século 12 pelos conquistadores muçulmanos.

Coluna esculpida no Templo Narayana, em Melkote

ARQUITETURA BUDISTA

Os primeiros monumentos religiosos da Índia foram as *stupas*, montículos funerários hemisféricos, os santuários cavados na rocha *(chaityas)* e os mosteiros *(viharas)*. Os *chaityas* eram locais de oração, ao passo que os *viharas* abrigavam monges e consistiam em celas dispostas nos quatro lados de um pátio aberto.

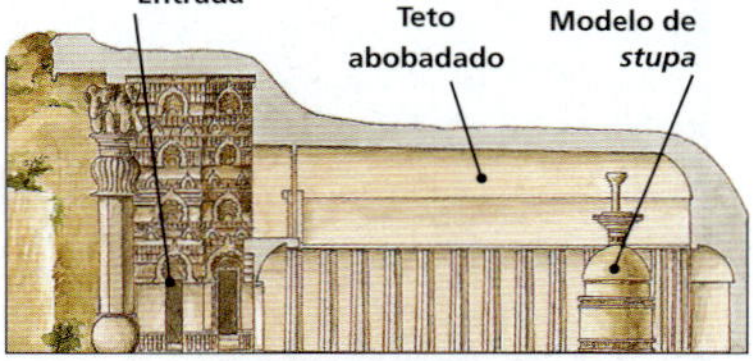

Os **chaity** *serviam de salões (grihas) para a prece dos fiéis e continham um modelo de* stupa *numa extremidade.*

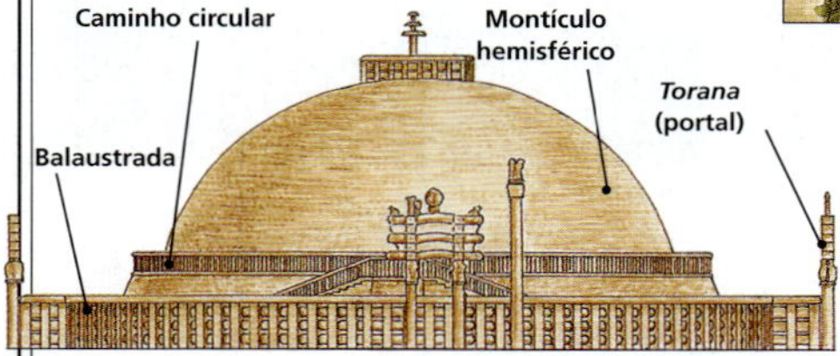

As **stupas** *eram relicários monumentais onde se enterravam as cinzas de mestres budistas, incluindo Buda. A* stupa *de Sanchi* (págs. 244-5) *é coberta de pedra e rodeada por uma balaustrada alta, com portais* (toranas).

Os **chaityas cavados na rocha** *têm teto como um cilindro abobadado, que no exterior é um arco em forma de ferradura.*

TEMPLOS HINDUS

No Norte da Índia, a torre elevada do santuário interno tem o formato de *shikhara* (espiral), coroada por um motivo circular de nervuras, o *amalaka*. Os templos do Sul do país, por sua vez, têm espiral piramidal *(vimana)* de muitos andares, e no topo possuem um telhado hemisférico ou em cilindro abobadado. O culto nos dois tipos ocorre em um pequeno santuário escuro, o *garbhagriha* (câmara uterina).

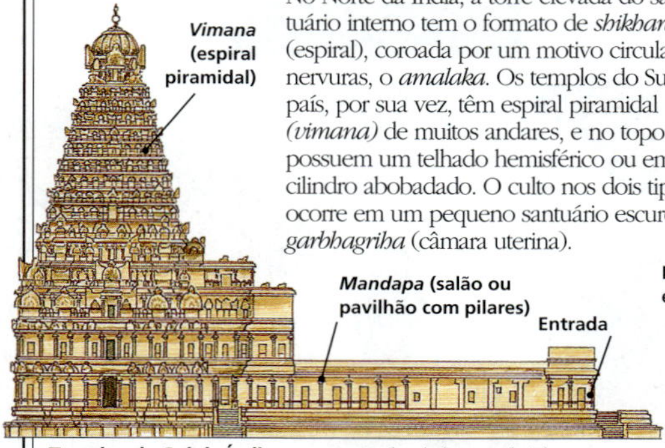

Templos do Sul da Índia, *como o Brihadishvara de Thanjavur* (págs. 598-9), *dispõem de corredores e salões espaçosos* (mandapas), *com muitas colunas decoradas, que levam à* garbhagriha, *acima da qual se ergue a espiral de muitos andares.*

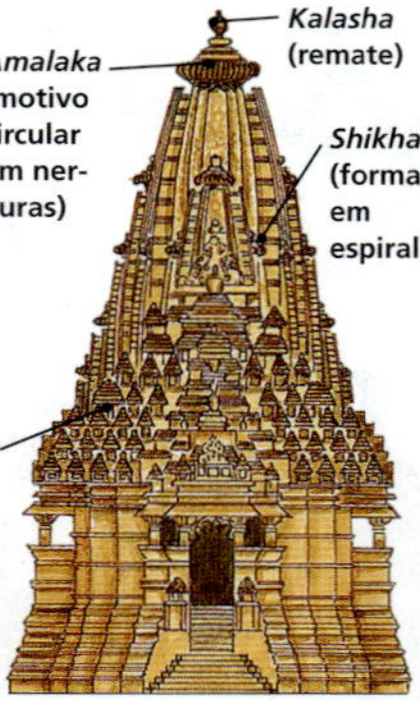

Em **Khajuraho** *a* shikhara *do Templo Kandariya Mahadev* (págs. 236-7) *é considerada a melhor do Norte.*

ARQUITETURA ISLÂMICA

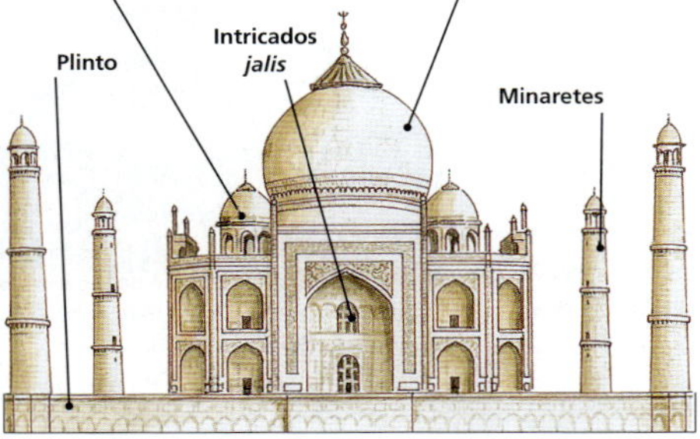

Taj Mahal *(págs. 172-3)*, o auge da arquitetura islâmica

Mesquitas e túmulos representam uma tradição importada, que foi absorvida pela arquitetura indiana. As mesquitas têm salões de orações abobadados na ponta de um pátio aberto. O *mihrab* (nicho em arco) volta-se para oeste, em direção a Meca. Os mogüis introduziram o túmulo ajardinado, erguido acima de um plinto alto, no centro de um *charbagh*, jardim fechado dividido em quatro. Os elementos decorativos são escritos persas e árabes, padrões geométricos e motivos florais, típicos da arte islâmica.

Mihrab*, mesquita de Bidar *(pág. 545)

GURDWARAS

A gurdwara sique, uma câmara de oração que abriga o *Granth Sahib*, ou Livro Santo, em geral tem uma abóbada ladeada por arcadas. Baseadas no estilo mogul tardio, que dominou o Norte da Índia no século 18, as gurdwaras misturam estilos arquitetônicos islâmicos e hindus.

O Templo de Ouro de Amritsar *(págs. 106-7)*

IGREJAS

Embora a arquitetura religiosa de Kerala seja anterior à chegada dos europeus, a maioria das casas de oração cristãs, como as de Goa *(págs. 496-7)*, foi construída em estilos europeus. Um projeto comum tem o pórtico neoclássico com torre cônica. Muitas igrejas indianas também foram erguidas no estilo neogótico, como a Afghan Memorial Church of St John the Evangelist *(pág. 447)*.

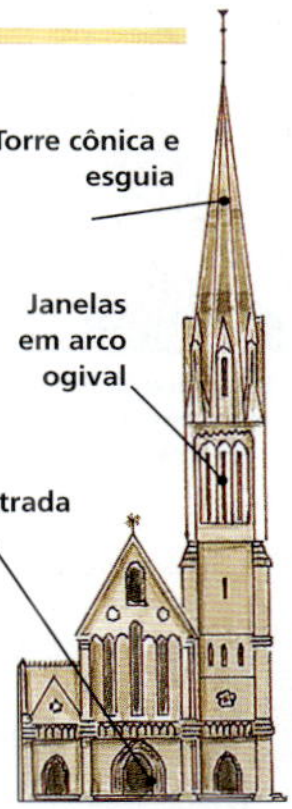

Afghan Memorial Church, em Mumbai

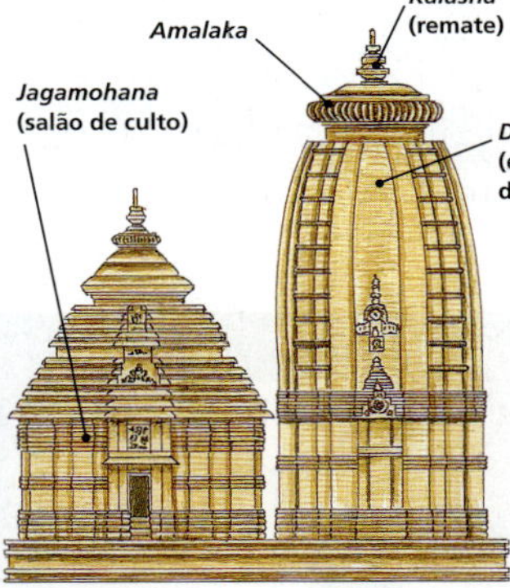

Templo Mukteshwar (pág. 307) *é o exemplo da arquitetura religiosa de Orissa. Possui uma espiral curva* (deul) *e um salão de culto anexo* (jagamohana).

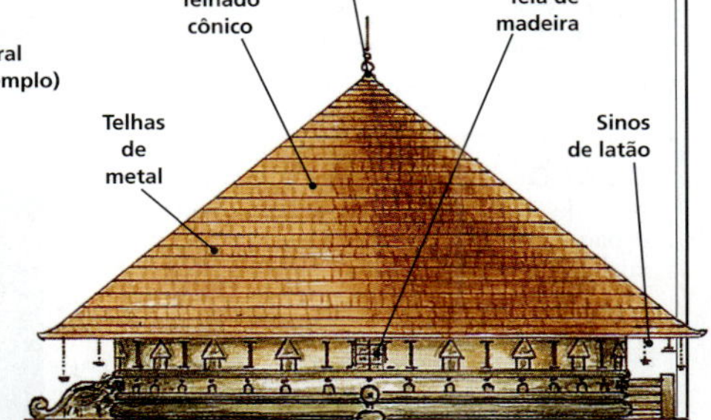

O **templos de Kerala**, *como o de Ettumanur* (pág. 638), *têm formato diferente. Em geral, são circulares, com camadas de telhados de lâminas de metal ou telhas de barro. A estrutura é embelezada por entalhes em madeira e murais.*

Arquitetura Secular

Detalhe de uma sala espelhada

Construções seculares magníficas, como fortes, palácios e mansões *(havelis)* foram erguidas por famílias aristocráticas e governantes poderosos. Muitas delas, em especial em Rajasthan e Gujarat *(págs. 346-7)*, misturam com equilíbrio a monumentalidade da escala e a imponência de elementos decorativos. Os britânicos impuseram sua própria chancela arquitetônica, uma fusão do Oriente e do Ocidente. Diversas formas nativas se mantiveram imutáveis através dos anos e são vistos por toda a Índia rural.

Laxmi Vilas, em Vadodara *(pág. 419)*, erguido no fim do século 19

ARQUITETURA INSTITUCIONAL

Escultura na Estação Churchgate, em Mumbai

Em meados do século 19, os britânicos começaram a incorporar elementos da arquitetura islâmica indiana aos estilos neoclássico e neogótico europeus. Denominado indo-sarraceno, esse estilo refletia o orgulho imperial e cívico. Entre os prédios públicos indo-sarracenos estão o Terminal Vitória *(págs. 454-5)* e a Universidade de Mumbai, além da Suprema Corte e da estação Egmore, em Chennai. Seu apogeu foi a construção da nova capital, Nova Délhi *(págs. 72-3)*, onde sir Edwin Lutyens e sócios criaram um grandioso estilo arquitetônico, síntese elegante das tradições indianas e européias.

Janela gótica, na Universidade de Mumbai

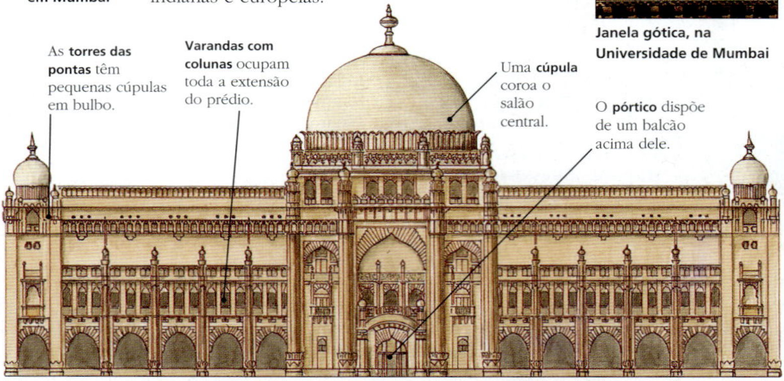

Museu Príncipe de Gales, em Mumbai *(págs. 450-51)*, inspirado no Gol Gumbad de Bijapur *(pág. 543)*

O PÁTIO

Na Índia, a arquitetura doméstica dividia os espaços em públicos e privados. A parte frontal da casa era aberta a visitantes e hóspedes, mas logo atrás ficava o pátio, o coração do lar, restrito à família. As mansões maiores, como as de Shekhawati *(pág. 372)*, Jaisalmer *(pág. 387)* e Chettinad *(pág. 612)*, possuíam muitos pátios rodeados por colunatas elaboradas. A separação dos espaços público e privado dentro da casa teve origem nas convenções sociais que escondiam as mulheres da vista de todos.

Pátio com pilares e portas de madeira entalhados

ARQUITETURA POPULAR

Nicho pintado

As casas rurais refletem os diversos climas do país e o tipo de material disponível. Apesar da diversidade, predominam alguns princípios gerais. Em uma residência típica, entra-se por uma porta formal, geralmente protegida por uma varanda e ladeada por bancos altos. O primeiro cômodo costuma ser usado como sala de estar e quarto, por isso é maior. A comida e as refeições são feitas atrás, do outro lado de um pátio interno, perto do poço ou do suprimento de água. As moradias hindus têm um pequeno pedestal de alvenaria (vrindavan) no pátio, onde se cultiva tulsi (manjericão), a planta sagrada para as preces diárias.

Paredes feitas de tiras de bambu.

Toras longas atuam como suportes.

Casas tribais *nas florestas do Nordeste são erguidas rapidamente com madeira e bambu. Conforme a família cresce, acrescentam-se cômodos.*

Placas de ardósia servem para fazer telhados fortes.

Pilares de madeira na varanda de cima.

As **casas nas montanhas** *são construídas em terras altas e têm dois andares. No inverno, o térreo serve de estábulo para a criação.*

Os **vilarejos na Índia Central** *são aglomerados compactos de casas, que podem ser grandes ou ter um só cômodo. Em algumas, o telhado é plano para a família dormir no verão.*

As casas litorâneas *têm telhado inclinado, que as protege do sol e da chuva. O* tulsi *(manjericão) mostra que esta é uma casa hindu.*

Paredes de barro reforçadas com palha e esterco de gado.

Telhado de palha, feito com capim local e trocado anualmente.

As **moradias do deserto***, feitas de barro, consistem em um salão coberto de palha, fechado por uma parede. O* kothi *circular é para estocar cereais. Desenhos de cal decoram os muros.*

MATERIAIS DE CONSTRUÇÃO

Teto circular de palha

Por tradição, a maioria das casas era feita com o material disponível no local. Bambu e palha foram empregados na construção de casas em Bengala, em Orissa e no Nordeste, enquanto a pedra e as telhas de barro eram usadas em Madhya Pradesh, em Maharashtra e no Sul. Lamentavelmente, tais materiais estão sendo substituídos por aço e concreto. Mas o barro ainda é o material mais comum, aplicado diretamente ou misturado com palha e esterco de gado.

Bambu trançado para paredes

Telhado de folha de coqueiro

Telhado feito de capim

Telhas capa-e-canal

Tijolos de barro secos ao sol

Bloco de pedra, ideal para muros

Mitologia Hindu

Garuda, águia solar

As esculturas constituem a melhor maneira de conhecer o enorme panteão de deuses, deusas hindus e suas façanhas divinas. Os princípios para a arquitetura dos templos foram estabelecidos no império dos guptas (séculos 4º a 6º a.C.). Os templos indianos são decorados com uma profusão de esculturas que não têm função meramente decorativa, pois oferecem uma interpretação visual da mitologia hindu. As variadas manifestações das divindades, como Shiva, Vishnu e Devi (deusa também chamada Parvati, Durga, Kali) são retratadas em detalhes. Semideuses, a exemplo de devotos, ninfas e músicos, completam o quadro.

Dvarapala *é o guardião armado que fica na entrada do templo ou na porta do santuário interno. Tais figuras ameaçadoras empunham armas para proteger a divindade de intrusos.*

Os **deuses védicos**, *como Surya, o Deus Sol, eram manifestações da natureza e dos elementos. Foram incorporados ao panteão de divindades hindus há quase 2 mil anos.*

Lakshmi, *Deusa da Riqueza, aparece como Gajalakshmi neste painel de Mamallapuram* (pág. 579). *Ela é vista com dois elefantes* (gaja), *que a banham com a tromba levantada.*

Karttikeya está montado em seu pavão-veículo *(vahana)*.

Indra, deus védico dos céus, senta-se no Airavata, elefante branco de quatro trombas, que representa a nuvem da chuva.

Mulher auxiliar

Lakshmi, consorte de Vishnu

Garuda, veículo *(vahana)* de Vishnu, é metade homem e metade águia.

VISHNU ANANTASAYANA

Este painel do século 5º, de Deogarh *(pág. 233)*, retrata Vishnu dormindo na serpente Anante, cuja cabeça o protege. Brahma, em um lótus, surge atrás, enquanto Shiva se senta com Parvati em seu *vahana*, o touro Nandi. Auxiliares e seres celestiais rodeiam a figura. O disco, o escudo e a espada, atributos de Vishnu, estão personificados abaixo para repelir os demônios.

A **encarnação anã de Vishnu**, *Vamana* (pág. 679), *transforma-se em um gigante para medir o universo em três passos. Neste painel de Badami* (págs. 536-7) *ele está com uma perna levantada para o céu.*

Mohini, *forma feminina de Vishnu, é descrita como a donzela mais sedutora que se pode imaginar. Cortesãs e ninfas também foram esculpidas como figuras de apoio.*

Brahma, *o Criador, faz parte da santa Trindade (Trimurti) de deuses que inclui Vishnu e Shiva. Ele é retratado com quatro cabeças, das quais apenas três costumam ser visíveis, e segura um cetro, uma colher, um rosário e os Vedas. Aqui, é visto com a consorte, Saraswati, Deusa do Saber.*

Shiva, *Deus da Destruição, está sentado com a esposa, Parvati, que representa seu aspecto pacífico e doméstico. Shiva segura um bastão de tocar elefante e um tambor* (dumroo), *e Parvati tem uma flor de lótus* (kamal) *na mão.*

Shiva e Parvati

Figura celestial alada

Ananta, a Serpente de Muitas Cabeças, também é conhecida como Adishesha.

Vishnu, o que preserva

Auxiliares, as personificações dos quatro atributos de Vishnu, protegem o deus dos demônios.

Durga, *a forma violenta da gentil Parvati, mata o búfalo-demônio, Mahishasura. Este painel de Mamallapuram, conhecido como Mahishasuramardini, mostra Durga montada em um leão com uma arma mortal em cada um dos oito braços, dados pelos deuses para aniquilar o demônio.*

Karttikeya, *filho guerreiro de Shiva, tem um pavão como* vahana. *Ele também é conhecido como Skanda, Subramanya e Murugan no Sul da Índia. O outro filho de Shiva é Ganesha* (pág. 467).

Devotos *muitas vezes são elevados à categoria de santos e reverenciados por sua devoção a Shiva ou a Vishnu. Este bronze do século 11 é de um menino santo de Shaivite, segurando címbalos nas mãos.*

Dançarinas, músicos e outros artistas quase sempre são entalhados nos plintos baixos dos templos

Os Grandes Épicos

Pandava numa carta de *ganjifa*

Os dois grandes poemas épicos, o *Ramayana* e o *Mahabharata*, causaram um impacto duradouro na cultura e na filosofia indianas. Durante séculos, suas histórias inspiraram a pintura, a música, a dança e o teatro e, mais recentemente, seriados populares de TV. Com um fundo de sabedoria sobre o comportamento, as emoções e os dilemas morais do ser humano, os épicos continuam a orientar a vida cotidiana de milhões de indianos. Embora conhecidos na forma oral desde 500 a.C., só foram escritos por volta do século 4º d.C.

Arjuna *flechou o olho do peixe refletido na água e ganhou a mão de Draupadi, que então se casou com os cinco irmãos.*

Num jogo de dados *com os kauravas, os pandavas perderam seu reino e Draupadi. Ela foi salva de ser despida pelos kauravas quando seu sári continuou a crescer magicamente para cobri-la.*

O MAHABHARATA

Este épico relata a rivalidade entre cinco heróicos irmãos Pandava –Yudishthira, Bhima, Arjuna, Nakul e Sahdeva– e cem membros do clã Kaurava, liderado por Duryodhana, que culmina em uma grande batalha. Muitas outras fábulas, lendas e narrativas se entrelaçam com a história central, o que torna o *Mahabharata* oito vezes mais longo que a *Ilíada* e a *Odisséia* juntas.

Forçados ao exílio *após o jogo de dados, os pandavas vaguearam pela Índia durante 13 anos. No último ano, Arjuna se disfarçou de eunuco e deu aulas de dança.*

O **Bhagavad Gita** *é um sermão feito para Arjuna por Krishna, que atuou como cocheiro do herói, na batalha de Kurukshetra. Trata-se de famoso discurso sobre ética e moralidade, com a essência da religião e da filosofia hindus.*

Na batalha final, *os kauravas criaram uma formação defensiva em formato de teia de aranha chamada* chakravyuha, *dentro da qual o filho de Arjuna foi preso e morto. Porém, no 18º dia dessa batalha feroz, os pandavas, com a orientação divina de Krishna, finalmente foram vitoriosos. Retomaram seu reino e o governaram com Draupadi como rainha.*

O RAMAYANA

Rama, o herói ideal, impedido de se tornar rei de Ayodhya pelas intrigas de sua madrasta, foi exilado com a esposa, Sita, e o irmão Lakshman. O rei-demônio Ravana sequestrou Sita, que foi, depois, resgatada pelos dois irmãos, com ajuda do Deus Macaco Hanuman. Rama é venerado como encarnação de Vishnu *(pág. 679)*.

O **casamento de Rama e Sita** *ocorreu depois que Rama quebrou o grande arco de Shiva, que outros pretendentes à mão dela nem conseguiram levantar do chão.*

Exilados na floresta *por 14 anos, Rama, Sita e Lakshman viveram com simplicidade e visitaram os retiros de muitos santos sábios.*

Sita foi raptada *de sua cabana da floresta por Ravana, o rei-demônio de Lanka, que chegou disfarçado de mendigo. O corajoso abutre Jatayu tentou salvá-la, mas foi ferido nas asas por Ravana. Porém, o pássaro conseguiu contar a Rana o que ocorrera antes de morrer.*

As **dez cabeças de Ravana** *e os 20 braços simbolizam seu grande vigor intelectual e físico.*

Hanuman, o Deus Macaco, *é uma figura muito querida no panteão de deuses hindus, venerado por seus poderes milagrosos, pela coragem e pelas proezas físicas.*

O palácio de Ravana em Lanka *foi atacado por Rama e Lakshman, que, com ajuda de Hanuman e seu exército de macacos, salvaram Sita e mataram Ravana. Gravemente ferido da batalha, Lakshman foi salvo por uma erva mágica da montanha, Sanjivini, trazida por Hanuman.*

A volta triunfante de Rama *para Ayodhya é comemorada no festival de luzes, em Diwali* (pág. 37), *que simboliza a vitória do bem contra o mal.*

Música e Dança Clássicas

Sarangi e arco

A música e a dança indianas constituem um modo de veneração e, ao mesmo tempo, uma celebração alegre da vida. Baseadas em textos milenares codificados, elas surgiram como forma de adoração nos templos e, aos poucos, adquiriram um caráter mais secular, com proteção real. Diferentes regiões da Índia possuem formas próprias de dança, enquanto a música é diferenciada por dois estilos principais –o hindustani e o carnático *(pág. 595)*, este último específico do Sul da Índia.

A **kuchipudi** *é uma forma de dança muito teatral de Andhra Pradesh, que costuma representar cenas dos grandes épicos.*

Friso de uma dançarina em um templo do século 11, no Sul da Índia

A **complexidade** do trabalho com pés, ritmo e piruetas caracteriza esta forma de dança.

Uma **saia rodopiante** é usada sobre uma calça justa.

Ghungroos (guisos) ajudam a marcar o ritmo.

A **kathak** *era a dança preferida nas cortes reais do norte da Índia.*

A **tiara** tem formato de uma espiral de templo.

Sensual e espiritual, a um só tempo, a dança odissi tem movimentos sinuosos e poses quase esculturais.

Pregas em leque enfeitam a frente do sári.

A **odissi** *se desenvolveu nos templos de Orissa como uma oferenda às divindades.*

DANÇA CLÁSSICA

Grande variação de gestos das mãos, expressões faciais e posturas corporais, codificadas pelo *Natya Shastra*, um tratado do século 4º, constituem a "linguagem" das formas na dança clássica indiana, na qual a música e a percussão têm papéis importantes. Em geral, os temas dançados se baseiam na mitologia religiosa.

MÚSICA HINDUSTANI

As origens da música clássica hindustani remontam a cerca de 3000 a.C. Seus fundamentos são a *raga* (linha melódica) e a *tala* (ciclo rítmico), e não existem partituras. Isso proporciona ao artista um grande espaço para improvisar dentro da estrutura melódica de uma *raga*. Há mais de cem *ragas*, cada uma destinada a um momento específico do dia ou da estação, conforme o estado de espírito ou as imagens que a melodia evoca. Protetores nobres fundaram muitas *gharanas* (escolas de música) que preservaram a individualidade por meio da transmissão oral do conhecimento do guru (mestre) para o *shishya* (discípulo).

Ravi Shankar, *um dos maiores virtuoses de cítara da Índia, introduziu a música clássica indiana no Ocidente.*

Amjad Ali Khan *toca* sarod, *instrumento criado por seu avô a partir do* rabab, *um alaúde medieval da Ásia Central.*

Nove rasas *(estados de espírito) são mencionados no* Natya Shastra, *tratado do século 4°. Desde o erótico, o cômico e o patético, até o odioso, o maravilhoso e o tranquilo, os* rasas *cobrem qualquer estado de espírito e expressão na música, na dança ou na pintura. Esta iluminura do século 17 retrata o espírito sereno da* Raga Todi *matutina.*

A dança **kathakali** *de Kerala utiliza máscaras espetaculares* (pág. 657)

A **bharat natyam**, *de Tamil Nadu, apresenta movimentos* (mudras) *eloquentes dos olhos e das mãos.*

Manipur, *do Nordeste, representa a lenda de Radha e Krishna* (pág. 179).

Bismillah Khan *popularizou a* shehnai, *tipo de flauta cerimonial de junco, da família do oboé, que se tornou instrumento de concertos.*

Zakir Hussain *toca* tabla, *dupla de tambores que faz a percussão na maioria das apresentações de música e dança.*

Kishori Amonkar *é cantora. Em geral, um concerto começa com uma lenta evocação da raga, seguida da linha melódica, para culminar num ritmo rápido.*

Costumes da Índia

Um dos aspectos mais notáveis dos trajes indianos é o modo engenhoso com que é usado um pedaço de pano comprido sem costuras. Elegantemente drapeada como um sári, ou enrolada na cabeça como um turbante, a tira de tecido é versátil, usada por homens e mulheres. Entre as roupas costuradas estão a kurta, uma calça justa, o *sherwani*, a saia volumosa *(ghaghara* ou *lehenga)*, além de calças, de camisas e do onipresente jeans. Atualmente, apesar da crescente influência das tendências da moda ocidental, a maioria dos indianos continua a se vestir do jeito tradicional. O sári, em especial, ainda é usado na Índia toda, com estilos de drapeados segundo a região.

O **véu** (odhni *ou* dupatta) *faz parte da roupa em sociedades conservadoras.*

Em geral, o **sári** *tem 5,5m de comprimento e é preso na cintura, com pregas dobradas numa anágua.* A pallav *(parte final) é puxada por cima do ombro esquerdo ou drapeada sobre a cabeça.*

Safa (turbante)

Angavastram é o manto sem costuras drapeado sobre o ombro.

Blusa de sári

Sári

Dobras em pulseiras do *churidar*.

CASAMENTO INDIANO

Festivais e casamentos são ocasiões para exibir os diversos tipos de roupa usados por homens e mulheres na Índia. Tais eventos mantiveram vivos os costumes e os trajes tradicionais.

O salwar-kameez *consiste em uma calça folgada* (salwar)*, em uma túnica solta* (kameez) *e na* dupatta, *usadas pelas mulheres do Punjab. Agora, esse traje é usado em toda a Índia.*

As **mulheres de Maharashtra** *usam sáris de 8m, num estilo bem semelhante a um* dhoti. *O tecido a mais é pregueado na frente, preso entre as pernas e dobrado nas costas, permitindo liberdade de movimentos.*

Em **Kerala**, *as mulheres usam um sári de duas peças* (mundu-veshti)*, no qual o* mundu *forma a parte de baixo, enquanto o* veshti *é preso na cintura para criar o* pallav. *Os homens só usam a parte de baixo, com um* angavastram.

NA CABEÇA

Para os homens, o acessório mais importante é o turbante *(pagri* ou *safa)*, uma tira de tecido sem costura habilmente enrolada na cabeça. Mais que meros recursos da moda, o estilo e a cor do turbante indicam também a casta social e religiosa, além do status regional do dono. Os turbantes de Rajasthan fazem parte do caráter cultural da terra, ao passo que no Punjab o turbante sique é característico de sua identidade como comunidade marcial *(pág. 103)*. A partir de meados do século 19, *os topis* (casquetes) se tornaram populares, principalmente entre quem vivia nas cortes muçulmanas. Até hoje, os homens usam casquetes simples ou enfeitados nas mesquitas e em festivais.

Turbante de patriarca de Jodhpur, em Rajasthan

***Topi* de um menino muçulmano**

Choli (blusa justa)

Odhni (véu)

Kurta

O **noivo** veste um *sherwani-churidar* formal de seda cor de marfim.

A **lehenga da noiva** é de seda vermelha, cheia de bordados dourados.

O **dhoti-kurta** *é o traje tradicional masculino e compreende o* dhoti *(tipo de tanga) ou* lungi, *preso na cintura ou passado entre as pernas. A roupa de cima é o* kurta, *um camisão costurado, de mangas longas.*

O **sherwani**, *casaco longo com gola alta, é usado por cima da calça* churidar, *que tem esse nome por causa das dobras do tipo pulseira* (churi) *no tornozelo.*

Em **Manipur**, *as mulheres usam* phanek, *parecido com sarongue, e os homens vestem um traje chamado* khudei. *Cada tribo é identificada pelas cores e listras típicas. Este casal é da tribo paite.*

A **ghaghara**, *saia até o tornozelo usada em Rajasthan e Gujarat, é amarrada com um cordão. Uma* choli *(blusa justa) vai na parte de cima e o* odhni *tem uma ponta presa no cós e a outra sobre o ombro direito, subindo para cobrir a cabeça.*

A Magia de Bollywood

Filmes indianos de Bollywood (Bombaim, ou Mumbai) são uma mistura fascinante de romance, violência, comédia e tragédia, entremeada de músicas e danças, e com uma clara mensagem social ou moral. Desde o início, em 1899, os modismos de Bollywood variaram de épicos mitológicos e filmes de ação a dramas familiares. Mas a fórmula básica da *masala* (mistura picante), que atinge um público grande e diversificado, permanece igual.

O romance *está presente em quase todos os filmes. A cena do galã cortejando a mocinha é sempre popular.*

As **heroínas** *acrescentam um toque fundamental de glamour. Magras, com belas roupas da moda, estrelas de cinema, como Aishwarya Rai, Miss Mundo 1997, criam padrões femininos de beleza e graça.*

Filmes caros estrelados por atores famosos garantem sucesso de bilheteria.

Abhishek Bachchan é um astro jovem da Índia.

O **culto do herói** *e Shah Rukh Khan são sinônimos. Chamado carinhosamente de "King Khan", ele é famoso na Índia e no exterior. Há uma estátua dele no museu de cera Madame Tussaud, em Londres, ao lado de Aishwarya Rai e Amitabh Bachchan*

A INDÚSTRIA CINEMÁTOGRAFICA

Custa entre US$1,75 milhão e US$30 milhões produzir um filme de Bollywood. O orçamento é gasto na remuneração dos atores, em locações no exterior, efeitos especiais e campanhas promocionais. Dos mais de cem filmes produzidos a cada ano, alguns são dublados para idiomas regionais indianos ou ganham legendas em inglês.

Música e dança *estão sempre presentes, seja em duetos entre o galã e a mocinha, seja em cenas espetaculares com muitos dançarinos. Estas cenas são lançadas antes da estréia como vídeos musicais para a TV e muitas vezes fazem mais sucesso que os próprios filmes.*

Valores familiares *são o núcleo da maioria dos filmes. A casa vira cenário de grande felicidade ou discórdia, e no fim tudo dá certo.*

Os vilões *são representados como encarnação do mal. Em* Omkara *(2006), baseado na peça* Othello, *de Shakespeare, o vilão é um legalista que se torna um traidor que busca vingança às custas de vidas inocentes.*

A violência *costuma ser como a das HQs. No clímax, ocorrem lutas dramáticas entre o herói e o vilão, terminando invariavelmente com o triunfo do bem contra o mal*

A moda das estrelas de Bollywood é seguida pelos jovens.

O herói geralmente é o centro dos filmes, com as histórias e as personagens girando em torno dele. Hrithik Roshan é um dos astros mais requisitados de Bollywood, sempre bem vestido e com um físico atlético que lhe rendeu muitos fãs.

Aishwarya Rai, como heroína, representa a juventude hedonista, urbana e ocidentalizada.

CINEMA NOVO

Nas décadas de 1950 e 1960, o cinema paralelo ou "de arte" era dominado por Satyajit Ray *(pág. 260)*, cujos filmes provocativos reproduziam o cotidiano de vilas e cidadezinhas da Índia. Ao se concentrar no realismo e em questões sociais, e não na fantasia e na diversão, abriu caminho para diretoras respeitadas internacionalmente, como Deepa Mehta e Mira Nair, cujos filmes têm grande impacto na sociedade.

Deepa Mehta com o elenco do filme *Water*, indicado ao Oscar

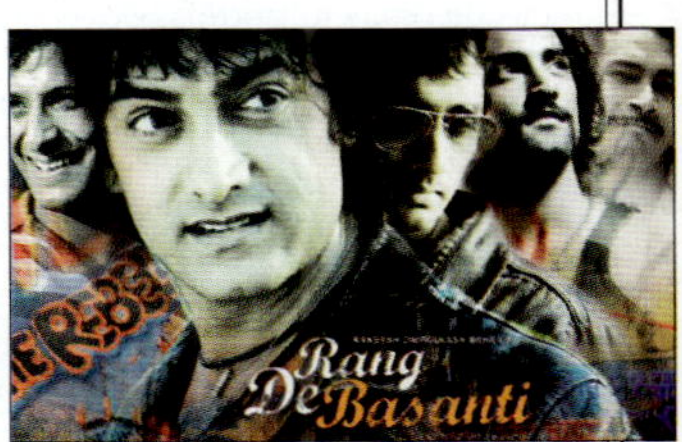

A juventude *é o principal público de Bollywood.* Rang De Basanti *(2006) representou uma mudança nos padrões por ser um filme comercial que, além de ditar a moda, lutava por uma sociedade melhor com participação da geração mais jovem.*

ÍNDIA MÊS A MÊS

Os indianos adoram festas e o ano está cheio de feiras e festivais. Em quase todos os dias há algum evento religioso ou social comemorado pelas diversas comunidades religiosas ou locais, em que jejuns rituais e banquetes andam lado a lado. Alguns festivais estão vinculados ao panteão de deuses e deusas, outros seguem a mudança das estações e marcam ocasiões bucólicas. Há os que comemoram aniversários e eventos de importância nacional, como o Dia da República *(pág. 75)*. Em geral, os festivais hindus seguem o calendário lunar, e tanto a lua cheia *(purnima)* como a nova *(pradosh)* são consideradas auspiciosas. Os festivais muçulmanos também são determinados pela lua nova. Isso significa que as datas da maioria das festas religiosas mudam todos os anos. Veja as colunas de festivais especiais em cada capítulo.

Orquídeas em floração

Festejos de dia santo nos arredores de Mathura

PRIMAVERA (FEV-MAR)

De meados de fevereiro ao fim de março, a primavera (basant) é a estação mais bonita da Índia, com o desabrochar de flores e temperaturas agradáveis. É também a principal temporada de casamentos, desfiles, partidas de críquete, corridas de cavalos, exposições de flores e muitos eventos culturais.

Basant Panchami *(fev)*. Considerado o primeiro dia da primavera, é comemorado em todo o Norte. As pessoas se vestem em tons de amarelo, imitando os botões das flores de mostarda. No Leste, o mesmo dia é comemorado como Saraswati *puja*, em homenagem à Deusa do Conhecimento e da Sabedoria.

Vasantahabba *(fev)*, em Nrityagram. Aguardado festival de dança de Bangalore. Artistas consagrados de toda a Índia dançam do amanhecer até o anoitecer.

Elephanta Festival *(fev)*, na ilha de Elefanta. Festival a céu aberto de música e dança clássica, com apresentação de artistas famosos.

Kala Ghoda Festival *(fev)*, em Mumbai. Duas semanas de excentricidades nas artes visuais e cênicas realizadas no principal bairro cultural de Mumbai, o Kala Ghoda. A National Gallery of Modern Art e a Jehangir Art Gallery, assim como as calçadas da região, tornam-se locais de apresentação de cítara e tabla, recitais de dança e exposições de pinturas, gravuras, fotografias e instalações de arte.

Nishagandhi Dance Festival *(fev)*, em Thiruvananthapuram. Artistas de quase todas as formas de dança clássica indiana se apresentam no Nishagandhi Auditorium ao ar livre.

Shivratri *(fev/mar)*. Devotos de Shiva celebram a noite do casamento celestial dele com Parvati.

Delhi Dhrupad Samaroh *(mar)*, em Délhi. Expoentes de Dhrupad, uma tradição musical clássica, fazem uma série de recitais.

Holi *(mar)*. Um dos festivais hindus mais importantes, o Holi ocorre na noite de lua cheia e marca o fim do inverno. Fogueiras são acesas e uma imagem do demônio Holika é queimada para representar o triunfo do bem contra o mal. No dia seguinte, há milhares de pessoas pelas ruas, borrifando água e pó *(gulal)* coloridos umas nas outras. Este festival é muito apreciado por Krishna, e perto de Mathura, lugar onde ele nasceu *(pág. 178)*, é comemorado com alegria.

Nauchandi Mela *(mar)*. Meerut. Realizada em torno

Exibição de saltos no Delhi Horse Show

Oferenda de *namaaz* (orações) durante o Id-ul-Zuha

de um santuário muçulmano e de um templo hindu, esta festa simboliza a união desde o final do século 17, quando líderes locais decidiram unificar as festividades que aconteciam na região. Hoje parece mais um carnaval do que um evento religioso.

Jamshed-e-Navroz *(mar)*. Celebrado pela comunidade parsi como seu Dia de Ano-Novo, o festival leva o nome do rei persa Jamshed, que se acredita ter introduzido o calendário solar. Os devotos visitam templos de fogo e fazem oferendas de sândalo.

Ramnavami *(mar)*. Nove dias de jejum *(navaratris)* precedem o nascimento do deus-herói Rama *(pág. 27)* no Ramnavami (o nono dia). No decorrer desse período, muitas casas hindus mantêm uma dieta estritamente vegetariana e preparam uma comida especial, feita com *ghee* (manteiga clarificada) sem alho nem cebola.

International Film Festival of Kerala *(mar/abr)*. Exibe filmes do mundo todo, em categorias como cinema mundial, curtas, documentários e cinema em idioma malaiala.

Delhi Horse Show *(mar-abr)*, em Délhi. Evento esportivo de dois dias, em que cavalos puros-sangues do país inteiro participam de saltos, adestramento e *tent-pegging*.

Shankarlal Sangeet Sammelan *(mar/abr)*, em Délhi. Este é o mais antigo festival de música clássica vocal e instrumental da capital.

Four Square White-Water Rafting Challenge *(mar/abr)*, em Rishikesh. Primeira competição de rafting em corredeiras na Índia, é também uma das mais ricas do mundo, com prêmio em dinheiro de US$25.000. Dura uma semana, com times internacionais e indianos.

Mahavira Jayanti *(mar/abr)*. Os jainistas comemoram o nascimento do fundador do jainismo, Mahavira *(pág. 396)*. Este festival ocorre em larga escala nos estados de Rajasthan e Gujarat.

Milad-ul-Nabi *(abr/mai)*. O aniversário de Maomé é comemorado com orações e leituras do Alcorão.

VERÃO (ABR-JUN)

Do início de abril até junho, as planícies do Norte e boa parte do Sul têm um verão quente e seco. Em maio e junho, o calor no Norte atinge 40 °C ou mais –um sinal para aqueles que têm condições de se deslocar para refúgios de montanha no Himalaia. As temperaturas no planalto do Decã e no Sul vão a 38 °C. Nesse período, a maioria das festividades é suspensa.

Baisakhi *(13 abr)*. Este festival anuncia a temporada de colheitas no Norte.

Himachal Hang Gliding Rally *(mai)*, em Kangra. Competição de vôo livre com profissionais do mundo todo.

Buddha Jayanti *(mai)*. Buda nasceu, recebeu a iluminação e morreu na lua cheia do 4º mês lunar. Budistas se reúnem para rezar em *viharas*.

Símbolo da National School of Drama

International Flower Festival *(mai)*, em Gangtok. Exposição de floríferas exóticas de Siquim. Conta com quase 500 variedades de orquídeas.

NSD Repertory Festival *(mai/jun)*, em Délhi. Este festival, com participação de todo o país, é organizado pela National School of Drama.

FERIADOS

Dia da República (26 jan)
Id-ul-Zuha (fev)
Shivratri (fev/mar)
Holi (mar)
Sexta-feira da Paixão (mar/abr)
Baisakhi (13 abr)
Ramnavami (abr)
Mahavira Jayanti (abr/mai)
Milad-ul-Nabi (abr/mai)
Buddha Jayanti (mai)
Janmashtami (jul/ago)
Dia da Independência (15 ago)
Dussehra (set/out)
Gandhi Jayanti (2 out)
Diwali (out/nov)
Guru Parab (nov)
Natal (25 dez)

Procissão de lamas budistas no Buddha Jayanti

Equipes femininas participam da Nehru Trophy Boat Race, em Kerala

MONÇÕES (JUL-SET)

Julho, agosto e setembro formam a estação das monções, comemorada pela transformação mágica da terra. O Sul, principalmente o litoral, e o Nordeste recebem chuvas muito fortes. Mas elas são escassas nas planícies do Norte, que continuam quentes e úmidas.

International Mango Festival *(jul)*, em Délhi. No auge da temporada de mangas, mais de mil variedades cultivadas no Norte da Índia são expostas e vendidas no Talkatora Stadium.

Kanwar Mela *(jul/ago)*, em Haridwar. Na maior concentração religiosa por causa do *Kumbh Mela (pág. 211)*, milhares de Kanwarias (devotos de Shiva) se dirigem para um mergulho no Ganges. Nesse período, os fiéis viajam de bicicleta ou a pé, levando *kanwars* (vasos pendurados em varas de bambu) decorados.

Dia da Independência *(15 ago)*. Feriado nacional, que comemora a libertação da Índia do domínio britânico, em 1947. O primeiro-ministro discursa para o país da plataforma do histórico Red Fort, em Délhi.

Raksha Bandhan *(ago)*. Mocinhas amarram cordões sagrados *(rakhis)* no pulso de seus irmãos como símbolo de amor. Em troca, elas recebem presentes e a promessa de proteção perpétua.

Bangalore Flower Show *(ago)*. Uma exposição espetacular de flores é realizada na estufa dos Lalbagh Gardens.

Nehru Trophy Boat Race *(ago)*, em Kerala. Aproximadamente 40 barcos-cobra *(pág. 633)* tomam parte desta emocionante corrida, em Alappuzha.

Janmashtami *(ago/set)*. O nascimento de Krishna, numa noite sem lua, marca o festival mais importante da temporada. O auge da festa é à meia-noite, depois de um dia de jejum. As festividades em Mathura *(pág. 178)* e Brindavan *(pág. 179)* são especialmente grandiosas.

Vistoso *rakhi* moderno

INVERNO (OUT-FEV)

Esta é a estação perfeita. As monções terminaram e agora os dias começam a esfriar. É também o período mais auspicioso do calendário indiano e anuncia diversos festivais. O inverno marca, igualmente, a semeadura de cultivos como o da mostarda e do trigo. O frio piora nas planícies e morros do Norte, entre meados de dezembro e meados de janeiro. Embora as temperaturas caiam abaixo de 3°C, os dias são ensolarados. A região Sul não tem temperaturas muito baixas, com a mínima por volta dos 19°C.

Dussehra *(set/out)*. Durante nove dias, episódios do épico *Ramayana (pág. 27)*, que retrata as aventuras de Rama contra Ravana, são encenados. No décimo dia, Vijaya Dashami celebra a vitória de Rama sobre Ravana, e são queimadas imagens enormes do rei-demônio, do irmão e do filho. Em Délhi, a dança-drama de um mês inteiro de Shriram Bharatiya Kala Kendra condensa o épico. Nesse momento, os bengalis celebram o Durga Puja *(pág. 81)*.

Gandhi Jayanti *(2 out)*. O aniversário de Mahatma Gandhi é festejado em um feriado nacional.

Id-ul-Fitr *(out)*. Este festival marca o fim do Ramzan ou Ramadan, período de jejum de 40 dias para os muçulmanos, que comemoram o momento em que Maomé recebeu de Alá a mensagem do Alcorão. O dia varia segundo a ocorrência da lua nova.

Imagens enormes de Ravana e seu filho no Dussehra, em Délhi

Uma *namaaz* especial é realizada na Jami Masjid de Délhi. Também é chamada Mithi (doce) Id, como o *sewian,* iguaria feita com vermicelli adocicados, preparada para a ocasião.
Diwali *(out/nov).* Lamparinas iluminam todas as casas para comemorar a volta de Rama a Ayodhya, após 14 anos de exílio. Soltam-se fogos, trocam-se doces e são feitas *melas* de Diwali.
Pushkar Fair *(out/nov).* A maior feira de camelos, cavalos e gado da Ásia ocorre nesta cidade de peregrinos.
Guru Parab *(nov).* Na primeira noite de lua cheia após o Diwali, os siques comemoram o aniversário do Guru Nanak, fundador do siquismo.
Prithvi International Theatre Festival *(nov),* em Mumbai. O Prithvi Theatre é um dos mais conhecidos de Mumbai. Este festival de uma semana traz grupos de teatro internacionais, que encenam peças de diversos estilos contemporâneos, junto com alguns grupos teatrais da Índia.
International Trade Fair *(14-21 nov),* em Délhi. Neste evento importante para a indústria indiana, bens manufaturados no país e no exterior são expostos em Pragati Maidan. Na área da feira também ocorrem eventos culturais.
International Film Festival of India *(nov/dez),* em Goa. Grande evento cinematográfico da Índia, com mostra dos últimos lançamentos nacionais e internacionais.
Madras Music Festival *(dez),* em Chennai. A cidade celebra sua rica tradição de música e dança carnáticas com recitais de diversos artistas famosos.
Id-ul-Zuha *(dez).* A festa muçulmana do sacrifício, conhecida como Bakr Id, comemora a disposição de Abraão para sacrificar o filho Ismael. Nesse dia, uma cabra é sacrificada para Alá; oferecem-se preces nas mesquitas e são servidas iguarias especiais.

Carros antigos e perfeitos no rali de Kolkata

Mamallapuram Dance Festival *(jan/fev).* Destacados dançarinos clássicos executam bharat natyam, kuchipudi, kathakali e odissi, tendo ao fundo as famosas esculturas de Pallava talhadas na rocha.
Lohri *(13 jan),* no Punjab. Fogueiras e folias marcam o que se acredita ser o dia mais frio do inverno.
Makar Sankranti *(14 jan),* em Jaipur. Empinam-se pipas para festejar a volta do Sol do Equador para o Trópico de Capricórnio. Esse dia coincide com o festival tâmil de Pongal *(pág. 589).*

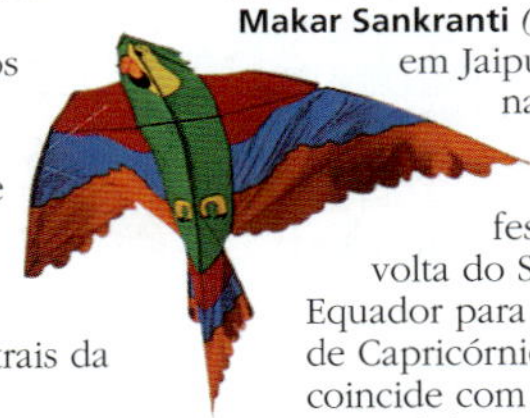

Pipa decorativa

Dia da República *(26 jan).* Feriado nacional. A pompa e o luxo marcam o nascimento da Índia como república independente. Em Délhi, um desfile militar colorido ocorre em Rajpath.
Beating of the Retreat *(29 jan),* em Délhi. Esta bonita cerimônia lembra o fim do dia de batalha, quando os exércitos se retiravam para seus campos. Uma grandiosa apresentação de bandas de regimentos tem ao fundo os quarteirões norte e sul. No pôr-do-sol, um clarim toca a retirada, soltam-se fogos e as construções ganham contorno iluminado.
Vintage and Classic Car Rally *(jan),* em Kolkata. O grupo de jornais *The Statesman* organiza este evento em que carros antigos e bem cuidados recebem a bandeirada para uma corrida curta. Os donos costumam se vestir com roupas de época. Um rali semelhante é feito em Délhi, em março.
Thyagaraja Aradhana Festival *(jan),* em Thiruvaiyaru. Um festival de música de oito dias é realizado em homenagem ao santo compositor Thyagaraja, atraindo músicos famosos do país todo.
Island Tourism Festival *(jan/fev),* em Port Blair. O festival de dez dias de dança, teatro e música reflete a população multicultural das ilhas Andaman. Há também exposições de artesanato, da flora e da vida marinha locais.
Desert Festival *(jan/fev),* em Jaisalmer. Festival cultural de três dias nas dunas de areia, com corrida de camelos, pólo com camelos, danças folclóricas e recitais de música.

Gaiteiros do exército na cerimônia Beating of the Retreat

O Clima da Índia

O verão, as monções e o inverno, com primavera e outono curtos mas magníficos, completam as estações na Índia. O clima muda segundo a latitude e a localização geográfica. No Norte, as temperaturas sobem nas vastas planícies gangéticas, embora o cinturão do Himalaia se mantenha agradavelmente frio no verão. No inverno, as montanhas altas se enchem de neve. O Decã central e o extremo Sul, porém, têm clima tropical de monção, com temperaturas elevadas e quase sem inverno. As faixas litorâneas, por sua vez, são úmidas e quentes, com chuvas torrenciais. As regiões semi-áridas de Rajasthan e Kutch, assim como as áreas com pouca chuva a leste dos Ghats Ocidentais, estão entre as mais secas do país, ao passo que o litoral e os estados do Nordeste enfrentam a fúria das monções e são devastados por ciclones e enchentes todo ano.

Cactos gigantes crescem no deserto de Thar, em Jaisalmer

LEGENDA

- Região tropical chuvosa: temperaturas sempre altas e pesadas chuvas de verão.
- Região subtropical úmida: verão quente com chuvas pesadas. Inverno seco.
- Região de savana tropical: longa estação seca, com temperaturas altas no verão. Inverno fraco.
- Região de estepe tropical e subtropical: semi-árida. Chuvas ocasionais, o que leva à seca.
- Região de deserto tropical: temperatura alta no verão e muito baixa no inverno. Pouca chuva.
- Região de montanha: clima frio e seco. Verão curto.
- Região de montanha: inverno frio e úmido. Verão curto.

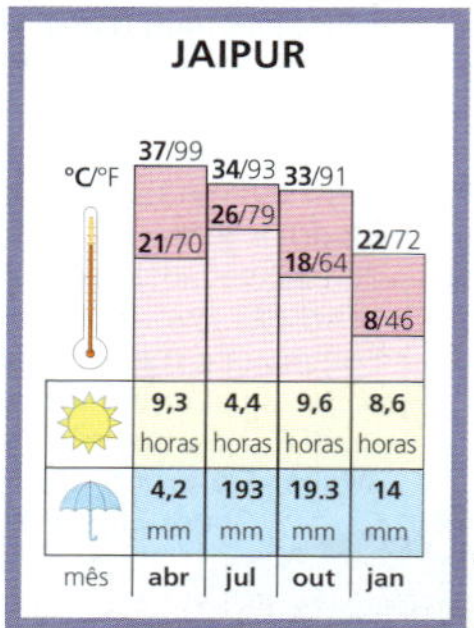

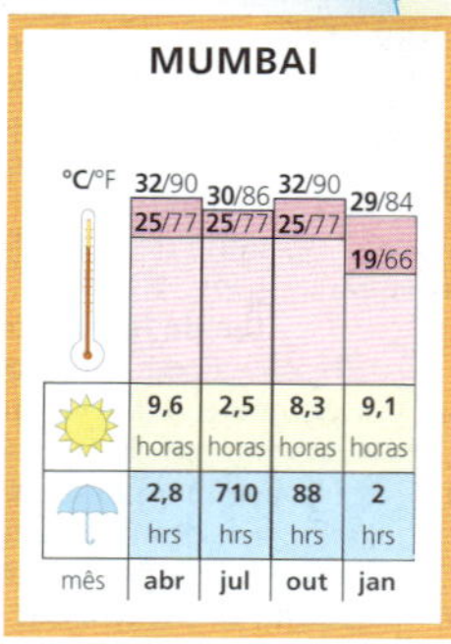

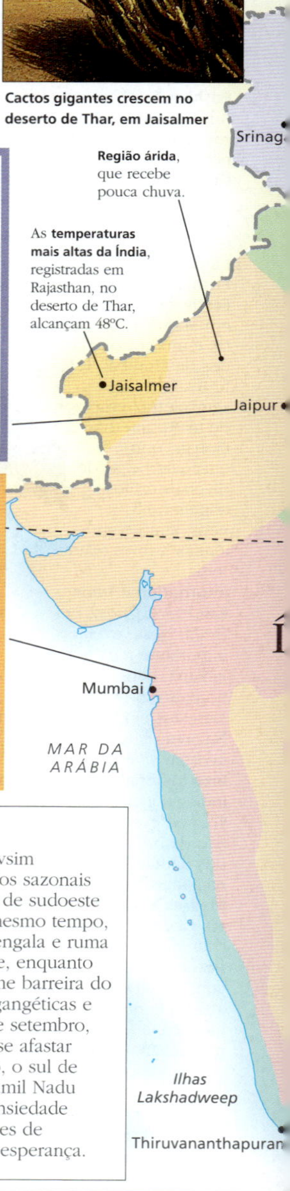

Chuvas torrenciais, típicas das monções de Kerala

AS MONÇÕES

A palavra monção vem do árabe mawsim (estação) e se refere aos ventos úmidos sazonais do sul da Ásia. Na Índia, as monções de sudoeste atingem Kerala no fim de maio. Ao mesmo tempo, uma ramificação alcança a baía de Bengala e ruma para o Himalaia Oriental e o Nordeste, enquanto outra, desviada para oeste pela enorme barreira do Himalaia, se dirige para as planícies gangéticas e se espalha pelo continente. No fim de setembro, as monções de sudoeste começam a se afastar para o sul e, em outubro e novembro, o sul de Andhra Pradesh e o litoral leste de Tamil Nadu recebem chuvas pesadas. No país, nada é esperado com mais ansiedade do que essas chuvas anuais. Músicas e poesias celebram os meses de *sawan* e *bhadon* (julho e agosto), como tempo de renovação e esperança.

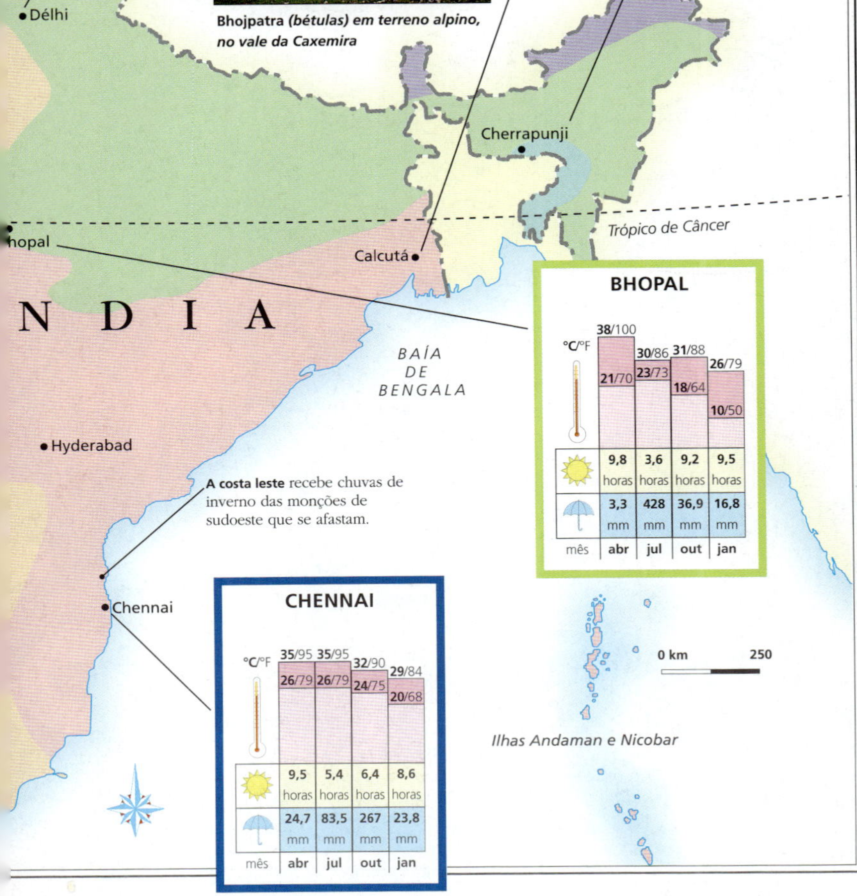

DÉLHI

mês	abr	jul	out	jan
°C/°F máx.	36/97	35/95	33/91	21/70
°C/°F mín.	21/70	27/81	19/66	7/45
sol	8,8 horas	5,7 horas	9,1 horas	7,7 horas
chuva	6,8 mm	211 mm	31,2 mm	24,9 mm

KOLKATA

mês	abr	jul	out	jan
°C/°F máx.	36/97	32/90	32/90	27/81
°C/°F mín.	25/77	26/79	24/75	14/57
sol	8,8 horas	3,9 horas	6,5 horas	8,1 horas
chuva	42,7 mm	301 mm	160 mm	13,8 mm

Média da temperatura máxima mensal

Média da temperatura mínima mensal

Média das horas diárias de sol

Média mensal de chuvas

As temperaturas mais baixas são registradas no cinturão do Himalaia, com médias de 7ºC negativos.

Bhojpatra (bétulas) em terreno alpino, no vale da Caxemira

Cherrapunji e **Mawsynram**, em Meghalaya, são os dois lugares mais chuvosos da Terra, registrando uma média de 1.142cm de precipitações por ano e mais de 104cm num único dia.

BHOPAL

mês	abr	jul	out	jan
°C/°F máx.	38/100	30/86	31/88	26/79
°C/°F mín.	21/70	23/73	18/64	10/50
sol	9,8 horas	3,6 horas	9,2 horas	9,5 horas
chuva	3,3 mm	428 mm	36,9 mm	16,8 mm

A costa leste recebe chuvas de inverno das monções de sudoeste que se afastam.

CHENNAI

mês	abr	jul	out	jan
°C/°F máx.	35/95	35/95	32/90	29/84
°C/°F mín.	26/79	26/79	24/75	20/68
sol	9,5 horas	5,4 horas	6,4 horas	8,6 horas
chuva	24,7 mm	83,5 mm	267 mm	23,8 mm

A HISTÓRIA DA ÍNDIA

O nome da Índia vem de "Indoi", *palavra grega para designar o povo que vivia além do rio Indo. As raízes da civilização indiana se encontram dentro de fronteiras naturais bem definidas, formadas pelo Himalaia ao norte e mares a leste, sul e oeste. Isso favoreceu uma grande unidade física e cultural, apesar do tamanho e da diversidade da área abrangida.*

CIVILIZAÇÃO DO VALE DO INDO

Os sítios pré-históricos da Índia remontam a cerca de 20.000 a.C. Assentamentos agrícolas surgiram perto de 7000 a.C. e, ao redor de 2500 a.C., formava-se uma sofisticada civilização urbana, que se espalhou pelo Vale do Indo e nordeste da Índia, em direção a Gujarat. As principais cidades contavam com estruturas de tijolos, ruas em padrão de grade e elaborados sistemas de esgoto. Selos de pedra, com uma escrita ainda indecifrada, e pesos e medidas padronizados estavam entre os objetos dessa cultura (também conhecida como civilização Harappan), que tinha próspero comércio com a Mesopotâmia. Restos de duas dessas cidades podem ser vistos em Lothal e Dholavira, em Gujarat. Por volta de 1800 a.C., as cidades entraram em declínio, talvez por mudanças tectônicas ou ecológicas.

Dançarina, 2500 a.C.

PERÍODO VÉDICO

Ao redor de 1500 a.C., o povo conhecido como ariano, que provavelmente migrara da Ásia Central, se estabeleceu na região do Indo. Essas pessoas, descritas no *Rig Veda*, texto em sânscrito desse período, tinham economia pastoril e agrícola. Três Vedas posteriores, escritos entre 1000 e 600 a.C., e associados ao texto sânscrito, registram a expansão de seus assentamentos pelo vale do Ganges. Esse também foi o período do épico *Mahabharata (pág. 26)*, que descreve uma guerra entre dois clãs.

Enquanto a religião rig védica venerava deuses da natureza, as divindades do período védico posterior eram mais complexas. A literatura védica tardia reuniu notável conjunto de tratados em sânscrito, os *Upanishads*, que defendiam a busca filosófica da verdade, por meio da indagação. Nesse período, tinha-se desenvolvido uma estrutura social baseada no sistema de castas, que de início era ocupacional, mas se tornara hereditária e bem mais rígida. No topo estavam os brâmanes ou sacerdotes, seguidos pelos *kshatriyas* (xátrias: dirigentes e guerreiros). Abaixo, vinham os *vaishyas* (vaixás: fazendeiros e comerciantes) e os *shudras* (sudras ou párias: servos e trabalhadores). Os Vedas preceituavam sacrifícios e rituais para apaziguar os deuses, o que se tornou parte do cotidiano.

CRONOLOGIA

Peças do Paleolítico

6000-1000 a.C. Neolítico ou Nova Idade da Pedra

1500 a.C. Arianos migram para o Noroeste da Índia

1000-600 a.C. Védico Tardio. Louça pintada de cinza e uso do ferro

Dólmenes de pedra megalíticos do Sul da Índia

7000 BC | 6000 | 1000 | 900 | 600

8000-4000 a.C. Mesolítico ou Idade Intermediária da Pedra

Selo do vale do Indo

2500-1800 a.C. Cultura Harappan floresce no vale do Indo

1800-800 a.C. Surgem comunidades agrícolas

1200 a.C. Descoberta do ferro

1500-1000 a.C. Período do *Rig Veda*

950 a.C. Suposta guerra do épico *Mahabharata*

1000 a.C.-100 d.C. Sítios com túmulos megalíticos no sul da Índia

◁ **Pintura em miniatura da Batalha de Panipat, em 1526, que instituiu a dinastia Mogul na Índia**

ÉPOCA DE MAHAVIRA E BUDA

No século 6º a.C., houve o crescimento de muitos centros urbanos no Norte, acompanhado de amplo comércio. A urbanização trouxe mudanças na estratificação social e incentivou o surgimento de novas seitas religiosas, que desafiaram o domínio brâmane. Entre elas, as mais importantes foram o budismo e o jainismo, fundados respectivamente por Sidarta Gautama (566-486 a.C.), que se tornou o Buda, e Vardhamana Mahavira (540-467 a.C.). Essas religiões ganharam popularidade, pois não tinham castas nem sacrifícios, e eram abertas a todos, até mulheres. Os ensinamentos simples mas profundos de Buda *(pág. 221)* tinham grande apelo. Mahavira acreditava em uma vida ascética acompanhada pela verdade e sem ganância *(pág. 396)*. Essas religiões não tratavam de Deus, discutiam as leis do universo e eram partidárias da ahimsa –não-agressão a seres vivos. Comerciantes e outros profissionais que adotaram tais credos ganharam nova posição social.

Pintura em Ajanta de Buda com monge

IMPÉRIO MAURIA

O primério império indiano foi fundado em 321 a.C., quando Chandragupta Mauria, um aventureiro desconhecido, derrotou a dinastia Nanda de Magadha (em Bihar) e estabeleceu um império que se estendia até o rio Narmada, no Decã. Seu neto, Ashoka (269-232 a.C.), se tornou um dos maiores dirigentes da Índia, ampliando o Império Mauria do Afeganistão até Karnátaka. Mas, após sua sangrenta conquista de Kalinga *(pág. 309)*, Ashoka se converteu em grande protetor do budismo. Gravou seu código ético em pedras e pilares de seu vasto império, ordenando aos súditos que respeitassem a religião dos outros, fizessem doações para caridade e evitassem a matança de animais. Esses decretos foram registrados na escrita brâmica, da qual surgiu a maior parte das escritas indianas. Ashoka também construiu muitas *stupas* como santuários para relíquias budistas, entre as quais a de Sanchi *(págs. 244-5)*.

Leão em pilar ashokano

INVASORES DA ÁSIA CENTRAL

Depois de Ashoka, o império Mauria logo se debilitou. Reinos locais se sublevaram pelo Norte da Índia, enquanto no Noroeste uma série de invasores, todos da Ásia Central, estabeleceram sucessivas dinastias. Entre eles estavam os indo-

CRONOLOGIA

566-486 a.C. Época de Buda

540-467 a.C. Época de Mahavira

327-325 a.C. Alexandre, o Grande, invade o Noroeste da Índia, mas logo se retira

321 a.C. Ascensão de Chandragupta Mauria, fundador da dinastia Mauria

315 a.C. Megástenes, escritor grego, visita a Índia

269-232 a.C. Reinado de Ashoka

260 a.C. Ashoka conquista Kalinga (atual Orissa)

189-75 a.C. Domínio da dinastia Shunga

165 a.C. Menandro, rei indo-grego, governa o Noroeste da Índia

100 a.C.-220 d.C. Os satavahanas dominam o Decã

500 a.C. | 400 a.C. | 300 a.C. | 200 a.C. | 100 a.C.

Placa votiva jainista de Mathura

gregos de Bactria (200-80 a.C.); os citas ou sakas, com muitas ramificações (a partir de 80 a.C.); os partianos (século 1º d.C.); e os kushanas (50-300 d.C.). O território de Kanishka, o maior rei kushana, cobria o Noroeste, a Caxemira e quase todo o vale do Ganges. Ele também protegia o budismo. Foi nesse período que se desenvolveu o budismo Mahayana, refletindo-se em duas grandes escolas de arte, com esculturas de Buda no estilo greco-romano de Gandhara, no Noroeste, e no estilo mais nativo de Mathura.

Cabeça de Buda, período Gupta

Com o declínio do império Kushana, a dinastia Gupta emergiu no Norte da Índia e estabeleceu outro grande império (320-500). O período gupta viu grande florescimento cultural, com belas esculturas, poesias e dramas clássicos sânscritos, e eruditos tratados de matemática e astronomia. Em religião, destacaram-se duas seitas hindus, o vaishanavismo e o shaivismo (seguidores de Vishnu e Shiva), e foi fundada a Universidade Budista de Nalanda *(págs. 218-9)*. Mas com invasões dos hunos, tribo de saqueadores da Ásia Central, houve a decadência dos guptas após o ano de 450. Bem depois, um império importante foi estabelecido por Harsha (606-647), em Kanauj. Seu governo foi longo e esclarecido e ganhou uma descrição elaborada do viajante chinês Hiuen Tsang *(pág. 219)*

GOVERNANTES DO SUL

Enquanto isso, na região do Decã, diversas dinastias surgiram após o declínio dos maurias. Entre elas estavam a dos satavahanas (100 a.C.-220 d.C.) e dos ikshvakus (225-310), no Decã Oriental, que ergueram diversas *stupas* budistas em Amravati *(pág. 675)* e Nagarjunakonda *(pág. 676)*. Outra dinastia do Decã foi a dos vakatakas (250-550), em cujo reinado foram feitas esculturas e pinturas magníficas em Ajanta *(págs. 479-81)*. No Decã Ocidental, os chalukyas assumiram o poder e construíram grandes templos em Badami *(págs. 536-7)*, Pattadakal *(págs. 538-9)* e Aihole *(págs. 540-1)*. Seu governante mais poderoso, o rei Pulakeshin II (608-642), derrotou Harsha e impediu que ele avançasse em direção ao Sul.

No extremo Sul, os reinos dos cheras (atual Kerala), cholas e pandyas dominaram entre os anos de 400 a.C. e 400 d.C. O povo que vivia nessa região era de origem não-ariana e ficou conhecido como drávida. Outra dinastia importante no Sul foi a dos pallavas, que dominaram de 275 a 550, com a capital em Kanchipuram.

Durante esses séculos, as cidades floresceram em toda a Índia, e nelas prosperaram as corporações de artesãos e o comércio interior e exterior. Os reinos do Sul enriqueceram com o comércio com Roma até 300, exportando artigos de luxo, como especiarias, sedas finas, pedras preciosas e animais exóticos, como macacos e pavões.

Cortesã embriagada, painel kushana do século 2º

Pilar de ferro do século 4º, em Délhi

52 d.C. S. Tomás na Índia

78-110 d.C. Reinado de Kanishka, rei kushana

100 d.C.

Estátua de Kanishka

200

250-300 Construção das *stupas* budistas de Nagarjunakonda e Amravati

300

300-399 *Ramayana* e *Mahabharata* são compostos

320-500 Dinastia Gupta

335-375 Reinado de Samudra Gupta

Moeda de ouro de Samudra Gupta

400

450 Início das invasões dos hunos

476 Nasce Aryabhata, grande astrônomo e matemático

500

600

606-647 Reinado de Harshan

608-642 Reinado de Pulakeshin II, rei chalukya

630-644 Hiuen Tsang na Índia

Procissão cerimonial de um príncipe rajput

REINOS SETENTRIONAIS (750-1200)

Kanauj, antiga capital do império de Harsha, situada no centro das planícies gangéticas, por volta de 750 se tornara o núcleo do conflito entre três dinastias importantes: os pratiharas, os rashtrakutas e os palas. Os pratiharas eram um clã Rajput que governava Rajasthan e Malwa, enquanto os rashtrakutas (740-973) dominavam o norte do Decã. Os palas (750-1150), uma dinastia budista, imperava em Bengala. Cada uma capturou Kanauj por algum tempo, mas, em torno de 836, os pratiharas a dominaram e a mantiveram por quase dois séculos. Logo outros clãs Rajputs começaram a criar reinos independentes. A origem dos rajputs está envolta em mistério, mas eles são conhecidos desde o século 7º na Índia Ocidental. Alguns deles talvez descendam de tribos da Ásia Central, que se estabeleceram na Índia após as invasões dos hunos *(pág. 43)*. Eles se denominavam *rajaputras*, ou "filhos de reis", e os 36 clãs afirmavam descender do Sol e da Lua, do fogo ou de antepassados míticos, a fim de dar realce à sua posição política e social. Entre as primeiras dinastias rajputs estavam os paramaras, em Malwa; os solankis, em Gujarat; os tomars, em Délhi; os chandelas, na Índia Central; e os chauhans, em Rajasthan, cujo rei mais conhecido, Prithviraj, ainda é exaltado em baladas de Rajasthan por sua bravura lendária. Nesse período, existiam também reinos independentes na Caxemira, no Noroeste, no Nordeste e em Orissa, onde governava a dinastia Ganga oriental, construtora de grandes templos em Konark e Puri *(págs. 310-2)*.

Todas essas dinastias rajputs e não-rajputs guerrearam entre si para controlar regiões estratégicas, preparando sua própria queda, incapazes de formar uma frente unida para se defenderem de ataques externos. Contudo, nos intervalos entre as guerras, governantes e príncipes levavam uma vida luxuosa em grandes fortalezas e palácios ricamente decorados.

Mulher escreve carta, Khajuraho

A agricultura estava bem desenvolvida, com mais de 100 tipos de cereais cultivados. O comércio com terras árabes crescia e trazia nova prosperidade às cidades, aos comerciantes e artesãos, o que levou ao surgimento de muitas cidades novas.

Nesse período também houve grande florescimento da literatura, da escultura e da arquitetura de templos. Ótimos exemplos de templos, além dos de Orissa, são os santuários de Khajuraho dos chandelas *(págs. 236-7)*, o Templo do Sol de Modhera *(págs. 418-9)* e os templos de mármore de Dilwara *(pág. 394)*, construídos no domínio dos solankis de Gujarat.

CRONOLOGIA

Escudo rajput com emblema do Sol

700 Mercadores árabes chegam à Índia Ocidental

736 Dhillika (Délhi), fundada pelos tomars

740-973 Domínio rashtrakuta no Decã

750-1150 Os palas governam Bengala e Bihar

783-1036 Domínio pratihara em Kanauj e Rajasthan

800 Adi Shankaracharya prega sua filosofia

871-1216 Governo do Império Chola de Thanjavur

900-1192 Domínio dos gangas ocidentais, construtores de Shravana Belagola

916-1203 Governo dos chandelas, construtores de Khajuraho

700 | 750 | 800 | 850 | 900

DINASTIAS MERIDIONAIS (600-1200)

No Decã e no Sul existiram também diversas dinastias entre 600 e 1200. Uma nova dinastia Pallava assumiu o poder no século 6°, em Kanchipuram. Em 642, o rei pallava Narasimha Varman I derrotou e matou o rei chalukya Pulakeshin II, e depois o grande reino Chalukya entrou em decadência.

No fim do século 9°, os cholas *(págs. 46-7)*, que entraram em declínio no século 4°, reassumiram o poder. Derrotaram os pallavas, a dinastia Ganga Ocidental que governava perto de Mysore, e os pandyas de Madurai, dominando o Sul. Mais tarde, eles seriam desafiados pelos hoysalas de Karnátaka *(pág. 523)*, que tomaram o poder no século 12.

Como no Norte, o comércio do Sul também floresceu, apesar das guerras constantes. O comércio marítimo dos pallavas alcançava Aname, Camboja, Java, Sumatra, Malásia e China.

Templo pallava em Mamallapuram

Em religião, esse foi um período de questionamento e agitação. A partir do século 7°, santos-poetas tâmeis, itinerantes, conhecidos como alvaras e nayannares, devotos de Vishnu e Shiva respectivamente, pregavam contra a divisão social em castas e as práticas ortodoxas brâmanes, enfatizando uma união pessoal com Deus pelo amor e pela devoção *(bhakti)*. Seus ensinamentos tiveram grande apelo popular. Outros sábios influentes foram Adi Shankaracharya *(pág. 648)*, que viajou pelo país fazendo considerações sobre as idéias contidas nos *Upanishads* *(pág. 41)* e desafiou o budismo, o jainismo e o culto *bhakti*; e Ramanuja, filósofo do século 11 que ampliou os ensinamentos de Shankaracharya. No século 12, com as reformas e as renovações ocorridas no hinduísmo, o budismo entrou em declínio, menos na Índia Oriental.

Imagem de bronze de santo nayannar, século 13

Nesse período, foram erguidos grandes monumentos no Decã e no Sul da Índia, a exemplo dos templos pallavas, em Mamallapuram *(págs. 578-81)* e Kanchipuram *(pág. 582)*, e da imagem monolítica do santo jainista Bahubali, em Shravana Belagola *(pág. 522)*, erigida por reis do Ganga Ocidental.

No Sudoeste, o fantástico Templo Kailasanatha, todo talhado na rocha *(págs. 476-7)*, foi construído pelos rashtrakutas em Ellora.

Imagem de Surya de Konark

950 | AD 1000 | 1050 | 1100 | 1150 | 1200

974-1233 Domínio dos paramaras de Malwa

973-1192 Governo dos chauhans de Ajmer

998-1030 Invasões de Mahmud em Ghazni

974-1238 Domínio dos solankis de Gujarat

1050 Ramanuja prega o vaishanavismo

1032 Templo adinatha, no Monte Abu, erguido pelos solankis

1076-1438 Os gangas orientais de Orissa constroem Konark e Puri

1110-1342 Domínio hoysala

1192 Prithviraj Chauhan derrotado por Muhammad de Ghur

Prithviraj Chauhan

Dinastia Chola

Rainha chola

O sul do país foi dominado do século 9º ao século 13 pela dinastia Chola, cujo império cobria boa parte da Índia peninsular. Seus reis de maior destaque foram Rajaraja I (985-1014) e Rajendra I (1014-1044), em cujos governos a literatura, a arquitetura e a escultura se destacaram. Os dois soberanos construíram templos magníficos, dotados de terras e grande riqueza, que se tornaram o centro da economia, assim como da vida social e cultural. Em 1216, a dinastia Chola foi derrotada pelos pandyas, que passaram a ser a grande força dominante no Sul da Índia.

Rei Rajaraja I
O primeiro grande rei chola, Rajaraja (à esquerda), *subjugou outros reinos do Sul e conquistou o Sri Lanka.*

Infra-estrutura
As barragens de irrigação dos cholas no rio Kaveri (pág. 601) *garantiram a fertilidade de suas terras. Altos funcionários civis e militares, chefes de províncias e comitês eleitos dos vilarejos tomavam parte da administração eficiente.*

Lutadores faziam parte do exército chola.

GUERREIROS CHOLAS

Este painel do templo de Darasuram *(pág. 593)* retrata as habilidades marciais dos cholas. Rajaraja I tinha um grande exército de 31 regimentos, que incluíam cavalos e elefantes de montaria, além de soldados a pé.

Dois lados de moeda de cobre de Rajaraja I

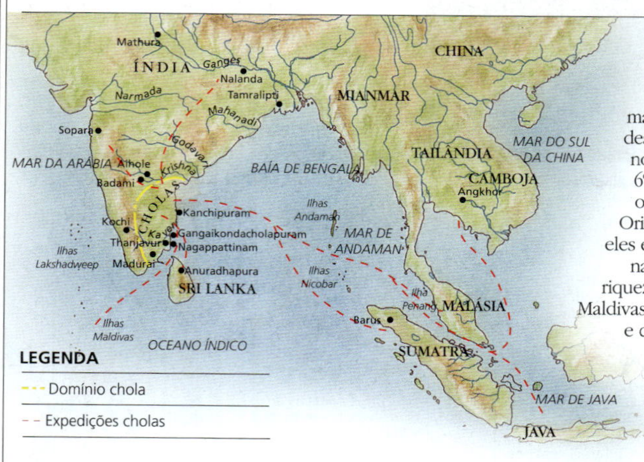

IMPÉRIO CHOLA

Os cholas criaram o maior império da Índia desde a dinastia Gupta, no século 4º ao século 6º. Depois de derrotar os domínios do Decã, Orissa, Bihar e Bengala, eles enviaram expedições navais para saquear as riquezas do Sri Lanka, das Maldivas, da Malásia, de Java e de Sumatra. Também mantinham relações comerciais e diplomáticas com a China, o Camboja e Mianmá.

Arquitetura
O Templo Brihadishvara (págs. 598-9), *em Thanjavur, capital do rei Rajaraja I, representa o auge da arquitetura de templos cholas, que se distingue pela escala monumental e pelos portais e espirais altos e esculpidos.*

Escultura
Esta imagem de Shiva Ardhanarishvara *(meio homem, meio mulher) simboliza a união dos aspectos masculinos e femininos, e é um exemplo da graciosidade das esculturas de bronze chola* (pág. 566). *Outras esculturas famosas retratam rainhas, guerreiros principescos, cenas de textos shaivitas e Shiva como Nataraja, deus da dança.*

Os **soldados** eram hábeis no uso de espadas e escudos.

Religião
Os reis cholas, generosos com a religião, veneravam Shiva, mas o culto a Vishnu era também popular no Sul da Índia. Esta escultura de pedra de Harihara, um misto de Shiva e Vishnu, simboliza uma ponte entre as duas seitas.

Sede do Poder
Gangaikondacholapuram (pág. 592) *foi construída em 1035 pelo rei Rajendra I, como nova capital, após sua bem-sucedida expedição militar ao vale do Ganges, no Norte da Índia. Este templo, guardado por Nandi, touro de Shiva, servia também como tesouro público e centro cultural e educacional.*

Música e Dança
Centenas de músicos e dançarinos se apresentavam nos templos cholas à noite, com patrocínio do rei.

A CHEGADA DO ISLÃ (1206-1555)

Guerras internas constantes entre os diferentes reinos, no Norte e no Sul, deixaram-nos vulneráveis a ataques externos. A partir do século 11, a situação política incerta na Ásia Central, junto com as lendas das riquezas fabulosas da Índia, estimulou nova onda de invasões dos governantes turcos muçulmanos no Noroeste. Muitos permaneceram na Índia e fundaram dinastias. Com eles vieram soldados, estudiosos e comerciantes, artistas e pregadores sufis, que trouxeram do mundo islâmico novas idéias sobre arte, arquitetura, teologia e guerra. E isso teve um impacto duradouro na religião, na arte, na cultura e na história do subcontinente indiano. O primeiro conquistador importante foi Mahmud de Ghazni, que invadiu a Índia diversas vezes entre 998 e 1030 e extraiu muita riqueza de seus templos. Depois veio Muhammad de Ghur, que conquistou Punjab e Délhi, e passou a controlar áreas antes dominadas pelos rajputs, após derrotar o Prithviraj Chauhan em 1192. Em seguida veio seu escravo Qutbuddin Aibak (1206-1210), que fundou a primeira de muitas dinastias muçulmanas, conhecidas como Sultanato de Délhi. Ele construiu o alto Qutb Minar em Délhi. Entre seus sucessores estavam Iltutmish e Balban *(pág. 93)*. Depois, vieram os khiljis (1290-1320), cujo governante Alauddin conquistou Gujarat, Rajasthan e Bengala, e obrigou os reis do Decã e do Sul da Índia a lhe pagar impostos. Após os khiljis chegaram os tughluqs (1320-1414), cujo segundo rei, Muhammad bin Tughluq, completou a conquista do Decã *(pág. 475)* e do Sul da Índia e os anexou. Mas não conseguiu manter o controle sobre essas regiões distantes, que logo começaram a retomar sua independência.

Detalhe de azulejo, período lodi

Esse processo foi acelerado pela invasão devastadora do Norte da Índia por Timur de Samarcanda, em 1398, que enfraqueceu ainda mais o poder dos sultões de Délhi. As duas últimas dinastias do sultanato, os sayyids (1413-1451) e os lodis (1451-1526), tiveram brigas internas pelo poder e seu domínio sobre os territórios se enfraqueceu.

REINOS INDEPENDENTES

Nos primeiros anos do Sultanato de Délhi, foram anexados a ele diversos reinos independentes, a exemplo do Solanki, de Gujarat; do Ganga Oriental, de Orissa; e de Kakatyia, Pandya e Hoysala, do Decã e do Sul da Índia. Mas, assim que os tughluqs começaram a declinar, surgiram muitos novos estados independentes. Em 1336, o império hindu de Vijayanagar *(págs. 530-1)*, no Sul da Índia, proclamou sua independência, enquanto, em 1347, o reino muçulmano dos sul-

O Qutb Minar, do século 13, em Délhi

CRONOLOGIA

Moeda tughluq

1206-1290 Primeira dinastia dos sultões de Délhi

1228 Ahoms reinam em Assam

1288-93 Marco Polo visita o Sul da Índia

1320-1414 Domínio tughluq

1336-1565 Império de Vijayanagar

1347-1518 Reinado bahmani

1250 | 1300 | 1350 | 1400 | 1450

1206-1210 Qutbuddin Aibak ergue o Qutb Minar

1296-1316 Reinado de Alauddin Khilji

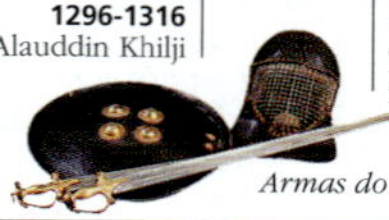

Armas do sultanato

1327 Transferência da capital de Délhi para Daulatabad

1345-1538 Domínio ilyas shahis de Bengala

1398 Invasão de Timur

1394-1505 Governo sharqi de Jaunpur

1440-1518 Kabir, santo-poeta do movimento *bhakti*

Nizamuddin, santo sufi do século 14

tões bahmanis foi fundado no Decã, por um nobre tughluq.

No início do século 16, o reino Bahmani já se desmembrara em cinco reinos muçulmanos menores, Bijapur, Ahmadnagar, Golconda, Berar e Bidar. Em 1565, as forças combinadas de três desses reinos derrotaram as tropas do poderoso império de Vijayanagar, que depois disso entrou em decadência.

Enquanto isso, à medida que o Sultanato de Délhi se enfraquecia, nobres e governadores se rebelaram e fundaram seus próprios reinos em Bengala (1388), Gujarat (1407), Mandu (1401) e Jaunpur (1408). No Nordeste, os ahomns, que haviam emigrado de Mianmá em 1228, criaram um reino em Assam *(pág. 332)*. Também em Rajasthan, diversos reinos rajputs, como Mewar *(pág. 398)* e Marwar *(pág. 380)*, reafirmaram sua independência.

NOVAS INFLUÊNCIAS CULTURAIS

Apesar da turbulência por toda a Índia, entre os séculos 13 e 15 foram introduzidos diversos métodos e tecnologias novos em irrigação agrícola, administração, artesanato, muitos deles trazidos por governantes muçulmanos. O comércio cresceu com o Sudeste Asiático, a China, a Europa e países árabes. E um historiador do século 14 registrou que Délhi era a maior cidade do mundo islâmico oriental. Mesquitas, túmulos e fortes construídos pelo Sultanato de Délhi revelaram novas tendências na arquitetura; e diferentes estilos regionais, que fundiam elementos islâmicos e hindus, surgiram em locais como Ahmedabad, Mandu e nos reinos muçulmanos do Decã.

Na religião, seitas místicas sufis do Islã e santos-poetas do movimento *bhakti*, como Meerabai e Kabir, popularizaram as práticas religiosas na devoção a Deus e rejeitaram a hierarquia de castas.

O guru Nanak (1494-1530) fundou o siquismo *(pág. 103)*, com elementos do movimento bhakti e do Islã.

A CHEGADA DOS MOGUIS

Em 1526, Babur, príncipe da Ásia Central descendente de Timur de Samarcanda e brilhante estrategista militar, invadiu a Índia, destronou os lodis na histórica Batalha de Panipat e criou as bases do império Mogul. O domínio mogul teve uma breve interrupção quando Humayun, filho de Babur, foi destronado em 1540 pelo chefe afegão Sher Shah Sur. Mas Humayun retomou o trono em 1555 e deixou para o filho Akbar a consolidação e a expansão do império mogul. Os dois imperadores seguintes, Jahangir e o xá Jahan, deixaram um magnífico legado de arte e arquitetura. Aurangzeb, o último grande mogul, ampliou o império com o acréscimo de novos territórios no Sul.

Friso com caçada de elefante em Hampi, Vijayanagar

Bara Gumbad, túmulo lodi do século 15

1451-1526 Reinado dos sultões lodis de Délhi

1469 -1539 Guru Nanak, fundador do siquismo

1555 Humayun reconquista Délhi

1571-85 Akbar ergue Fatehpur Sikri

1643 O xá Jahan inicia o Taj Mahal

1674 Shivaji coroado chatrapati

1690 Calcutta founded by Job Charnock

1500 | 1550 | 1600 | 1650 | 1700

1498 Vasco da Gama chega a Calicut

1526 Babur derrota Ibrahim Lodi em Panipat

1540 Sher Shah Sur derrota Humayun e toma Délhi

1530 Humayun sucede Babur

1600 Rainha Elizabeth I concede licença à Companhia das Índias Orientais

1556 Akbar se torna imperador mogul

1661 Bombaim (atual Mumbai) é transferida dos portugueses para os ingleses

O Grande Império Mogul

Capacete mogul

Os moguis, como seus contemporâneos otomanos da Turquia, safávidas do Irã e Tudors da Inglaterra, constituíram uma dinastia poderosa e influente. Governaram a Índia por mais de 300 anos, e seu império abrangia desde Kandahar, no Noroeste, até Bengala, no Leste, e da Caxemira, no Norte, ao Decã, no Sul. Grandes patronos da literatura, da arquitetura e do artesanato, que alcançaram novos patamares sob sua proteção, os moguis desenvolveram uma cultura rica e pluralista, que misturava o melhor das tradições islâmicas e hindus.

Arte Decorativa
Objetos suntuosos, como esta base de hookah de vidro azul esmaltado de dourado, eram feitos nas oficinas reais moguis.

Imperador Akbar
O mogul mais notável, Akbar (reinou de 1556 a 1605) foi administrador brilhante e governante esclarecido. Construiu a cidade de Fatehpur Sikri (págs. 180-3).

Nobre oferece presente ao imperador.

Trajes palacianos e turbantes indicavam a posição e a religião.

Os **príncipes rajputs** eram aliados fiéis.

Diwan-i-Khas era o salão especial de audiências.

Armamentos
Elefantes de guerra, muito importantes no exército mogul, eram controlados e comandados com aguilhões afiados, mas lindamente decorados.

Moedas Moguis
Os mohurs *de ouro que circulavam nos reinados de Akbar e de seu filho Jahangir são famosos pelas belas inscrições.*

As Nove Jóias
Akbar reunia na corte homens brilhantes de diferentes profissões, que ele chamava de suas "nove jóias". Entre eles estava o músico Tansen (centro), *que, segundo consta, conseguia acender uma lamparina com o poder da voz.*

Alianças Políticas
O rajá Man Singh I, de Amber, deu a mão de sua filha em casamento para Akbar. Assim começou uma tradição de alianças entre moguis e rajputs, que trariam paz e prosperidade ao império Mogul.

Nur Jahan
Em uma fantástica combinação de inteligência e beleza, a rainha de Jahangir, nascida na Pérsia em 1577, foi o verdadeiro poder por trás do trono.

Arquitetura
Um monumento de beleza etérea, erguido pelo xá Jahan para a esposa, o Taj Mahal (págs. 172-5) *representa o auge da arquitetura mogul.*

O **xá Jahan** em seu trono suntuoso.

Jóias
A lendária riqueza dos moguis incluía jóias fantásticas, como este pendente incrustado com brilhantes enormes e sem manchas.

Manuscritos com Iluminuras
Obras de literatura, história e biografias eram produzidas em papel dourado, com bela caligrafia e ilustrações requintadas.

A CORTE DO XA JAHAN

O esplendor da corte mogul é retratado nesta pintura do século 17, onde se vê o imperador xá Jahan com nobres agrupados em ordem hierárquica em volta do trono. Os imperadores moguis, cujas capitais foram Agra e depois Délhi, usavam muitos rituais e pompa para exibir sua autoridade suprema, assim como para avaliar a situação dos negócios do império.

Guerras de Sucessão
Aurangzeb, o último grande mogul, tomou o poder depois de aprisionar o pai, o xá Jahan, e matar os irmãos. Cruel e intolerante, ele alienou os bens de muitos súditos hindus e expandiu o império Mogul.

A DINASTIA MOGUL

O império Mogul prosperou de 1526 até a morte de Aurangzeb, em 1707. Depois, com governantes fracos, a dinastia se enfraqueceu e terminou em 1857. Os primeiros governantes foram:
Babur (reinado: 1526-30)
Humayun (reinado: 1530-56)
Akbar (reinado: 1556-1605)
Jahangir (reinado: 1605-27)
Xá Jahan (reinado: 1627-58)
Aurangzeb (reinado: 1658-1707)

DECLÍNIO MOGUL

A morte do imperador Aurangzeb, último grande mogul, em 1707, anunciava a decadência do império, pois ele deixou uma economia arruinada e sucessores fracos. Estados independentes começaram a ser fundados por rajputs em Rajasthan, pelos nababos de Avadh e Bengala, pelos nizams de Hyderabad e pelos wodeyars de Mysore. Surgiram dois poderes novos: os maratas no Decã e os siques no Norte. Sob o comando de Shivaji *(pág. 471)* os maratas expandiram suas terras após 1647. Os siques, originalmente um grupo religioso, começaram a tomar terras nos estados montanhosos do Norte: Jammu e Punjab. Com Ranjit Singh *(pág. 104)*, eles se transformaram num estado poderoso, no início do século 19.

Sahib e cornaca em elefante

OS EUROPEUS

Mas a Índia deixaria de ser um campo de batalha para grupos e dinastias locais, pois comerciantes europeus, que começaram a chegar no século 16, iriam mudar o rumo de sua história. Para estabelecer feitorias comerciais em áreas em que seus agentes haviam se instalado, os europeus passaram a tomar terras e fizeram muitas guerras, entre si e contra governantes indianos. Os grupos comerciais eram organizados em companhias, e incluíam portugueses, franceses, holandeses e ingleses. Os portugueses, os primeiros a chegar, perderam a maior parte de seus territórios para os holandeses e ingleses, por volta do fim do século 17, conservando apenas Goa e alguns enclaves adjacentes. Os holandeses, por sua vez, perderam para os ingleses. No século 18, ocorreram grandes conflitos entre franceses e ingleses, como as três Guerras Carnáticas entre 1740 e 1763, no Sul da Índia, que envolveram poderes indianos de ambos os lados. Por fim os ingleses venceram, e os franceses mantiveram apenas Pondicherry e alguns assentamentos pequenos.

A ASCENSÃO DOS BRITÂNICOS

Enquanto isso, a Companhia das Índias Orientais britânica foi conquistando terras no Norte e, a partir do século 17, obteve do império Mogul concessões comerciais. Os britânicos derrotaram os nababos de Bengala nas batalhas de Plassey (Palasi), em 1757, e de Buxar, em 1764. Na ocasião, as invasões de Nadir, xá da Pérsia, em 1739, e de Ahmad, xá abdali do Afeganistão, em 1761, enfraqueceram ainda mais o império mogul. Na batalha com os abdalis, os maratas, que haviam assumido o controle de Délhi, sofreram uma derrota fragorosa. A partir de então, os britânicos começaram a expandir seu poder. Robert Clive *(pág. 561)*, responsável por muitas vitórias, tornou-se governador de Bengala em 1757. A partir de 1773, o Parlamento inglês passou a exercer parte do controle sobre a Companhia. Warren Hastings, indicado

Igreja rachol na Goa portuguesa

CRONOLOGIA

1707 Morre o imperador mogul Aurangzeb

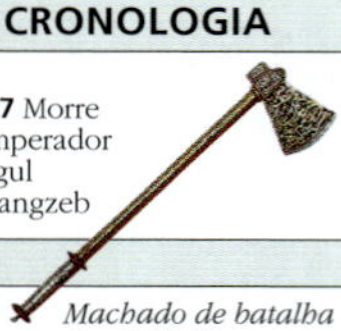

Machado de batalha do xá Nadir

1727 Fundação da cidade de Jaipur por Sawai Jai Singh II

1739 Nadir, xá da Pérsia, invade Délhi

1750

1757 Batalha de Plassey, britânicos derrotam Siraj-ud-daulah, nababo de Bengala

1761 Ahmad, xá abdali do Afeganistão, derrota os maratas na terceira batalha de Panipat

1764 Batalha de Buxar: britânicos garantem domínio de Bengala

1774-85 Warren Hastings, primeiro governador-geral

1775

1789 Maratas ocupam Délhi

1799 Derrotado o sultão de Tipu

Soldado marata

Sipaios (soldados da infantaria indiana) se rebelam em Fatehpur durante o Motim de 1857

governador em 1772, logo recebeu o título de governador-geral de Bengala (1774-1785), com poder para supervisionar todos os territórios da Companhia. No mandato dele e de seus sucessores (que a partir de 1833 passaram a governadores-gerais da Índia), a expansão prosseguiu e ocorreram guerras importantes contra os maratas, em Punjab, e o governante Haider Ali e o sultão de Tipu, em Mysore. Outros estados foram também conquistados ou passaram ao controle britânico em diversos tipos de políticas, como a Aliança Subsidiária, com a qual os estados indianos tinham de manter tropas britânicas e permitir que um oficial britânico residisse no estado e desse conselhos. Outra política era a da Doutrina da Preempção, sob a qual os estados passavam ao domínio da Companhia se algum governante morresse sem herdeiro masculino direto. Assim, em 1857, o controle da Companhia cobria quase toda a Índia atual, com altíssimos lucros. Após a Revolução Industrial, matérias-primas eram exportadas para a Grã-Bretanha e produtos manufaturados britânicos, principalmente tecidos, invadiram a Índia. Os artesãos empobreceram e as vilas e as pequenas cidades entraram em declínio. Crescia o descontentamento com os governantes estrangeiros. Diferentemente dos primeiros conquistadores, os britânicos mantiveram-se separados, com sua base em outro país. Em 1857, houve uma revolta grave, que começou como um motim de soldados e logo cresceu com a participação civil. Em maio, milhares de rebeldes tomaram Délhi e proclamaram imperador da Índia o governante mogul, Bahadur Shah Zafar. Em setembro, os britânicos retomaram Délhi. Bahadur foi exilado para Rangoon (Yangon) e seus filhos pequenos foram executados. Outras regiões rebeladas também foram brutalmente subjugadas, o que pôs fim ao maior desafio contra o domínio britânico até então.

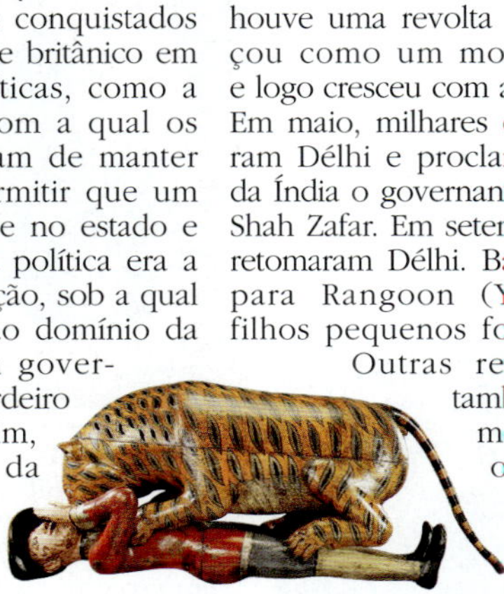

Brinquedo mostra tigre de Tipu atacando britânico

1803 Britânicos retomam Délhi dos maratas

Efígie da rainha Vitória numa moeda da Companhia

1853 Primeira ferrovia de Bombaim até Thana

1857 Motim Indiano

1863 Simla se torna capital de verão do Raj

1800 | **1825** | **1850**

1799-1839 Reinado de Ranjit Singh

1818 Reinos rajasthanis aceitam controle britânico

1829 Governador-geral Bentinck proíbe o *sati*, prática hindu de cremar viúvas

1856 Anexação de Avadh

O nababo Wajid Ali, xá de Avadh

1858 A Coroa assume a Companhia das Índias Orientais. Lord Canning é o primeiro vice-rei

A Pax Britannica

A Cruz da Vitória

Os preceitos do domínio britânico, ou Raj, foram lançados após o Motim Indiano de 1857, que revelou a impopularidade da Companhia das Índias Orientais. Por um Ato do Parlamento em 1858, terminou o comando da Companhia, e seus territórios passaram a fazer parte do império britânico, governados por um vice-rei. Embora a razão de ser do Raj fosse lucro e controle político, seu legado duradouro foi a unificação política do subcontinente, junto com a introdução da educação ocidental, de um sistema administrativo centralizado e de uma rede de ferrovias.

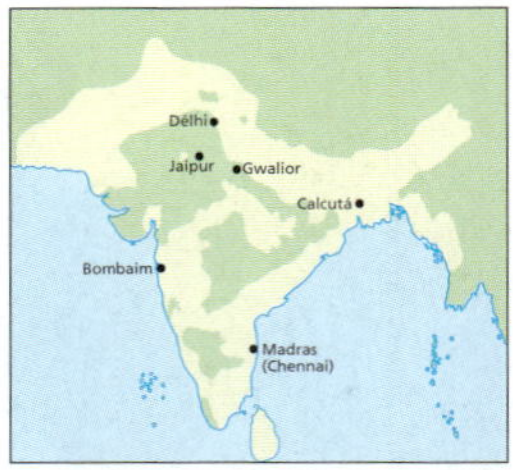

ÍNDIA BRITÂNICA

Território britânico em 1858

Administração
Aproximadamente 2 mil oficiais, membros do prestigiado Serviço Civil Indiano, comandavam mais de 300 milhões de indianos. Denominados "Estrutura de Aço da Índia", eles levaram a lei e a ordem no estilo britânico aos cantos mais remotos do país.

Comitiva indiana de uniforme vice-real repete um cortejo mogul.

Elefantes ajaezados levam oficiais do Raj.

Viagem de Sahibs
Vasta malha ferroviária foi instalada para facilitar o comércio e as viagens. Esta gravura do século 19 mostra uma viagem de primeira classe, um privilégio "só para brancos". Os sahibs viajavam com luxo e levavam criados.

Lorde Curzon
Vice-rei de 1899 a 1905, Curzon acreditava que o domínio britânico era necessário para civilizar a Índia "atrasada". Paradoxalmente, as instituições educacionais no estilo ocidental implantadas pelo Raj tornaram os indianos mais conscientes das injustiças do domínio colonial.

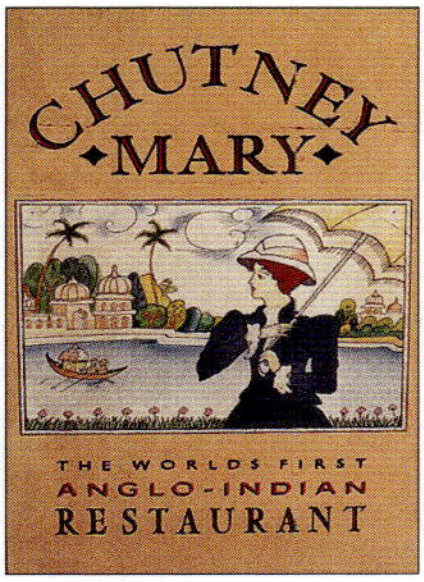

Culinária do Raj
Os britânicos adaptaram os curries indianos a seu paladar para ficarem menos apimentados. Desde então, restaurantes como o Chutney Mary *de Londres ganharam fama na Grã-Bretanha.*

Memsahib e Costureira
Apesar do clima, os britânicos continuaram fiéis a seus trajes e a seu estilo de vida. Os filhos iam estudar "em casa", e grande criadagem indiana permitia uma vida ociosa.

O **vice-rei**, lorde Curzon, e esposa lideram o cortejo.

A **multidão** se reúne nas ruas para ver o espetáculo grandioso.

Cemitérios do Raj
O calor do clima indiano tirou a vida de muitas mulheres e crianças britânicas, cujos túmulos ocupam os cemitérios do Raj.

CORTEJO IMPERIAL, 1903

Esta pintura do cortejo (*durbar*) de Curzon em Délhi (1903), realizado para comemorar a coroação de Eduardo VII em Londres, mostra o desfile serpenteando pelas ruas históricas da cidade. Realizadas periodicamente, tais procissões exibiam a grandiosidade e o poder político do domínio britânico na Índia.

Arquitetura Colonial
A edificação mais imponente de Nova Délhi, construída como capital imperial entre 1911 e 1931, era a ampla residência do vice-rei.

Company School
Quadros desta escola de artistas da Índia, como o retrato imaginário do rei Eduardo VII e da rainha Alexandra em trajes reais indianos, eram encomendados para o mercado britânico.

Multidão de partidários rodeia Mahatma Gandhi

O MOVIMENTO NACIONALISTA

Após 1857, cresceram as aspirações nacionalistas, e a fundação do Congresso Nacional Indiano, em 1885, deu aos indianos uma plataforma para exigir o governo independente. Em 1919, houve uma ocorrência crítica, quando as tropas do general Reginald Dyer atiraram na multidão desarmada de Jallianwala Bagh, em Amritsar, que protestava contra a cassação de liberdades civis. Morreram mais de 300 pessoas. Indianos de todas as castas, classes e religiões se uniram contra o abuso da brutalidade britânica. Por volta de 1920, quem assumiu a liderança do Movimento Nacional foi Mohandas Karamchand Gandhi, advogado de Gujarat, que voltara recentemente da África do Sul. Conhecido pelo povo como Mahatma, ou "grande alma", o carisma de Gandhi e sua identificação com os pobres da Índia transformaram a luta pela liberdade num movimento de massa. Sua estratégia foi lançar uma cruzada moral de resistência não-violenta (satyagraha) contra as leis e instituições britânicas, seguida de períodos de trabalhos construtivos em vilarejos. Juntaram-se a Gandhi diversos indianos de projeção, entre os quais estava Pandit Jawaharlal Nehru.

A princípio, o movimento pela liberdade foi esmagado implacavelmente. Mas, depois da Segunda Guerra Mundial, a Grã-Bretanha não possuía mais a força militar nem a determinação para impor seu domínio. Enquanto isso, a partir de 1940, a Liga Muçulmana, liderada por Mohammad Ali Jinnah, reclamava o estado independente do Paquistão para os muçulmanos.

Às 24h de 14 de agosto de 1947, terminou o domínio britânico e a Índia e o Paquistão nasciam como nações. Um período difícil tirou o brilho das comemorações, com a divisão do subcontinente indiano em dois países, acompanhada de migração em massa de hindus e muçulmanos e de levantes em que morreram milhares de pessoas.

Cartaz de heróis políticos do passado e do presente

A ÍNDIA INDEPENDENTE

O novo governo integrou na União Indiana mais de 550 principados, semi-independentes nos tempos britânicos. No fim de 1947 ocorreu uma guerra entre a Índia e o Paquistão pela posse do principado da Caxemira, o que continuou a ser uma disputa importante entre os dois países. Em 1948, Mahatma Gandhi foi assassinado por um hindu fanático que achava que o líder favorecia os muçulmanos. Isso chocou de tal modo as duas comunidades que, por fim, a paz voltou.

Como primeiro-ministro da Índia, Jawaharlal Nehru

CRONOLOGIA

1885 Fundação do Congresso Nacional Indiano

1905 Separação de Bengala

1911 Transferência da capital para Délhi, anunciada por um cortejo (*durbar*)

1913 Rabindranath Tagore ganha Nobel de Literatura

Roca de Gandhi

1919 Massacre de Jallianwala Bagh

1920 Movimento de não-cooperação lançado por Gandhi

1930-32 Movimento de Desobediência Civil

1940 Liga Muçulmana adota a Resolução do Paquistão

1942 Movimento Deixe a Índia

1947 Índia obtém independência

Bandeira da Índia

1948 Assassinato de Mahatma Gandhi

1952 Primeira eleição geral, com sufrágio universal

1910 | 1920 | 1930 | 1940 | 1950

Nehru com a filha Indira e o neto Rajiv

lançou os fundamentos de um Estado moderno, com política secular democrática e forte base industrial, e planejou a economia, com uma política externa de não-alinhamento. Em 1962, a China invadiu o nordeste da Índia e depois se retirou, após infligir uma derrota humilhante ao exército indiano. Isso revelou a necessidade de modernização da máquina militar da Índia. Nehru morreu em maio de 1964, e em 1966 sua filha Indira Gandhi se tornou primeira-ministra. Ela prosseguiu com as políticas socialistas e a favor dos pobres e, em 1971, despojou os príncipes indianos de seus títulos e aboliu suas rendas privadas. No mesmo ano, Indira ajudou o Paquistão Oriental na luta contra o Paquistão Ocidental, o que levou à formação de Bangladesh. Mas, em 1975, ao perceber a ameaça ao seu poder e à sua popularidade, impôs um estado de emergência, sob o qual houve censura à imprensa e prisão de dissidentes. Quando chegou a eleição geral em 1977, Indira foi derrotada e o Partido do Congresso perdeu o poder pela primeira vez desde a independência. Por volta de 1980, Indira e o Partido do Congresso voltaram ao poder, mas uma ação militar contra terroristas siques refugiados em seu sagrado Templo de Ouro levou ao seu assassinato por sua guarda sique, em 1984. Seu filho, Rajiv Gandhi, assumiu o poder numa onda de simpatia, começando a liberalizar a economia. Ele foi assassinado por um separatista tâmil do Sri Lanka, durante a campanha eleitoral de 1991, mas prosseguiram as reformas econômicas que incentivavam a iniciativa privada e o investimento estrangeiro. A partir de 1996, uma série de governos de coalizão esteve no poder, e o Partido Bharatiya Janata (BJP, sigla inglesa), de cunho nacionalista hindu, emergiu como principal ameaça do Congresso.

Mulheres do campo lêem em campanha de alfabetização

Houve progresso nos anos pós-Independência, embora o desemprego e a pobreza ainda existam. A alfabetização pulou de 18% em 1951 para 66% em 2001. Nas áreas urbanas, as mulheres trabalham em todas as profissões. Dos frequentes racionamentos de comida dos anos 1950, agora a Índia tem excedentes de alimentos, e a base industrial se expandiu, produzindo desde brinquedos até aeronaves. As reformas econômicas inundaram o mercado com bens de consumo e ajudaram na ascensão de uma classe média próspera. Em tecnologia da informação, houve uma verdadeira revolução, e agora a Índia é um dos países líderes no desenvolvimento de softwares.

O recém-construído parque info-tech, em Hyderabad

1961 Goa libertada do domínio português

1962 Guerra entre Índia e China

1971 Nasce Bangladesh

1992 Destruição de Babri Masjid leva a distúrbios comunitários

1991 Rajiv Gandhi é assassinado

1998 BJP assume o poder. A. B. Vajpayee se torna primeiro-ministro

2001 Terremoto em Gujarat

2004 Tsunami atinge Tamil Nadu e as ilhas Andaman

1960 | **1970** | **1980** | **1990** | **2000**

1965 Guerra com Paquistão

1971 Príncipes perdem privilégios

1975 Indira Gandhi declara Emergência

1982 Índia envia cientistas à Antártica

1998 Amartya Sen ganha Nobel de Economia

1999 Conflito com o Paquistão em Kargil

2000 População chega a 1 bilhão

2007 Pratibha Patil torna-se a primeira mulher presidente da Índia

DÉLHI E O NORTE

Introdução a Délhi e ao Norte

Rico em belezas naturais e em sítios históricos, o Norte da Índia é uma região muito visitada. Aqui há grande variedade de paisagens, desde picos nevados, vales alpinos e florestas de pinheiros de Ladakh e Himachal Pradesh até as planícies de Haryana e Punjab, salpicadas de campos dourados de mostarda e trigo. Para contrastar, surge a mancha urbana de Délhi, uma metrópole barulhenta e capital do país. Os mosteiros encarapitados no topo de rochedos em Ladakh e as preservadas trilhas de trekking são grandes atrações para os visitantes, assim como o visual de Shimla do período Raj e o aspecto tibetano de Dharamsala. O grande santuário sique de Amritsar, o Templo de Ouro e os magníficos monumentos do período mogul em Délhi são outros destinos famosos.

A bela paisagem verdejante de Srinagar, no vale da Caxemira

Fazendeiros do Punjab se divertem num reboque de trator

COMO CIRCULAR

Délhi tem boas conexões aéreas, ferroviárias e rodoviárias com o restante da região. Há vôos diários para Leh, Srinagar, Amritsar e Chandigarh. Estas duas últimas cidades se ligam a Délhi por trens rápidos e por uma rodovia nacional. De Chandigarh há vôos para Shimla e Manali, além de ônibus frequentes. Uma viagem muito charmosa é pelo Toy Train (bitola de 60cm) "Shivalik Queen" *(pág. 777)*, que vai de Kalka, perto de Chandigarh, até Shimla. Entre outras viagens ótimas, com vistas espetaculares das montanhas, estão o passeio de carro de Manali a Leh, e a viagem pela velha rodovia Hindustão-Tibete (National Highway 22), que vai de Shimla até a fronteira com a China, perto de Shipkila.

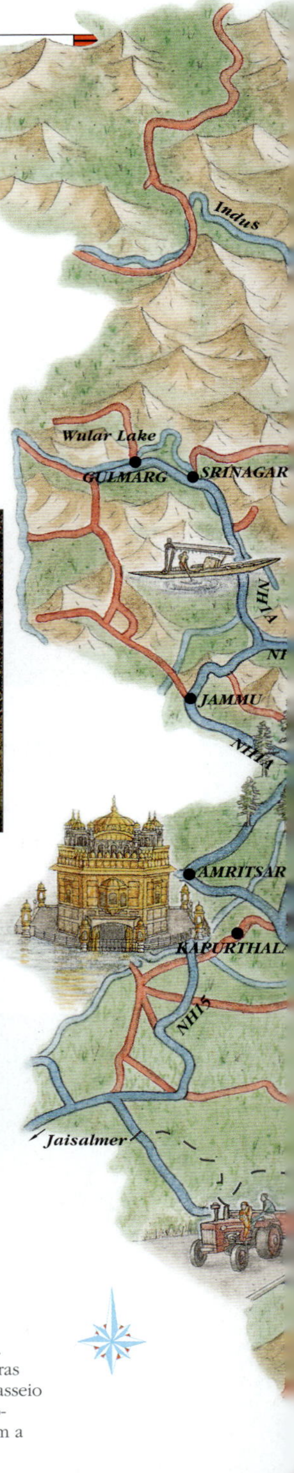

◁ Mulher em campo de cevada cultivado entre encostas áridas de Spiti *(pág. 130)*, em Himachal Pradesh

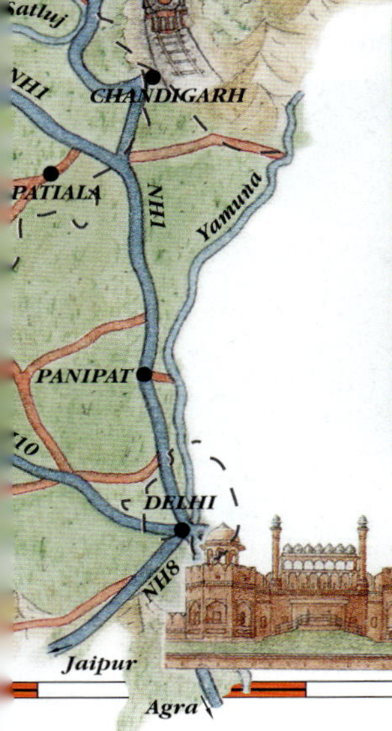

VEJA TAMBÉM

- ***Onde Ficar*** págs. 690-5
- ***Onde Comer*** págs. 720-4

LEGENDA

- Rodovia nacional
- Estrada principal
- Rio
- Fronteira estadual

Cores de outono ao longo da margem do rio Indo, em Ladakh

0 km 100

RETRATO DE DÉLHI E DO NORTE

Os picos do Himalaia, a barreira natural mais espetacular do mundo, marcam as fronteiras da área que se estende ao norte de Délhi. Essa região abriga grande variedade de culturas e paisagens. Aos poucos, a mancha urbana da barulhenta Délhi dá lugar aos viçosos campos cultivados de Punjab e Haryana, ao norte dos quais ficam as serenas terras montanhosas de Himachal Pradesh e Ladakh.

Em termos geológicos, o Himalaia é muito novo *(págs. 64-5)*, mas, para os seres humanos, evoca uma sensação de algo eterno, e é a fonte de inspiração espiritual dos indianos há milhares de anos. Os mosteiros e templos situados nas encostas complementam com perfeição a beleza dessas montanhas.

Flores de açafrão

Em geral, quem visita a região começa por Délhi, capital do país, uma cidade que mistura diversos períodos históricos. Seu grandioso passado mogul se evidencia em muitos monumentos e túmulos majestosos. As elegantes avenidas arborizadas e os bangalôs de Nova Délhi evocam o tempo do domínio britânico. E tudo coexiste com o mundo moderno dos cyber-cafés, shopping centers e cinemas multiplex. A população de Délhi aumentou de modo a acomodar milhões de pessoas deslocadas com a divisão da Índia em 1947, quando a porção ocidental do Punjab se tornou parte do Paquistão. Desde então, refugiados sem-teto do oeste de Punjab prosperaram em Délhi e agora dominam a vida comercial da cidade.

Como capital, Délhi continua a atrair gente de toda a Índia, o que confere à cidade um aspecto bem cosmopolita.

Os resistentes punjabis trabalham duro e transformaram seu estado natal com modernas técnicas agrícolas, na década de 1960. Como consequência dessa "Revolução Verde", hoje Punjab e Haryana produzem quase todo o

Lago glacial reflete o profundo azul do céu, perto do Thamsar Pass, em Himachal Pradesh

Campos de mostarda nas planícies férteis do Punjab

trigo e arroz da Índia, e um terço dos laticínios. Os punjabis também estão entre as comunidades imigrantes mais bem-sucedidas do mundo e, agora, praticamente toda família tem ao menos um membro vivendo no exterior, seja em Londres, Nova York, Vancouver ou Hong Kong, como retrata o filme de Mira Nair *Casamento à Indiana (2001)*.

Cortejo nupcial em Délhi

O nome "Punjab" se refere aos cinco *(panch)* rios *(ab)* que atravessam essa terra fértil. O sexto "rio", por assim dizer, é a lendária Grand Trunk Road *(pág. 179)*. Ao se viajar para qualquer lugar ao norte de Délhi, essa é a estrada mais usada. O tipo de tráfego mudou muito desde o tempo de Rudyard Kipling *(pág. 255)*, e agora ela foi rebatizada como National Highway 1, mas ainda corresponde à descrição do escritor: "Um rio de vida como este não existe em nenhum outro lugar do mundo".

No período Raj, os britânicos fugiam do calor do verão nas planícies e rumavam para as montanhas. O visitante atual segue os passos deles o ano todo. Himachal Pradesh tem uma porção de agradáveis estâncias de montanha, como Shimla, Kasauli e Dalhousie. As encostas estão cheias de pomares, e o cultivo de maçãs é parte importante da economia do estado. Himachal Pradesh também oferece passeios espetaculares. Alguns começam em Dharamsala, cidade com típico aspecto tibetano, que é sede do Dalai Lama *(pág. 122)*.

Jammu e Caxemira, que inclui Ladakh, é o estado mais setentrional. Infelizmente, a militância do movimento separatista no belo vale da Caxemira colocou fim ao turismo local. Mas Ladakh continua um oásis de paz. Quase sempre vista como dona de uma cultura apenas budista, na realidade a população se dividide entre o budismo e o islamismo, que coexistem em harmonia. A singular cultura sincrética de Ladakh, junto com a maravilhosa beleza natural e a marcante arquitetura dos mosteiros, a torna uma das áreas mais fascinantes do país.

Família da Caxemira se reúne em volta do samovar

A Cordilheira do Himalaia

Pega-do-himalaia

Com as montanhas mais altas e mais jovens do mundo, a cordilheira do Himalaia se estende por 2.500km ao longo da fronteira setentrional do subcontinente indiano e o separa da Ásia Central e do planalto tibetano. Essas montanhas se formaram há cerca de 30 milhões de anos, quando a placa indiana se soltou do Gonduana, desgarrou-se para o norte e se chocou com a massa de terra da Eurásia, o que fez a crosta terrestre formar três cadeias de montanhas paralelas, onde estão os 30 picos mais altos do mundo.

LOCALIZE-SE

Cordilheira do Himalaia

Área ilustrada abaixo

Deserto de grande altitude, *onde quase só crescem liquens, é encontrado acima da linha arborizada. Há uma área desse tipo entre Diskit e Hundar, no vale do Nubra, em Ladakh* (pág. 143), *com dunas e camelos.*

Há muitas **geleiras** *no Himalaia Ocidental. Elas abastecem os três maiores rios indianos: o Indo, o Ganges e o Brahmaputra.*

AS MONTANHAS

Catorze picos do Himalaia atingem mais de 8.000m de altitude, a exemplo do monte Everest (na China), o pico mais alto do mundo, com 8.948m. Os dois maiores picos na Índia são o Kanchendzonga *(pág. 302)*, com 8.598m, e o Nanda Devi (acima), com 7.817m.

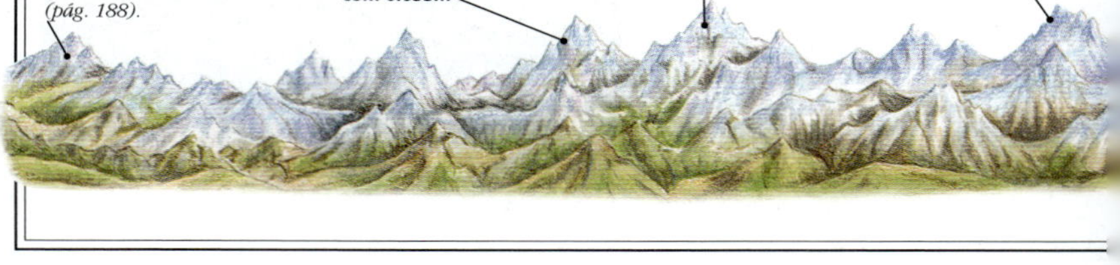

Uma **casa tradicional do Himalaia** *é feita, em geral, de pedra e madeira ou de tijolos de barro secos ao sol. Costuma ter dois ou três andares. O térreo é recheado de pedras para dar estabilidade durante os terremotos; o seguinte abriga as criações; e no de cima ficam os cômodos da família.*

Fósseis e pedras marinhos, *encontrados em grandes altitudes no Himalaia e até no Everest, comprovam que essas montanhas faziam parte do leito do mar de Tétis.*

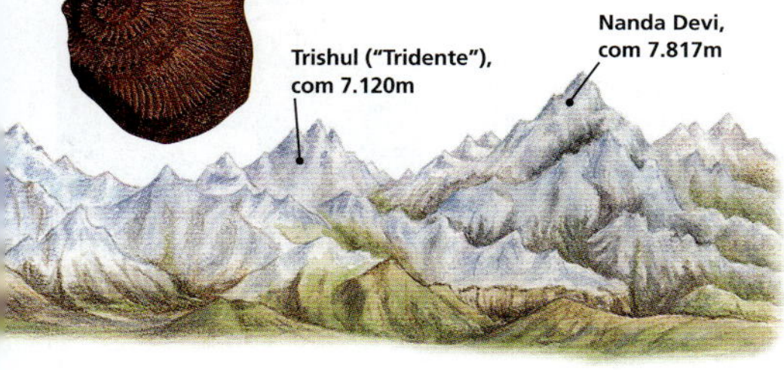

FLORA E FAUNA

Selvas subtropicais, florestas temperadas de coníferas e campos alpinos estão entre as diversas zonas de vegetação do Himalaia. Elas abrigam uma rica e abundante variedade de vida vegetal e animal.

Brahma Kamal (Saussurea obvallata) *é uma oferenda na maioria dos templos locais.*

O **cedro-do-himalaia** (Cedrus deodara), *conífera alta, nasce nas florestas temperadas do Himalaia Ocidental.*

O **Ganso-do-índico** (Anser indicus), *bela ave aquática, se reproduz em lagos de altitude, em Ladakh.*

O **Carneiro-azul-do-himalaia** (Pseudois nayaur) *tem esse nome por causa do reflexo azulado da pelagem. Vive nas encostas pedregosas.*

O **leopardo-da-neve** (Uncia uncia), *ameaçado de extinção, vive acima de 4.000m. Caça carneiros e lebres.*

Os Sabores de Délhi e do Norte

São várias as culinárias nas regiões de Délhi e Punjab, que, a despeito das fronteiras nacionais, começam no desfiladeiro de Khyber, hoje no Paquistão. O trigo é o alimento básico, e no *tandoori*, um forno de barro redondo, é assada uma grande variedade de pães *(rotis)*, carnes marinadas e legumes. Os *curries* herdados das cozinhas imperiais ainda são usados, como o frango na manteiga, *tikkas* e *dal mahani* das cozinhas pós-Separação. Os sabores da Caxemira são uma mistura de iogurte, condimentos, anis, gengibre, pimentas vermelhas e uma pitada de assa-fétida (hindus) ou alho (muçulmanos). Arroz e carneiro são básicos nas duas comunidades.

Estigmas de açafrão

Mangas e outras frutas frescas à venda no mercado de Nova Delhi

NOVA DÉLHI

Séculos de dominação islâmica legaram a Nova Délhi os *shami* e burra *kebabs*, os *kormas* e *salans*, e os *biryanis* e *pulaos*, todos eles pratos principais pouco condimentados. Antes servida nas cortes dos reis, imperadores e sultões, a culinária imperial caiu no gosto da maioria.

Hoje, Nova Delhi é uma cidade de imigrantes, e cada comunidade trouxe sua própria comida. Dominam as culinárias do Punjab e a "fronteiriça". O onipresente frango *tandoori*, servido com picles de cebola e *chutney* de menta, foi "inventado" em 1947 no restaurante Moti Mahal, de Daryaganj. Também são populares o dosa e o *idli* do Sul da Índia *(págs. 554-5)*. Em Nova Délhi há muita comida de rua. O *bhutta* (espiga de milho) assado em fogareiros improvisados, os sucos e sorvetes de frutas vendidos em carrinhos de mão e os inúmeros *chaat* (saborosos petiscos) já são legendários, assim como os *jelabis* (massa frita com calda), o *phirni* pudim de arroz) e o kulfi (sorvete) de amêndoa ou pistache guarnecido com tiras de talharim.

Travessa de tandoori com várias carnes grelhadas

PRATOS E ESPECIALIDADES LOCAIS

Menta e pimentas

Da antiga Délhi vem o *nahari*, o delicioso carneiro (que na Índia também pode ser bode) cozido durante toda a noite e servido no café-da-manhã com *naans*. Os petiscos incluem o popular *chhole-bhatura* e os legumes *pakora* (tempura indiano). Entre as especialidades do Punjab estão *dal makhani*, *baigan ka bharta* (purê de berinjela defumada) e vários pães recheados. Há poucos pratos vegetarianos na Caxemira, mas os mais apreciados são o *haaq* (com espinafre), *aloo dum* (batatas com iogurte) e *chaman* (queijo *cottage* em caldo de carne). O cordeiro e o carneiro estão presentes nas *rishta* (almôndegas) ao molho e nas *tabak maz* (costeletas fritas cozidas no leite).

Aloo puri, *batatas condimentadas servidas com pão frito e chutney de menta e coentro*

Os shikras (barcos a remo) transportam os legumes pelo lago Dal, Srinagar, Caxemira

PUNJAB

A comida do Punjab é robusta e vinculada à vida das comunidades rurais. Tem como base o leite e seus subprodutos, como iogurte e *paneer* (queijo cottage), preparados de várias formas. Aqui se bebe *lassi* (leite desnatado) e sua variante, o *chhach*, feito com gengibre, coentro e cominho em pó. O trigo é o cereal básico e os pratos incluem *aloo parathas* (pão frito recheado com batatas e legumes, acompanhado de iogurte) e a sazonal *sarson ka saag* (verduras mostarda) e *makke* (milho) *ki roti*. Embora os vegetarianos sejam os principais, os pratos não vegetarianos deste estado são um misto das cozinhas da Fronteira Noroeste e Mughlai. A cozinha do Punjab está centrada em Amritsar, e é famosa pelo peixe empanado e frito. Os *dhabas* (locais para comer) que se espalham nas grandes rodovias oferecem o que há de melhor aos motoristas de caminhão que buscam refeições frescas, fortes e baratas.

Limpeza do trigo, uma vista comum no Punjab

CAXEMIRA

Aqui, a oferta varia de uma simples refeição familiar aos banquetes de casamento com 36 pratos, o *wazawan*, onde os grupos de convidados recostam-se em acolchoados ao redor de grandes travessas de prata. Os pratos básicos são arroz do vale de Caxemira, carneiro, galinha e peixe. O uso generoso de iogurte nos molhos confere aos pratos uma consistência cremosa, enquanto o açafrão lhes dá cor e sabor. Nozes e amêndoas acrescentam textura e paladar. A refeição termina com *kahva*, o chá verde temperado com cardamomo e canela.

NO CARDÁPIO

Aloo tikki Batata amassada e frita.

Chhole-bhatura Grão-de-bico condimentado com pão frito.

Dal makhani Lentilhas temperadas com gengibre, alho e pimenta, cobertas com creme.

Gushtaba Almôndegas grandes temperadas com menta fresca.

Phirni Pudim de arroz doce guarnecido com castanhas.

Shami kebab Tortinhas de carne moída apimentada.

Tandoori murg Galeto grelhado.

Yakhni Iogurte e carneiro ou raiz de lótus ao curry com delicado toque de erva-doce.

Rogan josh, *cubos de carneiro cozidos lentamente em iogurte engrossado com khoya (leite solidificado).*

Dal, *mistura de lentilhas com um tempero de cebolas e condimentos. É o "alimento da alma" na Índia.*

Gulab jamuns, *bolinhos de farinha e leite fritos com calda doce de água de rosas e cardamomo.*

INDIA

DÉLHI

Délhi, capital da Índia, é a terceira maior cidade do país, com cerca de 16 milhões de habitantes. Sua localização estratégica nas rotas norte-sul e leste-oeste lhe conferiu uma posição privilegiada na história indiana, e muitos grandes impérios foram comandados daqui. Os monumentos e ruínas se espalham pela cidade, muitas vezes lado a lado com prédios altos e modernos.

A vasta mancha urbana da Délhi atual é um aglomerado de diversos enclaves diferentes, e os principais deles são a Velha Délhi, com monumentos e congestionados mercados-bazares dos séculos 16 e 17, erguidos pelo império mogul; e a Nova Délhi, com avenidas largas, lindas vistas e mansões coloniais, construídas pelos britânicos na década de 1930, como capital imperial. Nova Délhi possui prédios do governo e também abriga o bairro diplomático, onde se localizam todas as embaixadas. As ruínas de cidadelas do século 12, feitas pelos primeiros governantes islâmicos, podem ser vistas na região de Qutb-Mehrauli, e ali perto, no sul, ficam os ricos subúrbios da nova classe média. E existem favelas e casebres por toda a periferia da cidade.

Todos os contrastes e contradições da Índia estão bem visíveis na capital: jovens de jeans junto com sadhus (homens santos) com roupas longas e carros de boi trafegam ao lado de carros luxuosos. A essa diversidade fascinante de Délhi junta-se o fato de que ela é basicamente uma cidade de migrantes. Após a violenta divisão da Índia e do Paquistão em 1947, milhões de refugiados, quase todos de Punjab Ocidental, se estabeleceram aqui em busca de vida nova. Desde então, chegam constantemente pessoas de todo o país. Mas cada comunidade regional manteve a identidade cultural, o que faz de Délhi uma espécie de *thali* (travessa) cujos bocados podem ser saboreados sozinhos ou em combinações interessantes.

Vista da velha cidade em volta da Jami Masjid, com ruas movimentadas e prédios cheios de gente

◁ **India Gate e elegante dossel projetado por sir Edwin Landseer Lutyens, terminado em 1931**

Como Explorar Délhi

Algumas das construções mais impressionantes de Délhi podem ser apreciadas na área mostrada neste mapa. Em Vijay Chowk, pode-se ter uma vista panorâmica dos prédios do Raj, em Raisina Hill. Para o norte, o magnífico Jami Masjid, com suas muitas ruelas movimentadas, é o ponto alto da Velha Délhi. A sudoeste, na área medieval em volta do túmulo do santo sufi Nizamuddin Auliya, a Mathura Road leva até Purana Qila, um forte em ruínas. Mais ao sul, a área de Mehrauli (mostrada no mapa da Grande Délhi) tem um belo grupo de monumentos erguidos nos séculos 12 e 13.

Vijay Chowk *(págs. 72-3)*, na base de Raisina Hill, é rodeada de escritórios do governo

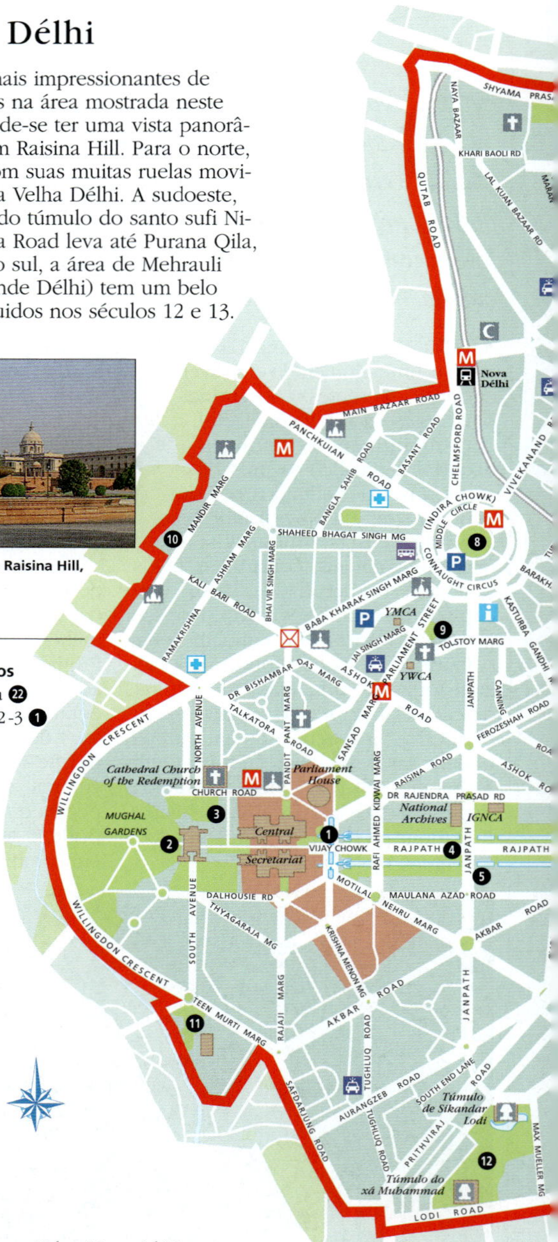

PRINCIPAIS ATRAÇÕES

Prédios, Ruas e Bairros Históricos

Ao Redor da Porta para Caxemira 22
Ao Redor de Vijay Chowk págs. 72-3 1
Chandni Chowk págs. 84-5 17
Complexo de Nizamuddin 15
Feroze Shah Kotla 21
Hauz Khas 28
Jahanpanah 30
Jantar Mantar 9
Khirkee 29
Mehrauli Archaeological Park págs. 92-4 31
Memorial da Coroação 23
Purana Qila 13
Raisina Hill 3
Rajghat 20
Rajpath 4
Rashtrapati Bhavan 2
Red Fort 19
Túmulo de Humayun pág. 83 16
Túmulo de Safdarjung 26
Tughluqabad 33

Igrejas, Templos e Mesquitas

Baha'i House of Worship 34
Jami Masjid 18
Lakshmi Narayan Mandir 10

Museus

Crafts Museum págs. 80-1 14
National Gallery of Modern Art 6
National Museum págs. 76-7 5
Nehru Memorial Museum and Library 11
Sanskriti Museum 32
The National Rail Museum 25

Lojas e Mercados

Connaught Place 8
INA Market 27

Parques e Jardins

Lodi Gardens 12
The Ridge 24

Teatros e Galerias de Arte

Mandi House Complex 7

LOCALIZE-SE

LEGENDA

- Ao redor de Vijay Chowk: págs. 72-3
- Chandni Chowk: págs. 84-5
- Estação de trem
- Estação de metrô
- Terminal de ônibus
- Informação turística
- Estacionamento
- Hospital
- Delegacia de polícia
- Templo
- Mesquita
- Gurdwara
- Igreja
- Túmulo
- Correio
- Rodovia nacional
- Estrada principal

COMO CIRCULAR

O melhor modo de ver as áreas mostradas é de metrô, táxi, riquixá-táxi ou carro alugado com motorista. Passeios de ônibus com guia, da Delhi Tourism *(pág. 761)*, cobrem muitas atrações. Evite os ônibus cheios.

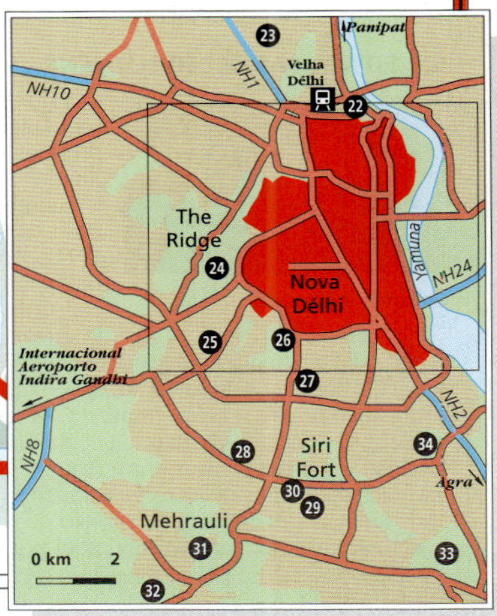

VEJA TAMBÉM

- ***Onde Ficar*** págs. 690-1
- ***Onde Comer*** págs. 720-1

Rua a Rua: Ao Redor da Vijay Chowk ❶

Vijay Chowk, ou "praça da vitória", amplo espaço na base de Raisina Hill, foi planejado para o acesso imponente à casa do vice-rei, agora residência do presidente. É aqui que ocorre a cerimônia "Beating of the Retreat" em 29 de janeiro *(pág. 37)*. A Vijay Chowk é ladeada por dois longos e clássicos prédios do Secretariado (blocos Norte e Sul), onde ficam diversos ministérios, além do gabinete do primeiro-ministro. Ministros e altos funcionários do governo vivem em bangalôs espaçosos, nas avenidas arborizadas das proximidades. Saindo da Vijay Chowk, a grandiosa Central Vista de Lutyens fica em frente –árvores grandes e chafarizes se alinham pelos gramados de Rajpath até a Porta da Índia, o dossel e o Estádio Nacional, na outra ponta.

★ Vijay Chowk
Esta praça, com chafarizes de arenito vermelho em formato de obelisco, oferece uma vista grandiosa.

O **Bloco Norte**, projetado por Herbert Baker, conta com o imponente Central Hall.

Sansad Bhavan é também conhecido como Parliament House.

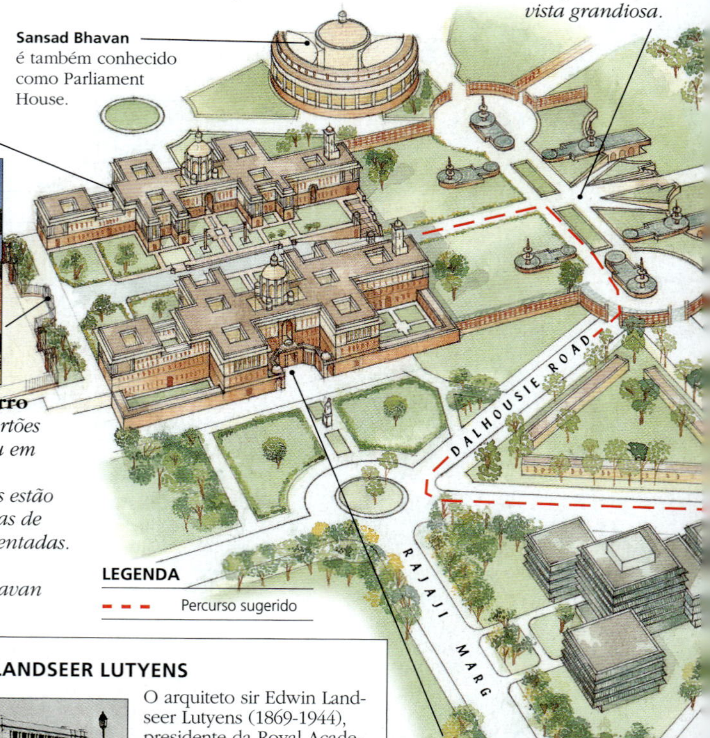

Portões de Ferro
Copiados de portões que Lutyens viu em Chiswick, na Inglaterra, estes estão presos a pilastras de arenito ornamentadas. Ele levam ao Rashtrapati Bhavan (pág. 74).

SIR EDWIN LANDSEER LUTYENS

National Archives

O arquiteto sir Edwin Landseer Lutyens (1869-1944), presidente da Royal Academy de 1938 a 1944, recebeu a incumbência de projetar a nova capital da Índia em 1911. Com o colega Herbert Baker, levou 20 anos para construir a cidade num estilo que combinava o classicismo ocidental com motivos decorativos indianos. O resultado foi uma síntese admirável e harmoniosa, com jardins neomoguis e belas vistas, que atingem os arredores verdejantes. Com obras atrasadas pela Primeira Guerra Mundial e por desavenças entre Baker e Lutyens, os custos exorbitantes, pagos pelas receitas indianas, levaram Mahatma Gandhi a chamar o projeto de "elefante branco". Por ironia, os britânicos viveram aqui por apenas 16 anos.

★ Bloco Sul
O gabinete do primeiro-ministro e o Ministério da Defesa ficam nesta seção do Secretariado.

Mesquita Sunehri Bagh
Muito interessante, esta mesquita simples, do século 18, foi construída por um santo chamado Sayyid Sahib. A Sunehri Bagh Road, onde ela está, tem árvores frondosas, típicas das avenidas cortadas por Lutyens.

LOCALIZE-SE
Mapa de Délhi nas págs. 70-1

Rotatória
Os caminhos bem ajardinados se cruzam e são um refúgio, na hora do almoço, para quem trabalha.

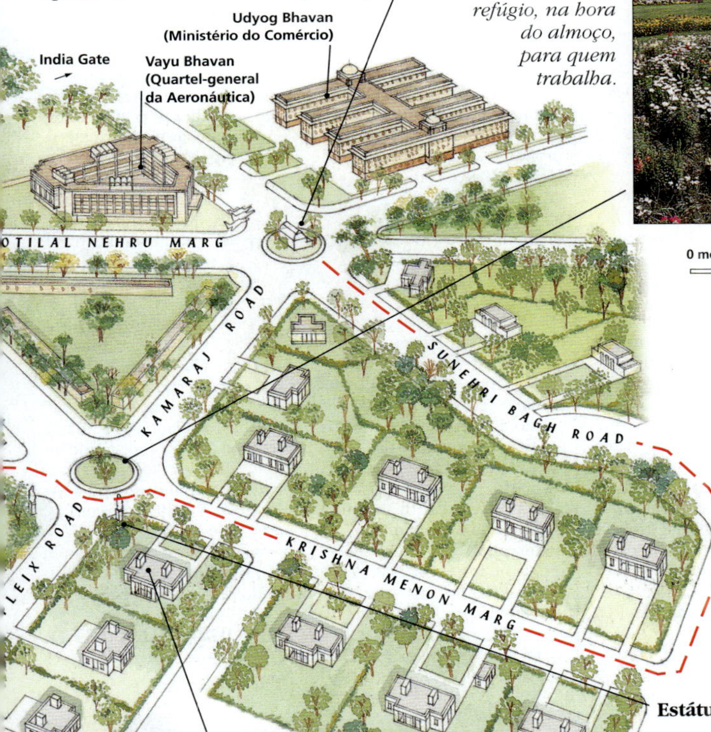

Estátua de Kamaraj
K. Kamaraj foi presidente do Partido do Congresso (1963-6).

★ Avenidas com Bangalôs
Regulamentos para construções preservam a arquitetura original dos bangalôs coloniais, em avenidas arborizadas desta área.

PONTOS ALTOS

- ★ Vijay Chowk
- ★ Bloco Sul
- ★ Avenida com Bangalôs

Portão de ferro trabalhado, no Rashtrapati Bhavan, desenhado por Lutyens

Rashtrapati Bhavan ❷

Tel *(011) 2301 5321.* *9h30-13h, 14h-16h30 seg, qua, sex e sáb.* **Cerimônia da troca da guarda** ***Tel*** *(011) 2301 3592. Abr-out: 8h; nov-mar: 10h Somente sáb.* **Jardim Mogul** *fev-mar.*

Projetado por sir Edwin Lutyens *(pág. 72)* como palácio do vice-rei britânico, o Rashtrapati Bhavan, situado no topo de Raisina Hill, agora é residência oficial do presidente da Índia. Uma cúpula revestida de cobre paira sobre esta elegante edificação de arenito bege e vermelho, que ocupa uma área de 2ha. A *pièce de résistance* é o Durbar Hall, situado bem embaixo da abóbada, onde são realizadas todas as cerimônias e funções importantes do Estado.

A oeste, o terreno tem belo paisagismo e conta com o famoso **Jardim Mogul** de Rashtrapati Bhavan. Este jardim em plataforma, com cursos d'água e chafarizes, construído em três níveis, está aberto à visitação nos meses da primavera.

Raisina Hill ❸

Cathedral Church of the Redemption ***Tel*** *(011) 2301 5396.* *8h-12h, 16h-18h diariam.*

O terreno improdutivo, sem árvores, ao redor de Raisina Hill foi escolhido pelos britânicos para sediar a nova capital. Agora, essa área verdejante e fortemente guardada é tomada por prédios suntuosos, como os blocos Norte e Sul *(pág. 72)* do **Secretariado**. Os dois edifícios praticamente idênticos, que impressionam no topo de Raisina Hill, foram projetados por sir Herbert Baker, que também projetou a grandiosa **Sansad Bhavan** (Parlamento), circular, ao norte de Vijay Chowk. Tanto a Rajya Sabha (Câmara Alta) como a Lok Sabha (Câmara do Povo) se reúnem aqui quando o Parlamento está em sessão. Está fechado à visitação por causa do ataque terrorista em dezembro de 2001.

Atrás de Sansad Bhavan fica a **Cathedral Church of the Redemption**, anglicana, inspirada na Igreja do 2º Redentor, de Palladio, em Veneza. Construída para altos funcionários britânicos, em 1931, agora é a diocese da igreja no Norte da Índia.

Rajpath ❹

National Archives Janpath. ***Tel*** *(011) 2338 7509.* *9h30-16h seg-sex.* *feriados.* **Indira Gandhi National Centre for the Arts** Janpath. ***Tel*** *(011) 2338 4938.* *9h-17h30 seg-sex.*

A leste de Vijay Chowk fica a Rajpath, uma avenida com mais de 3km, com fontes ornamentais, canais e gramados dos dois lados. No cruzamento da Rajpath com a Janpath localiza-se o prédio do **National Archives**, com importantes registros e documentos do país. Em frente, está o Indira Gandhi National Centre for the Arts, local importante para grandes exposições e simpósios internacionais, e que também abriga manuscritos raros.

Na extremidade leste da Rajpath, encontra-se o **India Gate**, um arco de arenito vermelho, erguido em homenagem aos soldados indianos e britânicos que morreram na Primeira Guerra Mundial e aos que tombaram em batalhas da Fronteira Norte-Oeste da Província e da Terceira Guerra Afegã. Uma chama eterna queima para lembrar os soldados que morreram na Guerra Índia-Paquistão, de 1971. Na frente do India Gate há um dossel de arenito onde, em 1936, se colocou uma estátua de Jorge V. A estátua foi transferida para o Coronation Park *(pág. 88)* e o dossel ficou vazio.

India Gate

National Museum ❺

Págs. 76-7.

Sansad Bhavan, onde foi esboçada a Constituição da Índia

National Gallery of Modern Art ❻

Jaipur House, perto do India Gate. **Tel** *(011) 2338 5378.* ◯ *10h-17h ter-dom.* ● *seg e feriados.*

A Jaipur House, antiga residência dos marajás de Jaipur, é um dos maiores museus de arte moderna da Índia, que cobre o período de meados do século 19 até hoje. Seu acervo excelente conta com obras de importantes pintores modernos indianos, como Jamini Roy, Rabindranath Tagore, Raja Ravi Varma e Amrita Shergill, além de artistas contemporâneos, a exemplo de Ram Kumar e Anjolie Ela Menon. Também estão expostas obras de artistas britânicos, como Thomas Daniell e seu sobrinho William Daniell, e de um grupo interessante de "Company Paintings" –obras dos séculos 18 e 19 de artistas indianos, ecomendadas especialmente para o mercado britânico.

Mandi House Complex ❼

Triveni Kala Sangam Tansen Marg. **Tel** *(011) 2335 6139.* ◯ *9h30-17h seg-sáb.* ● *feriados.*
Rabindra Bhavan Ferozeshah Rd. **Tel** *(011) 2338 1833.*
Kamani Auditorium Copernicus Marg. **Tel** *(011) 2338 8084.*
Shri Ram Centre Safdar Hashmi Marg. **Tel** *(011) 2335 2410.*
National School of Drama Bhagwan Das Rd. **Tel** *(011) 2338 9402.*
Ingressos *veja* ***Diversões*** *pág. 96.*

A Mandi House, hoje ocupada pelos escritórios centrais da TV estatal, empresta o nome a este complexo cultural que circunda a rotatória.

O **Triveni Kala Sangam** possui galerias de arte, anfiteatro a céu aberto para concertos e peças, um concorrido café e uma livraria especializada em publicações de arte indiana. Patrocinado pelo Estado, o complexo de artes **Rabindra Bhavan** abriga academias de literatura (Sahitya Akademi), de belas-artes e escultura (Lalit Kala Akademi) e de artes cênicas (Sangeet Natak Akademi), em alas separadas. As três dispõem de bibliotecas e galerias de exposições, que vendem reproduções e cartões-postais. Aqui também há mostras de fotografia, artes gráficas e cerâmica. O **Kamani Auditorium**, o **Shri Ram Centre** e a **National School of Drama** são centros vibrantes nos quais são feitas apresentações de teatro, música e dança.

Connaught Place, complexo de compras britânico, em Nova Délhi

Saias à venda em Janpath

Connaught Place ❽

Lojas ◯ *10h30-20h seg- sáb.* ● *feriados.*

Inaugurado em 1931, este complexo de compras recebeu o nome em homenagem ao duque de Connaught. Com arcos como os de Andrea Palladio e colunas de estuque, o projeto de Robert Tor Russell criou um contraste deliberado com o barulho, os aromas e o caos de um bazar indiano. O círculo central de Connaught Place foi renomeado como Rajiv Chowk, e o externo, como Indira Chowk. As arcadas e os andares têm quiosques de *paan*, bancas de livros e engraxates, e a mistura eclética de lojas é entremeada de restaurantes e cinemas. Embora não seja mais uma região de compras importante de Délhi, suas arcadas são agradáveis para um passeio. O Central Park, recentemente construído, conta com um anfiteatro, 21 fontes e gramado sintético. Entre os centros comerciais da região, estão os empórios estatais em **Baba Kharak Singh Marg** e as bancas ao longo da **Janpath**, onde também ficam as **Cottage Industries** *(pág. 97)*.

DESFILE DO DIA DA REPÚBLICA

Desde 1950, quando a Índia se tornou república, este desfile em 26 de janeiro atrai grande público, apesar do tempo quase sempre frio. Soldados e marinheiros, veteranos de guerra, escolares e até elefantes e camelos marcham pela Rajpath. Grandes atrações são os dançarinos folclóricos e os criativos carros alegóricos, um para cada estado do país. Acrobacias da Força Aérea Indiana finalizam esta parada colorida.

Desfile do Dia da República

National Museum 5

Ícone de deusa-mãe, do vale do Indo

Podem-se explorar cinco milênios da história da Índia no National Museum, com acervo de mais de 200 mil peças de arte indiana. O núcleo da coleção de cerca de mil objetos foi enviado a Londres, no inverno de 1948-9, para uma exposição na Burlington House da Royal Academy. Na volta, instalou-se esse material no Durbar Hall do Rashtrapati Bhavan *(pág. 74)* até 1960, quando terminou a construção do prédio atual, de pedra bege e rosa, igual a outros imponentes da nova capital. Sua coleção de relíquias de Harappa (vale do Indo) e de tesouros das Rotas da Seda é considerada uma das melhores do mundo.

★ Cortejo Nupcial de Dara Shikoh
Miniatura mogul do século 18, de ouro e pigmentos naturais.

★ Nataraja
Do século 12, esta imagem chola da dança cósmica de Shiva é a peça central dos bronzes do Sul da Índia do museu.

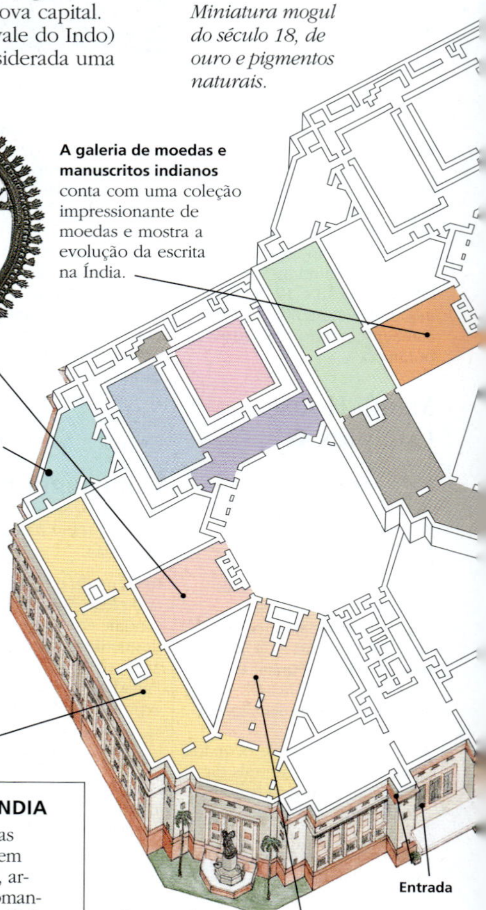

A galeria de moedas e manuscritos indianos conta com uma coleção impressionante de moedas e mostra a evolução da escrita na Índia.

★ Kubera
Raro exemplar da Deusa Hindu da Riqueza, mostrada como nobre kushana (pág. 43) *do século 2º, com traços marcadamente da Ásia Central, faz parte da grande coleção de arte de Mathura.*

Máscara de Terracota
Esta singular máscara humana de terracota data de 2700 a.C., e foi desenterrada em Mohenjodaro no início do século 20.

COLEÇÃO DE SERÍNDIA

Pintura em seda, séculos 8º-9º

Quase 700 anos após as Rotas da Seda caírem em desuso, sir Aurel Stein, arqueólogo britânico, comandou uma série de expedições (1900-16) para descobrir seus tesouros. Exposta no National Museum, a coleção centro-asiática conta com artefatos que Stein encontrou no Deserto de Taklamakan, como pinturas em seda, manuscritos budistas e registros da vida nesta antiga rota comercial.

A Espada de Aurangzeb
A espada usada apenas pelo imperador mogul Aurangzeb, elaborada em 1675 no estilo indo-persa, tem citações do Alcorão inscritas na lâmina.

PREPARE-SE

Janpath. (011) 2301 9272.
10h-17h ter-dom.
seg e feriados.
taxa extra. 11h30, 14h30, 16h.
Filmes, palestras, apresentações e exposições especiais.

Brocado de Ouro
Do século 19, este sári de casamento tecido em Varanasi (pág. 209) tem belos desenhos bordados com ouro.

Estátuas religiosas e portas de madeira, entre outras peças, são exibidas aqui.

Segundo andar

★ Alcorão Dourado
Magnífico exemplo da elegante arte islâmica da caligrafia, este Alcorão dourado do século 18 faz parte de uma coleção que também tem um Alcorão do século 8º, na arcaica escrita kufic. Este último está entre os mais antigos do mundo.

Primeiro andar

LEGENDA

- Cultura do Vale do Indo
- Escultura Antiga e Medieval
- Bronzes Cholas
- Arte Budista
- Miniaturas Indianas
- Arte Decorativa
- Manuscritos e Pinturas Murais
- Antiguidades da Ásia Central
- Arte Decorativa, Tecidos, Armas e Armaduras, Instrumentos Musicais
- Moedas e Manuscritos Indianos
- Joalheria
- Esculturas de Madeira

PONTOS ALTOS

- ★ Cortejo Nupcial de Dara Shikoh
- ★ Kubera
- ★ Nataraja
- ★ Alcorão Dourado

GUIA DO MUSEU

O acervo está disposto em três andares, e as peças são agrupadas por tema, época e estilo. O próprio vestíbulo central tem uma mostra de esculturas de diversas partes do país. O museu também conta com biblioteca e auditório, onde se exibem filmes e são feitas palestras (com informações publicadas nos jornais). Informações sobre catálogos e suvenires podem ser obtidas na bilheteria do foyer. O material exposto é trocado periodicamente, para variar, e também são montadas exposições especiais.

Instrumentos astronômicos de alvenaria em Jantar Mantar

Jantar Mantar 9

Sansad Marg. *diariam.*

O astrônomo Sawai Jai Singh II, de Jaipur, fez este observatório em 1724, pois queria calcular as posições e os alinhamentos planetários a fim de realizar rituais sagrados e *pujas* em momentos propícios. O Jantar Mantar *(págs. 358-9)* é um dos cinco observatórios que ele construiu, e seus instrumentos são grandes e fixos, o que os torna resistentes às vibrações e, portanto, exatos. O Samrat Yantra, um triângulo retângulo, com hipotenusa paralela ao eixo da Terra, é um gigantesco relógio de sol, com dois quadrantes de tijolos de cada lado para medir a sombra do Sol. O Ram Yantra lê a altitude do Sol, e o Jai Prakash Yantra (inventado pelo próprio Jai Singh II) verifica o tempo do equinócio de primavera. Agora obsoleto, o observatório fica no centro de um parque agradável, cercado de prédios altos.

Lakshmi Narayan Mandir 10

Mandir Marg. *diariam.*

Erguido em 1938 pelo industrial B. D. Birla, este foi um dos primeiros templos indianos sem restrições para castas, e Mahatma Gandhi esteve presente em seu primeiro *puja*. Exemplo típico da moderna arquitetura indiana de templos, com entrada de mármore e *shikharas* (agulhas) ocres e marrons, o Birla Mandir, como é chamado, tem imagens de Vishnu e da consorte Lakshmi no altar principal. Outros altares, colocados ao redor do pátio, têm inscrições com trechos de textos sagrados hindus e são decorados com pinturas que retratam cenas do *Mahabharata* e do *Ramayana*.

Nehru Memorial Museum and Library 11

Teen Murti Marg. **Tel:** *(011) 2301 4475.* *ter-dom.* *feriados.* **Nehru Planetarium Tel:** *(011) 2301 2944.* ***Shows*** *11h30, 15h.*

Residência de Jawaharlal Nehru, o mais antigo primeiro-ministro da Índia, a Teen Murti Bhavan foi transformada em museu e biblioteca para pesquisa após a sua morte, em 1964. Esta casa tem lugar especial na história moderna indiana porque aqui também viveram dois outros primeiros-ministros: a filha de Nehru, Indira Gandhi, e o neto Rajiv Gandhi, ambos assassinados *(pág. 57)*.

O quarto e o estúdio de Nehru, do jeito que ele os deixou, refletem sua personalidade austera, mas elegante, e seu gosto eclético por livros.

Teen Murti Memorial

O amplo terreno abriga o **Nehru Planetarium e o Kushak Mahal**, um pavilhão de caça do século 14, quadrado e com três arcos, construído pelo sultão Feroze Shah Tughluq *(pág. 87)*. Na rotatória na frente da casa fica o **Teen Murti Memorial** (Memorial das Três Estátuas), dedicado aos soldados indianos mortos na Primeira Guerra Mundial. O nome da casa deriva desse marco.

Teen Murti Bhavan, residência oficial de Nehru, agora Nehru Memorial Museum and Library

Para hotéis e restaurantes nesta região, ver págs. 690-91 e págs. 720-21

Athpula, ponte do século 17 próximo da entrada de Lodi Gardens, na South End Road

Lodi Gardens ⓬

Entrada na Lodi Rd e South End Rd.
◯ *diariam.* 🍴

Lodi Gardens é um dos parques mais pitorescos de Délhi, frequentado por praticantes de jogging e ioga e por políticos com guarda-costas e famílias que vêm fazer piquenique nos fins de semana. Com paisagismo de 1936, orientado por lady Willingdon, esposa do vice-rei, o parque funciona como "pulmão verde" para a população da cidade. As alamedas arborizadas, os gramados bem conservados e os canteiros de flores se espalham em volta de imponentes túmulos do século 15, das dinastias Sayyid e Lodi, últimos sultões de Délhi. Muitas dessas sepulturas ainda têm traços dos azulejos turquesa e de escritos. Diz-se que o octogonal e elegante **Túmulo de Muhammad Shah** (reinado 1434-44, terceiro da dinas-tia Sayyid), foi o primeiro a ser erguido aqui. A estrutura maior é a **Bara Gumbad** (Grande Cúpula), que tem anexas uma mesquita de 1494 e uma casa de hóspedes. Na entrada pela South End Road há uma linda ponte de pedra chamada **Athpula** (literalmente "oito pilares"), supostamente do século 17. A oeste dela estão plataformas com o **Túmulo de Sikander Lodi** (reinado 1489-1517).

Purana Qila ⓭

Mathura Rd. **Tel** *(011) 2435 4260.*
◯ *amanhecer-anoitecer diariam.*
Museu Tel *(011) 2435 5387.*
◯ *10h-17h.* ● *sex.* **Ingressos:** *no local e no escritório do Delhi Tourism.* **Tel** *(011) 332 0005.*

Purana Qila, literalmente "Forte Velho", situa-se em um local antigo, ocupado desde 1000 a.C., como revelaram escavações arqueológicas. A fortificação lúgubre agora engloba os restos da sexta cidade de Délhi, Dinpanah *(pág. 91)*, que foi iniciada pelo segundo imperador mogul, Humayun. Com reinado curto, em 1540 ele foi destronado pelo chefe afegão Sher Shah Sur *(pág. 49)*. Sher Shah acrescentou muitas estruturas novas e rebatizou a cidadela de Shergarh (Forte do Leão). Após a morte de Sher Shah, Humayun retomou o trono. Dos muitos palácios, quartéis e outras edificações erguidas por esses dois governantes, ainda estão de pé apenas a mesquita de Sher Shah e um prédio que provavelmente foi a biblioteca de Humayun.

De 1541, a **Mesquita de Qila-i-Kuhna** é uma estrutura muito bem proporcionada, com finíssimo trabalho decorativo de mármore vermelho e branco e ardósia. Ao sul da mesquita fica a biblioteca de Humayun, chamada **Sher Mandal.** Trata-se de uma torre octogonal de dois andares, feita de arenito vermelho, coroada por um elaborado *chhatri* (pavilhão aberto) sustentado por oito pilares. Foi nesse lugar trágico que o imperador devoto, na pressa de se ajoelhar para a prece da tarde, tropeçou nos degraus e levou um tombo que o levou à morte, em janeiro de 1556.

Chhatri **com azulejos decorativos**

Purana Qila dispõe de três portas importantes, das quais a imponente **Bara Darwaza** de arenito vermelho, no muro ocidental, é a principal. Pode-se ver o Túmulo de Humayun *(pág. 83)* da porta sul.

Bara Darwaza, em Purana Qila

Crafts Museum ⓮

Boneca em balanço

Durante séculos, artesãos indianos, como ceramistas, tecelãos, pedreiros e entalhadores, criaram uma série de objetos de uso diário que são bonitos e práticos. Um projeto singular foi iniciado em 1956 para promover os artesãos locais, dando-lhes um lugar para expor suas obras. E, no início da década de 1980, já estavam reunidos mais de 20 mil objetos. Esse foi o núcleo em torno do qual surgiu o primeiro museu de artesanato da Índia.

Sarota, quebra-nozes de madeira (século 19) do Sul da Índia

★ Bandhini Odhni

Este belo véu foi feito pela tribo bhansali de Kutch, em Gujarat. No método de amarrar e tingir (bandhini) *amarra-se o tecido em volta de grãos para formar um padrão e tinge-se o pano de cores diferentes.*

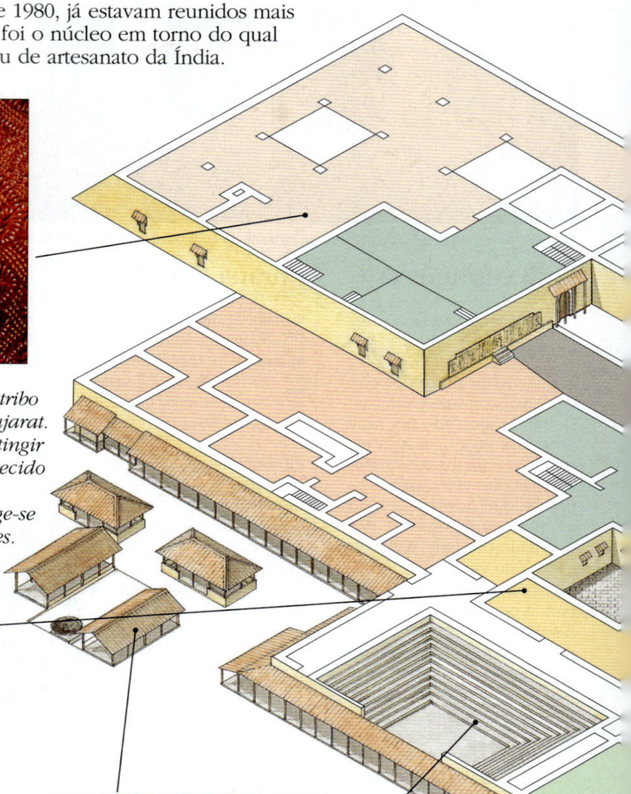

Mukhalinga

Do fim do século 19, esta imagem fálica (linga) *com rosto humano* (mukha) *é de latão e prata. O terceiro olho e os brincos de cobra são símbolos de Shiva.*

Área de Demonstrações

Todos os meses (menos nas monções), artesãos de toda a Índia fazem demonstrações para os visitantes.

LEGENDA

- Artes Aristocráticas
- Artes Rituais
- Culturas Folclóricas e Tribais
- Tecidos
- Espaço sem exposição
- Exposições temporárias
- Loja

PONTOS ALTOS

- ★ Bandhini Odhni
- ★ Charraku
- ★ Figura de Bhuta

Para hotéis e restaurantes nesta região, ver págs. 690-91 e págs. 720-21

Yashoda e Krishna
Do Sul da Índia, esta estatueta de gesso, de meados do século 20, é um exemplo do gosto popular, inspirado em deuses e na mitologia. É barato e fácil de copiar, para ser colocado em altares domésticos.

PREPARE-SE

Bhairon Marg.
Tel (011) 2337 8876
ter-dom. feriados.
Demonstrações
out-jan diariam. jul-set.

★ Charraku
Estas enormes vasilhas redondas, de uma liga chamada metal de sino, ainda são usadas em Kerala para banquetes de casamento ou em templos para fazer payasam *(tipo de pudim de arroz) para os fiéis durante festas.*

Pintura de Madhubani
Esta pintura mural tradicional, feita com pigmentos naturais e que retrata uma cena de casamento, é de autoria de Ganga Devi, pintora famosa do século 20, de Bihar (pág. 217).

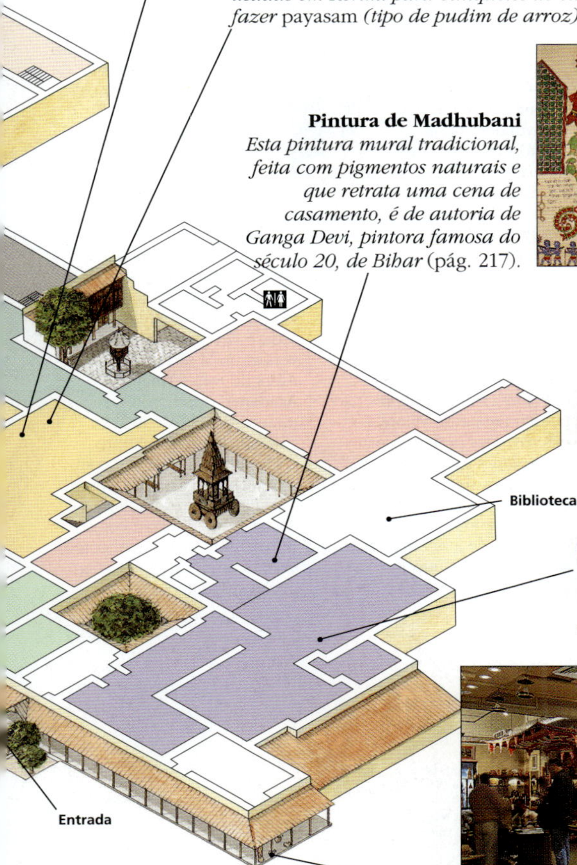

★ Figura de Bhuta
Estas imagens de madeira em tamanho natural, do culto bhuta da adoração do espírito, no estado de Karnátaka (pág. 526)*, datam do início do século 19.*

A Loja do Museu
Esta loja vende uma ótima seleção de itens feitos por artesãos indianos, que incluem objetos utilitários, peças decorativas e tecidos.

GUIA DO MUSEU

As mostras ocupam dois andares do complexo, divididas em áreas separadas por pátios, que também funcionam como espaço de exposição. Uma grande área aberta é usada para a exibição de arte ao vivo por artesãos visitantes, todos os meses, menos na estação chuvosa.

Nizamuddin Complex ⑮

O de Mathura Rd. **Dargah** diariam. **Apresentação de Qawwali** *19h qui.* *Urs (jul e dez).*

Este estabelecimento medieval, ou *basti*, tem nome em homenagem ao xeique Hazrat Nizamuddin Auliya. Aqui estão sua sepultura e um abrigo para peregrinos. Nizamuddin pertencia a uma fraternidade de místicos sufis, os chishtis, respeitados pela austeridade e pela piedade e por desprezar apelos materiais, e era descendente espiritual de Moinuddin Chishti *(pág. 376)*. Suas reuniões diárias atraíam ricos e pobres que acreditavam ser ele um "amigo de Deus", que intercederia em favor deles no Juízo Final. Ele morreu em 1325, mas seus seguidores o chamam *zinda pir* (espírito vivo), que continua a ouvir seus

Bancas coloridas na ruela que leva ao túmulo de Nizamuddin

Área de reunião no Nizamuddin

pedidos. Observam-se três dias de *Urs*, com louvações qawwalis, no aniversário de sua morte e, novamente, no da morte de seu discípulo Amir Khusrau.

Uma ruela sinuosa leva ao túmulo do santo, que fica cheio de pedintes e de bancas que vendem flores e *chadors* (tecidos cerimoniais), relógios multicoloridos e gravuras de Meca.

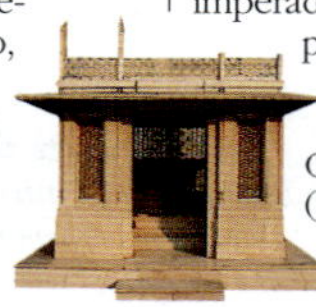

Túmulo do famoso poeta Mirza Ghalib

A principal área de reunião é um pavilhão de mármore (reconstruído em 1562) onde, toda noite de quinta-feira, os devotos cantam músicas religiosas, compostas pelo consagrado poeta persa Amir Khusrau (1253-1325). As mulheres não podem passar da varanda externa, mas podem espiar pelos *jalis* a escura câmara onde fica a sepultura do santo, envolta num tecido rosado, cercada de imãs que recitam continuamente trechos do Alcorão. Amir Khusrau foi enterrado no complexo, assim como outros discípulos eminentes, como Jahanara Begum.

Do lado oeste do pátio aberto está a mesquita Jama't Khana, de arenito vermelho, construída em 1325. Ao norte fica um *baoli* (poço com escada), escavado em segredo enquanto Tughluqabad *(pág. 95)* estava em construção, pois Ghiyasuddin Tughluq proibira qualquer atividade construtiva em outra parte. Diz a lenda que operários trabalharam aqui à noite, com ajuda de lamparinas acesas não com óleo, mas com água benta, por Nasiruddin, sucessor de Nizamuddin. Ao norte fica o **Túmulo de Atgah Khan**, do início do século 16. Poderoso ministro da corte do imperador Akbar, ele foi morto por Adham Khan, seu rival político *(pág. 93)*.

O **Chaunsath Khamba** (64 pilares), pavilhão aberto de mármore, fica próximo, e na saída há um recinto com o túmulo simples de Mirza Ghalib (1786-1869). Um dos maiores poetas de seu tempo, Ghalib escrevia em urdu e em persa, e seus versos ainda são recitados. Ali perto está a **Ghalib Academy**, um museu de pinturas e manuscritos.

Apesar de estar sempre cheio, o *basti* preserva, com serenidade quase milagrosa, a lenda de Nizamuddin, descrito por Khusrau como "um rei sem trono nem coroa, mas com reis ansiando pela poeira de seus pés".

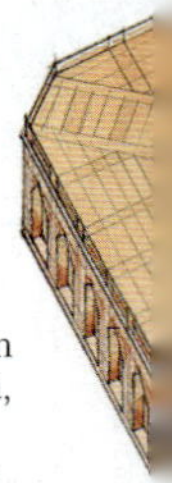

O COMPLEXO

Numa das necrópoles históricas de Délhi, muitos dos discípulos do santo, como Amir Khusrau e Jahanara Begum, filha predileta de Shah Jahan, estão enterrados perto do mestre. O epitáfio de Jahanara reproduz os ensinamentos do mestre: "Que nada cubra minha sepultura a não ser a grama verde, pois basta a grama para cobrir o túmulo dos humildes".

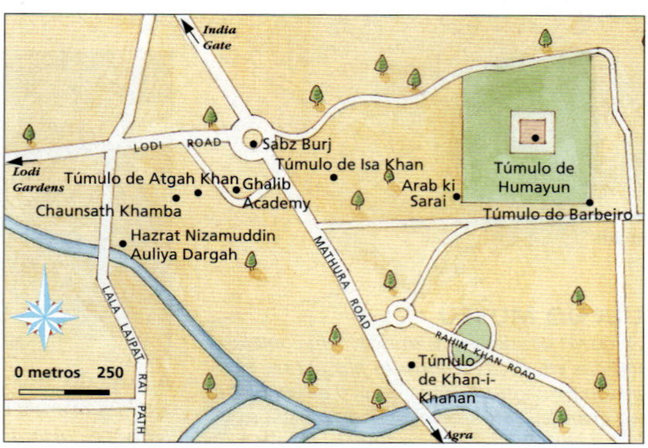

Túmulo de Humayun ⓰

Estrela incrustada em painel

Humayun, segundo imperador mogul *(pág. 79)*, está enterrado no primeiro grande cemitério-jardim mogul, inspiração para diversos monumentos posteriores, como o incomparável Taj Mahal *(págs. 172-3)*. Construído em 1565 pelo arquiteto persa Mirak Mirza Ghiyas, foi encomendado pela viúva principal de Humayun, Haji Begum. Costuma ser chamado de "dormitório da Casa de Timur", e entre as sepulturas de suas câmaras estão as das esposas de Humayun e de Dara Shikoh, filho estudioso de Shah Jahan. No complexo também estão o túmulo e a mesquita de Isa Khan, um nobre do século 16, e a sepultura do barbeiro preferido de Humayun. Arab ki Sarai era uma casa de repouso para os pedreiros persas que construíram o túmulo.

PREPARE-SE

Na saída da Mathura Rd, Bharat Scout Guide Marg. ***Tel*** *(011) 2461 9861.* *diariam.*

Da entrada, observa-se a simetria perfeita do túmulo de Humayun

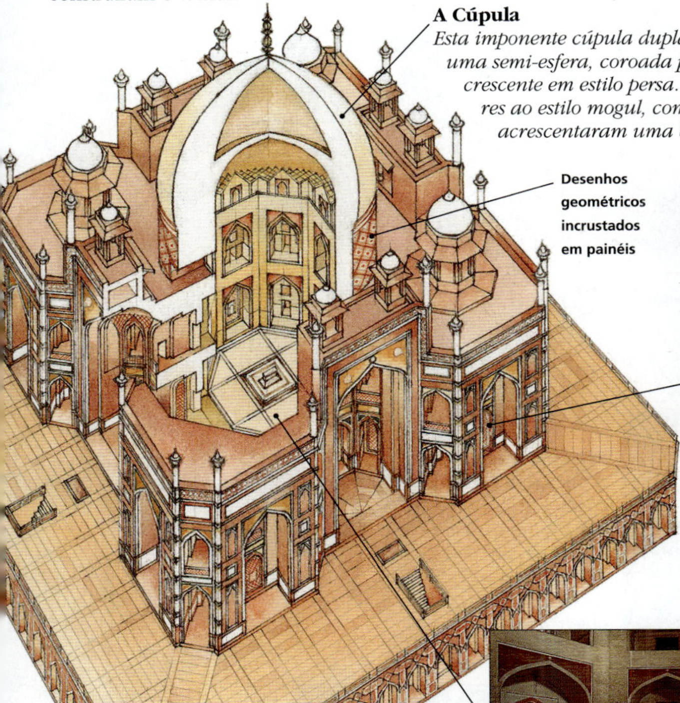

A Cúpula
Esta imponente cúpula dupla de mármore é uma semi-esfera, coroada pelo remate do crescente em estilo persa. Remates posteriores ao estilo mogul, como o de Taj Mahal, acrescentaram uma base de lótus.

Desenhos geométricos incrustados em painéis

Jalis
O fino trabalho de treliça de pedra se tornou uma característica típica mogul.

A Câmara do Túmulo
Despojado, o sarcófago de mármore fica em uma plataforma simples de mármore preto-e-branco. A própria sepultura, inacessível, está no subsolo cheio de morcegos.

O **plinto suntuoso** é decorado com arcos de arenito vermelho, e consiste de câmaras múltiplas, um avanço em relação às câmaras individuais de túmulos anteriores.

Rua a Rua: Chandni Chowk ⓱

Bulevar mais elegante da antiga Shahjahanabad *(pág.91)*, a Chandni Chowk (Praça Prateada pelo Luar), traçada em 1648 e atravessada por um canal, era ladeada de lojas e mansões grandiosas. Agora, ainda é o coração da Velha Délhi, onde convivem atividades religiosas e comerciais. Na entrada da Chandni Chowk fica o Templo Digambar, jainista, primeiro de muitos santuários do local. Construído em 1656, também abriga um singular hospital de pássaros.

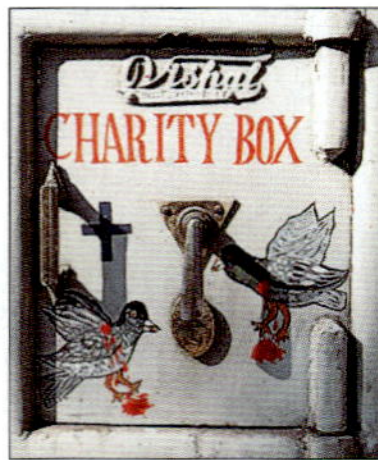

Caixa de donativos para o Hospital de Pássaros

Sisganj Gurdwara
O Guru Tegh Bahadur, nono guru sique, foi decapitado neste local em 1675.

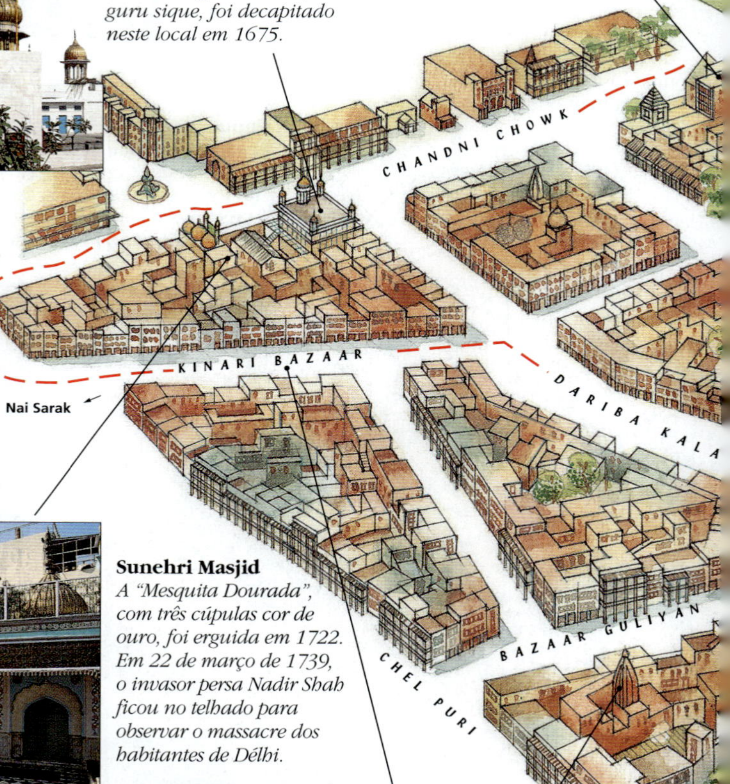

Fatehpuri Masjid (de 1650)

Nai Sarak

Sunehri Masjid
A "Mesquita Dourada", com três cúpulas cor de ouro, foi erguida em 1722. Em 22 de março de 1739, o invasor persa Nadir Shah ficou no telhado para observar o massacre dos habitantes de Délhi.

Templo Shiv

★ Kinari Bazaar
Lado a lado, as bancas vendem todos os tipos de enfeites dourados e prateados, além de grinaldas reluzentes e turbantes para casamentos e festividades.

PONTOS ALTOS

- ★ Kinari Bazaar
- ★ Porta Lahore
- ★ Dariba Kalan
- ★ Jami Masjid

Para hotéis e restaurantes nesta região, ver págs. 690-91 e págs. 720-21

★ Porta Lahore
Esta imponente porta de arenito vermelho é a entrada principal para o Red Fort (pág. 86). *Aqui, o primeiro-ministro faz o discurso do Dia da Independência.*

LOCALIZE-SE
Mapa de Délhi nas págs. 70-1

★ Dariba Kalan
Enfeites de ouro e prata são vendidos nesta alameda. A famosa loja de perfumes de Gulab Singh (pág. 96) *fica aqui.*

★ Jami Masjid
Maior mesquita da Índia, a Jami Masjid possui minaretes altos e grandes cúpulas de mármore. No topo de uma colina, tem posição de destaque (pág. 86).

Karim's
O restaurante mogul mais autêntico de Délhi (pág. 720) *se esconde em uma viela ao sul da Jami Masjid. Deve seu nome a um* chef *lendário do século 19. Agora é dirigido por seus descendentes.*

LEGENDA

- - - Percurso sugerido

Jami Masjid, a maior mesquita da Índia, é de arenito e mármore

Jami Masjid 18

Saída de Netaji Subhash Marg.
diariam. *a não-muçulmanos, nos momentos de oração e depois das 17h.* *taxa extra.*

Esta mesquita grandiosa, com três imponentes cúpulas de mármore preto-e-branco e dois minaretes equidistantes do arco central, foi erguida em 1656 pelo imperador Shah Jahan, em uma colina. Foram necessários seis anos e 5 mil operários para construí-la, a um custo de quase 1 milhão de rúpias. Um magnífico lance de degraus de arenito conduz às entradas em arco. No tempo de Aurangzeb, esta área atraía vendedores de cavalos e prestidigitadores; atualmente, fica cheia de guardadores de sapatos e mendigos. O grande pátio quadrado de 28m acomoda até 20 mil pessoas nas sessões de orações da sexta-feira e no Id (quando reúne mais devotos). Ao lado do *dukka* (tanque d'água) para as abluções rituais, fica a plataforma de onde um segundo guia de orações, antes de existirem alto-falantes, repetia as palavras e os gestos do imã para que os fiéis mais afastados acompanhassem.

Red Fort 19

Chandni Chowk. ***Tel*** *(011) 2327 7705.* *ter-dom.* *feriados.* **Son et Lumière** *set-out e fev-abr: 20h30-21h30 diariam; nov-jan: 19h30-20h30 diariam; mai-ago: 21h-22h diariam.* **Museu** *ter-dom.*

As muralhas de arenito vermelho deram nome a esta fortificação: Lal (Vermelho) Qila (Forte). A construção, encomendada por Shah Jahan em 1639, levou nove anos para terminar e sediou o governo mogul até 1857, quando seu último imperador, Bahadur Shah Zafar, foi destronado e exilado. E o Red Fort continua sendo um símbolo poderoso da nacionalidade indiana. Aqui foi hasteada a bandeira nacional pela primeira vez quando a Índia se tornou nação independente, em 15 de agosto de 1947.

A entrada é pela **Porta Lahore**. Uma das seis portas do forte, esta leva ao bazar coberto de **Chatta Chowk**, onde eram vendidos brocados e jóias. Adiante, fica o **Naqqar Khana**, um pavilhão no qual se tocava música cerimonial três vezes por dia.

Daqui, um caminho leva ao **Diwan-i-Aam**, um salão de arenito vermelho, com 60 pilares, onde o imperador dava audiência diária ao público. Ele se sentava sob um dossel de pedra todo entalhado, e o banco baixo na frente era para o ministro-chefe. Depois desse salão está o **Rang Mahal**. Em seus aposentos dourados, antes exclusivos para mulheres, há um chafariz de mármore trabalhado, no formato de flor de lótus aberta.

Em seguida vêm **Khas Mahal**, aposentos do imperador, com quarto de dormir e espaço especial para suas orações. A Tosh Khana (Sala da Beca) possui um magnífico biombo *jali* de mármore entalhado com a balança da justiça, um tema encontrado em muitas pinturas em miniatura. Ao norte de Khas Mahal está **Diwan-i-Khas**, todo de mármore branco. O lendário Trono do Pavão,

Dossel do trono em Diwan-i-Aam

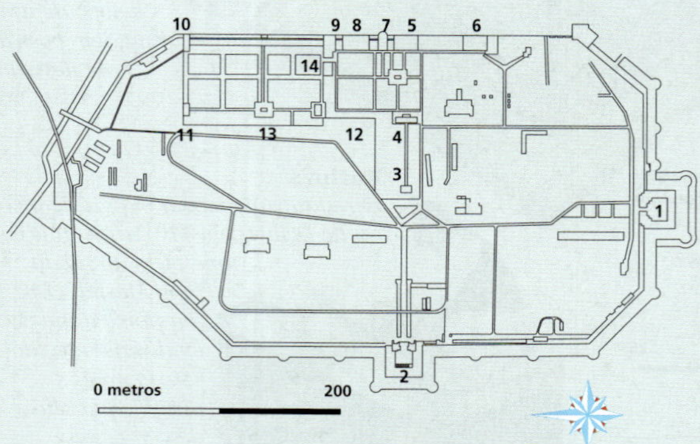

RED FORT

1. Porta Délhi
2. Porta Lahore
3. Naqqar Khana
4. Diwan-i-Aam
5. Rang Mahal
6. Moti Mahal
7. Khas Mahal
8. Diwan-i-Khas
9. Hamams
10. Shah Burj
11. Sawan
12. Bhadon
13. Zafar Mahal
14. Moti Masjid

incrustado de pedras preciosas, ficou aqui até ser levado como troféu de guerra pelo xá persa Nadir, em 1739. As paredes e os pilares deste pavilhão exclusivo, onde o imperador se reunia com os nobres mais confiáveis, já foram salpicados de pedras preciosas. O teto era de prata incrustado de gemas.

Um pouco adiante estão os **Hamams** (Banhos Reais), com piso de mármore trabalhado e três ambientes. Do primeiro aposento saía vapor quente; do segundo, água de rosas vertia de chafarizes esculpidos; e no terceiro havia água fria.

A oeste dos banhos, localiza-se a pequena e elegante **Moti Masjid** (Mesquita Pérola), cujo nome vem do brilho perolado do mármore. Foi erguida pelo imperador Aurangzeb em 1659.

***Samadhi* de Gandhi, em Rajghat**

Rajghat ⓴

Mahatma Gandhi Rd. *diariam.*
Reuniões de oração *17h sex.*
Gandhi National Museum
Tel *(011) 2331 1793.* *ter-dom.*
feriados. **Exibição de filmes** *16h-17h sáb e dom.*

O mais poderoso símbolo de nacionalidade da Índia, o Rajghat foi o local da cremação de Mahatma Gandhi. Agora, aqui há uma plataforma sombria de granito preto, com a inscrição de suas últimas palavras: *He Ram!* (Oh Deus!). O único toque colorido vem das guirlandas de tapetes alaranjados dispostas por cima da plataforma. Todos os chefes de Estado visitantes são levados a este *samadhi* (memorial) para colocar flores em memória ao "Pai da Nação". No aniversário de Gandhi (2 out) e no dia de sua morte (30 jan), os líderes do país se reúnem aqui para orar. Em frente fica o **Gandhi National Museum**, cheio de lembranças, a exemplo de cartas e diários de Gandhi. Na parede, uma placa emoldurada mostra sua filosofia simples: "A não-violência é o empenho com todo ânimo contra a tirania... só assim um só indivíduo pode desafiar os poderes de um império injusto".

O Pilar de Ashokan se eleva acima das ruínas de Feroze Shah Kotla

Feroze Shah Kotla ㉑

Bahadur Shah Zafar Marg. *diariam.*

Restaram apenas algumas defesas e estruturas em ruínas de Feroze Shah Kotla, o complexo palaciano de Ferozabad, quinta cidade em Délhi *(pág. 91)*, erguida pelo incansável construtor Feroze Shah Tughluq. Entra-se pela porta ao lado do Indian Express Building. Em uma ponta do recinto murado fica a ruína destelhada da antiga Jami Masjid, da qual só o muro posterior ainda resiste. Esta foi a maior mesquita de Délhi, e, segundo uma lenda popular, o conquistador Timur, o mongol de Samarcanda que saqueou Délhi em 1398, veio aqui para fazer suas orações de sexta-feira.

Ao lado da mesquita estão vestígios de uma estrutura piramidal, que tem em cima um dos pilares de pedra polida do imperador mauria Ashoka *(pág. 42)*. Trazido do Punjab, foi instalado aqui, em 1356, por Feroze Shah. A partir das inscrições neste pilar é que o linguista James Prinsep decifrou, em 1837, a escrita brâmane, antecessora da moderna devanágari.

A **Khuni Darwaza** (Porta Manchada de Sangue), na frente do Express Building, foi construída por Sher Shah Sur como uma das entradas da cidade *(pág. 79)*. Aqui, os filhos de Bahadur Shah Zafar foram mortos pelo tenente Hodson, após o controle do Motim de 1857 *(pág. 53)*.

OS BAZARES DA VELHA DÉLHI

Estes bazares são lendários. Há mais de 100 anos, um visitante inglês escreveu um elogio aos "xales de caxemira, bordados de ouro e prata, jóias, trabalhos de esmalte e tapetes" encontrados aqui. Hoje, os grandes bazares por atacado de Chandni Chowk ainda mantêm o aspecto de *souk*. Suas ruas estreitas estão cheias de lojas, cujas mercadorias se espalham pelo chão. Cada ruela é especializada em um artigo. Por exemplo: a Dariba Kalan só vende jóias e pratarias, enquanto o Kinari Bazaar *(pág. 84)* oferece dourados e lantejoulas.

Banca em Khari Baoli, maior mercado de especiarias da Ásia

Ao Redor da Porta para Caxemira ㉒

Entre Nicholson Rd, Ramlal Chandok Marg e Church Rd.
St James's Church Lothian Rd.
Tel *(011) 2386 0873.* *diariam.*
inglês: 9h dom.

Este marco, por onde os moguis saíam para passar o verão na Caxemira, evoca o Motim de 1857 *(pág. 53)*. O curto trecho entre a Porta para Caxemira e o General Post Office (GPO) da Velha Délhi testemunhou essa luta amarga, enquanto a cidade de Délhi esteve sitiada pelos britânicos. Um último assalto destruiu a Porta, e uma placa no lado ocidental homenageia "engenheiros e mineiros que morreram ao desobstruir a porta para as forças britânicas, em 14 de setembro de 1857". Na década de 1920, esta área era um local preferido dos residentes britânicos que viviam nas Civil Lines.

Na vizinhança, a histórica **St James's Church**, a mais antiga de Délhi, impressiona. Foi consagrada em 1836 pelo coronel James Skinner. Aventureiro extravagante e de ascendência confusa, que havia sido rejeitado pelo exército britânico, criou seu próprio regimento de cavalaria, que lutou em grande forma. A igreja foi erguida para cumprir uma promessa que Skinner fizera no campo de batalha. Com estrutura incomum, a igreja tem formato de cruz grega, coroada por uma suntuosa cúpula de oito faces. Seus dois vitrais foram instalados na década de 1860. Uma mesa de mármore na frente do altar marca a sepultura simples de Skinner.

Imponente construção amarela e branca da St James's Church

Estátuas de ex-vice-reis ao redor do Coronation Memorial

Memorial da Coroação ㉓

S of NH1 Bypass. *diariam.*

O cortejo real, realizado em 1911 para proclamar a ascensão de Jorge V como rei-imperador da Índia, ocorreu neste lugar. Um obelisco de arenito comemora a coroação. Mais de 100 mil pessoas se acotovelaram para ver o rei-imperador e a rainha-imperatriz sentados sob uma cúpula dourada montada sobre um dossel vermelho vivo. Atualmente, este é um lugar sujo e abandonado, cercado por estátuas de ex-vice-reis, entre os quais os lordes Hardinge e Willingdon (conhecidos pelo papel que tiveram na construção de Nova Délhi). A estátua do próprio imperador se destaca entre elas, com seus 22m de altura. Ela foi removida do dossel do India Gate *(pág. 74)* e instalada aqui, na década de 1960.

Cerca de 3km a sudeste fica uma área arborizada conhecida como **Northern Ridge**, cortada pelas Ridge Road e Rani Jhansi Road. Na extremidade sul está o **Mutiny Memorial** (conhecido localmente como Ajitgarh). Trata-se de uma torre gótico-vitoriana que homenageia os soldados "britânicos e indianos que foram mortos" em 1857. Daqui se têm belas vistas panorâmicas da Velha Délhi.

Coronation Memorial

A ampla área da **Delhi University** se estende paralelamente à Northern Ridge. St Stephen's College, a mais consagrada das faculdades que existem no campus, foi projetada por Walter George, em 1938. O escritório do vice-chanceler, antiga casa de hóspedes para oficiais britânicos, é também o local em que o jovem lorde Louis Mountbatten pediu Edwina Ashley em casamento, em 1922. Uma placa lembra o evento. Ele foi o último vice-rei da Índia.

The Ridge ㉔

Upper Ridge Rd. *diariam.*
Buddha Jayanti Park *diariam.*

O Ridge de Délhi é o último espigão das Aravalli Hills, que se estendem para o norte a partir de Rajasthan e cruzam a cidade de sudoeste para nordeste. A área foi originalmente desenvolvida por Feroze Shah Tughluq, no fim do século 14, como área de caça. As ruínas de muitos de seus pavilhões de caça ainda podem ser observadas aqui. Esse cinturão verde, num terreno rochoso e ondulado, é coberto por densa floresta arbustiforme, composta principalmente de laburno *(Cassia fistula)*, *kikar (Acacia arabica)* e fogo-da-floresta *(Butea monosperma)*, entremeados de buganvílias.

Uma grande área no centro é agora o **Buddha Jayanti Park**, refúgio sossegado e bem cuidado, com caminhos pavimentados. Há muitas figueiras-dos-pagodes *(Ficus religiosa)* e, em uma pequena ilha artificial, um pavilhão simples, que sombreia uma grande estátua dourada de Buda, instalada pelo 14º Dalai Lama, em 1993. Perto há uma inscrição com esta citação do Dalai Lama: "Os seres humanos têm capacidade para legar às gerações futuras um mundo que seja verdadeiramente humano". Em maio, os devotos homenageiam o Buda Jayanti aqui *(pág. 35)*.

The National Rail Museum ㉕

Chanakyapuri. ***Tel*** *(011) 2688 0804.* *ter-dom.* *feriados.* *extra para passeios de trem.*

A malha ferroviária da Índia pode se orgulhar de algumas estatísticas impressionantes. Os itinerários cobrem 63.360km e há 108.513km de trilhos. Existem aproximadamente 7.150 estações, 12.600 trens de passageiros e 1.350 trens de carga, que trafegam todos os dias. As ferrovias dão emprego a 1,6 milhão de pessoas, e 13 milhões de passageiros usam trens diariamente, consumindo 6 milhões de refeições durante o trajeto que fazem.

Este museu encerra a história das ferrovias indianas. Entusiastas por locomotivas a vapor irão apreciar o acervo, que traça o desenvolvimento dessas ferrovias desde 1853, quando foi construída a primeira linha férrea de 34km, entre Bombaim (atual Mumbai) e Thane. Entre as peças expostas, há um crânio do elefante que colidiu com um trem de correio em Golkara, em 1894, e uma miniatura realista de um vagão de 1868, de passageiros de primeira classe, com compartimentos separados para os criados. Ao ar livre estão locomotivas a vapor antigas, construídas em Manchester e Glasgow, no fim do século 19, e o vagão especial que levou o príncipe de Gales (depois rei Eduardo VII) em suas viagens no Royal Durbar de 1876. Um "trem de brinquedo" oferece passeios pelo lugar, e a loja vende diversas miniaturas de locomotivas.

Locomotiva a vapor do fim do século 19 no National Rail Museum

Túmulo de Safdarjung ㉖

Aurobindo Marg. ***Tel*** *(011) 2301 7293.* *diariam.* *taxa extra para vídeos e fotos.*

Este é o último dos túmulos em jardim de Délhi, erguido em 1754 por Safdarjung, poderoso primeiro-ministro de Muhammad Shah, imperador mogul de 1719 a 1748. Diz-se que o mármore foi roubado do túmulo de Abdur Rahim Khan-i-Khanan, em Nizamuddin, para construir este exemplo aparatoso de arquitetura mogul tardia.

Acessado por uma entrada ornamentada, em cima da qual se situa a biblioteca da Archaeological Survey of India (ASI), o túmulo dispõe de uma cúpula desproporcional e fica num *charbagh*, jardim cortado em quatro partes por espelhos-d'água. A fachada é toda decorada com entalhes de gesso bem conservados, e a câmara central tem finos trabalhos de marchetaria de pedra no piso.

Loja bem abastecida vende alimentos importados no INA Market

INA Market ㉗

Aurobindo Marg. **Lojas** *ter-dom.*

Com todas as atrações de um tradicional mercado indiano, este movimentado bazar também vende alimentos importados, como queijos, massas e variedades exóticas de frutos do mar. As bancas se espremem sob um telhado precário, quase todo de ferro ondulado e oleado, e comercializam todo tipo de utensílios de aço inoxidável, especiarias, picles do Punjab, roupas e frangos vivos. Restaurantes minúsculos oferecem fast-food indiana. Diplomatas, compradores de fora da cidade e moradores frequentam este mercado pelos preços razoáveis e pela grande variedade de produtos. O nome vem dos Indian National Airports, pois a colônia adjacente costumava alojar funcionários perto do Safdarjung Aerodrome. Construído na década de 1930, o aeródromo foi quartel-general do South Eastern Command Air Wing, na Segunda Guerra Mundial. Agora, abriga escritórios do Ministério da Aviação Civil e o Delhi Gliding Club. A Indian Airlines mantém aqui um balcão de reservas 24 horas *(pág. 773)*.

Madrasa (escola) de dois andares em Hauz Khas

Hauz Khas 28

O de Aurobindo Marg.
Monumentos ☐ *diariam.*

Além de butiques, galerias de arte e restaurantes que tomaram contam do vilarejo de Hauz Khas, há monumentos medievais do reinado de Feroze Shah Tughluq. Em 1352, o sultão ergueu diversas construções à beira do Hauz Khas, um grande tanque escavado por Alauddin Khilji para sua cidade de Siri. Agora, o tanque está seco.

Relatos atuais dizem que Feroze Shah foi um construtor prolífico, que durante seus 37 anos de reinado ergueu 40 mesquitas, 200 cidades, 100 banhos públicos e cerca de 30 reservatórios.

Entre as edificações em torno de Hauz Khas está uma *madrasa*, o túmulo de Feroze Shah e as ruínas de uma mesquita pequena. A *madrasa* fica perto da beira do tanque. Dentro, podem-se ver entalhes e nichos de gesso para livros. Consta que os *chhatris* (pavilhões abertos), na entrada do átrio, recobrem os montículos funerários dos mestres. Numa ponta da *madrasa* está o túmulo despojado de Feroze Shah. Textos inscritos com gesso pintado de vermelho decoram o interior.

É melhor visitar o complexo à tarde, quando os raios solares penetram pelos *jalis* e cobrem as sepulturas do sultão, do filho e do neto com delicadas sombras em forma de estrela. A leste de Hauz Khas, na saída da Aurobindo Marg, situa-se uma pequena estrutura cônica, a **Chor Minar** (Torre dos Ladrões), que data do período Khilji, do século 14. Acredita-se que suas paredes esburacadas continham as cabeças de ladrões, como lembrete para que outros não roubassem. Perto dali, está a **Nili Masjid** (Mesquita Azul), cujo nome vem das telhas azuis dos beirais. Foi erguida em 1505 por encomenda de Kasumbhil, governanta do filho do governador de Délhi.

Khirkee 29

N de Press Enclave Marg.
Monumentos ☐ *diariam.*

Incomum, a Mesquita de Khirkee (Janelas) foi construída por Khan-i-Jahan Junan Shah, primeiro-ministro de Feroze Shah Tughluq, em meados do

A fortificada Mesquita de Khirkee

século 14, e empresta o nome a esta aldeia no sul de Délhi. A mesquita parece um forte, com fileiras de janelas arqueadas, que deram nome ao prédio. O projeto inovador nunca mais se repetiu, já que as diversas divisões com pilares foram consideradas pouco práticas para grandes assembléias.

Mais além, está **Satpula**, represa de sete arcos de pedra construída por Muhammad bin Tughluq, em 1326. Ela fazia parte de um reservatório usado para irrigação, e também formava um trecho do muro fortificado que rodeava Jahanpanah.

Janela em arco, com *jali* de pedra entalhada, na Mesquita de Khirkee

Jahanpanah 30

S de Panchsheel Park.
Monumentos ☐ *diariam.*

No coração de Jahanpanah, capital de Muhammad bin Tughluq, localiza-se a **Mesquita Begumpuri** , também erguida por Khan-i-Jahan Junan Shah. (Pergunte onde fica a antiga mesquita, pois a nova se instalou nas proximidades.) O templo é famoso pelas 44 cúpulas que recobrem as abóbadas dos claustros em volta do pátio central. Diz-se que, em tempos de necessidade, esta mesquita também funcionava como tesouro público, celeiro e local de reuniões.

Ao norte está o palácio de **Bijay Mandal**, de onde, segundo o viajante árabe Ibn Batuta, do século 14, Muhammad bin Tughluq passava as tropas em revista. Da plataforma superior, tem-se linda vista de Délhi, que se estende de Qutb Minar até o túmulo de Humayun.

Para hotéis e restaurantes nesta região, ver págs. 690-91 e págs. 720-21

Capitais Anteriores em Délhi

As famosas “sete cidades” em Délhi vão desde Qila Rai Pithora, construída por Prithviraj Chauhan no século 12, até Shahjahanabad, erguida pelo império Mogul no século 17. Cada uma dessas cidades encerrava núcleos que cresceram em volta de fortes erguidos por sultões poderosos, com ambições territoriais. À medida que os sultões de Délhi consolidavam seus territórios, deslocavam suas capitais, em posição defensiva nos terrenos rochosos de Aravallis, para nordeste, nas planícies às margens do Yamuna. Hoje, Délhi é uma mescla de ruínas de cidadelas medievais, palácios, túmulos e mesquitas, e de construções modernas que não param de se multiplicar.

Purana Qila

Shahjahanabad *foi a sétima cidade em Délhi, construída entre 1638 e 1849 por Shah Jahan, que transferiu a capital mogul de Agra para cá* (págs. 168-77).

Ferozabad (pág. 87) *se estendia de Hauz Khas até a margem do Yamuna. Foi a quinta cidade em Délhi, erguida por Feroze Shah Tughluq (reinado 1351-88).*

Siri, *segunda cidade em Délhi, ainda pode ser vista perto do Siri Fort Auditorium e do vilarejo de Shahpur Jat. A próspera cidade de Siri começou com Alauddin Khilji, em 1303.*

Purana Qila (pág. 79), *cidadela de Dinpanah, sexta cidade em Délhi, surgiu com Humayun. Foi capturada e ocupada pelo chefe afegão Sher Shah Sur (reinado 1540-45) que a denominou Shergarh.*

Jahanpanah *foi erguida por Muhammad bin Tughluq (reinado 1325-51) como área cercada para ligar Qila Rai Pithora e Siri. Os muros em ruínas da quarta cidade em Délhi ficam perto de Chiragh.*

Qila Rai Pithora *foi a primeira das sete cidades em Délhi, construída pelos chauhans por volta de 1180. Em 1192, foi capturada por Qutbuddin Aibak, que fez dela sua capital* (págs. 92-3).

Tughluqabad (pág. 95), *interessante fortificação no sopé de Aravallis, foi a terceira cidade em Délhi, erguida por Ghiyasuddin Tughluq (reinado 1321-5).*

Mehrauli Archaeological Park ㉛

Chhatri em Jamali-Kamali

Mais conhecido pelo Qutb Minar, Patrimônio da Humanidade da Unesco, Mehrauli foi construído em terras de Rajput conhecidas como Lal Kot e Qila Rai Pithora. Em 1193, Qutbuddin Aibak, na época general-escravo de Muhammad de Ghur *(pág. 48)*, transformou-o no centro do Sultanato de Délhi. Por volta do século 13, a pequena vila de Mehrauli crescera em torno do santuário de um santo sufi, Qutb Sahib. Mais tarde, príncipes do império Mogul vinham caçar aqui, e oficiais britânicos do século 19 fizeram casas de veraneio, atraídos pelos pomares e lagoas e pela caça da área. Agora, muitas celebridades de Délhi têm propriedades na região.

Dargah Qutb Sahib
Do século 13, o dargah *do santo sufi Qutbuddin Bakhtiyar e a Moti Masjid (Mesquita Pérola), ali perto, atraem muitos peregrinos.*

O **reservatório de Hauz-i-Shamsi** foi feito em 1230 pelo sultão Iltutmish *(pág. 48)*, que se supõe ter sido guiado até este local por Maomé, em um sonho.

Zafar Mahal é um palácio cujo nome homenageia o último imperador mogul, Bahadur Shah Zafar.

Vilarejo de Mehrauli

★ Jahaz Mahal
Local da Phoolwalon ki Sair (colorido cortejo de flores), este agradável pavilhão quadrado, erguido no período Lodi (1451-1526), parece flutuar no tanque Hauz-i-Shamsi.

Jharna (cachoeira) foi assim chamada porque, depois das monções, a água do Hauz-i-Shamsi vertia sobre a barragem até um jardim.

Mesquita Bagichi

PONTOS ALTOS

- ★ Jahaz Mahal
- ★ Qutb Minar
- ★ Mesquita e Túmulo Jamaili-Kamali

Madhi Masjid
Cercada por bastiões e por um muro alto, esta mesquita parece uma fortaleza. Data de 1200 e tem um grande pátio aberto e três salões de orações arqueados e cheios de ornamentos.

PREPARE-SE

Delhi-Gurgaon Rd. *diariam.* *Conservation Assistant's Office, (011) 2664 3856.* *Phoolwalon ki Sair (início out).*

Túmulo de Adham Khan
O filho da babá do imperador Akbar, Adham Khan, assassinou um rival político e foi executado pelo monarca por seu crime. Mais tarde, Akbar ergueu um grande túmulo para mãe e filho.

★ Qutb Minar
Torre isolada mais alta da Índia, a Qutb Minar (termo árabe para poste ou eixo) marca o local do primeiro reino muçulmano no Norte da Índia, fundado em 1193 (pág. 94).

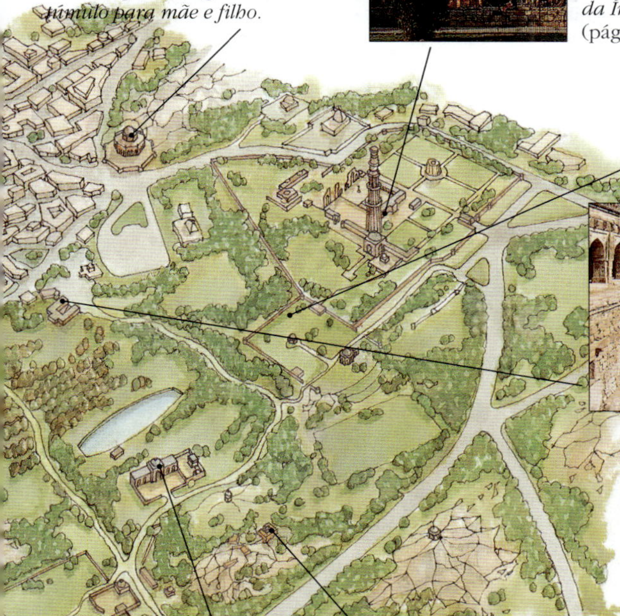

Rajon ki Baoli
Este reservatório fantástico de três andares também foi chamado Sukhi Baoli (poço seco). Ali perto fica o Gandhak ki Baoli, de cinco andares, cujo nome deriva do forte cheiro de enxofre (gandhak). *Esses* baolis *supriam a região de água potável.*

Túmulo de Balban
Do século 13, o túmulo de Balban, sucessor de Qutbuddin, fica em uma câmara quadrada feita de pedra bruta.

★ Mesquita e Túmulo Jamali-Kamali
O túmulo de Jamali (poeta da corte no último período lodi e início da era mogul) tem versos dele entalhados. O interior bem conservado possui azulejos coloridos e ricos ornamentos de gesso pintado. O segundo túmulo não tem identificação, mas acredita-se que seja o de seu irmão Kamali.

Mehrauli: O Complexo de Qutb

Motivo floral

Nesta área histórica, onde se destaca a Qutb Minar, Qutbuddin Aibak lançou as bases do Sultanato de Délhi *(pág. 48)*. Em 1193, ele ergueu a Mesquita Quwwat-ul-Islam (O Poder do Islã) e a Qutb Minar para marcar a chegada dos sultãos muçulmanos. A mesquita é uma mistura de painéis hindus, resgatados de templos arrasados perto do local, e de cúpulas islâmicas e arcos. Mais tarde, Iltutmish, Alauddin Khilji e Feroze Shah Tughluq acrescentaram outras estruturas, precursoras de um novo estilo arquitetônico.

PREPARE-SE

Mehrauli, Delhi-Gurgaon Rd.
7h-18h, 19h-21h30 diariam.
Qutb Festival (out/nov).

Pilar de ferro
Este pilar do século 4º, feito como mastro de bandeira em honra a Vishnu, é um tributo à milenar metalurgia indiana.

Qutb Minar
Com cinco andares, a Torre da Vitória foi iniciada por Qutbuddin Aibak e terminada por seu sucessor, Iltutmish.

Entalhes
Painéis entalhados com textos do Alcorão embelezam a entrada.

Alai Darwaza
Este portal para o complexo, construído em 1311 por Alauddin Khilji, é uma das primeiras edificações na Índia a empregar princípios islâmicos de construção com arcos.

Mesquita Quwwat-ul-Islam
Motivos hindus, como sinos e guirlandas, estão bem visíveis nos pilares desta mesquita.

Potes, no Sanskriti Museum

Sanskriti Museum ㉜

Anandgram, Mehrauli-Gurgaon Rd. **Tel** *(011) 2650 1796.* ◯ *diariam.* ● *feriados.*

Este museu diferente está em um terreno espaçoso, com belo paisagismo. As peças estão expostas no jardim e em cabanas rurais construídas para exibi-las.
O acervo também é incomum, pois se dedica a objetos de uso diário, obras belíssimas de artesãos rurais desconhecidos. O. P. Jain, cuja coleção particular deu origem ao museu, doou pentes, quebra-nozes, luminárias, brinquedos, capachos e utensílios de cozinha para demonstrar como até objetos utilitários possuem beleza inata. Peças de cerâmica de toda a Índia, em muitos tamanhos e formatos, também estão expostas. Entre elas há potes feitos com técnicas tradicionais, inalteráveis há séculos, e figuras altas de divindades de vilas do Sul da Índia.

Tughluqabad ㉝

Saída da Mehrauli-Badarpur Rd. **Monumentos** ◯ *diariam..*

Terceira das capitais em Délhi *(pág. 91)*, Tughluqabad é dominada por sua fortaleza espetacular, erguida por Ghiyasuddin Tughluq, no início do século 14. A construção do forte é tão sólida que os muros de pedra, que acompanham o contorno do morro, sobreviveram intactos ao longo do perímetro de 7km.

À direita da entrada principal, surgem da cidadela as ruínas de Vijay Mandal (Torre da Vitória). À esquerda, há uma área retangular onde tudo que restou foram arcos de um conjunto de palácios, casas e pavilhões. Diz a lenda que, quando Ghiyasuddin tentou impedir a construção do *baoli* no *dargah* de Hazrat Nizamuddin Auliya *(pág. 82)*, o santo o amaldiçoou, dizendo que chegaria o dia em que apenas chacais e a tribo gujjar povoariam sua capital.

Dos muros é possível ter uma boa visão da fortaleza e do pequeno Forte Adilabad, anexo, construído por Muhammad bin Tughluq, que se acredita ter matado o pai, Ghiyasuddin, fazendo um portão cair sobre ele. Ambos estão enterrados no **Túmulo de Ghiyasuddin**, ligado à fortaleza de Tughluqabad por uma passarela que atravessa as águas de um lago. Feitas de arenito vermelho e incrustadas com mármore branco, as paredes inclinadas do túmulo criaram um estilo que passou a ser utilizado em todas as construções tughluqs posteriores.

Túmulo de Ghiyasuddin Tughluq

Baha'i House of Worship ㉞

Bahapur, Kalkaji. **Tel** *(011) 2644 4029.* ◯ *ter-dom.* ● *feriados.* **Serviços** *10h, 12h, 15h e 17h.*

Na construção moderna mais inovadora de Délhi, a Baha'i House of Worship, o ambiente é de silêncio e ordem. Projetada pelo arquiteto iraniano Fariburz Sahba e terminada em 1986, tem um atraente formato de flor de lótus, com 27 pétalas de mármore branco, que lhe valeu o nome popular: Templo de Lótus. O prédio é rodeado por nove espelhos-d'água e por 92ha de gramados.

A seita Baha'i surgiu na Pérsia e parte do ponto de vista de que a humanidade é uma única raça. Devotos de todas as fés são convidados a meditar e a assistir aos serviços diários de 15 minutos no grandioso auditório, com acomodações para 1.300 pessoas.

Cúpula de lótus na Baha'i House of Worship, uma das grandes atrações de Délhi

Compras e Diversão em Délhi

A marca registrada das compras em Délhi é a confusa variedade de produtos, mercados e estilos. Além de Connaught Place, quase todos os núcleos residenciais se orgulham de seu mercado. Lojas, bazares e mercados que funcionam há muito tempo coexistem pacificamente com butiques sofisticadas e lojas de departamentos, e pode-se comprar de tudo, de frutas da estação e artesanatos tradicionais a roupas de grife e itens eletrônicos importados. Délhi também dispõe de vida cultural rica e variada. O calendário cultural da cidade ganha vida de outubro a março, o auge da temporada. O número de eventos se multiplica, pois todos os festivais mais importantes de música, dança, teatro e cinema ocorrem nesse período do ano.

COMPRAS

Os principais centros de compras de Délhi ficam em Connaught Place e Janpath ou em volta deles, onde os empórios do estado e as Cottage Industries oferecem grande variedade de tecidos, bijuterias e lembranças a preços fixos e razoáveis. No norte fica Chandni Chowk *(págs. 84-5)*, com mercado tradicional, enquanto no sul estão Khan Market, Sundar Nagar e Santushti, os antigos vilarejos de Hauz Khas, Shahpur Jat e Mehrauli, e Dilli Haat, um bazar de artesanato na Aurobindo Marg. Os hotéis cinco-estrelas também possuem lojas que oferecem produtos seletos.

ANTIGUIDADES, JÓIAS E PRATARIA

Antiguidades autênticas são muito difíceis de encontrar, e não podem sair do país sem um certificado da ASI *(pág. 759)*. Contudo, a **Crafts Museum Shop**, as butiques de hotéis e o mercado Sundar Nagar têm excelentes reproduções de pinturas em miniatura, entalhes em madeira, além de bronzes feitos por artesãos atuais. Belíssimas jóias tradicionais, a exemplo de *kundan* e *meenakari*, estão à venda no mercado Sundar Nagar, em especial na **Bharany's**. Jóias de prata, tradicionais e modernas, são encontradas em Dariba Kalan, Chandni Chowk e Sundar Nagar. **Ravissant e Cooke & Kelvy** são os melhores locais para prataria contemporânea.

TECIDOS, XALES E TAPETES

Há tecidos tradicionais na maioria das melhores lojas e empórios, principalmente nas **Cottage Industries** de Janpath. Uma seleção grande e exclusiva de cosméticas é oferecida na **Forest Essentials**, em Defence Colony. **The Shop, Anokhi e FabIndia** são ótimos locais para comprar roupas prontas de qualidade, roupa branca e colchas leves de algodão. O Lodi Colony Market dispõe de diversas butiques que oferecem peças ecléticas de grife indiana, como a elegante **Abraham & Thakore**. A **Shyam Ahuja** vende roupa branca, tecidos e dhurries, ao passo que a **Khazana** conta com tapetes do Afeganistão e da Caxemira, além de pashiminas.

ARTESANATO E PRESENTES

A Crafts Museum Shop, a **Tulsi**, a **Kamala** e a Dilli Haat dispõem de grande variedade de artesanado indiano e itens para presentes, enquanto a **Tibet House** vende xales, casacos, *thangkas* e tapetes de lã. Para objetos de couro de qualidade, a exemplo de sapatos e casacos feitos a mão, as muitas lojas de chineses em Connaught Place oferecem conforto e durabilidade. Para peças da moda há **Da Milano**.

Na Dariba Kalan de Chandni Chowk está a **Gulab Singh Johari Mal**, uma loja maravilhosa e antiga, onde se podem testar os perfumes *(attar)* indianos de frascos de vidro lapidado. Também vale a pena adquirir seus sabonetes. Cosméticos de ervas, incensos, velas perfumadas e óleos e loções para aromaterapia são oferecidos em muitas lojas grandes como a **Good Earth**, que também tem toalha, roupão de banho e tapete para massagem. Encontram-se cosméticos da Vama Ayurveda, Forest Essential, Biotique e Shahnaz Herbal na maioria das farmácias. Temperos e frutas frescas da estação são encontradas no INA Market *(pág. 89)* e chá indiano no Kaka Nagar Market (perto do Oberoi Hotel, na Zakir Hussain Marg), no Khan Market e na **Mittal Tea House**, no Lodi Colony Market.

GUIAS, INGRESSOS E LOCAIS DE DIVERSÃO

Todos os jornais registram os programas do dia em seções próprias. Outras fontes de informação sobre eventos, restaurantes, esportes e demais atividades são o *Delhi Diary*, semanal, e a revista *First City*, mensal. Em diversos locais da cidade, como no **India International Centre**, a entrada é grátis. Em outros, a exemplo do **Indian Council for Cultural Relations** (ICCR), entra-se apenas com convite. Ingressos para seletos festivais de música, dança e teatro são anunciados e vendidos em determinadas livrarias ou nas bilheterias.

A maioria das atividades culturais de Délhi se concentra em torno da Mandi House *(pág. 75)*. No auditório maior, o **Kamani** na Copernicus Marg, ocorrem concertos, peças e apresentações de músicas e danças clássicas o ano todo. Durante a temporada, eventos de música e dança também são feitos no FICCI Auditorium, na rotatória, no **Triveni Kala Sangam**, na Tansen Marg, e no Azad Bhavan, principal local de apresentações organizadas pelo ICCR do estado. Excelentes peças, em hindi e inglês, são apresentadas no auditório ao ar livre da **National School of Drama**, principal companhia de repertório em Bhawalpur House, e no **Shri Ram Centre**, ali perto. Coloridas danças folclóricas de toda a Índia, organizadas pela

Trade Fair Authority of India, são apresentadas durante a Trade India Fair, em novembro, em Pragati Maidan, enorme recinto de exposições situado na Mathura Road.

O **India Habitat Centre** e o India International Centre, na Lodi Road, organizam diversos eventos, a exemplo de filmes, peças, concertos, exposições, palestras e debates. No imenso **Siri Fort Complex**, no sul de Délhi, realizam-se a maioria dos festivais de cinema e outros eventos de prestígio.

Filmes indianos e estrangeiros passam em muitos cinemas espalhados pela cidade. Entre as salas mais bem equipadas estão a **PVR Anupam**, em Saket, e a **PVR Priya**, em Vasant Vihar.

ARTES CÊNICAS

Délhi é o melhor lugar para apreciar a variedade e a riqueza da dança e da música clássica. Apresentações de expoentes dos principais estilos de odissi, kathak, bharat natyam e kathakali ocorrem durante a alta temporada, entre outubro e março. O mesmo vale para concertos de música clássica hindustani e carnática. A vibrante dança folclórica e as tradições musicais da Índia, como a música religiosa dos sufis, as danças-dramas de Kerala, os espetáculos de marionetes de Rajasthan e Karnátaka, podem ser vistas em diversos locais. Verifique nos jornais os detalhes sobre a localização e os ingressos.

EXPOSIÇÕES

As principais exposições são realizadas no **National Museum**, na **National Gallery of Modern Art**, no **Art Heritage** e no Crafts Museum. Entre elas estão acervos especiais de esculturas e pinturas raras de museus de toda a Índia, assim como as que vêm do exterior. Nos últimos anos, ocorreram exposições de quadros de Picasso, das fantásticas jóias de Nizam de Hyderabad e de pinturas do período mogul da coleção particular da rainha Elizabeth II.

Mostras de arte contemporânea, artesanato, fotografia e artes gráficas são organizadas por muitas galerias de arte ao redor da Mandi House.

AGENDA

ANTIGUIDADES, JÓIAS E PRATARIA

Bharany's
Sundar Nagar Market.
Tel (011) 2435 8528.

Cooke & Kelvy
Janpath.
Tel (011) 2372 1081.

Crafts Museum Shop
Pragati Maidan.
Tel (011) 2337 1269.

Ravissant
Oberoi Hotel.
Tel (011) 2436 3030.

TECIDOS, XALES E TAPETES

Abraham & Thakore
31, Lodi Colony Main Mkt.
Tel (011) 2460 3455.

Anokhi
Khan Market.
Tel (011) 2460 3423.

The Carpet Cellar
Khan Market.
Tel (011) 2460 3423.

Cottage Industries
Janpath.
Tel (011) 2332 0439.

FabIndia
Greater Kailash I, N-Block Market.
Tel (011) 2621 2183.

Forest Essentials
46-B, Khan Market.
Tel (011) 4175 7057.

The Shop
Connaught Place.
Tel (011) 2374 6050.

Shyam Ahuja
Santushti.
Tel (011) 2467 0112.

ARTESANATO E PRESENTES

Da Milano
Connaught Place.
Tel (011) 2341 5490.

Good Earth
Santushti. Mehrauli.
Tel (011) 2685 1757.

Gulab Singh Johri Mal
Dariba Kalan, Chandni Chowk.
Tel (011) 2327 1345.

Kamala
Rajiv Gandhi Handicrafts Bhavan, Baba Kharak Singh Marg.
Tel (011) 2374 3322.

Mittal Tea House
8-A, Lodi Colony Mkt.
Tel (011) 2461 5709.

Tibet House
Lodi Rd.
Tel (011) 2461 1515.

Tulsi
Santushti.
Tel (011) 2687 0339.

LOCAIS DE DIVERSÃO

India Habitat Centre
Lodi Rd.
Tel (011) 2468 2222.

India International Centre
40, Lodi Estate, Max Mueller Marg.
Tel (011) 2461 9431.

Indian Council for Cultural Relations
Azad Bhavan, IP Estate.
Tel (011) 2337 9309.

Kamani Auditorium
Copernicus Marg.
Tel (011) 2338 8084.

National School of Drama
Bhawalpur House.
Tel (011) 2338 9402.

PVR Anupam
Community Centre, Saket.
Tel (011) 2686 5999.

PVR Priya
Basant Lok, Vasant Vihar.
Tel (011) 2614 0048.

Shri Ram Centre
Safdar Hashmi Marg.
Tel (011) 2371 4307.

Siri Fort Complex
Asian Village Complex.
Tel (011) 2649 3370.

Trade Fair Authority of India
Pragati Maidan.
Tel (011) 2337 1540.

Triveni Kala Sangam
205, Tansen Marg.
Tel (011) 2371 8833.

EXPOSIÇÕES

Art Heritage
Triveni Kala Sangam.
Tel (011) 2371 9470.

National Gallery of Modern Art
Jaipur House, India Gate.
Tel (011) 2338 2835.

National Museum
Janpath.
Tel (011) 2301 9272.

HARYANA E PUNJAB

Haryana e Punjab cobrem longas planícies que se estendem entre o rio Indo e o cinturão gangético. Solo fértil e técnicas agrícolas aperfeiçoadas na "Revolução Verde" da década de 1960 *(pág. 62)*, transformaram a região no celeiro da Índia, com a produção de mais da metade do trigo, do arroz e do painço do país. O desenvolvimento industrial acompanhou o sucesso da Revolução Verde e, agora, os dois estados também contam com indústrias florescentes de laticínios e de produtos de lã. A maioria dos visitantes dá apenas uma passada por Haryana e Punjab, quase sempre a caminho para Himachal Pradesh, apreciando no trajeto as duas atrações mais conhecidas dos estados: Chandigarh, cidade planejada e construída pelo famoso arquiteto Le Corbusier, que é a capital compartilhada por Haryana e Punjab, e o Templo de Ouro em Amritsar, o mais sagrado santuário dos siques. Para quem quer conhecer mais, existem os antigos principados de Patiala e Kapurthala, com arquitetura diferenciada, e os santos *dargahs* em Panipat e Sirhind. Mas as atrações especiais da região são a simpatia e a hospitalidade de seu povo.

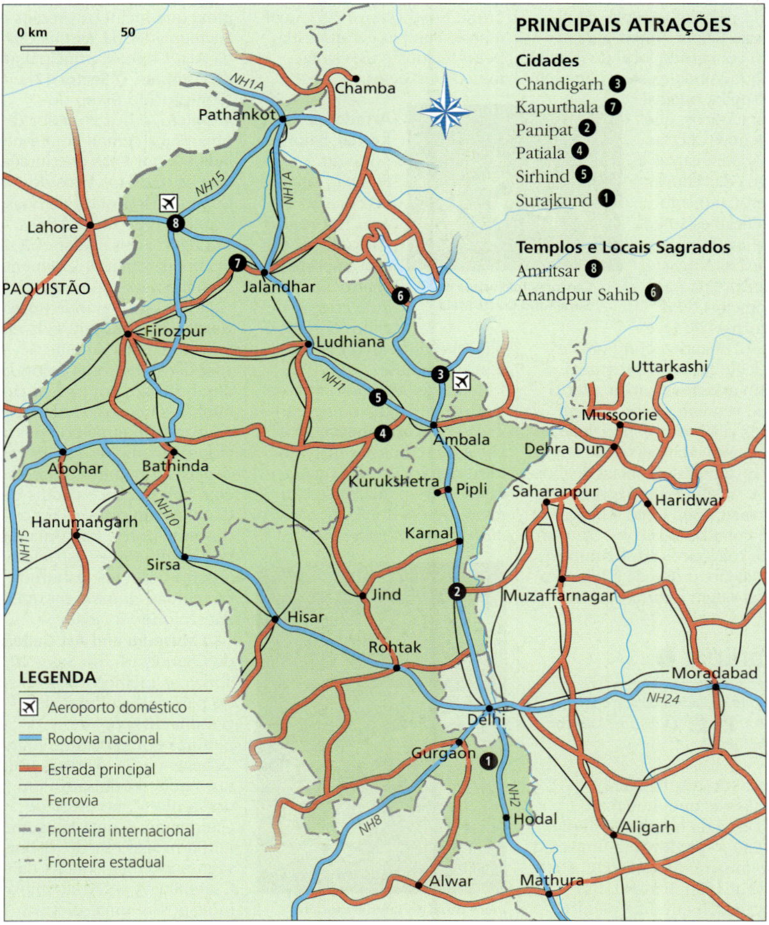

◁ **Hari Mandir, ou Templo de Ouro, visto do outro lado das águas sagradas de Amrit Sarovar, em Amritsar**

Em Panipat, *dargah* do santo sufi Qalandar Shah, erguido no século 14

Surajkund ❶

Distrito de Faridabad. 21km ao S de Délhi. *Haryana Tourism, Chanderlok Building, 36, Janpath, Nova Délhi, (011) 2332 4910.* *Surajkund Crafts Mela (fev).*

Este reservatório histórico, construído entre os séculos 10º e 11 pelo rei Surajpal, da dinastia Rajput Tomar, agora é um concorrido local de piquenique. Ainda existe a barragem de pedra original, em terraços, que circundava o tanque para captar a água das chuvas. Perto, um lago artificial está bem equipado para barcos. A área ganha vida nas primeiras duas semanas de fevereiro, quando ocorre uma excelente *mela* de artesanato, com artesãos de toda a Índia que vendem suas peças em uma vila criada especialmente para isso. Marionetes de Rajasthan, animais de metal de Orissa e trabalhos com espelho de Gujarat ficam junto a bancas de comida. Músicos e dançarinos folclóricos passeiam pela multidão, o que dá à feira um jeito alegre e carnavalesco.

Cantores folclóricos na Surajkund Crafts Mela

Panipat ❷

Distrito de Panipat. 85km ao N de Délhi. *Urs de Qalandar Shah (jan-fev).*

Local de três batalhas decisivas que mudaram o curso da história da Índia, como a que levou à fundação do império Mogul *(pág. 50-1)* em 1526, Panipat está localizada em uma planície poeirenta e traça sua história até os tempos dos épicos. A parte antiga da cidade possui algumas *havelis* interessantes e um túmulo-santuário do século 14 dedicado ao santo sufi Qalandar Shah. A cidade nova é um núcleo movimentado e barulhento, à beira da National Highway 1, que segue o trajeto da Grand Trunk Road *(pág. 179)*. Atualmente, Panipat é conhecida pelos tecidos para estofamentos e tapetes.

Arredores: **Karnal**, 34km ao norte de Panipat, situa-se no coração de uma rica região pastoril e se tornou importante centro agrícola e de criação de gado. O National Dairy Research Institute tem sede aqui.

Cerca de 90km ao norte de Panipat, a cidade de peregrinação de **Kurukshetra** está cheia de templos e marca o local mitológico da batalha épica entre pandavas e kauravas, heróis do clássico *Mahabharata (pág. 26)*.

Prece ritual no tanque sagrado do templo em Kurukshetra

Chandigarh ❸

Distrito de Chandigarh. 238km ao N de Délhi. *750.000.* *11km ao S do centro.* *Interstate Bus Terminal, Sector 17, (0172) 272 1173.* *Rose Festival (fev).*

Capital de dois estados, Haryana e Punjab, Chandigarh foi construída no início da década de 1950 por Le Corbusier, arquiteto mundialmente famoso. É considerada a primeira cidade moderna da Índia depois da independência. Seu plano segue uma grade dividida uniformemente em 57 quarteirões ou setores.

Le Corbusier concebeu a cidade como o desenho de um homem modular, em cuja "cabeça" está o **Capitol Complex**, que inclui os prédios do Secretariado, da Assembléia e da Alta Corte. A principal área de compras, o **Sector 17**, é o "coração" do plano do arquiteto, e fica ao redor de uma praça central com fonte, ladeada por lojas que indicam que os cidadãos ricos de Chandigarh gostam de boas comidas e de roupas finas. Contíguo a esse setor está um trecho ajardinado, levemente ondulado, os "pulmões" da cidade, com o grande **Rose Garden** que adquire vida em fevereiro. Mais de mil variedades de rosas coloridas desabrocham em meio a caminhos sinuosos, chafarizes e gramados muitíssimo bem tratados. Os amplos setores residenciais formam o "corpo", com belas casas e jardins que demonstram os bons tratos dos moradores. Cada rua dispõe de diferentes espécies de árvores floríferas –laburnos, jacarandás, *gulmohar*– que dão colorido à cidade.

O **Museum and Art Gallery** de Chandigarh, no Setor 10, abriga as melhores coleções do país de esculturas de Gandharan *(pág. 43)* e de pinturas em miniatura. Entre as belas peças expostas estão um sereno bodhisattva em pé, do século 6º, no estilo de Gandharan, e uma imagem rara do século 11 de Vishnu segurando uma concha da Caxemira. A seção de miniaturas possui uma seleção abrangente de pinturas de

Capitol Complex de Chandigarh, típico do estilo funcional de Le Corbusier

Pahari *(pág. 121)*, das escolas de Kangra, Basohli e Guler, enquanto a de arte moderna tem paisagens do russo Nicholas Roerich *(pág. 128)*.

Do outro lado do Capitol Complex, o **Rock Garden** é um dos pontos turísticos mais movimentados, espalhando-se por 1,6ha do Sector 1. Foi criado na década de 1970 por um ex-inspetor de estradas, Nek Chand, e cria um agradável contraste com o formato extremamente simétrico de Le Corbusier. A área conta com um "reino" singular, um labirinto com colinas, cascatas, cavernas e fileiras de esculturas elaboradas com materiais como lâmpadas queimadas de néon, disjuntores e cacos de louça e de vidro.

Cerâmicas no Rock Garden de Nek Chand

Próximo, fica o **lago Sukhna**, artificial, onde uma calçada agradável atrai quem pratica jogging e caminhada. É uma das áreas mais bonitas de Chandigarh, principalmente à tarde, quando se apreciam o belo pôr-do-sol e a vista das luzes da estação montanhosa de Kasauli *(pág. 113)*.

Museum and Art Gallery
Tel (0172) 274 2501. *ter-dom.*

Arredores: Os **Pinjore Gardens**, localizados 22km ao norte de Chandigarh, foram desenhados no século 17 por Fidai Khan, irmão adotivo do imperador mogul Aurangzeb. Eles foram feitos em terraço, no estilo mogul, e têm pavilhões, fontes e quedas-d'água.

Sanghol, 40km a oeste de Chandigarh, possui um sítio de escavações de uma *stupa* budista do século 2º, onde fica um interessante museu de esculturas kushanas.

CIDADE DE LE CORBUSIER

A "mão aberta", emblema de Chandigarh

Em 1950, o primeiro-ministro da Índia, Jawaharlal Nehru, encomendou ao arquiteto franco-suíço Charles Edouard Jeanneret ("Le Corbusier") a criação da nova capital do Punjab, já que a antiga, Lahore, se tornara parte do Paquistão depois da independência, em 1947. O resultado foi uma cidade de quarteirões de concreto e ruas retas, que projetava a filosofia de eficiência funcional de Le Corbusier, livre de ornamentos inúteis, como cúpulas e arcos. Sem nenhum bazar apinhado, faltam a Chandigarh a vitalidade e o barulho típicos das antigas cidades indianas, e alguns dos prédios de Le Corbusier, atualmente, parecem castigados pelo clima. Contudo, ela persiste em ser a cidade mais limpa e organizada do país –um legado duradouro de Le Corbusier.

FESTIVAIS DE HARYANA E PUNJAB

Qalandar Shah's Urs *(jan/fev)*, em Panipat. Homenagem ao santo sufi Qalandar Shah com cantos qawwali e uma feira colorida no seu santuário.
Surajkund Crafts Mela *(1-15 fev)*, em Surajkund. Artesãos de todo o país se reúnem com uma bela seleção de peças, de tecidos feitos a mão a brinquedos populares.
Rose Festival *(fev)*, em Chandigarh. O Rose Garden chega ao auge com exposição de flores e um fim de semana de danças e músicas.

A arte da esgrima nas festas de Hola Mohalla

Hola Mohalla *(mar/abr)*, em Anandpur Sahib. O destaque da feira é a apresentação de esgrima e de prender estacas de tendas, quando os siques nihang mostram suas habilidades marciais e equestres.
Baisakhi *(14 abr)*. Cortejos, danças e banquetes ocorrem por todo o Punjab para marcar o equinócio de primavera e o início da colheita. Melas animadas são feitas nas grandes gurdwaras.
Guru Parab *(nov)*. Celebrado no Punjab na primeira noite de lua cheia após o Diwali (pág. 37), aniversário do Guru Nanak, fundador do siquismo, é espetacular no Templo de Ouro de Amritsar. À noite, milhares de luzes iluminam o templo, do Diwali em diante.

Esplêndido Durbar Hall de Qila Mubarak, em Patiala

Patiala ❹

Distrito de Patiala. 63km a SO de Chandigarh. 269.000. Basant (fev). seg-sáb.

Patiala, situada entre os rios Satluj e Ghaggar, era um antigo principado, governado por uma série de soberanos extravagantes do século 19, que transformaram o nome dela em sinônimo de exagero. Assim, uma "dose patiala" é uma porção bem grande de uísque; um *salwar* (camisão) patiala tem três vezes a largura de um comum; e o palácio de Patiala, para citar um visitante inglês pasmo com seu tamanho, "faz Versalhes parecer uma choupana". Os governantes eram grandes benfeitores das artes, da arquitetura e dos esportes, e o rico artesanato deve-se em grande parte a seus generosos incentivos.

A cidade atual cresceu ao redor de **Qila Mubarak**, um forte erguido em 1763. A parte mais velha, Qila Androon, embora abandonada, conserva traços de fina pintura nas paredes. O **Durbar Hall**, acrescentado depois, fica à direita do portão de entrada e agora é um museu com teto primorosamente decorado e murais bem preservados. Ali estão expostos canhões e armas, como a espada de Nadir, xá da Pérsia *(pág. 52)*, que invadiu a Índia em 1739. O animado bazar em volta do forte oferece as famosas sapatilhas feitas a mão *(jutties)*, passamanarias de seda com borlas *(pirandis)* e tecidos brilhosos, bordados com a técnica *phulkari*.

Típico motivo *phulkari*

O imenso **Old Moti Bagh Palace**, terminado no início do século 20 em estilo indo-sarraceno, tem 15 salas de jantar. Tido como uma das maiores residências da Ásia, ele fica em meio a jardins em terraços e espelhos-d'água, inspirados no paisagismo do império Mogul. Os terraços levam a Sheesh Mahal, onde a **Art Gallery** exibe pinturas em miniatura, manuscritos raros, objetos de arte e troféus de caça do antigo acervo real. Uma coleção de medalhas tem lugar de honra; algumas foram conferidas aos governantes e outras, reunidas por eles. A Art Gallery dá para um grande tanque ladeado por duas torres, ligadas por uma ponte suspensa de corda. A parte principal do palácio foi transferida para o National Institute of Sports e o grande espelho d'água, em que o marajá costumava assistir aos pulinhos das dançarinas, transformou-se em área de luta livre.

Venda de *jutties* bordados a mão no bazar de Patiala

No norte da cidade estão os **Baradari Gardens**, elaborados no fim do século 19 pelo príncipe Rajinder Singh, dedicado jardineiro, que também criou um jardim de pedras e uma estufa para samambaias. O magnífico **Templo Kali**, localizado dentro da cidade murada, possui uma grande imagem de mármore de Kali, trazida de Makrana, em Rajasthan.

Durbar Hall Museum
ter-dom. com permissão.

Old Moti Bagh Palace
ter-dom.

Sirhind ❺

Distrito de Fatehgarh Sahib. 55km a O de Chandigarh. 31.000. Punjab Tourism, (01763) 22 9170. Urs em Rauza Sharif (ago), Shaheedi Jor Mela (dez).

A cidade de Sirhind foi um dos núcleos urbanos mais importantes do Norte da Índia, entre os séculos 16 e 18. Antiga capital dos sultões Pathan Sur, cujas ruínas do forte maciço ainda podem ser vistas, Sirhind também foi o ponto de parada preferido dos imperadores moguis nas viagens anuais para a Caxemira. No século 11, Mahmud de Ghazni *(pág. 48)* expandiu seu império até esta região, dando nome à cidade, que em persa significa "Fronteira da Índia".

No período mogul foram feitas belas construções na área denominada **Aam Khas Bagh**, que hoje é um complexo turístico gerido pelo governo. Muito interessante é o **Royal Hamam**, uma estrutura intricada para banhos quentes e frios, que usa água captada de poços próximos por meio de complicado sistema de roldanas manuais. Perto dos banhos ficam as ruínas do palácio de dois andares de Shah Jahan, o **Daulat Mahal**, e o mais bem preservado **Sheesh Mahal**, cujas paredes

Rauza Sharif, o *dargah* do xeique Ahmad Faruqi Sirhindi, em Sirhind

ainda têm vestígios dos azulejos e do gesso decorativo originais.

Ao norte de Aam Khas Bagh está **Fatehgarh Sahib Gurdwara**, branco, no meio de campos de mostarda de colorido amarelo vivo, com floração em janeiro. Foi construído em memória dos filhos martirizados do décimo guru sique, Gobind Singh, emparedados vivos neste local pelo imperador mogul Aurangzeb, em 1705, por não se converterem ao islamismo.

Ao lado do gurdwara há um importante local de peregrinação para os muçulmanos: o túmulo-santuário do santo e teólogo sufi xeique Ahmad Faruqi Sirhindi, também conhecido como Mujaddad-al-Saini (Reformador do Milênio). Esta magnífica construção octogonal, com cúpula forrada de azulejos azuis vitrificados, foi erguida no século 16. Conhecida como **Rauza Sharif**, é considerada tão sagrada quanto Dargah Sharif, em Ajmer *(pág. 376)*.

Próximo fica um notável túmulo do mesmo período, o **Mausoléu de Mir Miran**, genro de um dos reis lodi.

Outra atração é a **Salavat Beg Haveli**, exemplo fascinante e muitíssimo bem conservado de residência grande da era mogul.

Aam Khas Bagh
ter-dom.

Anandpur Sahib ❻

Distrito de Roopnagar. 73km ao N de Chandigarh. *31.000.* *Hola Mohalla (mar/abr).*

Protegido pelas colinas Shivalik e por um círculo de fortes imponentes, Anandpur Sahib é um complexo de históricos gurdwaras siques. Para cá foi trazida a cabeça do nono guru, Tegh Bahadur, a fim de ser cremada no local agora marcado pelo **Sisganj Sahib Gurdwara**. Esse gurdwara também assinala o ponto em que o décimo e último guru, Gobind Singh, fundou o Khalsa, ou "Exército dos Puros", em 1699, junto com cinco voluntários que o ajudaram a defender a fé. O **Kesgarh Sahib Gurdwara**, erguido para comemorar esse evento, é considerado um dos quatro *takhts* ou sedes principais da religião sique –os outros ficam em Amritsar *(pág. 104)*, Nanded em Maharashtra, e Patna *(pág. 214)* em Bihar.

Sique nihang paramentado

Uma festa de uma semana foi realizada aqui em abril de 1999, para marcar o 300º aniversário do Khalsa. Uma série de fortes cerca Anandpur Sahib –o **Lohagarh Fort** era usado como arsenal do exército Khalsa, o **Fatehgarh Fort** guardava a rota entre Délhi e Lahore, e o **Taragarh Fort** protegia a cidade de ataques dos estados montanhosos situados ao norte.

Anandpur Sahib ganha vida todos os anos durante o festival Hola Mohalla *(pág. 101)*, quando milhares de devotos vêm assistir aos siques nihang, descendentes dos guardas pessoais dos gurus, que se vestem de azul e exibem suas formidáveis habilidades marciais e equestres.

Guru Nanak e seus discípulos, em pintura do século 19

O SIQUISMO

Fica fácil reconhecer os siques, com seus turbantes típicos e barbas cheias. A religião sique é uma fé reformista, fundada pelo guru Nanak no século 15. Contrária à adoração de ídolos, aos rituais e ao sistema de castas, acredita em um Deus sem forma. O siquismo é também chamado gurmat, que significa "a doutrina do guru", e os templos siques são conhecidos como gurdwaras, literalmente "portas para o guru". Nanak, primeiro de dez gurus, escolheu seu sucessor entre os discípulos mais devotos. Gobind Singh (1666-1708), décimo e último guru, reorganizou a comunidade em 1699 como ordem militar, o Khalsa, para combater a perseguição religiosa dos moguis. Ele conferiu à comunidade sique uma identidade religiosa diferenciada, e daí em diante os seguidores passaram a usar os cinco símbolos do Khalsa: *kesh* (cabelos longos), *kachha* (roupa de baixo), *kirpan* (espadim), *kangha* (pente) e *kara* (pulseira). Seu livro sagrado, o Guru Granth Sahib, é guardado no Templo de Ouro *(págs. 106-7)*.

Detalhe de escultura de mármore no Elysée Palace, em Kapurthala

Kapurthala 7

Distrito de Kapurthala. 165km a NO de Chandigarh.

Este ex-principado deve sua extraordinária herança arquitetônica ao excêntrico marajá Jagatjit Singh, que criou um canto que sempre será francês, em meio aos ricos campos agrícolas de Punjab. Em 1906, este apaixonado pela França encomendou a um arquiteto francês a construção de um palácio copiado de Versalhes, com o acréscimo de elementos de Fontainebleau e do Louvre. Esta incrível construção, que ele nomeou pomposamente Elysée Palace (agora **Jagatjit Palace**), fica no meio de jardins dotados de estátuas e chafarizes de pedra e é rodeada de *villas* construídas para seus altos funcionários, que imitavam as que estavam na moda nos arredores de Paris, no fim do século 19. O palácio se transformou em escola, mas o prédio é aberto à visitação e dispõe de interior decorado e pinturas de teto no estilo renascentista.

Após a construção deste palácio, o marajá entrou em uma fase espanhola, expressa na **Buena Vista Hunting Lodge**. Localizada no limite da cidade, está ocupada por seus descendentes. Outra atração interessante é a **Mesquita Mourisca**. Inspirada na suntuosa Mesquita Qutubiya de Marrakesh, foi projetada por outro arquiteto francês contratado por Jagatjit Singh. A abóbada foi primorosamente pintada por artistas punjabis.

Jagatjit Palace
ter-dom.

Jagatjit Palace, de Kapurthala, copiado de Versalhes, na França

MARAJA RANJIT SINGH

Marajá Ranjit Singh (reinado 1790-1839)

O marajá Ranjit Singh foi um grande governante do Norte da Índia. Ao convencer os chefes siques rivais a se unirem, criou o primeiro reino sique do Punjab. Gênio militar, seu exército forte manteve afastados tanto os britânicos como os ambiciosos invasores afegãos, transformando o Punjab em um próspero centro comercial e industrial. Sique devoto, que embelezou o Templo de Ouro, foi um governante esclarecido que gostava de dizer: "Deus quis que eu visse todas as religiões só com um olho". Uma década após sua morte, os britânicos anexaram o Punjab e se apossaram de seus tesouros, que incluíam o famoso diamante Kohinoor.

Amritsar 8

Distrito de Amritsar. 217km a NO de Chandigarh. *1.000.000.*
Palace Hotel frente estação de trem, (0183) 240 2452. *12 km a NO do centro.*
Guru Parab (nov).

Fundada em 1577 por Ram Das, quarto guru sique, Amritsar foi construída em local doado pelo imperador mogul Akbar. Localizado no coração da cidade está o **Templo de Ouro** *(págs. 106-7)*, o mais sagrado para a comunidade sique, rodeado por um labirinto de ruelas e 18 portões fortificados. Em 1984, partes do Templo de Ouro foram muito danificadas durante uma operação do exército para expulsar extremistas escondidos lá dentro, que exigiam uma pátria sique. Depois de consertado, sua glória original estava cuidadosamente restaurada.

O complexo do templo constitui uma cidade dentro da cidade, e a entrada principal é pelo portão norte, conhecido como **Darshani Darwaza**, que também abriga o **Central Sikh Museum**. Aqui estão expostas coleções de pinturas, moedas, manuscritos e armas, que formam uma imagem vívida da história sique. Degraus descem até a **Parikrama** (passarela de mármore) que circunda o **Amrit Sarovar** (Tanque de Néctar, de onde vem o nome da cidade), e o santuário principal, o **Hari Mandir** (Templo de Deus), com cúpulas de ouro. Diversos locais santos e históricos ladeiam a Parikrama, entre os quais há um santuário de troncos, chamado **Dukh Bhanjani Ber**, que se diz ter poderes milagrosos na cura de doenças, e o **Athsath Tirath** que representa 68 dos mais sagrados santuários hindus de peregrinação.

A Parikrama continua até Akal Takht, sede da ordem religiosa sique. Sua construção começou em 1589 e terminou em 1601 com o sexto guru, Hargobind, que passou a organizar a comunidade sique em uma entidade política. Os andares superiores foram feitos por Ranjit Singh.

Para hotéis e restaurantes nesta região, ver pág. 692 e pág. 722

Vista do complexo do Templo de Ouro, com santuário central e entrada principal

Como parte do ritual diário, o Livro Sagrado dos siques, o *Guru Granth Sahib*, é levado para fora de Akal Takht até Hari Mandir, no raiar do dia. O sacerdote principal abre o livro para a *vaq*, mensagem do dia. Da alvorada até tarde da noite, o templo se enche com o som dos *ragis*, músicos contratados para entoar versos do Livro Sagrado.

Todo visitante que entra em Hari Mandir (até o não-sique) recebe um torrão doce de *prasad* (oferenda sagrada), e nenhuma visita pode ser considerada completa sem uma refeição na **Guru ka Langar**, uma cozinha gratuita na qual cada visitante é alimentado com uma comida simples de *dal-roti* (curry de lentilha e pão). Organizada por voluntários, essa cozinha consegue alimentar 10 mil pessoas por dia. Seu enorme salão, que acomoda 3 mil pessoas por vez, serve como símbolo de uma sociedade igualitária, sem castas, que os gurus siques se empenharam em criar. A noção de *kar-seva* (trabalho manual voluntário por uma causa) é uma parte importante da ordem sique. Tarefas como varrer os recintos do templo, trabalhar na *langar* ou cuidar dos sapatos dos peregrinos são feitas com entusiasmo por voluntários. As últimas orações da noite terminam por volta das 21h45, quando o Livro Sagrado é fechado com toda a reverência e leva-do até um palanquim para voltar ao Akal Takht. Depois, o piso do templo é lavado com leite e água, antes que se fechem as portas do Darshani Deorhi.

Memorial, em Jallianwala Bagh

Encontram-se alguns santuários fora do complexo. Entre eles está o dedicado ao guru Hargobind Singh, além da **Baba Atal Tower**, de nove andares, que marca o local em que Atal Rai, filho de Hargobind foi martirizado. Do século 16, o **Templo Durgiana**, dedicado a Durga, fica 2km a nordeste do Templo de Ouro.

Foi no **Jallianwala Bagh**, também próximo do Templo de Ouro, que houve o terrível massacre de 1919. Centenas de manifestantes desarmados foram baleados nesse jardim fechado por ordem do general Reginald Dyer, que comandava um pelotão de infantaria de Jalandhar. Esse incidente contribuiu para acelerar o fim do domínio britânico na Índia. Há um memorial aos mortos na extremidade leste.

Arredores

O último posto de controle da fronteira indiana fica em **Wagah**, a 9km de Amritsar, separado de Attari, no Paquistão, por uma estrada estreita. Toda tarde, quando o toque de clarins anuncia o fim do dia, dois guardas magnificamente uniformizados, de cada lado da fronteira, dão passos de ganso até os mastros para baixar as respectivas bandeiras nacionais. Os passos são tão iguais que dá a impressão de se ver uma imagem espelhada dos dois. A cerimônia atrai muita gente de ambos os lados, pois é uma lembrança dolorosa da Divisão de 1947 *(pág. 56)*, quando o Punjab foi repartido entre os dois países.

Guarda cerimonial acompanha o Livro Sagrado fora de Akal Takht

Amritsar: O Templo de Ouro

Detalhe de *pietre dure*

Centro espiritual da religião sique, o Templo de Ouro foi construído entre 1589 e 1601 e constitui uma bela síntese dos estilos arquitetônicos islâmico e hindu. Para manter a tradição sincrética daqueles tempos, a pedra fundamental foi lançada por um santo muçulmano, Mian Mir. Quase destruído em 1761 pelo xá abdali Ahmad, invasor afegão, recuperou-se anos mais tarde com o marajá Ranjit Singh, governante do Punjab, que recobriu a cúpula com ouro e embelezou o interior com decoração suntuosa.

Primeiro Andar
As paredes de mármore têm lindas pietre dure *e trabalhos decorativos de gesso, com desenhos de animais e flores recobertos com folhas de ouro.*

Hari Mandir
Lugar mais sagrado para os siques, o templo de três andares, decorado com fascinantes pietre dure, *mantém o Livro Sagrado durante o dia.*

★ Sheesh Mahal
O Salão dos Espelhos, no andar de cima, possui um telhado bangaldar *curvo, e o chão é varrido com uma vassoura especial, feita de penas de pavão.*

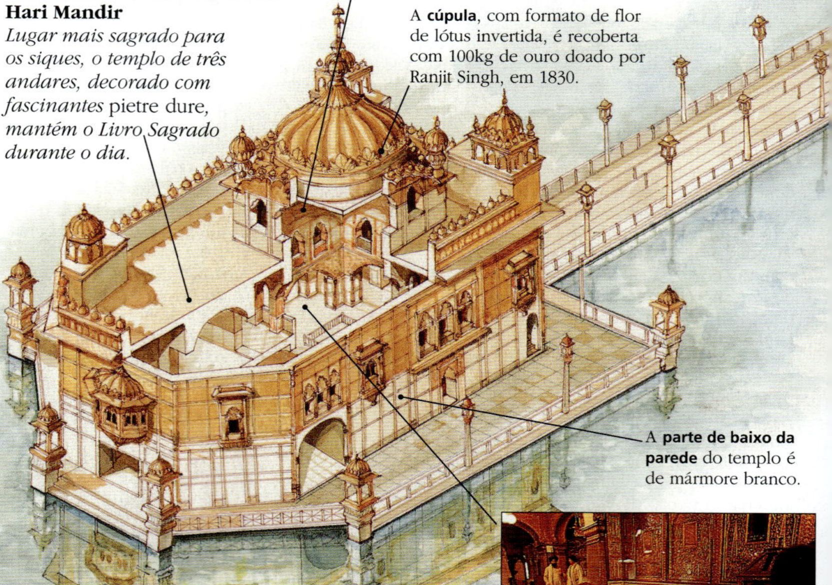

A **cúpula**, com formato de flor de lótus invertida, é recoberta com 100kg de ouro doado por Ranjit Singh, em 1830.

A **parte de baixo da parede** do templo é de mármore branco.

★ Guru Granth Sahib
Sob um dossel adornado com pedras preciosas, o Livro Sagrado fica no Durbar Sahib (Corte do Senhor).

PONTOS ALTOS

★ Sheesh Mahal

★ Guru Granth Sahib

Para hotéis e restaurantes nesta região, ver pág. 692 e pág. 722

Darshani Deorhi
Este portão dá uma idéia do interior do santuário. Ele tem duas magníficas portas de prata e textos sagrados entalhados nas paredes.

PREPARE-SE

Circular Rd. *Information Bureau, (0183) 255 3954.* *diariam.* *do lado de fora. Ao entrar, o visitante tira os sapatos, lava os pés e cobre a cabeça com lenço. Álcool e tabaco são proibidos dentro do complexo.*

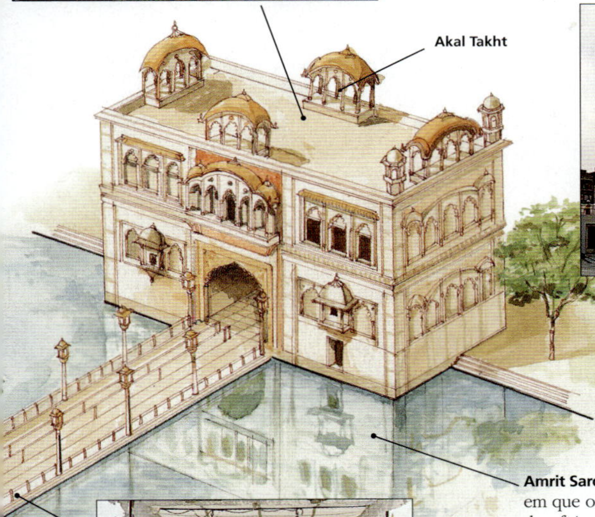

Akal Takht
Sede do supremo organismo que dirige os siques, abriga espadas e mastros de gurus, além do Livro Sagrado, à noite.

Amrit Sarovar, espelho-d'água em que os siques são batizados, foi construído em 1577 por Ram Das, o quarto guru.

A Passarela
Com 60m de comprimento, a passarela de mármore dispõe de nove lampiões dourados de cada lado. Leva ao templo, atravessando o Amrit Sarovar.

COMPLEXO DO TEMPLO DE OURO

1 Escritório
2 Guarda-sapatos
3 Darshani Darwaza e Torre do Relógio
4 Hari Mandir
5 Athsath Tirath (68 Santuários)
6 Guru ka Langar (Salão de Jantar)
7 Residência de Baba Karak Singh
8 Salão de Orações
9 Santuário de Baba Deep Singh
10 Darshani Deorhi
11 Árvore de Arjun Dev
12 Akal Takht
13 Nishan Sahibs (Mastros)
14 Santuário de Gobind Singh
15 Dukh Bhanjani Ber (Santuário de Troncos)

0 metros 50

LEGENDA

Área ilustrada acima

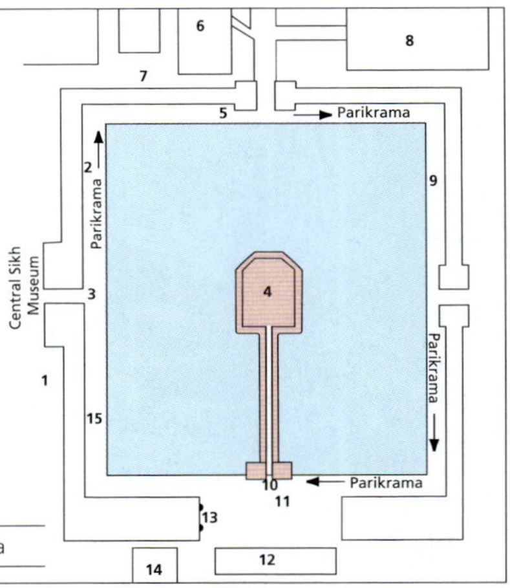

HIMACHAL PRADESH

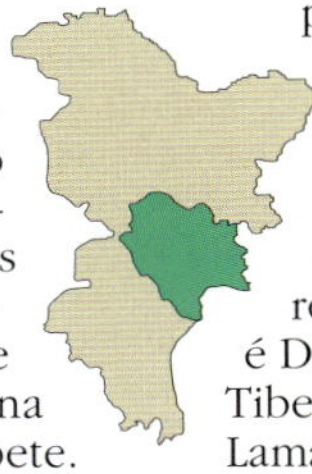

Himachal, a "Morada da Neve", abrange mais de 56.000km² do Himalaia Ocidental. O território do estado sobe do sopé das montanhas Shivaliks, beirando as planícies do Punjab, e se estende até os altos da cordilheira de Zanskar, além do Himalaia, na fronteira com Ladakh e o Tibete. Shimla, capital de Himachal, ganhou fama como capital de verão do Raj britânico, e ainda é um destino procurado por visitantes. Manali, outra grande estação de montanha, fica no coração do bucólico vale do Kullu. Banhada pelo rio Beas, é excelente base para caminhadas e excursões. A oeste de Kullu, tendo ao fundo a magnífica cordilheira de Dhauladhar, situa-se o vale do Kangra, pontilhado de pomares de maçã. Sua principal cidade é Dharamsala, sede do governo do Tibete no exílio, onde vivem o Dalai Lama e grande comunidade tibetana. Na parte leste do estado, encontra-se Kinnaur, com campos verdejantes e vilas encantadoras, enquanto Lahaul e Spiti, ao norte, são terras acidentadas, com mosteiros budistas que se equilibram em rochedos íngremes.

PRINCIPAIS ATRAÇÕES

Cidades
Mandi 10
Nahan 5
Rampur 6
Sarahan 7
Manali 19
Narkanda 3
Shimla 1

Estações de Montanha e Áreas de Beleza Natural
Bharmour 15
Chail 2
Chamba 14
Dalhousie 13
Dharamsala 12
Kasauli 4
Kullu Valley 16
Lahaul and Spiti 20
Parvati Valley 17

Mosteiros
Tabo Monastery 21

Vales e Distritos
Kangra Valley 11
Kinnaur 9

Parques Nacionais
Great Himalayan National Park 18

Passeios
Sangla Valley Tour 8

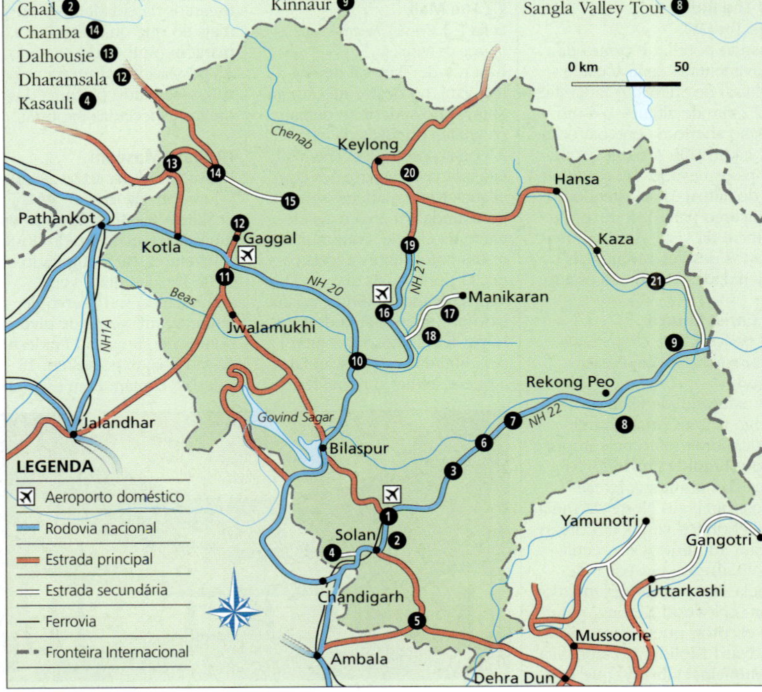

◁ **Bandeirolas budistas de oração tremulam ao vento nas acidentadas montanhas de Spiti**

Shimla 1

Vitral da Christ Church

Famosa estação de montanha no Norte da Índia, Shimla tem localização espetacular. Com encostas arborizadas e clima revigorante, atraiu inúmeros visitantes desde sua descoberta pelo capitão Charles Kennedy, no início do século 19. Em 1864, tornou-se quartel-general de verão do governo britânico na Índia. Atualmente, como capital de Himachal Pradesh, seu crescimento é rápido. Embora muitos espigões e bosques das redondezas estejam cobertos de construções de concreto, Shimla conserva boa parte do charme colonial.

Christ Church e a Municipal Library, no Ridge

The Ridge

N de The Mall.

Passeio popular e centro da movimentada cena social e cultural de Shimla, o Ridge fica a 2.230m de altitude e é um trecho aberto na encosta oeste de Jakhu Hill. A partir daqui, os picos nevados da cordilheira do Himalaia se estendem num arco para o norte, onde somem da vista. Aqui são realizados desfiles cerimoniais e solenidades oficiais do estado.

Christ Church

diariam. *8h, 11h dom. Fale com o zelador, se a igreja estiver fechada.*

Na extremidade leste do Ridge fica a Christ Church, gótica, uma referência importante. Erguida em 1846, foi uma das primeiras igrejas construídas no Norte da Índia. Seus bonitos vitrais e o órgão foram adquiridos no século 19. O afresco em volta da janela do coro foi desenhado por Lockwood Kipling, pai do escritor, poeta e jornalista Rudyard Kipling. Ao lado fica a **Municipal Library**, que imita o estilo tudor.

The Mall

Lojas *seg-sáb. Restrição ao tráfego de veículos.*

Esta rua de 7km vai de Boileauganj, no oeste, até Chhota Shimla, no sudeste, e demarca os limites originais da cidade. A porção central de The Mall, ladeada por construções com esqueleto de madeira, sempre foi e ainda é a área mais elegante da cidade, com muitos restaurantes, bares e lojas caras. O ponto mais alto de The Mall, o Scandal Point, é assinalado por uma estátua de Lala Lajpat Rai, famoso por lutar pela liberdade. O "escândalo" a que se refere o nome foi o suposto rapto de uma senhora inglesa neste local, no fim do século 19, pelo marajá Bhupinder Singh, de Patiala *(pág. 102)*. Ali perto ficam o Correio, com estrutura de madeira, a Prefeitura e o Gaiety Theatre, uma preciosidade inaugurada em 1887 e que ainda é concorrido graças a peças de grupos amadores. Um passatempo preferido por moradores e visitantes é caminhar por The Mall, desde Scandal Point até Combermere Bridge. Além desse trecho está o encantador Clarkes Hotel, que imita o estilo tudor.

Lower Bazaar

Lojas *seg-sáb.*

Abaixo do trecho central de The Mall esté o Lower Bazaar, ao qual Kipling se referiu como "aquela toca de coelhos apinhada, que atende à população nativa de Shimla". Com opções de produtos baratos e hospedarias e locais para comer menos elegantes, continua sendo o shopping dos pobres. Mais barato ainda é o **Ganj**, um bazar congestionado, com o comércio atacadista de mantimentos da cidade. Esta área, mais do que qualquer outra, mantém o sabor do passado. As pessoas se misturam pelas vielas, sentindo o aroma das muitas especiarias expostas.

State Museum

Chaura Maidan. ***Tel*** *(0177) 280 5044.* *ter-dom.* *feriados.*

O State Museum, instalado em um prédio reconstruído do Raj, o Inverarm, foi inaugurado em 1974. Desde então, vem aumentando seu acervo de quase 10 mil peças de diversos pontos de Himachal Pradesh. As mostras, expostas em 15 galerias, contam com escultu-

Gaiety Theatre, ponto em que se concentra a vida cultural de Shimla

Para hotéis e restaurantes nesta região, ver págs. 692-4 e págs. 722-3

ras de pedra do século 6º até o século 11, pertencentes aos períodos Gupta e Pratihara, e com uma coleção de miniaturas de Kangra *(pág. 121)* que representam diversos temas, baseados nas estações (*Baramasa),* em modalidades musicais (*Ragamala)* e em episódios do *Gita Govinda*, um poema religioso. Contudo, o que mais impressiona é uma série espetacular de pinturas murais vindas de Chamba, de meados do século 19, expostas nas galerias do térreo.

Templo Jakhu Hill

Jakhu Hill. *diariam.*

O cume arborizado de Jakhu Hill, a 2.450m, é o ponto mais alto de Shimla. Bem em cima está um templo dedicado ao Deus Macaco Hanuman. Segundo o épico *Ramayana (pág. 27)*, Hanuman permaneceu aqui durante a viagem para buscar a erva Sanjivini do Himalaia, a fim de salvar a vida de Lakshman, herói ferido em batalha. Uma subida íngreme de 2km, do Ridge até o topo, pela floresta de cedros e carvalhos, oferece vistas panorâmicas de Shimla e arredores. É comum ver macacos em Shimla, mas Jakhu é o reino deles. O visitante deve ficar atento às patinhas que se enfiam pelos bolsos e pertences.

Viceregal Lodge

The Mall. ***Tel*** *(0177) 283 1375.* *diariam.*

A edificação mais imponente de Shimla, construída pelos britânicos, é a antiga Viceregal Lodge. Situada no topo da Observatory Hill, esta estrutura de pedra cinza, no estilo renascentista inglês, foi erguida sob orientação de lorde Dufferin em 1888, como residência de verão para os vice-reis da Índia. Jardins bem tratados cercam a mansão majestosa de três lados. O interior impressiona, com duas fileiras de balcões voltados para o magnífico hall de entrada, com painéis de teca. Uma placa de bronze atrás da casa enumera os picos visíveis a distância. Atualmente, chama-se Rashtrapati Niwas e abriga o Indian Institute of Advanced Studies. Apenas o hall e os jardins são abertos à visitação.

PREPARE-SE

Distrito de Shimla. 375km ao N de Délhi. *142.200.* *21km a SE de Shimla.* *HP Tourism, The Mall, (0177) 265 8302.* *Sipi Fair (mai). Exige-se* **autorização de viagem** *a para algumas áreas de Himachal* (pág. 115). *Contate o Deputy Commissioner, (0177) 265 3535.*

A suntuosa Viceregal Lodge, em meio a gramados impecáveis

CENTRO DE SHIMLA

Christ Church ②
Lower Bazaar ④
The Mall ③
The Ridge ①

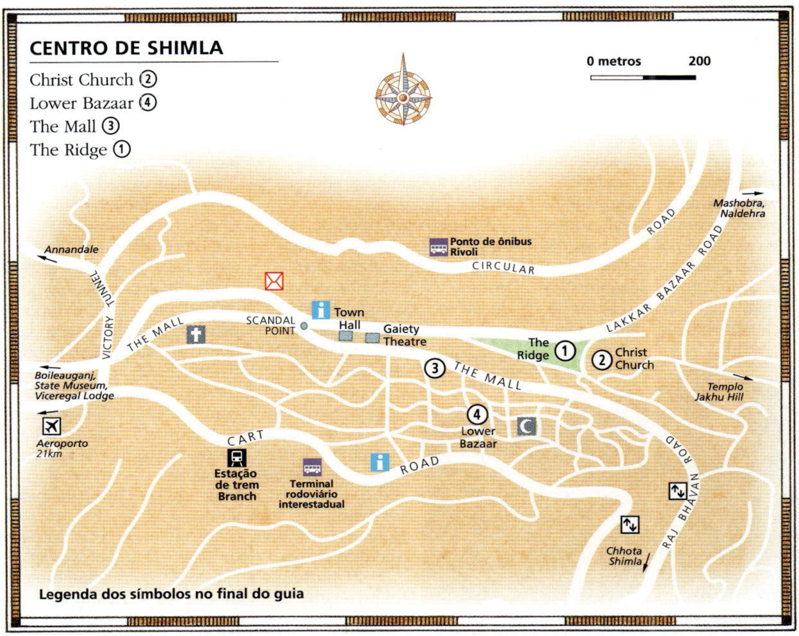

Legenda dos símbolos no final do guia

Camping em Kufri no inverno, sob pesada camada de neve

Como Explorar Shimla

A melhor maneira de explorar Shimla é a pé, por caminhos e estradas sinuosos. A partir do centro *(págs. 110-1)*, os campos de **Annandale** ficam 5km ao norte do Ridge. Durante o Raj, todos os eventos sociais importantes, como corridas, partidas de críquete e festas, eram realizados aqui. O **Glen**, concorrido ponto de piquenique, fica mais a oeste e é acessado por um caminho perto de Oberoi Cecil *(pág. 693)*. Esta grandiosa estrutura colonial, erguida em um precipício, é uma reminiscência do luxo do período Raj. Daqui, ao se cruzar o espigão, chega-se às **Chadwick Falls**. Com início na Christ Church no Ridge, uma estrada de 4km pela floresta segue ao longo das encostas de Jakhu Hill. A estrada serpenteia para sudeste e termina perto de uma das escolas mais antigas de Shimla, a St Bede's College for Women, voltada para o bazar de Chhota Shimla. Junto ao mesmo sistema montanhoso de Shimla, há muitos lugares para visitar. Em Charabra, 13km ao norte de Shimla, o **Wildflower Hall**, antigo refúgio do comandante-em-chefe, lorde Kitchner, agora é um hotel luxuoso *(pág. 693)*. Cerca de 10km para o norte, junto à velha rodovia Hindustão-Tibete (HT), bem na bifurcação que leva ao vilarejo de **Mashobra**, uma estrada de cascalho, fechada por uma porteira à direita, mostra a entrada para o **Seog Wildlife Sanctuary** e para a antiga hospedaria Seog. Esta reserva abriga espécies locais de vida selvagem, como veados, raposas e faisões. Em Mashobra, um caminho íngreme pela floresta leva a um pequeno templo dedicado à deusa local, erguido em um bosque de cedros. Anualmente, aqui se realiza a Sipi Fair.

Veado-almiscarado, no Himalayan Nature Park

A 3km para o norte de Mashobra por uma rodovia, chega-se à **Craignano Rest House**, antiga casa de um conde italiano, de onde se têm lindas vistas dos jardins. Mais ao norte (10km) fica **Naldehra**, com um campo de golfe de nove buracos em meio a campos em declive, cercados de cedros e pinheiros-azuis. Herança britânica que data do século 19, o campo foi projetado pelo vice-rei, lorde Curzon. Aproximadamente 16km a leste de Shimla, situa-se o pitoresco vilarejo de **Kufri**. A 2.650m de altitude, está se tornando local concorrido para a prática de esportes de inverno. O pequeno zôo de Kufri, o **Himalayan Nature Park**, tem entre os moradores ursos-pretos-do-himalaia e veados-almiscarados.

Panorâmico campo de golfe de Naldehra

Seog Wildlife Sanctuary
Para permissão de visita: Divisional Forest Officer, Shimla Municipal Corporation. ***Tel*** *(0177) 265 2911.*

Himalayan Nature Park
Kufri. *diariam.*

Chail ❷

Distrito de Solan. 45km a SE de Shimla. *Hotel Chail Palace, (01792) 248 141.*

Esta diminuta estação de montanha está situada em um espigão arborizado, em altitude semelhante à de Shimla. Chail cresceu como capital de verão dos marajás de Patiala *(pág. 102)* na década de 1920. O **Chail Palace**, uma mansão de pedra instalada no topo plano de um morro, com jardins e pomares, agora é hotel de luxo *(pág. 692)*. Consta que o campo de críquete, perto do cume de uma colina, é o mais alto do mundo. Os governantes de Patiala, fãs de críquete, convidaram o famoso Marylebone Cricket Club para jogar aqui, em 1933.

Os caminhos pelas florestas de cedros do Chail Wildlife Sanctuary, constituem o melhor modo de conhecer a beleza natural de Chail.

Templo no pico Hatu, a um dia de caminhada de Narkanda

Narkanda ❸

Distrito de Shimla. 64km ao N de Shimla.

Narkanda, a 2.750m de altitude, fica na rodovia HT, quando ela passa pelos espigões que separam as bacias do Satluj e do Yamuna. A partir daqui, os picos do Himalaia ficam mais perto, e são espetaculares as caminhadas pelas densas florestas temperadas, onde abetos, outros pinheiros e carvalhos de grande altitude tomam o lugar de cedros e pinheiros-azuis. O melhor passeio é a caminhada de 6km até o pico Hatu (3.300m), onde os gurkhas fizeram uma de suas últimas oposições aos britânicos, em 1815. Em volta de Narkanda cultivam-se macieiras. No inverno, suas encostas são ideais para esquiar.

Kasauli ❹

Distrito de Solan. 77km ao S de Shimla. 5,000.

Estação de montanha mais próxima da planície, Kasauli oferece caminhadas tranquilas, à sombra de pinheiros *chir*, carvalhos e castanheiros-da-índia. O melhor momento para apreciá-la é logo após a monção, quando dálias coloridas forram as encostas. Como posto militar, as autoridades impuseram restrições como as que proíbem a construção de modernas estruturas de concreto na cidade. Por isso, as construções antigas, com frontões e sacadas de madeira, permanecem intatas nas **Upper e Lower Malls**, as duas ruas principais, que cortam a cidade. O **Monkey Point**, local mais alto de Kasauli, fica a 4km do terminal de ônibus. Daqui, têm-se ótima vista de Shimla, do sinuoso Satluj e de Chandigarh. Uma bela trilha atravessa os morros, em uma caminhada de 5km até **Lawrence School** em Sanawar, uma escola pública fundada por sir Henry Lawrence *(pág. 197)* em 1847.

Caixa de cartas de Kasauli

Arredores:
Aproximadamente 60km a nordeste fica **Nalagarh**, sede do ex-principado de Hindur. Agora, o palácio foi transformado no Nalagarh Resort *(pág. 693)*, um hotel tombado.

ESTAÇÕES DE MONTANHA

No fim do século 19, quando os britânicos consolidaram seu domínio na Índia, as famílias começaram a se reunir, vindas da Grã-Bretanha. Nos anos seguintes, mais de 80 núcleos foram estabelecidos nas cadeias de montanhas mais baixas, como refúgio de veraneio para a florescente população de expatriados, que queria fugir do forte calor das planícies. As estações de montanha se esforçavam para recriar um estilo de vida que lembrasse o da terra natal dessa gente, com casas de estrutura de madeira, clubes, igrejas, hospitais, parques com coretos e uma rua principal sempre chamada The Mall. Internatos com ensino excelente também foram criados ali, para crianças que não podiam estudar na Inglaterra.

Kennedy's Cottage, do capitão J. Luard, Shimla, 1822

FESTIVAIS DE HIMACHAL PRADESH

Shivratri *(fev/mar)*, em Mandi. Divindades locais saem em procissão em andores com decoração elaborada, para homenagear Shiva, no Templo Bhootnath.

Festival de Verão *(mai/jun)*, em Shimla e Dharamsala. Festival recém-inaugurado programado para coincidir com a temporada turística, atrai cantores, músicos e dançarinos.

Minjar *(jul/ago)*, em Chamba. Espigas de milho, ou minjars, presas em fios de seda, são jogadas no rio Ravi no início deste festival de fim de semana, invocando uma colheita farta.

Manimahesh Yatra *(ago/set)*, em Bharmour. A peregrinação ao lago sa-grado de Manimahesh atrai milhares de fiéis hindus. Acredita-se que suas águas purificam os pecados de uma vida inteira.

Dussehra *(set/out)*, em Kullu *(pág. 127)*.

Lavi Fair *(nov)*, em Rampur. Nesta feira, eram trocados produtos do longínquo Tibete e de Ladakh com os das planícies e morros mais baixos. Agora, artigos de lã e pashminas do Tibete, nozes chilgoza e xales de Kinnaur, e cavalos changmurti de Spiti são logo vendidos.

Renuka Fair *(nov)*, em Nahan. As pessoas dos vilarejos vizinhos se reúnem nas margens do lago Renuka para comemorar, nesta feira, o término da colheita.

Venda de xales kinnauri na Lavi Fair, em Rampur

Trekking em Himachal Pradesh

Cone de cedro-do-himalaia

Este estado montanhoso, com geografia variada, oferece diversos tipos de caminhadas, de trekkings fáceis, de um dia, até trajetos de uma semana. Nas altitudes baixas, as trilhas serpenteiam por florestas de carvalhos, cedros-do-himalaia (Cedrus deodara) e pinheiros, ao passo que as subidas mais íngremes levam a campos cobertos de flores, acima da linha arborizada. As cidades de Manali e Dharamsala são pontos de partida para trekkings famosos. A melhor temporada para o esporte é junho, ou mais tarde, de meados de setembro a outubro, depois das monções. Durante as chuvas (jun-set), os desertos frios além-Himalaia, em Spiti (pág. 130) e Upper Kinnaur, são destinos ideais, protegidos das chuvaradas das monções.

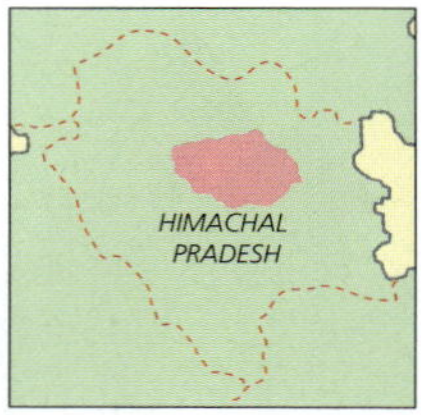

LOCALIZE-SE

Área mostrada abaixo

0 km 20

De Dharamsala até Macchetar

O desafio deste percurso de 75km é cruzar um terreno rochoso até os campos de Triund. Uma subida íngreme leva ao Indrahar Pass, com vista dos picos Pir Panjal, e termina na cidadezinha de Macchetar, ligada a Chamba por rodovia.

Duração: *5 dias*
Altitude: *4,350 m*
Nível de dificuldade: *médio a alto*

LEGENDA

- Trilha do vale do Pin
- De Naggar a Jari
- De Manali a Beas Kund
- De Dharamsala a Macchetar
- Rodovia nacional
- Estrada principal
- Estrada secundária
- Pico
- Passagem

Com início em Palchan, perto de Manali, um passeio circular de 30km para o lago glacial de Beas Kund, vai até depois da estação de esqui em Solang e passa pela morena glacial até o lago cercado de picos nevados.

Duração: *3 dias*
Altitude: *3.980m*
Nível de dificuldade: *baixo*

De Naggar a Jari

Esta trilha de 40km atravessa o passo Chandrakhani, com lindas vistas dos picos em volta de Solang Nala, e ultrapassa a isolada vila de Malana (pág. 128), *terminando em Jari, no vale do Parvati.*

Duração: *4 dias*
Altitude: *3.500m*
Nível de dificuldade: *médio*

Trilha do Vale do Pin

Esta trilha que começa em Manikaran, famosa pelas fontes termais, tem 130km de extensão e atravessa o passo Pin-Parvati, chegando à região desértica fria do vale do Pin. Termina em Mikkim, a 40km das estradas de Kaza.

Duração: *7 dias*
Altitude: *5.319 m*
Nível de dificuldade: *alto*

DICAS

Preparo: *É fundamental a aclimatação a áreas de mais de 3.000m. Veja as dicas para o mal das alturas na pág. 767. Guias são necessários, pois não há mapas adequados para atravessar as geleiras. Detalhes de trekking na pág. 751.*
Na trilha: *Beba muita água. Leve kit de primeiros socorros e combustível para cozinhar. Não queime lenha, um recurso raro. Apaque o fogo direito sem deixar brasas. Não suje nada e leve o lixo com você.*
Permissões: *O visitante estrangeiro precisa de permissões para partes de Spiti e Kinnaur, obtidas nos escritórios de juízes distritais ou subdivisionais em Shimla* (pág. 111), *Rekong Peo* (pág. 119) e *Kaza e Kullu* (pág. 126). *Os mais eficientes são os escritórios de Kaza (01906) 222 302 e Rekong Peo (01789) 222 253. Para mais detalhes veja pág. 758.*
Aluguel de equipamentos e operadoras: *O Institute of Mountaineering and Allied Sports de Manali (01902) 252 342, e a Yeti Trekking de McLeodganj (01892) 221 887 organizam trekkings. O Regional Mountaineering Centre de McLeodganj (01892) 221 787 tem curso de montanhismo. Em Manali, a Himalayan Adventurers (01902) 252 365 é consagrada agência de rafting; o Himalayan Institute of Adventure Sports (01902) 253 050 oferece paragliding; e a Himalayan Journeys (01902) 252 365 organiza mountain biking. Veja pág. 755.*
Atenção! *Trilheiros já se perderam no vale do Parvate. Convém andar sempre em grupo e contratar um guia experiente.*

MAIS ESPORTES RADICAIS

Escalada no vale do Tirthan

Para montanhismo, Himachal Pradesh possui picos com mais de 3.000m. Em Manali, o Institute of Mountaineering and Allied Sports oferece cursos de três semanas. É possível esquiar em Narkanda, Kufri e Solang Nala, perto de Manali. O verão é melhor para fazer rafting e andar de caiaque no rio Beas, em Manali, e para a prática de paragliding em Solang e Billing, em Kangra. A Himalayan Journeys *(pág. 752)* de Manali oferece mountain biking perto do passo Rohtang.

Lago Renuka, local da Renuka Fair, que ocorre em novembro

Nahan ❺

Distrito de Sirmaur. 100 km ao S de Shimla. *Renuka Fair (nov).*

Na parte mais baixa das montanhas Shivalik, perto da planície, Nahan repousa tranquila em um espigão arborizado, a 930m de altitude.

A velha cidade conserva a malha de estreitas ruas de pedra e dispõe de um bazar interessante do século 17. O antigo palácio (Raja Mahal) é fechado à visitação. Entre outras atrações estão o Ranzore Palace, voltado para Chaugan (campo de pólo real), o movimentado Templo Jagannath no bazar, e as caminhadas sossegadas pelas florestas de pinheiro *chir* em Villa Round. Nahan é uma conveniente parada na visita ao concorrido lago Renuka.

Arredores

42km a leste de Nahan está o sagrado **lago Renuka**, cujas margens traçam o contorno de uma mulher dormindo. Segundo a mitologia hindu, Renuka era a esposa do sábio Jamdagni e mãe de Parasurama, encarnação de Vishnu *(pág. 679)*. Ela foi morta pelo filho, a mando do pai, e voltou à vida milagrosamente, mas desapareceu de novo, deixando apenas a marca de seu corpo no lago.

Na extremidade mais afastada do lago fica um pequeno parque de vida selvagem, que abriga leões, ursos-pretos-do-himalaia e antílopes. Próximo está localizado um lago menor, o Parasurama Tal e, abaixo dele, uma área aberta onde, em novembro, ocorre a Renuka Fair *(pág. 113)*.

Pavilhão no amplo jardim do palácio de Rampur

Rampur ❻

Distrito de Shimla. 130km a NE de Shimla. 🚌 🚉 *diariam.* 🎪 *Lavi Fair (nov)*

Rampur, que ficava na principal rota de comércio entre a Índia e o Tibete, agora é uma grande cidade comercial. Ganha vida em novembro, quando ocorre a vibrante Lavi Fair *(pág. 113)*.

Do início do século 20, o palácio dos antigos reis continua sendo residência da família, mas o visitante pode caminhar pelos jardins. Um templo hindu e um pavilhão pequeno foram instalados ali.

Sarahan ❼

Distrito de Shimla. 198km a NE de Shimla. 🚌 🚉 *diariam.* 🎪 *Dussehra (set/out).*

Situada no alto da margem esquerda do rio Satluj, Sarahan servia de residência de verão dos reis Bushahr de Rampur. A 2.165m de altitude, tem clima agradável e bela vista da cordilheira Srikhand, do outro lado do vale, onde se destacam os picos Gushu e Pishu e a montanha sagrada de Srikhand Mahadev.

A atração mais interessante de Sarahan é o espetacular **Bhimakali**, um santuário-torre. Há também uma curta trilha natural que leva a um criatório de faisões, entre os quais há o monal e o faisão-tragopan do Himalaia Ocidental, quase extinto.

Sarahan: Templo de Bhimakali

Tigre entalhado

Complexo de palácio e templo dos reis Bushahr de Rampur, Bhimakali teve origem na tradição de colocar a divindade da família em cima do telhado da casa do chefe feudal. Seu projeto elaborado consiste em uma série de pátios interligados por belos portões. A divindade em destaque, Bhimakali, uma das milhares de formas da deusa Kali, fica no primeiro andar deste santuário com aspecto de pagode. Embora não se saiba a idade exata do templo, ele está associado a eventos históricos que datam do século 7º, enquanto partes dele têm por volta de 800 anos.

Vista do Templo de Bhimakali

As duas torres do Templo de Bhimakali, cobertas de neve e emolduradas pela cordilheira de Srikhand, oferecem um quadro impressionante.

Entrada Principal

Na entrada, uma porta decorada de metal se abre para o primeiro pátio.

PONTOS ALTOS

- ★ Balcões Entalhados
- ★ Santuários-Torres
- ★ Portas de Prata

Para hotéis e restaurantes nesta região, ver págs. 692-4 e págs. 722-3

★ Balcões Entalhados
O andar mais alto do templo reformado é rodeado por balcões suspensos, que têm belos painéis entalhados.

PREPARE-SE

diariam. Janmashtami (jul-ago), Dussehra (set-out). Uso obrigatório de capa alaranjada, disponível do lado de fora. Objetos de couro e sapatos são proibidos.

★ Santuários-Torres
A Torre Inclinada (à direita) *era o templo principal, até ser danificado pelo terremoto de 1905. Desde então, a torre ao lado se tornou o santuário mais importante.*

Remates Dourados
Os remates, que combinam símbolos do Sol e da Lua, representam a divindade e os padroeiros reais.

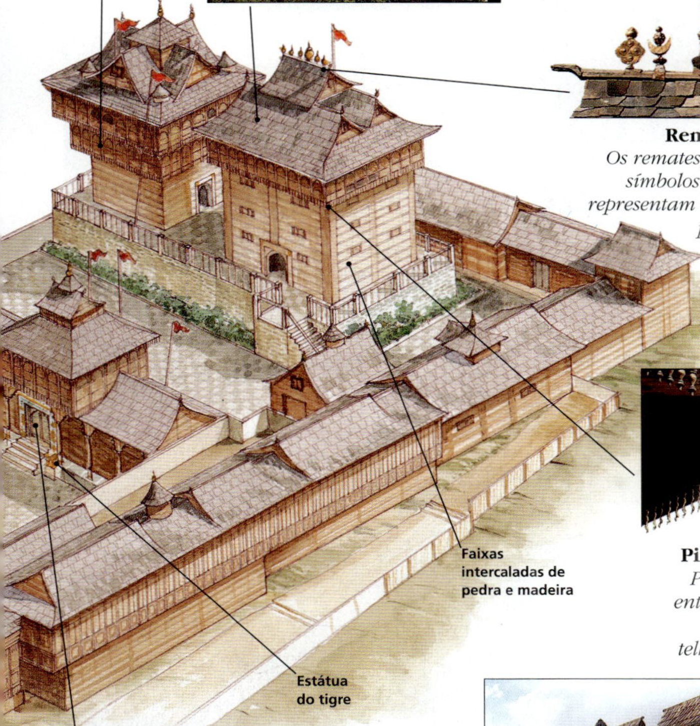

Pinos de Madeira
Pinos de madeira entalhados pendem dos beirais dos telhados do templo.

★ Portas de Prata
As portas de prata que se abrem para o segundo pátio são embelezadas por painéis que retratam deuses hindus. Elas foram acrescentadas no governo de Padam Singh (1914-47), rei Bushahr de Rampur.

Festival Dussehra
O Dussehra é o único momento do ano em que é venerada a imagem original de Bhimakali, de 200 anos.

Vale de Sangla ❽

Maior vilarejo de Kinnaur, Sangla empresta seu nome a todo o vale do rio Baspa. Um passeio de carro por esta área leva de dois a três dias, quando se aprecia a interessante transição da paisagem, que vai da espetacular garganta do rio, na entrada de Kinnaur, aos pastos alpinos do vale. Há belos cenários montanhosos e florestas que misturam carvalhos e rododendros, além de charmosas vilas com telhados de ardósia aninhadas em meio a campos e pomares.

Templo em Sungra Maheshwar ③
Vale a pena observar seu telhado de pagode e os finos entalhes nas portas e paredes.

Kafour ①
Disposta ao longo de um pequeno espigão abaixo da estrada, a panorâmica Kafour foi o primeiro núcleo habitado de Kinnaur. O Templo de Hirma, dedicado à deusa-mãe local, fica no meio dos telhados de ardósia.

Garganta do Satluj em Tranda ②
Da estrada, avistam-se os paredões abruptos de pedra, que caem 500m até o rio. Do outro lado, rochedos igualmente magníficos cercam o Satluj numa garganta estreita e impenetrável.

Kinnaur ❾

Distrito de Kinnaur. 244km a NE de Shimla até Rekong Peo. *19.250.* *diariam.* *Sazi (jan).* **Exige-se permissão** *para partes de Kinnaur. Contate o escritório do Juiz Subdivisional em Rekong Peo, (01786) 222 253.* *Veja detalhes na pág. 115.*

Vista do Kinner Kailash num dia claro de inverno

Kinnaur, o canto setentrional mais remoto de Himachal Pradesh, beirando o planalto tibetano, é uma região de grandeza impressionante. No passado, pelo terreno difícil, Kinnaur só era alcançada pelos viajantes mais intrépidos. Na década de 1950, sua proximidade com a fronteira internacional do Tibete resultou em restrições de acesso. Mas tais restrições se tornaram mais flexíveis a partir de 1992.

As variações de terreno, vegetação, clima e vida selvagem dividiram a região, grosseiramente, em Lower, Middle e Upper Kinnaur. No Lower Kinnaur as duas margens do rio Satluj se estreitam como se formassem uma garganta. As encostas arborizadas nas montanhas da margem esquerda, os campos em terraço que acompanham seu contorno e as fileiras de casas bem próximas, que se equilibram nas laterais dos morros, criam um contraste pitoresco com a margem direita, com picos altos e poucos habitantes. O Middle Kinnaur, mais acidentado, é dominado pelas elevações da cordilheira Kinner Kailash; no sul fica o vale do Baspa, um dos maiores afluentes do Satluj. A região árida dos picos de Zanskar faz de Upper Kinnaur uma terra fria, com montanhas estéreis entremeadas por poucas vilas e campos irrigados.

Sapni ④
A vila de Sapni dispõe de um templo alto, que contém alguns dos melhores exemplares de esculturas de madeira de Kinnaur.

LEGENDA

- Trajeto do passeio
- Estrada
- Rio

DICAS

Extensão: *90km.*
Como circular: *O passeio começa em Kafour. Convém usar tração nas quatro rodas, pois a estrada é íngreme, difícil e sinuosa. Nas vilas de Sangla e Chitkul há locais para ficar e comer, além de algumas lojas com provisões básicas.*

Sangla ⑥
O maior dos vilarejos que pontilham o vale do Baspa, Sangla propicia belas caminhadas.

Chitkul ⑦
O passeio termina no vilarejo de Chitkul, antes dos pastos do vale superior do Baspa. As papoulas-azuis do vale foram elogiadas pelo explorador Marco Pallis, em 1933.

Kamroo ⑤
A torre do Templo Kamroo Narayan se destaca na vista do vale. Campos e pomares descem pelas encostas de um lado do rio Baspa, enquanto no outro lado florestas sobem e dão lugar às pastagens.

Rekong Peo, sede do novo distrito, é uma cidadezinha movimentada na margem direita do rio Satluj, com algumas lojas e conexões de transporte adequadas. Cerca de 13km mais acima da mesma montanha está **Kalpa**, a antiga sede. Com vista panorâmica da cordilheira Kinner Kailash, é imperdível em qualquer itinerário para Kinnaur. Entre as opções de caminhadas há uma aos pastos nas terras altas, que passa por florestas de cedro e de pinheiro *chilgoza (Pinus gerardiana)*. Existem alguns templos antigos na vizinha vila de Chini. A quase 20km de Rekong Peo, o rio Baspa se junta ao Satluj. No decorrer dos anos, a beleza do **vale de Sangla** (ou vale do Baspa) foi exaltada em lendas locais e por visitantes –a região vale uma viagem de carro. Fora a agitação do trecho final, o rio Baspa corre lento por um vale arborizado e passa tranquilo pelos vilarejos. Rodeiam o vale belas formações de gnaisse e florestas de cedro, bétula e pinheiro, que sobem até os longos pastos relvados e os picos nevados. Qualquer vilarejo do vale, de Sangla a Chitkul, oferece lindas caminhadas e muitos festivais para comemorar com os moradores.

O budismo impera no Upper Kinnaur. Por toda a região, observam-se tremulantes bandeirolas de oração e templos budistas de paredes de barro, com imagens de argila e murais, o que reflete a proximidade do Tibete. Muitos templos são atribuídos ao sábio Rinchen Zangpo, do século 11, reverenciado pelo budismo tibetano como o Lotsawa (Tradutor), que iniciou a gigantesca tarefa de traduzir textos indianos para o tibetano. Ele também foi a principal força por trás do grande movimento de construção de templos, e consta que ergueu 108 mosteiros em uma só noite.

Nako, a 100km de Rekong Peo, tem um pequeno lago e fica perto de Reo Purgyal, o pico mais alto de Himachal Pradesh, com uma altitude de 6.816m.

Monges budistas jovens em mosteiro de Kinnaur

Grupo de casas com telhado inclinado em Mandi

Mandi ⑩

Distrito de Mandi. 156km ao N de Shimla. *26.900.* *Joginder Nagar, 53km a NO de Mandi, depois táxi ou ônibus.* *Shivratri (fev/mar).*

Muitas vezes citada como portal para o vale de Kullu *(pág. 126)*, Mandi está situada na confluência do rio Beas com um pequeno afluente mantido pelas chuvas. Capital do antigo principado de Mandi, esta pequena cidade comercial funcionava como elo vital entre as comunidades montanhesas dos dois lados.

O movimentado mercado, localizado em um jardim no centro, onde se vende todo tipo de mercadorias, é uma das atrações mais interessantes. Também situada no centro da cidade está a ex-residência dos reis de Mandi, construída em estilo colonial, que agora é o Rajmahal Palace Hotel, tombado.

Diversos templos dos séculos 16 e 17, com belos entalhes de pedra, espalham-se pela cidade. Os mais famo-sos são o Templo Madho Rai, o Templo Tarna Devi e o Templo Bhootnath, onde ocorre o festival Shivratri.

Arredores: Rewalsar, vilarejo tranquilo a 360m de altitude, fica a 24km de Mandi, a sudeste. À beira do lago Rewalsar, que repousa numa depressão montanhosa, situam-se um mosteiro budista, três templos e um gurdwara que comemora a permanência de um mês do 10º guru sique, Gobind Singh, em 1738. Diz-se que Padmasambhava, apóstolo indiano do século 8º, que se acredita ter levado o budismo para o Tibete, usava seus poderes lendários para voar daqui até o Tibete. Consta que seu espírito reside nas minúsculas ilhas de junco que flutuam no lago.

Macieiras de Mandi

O interior de Mandi dispõe de outros locais de beleza panorâmica. Para leste, **Jhanjheli e Karsog**, ambas a cerca de 100km da área de cultivo de macieiras, oferecem alguns trekkings agradáveis até os templos de Shikari Devi e de Mahunag, no topo da montanha.

Vale de Kangra ⑪

Distrito de Kangra. 222km a NO de Shimla. *9.200.* *Gaggal, 10km ao N da cidade de Kangra.* *Joginder Nagar e Una.*

Localizado na parte ocidental de Himachal Pradesh e estendo-se do sopé das montanhas Shivalik até a cordilheira de Dhauladhar, o vale de Kangra é de beleza suave. Plantações ondulantes de chá e arrozais em terraços são cortados por riachos alimentados pelo derretimento da neve. Kangra é o distrito mais populoso de Himachal Pradesh e tem boas conexões com a planície, pois está na fronteira com o Punjab.

O nome do vale vem da milenar cidade de Kangra, embora Dharamsala *(pág. 122)* seja a atual sede do distrito. A história da cidade remonta a 3.500 anos, quando se chamava Nagarkot e era capital do reino de Trigartha. Em 1620, Kangra, e sua fortaleza foi tomada pelo imperador Jahangir e transformada em província mogul. Agora, o que domina a cidade são as ruínas da fortaleza de Kangra, uma potência na época, que se equilibram no topo de um rochedo voltado para os ribeirões Banganga e Majhi. Dentro do conjunto do forte

O lago Rewalsar tem formato quadrado e fica em uma depressão de montanha

Para hotéis e restaurantes nesta região, ver págs. 692-4 e págs. 722-3

Torre elevada do Templo Brajeshwari Devi, em Kangra

estão dois templos hindus dedicados a Ambika Devi (deusa local) e a Lakshmi Narayan, e um templo jainista com uma imagem de pedra de Adinath.

Atrás do movimentado bazar fica o Templo Brajeshwari Devi, cujas riquezas fabulosas foram pilhadas por Mahmud de Ghazni *(pág. 48)*, em 1009. A estrutura atual foi feita em 1920, depois que o terremoto de 1905 destruiu a cidade e o templo original.

Quase a 40km da cidade de Kangra, a sudoeste, estão os 15 templos monolíticos de **Masroor**, talhados na rocha, que datam do século 10º, esculpidos em um estilo semelhante aos de Ellora *(págs. 476-8)*. O **Templo Jwalamukhi**, 35km a sudoeste de Kangra, é um dos locais de peregrinação mais importantes do Norte da Índia.

A leste de Kangra, as belas plantações de chá se estendem ao redor de **Palampur**, a 45km de distância. A leste de Palampur ficam o Templo Baijnath, do século 9º, feito de pedra e dedicado a Shiva; Bir, com mosteiro budista tibetano; e Billing, famoso como ponto de decolagem de paragliding sobre o vale.

Cerca de 40km a sudeste de Palampur, a fortaleza de **Sujanpur-Tira** foi instalada na margem direita do Beas. Erguida pelos reis de Kangra no início do século 18, era a residência preferida do rajá Sansar Chand, renomado protetor das pinturas em miniatura de Kangra. A fortaleza também conserva excelentes murais.

No final do vale de Kangra fica **Jogindernagar**, 55km ao sul de Palampur, onde termina a ferrovia de bitola estreita que percorre o vale desde Pathankot, no oeste.

O **lago Maharana Pratap Sagar**, criado em 1979 com a construção da barragem de Pong, no Beas, fica a sudoeste do distrito de Kangra. O lago ocupa uma área de 45.000ha, quando cheio, e se tornou parada de aves migratórias da Ásia Central.

Campos de arroz em terraços, no vale de Kangra

PINTURAS EM MINIATURA DE PAHARI

As pinturas pahari, ou "das montanhas", dizem respeito às diferentes escolas de pintura em miniatura, como as de Kangra, Basohli, Mankot e Guler, que floresceram entre meados do século 17 e o fim do século 19, nos reinos rajputs situados em uma região comprida e estreita no sopé do Himalaia. Apesar de haver indícios de pinturas nessa região desde 1552, o primeiro grupo que pintava no estilo pahari surgiu por volta de 1650, no pequeno estado de Basohli. Essas miniaturas, de formato horizontal, usam planos simples com cores fortes, principalmente vermelhos e amarelos. Arquitetura estilizada e figuras com olhos grandes e perfil sem profundidade, vestidos com trajes elaborados e usando jóias, são pontos típicos dessas miniaturas, que ilustram o *Rasamanjari*, um poema em sânscrito sobre o comportamento dos amantes. No século 18, o estado vizinho de Mankot desenvolveu um estilo igualmente vibrante, notável pela série de retratos de nobres da corte. No fim do século 18, a vitalidade da tradição local se abrandara sob a influência mogul, e cores mais apagadas, com formas em uma versão naturalista marcaram as miniaturas de Guler e Kangra. A tradição de pinturas de Guler foi dominada por apenas uma família de artistas, cujo membro mais talentoso foi Nainsukh. A pintura de Kangra floresceu no reinado do rajá Sansar Chand (de 1775 a 1823). O estilo refinadíssimo que apareceu nesse período se concentrava em paisagens exuberantes e bucólicas como pano de fundo para cenas românticas. Entre os outros centros de pintura pahari estão Mandi, Jammu, Nurpur, Chamba e Kullu.

Miniatura de Kangra (1788) retrata Krishna matando Kaliya, a serpente-demônio

Dharamsala ⓬

Distrito de Kangra. 38km a NO de Shimla. *19.100.* *Gaggal, 11km ao S do centro.* *Pathankot, 80km a NO de Dharamsala, depois ônibus ou táxi.* *HP Tourism, McLeodganj (01892) 221 205.* *diariam.* *Summer Festival (mai), Bodh Festival (out/nov).*

É comum ver em Dharamsala monjas tibetanas com roupas vermelhas

Nesta estação de montanha, criada pelos britânicos em meados do século 19, estão instalados o Dalai Lama e o governo tibetano no exílio. Localizada nos contrafortes mais baixos da cordilheira Dhauladhar, a cidade é formada por duas seções: a cidade baixa, com o principal terminal de ônibus e o bazar, e a cidade alta, chamada **McLeodganj**, a 9km para o norte, destino da maioria dos visitantes estrangeiros. Além do animado **Kotwali Bazaar** e do **Museum of Kangra Art**, há pouco para ver na cidade baixa. O museu tem excelente acervo de miniaturas de Kangra *(pág. 121)* e também conta com uma escola que ensina a arte de pintar miniaturas.

O nome de McLeodganj, da cidade alta, homenageia o tenente David McLeod, governador de Punjab em 1848. Trata-se de uma cidade basicamente tibetana. O ponto alto é o **Tsuglagkhang Complex**, localizado no extremo sul da cidade, onde se instalaram a residência do Dalai Lama (não aberta à visitação), o **Mosteiro Namgyal**, onde se podem observar os debates de monges à tarde, e o importante **Templo Tsuglagkhang**. Um salão simples, pintado de amarelo, esse templo possui um tablado elevado, de onde o Dalai Lama fala, e três belas imagens do panteão budista: Sakyamuni (o Buda Histórico), Avalokitesvara *(pág. 141)* e Padmasambhava *(págs. 120 e 139)*. Acredita-se que o Dalai Lama seja a encarnação de Avalokitesvara. Outro templo do complexo possui um mural intricado da Kalachakra (Roda do Tempo) e belas mandalas de areia, criadas meticulosamente pelos monges durante algum tempo e, depois, destruídas em ritual.

Situados no norte da cidade estão o **Tibetan Institute of Performing Arts** e o bonito **Norbulingka Institute**, onde se mantêm vivas as artes tradicionais e o artesanato.

O **Gangchen Kyishong**, centro administrativo do governo tibetano no exílio, fica a meio caminho entre as cidades alta e baixa. Neste conjunto estão a excelente **Library of Tibetan Works and Archives**, um museu no primeiro andar com imagens de bronze e *thangkas*, além do **Institute of Tibetan Medicine**. Ali perto, situa-se o **Mosteiro Nechung**, sede do oráculo do Estado tibetano, cujas previsões sobre eventos importantes no ano que começa têm grande importância para a comunidade tibetana. Na rua que leva ao Kotwali Bazaar, logo abaixo de McLeodganj, fica a pitoresca **Church of St-John-in-the-Wilderness**, uma construção de pedra cinza erguida em 1852, onde há placas de latão e magníficos vitrais belgas para admirar. O túmulo de lorde Elgin, vice-rei britânico que morreu aqui em 1863, quando estava em férias, está no cemitério da igreja.

Vitral em St-John-in-the-Wilderness

Fachada de cores vivas do Mosteiro Namgyal, em McLeodganj

Museum of Kangra Art
Main Rd, Dharamsala. ***Tel*** *(01892) 224 214.* *ter-dom.*

Library of Tibetan Works and Archives
Gangchen Kyishong, McLeodganj Rd. *seg-sex.*

St-John-in-the-Wilderness
diariam. *11h dom.*

Arredores: Chega-se à encantadora vila de **Dharamkot**, ao norte de McLeodganj, por uma estrada de 3km, ladeada de árvores, como cedros e carvalhos. Da vila, têm-se belíssimas vistas do vale de Kangra.

Para hotéis e restaurantes nesta região, ver págs. 692-4 e págs. 722-3

Little Tibet

Ao fugir do tibete em 1959, após a ocupação chinesa, o 14º Dalai Lama, Tenzin Gyatso, escolheu Dharamsala como seu novo lar e sede do governo tibetano no exílio. Atualmente, a cidade costuma ser chamada de Little Tibet e preserva as tradições religiosas e culturais do Tibete, mantendo viva a causa tibetana em âmbito internacional e servindo de centro para 100 mil tibetanos espalhados em núcleos de refugiados por toda a Índia. Dharamsala também atrai budistas do mundo inteiro, como o ator Richard Gere.

Lamparina de manteiga

Na **bandeira tibetana**, *a montanha nevada representa o Tibete e os seis raios vermelhos simbolizam as seis tribos tibetanas.*

O **Dalai Lama**, *ganhador do Prêmio Nobel da Paz em 1990, é o líder da seita Gelugpa, ou do Chapéu Amarelo (pág. 139), reverenciado como deus-rei do Tibete.*

RELIGIÃO E CULTURA

Os mosteiros, os centros de artesanato e a escola de artes cênicas de Dharamsala garantem que a religião e a cultura do Tibete se mantenham vivas.

A **ópera tibetana**, *conhecida como* lhamo, *tem como temas contos, lendas e mitos folclóricos.*

Escultura de manteiga

Cetro do raio

Sino de oração

O **altar** *de um mosteiro tibetano tem imagens de divindades, sete vasilhas rituais com água, lamparinas de manteiga, intricadas esculturas de manteiga, além de um sino e um cetro de raio usados em orações e rituais especiais.*

Mandalas de areia, *símbolos do universo, são meticulosamente criadas e destruídas ritualmente em seguida. Elas ajudam na meditação dos monges.*

Os **thangkas**, *ou estandartes pintados em seda, retratam divindades budistas e figuram entre as artes tradicionais que os refugiados mantêm vivas.*

Veja também aspectos da Iconografia Budista *(pág. 141)* e Para Seguir os Passos de Buda *(pág. 221)*.

Sylverton, uma das muitas casas coloniais em Dalhousie

Dalhousie ⓭

Distrito de Chamba. 336km a NO de Shimla. 👥 *7.400.* 🚌 ℹ *Geetanjali Hotel, perto do ponto de ônibus, (01899) 242 136.* 🚍 *diariam.* 🎪 *Summer Festival (jun).*

Espalhada em cinco colinas que variam de 1.525m a 2.378m de altitude, Dalhousie manteve o ambiente do período Raj, com bangalôs espaçosos, dotados de telhado de duas águas, e igrejas em alamedas arborizadas.

Na concepção original, era para ser um sanatório para a população expatriada, e não um refúgio de veraneio elegante. Foi fundada em 1853 e deve seu nome a lorde Dalhousie, governador-geral da Índia de 1854 a 1856. Os passeios mais conhecidos são pela **Garam Sarak** (Estrada Quente) e pela **Thandi Sarak** (Estrada Fria), assim chamadas porque uma é mais ensolarada que a outra. Uma caminhada mais curta, de Circuit House até Gandhi Chowk –parte central da cidade, onde há uma escola, uma igreja e o correio–, propicia vistas espetaculares da cordilheira Pir Panjal. Ao sul de Gandhi Chowk, anda-se por um caminho agradável de 3km, que leva até Panjpula (Cinco Pontes), belo local para piqueniques.

Para os fãs do Raj, uma trilha que sai à direita do principal ponto de ônibus passa pelo velho cemitério britânico, nos bosques, e chega a um posto militar. Uma das duas igrejas do local exibe belos vitrais e arcos de arenito.

Arredores

Uma estrada panorâmica atravessa densas florestas de pinheiros, cedros, carvalhos, castanheiros-da-índia e rododendros e chega ao **Kalatope Wildlife Sanctuary**, cerca de 8km a leste de Dalhousie. Com permissão prévia das autoridades de vida selvagem de Chamba é possível pegar um desvio em Bakrota e dirigir até uma hospedaria dentro da reserva. Aproximadamente 26km a leste de Dalhousie está **Khajjiar**, com 2.000m de altitude. Este terreno verdejante em forma de pires, cercado de cedros altos, é uma bela paisagem, comparável à Caxemira ou à Suíça. No centro, há um laguinho, onde um templo de Devi com cúpula dourada foi construído em uma ilha flutuante.

Kalatope Wildlife Sanctuary
Permissão de contato: Forest Department, Chamba. ***Tel*** *(01899) 222 639.*

Chamba ⓮

Distrito de Chamba. 378km a NO de Shimla. 👥 *20.300.* 🚌 🚍 *diariam.* 🎪 *Sui (abr), Minjar (jul/ago).* **Permissão de viagem:** *Contate o Deputy Commissioner, (01899) 225 371. Veja detalhes na pág. 758.*

Esta cidadezinha foi escolhida como capital do antigo principado de Chamba no século 10º, quando o rajá Sahil Varman saiu de Bharmour e mudou-se para cá. Ele batizou a cidade de Chamba, por causa da filha predileta, Champavati. Diz a lenda, que ela se sacrificou para garantir água para a cidade seca. No festival Sui, mulheres e crianças cantam louvores a ela nos templos da idade.

Pela ponte sobre o rio Ravi chega-se à cidade, situada na orla de uma montanha voltada para a margem direita do rio. No centro, fica o **Chaugan**, campo enorme e núcleo da vida cultural e social de Chamba. Em volta dele, há construções imponentes, entre as quais o **Akhand Chandi Palace**, parte do qual se tornou escola. O Chaugan também funciona como principal local de comércio, com lojas de diversas mercadorias, que vão de jóias de prata tradicionais com fechos de esmalte até *chappals* (sandálias) bordadas de Chamba, que podem parecer frágeis mas são ótimas para subir os morros locais.

Máscara de Parvati, em Chamba

Os altos templos de pedra de Chamba estão entre os melhores da região. Os mais importantes são os seis san-

Imagens de divindades no Templo Lakshmi Narayan, em Chamba

Para hotéis e restaurantes nesta região, ver págs. 692-4 e págs. 722-3

Ao redor de Chamba, encostas com as tonalidades do outono

tuários com *shikhara* *(pág. 20)* do Norte da Índia, que compreendem o complexo do **Templo Lakshmi Narayan**, a oeste do Chaugan. Deles, três são dedicados a Vishnu e três a Shiva. A imagem de mármore branco de Lakshmi Narayan, no templo principal, foi trazida da Índia Central no século 10º. Os painéis esculpidos nas paredes do templo ilustram cenas mitológicas e também têm motivos animais e florais. E há outros templos, como o **Madho Rai**, perto do palácio, com um bronze de Krishna, e o **Chamunda**, mais para cima.

Pode-se ter uma noção do rico legado de Chamba no **Bhuri Singh Museum**, criado em 1908 pelo rei de Chamba na época. A coleção rara de pinturas em miniatura que ele possuía formou o núcleo do museu. Agora, a instituição tem um ótimo acervo de pinturas pahari *(pág. 121)*, murais, chafarizes com inscrições, painéis de pedra entalhada e outras peças, como *rumals* de Chamba, máscaras de metal, placas de cobre e jóias de prata.

Bhuri Singh Museum
S de Chaughan. ***Tel*** *(01899) 222 590.*
ter-dom.

Bharmour ⓯

Distrito de Chamba. 64km a SE de Chamba. *Manimahesh Yatra (ago/set)*

A região de Bharmour, terra natal do povo gaddis, seminômade, que cria carneiros, e primeira capital dos governantes de Chamba, ocupa as encostas íngremes das montanhas acima do Budhil, afluente caudaloso do rio Ravi. A grande atração de Bharmour é o fascinante complexo do **Templo Chaurasi** (literalmente, "Oitenta e Quatro"), construído no século 10º pelo rajá Sahil Varman, em homenagem a 84 santos que visitaram Bharmour. Os santuários mais importantes são dedicados a Narasimha, Ganesha e às divindades locais Larkana Devi e Manimahesh. Há notáveis entalhes de madeira nas portas do templo e nas imagens das principais divindades. Consta que as mãos do escultor foram decepadas para ele não repetir essa bela obra.

Arredores: Situado a 3.950m de altitude e a 35km de Bharmour, o **lago Manimahesh** é o mais sagrado da área, pois acredita-se que suas águas santas purificam os pecados. Em agosto/setembro, milhares de peregrinos vêm para cá participar do Manimahesh Yatra *(pág. 113)*. A principal rodovia prossegue até Hadsar, 16km além de Bharmour. Dali, a *yatra* (procissão) sobe em duas etapas, via Dhanchho, até o lago, que fica na base do Manimahesh Kailasa.

Para os aventureiros, Bharmour também oferece um trekking difícil de cinco dias pelo passo Kugti (a uma altitude de 5.040m) até Lahaul *(pág. 129)*.

Holi, a 26km no vale do Ravi, é a base para diversas trilhas que atravessam a cordilheira Dhauladhar até o vale de Kangra. Também oferece a opção de uma caminhada mais longa até o vale do Kullu. Ao acompanhar o curso do Ravi, pela estrada para Chamba, vale a pena o visitante conhecer o **Templo Chatrari**, que tem uma linda imagem de bronze de Shakti Devi.

Em Bharmour, templos do século 10º bem conservados

OS *RUMALS* DE CHAMBA

Os *rumals* de Chamba, lenços ou cobertas primorosamente bordados, quase sempre quadrados, antes eram usados para embrulhar presentes, seja nas oferendas para os templos, seja nas trocas cerimoniais durante os rituais de casamento. Às vezes, eles serviam de dossel para cobrir as divindades nos templos. Cores fracas, fios de seda, pano duplo de cetim costurado e uma base de musselina sem alvejamento serviam de estrutura na qual se criavam composições complicadas, inspiradas nas delicadas miniaturas pahari. A princípio, o trabalho era feito por senhoras da corte, com temas religiosos, intercalados a motivos de animais e plantas, arrematado com bordas florais.

Rumal de Chamba bordado a mão

Tigre de colorido vivo guarda o Templo Jagannathi Devi, em Kullu

Vale de Kullu ⓰

Distrito de Kullu. 240km ao N de Shimla. *18.300.* *Bhuntar, 10km ao S da cidade de Kullu.* *HP Tourism, perto de Maidan, (01902) 222 349.* *Dussehra (set/out).* **Permissão de viagem** *Contate o Deputy Commisioner, (01902) 222 727. Veja detalhes na pág. 115.*

Faz tempo que o ser humano se instalou no vale de Kullu, banhado pelo rio Beas, no centro de Himachal Pradesh. Em textos sânscritos é citado como Kulantapith (Fim do Mundo Habitado), descrição adequada quando se comparam os campos viçosos e as plantações de macieiras deste vale de 80km de extensão com o desolado território de Lahaul *(pág. 129)*, separado do vale pela cordilheira Pir Panjal. O nome local de Kullu é "Vale dos Deuses" –seu cenário montanhoso é onde se reúnem 360 deuses dos diferentes templos da região, que se juntam aqui para o famoso festival Dussehra.

Ao contrário das estações de montanha construídas pelos britânicos no Himalaia, o vale continuou desconhecido do mundo exterior até ser "descoberto" na década de 1960, pelos hippies, que se encantaram pelas encostas cobertas de plantações de maconha *(Cannabis sativa)* e também pelas belas paisagens e pelo povo acolhedor. Os homens do vale de Kullu costumam usar o típico *topi* de Kullu, um gorro de lã com aba colorida virada para cima. As mulheres tecem xales grossos, com lindos desenhos geométricos na barra, e poucos visitantes deixam de comprar esses produtos atraentes, agora uma indústria florescente no local. Atraentes também são as casas da vila, com telhados de ardósia, que se destacam nos campos verdes.

Kullu, sede distrital e maior assentamento do vale, fica na margem direita do Beas. A grande atração da cidade é o **Templo Raghunath**, do século 17, dedicado a Rama e a Sita, cujas imagens ricamente adornadas vão à frente das procissões, no festival Dussehra. E vale a pena conhecer também o bazar Akhara, no extremo norte da cidade, famoso pelas lojas de artesanato, com xales e jóias tradicionais de prata. No sul da cidade fica um campo verde, aberto, chamado **Dhalpur Maidan**, onde ocorrem as festas de Dussehra.

Padrão geométrico típico na barra de um xale de Kullu

Diversos templos, todos com belíssimos entalhes de pedra e imagens notáveis, ficam nas proximidades da cidade de Kullu: em uma caverna, o **Santuário de Vaishno De-vi** está 4km a nordeste; o **Templo Jagannathi Devi**, em Bekhli, situa-se a 5km ao norte; e o **Templo de Vishnu**, em Dayar, fica 12km a oeste.

Enorme e piramidal, o **Templo Basheshwar Mahadev**, em Bajaura, 15km ao sul, possui imagens magníficas de Vishnu, Ganesha e Durga. O mais famoso, porém, é o **Templo Bijli Mahadev**, dedicado ao "Senhor da Iluminação", 14km para sudeste. Localizado em um espigão alto, na margem esquerda do rio, na frente da cidade, este templo possui um mastro de 18m, que atrai raios durante as tempestades, principalmente nas monções. Considera-se uma bênção divina, embora danifique o Shivalinga no santuário do templo. Os fragmentos de pedra são cuidadosamente, juntados novamente com uma massa socada de manteiga e grãos, pelo sacerdote principal.

Arredores

Aproximadamente 70km ao sul de Kullu, o **passo Jalori**, nos contrafortes que separam os rios Beas e Satluj, oferece duas belas caminhadas no meio de campos e de densas florestas de carvalho de grandes altitude. O primeiro passeio atravessa um caminho de declives suaves até o pequeno lago de Saryolsar, a 5km de distância. O outro, que sobe um morro vizinho, leva às pitorescas ruínas de um forte ocupado pelo povo gurkha no século 19.

Cascata no vale de Kullu

Para hotéis e restaurantes nesta região, ver págs. 692-4 e págs. 722-3

Fontes termais de Manikaran, famoso local de peregrinação

Parvati Valley ⓱

Distrito de Kullu. 180km a NE de Shimla (via passo Jalori). *HP Tourism, perto de Maidan, em Kullu, (01902) 222 349.*

Com verdejantes arrozais em terraços e plantações de macieiras, o panorâmico vale de Parvati atrai um número cada vez maior de visitantes. Mas, em razão do cultivo ilegal de maconha na zona rural adjacente, esse vale ganhou notoriedade, nos últimos anos, como centro de comércio de drogas, e muitos visitantes estrangeiros evitaram a região. Aconselha-se a contratação de guias e carregadores em Naggar *(pág. 128)* e **Manikaran**, para caminhadas na área.

O principal núcleo urbano no vale de Parvati é Manikaran, famoso pelas fontes termais. É também o ponto de partida de muitos trekkings *(págs. 114-5)*. Uma lenda explica a origem das fontes termais. Uma serpente roubou os brincos de Parvati, a consorte de Shiva, e desapareceu com eles por uma toca profunda. Ao se dar conta da grande fúria de Shiva, a cobra ficou muito apavorada para sair do buraco, mas conseguiu expelir os brincos através da terra, criando assim as aberturas por onde borbulham as fontes termais. Diz-se que um banho dessas águas faz bem para o corpo e a alma; e às vezes os moradores cozinham arroz no vapor geotérmico. O Templo de Rama e o de Shiva, ao lado de um gurdwara sique, ficam sempre apinhados de sadhus (iogues).

Great Himalayan National Park ⓲

Distrito de Kullu. 205km ao N de Shimla, (via passo Jalori). **Entradas**: *Saing, Gushani. Shamchi, 15km ao S de Kullu, depois jipe. Para reservas e permissões contate o diretor, GHNP, Shamchi, (01902) 265 320.*

O Great Himalayan National Park cobre 754km² e suas altitudes variam de 1.330m a 6.100m, limitando-se com a fria região desértica do Pin Valley National Park *(pág. 130)*.

Faisão-monal

A variedade de flora e fauna encontrada aqui representa todo o Himalaia Ocidental. Uma ampla diversidade de espécies subtropicais junta-se a campos alpinos cobertos de edelvais e florestas de carvalho. Entre os mamíferos estão as thar (cabras) do Himalaia, veados-almiscarados e os esquivos leopardos-da-neve. Em meio às espécies de pássaros há pelo menos seis tipos de faisão. Diversas trilhas de trekking e cabanas na zona intermediária oferecem oportunidade para explorar o parque.

REUNIÃO DOS DEUSES

Kullu comemora o festival Dussehra com prazer sem igual. Por toda a Índia, este festival celebra a derrota do rei-demônio, Ravana, pelo deus Rama, história narrada no épico hindu *Ramayana (pág. 27)*. Em Kullu, as tradições locais adicionaram um sabor local ao mito. Tais tradições surgiram no século 17, quando o governante Jagat Singh, sem querer, provocou a morte de um sacerdote brâmane. Para pagar pelo pecado, colocou a divindade Raghunath (encarnação de Rama) em seu trono e jurou que, dali em diante, ele e seus descendentes governariam Kullu apenas como regentes. A imagem desse deus foi trazida da cidade sagrada de Ayodhya *(pág. 199)*, local de nascimento de Rama. A partir de então, sempre em setembro/outubro Raghunath "convida" todos os deuses locais do vale para comemorar o Dussehra em Kullu. Entre esses deuses, num total de 360, estão Hadimba, divindade padroeira dos rajás de Kullu em Manali *(pág. 128)*, e Jamlu, a divindade reinante de Malana, que administra justiça por meio do sacerdote da vila. Dos templos, os deuses são levados em andores e chegam a Dhalpur Maidan, em uma alegre procissão acompanhada pela delirante batida de tambores. São nove dias de festa, quando se monta um mercado temporário, que vende de xales e calçados feitos no local até brinquedos de plásticos de cores vivas. Também se pode apreciar a graciosa dança natti, apresentada por diversos grupos locais, em rivalidade amistosa.

Imagem de Vashishtha Devta, um deus local

Preparação para o festival Dussehra

Manali ⓳

Distrito de Kullu. 281km ao N de Shimla.
6.300. *The Mall, (01902) 253 531.* *diariam.* *Winter Carnival (jan), Dhungri Mela (mai).*

A pitoresca Manali, na margem oeste do rio Beas, é um destino importante para visitantes e oferece caminhadas panorâmicas e trilhas no meio de florestas densas. Embora o centro de Manali tenha sido tomado por uma profusão de hotéis e lojas nos últimos anos, os arredores ainda mantêm a beleza natural que confere a esta estação de montanha um atrativo exclusivo. A charmosa vila original está situada quase 3km ao norte do bazar principal, com templo dedicado a Manu, sábio indiano que emprestou o nome à cidade. E 1,5km ao norte do bazar principal está o sagrado **Templo Hadimba**, sombreado por cedros imponentes. Este templo de madeira, com quatro beirais em telhados no estilo de um pagode, foi erguido em 1553, em volta de uma pequena caverna natural, como santuário para as pegadas da demônia Hadimba, esposa de Bhima, poderoso irmão de Pandava *(pág. 26)*. Na margem esquerda do Beas, cerca de 3km ao norte do bazar, as fontes termais sulfurosas da vila de **Vashisht** são canalizadas para banhos turcos. Mais acima, o agradável **vale de Solang**, a 14km do centro de Manali, é o local da maioria das atividades ao ar livre da região. Trilhas levam às pastagens de Dhumti

Riachinho cruza a pastagem verdejante ao redor de Manali

Do século 16, o Templo Hadimba é de madeira e fica em Manali

e ao pequeno lago de Beas Kund *(pág. 114)*, alimentado pela neve derretida. Pratica-se paragliding nas encostas vizinhas, que também atraem esquiadores no inverno.

Arredores: O **passo Rohtang**, desfiladeiro perigoso que leva a Lahaul, em uma altitude de 3.980m, fica a 52km de Manali. Este passeio de um dia só é possível no verão, com breve parada para ver a bela cascata Rahalla.

Entalhe em porta de Malana

Primeira capital dos reis de Kullu, **Jagatsukh** fica 6km ao sul de Manali, na margem esquerda do Beas. Seus dois templos de pedra com *shikhara (pág. 21)* datam, provavelmente, do século 6°. **Naggar**, mais ao sul, do mesmo lado do rio, foi capital depois de Jagatsukh até passar o posto a Kullu *(pág. 126)*, no século 17. O Naggar Castle, construído no século 15, agora é hotel. Trata-se de exemplo excelente da tradicional arquitetura local, com paredes compostas de camadas alternadas de vigas de madeira e pedras lavradas uniformemente. Dali se têm lindas vistas do vale do Beas. Fica perto da **Roerich Art Gallery** com obras do pintor russo Nicholas Roerich. Do outro lado do rio situa-se a panorâmica **Katrain**, rodeada de pomares. Aqui, um passatempo popular é a pesca de trutas. O distante vilarejo de **Malana**, depois do passo Chanderkhani, está a 25km de Naggar. A população isolada de Malana vive com seu próprio código de comportamento e evita contato com gente de fora. A exclusividade de sua cultura, da língua e do sistema de governo a mantém afastada do resto do vale. O visitante só deve entrar no vilarejo se for convidado.

Roerich Art Gallery
Naggar. *diariam.*

NICHOLAS ROERICH (1874-1947)

Este russo de várias facetas, que pintava, escrevia poesias e expunha uma filosofia universalista derivada de muitas religiões, viajou muito pelo Tibete e pelo Himalaia. Ficou famoso por suas coloridas paisagens do Himalaia, como celebrações da natureza. Roerich morou em Naggar, onde morreu em 1947. Agora, sua casa é o Roerich Museum. O filho Svyatoslav, igualmente pintor, também adotou a Índia para viver.

Paisagem de montanha pintada por Roerich

Para hotéis e restaurantes nesta região, ver págs. 692-4 e págs. 722-3

Lahaul and Spiti ⓴

Distritos de Lahaul e Spiti. 610km ao N de Shimla até Keylong. 33.200. *Ladarcha Festival, Spiti (ago).*

A uma altitude de 2.750m, na fronteira com o Tibete e o vale de Zanskar, em Ladakh, Lahaul e Spiti abrangem regiões da cordilheira do Himalaia no Himachal Pradesh ocidental. Diferentemente dos campos verdejantes do vale de Kullu, esta é uma terra improdutiva com maciços rochosos e geleiras, cercada pela cordilheira do Himalaia ao norte e a do Pir Panjal ao sul. Com chuva escassa, a região depende do derretimento de geleiras para a irrigação de seus cultivos principais: cevada, painço e batatas para semente. Enquanto as dificuldades do terreno impedem que muitos visitantes cheguem a Spiti *(págs. 130-1)*, Lahaul é mais acessível. Upper Lahaul é uma terra de montanhas altas que circundam os vales profundos dos rios Chandra e Bhaga; já Lower Lahaul fica abaixo de Tandi, onde os rios se juntam e formam o Chandrabhaga, ou Chenab. Atualmente, a estrutura social de Lahaul é uma mistura interessante de budismo e hinduísmo, que reflete os fortes laços que a região mantinha com o Tibete, Ladakh e a vizinha Kullu.

O rio Chenab serpenteia perto da vila de Gondhla

Keylong, sede distrital no rio Bhaga, é a principal cidade da região. Com diversos recursos básicos, é muito usada como parada para viajantes a caminho de Leh *(págs. 136-7)* ou como base para trekkings. Na frente da cidade, do outro lado do rio, um caminho íngreme e arborizado leva ao **Drugpa Kardang Gompa**, maior mosteiro *(gompa)* de Lahaul, que possui uma bela coleção de *thangkas (pág. 123)*, instrumentos musicais e armas antigas. Próximo, fica o **Shashur Gompa**, do século 16, famoso pelo *thangka* de 4,5m de comprimento.

Detalhe de roda de oração em Keylong

Na estrada para Manali, 16km ao sul de Keylong, o que domina a paisagem é a torre de oito andares dos chefes gonghla. Em Tandi, 11km a sudoeste de Keylong, localiza-se o mosteiro mais antigo de Lahaul, o **Guru Ghantal Gompa** de 800 anos, que se acredita ter sido fundado pelo guru Padmasambhava, criador do budismo tibetano. Também vale a pena visitar o Templo Mrikula Devi, com madeiras entalhadas, em **Udaipur**, no vale do Pattan, 44km a oeste de Tandi, e **Trilokinath**, com imagem de mármore de Avalokitesvara *(pág. 141)*.

Depois de Keylong, a estrada para Leh passa por **Darcha**, última vila de Lahaul, que dispõe de um trajeto de trekking até Zanskar *(pág. 152)*, via Shingo-la.

O rio Bhaga, um dos principais de Lahaul, nasce no lago glacial de Suraj Tal

Spiti: O Vale Sagrado

Coração do deserto frio de Himachal, Spiti é uma terra de contrastes fascinantes. Mosteiros e bandeirolas de oração pontilham as margens dos rios glaciais, enquanto cabras-azuis e cabras-selvagens pastam por campos que dispõem de fósseis marinhos. Spiti fazia parte do reino do Tibete Ocidental e passou ao domínio de Ladakh no século 17, ligando-se à Índia britânica no século 19. Em razão dessas mudanças em sua história política, Spiti se tornou uma terra fechada, presa entre altas cadeias montanhosas e fronteiras internacionais. Agora, embora faça parte de Himachal Pradesh, conserva os traços tibetanos e constitui uma reserva importante das antigas tradições budistas.

Rochas nuas de várias tonalidades constituem um traço típico da área de Spiti

Chandra Tal *(lago da Lua), a uma altitude de 4.270m, fica na entrada de Spiti, quando se chega de Lahaul. Ovalado e com águas bem azuis, é cercado por picos escarpados e geleiras inclinadas.*

O **Mosteiro Key**, *provavelmente fundado no século 13, é o maior de Spiti. Equilibrado sobre terreno escarpado, possui uma bela coleção de* thangkas, *e é a sede de Lochen Tulku, reencarnação de Rinchen Zangpo* (pág. 119).

Kaza é a sede administrativa de Spiti.

Losar, primeira vila encontrada no caminho que vem de Lahaul, tem localização privilegiada, abaixo da confluência de três riachos que se juntam para formar o rio Spiti.

O **Mosteiro Kungri**, no vale do Pin, pertence à seita Nyingmapat *(pág. 139)*. O salão mais importante, no templo principal, contém murais e esculturas de madeira, todos antigos.

LEGENDA

- Área ilustrada
- Mosteiro
- Estrada principal
- Estrada secundária

0 km 25

Terra da cabra-selvagem e do leopardo-da-neve, *o Pin Valley National Park é uma pastagem sem obstáculos à sombra de picos nevados virgens. Ele envolve a parte alta do rio Pin e de seu afluente, o Paraibo. Entre os animais carnívoros, são comuns a raposa e o lobo-da-neve, além do leopardo-da-neve, mais arredio.*

Chorten **numa vila no vale do Pin**

Dhankar, *antiga capital de Spiti, espremida entre picos pontiagudos constituídos de rocha porosa e depósitos alcalinos. O antigo mosteiro é dotado de belíssimos afrescos e possui uma estátua de bronze de Avalokitesvara.*

Crianças de Spiti

Impressionante imagem do guru Padmasambhava, *folheada a ouro, é o destaque do Mosteiro Lalung, uma das 108 estruturas atribuídas a Rinchen Zangpo.*

Mural vibrante, com cena da mitologia budista, no Mosteiro Tabo

Mosteiro Tabo ㉑

Distritos de Lahaul e Spiti. 460km a NE de Shimla. *abr-set.* *Monastery Festival (out/nov).* **Permissão de viagem** *exigida entre Tabo e Jangi (em Kinnaur). Contate o Deputy Commissioner, em Shimla* (pág. 111), *ou o escritório do SDM em Rekong Peo* (pág. 118). *Veja detalhes na pág. 115.*

Orgulho de spiti, o Mosteiro Tabo está vinculado a um período importante do crescimento do budismo no Tibete. Durante o domínio do rei Langdarma, no século 9º, o budismo tibetano sofreu grande retrocesso, e levou um século inteiro para se recuperar. O ressurgimento, conhecido como "segunda difusão do budismo", foi liderado por Ye-she-od, rei Lama de Guge, no Tibete Ocidental. Sob patrocínio dele, o lendário sábio Rinchen Zangpo difundiu a fé ao traduzir textos budistas e promover um enorme movimento de construção de templos.

O *gompa* de Tabo é um dos resultados desse movimento, fundado no século 11 pelo próprio Rinchen Zangpo. Dos tempos em que os templos monásticos eram construídos perto das vilas, este é um dos maiores desses centros. Feitas de barro, as construções baixas de Tabo ficam dentro de um muro também de barro, com cerca de 84m por 75m, e não chamam muita atenção do lado de fora. Dentro, porém, as maravilhosas pinturas murais fazem de Tabo um dos tesouros de arte mais significativos do universo budista tibetano.

As primeiras pinturas no *dukhang* (salão de orações) são do século 10º e do século 11, e retratam cenas de diversos incidentes e histórias ligados à vida de Buda. O salão também conta com imponentes esculturas de argila das grandes divindades do panteão budista. Sete outras capelas do complexo dispõem de pinturas dos séculos 15 e 16. Um dos santuários abriga uma enorme imagem de Maitreya sentado (o Buda do Futuro). Tabo é também um refúgio predileto do Dalai Lama.

Ainda é difícil acessar as áreas do vale de Spiti que ficam abaixo de Tabo. As viagens têm restrições por causa da proximidade com a fronteira do Tibete.

Monges em oração no Mosteiro Tabo

Campo de trigo-sarraceno no vale de Sangla *(págs. 118-9)* ▷

LADAKH, JAMMU E CAXEMIRA

JAMMU E CAXEMIRA atravessam seis importantes cadeias montanhosas, cobrem uma área de 222.000km² e formam o estado mais setentrional da Índia, na fronteira com o Paquistão e o planalto tibetano chinês. Suas três regiões distintas –Ladakh, Jammu e o vale da Caxemira– oferecem diversidade de povos, religiões e paisagens. O vale da Caxemira, predominantemente muçulmano, é um mosaico de florestas, arrozais, lagos e rios, mas sua beleza suave agora está sendo abalada por revoltas armadas *(pág. 154)*. Jammu, que abrange planícies, montanhas e contrafortes, orgulha-se do famoso santuário montanhoso de Vaishno Devi, importante local de peregrinação hindu. Ladakh, pouco habitado, responde por dois terços da área do estado e é um deserto de grande altitude. Suas linhas escarpadas se suavizam com os oásis esverdeados das vilas, com a luminosidade do céu sem nuvens e com as silhuetas de antigos mosteiros budistas, que, para muita gente, são a grande atração de Ladakh.

PRINCIPAIS ATRAÇÕES

Cidades
Jammu 14
Kargil 10
Leh 1
Mulbekh 9
Srinagar 15

Mosteiros e Palácios
Alchi Monastery 8
Hemis Monastery 5
Matho Monastery 4
Shey 3
Stok 2

Áreas de Beleza Natural
Gulmarg 16
Pahalgam 17
Rangdum 12
Southeast Ladakh 6

Rios e Vales
Suru Valley 11
Zanskar 13

Passeio
Nubra Valley Tour 7

◁ **Monges budistas de Ladakh sopram conchas para anunciar o início das orações**

O palácio abandonado de Leh já foi sede da família real

ACLIMATAÇÃO A LEH

O visitante que voa até Leh, situada a 3.500m de altitude, deve se aclimatar durante algum tempo. Qualquer atividade física cansativa deve ser evitada, pelo menos nas primeiras 24 horas. Nos primeiros dias, a altitude de Leh costuma provocar insônia, dor de cabeça, falta de ar e perda de apetite.

Leh ❶

Distrito de Leh. 1.077km ao N de Délhi. *15.000.* *11km ao S do centro.* *(01982) 252 297.* *Muharram (mar/abr), Buddha Jayanti (mai), Losar (dez).* **Permissão de viagem** *exigida para áreas restritas em Ladakh* (pág. 142).

Do século 17 até 1949, Leh foi a principal cidade de Ladakh, centro do movimentado comércio de caravanas *(pág. 142)* entre o Punjab e a Ásia Central, e entre a Caxemira e o Tibete. O amplo **Main Bazaar**, com corredores largos, teve projeto que facilitava a passagem de cavalos, burros e camelos, com espaço para expor e armazenar mercadorias.

Buda, no Palácio de Leh

Na cidade, destaca-se o **Leh Palace**, de nove andares, construído na década de 1630 por Sengge Namgyal, mais famoso rei de Ladakh, que fez muitas conquistas e construiu diversos mosteiros e fortes. O palácio tem paredes maciças inclinadas para dentro, com a mesma tradição arquitetônica do Palácio de Potala, em Lhasa, o qual, na realidade, o Palácio de Leh antecedeu em quase 50 anos. Infelizmente, a solidez do exterior não reflete os danos internos, que agora estão sendo reparados por uma reforma. O visitante pode subir até o terraço aberto no andar de cima da entrada principal.

Boa parte do charme de Leh está nos passeios e caminhadas que oferece. No coração da cidade fica o Main Bazaar e o **Chang Gali**, com locais para comer e lojas de curiosidades que vendem pedras preciosas e objetos para rituais religiosos, como rodas de oração. Ao longo do amplo corredor do bazar, mulheres de vilarejos vizinhos sentam-se com grandes cestos de verduras frescas, fiando lã em fusos enquanto batem animados papos nos intervalos do ativo comércio.

O **Jokhang**, moderno estabelecimento ecumênico budista, e a mesquita da cidade, erguida no fim do século 17, ficam próximos do Main Bazaar. Entre ele e o campo de pólo, no leste da cidade, está a fascinante **Old Town**, com seu labirinto de vielas cheias de *chortens* e paredes de *mani (pág. 141)*, e grupos de casas de telhado chato, construídas com tijolos secos ao sol.

No pico acima da cidade há um pequeno forte e o complexo do mosteiro **Namgyal Tsemo** (de meados do século 16), que se acredita ter sido a primeira residência real de Leh. Ao lado do seu forte, agora em ruínas, ficam um *gonkhang* (templo das divindades guardiãs) e um templo de Maitreya (o Buda do Futuro), ambos com belos murais. Entre as pinturas do *gonkhang* há uma cena da corte com um retrato que se diz ser do rei Tashi Namgyal (meados do século 16), fundador do complexo.

Na extremidade oeste de Leh, encontra-se o **Ecological Centre**, que faz projetos de desenvolvimento de agricultura, energia solar, saúde e cuidados ambientais para diversos vilarejos ao redor. O centro dispõe de biblioteca e loja que vende artesanato local.

O cintilante **Shanti *Stupa*** (Pagode da Paz), fundado na década de 1980 sob o patrocínio de budistas japoneses, situa-se nas elevações do oeste da cidade.

Em caminhadas de menos de dez minutos, saindo do centro em qualquer direção, chega-se aos campos de cevada, verdes ou dourados conforme a estação. Morro abaixo,

Campo de cevada ao redor de Leh

Para hotéis e restaurantes nesta região, ver págs. 692-4 e págs. 722-3

Concurso de arco-e-flecha perto de Leh

no vilarejo de **Skara**, o que enche os olhos são as maciças paredes de barro do **Zorawar Fort**, do século 19. Outro passeio bonito é passar pela **Moravian Church** até chegar à serena vila **Changspa**, com *chorten* antigo. Daqui, uma estrada leva até o **Mosteiro Sankar**, do século 19 e muito bem conservado, onde estão imagens impressionantes de Avalokitesvara e de Vajra-Bhairav, guardião da ordem Gelugpa *(pág. 139)*.

Arredores: Choglamsar, 7km ao sul de Leh, é o principal núcleo de refugiados tibetanos em Ladakh. Conta com a área de orações do Dalai Lama, conhecida como Shanti Sthal, um SOS Children's Village, o Central Institute of Buddhist Studies, um hospital com aquecimento solar e oficinas que promovem o colorido artesanato tibetano.

Situado no alto de um morro, tão perto do aeroporto que os aviões passam muito perto de suas paredes, está o **Mosteiro Spituk**, do século 15, o estabelecimento mais antigo da seita Gelugpa em Ladakh. Ali estão a biblioteca de Tsongkapa, fundador da seita, e um santuário devotado à deusa Tara *(pág. 141)*, com imagens das muitas manifestações dela. Localizado em um dos vilarejos mais charmosos de Ladakh, o **Mosteiro Phiyang** é um dos dois que representam a seita Drigungpa. Foi fundado por Tashi Namgyal, governante de Ladakh no século 16, provavelmente como compensação pela violência e pela traição com as quais ele assumiu o trono. Entre os muitos tesouros há uma coleção grande e interessante de divindades budistas da Caxemira, feitas de bronze, que datam do século 13 ou até antes.

Palácio de Leh
diariam. Fazer reserva.

Namgyal Tsemo
diariam. Fazer reserva.

Ecological Centre
seg-sex ***Tel*** *(01982) 253 221.*

Jokhang
diariam.

Mosteiro Sankar
diariam.

Mosteiro Spituk
diariam. com permissão do lama responsável.

Mosteiro Phiyang
diariam. com permissão do lama responsável.

Labirinto de santuários ligados por vielas no Mosteiro Spituk

FESTIVAIS DE LADAKH, JAMMU E CAXEMIRA

Hemis Festival *(jun/jul)*, em Hemis. De todos os festivais de mosteiros de Ladakh (pág. 140), o de Hemis é o mais famoso. Danças e dramas espetaculares, com máscaras e trajes coloridos, constituem uma autêntica mostra da cultura ladakhi.

Dançarinos mascarados se apresentam no Hemis Festival

Sindhu Darshan *(data variável)*, em Leh. Recente, este festival anual é uma homenagem ao rio Indo. Realizado às suas margens, tem exposições, partidas de pólo e concurso de arco-e-flecha.

Ladakh Festival *(1-15 set)*, em Leh e Kargil. Subsidiado pelo Tourism Department, dura duas semanas no campo de pólo de Leh, e também em Kargil e algumas vilas escolhidas. Além das tradicionais danças mascaradas, os eventos têm partidas de pólo e concurso de arco-e-flecha (esportes populares e tradicionais na região). Há também exposição de artesanato.

Thikse Festival *(out/nov)*, em Thikse. O festival anual da seita Gelugpa tem uma bela ambientação. As datas dos festivais dos mosteiros são marcadas segundo o calendário lunar tibetano e variam todos os anos.

Milad-ul-Nabi *(abri/mai)*, em Srinagar. O nascimento de Maomé é comemorado com fervor na Mesquita Hazratbal. Uma relíquia sagrada (um tufo de cabelos do Profeta) é exposta aos devotos.

Mosteiros ao Longo do Indo

Maitreya, em Thikse

Muitos mosteiros mundialmente famosos de Ladakh estão situados ao longo do vale do Indo, centro histórico e cultural da região. Uma característica desses mosteiros *(gompa)* ladakhi é que ficam em uma colina ou espigão acima da vila a que pertencem. A parte superior consiste em templos *(lhakhang)* e salões de oração *(dukhang)*, junto com o *gonkhang*, templo das temidas divindades guardiãs. As moradias dos monges se espalham pelas encostas. Os mosteiros ainda são centros ativos de veneração; por isso, seja respeitoso.

Monges dançam no pátio do Mosteiro Lamayuru

Likir, *fundado no século 12, dispõe de ótima coleção de* thangkas *e de imagens enquadradas por molduras caprichosamente entalhadas em madeira.*

Basgo *possui belos murais do século 16 em seu forte e no templo dedicado a Maitreya, o Buda do Futuro. Foi capital de Lower Ladakh nos séculos 14 e 15.*

Hemis *(pág. 140)* é o maior e mais rico mosteiro de Ladakh. Possui lindos murais e *thangkas*.

Ri-dzong *fica no topo de um espigão de depósitos glaciais que bloqueia uma garganta sinuosa. Fundado na década de 1840 pela seita Gelugpa, seus monges seguem um regime muito austero.*

Lamayuru *se equilibra no alto de um morro marcado por erosões. Acredita-se que seja do século 11. Seu templo mais antigo dispõe de uma imagem famosa de Vairocana, o Buda Central da Meditação* (pág. 146). *Lamayuru tem, também, uma ótima coleção de* thangkas.

Stakna, *erguido no início do século 17, tem um delicado* chorten *de prata em seu* dukhang, *rodeado de murais de cores vivas.*

Veja também: Little Tibet *(pág. 123)*, Iconografia Budista *(pág. 141)* e Para Seguir os Passos de Buda (pág. 221).

Thikse, *uma preciosidade arquitetônica na crista de um morro, é um mosteiro Gelugpa que também tem um templo moderno de Maitreya, consagrado pelo Dalai Lama.*

Chemrey, *encarapitado em uma montanha, data da década de 1640. Guarda escritos budistas com capas de prata e letras douradas.*

O **Thak-thok** pertence à seita Nyingmapa. Foi construído em volta de uma caverna, que se acredita ter sido usada para a meditação do guru Padmasambhava, santo do século 8º.

LEGENDA

Mosteiro

Estrada

Stok Palace, residência da mais antiga família real de Ladakh

Stok ❷

Distrito de Ladakh. 14km ao S de Leh. *Leh Tourist Office, (01982) 242 010. Stok Monastic Festival (fev/mar).*
Stok Palace *mai-out.*

O palácio de Stok serviu de residência para os namgyals, ex-governantes de Ladakh, desde a independência do estado, em 1843. Parte do prédio foi transformada em um excelente museu da dinastia e de sua história. O acervo conta com um conjunto de 35 *thangkas* *(pág. 123)* representando a vida de Buda, que se acredita ter sido encomendado por Tashi Namgyal, rei do século 16. Imagens e objetos religiosos para rituais, como o sino e o *dorje* (raio), são trabalhos artesanais inigualáveis. Entre os objetos seculares estão vasos de jade, jóias da rainha, como ornamentos de cabeça, a coroa do rei em forma de turbante e trajes cerimoniais.

Há também uma espada com nó na lâmina, que se diz ter sido dado por Tashi Namgyal, que tinha uma força descomunal.

Shey ❸

Distrito de Ladakh. 15km a SE de Leh. *Leh Tourist Office, (01982) 252 297. Shey Shrubla (1ª semana de set).*
Shey Palace *diariam.*

Shey foi capital de Ladakh. O templo do palácio abandonado tem uma gigantesca imagem de Buda, do fim do século 17, rodeada por murais de divindades, pintados em cores vivas e ouro. Outra imagem de Buda está em um templo próximo. Logo abaixo do palácio existem imensas esculturas talhadas na pedra dos Cinco Budas da Meditação *(pág. 146)*, do século 11.

Casal ladakhi traz o bebê para ser abençoado em Shey

SEITAS BUDISTAS EM LADAKH

Cinco seitas do budismo tibetano estão representadas em Ladakh. O mosteiro Thak-thok pertence à Nyingmapa, que se baseia nos ensinamentos de Padmasambhava *(pág. 120)*, santo do século 8º, enquanto o Matho *(pág. 140)*, com monges oráculos, pertence à Sakyapa. As seitas Drugpa e Drigungpa seguem os preceitos de uma linha de mestres indianos do século 11. Os lamas de todas as seitas usam chapéu vermelho em ocasiões cerimoniais. Os de chapéu amarelo pertencem à seita Gelugpa, reformista, liderada pelo Dalai Lama (pág. 123), que teve o controle político do Tibete até 1959. Além de Thak-thok e Matho, e dos dois mosteiros Drigungpa em Phiyang *(pág. 137)* e em Lamayuru, todos os mosteiros de Ladakh pertencem às seitas Drugpa ou Gelugpa.

Monges da seita Gelugpa entoam orações

Dança do Oráculo no Mosteiro Matho, do século 16

Mosteiro Matho ❹

Distrito de Leh. 30km a SE de Leh. *diariam.* *Festival anual de Matho (fev/mar).*

Matho, único mosteiro da seita Sakyapa *(pág. 139)* em Ladakh, foi erguido no início do século 16 e é um dos poucos que continuam a atrair muitos adeptos. Mas sua grande importância está nos oráculos: dois monges que, após meses de purificação, com jejuns e meditação, são possuídos por uma divindade. Isso ocorre durante o festival anual de Matho, realizado entre fevereiro e março. Nessa ocasião, as emoções são fortes, pois os oráculos atravessam o parapeito mais alto do mosteiro de olhos vendados, apesar dos possíveis 30m de queda até as pedras. Os oráculos respondem a perguntas sobre questões públicas ou particulares, e coloca-se muita fé em suas previsões. Matho também dispõe de um museu pequeno, com acervo raro de *thangkas* e trajes do século 16.

Mosteiro Hemis ❺

Distrito de Leh. 43km a SE de Leh. *diariam.* *Festival anual de Hemis (jun).*

Escondido num vale sinuoso das montanhas ao sul do Indo, Hemis é o maior e mais rico dos mosteiros do centro de Ladakh. Foi fundado na década de 1630, como estabelecimento Drugpa, pelo rei Sengge Namgyal, e continuou a ser o mosteiro preferido da dinastia Namgyal. De seus diversos templos, o mais interessante é o *tshog-khang*, um salão de orações secundário que contém uma excelente imagem de Buda na frente de um enorme conjunto de *chorten* de prata com turquesas sem mancha.

Hemis também é famoso pelo animado festival anual, dedicado ao guru Padmasambhava, apóstolo do século 8º que levou o budismo ao Tibete. Uma característica singular deste festival, que se realiza no verão e atrai multidões, é a abertura, a cada 12 anos, do maior tesouro do mosteiro: um imenso *thangka* de Padmasambhava, com altura de três andares, bordado e cravejado de pérolas e pedras semipreciosas. A próxima abertura desse *thangka* será em 2016.

Durante o festival, imenso *thangka* é pendurado no Mosteiro Hemis

DANÇAS-DRAMAS MONÁSTICAS DE LADAKH

As danças-dramas apresentadas no festival anual dos mosteiros de Ladakh são famosas, e constituem uma fusão entre o budismo popular e o esotérico. Presenciados pelos grandes lamas e por monges noviços, com trajes e chapéus cerimoniais, e também pelas famílias locais vestidas com maravilhosas roupas tradicionais, esses eventos constituem uma expressão forte de valores culturais e religiosos milenares. Os dançarinos, representando figuras divinas ou mitológicas, usam coloridas roupas de brocado e máscaras pesadas, e apresentam danças cerimoniais ao redor do pátio do mosteiro. A solenidade da ocasião ganha leveza com intervalos cômicos, encenados por dançarinos com trajes de esqueletos, que saltam pelo terreno realizando piruetas ágeis e fazendo caricaturas dos ritos solenes recém-apresentados, para delírio da platéia. O clímax é uma cena em que figuras mascaradas destroem ritualmente um boneco feito com massa de farinha de cevada (talvez para simbolizar a alma humana) e atiram pedaços para todos os lados. Além de atraírem muitos visitantes, esses festivais de mosteiros também oferecem a possibilidade de os moradores de vilarejos espalhados por Ladakh aproveitarem o momento tão aguardado para se encontrar, contar as novidades e trocar idéias.

Dançarinos mascarados em um festival

Para hotéis e restaurantes nesta região, ver págs. 694-5 e págs. 723-4

Iconografia Budista

As manifestações externas do budismo estão por toda parte no distrito de Leh e em Zanskar –bandeirolas de oração tremulam na brisa, rodas de oração giram nas mãos dos mais velhos, *chortens* e paredes de *mani* incrustados com placas de pedra talhada têm a invocação sagrada *Om mani padme hum* (Salve, jóia do lótus). Nos mosteiros, a iconografia é mais complexa. Cada divindade do panteão budista mahayana é retratada em diferentes manifestações, ao lado de um grupo de santos, mestres e figuras míticas, mandalas e composições alegóricas. Veja abaixo algumas das imagens encontradas com mais frequência.

Roda de oração

OS BODHISATTVAS

Os bodhisattvas, cheios de compaixão, quase Budas, alcançaram a iluminação mas renunciaram ao nirvana para ajudar os outros a se livrarem do ciclo interminável de renascimentos.

Tara *é a forma feminina de Avalokitesvara, retratada de 21 formas diferentes.*

Avalokitesvara, *bodhisattva da compaixão, costuma ser apresentado com 11 cabeças e muitos braços, o que simboliza sua onipresença benigna.*

Manjushri, *bodhisattva da sabedoria, empunha uma espada flamejante, a fim de cortar a névoa da ignorância.*

A **Roda da Vida**, *com figuras de homens e animais, costuma ser pintada na varanda dos templos. Mostra as tentações e os pecados que tornam a vida na Terra um sofrimento sem fim.*

Divindades Guardiãs *são representadas, em geral, como figuras iradas, com cabeça enfeitada, caninos assustadores e labaredas no lugar dos cabelos. O mais comum é Mahakala, quase sempre acima da porta principal de um templo.*

Os **Senhores dos Quatro Cantos** *guardam os quatro pontos cardeais. O Senhor do Norte é reconhecido pelo estandarte na mão direita e pelo mangusto na esquerda.*

Veja também: Little Tibet *(pág. 123)* e Para Seguir os Passos de Buda *(pág. 221).*

Geleiras e picos rodeiam as águas azuis-esverdeadas do Pang-gong Tso

Sudeste de Ladakh ❻

Pang-gong Tso Distrito de Leh. 150km a E de Leh. **Tso Moriri** Distrito de Leh. 220km a SE de Leh. *Leh Tourist Office, (01982) 252 297. Exige-se* **permissão de viagem**. *Contate o Deputy Commissioner, em Leh, (01982) 252 010. Só será fornecida se os visitantes formarem grupos de no mínimo quatro pessoas, em passeio organizado por agente de viagem autorizado, em trajetos específicos. Mais detalhes na pág. 153.*

O sudeste de ladakh, na delicada fronteira internacional com o Tibete, é uma região com lagos belíssimos. Os dois maiores, **Pang-gong Tso e Tso Moriri**, são acessados por rodovia, mas não há serviço regular de ônibus.

O lago maior é o Pang-gong, comprido e estreito. Tem 130km de comprimento e fica a 4.420m de altitude, estendendo-se ao Tibete Ocidental. O visitante pode chegar até **Spangmik**, a 7km pela margem sul do lago, com suas belas vistas do norte da cordilheira Chang-chenmo, cujo reflexo tremula nas águas salobras, que variam entre tons verdes e azuis. Acima de Spangmik despontam as geleiras e os picos nevados da cordilheira Pang-gong.

Tso Moriri, área de reprodução do mergulhão-de-crista

De um azul intenso, o lago Tso Moriri, 30km ao sul de Pang-gong Tso, cobre uma área de 140km². A 4.600m de altitude, ele se situa entre morros arredondados, e por trás há montanhas de picos nevados. Na margem oeste do lago, fica a única povoação fixa da região, **Karzok** –um punhado de casas e um mosteiro, cujos campos de cevada estão entre as áreas cultivadas mais altas do mundo. O lago e os riachos de água doce constituem áreas de reprodução para muitas espécies de aves migratórias, como o raro grou-de-pescoço-preto e o grande mergulhão-de-crista. Na região também existem burros selvagens, marmotas e raposas.

Cabra pashmina

Entre os grupos humanos que povoam o sudeste de Ladakh estão pastores nômades, chamados chang-pa, que enfrentam muito frio o ano todo (-40 °C no inverno, e noites geladas mesmo no verão), morando em tendas pretas de pele de iaque. Eles criam iaques e ovelhas, mas sua grande riqueza está na cabra pashmina. O frio intenso do inverno estimula as cabras a produzir uma submanta de pelagem macia e quente, que elas soltam no início do verão. Essa pelagem, conhecida como *pashm*, constitui a matéria-prima para a famosa indústria de xales da Caxemira e, na realidade, é o estado da lã caxemira ainda não processada, famosa mundialmente. O comércio lucrativo de *pashm* dos pastos em grandes altitudes de Ladakh e do Tibete Ocidental foi o que motivou a anexação de Ladakh pelo marajá da Caxemira, em 1834.

Arredores

Os lagos **Tso Kar** e **Startsapuk Tso** estão localizados 80km ao norte de Tso Moriri, na rodovia que leva a Leh. Mas, enquanto o Startsapuk Tso dispõe de água doce, o Tso Kar é tão salino que, regularmente, os pastores chang-pa coletam sal dos depósitos que se formam perto de suas margens.

O COMÉRCIO DAS CARAVANAS

Durante séculos e até 1949, Ladakh fazia parte da rota de um ativo comércio entre Punjab e a Ásia Central. Invariavelmente, as caravanas paravam em Leh *(págs. 136-7)*, onde se realizavam muitas transações, e prosseguiam até cruzar o passo Karakoram, a 5.578m de altitude, um dos pontos mais altos do mundo para o fluxo comercial. No verão, as caravanas atravessavam o Nubra, mas no inverno elas cruzavam o vale do rio Shayok, mais acima. Todo anos, mais de 10 mil animais de carga –cavalos, iaques, camelos-bactrianos e uma raça local muito resistente de ovelhas– cruzavam a região de Nubra, carregando brocados varanasi, seda chinesa, pérolas, especiariais, chá indiano, lã *pashm*, sal, anil, ópio, tapetes e ouro.

Cavaleiro ladakhi faz uma pausa para as orações

Para hotéis e restaurantes nesta região, ver págs. 694-5 e págs. 723-4

Vale do Nubra ❼

O passeio pela região de Nubra começa em Leh e segue a antiga rota comercial das caravanas até a Ásia Central, um "ramal" da famosa Rota da Seda. Cruza o desfiladeiro mais alto do mundo atravessado por rodovia, o Khardung-la, e segue por lindas vilas com encostas floridas e plataformas de salgueiros e álamos. Percorre vales cobertos do arbusto *Hippophae rhamnoides* e trechos de dunas, com camelos, mosteiros e fontes termais.

A cordilheira de Karakoram é visível do topo do Khardung-la

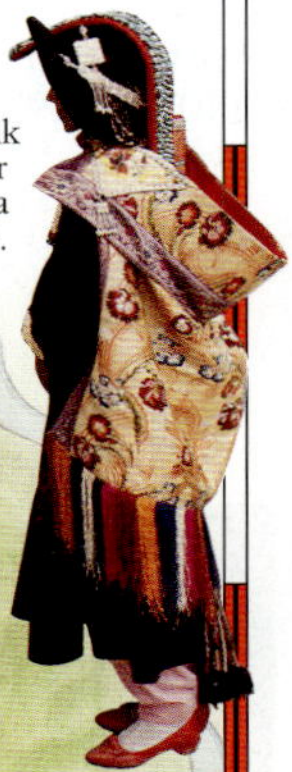

Panamik ⑥
Importante parada na rota comercial das caravanas, Panamik dispõe de fontes termais. Esta mulher nativa usa trajes tradicionais da região.

Hundar ③
Pode-se conhecer a fascinante paisagem de dunas entre Diskit e Hundar no lombo de camelos-bactrianos.

Confluência do Shayok e do Nubra ④
Planícies arenosas e lisas cercam a confluência desses dois rios.

Samstangling ⑤
Voltado para os campos verdes da vila de Sumur, este mosteiro do século 19 tem imagens notáveis.

Diskit ②
Diskit, que possui o único bazar da região, também tem um mosteiro do século 17 com belos murais

Khardung-la ①
Do alto deste desfiladeiro (5.578m) têm-se vistas maravilhosas: ao norte, da cordilheira Zanskar, e ao sul, dos contrafortes de Saser, na cordilheira Karakoram.

DICAS

Extensão: *195km.*
Como circular: *Este passeio leva três dias. Diskit, Hundar e Panamik têm hospedarias e acampamentos para o pernoite.*
Permissão de viagem: *O visitante deve obter um Inner Line Permit com o Deputy Commissioner, em Leh, (01982) 252 010, para viajar pela região de Nubra. Só se consegue permissão para grupos de quatro ou mais pessoas, e ela deve estar sempre à mão.*

LEGENDA

- Percurso do passeio
- Outra estrada
- Rio

Mosteiro Alchi ❽

Divindade da dança no Sumtsek

Fundado no começo do século 12, o núcleo religioso de Alchi é uma preciosidade entre os mosteiros de Ladakh. Foi abandonado como local de veneração ativa, por motivos ignorados, no século 16, mas as pinturas dos séculos 12 e 13 de seus templos permaneceram muitíssimo bem conservadas, sem serem prejudicadas pela fuligem das lamparinas de manteiga e dos incensos. Dos cinco templos, os melhores murais estão nos dois mais antigos, o Dukhang e o Sumtsek. Eles foram executados com delicadeza e habilidade por mestres pintores que provavelmente eram da Caxemira.

Lhakhang Soma
Esta pintura da Divindade Guardiã com sua contrapartida feminina simboliza a união dos opostos.

Avalokitesvara
As pernas desta imagem enorme, no Sumtsek, foram pintadas com magníficas miniaturas de palácios e locais de peregrinação budistas.

★ Sumtsek
Neste templo, a fachada de madeira entalhada é no estilo arquitetônico dos templos da Caxemira.

Tara Verde, ou Prajnaparamita

TARA VERDE

Existem diversas imagens magníficas desta deusa, identificada como Tara Verde, Salvadora e Prajnaparamita (Perfeição da Sabedoria), no Sumtsek. Cinco delas ficam à esquerda da imensa estátua de Avalokitesvara, na frente da perna dele. Tara Verde parece ter conseguido um lugar especial em Alchi, já que outros mosteiros não conferem tanta importância à deusa.

PONTOS ALTOS

- ★ Sumstek
- ★ Dukhang

Para hotéis e restaurantes nesta região, ver págs. 694-5 e págs. 723-4

Vista de Alchi
Com localização bucólica em uma curva do rio Indo, os prédios simples de Alchi, caiados e com uma faixa vermelha, se destacam contra o fundo marcante das montanhas estéreis.

PREPARE-SE

Distrito de Leh. 70km a O de Leh na rodovia Leh-Kargil. *Leh Tourist Office, (01982) 252 297.* *diariam.* *Contrate antes um guia de Leh. O vilarejo de Alchi tem hospedagem e restaurantes, com banheiro.*

★ Dukhang
A imagem serena do Buda Vairocana (pág. 146) *é rodeada por elaborados entalhes de madeira, frisos decorativos e belas mandalas.*

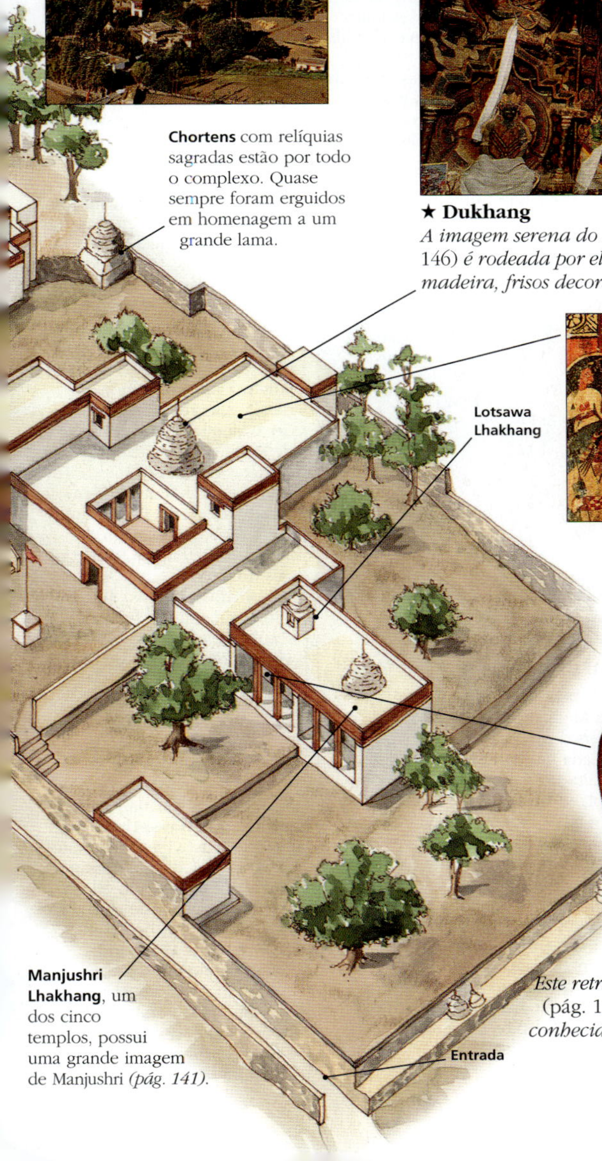

Chortens com relíquias sagradas estão por todo o complexo. Quase sempre foram erguidos em homenagem a um grande lama.

Lotsawa Lhakhang

Manjushri Lhakhang, um dos cinco templos, possui uma grande imagem de Manjushri *(pág. 141).*

Entrada

Rei e Rainha
Este mural de Dukhang mostra detalhes dos trajes e dos penteados reais

Rinchen Zangpo
Este retrato raro de Rinchen Zangpo (pág. 119), *influente santo tibetano conhecido como O Grande Tradutor, fica no Lotsawa (Tradutor) Lhakhang, do século 12.*

Como Explorar o Mosteiro Alchi

Desconhecido do mundo exterior até 1974, quando Ladakh se abriu ao turismo, agora Alchi é uma das maiores atrações da região, famoso como grande centro de arte budista. Foi construído como monumento à "segunda difusão" –ressurgimento do budismo, ocorrido no Tibete no século 11, com base em textos religiosos levados da Caxemira. Todo o panteão de divindades do budismo mahayana está representado em seus cinco templos, junto com belíssimas pinturas da vida na corte, de batalhas e de peregrinações, que retratam os trajes, a arquitetura e os costumes da época.

Um dos muitos recintos de oração no Mosteiro Alchi

O salão de orações, chamado **Dukhang**, é o mais velho dos cinco templos e contém alguns dos maiores tesouros de Alchi. A bonita imagem central de Vairocana, principal Buda da Meditação, possui uma moldura de madeira entalhada com minúcias, cheia de dançarinos, músicos, elefantes e animais míticos. É ladeada por quatro outros Budas da Meditação. Mais impressionantes ainda são as seis mandalas intricadas, pintadas nas paredes junto com pequenas cenas da vida daqueles tempos.

O espaço entre as mandalas é preenchido com primorosos detalhes decorativos, que exibem um inesperado aspecto rococó.

No **Sumtsek**, de três andares, o segundo templo mais velho, as imagens e pinturas são espetaculares. As características mais singulares do templo são as imagens enormes de Avalokitesvara, Manjushri *(pág. 141)* e Maitreya, que ficam em nichos em três paredes. Do chão, só se enxergam as pernas e o tronco, enquanto a cabeça se projeta para o andar de cima. Da cintura até o joelho, eles têm roupas drapeadas como dhotis (trajes masculinos), forradas de sofisticadas pinturas em miniatura. Aconselha-se levar lanterna para descobrir os detalhes incríveis. A imagem de Avalokitesvara é coberta de santuários, palácios e vinhetas da vida da época. A imagem de Maitreya tem cenas da vida de Buda dentro de rodelas, e a imagem de Manjushri retrata os 84 mestres do tantra.

É provável que os outros templos datem do final do século 12 ao início do século 13. Embora possam ser elogiados em outros aspectos, nem dá para compará-los a Dukhang e Sumtsek. O **Manjushri Lhakhang** dispõe de murais dos Mil Budas e de uma enorme imagem de Manjushri, repintada recentemente. O **Lotsawa Lhakhang** tem pinturas e imagens muito austeras. É dedicado ao santo Rinchen Zangpo, que estava associado aos mosteiros Thikse *(pág. 139)* e Tabo *(pág. 131)*. O **Lhakhang Soma**, último templo construído em Alchi, conta com uma profusão de divindades de aspecto irado nas paredes e com cenas que mostram Buda em oração.

Cavaleiros, talvez da Ásia Central, na imagem de Avalokitesvara

OS CINCO BUDAS DA MEDITAÇÃO

O budismo do século 12 colocava ênfase nos Cinco Budas Dhyani, ou Budas da Meditação, que aparecem em diversas mandalas pintadas em Alchi. Cada um deles está vinculado a uma direção e a uma cor. Vairocana (o Resplandecente) está associado ao centro e à cor branca; Amitaba (a Luz Infinita) se liga ao oeste e ao vermelho; Akshobhya (o Imperturbável), ao leste e ao azul; Amoghasiddhi (o Sucesso Infalível), ao norte e ao verde; e Ratnasambhava (a Encarnação da Jóia), ao sul e ao amarelo.

Os Cinco Budas da Meditação simbolizam aspectos diferentes de Buda, e as mandalas em que estão auxiliam os devotos a meditar sobre eles.

Mandala com os Cinco Budas Dhyani

Para hotéis e restaurantes nesta região, ver págs. 694-5 e págs. 723-4

Mulbekh ⑨

Distrito de Kargil. 190km a NO de Leh. *Kargil Tourist Office, (01985) 232 721.*

Bonito vilarejo no distrito de Kargil, Mulbekh se espalha pelo amplo vale verdejante do rio Wakha e foi o ponto em que a onda de conversões ao islamismo, que se difundia para o centro de Ladakh, perdeu o ímpeto. Em conseqüência disso, a população de Mulbekh mistura budismo e islamismo e dá apoio à mesquita e ao mosteiro encarapitados em um penhasco acima da vila. Mas sua maior atração é uma escultura de Maitreya, o Buda do Futuro, entalhada em uma enorme rocha ao lado da estrada. Acredita-se que foi feito no século 8º.

Buda Maitreya, de 8m de altura, em Mulbekh

Kargil ⑩

Distrito de Kargil. 230km a NO de Leh e NE de Srinagar. *Kargil Tourist Office, (01985) 232 721.* *Muharram (mar/abr), Ladakh Festival (set). Exige-se* **permissão de viagem** *para a região de Dha-Hanu, que se consegue em Leh* (pág. 142).

Para quem viaja entre Leh e Srinagar, Kargil é um bom lugar para pernoite. Segundo maior centro urbano de Ladakh, era importante centro comercial antes da Divisão da Índia, quando a estrada para Skardu, em Baltistan (no Paquistão), ainda estava aberta. A maioria da população da cidade é muçulmana xiita, uma seita islâmica que considera Ali, primo de Maomé, e seus sucessores como os verdadeiros imãs. Os damascos de Kargil são famosos, e seus pomares constituem uma atração agradável em maio, quando as árvores florescem, e em julho, quando as frutas amadurecem. A cidade serve de base para expedições ao vale do Suru, a Zanskar e a Nun-kun. Como Kargil foi bombardeada no conflito entre Índia e Paquistão, em 1999, confira a situação antes de visitá-la.

O maciço de Nun-kun, visto do vale do Suru

Vale do Suru ⑪

Distrito de Kargil. 19km ao S de Kargil. *até Sankhu.*

O vale do Suru começa em Kargil e segue 100km para sudeste. Uma das regiões mais bonitas e férteis de Ladakh, apresenta pastagens onduladas, vilarejos com paredes de barro e lindas vistas dos picos nevados. Água em abundância da neve derretida propicia ao vale ricas colheitas de cevada e plantações de salgueiros e álamos, especialmente em volta da vila de **Sankhu**. Perto dela, há ruínas de fortes antigos, além de imagens de Maitreya e Avalokitesvara entalhadas na rocha, uma herança do passado pré-islâmico do vale.

Acima, o vale é dominado por picos, espigões e geleiras do maciço de Nun-kun, com 7.135m de altitude. As expedições para a montanha saem do vilarejo de **Panikhar**, cujos pastos se cobrem de flores em junho e julho.

Pintura rupestre pré-histórica no vale do Suru

O POVO DARD

Uma atração nos bazares de Kargil e Leh são os dards, que usam gorros coloridos enfeitados com flores. Seus traços aquilinos e sua constituição física robusta os destaca dos outros ladakhis, assim como seus costumes e tradições. Existem diversas teorias sobre as origens dessa pequena comunidade –entre outras, a de que os dards são descendentes de soldados de Alexandre, o Grande. Porém, uma pesquisa antropológica indica que seus ancestrais migraram de Gilgit, no Paquistão, antes que houvesse influência do islamismo. Há vilarejos dards em Dha-Hanu, a leste de Kargil sobre o Indo, perto de onde o rio sai de Ladakh para Baltistan (no Paquistão).

Homem dard com seu gorro típico

Vista impressionante do Mosteiro Phugtal *(pág. 151)*, localizado em Zanskar ▷

Rangdum ⓬

Distrito de Kargil. 110km a SE de Kargil. *Kargil Tourist Office, (01985) 232 721.*

A vila de Rangdum serve para pernoitar entre Kargil *(pág. 147)* e Zanskar. Embora, geograficamente, faça parte do vale do Suru, sua população quase toda budista e seu mosteiro a ligam a Zanskar, em termos culturais. Situada em um platô achatado a 3.800m de altitude, cortado por rios e cercado por picos nevados e montanhas de pedra curiosamente estriadas, Rangdum exibe uma beleza selvagem e desolada. O **Mosteiro Gelugpa**, com aspecto de fortaleza do século 18, foi erguido em um morro. Um templo pequeno do complexo possui belo mural de uma cena de batalha, com guerreiros de armaduras e trajes semelhantes aos dos mongóis.

Zanskar ⓭

Distrito de Kargil. 230km a SE de Kargil até Padum. *até Padum.* *Padum Tourist Office, (01983) 254 017.* *Karsha Monastery Festival (jul-ago).*

Há uma certa mística acerca de Zanskar. Sem dúvida, isso se deve à distância e à altitude, entre 3.350m e 4.400m, além do difícil acesso –a única estrada para o vale costuma abrir por volta do início de junho e fechar em meados de outubro. Mas a fama de Zanskar como uma espécie de Xangri-la deve-se, também, à grandiosidade das paisagens, à simplicidade da vida nas aldeias e ao ambiente sereno nos *gompas*, quase sempre construídos ao redor de antigas cavernas de meditação, no topo de penhascos.

Em Zanskar estão os vales de dois rios, o Stod e o Lungnak, que correm pelo flanco norte do Himalaia e acabam por se juntar e formar o rio Zanskar. Ele prossegue para o norte, passa por uma garganta na cordilheira Zanskar e deságua no Indo.

O rio Zanskar atravessando uma garganta

A ramificação ocidental de Zanskar, o vale do Stod e sua planície central, é fértil e bem irrigada. As vilas formam bolsões verdes, e a ausência quase total de árvores contribui para uma incrível sensação de luz e espaço. A maioria dos habitantes da região é de agricultores que cultivam cevada, trigo e ervilha, nas aldeias mais baixas, e de pastores que criam iaques, ovelhas e *dzos* (híbridos de bovinos e iaques), nas vilas mais altas. No inverno, muitos fazendeiros pegam o único caminho para sair da área, em uma exaustiva caminhada de seis dias que atravessa o rio Zanskar congelado, para vender sua valorizada manteiga de iaque em Leh. Em contraste com a fértil ramificação ocidental e a planície central, o braço oriental de Zanskar –o vale do Lungnak– é uma garganta pedregosa e assustadora, com poucas vilas. A principal passagem para Zanskar é o passo de **Pensi-la** (4.400m), a quase 130km a sudeste de Kargil. Do topo, têm-se vistas espetaculares, principalmente da impressionante **geleira Drang-drung**, cujo derretimento dá origem ao rio Stod.

***Perak*, tradicional ornato feminino de cabeça**

Desse ponto, a estrada desce até **Padum**, 230km a sudeste de Kargil, a uma altitude de 3.500m. Este é o principal vilarejo de Zanskar e sua sede administrativa. Trata-se do único lugar da região com recursos básicos, como hospedagem, transporte e algumas lojas simples. É também ponto de partida de diversos trekkings pela região *(págs. 152-3)*. Em Padum há poucos pontos interessantes, a não ser um entalhe na rocha dos Cinco Budas Dhyani *(pág. 146)*, no centro do vilarejo. Uma mesquita nova atende à sua pequena comunidade muçulmana. Na vizinhança, existem muitos locais para conhecer. Num tranquilo passeio a pé, chega-se à vila de **Pipiting**, que tem um tem-

Enfeites e imagens de baixo-relevo em Sani Gompa, em Zanskar

Para hotéis e restaurantes nesta região, ver págs. 694-5 e págs. 723-4

plo e um *chorten* no topo de um morro de depósitos glaciais e um pavilhão construído especialmente para as reuniões de oração do Dalai Lama.

A pouca distância está **Sani,** 8km a noroeste de Padum, um dos focos religiosos mais antigos no Himalaia Ocidental. Dentro dos muros do mosteiro fica o Kanika *Chorten*, cujo nome tem uma possível ligação com Kanishka *(pág. 43)*, governante kushana, cujo império se estendia do Afeganistão até Varanasi, nos dois primeiros séculos da era cristã. Diz-se que o mosteiro foi fundado por Padmasambhava *(pág. 120)* no século 8º, e seu templo principal tem belos murais. Mais interessante ainda é um pequeno templo do complexo, que possui decorações singulares de estuque em baixo-relevo, magnificamente pintadas, e nichos de imagens nas paredes. Sani é cercada por um grupo de álamos, uma referência nessa paisagem quase sem árvores.

Visíveis de Padum, as construções do mosteiro gelugpa de **Karsha**, 10km a nordeste dessa vila, estão instaladas montanha abaixo, a oeste do vale, até se juntar com as casas e os campos de Padum. Esse local conta com antigos entalhes nas rochas, e os murais em seu templo de Avalokitesvara, logo na saída do complexo principal, parece datar do mesmo período de Alchi *(págs. 144-6)*. A tradição, porém, atribui a fundação do mosteiro ao onipresente Padmasambhava. Karsha tem uma grande comunidade de monges residentes e realiza seu colorido festival anual entre julho e agosto.

Campos férteis de cevada e trigo no vale do Stod, em Zanskar

Stongde, do outro lado do vale, a 12km de Padum, equilibra-se sobre um espigão, acima do mosaico de campos cultivados da vila. Acredita-se que tenha sido fundado no século 11. Abriga sete templos bem conservados, alguns deles com murais magníficos.

Mandala do Mosteiro Bardhan

Os vilarejos de Sani, Karsha e Stongde estão ligados por transporte rodoviário, embora os mosteiros do **vale do Lungnak** sejam menos acessíveis.

O caminho estreito que sobe do vale serpenteia ao longo de encostas cheias de pedregulhos instáveis e soltos, bem acima do rio, e a caminhada é difícil, em uma subida pronunciada, a pé ou a cavalo, até alcançar os mosteiros **Bardhan** e **Phugtal**.

Bardhan, 9km a sudeste de Padum, tem localização espetacular no topo de um penhasco que se projeta da montanha e despenca quase 100m até o rio. Possui belos murais, que datam dos tempos da fundação do mosteiro, no início do século 17. No entanto, de todos os mosteiros de Ladakh, nenhum, nem mesmo Bardhan ou Lamayuru, supera Phugtal, 60km a sudeste de Padum, seja pela grandiosidade, seja pela localização prodigiosa. Seus templos principais foram construídos dentro de uma caverna enorme na lateral da montanha, acima do rio Tsarap, em um ponto em que a queda em direção à água é quase perpendicular.

E mais: as moradias dos monges do templo foram feitas sobre a face rochosa ou penetrando por ela. E todo esse complexo inacreditável é ligado por um sistema maluco de escadas e passarelas. Não existe registro da fundação do Mosteiro Phugtal, mas o estilo de suas pinturas, algumas maravilhosas, o ligam ao Mosteiro Tabo, em Spiti *(pág. 131)*, e às tradições estabelecidas pelo santo tibetano Rinchen Zangpo *(pág. 119)* no século 11. Seus monges pertencem à seita Gelugpa.

Mosteiro Phugtal, construído na face de um penhasco

Mosteiro Sani, Karsha, Stongde, Bardhan e Phugtal
diariam.

Trekking em Ladakh e Zanskar

Grou-de-pescoço-preto

Fazer trekking no deserto árido e gelado do Trans-Himalaia, em Ladakh e Zaskar, muitas vezes a altitudes que ultrapassam 5.000m, pode se revelar uma experiência até divertida, a seu modo. O terreno, muito bonito como qualquer área montanhosa do mundo, possui diversas trilhas, muitas das quais acompanham antigas rotas comerciais para a Ásia Central. Passam por mosteiros com localização espetacular, desfiladeiros remotos, gargantas de rios incrivelmente profundas e campos verdejantes com muros de *mani* e *chortens*. O melhor momento para os trekkings é de junho a setembro, quando não há neve e se fazem colheitas nos campos em terraços.

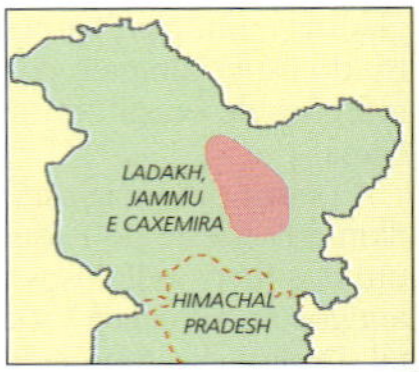

LOCALIZE-SE

Área mostrada abaixo

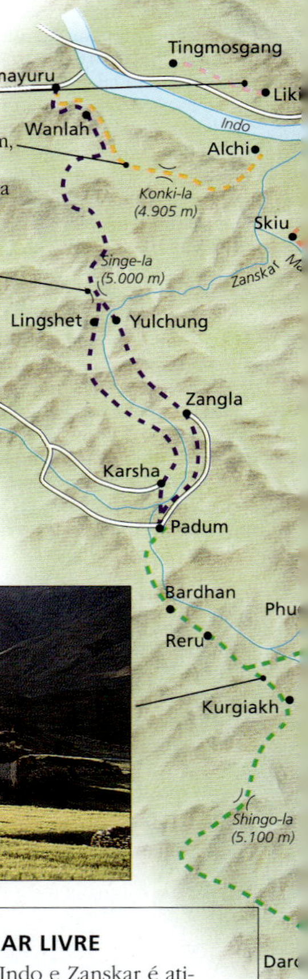

De Likir a Tingmosgang é uma trilha de 22km, fácil, de dois dias, que passa por muitas vilas a 4.000m de altitude.

De Lamayuru, trilha de 65km, difícil, de cinco dias, via Konki-la a 4.905m, e termina em Alchi *(págs. 144-5).*

De Padum a Lamayuru *Esta trilha de 160km segue o rio Zanskar, via Karsha, passa pelo notável Mosteiro Lingshet e pelo Singe-la (passo do Leão), e acaba em Lamayuru. Um trajeto um pouco mais fácil passa por Zangla, e se junta à trilha principal na vila de Yelchang.*

Duração: *10 dias*
Altitude: *5.000m*
Nível de dificuldade: *alto*

De Padum a Darcha *A trilha de 115km sai de Zanskar e entra em Himachal Pradesh, ao longo do bonito rio Tsarap; passa pelo Mosteiro Phugtal e por Kurgiakh, vilarejo mais alto de Zanskar, a 4.100m.*

Duração: *10 dias*
Altitude: *5.100m*
Nível de dificuldade: *médio*

Rafting desce o rio Indo em botes de borracha, um esporte concorrido

OUTRAS ATIVIDADES AO AR LIVRE

Rafting em corredeiras nos rios Indo e Zanskar é atividade concorrida de julho a setembro. Há diversas opções pelo rio Indo, desde calmos "passeios de flutuação" entre Hemis e Choglamsar até trajetos mais longos entre Spituk e Alchi. **Safáris de jipe** de ida e volta para os lagos Tso Kar e Tso Moriri levam três dias, com tendas armadas perto da vila de Karzok. A rica vida selvagem da região conta com gansos, grous-de-pescoço-preto e *kiang* (burro selvagem tibetano).

De Spituk a Hemis

Trilha mais famosa de Ladakh, este trajeto de 105km segue o rio Indo pelo vale de Markha, passa pelo vilarejo de Skiu e pelo alto desfiladeiro de Kongmaru, e termina no Mosteiro Hemis (pág. 140).

Duração: *8 dias*
Altitude: *5.274m*
Nível de dificuldade: *baixo*

Os **passeios de rafting** pelo Indo são organizados por agências locais.

De Leh a Tso Moriri é uma viagem de jipe por 230km, em dez horas.

DICAS

Preparo: *A maior parte da caminhada é difícil, o que exige boa aclimatação à altitude, pois mesmo o fundo das gargantas dos rios está a 3.000m acima do nível do mar. Sobre o mal das alturas, veja a pág. 767. Há necessidade de guias e cavalos em todas as trilhas da região. Os mapas são incompletos; por isso, não se arrisque sozinho, pois pode ser fatal. Veja detalhes na pág. 751.*
Na trilha: *Beba muita água. Não suje nada e leve o lixo com você. Os plásticos podem ser entregues ao Ecology Centre (01982) 253 221, em Leh. Leve combustível para cozinhar e nunca queime lenha, que é um recurso escasso.*
Permissões: *São exigidas para o vale do Nubra, Pang-gong Tso, Tso Moriri e a região de Dha-Hanu (pág. 142). Detalhes sobre as permissões na pág. 758.*
Aluguel de equipamento e jipe e operadoras: *A Dreamland Trek & Tours, em Leh (01982) 252 089, aluga equipamento de trek-king. Entre as agências de rafting estão a Indus Himalayan Explorers (01982) 253 454 e a Rimo Expeditions (01982) 253 348. Jipes são caros e podem ser alugados em Leh para passeios a Nubra (pág. 143) e aos lagos. Confira a lista de preços no ponto de táxi. Mais detalhes na pág. 755.*

Tso Kar, ou lago Branco, a noroeste de Tso Moriri

LEGENDA

- De Spituk a Hemis
- De Likir a Tingmosgang
- De Lamayuru a Alchi
- De Padum a Lamayuru
- De Padum a Darcha
- De Leh a Tso Moriri
- Estrada secundária
- Pico
- Passagem

Mesquita Shah Hamadan, em Srinagar, feita de madeira no século 14

Jammu ⓮

Distrito de Jammu. 500km a NO de Délhi. *378.400.* *8km a SO do centro.* *J&K Tourism, Vir Marg, (0191) 254 8172.* *Lohri (13 jan), Jammu Festival (abr), Navratra (set/out).*

Capital de inverno dos estados de Jammu e Caxemira, Jammu se localiza em uma escarpa da cordilheira Shivalik, voltada para as planícies setentrionais.

A principal atração é **Amar Mahal**, ex-residência dos marajás, agora museu com objetos ligados à cultura e à história da região. Jammu também serve de base para a peregrinação à caverna-santuário da deusa **Vaishno Devi**, nas montanhas Trikuta, a 50km. O santuário atrai 4 milhões de hindus por ano.

Amar Mahal Museum
Saída da Srinagar Rd. *ter-dom.*

Srinagar ⓯

Distrito de Srinagar. 700km a NO de Délhi. *895.000.* *8km ao S do centro.* *J&K Tourism, (0194) 245 2690.* *Milad-ul-Nabi (mai).*

Srinagar, capital de verão de Jammu e Caxemira, é uma cidade de lagos e cursos d'água, jardins e uma linda arquitetura de madeira. As áreas antigas da cidade se espalham dos dois lados do rio Jhelum, cruzado por sete pontes. Embora cada ponte tenha nome (como Amira Kadal e Zaina Kadal), também são chamadas por números. A Oitava Ponte, de construção mais recente (século 20), acima da Primeira Ponte, é conhecida como Ponte Zero, dado o humor típico dos caxemirianos. Ela serve a parte moderna da cidade, construída no fim do século 19. Na extremidade da cidade ficam os bucólicos lagos **Dal** e **Nagin**, ligados por uma rede de remansos. As mesquitas e os santuários de Srinagar estão entre os pontos mais atraentes da cidade. Uma de suas características é que foram construídos de madeira, com intricados entalhes em padrões geométricos; e, em vez de cúpula, eles são coroados por telhados com beirais como os dos pagodes. Os exemplos mais notáveis são a **Mesquita de Shah Hamadan**, na cidade velha, e o **Santuário Shah Makhdum Sahib**, nas encostas do monte Hari Parbat. A **Mesquita Pat-thar** e a **Mesquita de Akhund Mulla Shah**, são duas bonitas construções convencionais de pedra, muito bem proporcionadas, que datam do século 17. Num estilo totalmente diferente, a **Mesquita Hazratbal** possui uma bela cúpula branca e um único minarete delgado. Reconstruída em estilo sarraceno após um incêndio na década de 1960, guarda a relíquia mais sagrada da Caxemira: um fio da barba do profeta Maomé.

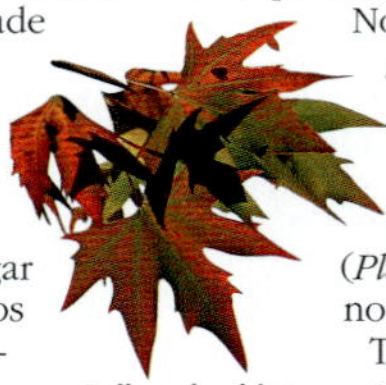

Folhas de *chinar* no outono

No império mogul, os governantes gostavam da beleza natural e a melhoraram com a introdução do *chinar* (*Platanus orientalis*) no vale da Caxemira. Também criaram nas encostas jardins em terraços, desenhados ao redor de chafarizes e canais, formados pelo desvio de águas de nascentes ou rios.

Dos 777 jardins moguis que se diz já terem enfeitado o vale da Caxemira, restaram apenas alguns. Mas há três de fácil acesso a partir de Srinagar, na margem leste do lago Dal –os jardins **Chashmashahi, Nishat e Shalimar**. Acima do

ATENÇÃO

Atualmente, não é aconselhável visitar Jammu e Caxemira, pela constante agitação. Nos últimos anos, grupos terroristas que atuam na região se valeram de bombas, sequestros e franco-atiradores, e os turistas estrangeiros costumam servir de alvo.

Em Martand, ruínas impressionantes do Templo do Sol, do século 9°

Casa em Gulmarg, uma das poucas estações de esqui da Índia

bonito jardim Chashmashahi, subindo terraço por terraço na encosta, ficam as ruínas de uma escola religiosa do século 17. Construída por um príncipe mogul para seu professor, é impropriamente conhecida como **Pari Mahal** (Palácio das Fadas).

Desse ponto, são maravilhosas as vistas do lago Dal e dos picos nevados da cordilheira Pir Panjal.

Arredores

É possível conhecer alguns vestígios do passado pré-islâmico da Caxemira nas ruínas de templos hindus magníficos, situados em **Avantipora**, 28km a sudeste de Srinagar, e em **Martand**, 60km também a sudeste de Srinagar. Acredita-se que o Templo do Sol, em Martand, seja do século 9º.

Construídos com grandes blocos de pedra calcária encaixados sem argamassa, esses templos são testemunho do impressionante nível de conhecimento técnico que se dominava no início do período medieval.

Jardim Chashmashahi
diariam.

Jardim Nishat e Shalimar
diariam.

Gulmarg ⓰

Distrito de Srinagar. 58km a O de Srinagar. *J&K Tourism, Gulmarg Tourist Office, (01954) 254 439.*

Gulmarg (Campo de Flores), a uma altitude de 2.730m, desenvolveu-se com os britânicos em volta de um campo no lado norte da cordilheira Pir Panjal. A cavidade central foi projetada para ser campo de golfe, um dos mais altos do mundo. Ao redor, existem chalés que parecem saídos de histórias infantis, com florestas de pinheiro atrás. Gulmarg, junto com **Khilan-marg**, quase 300m montanha acima, está entre as poucas estações de esqui da Índia. Seus recursos atendem a todos os níveis de aptidão, com cursos até para principiantes.

Pahalgam ⓱

Distrito de Srinagar. 96km a L de Srinagar. *J&K Tourism, Pahalgam Tourist Office, (01936) 243 224.*

No vale do rio Lidder, Pahalgam fica na encosta sul do Himalaia. Serve de base para diversos trekkings até Kishtwar e o vale do Suru *(pág. 147)*, e para peregrinação à caverna santa de **Amarnath**, destino de milhares de peregrinos hindus, no mês de agosto.

Pahalgam, pontilhada de campos de mostarda, também oferece pesca de truta, golfe e expedições curtas para as montanhas próximas. A estrada de Srinagar para Pahalgam passa por **Pampore**, famosa pelas lavouras de açafrão *(Crocus sativa)*, cultivado na Caxemira desde o século 10º. A flor do açafrão desabrocha no fim do outono.

Campo de mostarda rodeia casa de fazenda em Pahalgam

CASAS-BARCO E SHIKARAS

No século 19, parte da comunidade de Srinagar que morava em barcos começou a construir versões luxuosas de seus lares para atender os visitantes. Essas casas-barco, que continuam ancoradas em um só lugar, se transformaram nas acomodações preferidas dos visitantes. Algumas, de luxo, são extremamente elaboradas, com sala de estar e dormitórios que servem de vitrine para os consagrados trabalhos manuais caxemirianos: entalhes em madeira, bordados, tapetes e peças de papel machê. O deslocamento do barco até a margem é feito numa *shikara*, barco leve impulsionado por um barqueiro com remo em formato de coração. Seja no luxo e conforto de uma casa-barco, seja hospedado mais simplesmente em um hotel, não há maneira mais bucólica de passar o dia em Srinagar do que reclinado nas almofadas da *shikara*, à sombra de um toldo, para conhecer os lagos e remansos da cidade.

Casas-barco e *shikaras* no lago Dal

ÍNDIA CENTRAL

Introdução à Índia Central

Alguns dos destinos mais procurados na Índia estão nesta enorme e variada região, que cobre a planície gangética, diversas montanhas do Himalaia e florestas verdejantes da área central do país. Entre tais destinos estão o Taj Mahal, em Agra, a cidade sagrada de Varanasi, os templos de Khajuraho, belissimamente esculpidos, e os centros budistas de Sanchi e Bodh Gaya. Outras atrações na Índia Central incluem as reservas de caça de Kanha e Corbett, os fortes e palácios medievais de Gwalior e Orchha e as esta-ções de montanha de Mussoorie, Nainital e Ranikhet, que servem de base para trekkings.

Encostas arborizadas com pinheiros *chir* e campos alpinos em Uttaranchal

VEJA TAMBÉM

- ***Onde Ficar*** págs. 695-9
- ***Onde Comer*** págs. 724-7

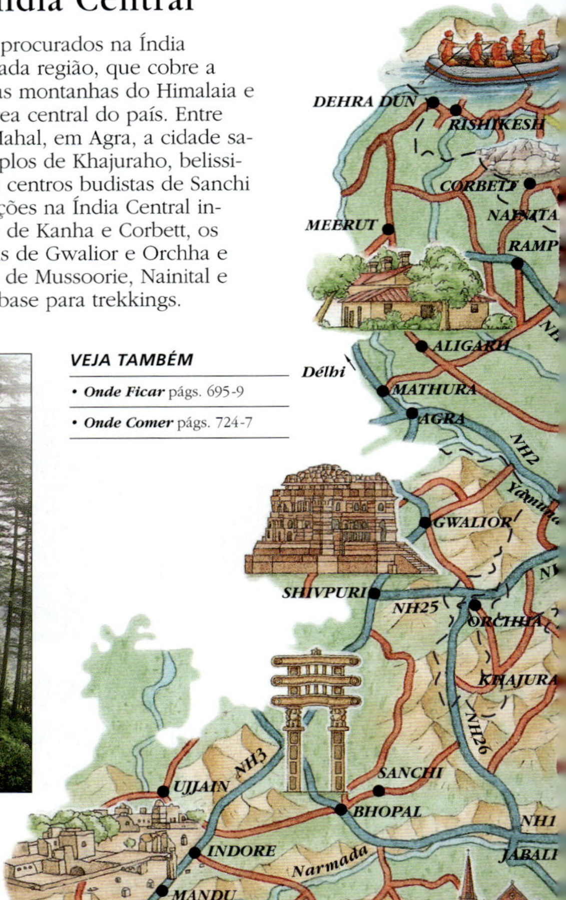

0 km 80

Vista de memoriais aos governantes de Orchha, ao longo do rio Betwa

LEGENDA

- Rodovia nacional
- Estrada principal
- Rio
- Fronteira estadual

◁ Luminosa paisagem pastoril da rural Kumaon, perto de Mukteshwar *(pág. 190)*, no Himalaia Ocidental

COMO CIRCULAR

Os destinos importantes e as capitais de estado da região, a exemplo de Agra, Varanasi, Dehra Dun, Khajuraho, Bhopal, Raipur e Patna, são servidos por vôos domésticos e por trens expressos. O Taj Express, trem especial com ar-condicionado, possibilita a viagem confortável de um dia entre Délhi e Agra. Ampla rede rodoviária interliga a maioria das cidades da área. A National Highway 2 liga Agra, Allahabad, Varanasi e Bodh Gaya. Rodovias estaduais saem da National Highway 24 para as montanhas de Nainital e Mussoorie.

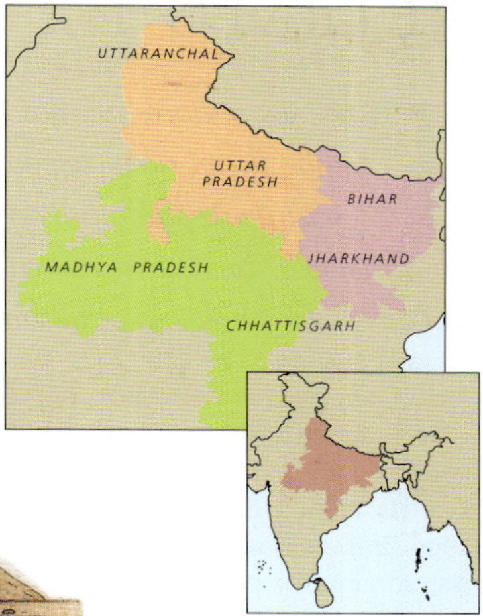

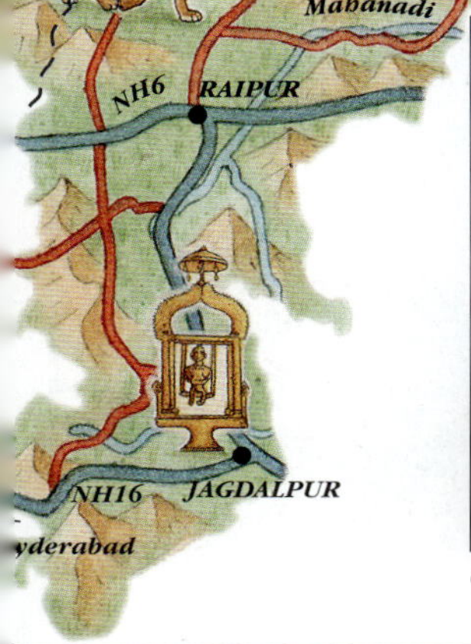

Cena rural em uma cidadezinha provinciana em Bihar

RETRATO DA ÍNDIA CENTRAL

Três dos maiores estados –Uttar Pradesh, Bihar e Madhya Pradesh– ficam nesta região vasta e densamente povoada, que é o cinturão de fala hindi do país (muitas vezes chamado de "cinturão da vaca"), uma área marcante tanto pelo rico passado histórico e pela diversidade religiosa e cultural quanto pela riqueza mineral.

O rio Ganges, que corre por Uttar Pradesh (UP) e Bihar, modelou boa parte da história e da cultura dos dois estados. Em suas margens férteis, surgiram e prosperaram civilizações, cidades e impérios, a partir de 1500 a.C. *(pág. 41)*. Atualmente, o rio continua a ter papel preponderante na economia, na cultura e na religião, assim como na imaginação de milhões de pessoas que vivem na planície gangética.

Detalhe da grande *stupa* em Sanchi

UP é o núcleo espiritual do hinduísmo e o centro cultural do islamismo indiano –o primeiro simbolizado por Varanasi, a mais sagrada das cidades indianas *(págs. 202-8)*, e o segundo pelo Taj Mahal, o maior monumento islâmico do país *(págs. 172-5)*. Com 148 milhões de habitantes, UP elege mais membros para o Parlamento indiano do que qualquer outro estado e, por isso, tem papel de destaque na política nacional. Seis primeiros-ministros vieram daqui, a exemplo de Pandit Jawaharlal Nehru, de sua filha Indira Gandhi e do neto Rajiv Gandhi e, mais recentemente, de Atal Behari Vajpayee. As tendências políticas contemporâneas costumam depender da força das castas e dos sentimentos religiosos. Uma consequência trágica disso foi a demolição de uma mesquita do século 15 na cidade de Ayodhya, em 1992, por extremistas religiosos hindus, que afirmavam que ela estava no local em que Rama *(pág. 27)* havia nascido. O incidente levou a distúrbios entre hindus e muçulmanos, e o problema continua latente.

Em novembro de 2000, foram criados diversos estados. Em UP, a seção do extremo norte, que cobre as montanhas Kumaon e Garhwal, tornou-se o novo estado de Uttaranchal. Trata-se de área de grande beleza natural, com pitorescas estações de montanha, trilhas e centros antigos de peregrinação hindu, à sombra dos ele-

Complexo de Chhota Imambara, em Lucknow, capital de Uttar Pradesh

Peregrinos à margem do Ganges, em Bihar

vados picos do Himalaia. Bihar, como UP, é um estado densamente povoado, e sua agenda política, nos últimos anos, também foi abalada por questões de castas, com prejuízo para o desenvolvimento social e econômico. A pobreza rural ainda é comum e o índice de alfabetização, muito baixo (quase 40%). Por ironia, esse estado teve uma das maiores universidades da Antiguidade, em Nalanda *(págs. 218-9)*, e sediou os maiores impérios da Índia, o Maurya e o Gupta *(págs. 42-3)*. Bihar também ocupa posto importante na história da civilização indiana, como local de nascimento do budismo, pois foi aqui, em Bodh Gaya *(pág. 222)*, que Buda alcançou a iluminação. Esse legado histórico é visto em famosos locais budistas do estado. O Bihar atual possui grande vitalidade material, que se pode conhecer na enorme feira anual de gado em Sonepur *(pág. 216)*, na qual uma atração sem igual é o bazar de elefantes.

O novo estado de Jharkhand, onde ficava Bihar meridional, surgiu em novembro de 2000. Área de grande beleza natural, Jharkhand abrange um planalto com florestas, que abriga uma grande população de tribos com culturas diferentes, que agora dominam a vida política e econômica do estado emergente. Jharkhand é dotado de grande riqueza mineral, e seus abundantes depósitos, principalmente de carvão e ferro, garantem um futuro de prosperidade.

Madhya Pradesh (MP) contrasta com as planícies superpovoadas de UP e Bihar, com geografia variada e população mais esparsa. A área rural é um mosaico de lavouras de algodão, declives escarpados, morros arredondados e longos trechos de floresta e pastagem, onde vive pelo menos metade da população de tigres da Índia. Um desastre industrial trágico na capital, Bhopal, em 1984 *(pág. 240)* fez as pessoas deste estado se engajarem em questões ambientais, e muitas delas fazem campanha contra a represa no rio Narmada *(pág. 251)*. MP ainda tem relativamente poucos visitantes, embora só alguns estados se comparem a ele em termos de atrações, entre as quais estão monumentos considerados Patrimônio da Humanidade, em Sanchi *(págs. 244-5)* e Khajuraho *(págs. 236-8)*, e algumas das melhores reservas de vida selvagem da Índia.

Chhatisgarh foi fundado na mesma época de Jharkhand e Uttaranchal. Esta parte, no extremo sul de Madhya Pradesh, é uma área de floresta densa, povoada por diferentes comunidades tribais, que se dedicam à agricultura e a diversos artesanatos requintados *(pág. 253)*. Os recursos para atender aos visitantes ainda estão sendo implementados nesta região fascinante do país.

Ilustração retrata Varanasi como morada de Shiva

O Rio Ganges

Deusa Ganga

Com nascente no Himalaia, em uma caverna de gelo, a 4.140m de altitude, o Ganges percorre 2.525km pelas montanhas de Uttaranchal e pelas exten-sas planícies de Uttar Pradesh, Bihar e Ben-gala, até desaguar na baía de Bengala. Com o passar do tempo, grandes civilizações floresce-ram às suas margens, que hoje estão ladeadas de cidades fervilhantes, férteis lavouras de arroz e inúmeros templos e escadarias (ghats). Acima de tudo, o Ganges é a principal artéria espiritual e religiosa do país, sagrado para milhões de hindus que crêem que se banhar em suas águas absolve todos os pecados, e ser cremado em suas margens e ter as cinzas espalhadas nessas águas garante a salvação da alma.

Em **Gaumukh** *(Boca de Vaca), na embocadura da geleira Gangotri, fica a nascente do Ganges. Aqui, ao emergir do degelo, o rio se chama Bhagirathi.*

Rishikesh *(pág. 184)* conta com ashrams famosos, que oferecem cursos de ioga e meditação para quem estuda o hinduísmo.

Devprayag (pág. 187), *assentada em meio a notáveis desfiladeiros, é uma importante cidade de peregrinação, onde os rios Bhagirathi e Alaknanda se encontram para formar o Ganges.*

Oferenda votiva flutua no rio

Haridwar, *o "Portal para os Deuses"* (pág.184), *é onde o Ganges termina a descida do Himalaia e começa sua longa jornada pelas planícies do centro da Índia. A cidade fervilha de templos, homens santos e peregrinos, especialmente em volta da ghat principal, Har-ki-Pauri, santificada pelas pegadas de Vishnu. É um dos quatro locais em que o imenso Kumbh Mela se realiza a cada 12 anos* (pág. 211).

Allahabad (pág. 210) *marca a confluência de três rios santos, o Ganges, o Yamuna e o mítico Saraswati. O Kumbh Mela aqui realizado em 2001 atraiu quase 30 milhões de peregrinos.*

O mito do Ganges *conta que o rio Ganga, celestial, foi baixado para a Terra pelo sábio Bhagiratha, para que pudesse aspergir suas águas santas sobre as cinzas dos antepassados, que foram fulminados por Vishnu em razão da maldade deles. A água do rio garantiria a salvação da alma desses antepassados. Quando o Ganga desceu, Shiva rompeu a enorme força dele fazendo-o serpentear por seus cabelos, para impedir que a Terra fosse destruída por um dilúvio. Esse mito foi reproduzido em muitas pinturas e esculturas.*

Varanasi (págs. 202-8) *é considerada pelos hindus como o local mais sagrado neste rio mais sagrado de todos. Cerca de 90 ghats descem pelas margens do rio, onde a vida é purificada pelas águas do Ganges, e os mortos são trazidos para a* moksha *(libertação do interminável ciclo de morte e renascimento).*

Campos férteis, *enriquecidos pelo solo de aluvião, ocupam as planícies indo-gangéticas. Os campos de trigo e mostarda ficam em Bihar.*

Kanwarias *são devotos de Shiva que fazem uma caminhada cansativa até o Ganges, todos os anos, em agosto, levando de volta a água sagrada do rio em vasilhas decoradas até os templos de sua terra.*

Barcaças *carregadas de fibras de juta são comuns nas águas do delta do Ganges, em Bengala.*

Em **Patna** *(págs. 214-5)* o Ganges está sempre movimentado, pois aqui ele é largo e fácil de navegar.

Lontras, *de quase 70cm de comprimento, têm pelagem marrom impermeável, patas palmadas e bigodes rijos. Essas criaturas brincalhonas costumam ser vistas dando cambalhotas nas margens do rio.*

Ganga Sagar Mela é um festival colorido *(pág. 295)*, realizado em janeiro, na ilha de Sagar, perto de onde o rio deságua no mar.

Sabores da Índia Central

Como a maior parte da região está nas férteis planícies do Ganges, a área é rica em produção agrícola. Por toda parte estendem-se infinitos campos de arroz e trigo, bem como vastos pomares de mangas e lechias. O arroz e o trigo são consumidos nos estados em que se fala hindi, embora com diferentes preparos de uma comunidade para a outra. As duas principais influências culinárias são a sofisticada cozinha vegetariana da cidade sagrada de Varanasi e os refinados pratos de carneiro e *biryanis* de Lucknow, desenvolvidos nas cozinhas reais.

Folhas de louro, canela, cardamomo, cominho, cravos e cúrcuma

Vendedor ambulante frita as populares samosas em um *tawa*

UTTAR PRADESH E UTTARANCHAL

Basicamente, a região tem três tipos de culinária: vegetariana, muçulmana ou *nawabi* e de Uttaranchali. A refinada cozinha vegetariana das planícies usa a pura *ghee* (manteiga clarificada) e temperos como assa-fétida, *garam masala* (curry em pó), cominho e pimenta em pó. A comida de rua de Uttar Pradesh, como o saboroso *chaat*, é vendida nas vielas de Varanasi. Os estados de Awadh (atual Lucknow) e Rampur têm uma culinária insuperável. Os tradicionais *dum pukht*, cujo recheio é selado com massa e cozido em fogo baixo, bem como a sutileza de condimentos são a essência da culinária awadhi. Dessa região vêm dois excelentes *kebabs* de carneiro, o *galauti* e o *kakori*, e também os *pulaos* (pratos de arroz) delicamente temperados. No estado himalaico de Uttaranchal o cardápio gira em torno de lentilhas, feijões de soja e *mundua* (trigo-sarraceno). O arroz é básico e os pratos são preparados com *ghee* ou com óleo de mostarda. O tempero mais usado é a *bhanga*, ou semente de cânhamo.

Frutas típicas da Índia Central

PRATOS E ESPECIALIDADES LOCAIS

Mung dal

Sutileza e refinamento caracterizam as culinárias vegetariana e não vegetariana. Uma refeição normal inclui lentilhas, um legume, arroz ou *roti* (pão) com conservas, que dão o sabor picante. Típico de Varanasi é o *sattvik*, ou alimento "puro", que é estritamente vegetariano e levemente condimentado, mas sem cebola e alho. As cortes muçulmanas de Bhopal, Patna e Lucknow enriqueceram sua culinária com perfumados carneiros *biryanis*, ricos *kormas* e suculentos *kebabs*. Entre os melhores doces estão os *jalebis* (espirais de massa frita), os *badam halwa* (doces de amêndoa) e a *malpua* (espécie de panqueca) mergulhada em calda. A *paan* (folha de bétele) entra no final da refeição.

Os **petiscos** *incluem as samosas (pastéis de batata) e os kachoris (pão frito com chutney).*

Banca de rua em Agra vendendo legumes frescos selecionados

MADHYA PRADESH E CHHATTISHGARH

A culinária de Madhya Pradesh é diversificada. Os estados de Bhopal e Gwalior desenvolveram pratos especiais como o *barbat* (carneiro temperado com coentro ao curry), de Gwalior, e a *rizala* (galinha com iogurte, pimentas verdes e coentro), de Bhopal. Um marajá gourmet do pequeno estado de Sailana lançou o livro *As Delícias Culinárias dos Marajás* com receitas recolhidas das cozinhas reais.

O planalto de Malwa e a cidade de Indore oferecem uma ampla variedade de pratos salgados e doces, e bebidas que garantem a animação da cidade até a madrugada. Em Malwa o visitante saboreia o *bhutta ri kees* (milho assado com *ghee*, leite e condimentos) e bebe o refrescante *kairi pana* (suco natural de manga). Os pães incluem *baati* e *bafla*, ambos de trigo e em formato de bolas. O *baati* é assado e acompanha lentilhas, e o *bafla* é frito em *ghee*.

Paan ou folha de bétele, consumida como digestivo após as refeições

BIHAR E JHARKHAND

Caracterizam a cozinha de Bihar a abundância de frutas e legumes e a simplicidade. Um ingrediente muito usado é a *sattu* (farinha de grão-de-bico torrada). Ela é posta nas bebidas e nos pães ou misturada com trigo, batatas e na pasta de berinjela.

As tribos de Jharkhand comem cereais e legumes cozidos ao curry, tubérculos e raízes comestíveis, carne de cordeiro e pimentas. Um ingrediente apreciado é a flor da árvore *mahua* (*Madhuca indica*) que tem propriedades alucinógenas e é usada para temperar o arroz no *asur kichdi*.

NO CARDÁPIO

Aloo dum Banarsi Batatas condimentadas, cozidas com queijo cottage, nozes e passas.

Kele ke kofta Bolinhas de bananas verdes amassadas, cozidas em molho de iogurte levemente apimentado.

Kurwai biryani Os bifes substituem o carneiro em pedaços neste prato de arroz típico de Madhya Pradesh.

Mawa-bati Gulab jamun é um bolinho de leite e farinha frito e recheado com nozes.

Musallam raan Perna de cordeiro bem temperada.

Shabdeg Prato clássico de carneiro cozido lentamente com nabos e bem condimentado.

Mutton korma, *pedaços de carneiro em molho de iogurte e açafrão, cravo e cardamomo.*

Okra, *um prato de verão muito apreciado, recheado e frito ou cozido em molho de iogurte.*

Shahi tukra, *pudim de pão em calda de leite engrossado, guarnecido com castanhas fatiadas.*

UTTAR PRADESH E UTTARANCHAL

Do Himalaia até as planícies indo-gangéticas, Uttar Pradesh (UP) e Uttaranchal cobrem uma área de 294.000km², com quase 175 milhões de habitantes. O idioma dominante é o hindi. Os dois estados têm paisagens variadas e monumentos históricos. Nas planícies de UP estão o famoso Taj Mahal e outros monumentos islâmicos grandiosos, assim como a cidade sagrada hindu de Varanasi e as *stupas* budistas de Sarnath. O enorme Kumbh Mela ocorre a cada 12 anos em Allahabad e também em Haridwar. Em novembro de 2000, a região montanhosa de Uttar Pradesh foi separada para formar o estado de Uttaranchal. Entre suas muitas atrações estão belas trilhas de trekking, as pitorescas estações de montanha de Mussoorie e Nainital, rafting em corredeiras, ashrams de ioga ao redor de Rishikesh e o Corbett National Park, famoso pelos tigres.

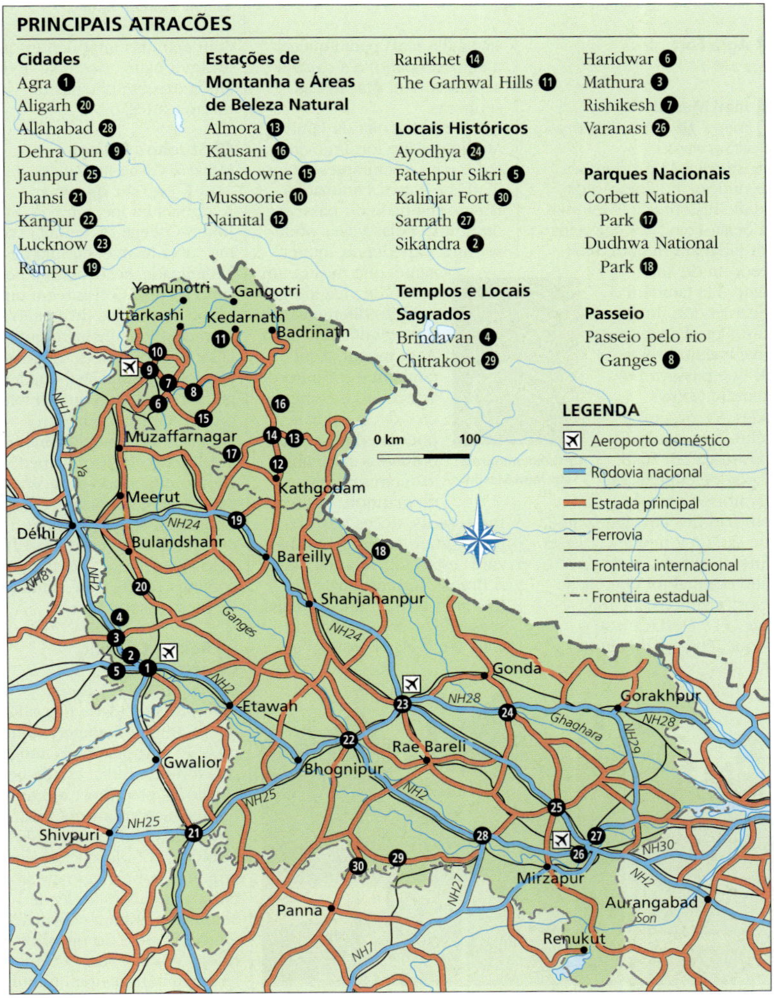

◁ **A Jami Masjid de Fatehpur Sikri, erguida no século 16 por Akbar, imperador mogul**

Agra ❶

Ornato de *pietre dure*

Agra era sede do império Mogul nos séculos 16 e 17, antes que a capital se transferisse para Délhi. Estrategicamente localizada à beira do rio Yamuna e ao longo da Grand Trunk Road, a cidade floresceu sob a proteção dos imperadores Akbar, Jahangir e Shah Jahan e atraiu artesãos da Pérsia e da Ásia Central, e também de outras partes da Índia, que construíram grandiosos fortes, palácios, jardins e mausoléus. Destes, o Taj Mahal, o Agra Fort e Fatehpur Sikri, a capital abandonada de Akbar, foram declarados Patrimônio da Humanidade pela Unesco. Com o declínio mogul, Agra caiu sob domínio dos jats, marathas e, por fim, dos britânicos, no início do século 19.

Agra Fort

Págs. 170-1.

Jami Masjid

diariam. aos não-muçulmanos durante as orações.

Construção de proporções magníficas, no coração da cidade histórica, a "Mesquita da Sexta-Feira" foi patrocinada por Jahanara Begum, filha predileta de Shah Jahan. Ela também encomendou muitos outros prédios e jardins, incluindo o canal que passava por Chandni Chowk *(págs. 84-5)*, em Délhi. A mesquita, construída em 1648, dispõe de cúpulas de mármore e arenito, com padrões em ziguezague, que são uma referência nesta parte da cidade. A ala do pátio oriental foi demolida pelos britânicos em 1857 *(pág. 53)*. Destacam-se o tanque, com *shahi chirag* (fornalha real) para aquecer a água do pátio, e a câmara separada para oração das senhoras.

A área em volta da Jami Masjid era um local movimentado, com restaurantes de grelhados e bazares animados. Uma caminhada ou passeio de riquixá pelas vielas pode ser uma experiência interessante, que mostra um modo de vida antigo e muito diferente, uma reminiscência da Agra mogul. Aqui também é o centro de artesanato e comércio da cidade, onde se podem adquirir jóias, bordados *zari*, objetos com marchetaria de mármore, *dhurries*, frutas secas, doces, sapatos e pipas. Entre os principais bazares estão Johri Bazaar, Kinari Bazaar, Kaserat Bazaar e Kashmiri Bazaar. Ruelas mais sossegadas, como a Panni Gali, têm belas construções, com entradas imponentes que levam a pátios isolados, onde ainda existem oficinas de mestres artesãos.

Detalhe: minarete, em Jami Masjid

Jami Masjid, construído por Jahanara, filha predileta de Shah Jahan

St John's College, projetado por sir Samuel Swinton Jacob

St John's College

Mahatma Gandhi Rd. ***Tel*** *(0562) 252 0123. seg-sáb. feriados.*

A arquitetura incomum de St John's College foi descrita como "uma incrível mistura de antiguidade, academicismo e simbolismo". Consiste em um grupo de prédios de arenito vermelho, que incluem um salão e uma biblioteca, dispostos em volta de uma área quadrangular, com design que lembra o estilo de Fatehpur Sikri –obra de sir Samuel Swinton Jacob *(pág. 353)*, que aperfeiçoou o estilo indo-sarraceno de arquitetura. Iniciada pela Church Missionary Society, a escola foi inaugurada em 1914 pelo vice-rei lorde Hardinge, e continua sendo uma instituição de prestígio em Agra.

Roman Catholic Cemetery

Opp Civil Courts. *diariam.*

No norte da cidade fica o Roman Catholic Cemetery, a necrópole européia mais antiga do Norte da Índia, criada no século 17 por Khoja Mortenepus, mercador armênio.

Diversas lápides no estilo islâmico, com inscrições em armênio, sobrevivem até hoje, entre as quais estão as de Shah Nazar Khan, especialista em canhões, e do próprio Khoja Mortenepus. O cemitério também contém túmulos de missionários, comerciantes

Para hotéis e restaurantes nesta região, ver págs. 695-7 e págs. 724-6

Túmulo de John Hessing no Roman Catholic Cemetery

e aventureiros europeus, como o de Walter Reinhardt, pirata francês do século 18. O túmulo maior é de John Hessing, comandante britânico do exército da dinastia Scindia, governante de Gwalior *(pág. 228)*. O túmulo de arenito vermelho de Hessing, construído após sua morte em 1803, copiou as linhas do Taj Mahal. Uma das sepulturas mais antigas pertence ao comerciante inglês John Mildenhall (1614), enviado de Elizabeth I, que chegou à corte mogul em 1603, em busca de permissão para comerciar. Entre outros túmulos interessantes estão o do médico veneziano Bernardino Maffi e o de Geronimo Veroneo (erroneamente considerado arquiteto do Taj Mahal). Perto da capela, um obelisco marca a sepultura dos quatro filhos do general Perron, comandante francês das forças dos Scindias. Aqui também foi enterrado outro francês, Jean Philippe Bourbon, parente de Herique IV, da França.

Fort Railway Station

Tel *(0562) 236 4131.*

Esta típica construção do Raj, foi erguida em 1891 como ponto de parada para turistas coloniais visitarem os monumentos de Agra. A *chowk* octogonal do bazar, que originalmente ligava o Delhi Gate e o Agra Fort à cidade velha e à Jami Masjid, foi demolida. No lugar, construiu-se esta estação (ainda em uso), com aspecto de castelo francês e plataformas com telhado de ardósia. As outras duas estações de trem de Agra estão no Cantonment e em Raja ki Mandi.

PREPARE-SE

Distrito de Agra. 223km a SE de Délhi. *1.160.000.* *Kheria, 8km a NE do centro.* *Agra Cantonment, (0562) 236 8598; Raja ki Mandi, (0562) 235 4477; Fort.* *Idgah, (0562) 236 4557.* *UPTDC, 64 Taj Rd, (0562) 236 0517; ITDC, 191 Mall Rd, (0562) 222 6368.* *Kailash Fair (ago/set).*

Riquixás motorizados estacionados na Fort Railway Station

Arcos e colunas do Diwan-i-Aam, salão usado nas audiências públicas do imperador

Agra Fort

diariam grátis às sex.

Situado na margem oeste do Yamuna, o Agra Fort foi construído pelo imperador Akbar entre 1565 e 1573. Suas imponentes fortificações de arenito vermelho formam um crescente ao longo do rio e englobam um complexo de construções palacianas, em estilos que vão do ecletismo inicial de Akbar à extrema elegância de Shah Jahan. Os alojamentos ao norte são acréscimos britânicos do século 19. Um fosso profundo, antes cheio de água do Yamuna, rodeia o forte.

A impressionante **Porta Amar Singh**, ao sul, leva ao forte. À direita fica o chamado **Jahangiri Mahal**, único palácio importante no forte, que remonta ao reinado de Akbar. Esse conjunto de salões, pátios e galerias, com masmorras no subsolo, foi o zenana, ou harém principal. Na frente do Jahangiri Mahal há um grande tanque de mármore que, segundo a lenda, no tempo de Nur Jahan, era cheio com milhares de pétalas de rosas para que a imperatriz pudesse se banhar em águas perfumadas. Ao longo do rio estão o **Khas Mahal**, elegante salão de mármore cujo teto tem belas pinturas, no típico estilo arquitetônico de Shah Jahan, e dois pavilhões dourados, com telhados *bangaldar* (curvados, inspirados nas cabanas bengalis). Tais pavilhões estão associados às princesas Jahanara e Rosha-

Vista do Jahangiri Mahal, principal harém do imperador

PLANTA DO AGRA FORT

1 Porta Amar Singh
2 Jahangiri Mahal
3 Khas Mahal e Anguri Bagh
4 Sheesh Mahal
5 Musamman Burj
6 Mina Masjid
7 Diwan-i-Khas
8 Machchhi Bhavan
9 Pátio do Diwan-i-Aam
10 Nagina Masjid
11 Moti Masjid

Para hotéis e restaurantes nesta região, ver págs. 695-7 e págs. 724-6

St George's Church, no Agra Cantonment, erguida em 1826

nara, e possuem nichos estreitos que talvez servissem para esconder jóias. Na frente deles está **Anguri Bagh** (Jardim das Uvas), com tanques de lírios e nichos de velas. O **Sheesh Mahal** e os banhos reais ficam a nordeste, perto de **Musamman Burj**, torre octogonal de dois andares, com incrustações maravilhosas, de onde se têm lindas vistas do Taj. Foi aqui que Shah Jahan, aprisionado pelo filho Aurangzeb, passou os últimos anos de vida. Ali perto, localiza-se a **Mina Masjid** (Mesquita da Pedra Preciosa), provavelmente a menor do mundo e privativa do imperador.

Musamman Burj

Ao lado de Musamman Burj está **Diwan-i-Khas**, um salão aberto, com decoração suntuosa e belíssimos trabalhos de *pietre dure* nas colunas, onde o imperador se reunia com a corte. Dois tronos, de mármore branco e ardósia preta, foram colocados no terraço para que o imperador pudesse assistir às brigas de elefante, abaixo. Em frente, situa-se a **Machchhi Bhavan** (Casa do Peixe), outro magnífico palácio de água.

A oeste fica **Diwan-i-Aam**, um salão com arcos dentro de um pátio. O trono-alcova de mármore incrustado oferecia um ambiente suntuoso para o lendário Trono do Pavão.

A noroeste, encontra-se a **Nagina Masjid** (Mesquita da Jóia), construída por Shah Jahan para seu harém, e a **Moti Masjid** (Mesquita da Pérola).

Cantonment

Fechado pela Mahatma Gandhi Rd, Grand Parade Rd e Mall Rd.

A área de aquartelamento do exército, agradável e arborizada, com sua própria estação de trem e avenidas bem traçadas, possui muitos prédios públicos interessantes, igrejas, cemitérios e bangalôs, em uma miscelânea de estilos que datam do período colonial. A **St George's Church** (1826), de alvenaria, foi projetada pelo coronel J. T. Boileau, arquiteto da Christ Church de Shimla *(pág. 110)*. A **Havelock Memorial Church**, construída em 1873, em estilo clássico e simples, homenageia um dos generais britânicos do Motim Indiano de 1857. E há mais construções, como a **Queen Mary's Library**, o **Central Post Office** e a **Circuit House**, que hospedava oficiais do Raj.

Túmulo de Firoz Khan Khwajasara

S de Agra, na Gwalior Rd. *diariam.*

Uma placa na Gwalior Road indica a virada para chegar a esta estrutura octogonal incomum, do século 17, à beira de um lago. Ela marca o local em que foi enterrado Firoz Khan Khwajasara, eunuco de nascença e responsável pelo harém do palácio de Shah Jahan.

A construção de arenito vermelho fica sobre um plinto elevado e tem um portão que a liga ao prédio principal. Uma escada conduz ao andar de cima, com um pavilhão central onde se localiza a sepultura. Entalhes na pedra, muito estilizados, embelezam a superfície. O interessante é que, ao contrário das construções desse período, aqui não existem inscrições. Se o túmulo estiver fechado, o zelador da vila abrirá a porta.

Vista do túmulo de Firoz Khan Khwajasara, do século 17

BORDADO ARTESANAL ZARDOZI

Tradicional artesanato de Agra, os sofisticados bordados de fios de ouro *(zari)* e pedrarias são conhecidos como *zardozi*. Essa técnica teve origem na Ásia Central e chegou à região com o império mogul. Artesãos locais da velha cidade criaram mais refinamentos e novos padrões complicados a fim de elaborar trajes e acessórios para a corte imperial. No entanto, com o declínio da proteção da corte, essa técnica quase desapareceu. Ela deve seu recente reflorescimento ao incentivo dos atuais estilistas de moda.

Detalhe de tecido bordado

Agra: Taj Mahal

Entalhe de rodapé em nicho externo

Um dos monumentos mais famosos do mundo, o Taj Mahal foi construído pelo imperador mogul Shah Jahan, em memória da esposa favorita, Mumtaz Mahal, que morreu em 1631. As proporções perfeitas e a fantástica perícia artesanal têm sido descritas como "visão, sonho, poema, maravilha". Este grandioso túmulo-jardim, uma imagem islâmica do jardim do paraíso, custou quase 41 milhões de rupias e 500kg de ouro. Cerca de 20 mil operários trabalharam 12 anos para terminá-lo em 1643.

A Cúpula
A cúpula dupla de 44m é coroada por um remate.

★ Tela de Mármore
A tela filigranada, delicadamente entalhada em um só bloco de mármore, destinava-se a velar a área em volta dos túmulos reais.

Quatro minaretes, cada um com 40m de altura, coroados por um pavilhão octogonal aberto ou *chhatri*, emolduram o túmulo, ressaltando a simetria perfeita do conjunto.

Plinto

Rio Yamuna

★ Câmara Mortuária
O cenotáfio de Mumtaz Mahal, em uma plataforma, fica ao lado do de Shah Jahan. Os túmulos verdadeiros, em uma cripta escura abaixo, não estão abertos a visitação.

PONTOS ALTOS

★ Tela de Mármore

★ Câmara Mortuária

★ Pietre Dure

Para hotéis e restaurantes nesta região, ver págs. 695-7 e págs. 724-6

O *charbagh* era irrigado com água do rio Yamuna.

Entrada principal

PREPARE-SE

Tajganj. ***Tel*** *(0562) 233 0496.*
6h-19h sáb-qui. *sex.*
Taj Mahotsava (fev).
Museu *10h-17h ter-qui.*
feriados.

Espelho d'Água de Lótus
O nome vem do formato dos chafarizes. Sua água reflete o túmulo. Quase todo visitante é fotografado aqui, sentado em um banco de mármore.

Pishtaq
Arcos em nicho conferem profundidade, enquanto os painéis marchetados refletem a mudança da luz, dando ao túmulo uma aura mística.

★ Pietre Dure
Inspirados no jardim do paraíso, desenhos florais delicadamente marchetados com pedras preciosas embelezam a fria superfície do mármore branco, dando-lhe um aspecto de porta-jóias.

Painéis Caligráficos
O tamanho dos versos do Alcorão aumenta conforme o arco fica mais alto, criando uma ilusão de óptica sutil de uma escrita uniforme.

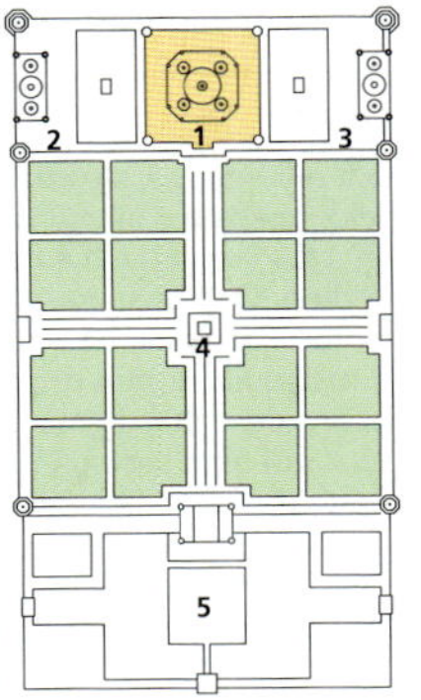

TAJ MAHAL

1 Túmulo principal
2 *Masjid* (mesquita)
3 *Mehmankhana* (casa de hóspedes)
4 *Charbagh* (jardim em quatro partes)
5 Entrada

LEGENDA

Área ilustrada
Charbagh

Elementos Decorativos do Taj Mahal

Tema floral estilizado

Há quem acredite que o Taj Mahal tenha sido projetado para ser a réplica de uma das casas do paraíso. O impecável revestimento de mármore, embelezado por requintados desenhos, é uma amostra do grau de refinamento estético, que atingiu o auge no reinado de Shan Jahan. Descrito como "uma das construções mais elegantes e harmoniosas do mundo", o Taj de fato manifesta a riqueza e o luxo da arte mogul, como se vê na arquitetura, no desenho do jardim, na pintura, nas pedrarias, na caligrafia, nos tecidos, na trama dos tapetes e nos móveis.

Detalhe da tela de mármore com crisântemo marchetado

PIETRE DURE

Os moguis, grandes naturalistas, acreditavam que as flores eram "símbolos do reino divino". No Taj, as *pietre dure* foram muito usadas para traduzir formas naturais em padrões decorativos que complementam a majestade da arquitetura.

Flores *como tulipas, lírios, íris, papoulas e narcisos surgem retratadas em ramos ou padrões arabescados. Pedras de tonalidades variadas foram usadas para criar efeitos sombreados.*

Marchetaria de mármore no arco central da mesquita

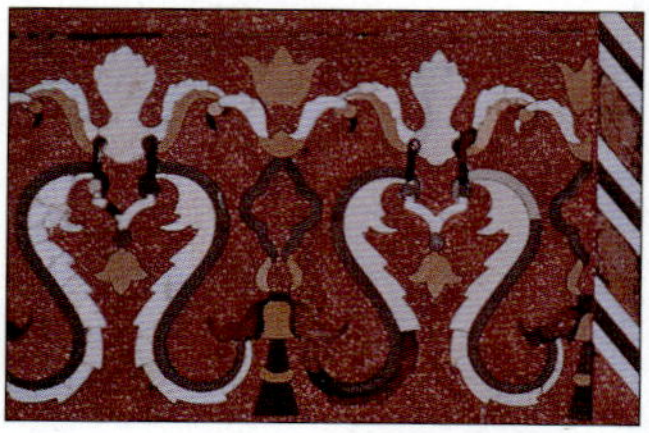

Desenho com mármore branco, ardósia preta e amarela, e arenito vermelho e cinza

A ARTE DAS PIETRE DURE

Diz-se que a técnica florentina das *pietre dure* foi importada pelo imperador Jahangir e desenvolvida em Agra como *pachikari*. Minúsculas lascas de pedras preciosas e semipreciosas, como cornalina, lápis-lazúli, turquesa e malaquita, foram dispostas em complicados desenhos florais estilizados, incrustados em uma base de mármore. Até hoje, artesãos da cidade velha conservam livros com os belos temas usados no Taj para recriar desenhos do século 17 em peças atuais.

Prato atual de mármore marchetado

Uma única flor com mais de 35 variações de cornalina

RELEVO ENTALHADO

Painéis decorativos de floríferas, folhagens e vasos foram entalhados com realismo na parte inferior das paredes. Enquanto as *pietre dure* colorem o mármore branco, estes entalhes ressaltam a textura da superfície polida do mármore e do arenito.

Ramos de flores *entalhados em relevo sobre rodapés de mármore e arenito são emoldurados com bordas de* pietre dure *e pedras incrustadas. A profusão de motivos florais no Taj simboliza o tema central do paraíso.*

Padrões de jali *nas telas octogonais perfuradas ao redor dos túmulos combinam formas geométricas e florais. A luz filtrada capta os desenhos intricados e lança sombras em mosaico sobre os túmulos.*

CALIGRAFIA

Textos em mármore preto incrustados foram usados como ornamentação em superfícies sem enfeites. Os painéis magnificamente inscritos com passagens do Alcorão, que parecem estandartes nos arcos em nichos, foram desenhados pelo calígrafo persa Amanat Khan.

Agra: Margem Leste

A pitoresca margem leste do Yamuna é marcada por jardins, palácios e pavilhões históricos e pelo requintado túmulo de **Itimad-ud-Daulah**. Ao norte dele fica **Chini ka Rauza** (literalmente "Túmulo da China", por causa do exterior azulejado), construído por Afzal Khan, poeta e estudioso de Shiraz (Pérsia), que foi ministro das Finanças de Shah Jahan. Esta grande estrutura quadrada tem estilo persa, e há tempos sua superfície era forrada de azulejos vitrificados de Lahore e Multan, entremeados por graciosos painéis caligráficos. Dentro, a câmara mortuária tem desenhos pintados de estuque que complementavam o exterior azulejado. Rio acima está **Rambagh** ou Aram Bagh (Jardim da Tranquilidade). Acredita-se que este seja o jardim mogul mais antigo, criado em 1526 por Babur, primeiro imperador mogul. O jardim também serviu como sua sepultura temporária até o corpo ser levado para Cabul para o enterro. Espaçoso e murado, o jardim é dividido por caminhos que levam a uma esplanada elevada, com pavilhões abertos e voltados para o rio. Mais tarde, ele foi incrementado pela imperatriz Nur Jahan.

Chini ka Rauza
1km ao N do túmulo de Itimad-ud-Daulah. *diariam.*

Rambagh
3km ao N do túmulo de Itimad-ud-Daulah. *diariam.* *grátis às sex.*

Pavilhão à beira-rio em Rambagh

Agra: Túmulo de Itimad-ud-Daulah

Tema floral estilizado

Descrito poeticamente como "porta-jóias de mármore", o pequeno mas elegante túmulo-jardim de Itimad-ud-Daulah, o "Senhor Tesoureiro" do império mogul, foi construído por sua filha Nur Jahan, esposa favorita de Jahangir. Iniciado em 1622, levou seis anos para ficar pronto. A obra combina mármore branco, mosaicos coloridos, pedras incrustadas e trabalhos de treliça.

Esta é a edificação mogul mais criativa do século 17, e marca a transição da pesada arquitetura de Akbar, de arenito vermelho, para o refinamento sensível do Taj Mahal de Shah Jahan.

Agulha em formato de lótus coroa os minaretes.

Pavilhão Superior
Réplica dos túmulos de Itimad-ud-Daulah e sua esposa estão dispostos no pavilhão superior, que possui telas de mármore.

Padrões de Mosaico
Painéis de desenhos geométricos, criados com a incrustação de pedras coloridas, decoram o rodapé do túmulo.

★ Telas de Mármore
Telas com padrões ornamentais complexos, foram esculpidas em uma única placa de mármore.

PONTOS ALTOS

- ★ Telas de Mármore
- ★ Câmara Mortuária
- ★ Pietre Dure

Para hotéis e restaurantes nesta região, ver págs. 695-7 e págs. 724-6

A **cúpula**, em formato de dossel, é diferente dos domos convencionais desse período.

O Túmulo
Quadrado e com dois andares, o túmulo fica no centro de um charbagh. *Nos quatro cantos da plataforma baixa estão quatro minaretes não muito altos.*

PREPARE-SE

Margem L do rio Yamuna. 4km rio acima, a partir do Taj Mahal. *amanhecer-anoitecer diariam.*

★ Câmara Mortuária
O teto possui estuque recortado, pintado e dourado, e padrões de estalactite. Os esquifes de mármore amarelo parecem esculpidos em madeira.

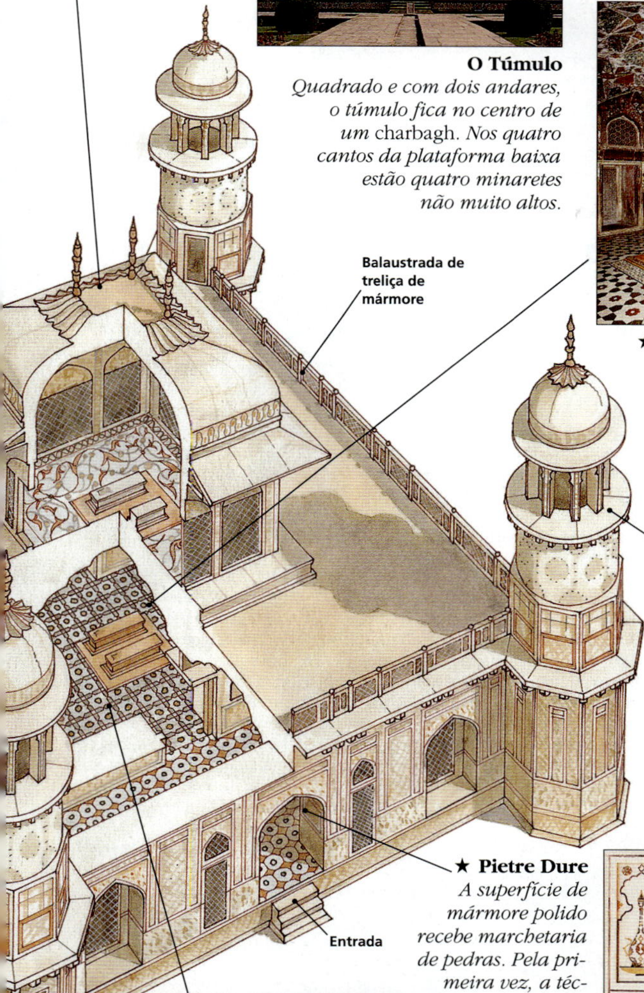

Chhatri
Pavilhões abertos, com pilares e cúpula, cobrem os minaretes.

★ Pietre Dure
A superfície de mármore polido recebe marchetaria de pedras. Pela primeira vez, a técnica foi amplamente usada na arquitetura mogul.

Pintura de Padrões Florais
Nichos com buquês de flores, árvores, frutos e cântaros embelezam o interior da câmara central do túmulo principal.

Entrada do mausoléu de Akbar, em Sikandra

Sikandra ❷

Distrito de Agra. 8km a NO de Agra.
Mausoléu de Akbar
Tel *(0562) 264 1230 (pedir permissão para ir até a esplanada do túmulo).*
diariam. *grátis às sex.*
Urs at Akbar's Tomb (meados out).

Akbar, imperador mogul, foi enterrado neste vilarejo, nos arrabaldes de Agra. Acredita-se que Akbar projetou e iniciou a construção do próprio mausoléu, que foi modificado e terminado pelo filho Jahangir. O resultado é este complexo notável, de simetria perfeita, com o túmulo localizado no centro de um amplo jardim murado. Ao sul, a porta principal é uma magnífica estrutura de arenito vermelho, com enorme arco central, finalizado por exuberante mosaico policromático de marchetaria de mármore branco, ardósia preta e pedras coloridas. Nos quatro cantos há graciosos minaretes de mármore, considerados precursores dos que existem no Taj Mahal, em Agra *(págs. 172-3)*. O amplo jardim, onde macacos se divertem, é um típico *charbagh*, um jardim fechado e dividido em quatro partes (que representam os quadrantes da vida) por um sistema de passarelas elevadas, bosques em desnível e canais de água.

O túmulo principal é diferente da estrutura convencional abobadada do túmulo do pai de Akbar, Humayun, em Délhi *(pág. 83)*. Os três primeiros andares desta composição majestosa, com quatro fileiras, consistem em pavilhões de arenito vermelho. Acima deles está uma requintada esplanada com telas de mármore, que encerra a réplica do túmulo profusamente entalhado com temas florais e arabescos, padrões de nuvens chinesas e os 99 nomes de Alá.

Os andares de cima, antes abertos à visitação, agora estão fechados por razões de segurança.

Mathura ❸

Distrito de Mathura. 62km a NO de Agra. *299.000.*
Old Bus Stand, (0565) 240 6468.
Holi (mar), Hariyali Teej (jul), Janmashtami (jul/ago), Kansa Vadha (set), Annakut (set/out).

Mathura, na margem oeste do rio Yamuna, é reverenciada como local de nascimento de Krishna, um dos deuses mais populares da Índia. Na periferia da cidade, uma sala escura, com aspecto de cela, no moderno **Templo Sri Krishna Janmabhoomi**, é considerada local verdadeiro de seu nascimento. Mais adiante, à beira-rio, as 25 *ghats* de Mathura formam uma bela rede de templos, pavilhões, árvores e degraus de pedra que descem até a água.

Imagem religiosa em Mathura

A **Jami Masjid**, com notáveis ladrilhos, fica afastada do rio. A **Church of the Sacred Heart**, erguida em 1860, é uma excentricidade charmosa, no Cantonment do exército. Ela combina elementos ocidentais com detalhes da arquitetura de templos locais.

O **Government Museum** possui excelente acervo de esculturas, em um prédio de arenito vermelho pontilhado de branco. As peças datam do século 5º a.C. ao século 4º d.C., quando Mathura fazia parte do império Kushana *(pág. 43)* e florescia

Vishram Ghat, em Mathura, onde lamparinas de óleo flutuam pelo rio, sempre ao anoitecer

como importante centro do budismo. Entre as peças de destaque estão um Buda em pé e a famosa estátua sem cabeça de Kanisha, grande rei kushana.

Government Museum
Dampier Nagar. ***Tel*** *(0565) 250 0847.* *ter-dom.* *feriados.* *taxas extras.*

Brindavan ❹

Distrito de Mathura. 68km ao N de Agra. *diariam.* *Holi (mar), Rath ka Mela (mar), Hariyali Teej (jul), Janmashtami (jul/ago).*

Situada junto ao Yamuna, Brindavan (Floresta do Manjericão Perfumado) é importante centro de peregrinação de devotos hindus que crêem que o jovem Krishna viveu aqui como vaqueiro humilde e namorou a bela ordenhadora Radha. O amor deles é comemorado na dança, na arte e na literatura. Quase todos os templos, *ashrams* e *gaths* de Brindavan foram construídos por reis e ricos comerciantes hindus. Muitas viúvas hindus, vestidas de branco e com cabeça raspada, vivem aqui em *ashrams* e devotam a vida à adoração de Krishna. Numa ponta da cidade está o **Templo Govindeoji** *(pág. 352)*, construído em 1590 pelo rajá

Gopura **do Templo Ranganathji ao estilo do Sul da Índia**

Man Singh I, de Amber. Na frente fica o **Templo Sri Ranganathji** , do século 19, com pilar ritual folheado a ouro e um interessante museu com os tesouros do templo.

Em meio às ruas estreitas da cidade velha estão localizados os pomares sagrados de **Seva Kunj**, associados à tradicional dança Raslila, que narra a vida de Krishna. Entre os outros templos de Brindavan estão o **Templo Madan Mohan**, erguido em 1580, em uma colina perto do rio, o popular **Templo Banke Bihari**, perto do bazar principal, e o **Templo Jugal Kishore**, do século 16. O **Templo ISKCON**, na periferia da cidade, é mais recente.

GRAND TRUNK ROAD

Dhaba **da estrada**

A Grand Trunk Road –o "majestoso corredor" de Rudyard Kipling–, que ligava Calcutá (atual Kolkata), no leste, a Cabul, no noroeste, foi traçada por Sher Shah Sur *(pág. 79)* no século 16. Naquele tempo, ela convinha à movimentação dos exércitos em campanha e, em tempos de paz, servia à pompa que acompanhava os imperadores moguis, quando a corte se deslocava de Agra para Délhi. A rodovia ainda é uma das melhores da Ásia e a principal do Norte da Índia. Algumas árvores antigas continuam sombreando o caminho, mas os velhos caravançarás estão em ruínas. Em seu lugar, a intervalos regulares, surgiram *dhabas*, em que os viajantes de longas distâncias, principalmente caminhoneiros, param e fazem refeições substanciosas e baratas, com *dal* e *roti*, regadas com chá quente ou lassi refrescante. Também tiram uma soneca em catres de corda *(charpoys)* gentilmente fornecidos pelo dono do *dhaba*.

FESTIVAIS DE UTTAR PRADESH E UTTARANCHAL

International Yoga Week *(fev)*, em Rishikesh. Ensina-se ioga à margem do Ganges, neste festival revitalizante de fim de semana.
Taj Mahotsava *(fev)*, em Agra. Festa cultural de dez dias, com música e dança, nos arredores do Taj Mahal.
Jhansi Festival *(fev)*, em Jhansi. Evento artístico e artesanal de cinco dias, tendo ao fundo o histórico forte de Jhansi.
Rang Gulal (fev-mar). Festival das cores, também chamado Holi, realizado com entusiasmo por todo Uttar Pradesh.

Comemorações de Rang Gulal

Janmashtami *(ago-set)*, em Brindavan e Mathura. Para marcar o nascimento de Krishna, peregrinos realizam uma espécie de romaria (parikrama) por locais sagrados. O auge das festas é à meia-noite.
Ganga Festival *(out-nov)*, em Varanasi. A glória milenar do Ganges é celebrada por devotos, que prestam homenagem ao rio sagrado.
Lucknow Mahotsava *(nov-dez)*, em Lucknow. O passado e as tradições de Lucknow são festejados com comida, artesanato, música e dança.
Buddha Mahotsava *(dez)*, em Sarnath e Kushinagar. Festas religiosas marcam o nascimento, a iluminação e a morte de Buda. São realizadas em Sarnath, onde ele fez seu primeiro sermão, e em Kushinagar, onde alcançou o nirvana.

Fatehpur Sikri ❺

Jali geométrico

Fundada pelo imperador Akbar entre 1571 e 1585, em homenagem a Salim Chishti, famoso santo sufi da ordem chishti *(pág. 376)*, Fatehpur Sikri foi capital mogul por 14 anos. Ótimo exemplo de cidade murada mogul, possui áreas públicas e privadas bem definidas e portas imponentes. Sua arquitetura, uma mistura de estilos hindu e islâmico, reflete a visão secular de Akbar, assim como seu estilo de governo. Depois que cidade foi abandonada (dizem que por falta de água), muitos de seus tesouros foram pilhados. Ela deve o atual estado de manutenção aos esforços iniciais do vice-rei, lorde Curzon, um conservacionista lendário.

Pilar no Diwan-i-Khas
O eixo central da corte de Akbar, com suporte entalhado, inspirou-se nas construções de Gujarat.

Khwabgah
O quarto de dormir do imperador, com engenhoso eixo de ventilação perto da cama, fica dentro desta "Câmara dos Sonhos" de decoração suntuosa.

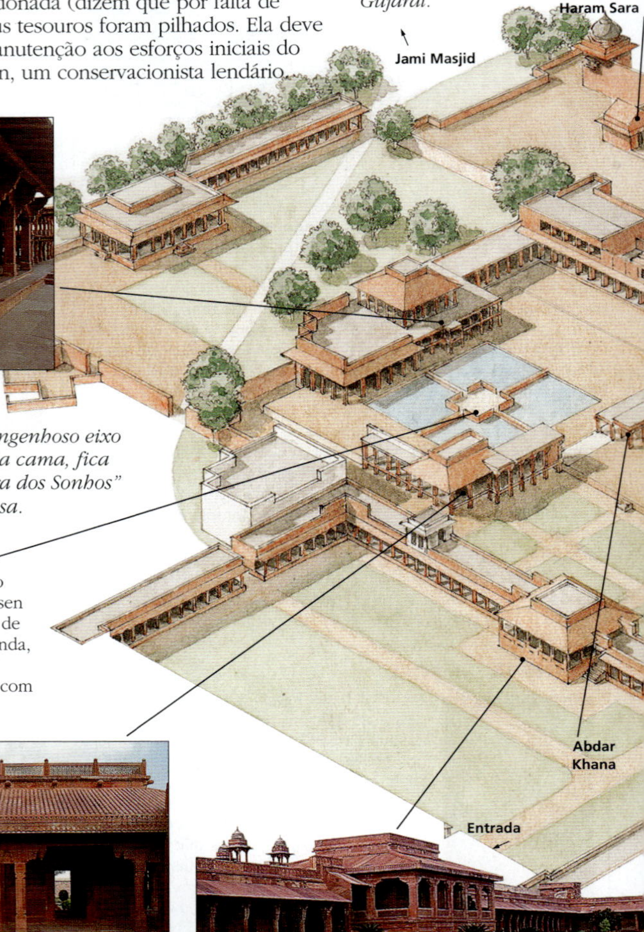

Anoop Talao é um tanque associado ao famoso músico Tansen *(pág. 228)* da corte de Akbar, que, diz a lenda, conseguia acender lamparinas de óleo com seu canto mágico.

★ **Casa da Sultana Turca**
Os lindos painéis de rodapé e as paredes com esculturas delicadas deste pavilhão de arenito fazem a pedra parecer madeira. É coberto por um teto de pedra que imita telhas de barro.

Diwan-i-Aam
Este pátio amplo, com pavilhão elaborado, originalmente era coberto com ricos tapetes e servia para audiências públicas e festas.

Para hotéis e restaurantes nesta região, ver págs. 695-7 e págs. 724-6

★ Panch Mahal
Aberto e com cinco andares, este pavilhão de arenito está voltado para o Pátio Pachisi. Era aqui que as rainhas de Akbar e suas criadas tomavam a fresca brisa da tarde. Provavelmente, suas telas decorativas foram roubadas após o abandono da cidade.

PREPARE-SE

Distrido de Agra. 37km a O de Agra. *UPTDC, 64 Taj Rd, Agra, (0562) 236 0517.* *diariam.* *taxas extras para vídeo e fotografia.*

★ Diwan-i-Khas
Este prédio para audiências e debates particulares é uma fusão ímpar de diferentes estilos arquitetônicos e temas religiosos.

Ankh Michauli
Às vezes identificada como o Tesouro, esta construção é guardada por animais míticos esculpidos nos suportes de pedra. Seu nome significa "cabra-cega".

O **Pátio Pachisi** tem esse nome em razão do jogo parecido com ludo praticado aqui pelas senhoras da corte.

PLANTA DE FATEHPUR SIKRI

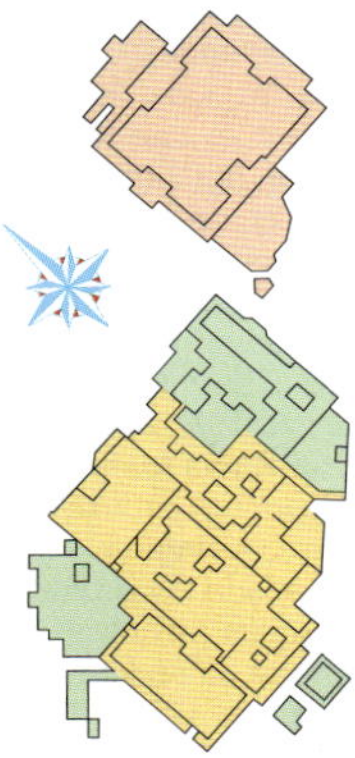

O complexo real de Fatehpur Sikri contém os espaços públicos e privados da corte de Akbar, que incluíam o harém e o tesouro. O complexo sagrado anexo, com Jami Masjid, o túmulo de Salim Chishti e o Buland Darwaza (pág. 183), é separado dos aposentos reais pelo Badshahi Darwaza, um portão exclusivo do rei.

LEGENDA

- Área ilustrada
- Outros prédios
- Complexo sagrado (Jami Masjid)

PONTOS ALTOS

- ★ Casa da Sultana Turca
- ★ Panch Mahal
- ★ Diwan-i-Khas

Como Explorar Fatehpur Sikri

Painel entalhado (detalhe)

Os prédios principais do complexo imperial, agrupados em uma série de esplanadas sobre o espigão de arenito, formavam o núcleo da cidade de Akbar. Quanto ao estilo, eles revelavam a absorção de Gujarat ao império mogul e traduziam uma boa síntese da arquitetura pré-islâmica, hindu e jainista (como nos suportes entalhados), com as cúpulas e os arcos elegantes das construções islâmicas. As esplanadas concêntricas separam claramente os espaços públicos dos aposentos reais privativos. Quase todas as edificações são de arenito vermelho (o preferido de Akbar), extraído do espigão em que se situam.

"Dentes" de pedra no Hiran Minar

Vista aérea de Fatehpur Sikri, grandiosa capital do imperador Akbar

Até hoje, o acesso à cidade que foi capital de Akbar é feito por uma rua reta, construída pelo imperador, antes ladeada por bazares exóticos. Por ela o visitante atravessa a Porta de Agra e entra em **Naubat Khana**, com três arcos, onde a chegada do imperador era anunciada pelo rufar de tambores. Na saída de Naubat Khana, fica a entrada ocidental para o complexo do palácio imperial, que se abre para o espaçoso pátio do **Diwan-i-Aam**, em que Akbar dava audiências públicas. Uma passagem atrás dele leva à "cidadela interna", que contém o **Diwan-i-Khas, Khwabgah** e **Anoop Talao**, além do tesouro e do **Abdar Khana**, local de armazenamento de água e frutas para consumo real. Aqui também está uma construção de nome curioso: **Casa da Sultana Turca.** Provavelmente foi erguida para uma das esposas de Akbar, mas a identidade da "sultana turca" é uma incógnita. No grande pátio em frente ao Diwan-i-Khas está **Pátio Pachisi**, cujo nome vem do espaço central que lembra o tabuleiro de *pachisi*, um jogo tradicional.

O **Haram Sara**, ou complexo do harém, era um labirinto de prédios interligados, depois da Casa de Maryam ou **Sunehra Makan** (Casa Dourada), assim chamada por causa dos ricos afrescos e dos dourados.

O exterior maciço e austero do harém leva ao **Jodha Bai's Palace**, um amplo pátio interno cercado por pavilhões decorados, cobertos de telhas azuis vitrificadas. Um viaduto fechado com telas, talvez para garantir privacidade, ligava o palácio ao **Hawa Mahal**, voltado para um jardinzinho formal. A **Nagina Masjid**, ao lado do jardim, era a mesquita privativa das senhoras da realeza. Diz-se que o pavilhão de dois andares, a leste do palácio de Jodha Bai, era a **Birbal's House**, com planta incomum e excelentes entalhes por dentro e por fora. Mais adiante está uma área fechada, com colunas, rodeada por cubículos provavelmente destinados às criadas do harém e aos estábulos reais.

Hathi Pol e Sangin Burj, portões originais para o harém, levam até o contorno externo do complexo palaciano. Ele foi disposto em círculos concêntricos ao redor da cidadela interna e é composto de estruturas secundárias, como caravançarás, *hamams* (banhos) abobadados e bicas d'água. Acredita-se que o **Hiran Minar** era o memorial ao elefante preferido de Akbar, mas é provável que servisse de *akash deep* (luz celestial), com lampiões pendurados nos "dentes" de pedra para orientar os visitantes.

Entrada da Birbal's House

Para hotéis e restaurantes nesta região, ver págs. 695-7 e págs. 724-6

Jami Masjid

Painel (detalhe)

Esta grandiosa mesquita aberta domina a cidade de Fatehpur Sikri e serviu de modelo para muitas mesquitas do império Mogul. Flanqueada por claustros com arcos, sua enorme área de orações tem portões para leste e para sul. O núcleo espiritual do complexo é o túmulo e retiro do místico sufi Salim Chishti, tão procurado hoje quanto no tempo de Akbar.

Túmulo de Salim Chishti
Requintados suportes sinuosos e telas quase transparentes, tudo de mármore, circundam o túmulo, que possui um dossel de sândalo incrustado com madrepérola.

Hujra
A mesquita principal é ladeada por este par simétrico de salões de oração, que possuem galerias com pilares e teto reto e circundam o complexo.

Badshahi Darwaza
Akbar costumava transpor este portão real para entrar no complexo. A visão da mesquita sagrada, bem em frente, saudava sua chegada.

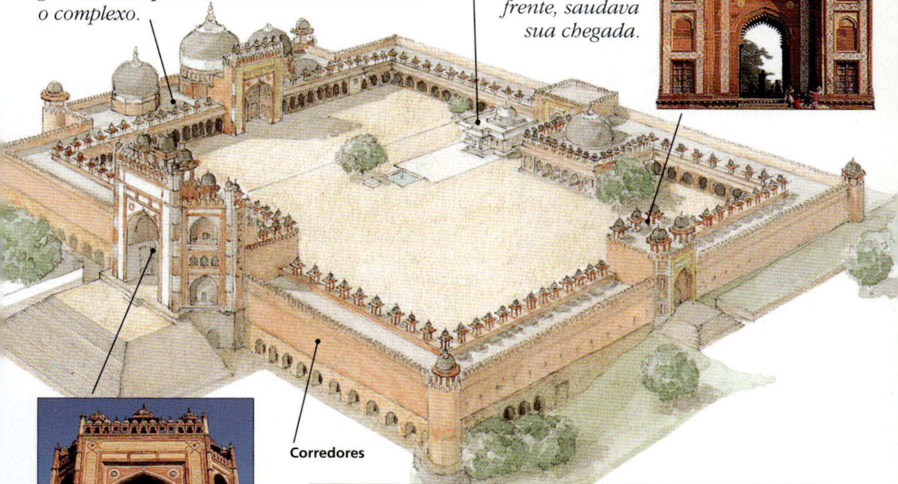

Buland Darwaza
Foi erguido por Akbar para marcar a conquista de Gujarat, em 1573. Mais tarde, este portão de 54m inspirou outros portões imponentes.

PEDIDOS NO TÚMULO DE SALIM CHISHTI

Desde que se soube que Akbar descobriu que teria descendentes por uma previsão de Salim Chishti, em 1568, o túmulo do santo passou a atrair multidões de suplicantes, principalmente mulheres sem filhos, em busca de milagres. O visitante do *dargah*, doado por Akbar e pelo filho Jahangir, faz um pedido, amarra um fiozinho em uma tela em volta do túmulo e vai embora, confiante no poder do santo.

Fio amarrado em uma tela do túmulo de Chishti

Peregrinos mergulham nas águas sagradas do Ganges, em Haridwar

Haridwar ❻

Distrito de Haridwar. 214km ao N de Délhi. *GMVN, Tourist Office, Rahi Motel (01334) 228 686. Kumbh Mela (a cada 12 anos), Ardh Kumbha Mela (a cada 6 anos, fev-mar), Haridwar Festival (out), Dussehra (set/out).*

O Ganges, rio mais sagrado da Índia *(págs. 162-3)*, desce do Himalaia e inicia em Haridwar sua jornada pela planície. Isso confere à cidade uma posição inigualável, que fez dela um ponto de peregrinação, sonho de todo hindu devoto. Surpreende a cidade não ter monumentos antigos, e a "atração" mais famosa, além de constante ponto de referência, é o próprio Ganges, com diversos tanques, *ghats* e templos para os banhos. Esses movimentados locais das práticas rituais hindus, realizadas pelos peregrinos para a salvação de seus antepassados e por sua própria expiação, mostram a profunda fé no poder do rio. O nome da *ghat* principal, **Har-ki-Pauri**, vem da suposta pegada de Vishnu nesse local. Centenas de pessoas assistem ao *aarti* todas as tardes nesta *ghat*, quando barcos de folhagem são carregados com flores, iluminados com lamparinas e soltos pelo Ganges. Mais ao sul, um bondinho liga a cidade ao **Templo Mansa Devi**, em um morro do outro lado do rio, de onde se têm vistas panorâmicas de Haridwar. Também ao sul da cidade está a **Gurukul Kangri University**, conhecido centro do saber védico. Os conhecimentos passam oralmente dos gurus para os alunos. Uma de suas seções expõe achados arqueológicos. Uma boa maneira de conhecer o ambiente de Haridwar, que pouco mudou com o passar dos anos, é passear pelo bazar à beira-rio, onde há pequenos restaurantes e barracas cheias de objetos rituais, como montinhos de pó avermelhado, cocos envoltos em tecido vermelho e dourado, e ídolos de latão. Os itens mais procurados são jarros e latinhas vendidos aqui e usados para carregar para casa um ingrediente vital dos rituais hindus: a água do Ganges (Gangajal) que se mantém sempre fresca, segundo os fiéis preregrinos.

Placa do Chotiwala, restaurante famoso

Rishikesh ❼

Distrito de Haridwar. 238km ao N de Délhi. *Shail Vihar, Haridwar Bye Pass Rd, (0135) 243 1783. International Yoga Week (fev).*

Cidade gêmea de Haridwar, situada na confluência do Chandrabhaga com o Ganges, é o ponto inicial da sagrada rota de peregrinação Char Dham *(pág. 187)*. Muni-ki-Reti (literalmente "Areia dos Sábios"), fica rio acima, saindo da Triveni Ghat, e se diz ser um lugar abençoado, pois sábios antigos meditavam aqui. Possui diversos *ashrams* famosos, como Sivanand, Purnanand e Shanti Kunj, que oferecem cursos sobre os milenares sistemas indianos de conhecimento *(pág. 754)*. Ao norte de Muni-ki Reti há duas pontes suspensas sobre o Ganges: Rama ou Sivananda Jhula e Lakshman Jhula.

IOGA: BUSCA MILENAR DA SAÚDE HOLÍSTICA

Há mais de 2 mil anos, o sábio Patanjali idealizou uma série de posições físicas chamadas asanas, que, aliadas ao controle da respiração e à meditação *(pranayama)*, se destinam a colocar o indivíduo no caminho da auto-realização. Desde então, a ioga é praticada por ascetas ou por leigos. Basicamente, a ioga acalma e concentra a mente, estimulando a circulação sanguínea, enquanto relaxa os nervos e músculos. Isso ajuda a combater o estresse do dia-a-dia e é muito indicado para os estilos de vida atuais, pois não exige equipamentos nem idas à academia. A ioga se popularizou no fim da década de 1960, quando os Beatles visitaram o *ashram* do iogue Maharishi Mahesh, em Rishikesh. Atualmente, existem muitas escolas de ioga na Índia e por todo o mundo. Rishikesh, com diversos *ashrams* dessa prática, ganhou fama de capital mundial da ioga, onde se realiza, em fevereiro, a International Yoga Week *(pág. 179)*.

Mulher realiza uma *asana*

Para hotéis e restaurantes nesta região, ver págs. 695-7 e págs. 724-6

Passeio pelo Ganges ❽

De setembro a abril, o Ganges se avoluma com as chuvas das monções nas cabeceiras e se torna uma torrente que transborda por cima das pedras, à medida que desce das montanhas para a planície. Nesse período, alguns trechos de corredeiras –onde o fluxo é violento, mas seguro– se transformam em circuito concorrido para os fãs de rafting. São permitidos apenas passeios organizados por especialistas autorizados. Para os menos aventureiros, um passeio panorâmico de carro serpenteia pelo vale dos sábios, cujos *ashrams* se encontram nas florestas ao longo do rio sagrado.

O Ganges corre sereno por um vale arborizado

Kaudiyala ①
Ponto de partida mais concorrido para o passeio pelo Ganges, Kaudiyala tem campings à beira-rio.

Marine Drive ②
O nome deste camping se deve a uma avenida de Mumbai *(pág. 458)*, famosa pelas vistas.

Shivpuri ③
Um dos campings mais panorâmicos, Shivpuri também conta com o hotel *Glasshouse on the Ganges (pág. 696)*, que oferece vistas maravilhosas.

Brahmapuri ④
Neste camping também fica um *ashram*, um dos muitos ao longo do Ganges.

Lakshman Jhula ⑤
Em 1929, uma moderna ponte pênsil *(jhula)* sobre o Ganges substituiu a antiga ponte de corda. Fica no norte de Rishikesh e oferece boa visão do rio.

Rishikesh ⑥
Centro espiritual antigo, a serena Rishikesh se localiza à margem do Ganges, em meio a morros verdejantes.

LEGENDA

- Percurso da excursão
- Estrada
- Rio
- Vista panorâmica
- Corredeiras
- Camping

DICAS

Extensão: *36km.*
Como circular: *Pode-se fazer rafting durante dois ou três dias, com pernoites nos campings de Kaudiyala, Marine Drive, Shivpuri e Brahmapuri. Costuma-se fazer excursões mais curtas pelo mesmo trecho em apenas um dia. Para excursões, operadoras e aluguel de equipamento, veja a pág. 755.*

Fachada do Forest Research Institute, em Dehra Dun, inaugurado em 1914

Dehra Dun ⑨

Distrito de Dehra Dun. 256km a NE de Délhi. *447.800.* *Jolly Grant, 24km a SE do centro.* *GMVN, 74/1, Rajpur Road, (0135) 274 7898.*

Rodeada pelos montes Shivalik, Dehra Dun fica no lindo vale de Doon, flanqueado pelo Ganges a oeste e pelo Yamuna a leste. Capital provisória do recém-criado estado de Uttaranchal, a cidade é também a entrada para os montes Garhwal. Muitas instituições de prestígio têm sede aqui, a exemplo do Survey of India e do Forest Research Institute. A Doon School, escola de elite, assim como a mais importante academia de treinamento de oficiais do exército, a Indian Military Academy, foram igualmente instaladas aqui.

A Rajpur Road, principal ligação até os montes, é ladeada de padarias e restaurantes; em uma de suas extremidades, localiza-se a Clock Tower, notável marco da cidade. O clima revigo-rante de Dehra Dun e sua proximidade com Mussoorie a tornaram um refúgio muito procurado. O vale de Doon é famoso pelo aromático arroz basmati e pelas plantações de manga e lichia.

Arredores: O **Rajaji National Park**, 5km a sudeste de Dehra Dun, é uma reservade vida selvagem pitoresca, com área superior a $800km^2$. É mais conhecido pelos pássaros e pelas manadas de elefantes.

Martim-pescador-pequeno

Mussoorie ⑩

Distrito de Uttarkashi. 35km ao N de Dehra Dun. *26.000.* *Uttaranchal Tourist Bureau, The Mall, (0135) 263 2663.*

Um dos locais de veraneio mais procurados do Raj, Mussoorie fica no alto de um espigão em ferradura, acima do vale de Doon, em uma altitude de 1.920m, e se enche de visitantes indianos no verão. Aqui, tudo acontece em volta de The Mall, a principal via pública, ladeada de lojas e restaurantes. A biblioteca antiga se localiza na ponta oeste da cidade. Cerca de 7km mais a oeste está a **Everest House**, ex-residência de sir George Everest, lendário agrimensor que mapeou o monte Everest e um dos primeiros moradores de Mussoorie. A pequena comunidade tibetana da cidade se acomodou no **Happy Valley**, perto do monte Convent. O **Tibetan Market**, abaixo de The Mall, vende artigos de lã. Um bondinho sai de The Mall e sobe o **monte Gun**, de onde, em dias claros, se têm belíssimas vistas de muitos picos do Himalaia, como Nanda Devi, Kedarnath e Badrinath *(págs. 64-5)*.

A **Camel's Back Road**, cujo nome vem de uma pedra em forma de camelo, oferece uma caminhada agradável ao longo do espigão superior.

Kempty Falls, 12km a noroeste da cidade, tornou-se local muito procurado para piqueniques.

Landour, a curta distância a leste do bazar Kulri, originalmente era alojamento e área de convalescença para soldados britânicos. Com bangalôs coloniais e bem sossegada, conseguiu manter um pouco do antigo caráter de Mussoorie, e é a área mais bonita da cidade.

OS PUNDITS

Até meados do século 19, o Tibete e a Ásia Central eram vastos espaços em branco no mapa-múndi, embora tivessem importância estratégica para os britânicos em suas desavenças com a Rússia imperial. Já que os estrangeiros foram proibidos de entrar nessas terras de 1865 a 1885, o Survey of India treinou e enviou um destemido grupo de indianos para levantar a topografia da região. Conhecidos como pundits, esses homens se disfarçavam de peregrinos budistas e comerciantes, com bússolas e anotações topográficas escondidas em rodas de oração e termômetros de mercúrio embutidos em bastões de peregrinos. As contas de um rosário ajudavam a medir a distância percorrida todos os dias.

O pundit mais famoso foi Nain Singh, que levantou informações topográficas exatas e inestimáveis sobre longos trechos do Tibete.

Retrato de Nain Singh (1830-1895)

Para hotéis e restaurantes nesta região, ver págs. 695-7 e págs. 724-6

Montes Garhwal ⓫

Distritos de Uttarkashi e Chamoli. 148km ao N de Rishikesh para Uttarkashi. *Uttaranchal Tourist Bureau, Uttarkashi, (01374) 274 761.*

As porções setentrionais dos Garhwal (montes ocidentais de Uttaranchal) são pontilhadas de cidadezinhas de peregrinação, santuários antigos e picos nevados inacessíveis. A cidade mais importante, **Uttarkashi**, está localizada 148km ao norte de Rishikesh *(pág. 184)*, e é ponto de partida para trilhas que sobem os Garhwal. Uma escola avançada para montanhistas, o **Nehru Institute of Mountaineering**, situa-se nesta cidade e se orgulha de ter treinado Bachendri Pal, primeira indiana a escalar o Everest, em 1984.

A região também abrange uma área tradicionalmente conhecida como Dev Bhoomi (Morada dos Deuses). O Char Dham, ou os quatro locais mais importantes de peregrinação (**Gangotri, Yamunotri, Kedarnath e Badrinath**), estão aqui a altitudes acima dos 3.100m, à sombra de alguns picos fantásticos do Himalaia. A temporada de peregrinação vai de abril até o começo de novembro, quando a neve só não impede a passagem dos muito devotos.

Os quatro lugares podem ser acessados de Uttarkashi, Haridwar e Rishikesh. Yamunotri, 209km ao norte de Rishikesh, onde nasce o Yamuna, fica a uma caminhada de 13km a partir de Hanuman Chatti. Seu templo, reerguido no século 20, substituiu o anterior, destruído por enchentes.

O vilarejo de Gangotri (cujo nome deriva de Ganges, que o atravessa), fica 100km a nordeste de Uttarkashi. Seu templo do século 18 tem imagens de divindades hindus. **Gaumukh**, nascente do rio Ganges, situa-se 18km rio acima, sob os elevados picos Bhagirathi, e pode-se chegar até lá por um caminho que acompanha o belo vale. Neste ponto, o rio é conhecido como Bhagirathi e só se torna Ganges depois da junção com o rio Alaknanda, em **Devprayag** *(pág. 162)*.

Os impressionantes picos Kedarnath formam um pano de fundo para Kedarnath, cidade de peregrinação consagrada a Shiva, 223km a nordeste de Rishikesh. Um templo de prováveis 800 anos de vida, esculpido na pedra, está 4km ao norte da estrada para Gaurikund.

O mais visitado dos santuários de Char Dham, Badrinath está situado 298km a nordeste de Rishikesh. Seu templo colorido, dedicado a Vishnu, costuma se encher de peregrinos. A cidade tem uma localização espetacular, encaixada entre as cordilheiras Nar e Narayan. O Neelkanth, ou "Pico da Garganta Azul", em homenagem a Shiva, desponta sobre Badrinath, a 6.957m de altitude.

Joshimath, que fica 250km a nordeste de Rishikesh, na confluência dos rios Dhauli Ganga e Alaknanda em Vishnuprayag, é uma das quatro *mathas* (sedes do saber) fundadas pelo sábio Adi Shankaracharya *(pág. 648)*, no século 9º. É também o cruzamento de duas milenares rotas comerciais pelo Himalaia. A cidade era a porta de entrada para a Reserva Nanda Devi *(pág. 189)*, até ela ser fechada ao público, em 1983. Atualmente, o visitante vai esquiar nas encostas de **Auli**, onde chega pela estrada ou por bondinho de Joshimath. A famosa trilha para o santuário sique de **Hemkund Sahib** e para o **Valley of Flowers National Park** *(pág. 189)* começa 20km ao norte de Joshimath, saindo de Ghangaria.

O melhor momento para o visitante conhecer o Valley of Flowers é de junho a setembro, quando florescem anêmonas, rosas, prímulas e outras plantas alpinas.

Badrinath, principal *dham* dos Garhwal e nascente do rio Alaknanda

Pedinte em trajes alaranjados

Gaumukh, nascente glacial do Ganges, com os picos Bhagirathi ao fundo

Trekking em Garhwal e Kumaon

Íris selvagem em Garhwal

Dos montes do Himalaia poucos são tão ricos em mitos e lendas como Garhwal e Kumaon (montes orientais de Uttaranchal). Conhecidos como Dev Bhoomi (Morada dos Deuses), cada pico, rio e trilha tem nome de deus ou deusa hindu ou de algo mencionado nos textos sagrados. De acesso relativamente fácil, Garhwal e Kumaon são uma bela introdução ao Himalaia. Uma única caminhada passa por florestas, vales cheios de flores do campo e paisagens lunares geladas e rochosas. As melhores temporadas são de fevereiro a maio e de setembro a novembro.

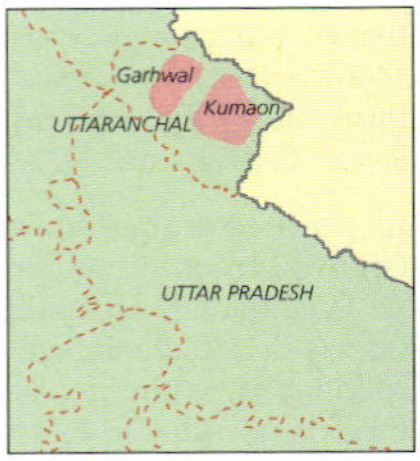

LOCALIZE-SE

Áreas mostradas abaixo

Trilha Gaumukh

Este caminho de 26km segue o jovem rio Ganges ao longo de uma trilha milenar de peregrinos, desde Gangotri até suas cabeceiras glaciais em Gaumukh (pág. 162). *O percurso atravessa a geleira Gangotri e se bifurca, levando aos campos de Tapovan e Nandanvan, dominados pelos imponentes picos Bhagirathi e Shivling.*

Duração: *6 dias*
Altitude: *4.500m*
Nível de dificuldade: *médio a difícil*

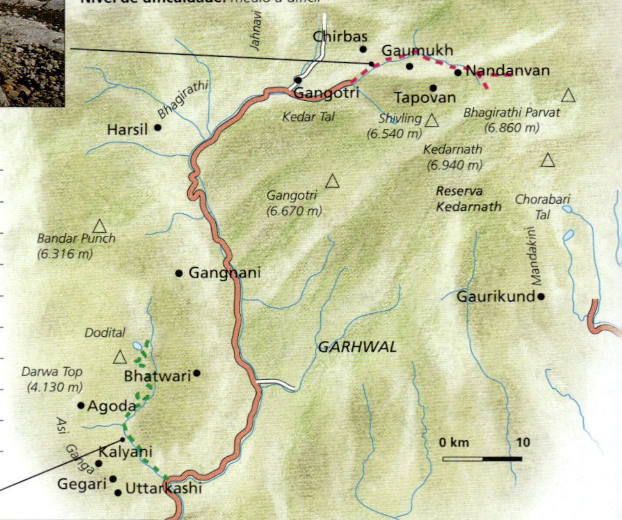

LEGENDA

- Trilha Gaumukh
- Dodital
- Trilha Curzon
- Geleira Pindari
- The Valley of Flowers
- Estrada principal
- Estrada secundária
- Pico
- Passagem

Dodital

Famosa trilha de Garhwal, este caminho sai de Kalyani, segue pelo vale do rio Asi Ganga, passa por Agoda e vai até o lago Dodital. O lago fica em uma bacia toda arborizada e suas águas estão cheias de trutas. As florestas de pinheiros e cedros abrigam muitos pássaros do Himalaia.

Duração: *3 dias*
Altitude: *3.024m*
Nível de dificuldade: *fácil*

Trilha Curzon

O nome desta trilha de 70km homenageia o vice-rei britânico que fez este percurso, que sai de Ghat, contorna os limites da Reserva Nanda Devi, atravessa o passo Kuari, com vistas claras do Nanda Devi, e termina em Tapovan, 12km a noroeste de Joshimath.

Duração: *6 dias*
Altitude: *4.268m*
Nível de dificuldade: *alto*

The Valley of Flowers National Park, uma subida de 20km que sai de Govindghat. Tem uma profusão de flores do campo *(pág. 187)*.
Duração: *3 dias*
Altitude: *3.352m*
Nível de dificuldade: *médio*

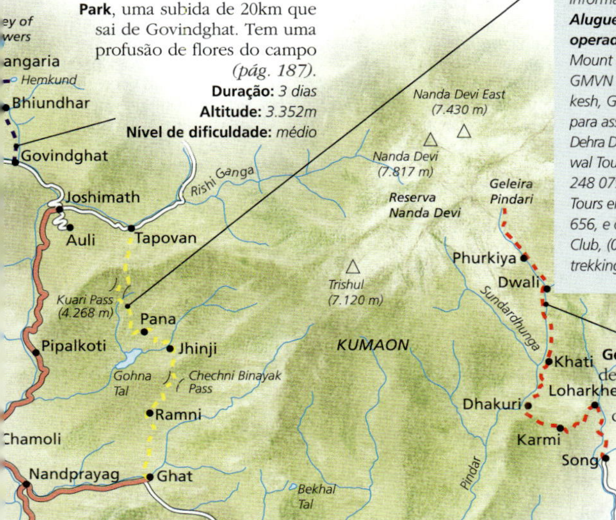

Geleira Pindari é uma trilha de 50km que sai de Song e passa por uma floresta densa, com linda vista do pico Trishul.
Duração: *6 dias*
Altitude: *3.650m*
Nível de dificuldade: *alto*

DICAS

Preparo: *Aclimate-se a altitudes acima de 3.000m. Veja na pág. 767 informações sobre o mal das alturas. Percursos longos precisam de guias. Mais detalhes sobre trekking na pág. 751.*
Na trilha: *Beba muita água. Leve kit de primeiros socorros e combustível para cozinhar. Não queime lenha, um recurso escasso. Apaque direito as fogueiras sem deixar brasa. Não suje nada e leve o lixo com você.*
Permissões: Em Garhwal, *exigem-se permissões para áreas de fronteira, obtidas no escritório do District Magistrate, em Uttarkashi (01374) 222 280, ou no GMVN, em Rishikesh, (0135) 243 1793. Não é preciso permissão para ir a Kumaon. Veja mais informações na pág. 758.*
Aluguel de equipamento e operadoras: *Em Garhwal, contate Mount Support em Uttarkashi, GMVN (0135) 243 1793, em Rishikesh, GMVN (0135) 274 7898, para assistência em trekking; em Dehra Dun (pág. 186), contate Garhwal Tours and Trekking, (0135) 248 0799. Em Kumaon, a Parbat Tours em Nainital, (05942) 235 656, e o Nainital Mountaineering Club, (05942) 235 057, organizam trekkings. Detalhes na pág. 755.*

RESERVA NANDA DEVI

Nanda Devi e Nanda Devi East

A Reserva Nanda Devi, com 630km², conta com três picos fantásticos: Nanda Devi, Nanda Devi East e Nanda Kot, que formam uma muralha nevada ao norte. O Nanda Devi (págs. 64-5) é o segundo pico mais alto da Índia, com 7.817m. Acredita-se que ali tenha nascido a consorte de Shiva, Parvati; por isso, a montanha é reverenciada como uma deusa. A área era considerada impenetrável até os montanhistas britânicos Eric Shipton e Bill Tilman descobrirem um trajeto em 1936. Seguiram-se diversas expedições, para aflição dos moradores, que temiam despertar a ira da deusa. Em 1976, o montanhista americano Willi Unsoeld, com a filha de 22 anos Nanda Devi (a quem ele dera o nome do pico), subiram a montanha, mas Nanda Devi morreu tragicamente na expedição. A área central da reserva foi fechada em 1983 para proteger o ecossistema frágil, hábitat de uma fauna rara, a exemplo do leopardo-da-neve e do faisão-monal.

Nainital ⓬

Distrito de Nainital. 322km a NE de Délhi. *Kathgodam, 35km ao S de Nainital, depois táxi ou ônibus.* *KMVN, Om Park, (05942) 231 436.*

Esta bonita estação montanhosa, no Kumaon, tem esse nome por causa dos olhos verde-esmeralda *(naina)* de Parvati, consorte de Shiva. Um templo dedicado à deusa fica na margem norte de um grande lago de água doce *(tal)*. Antiga capital de verão das United Provinces do British Raj, atualmente Nainital faz parte do recém-criado estado de Uttaranchal. O lago é rodeado pela Mall Road e pelos "flats", um campo amplo que se tornou um concorrido passeio e centro de recreação.

O **Boat House Club**, inaugurado em 1890 à beira da água, é o núcleo de muitas atividades e possui barcos a vela e botes de borracha para alugar. Entre os variados prédios coloniais estão a residência de verão do governador (erguida em 1899), a St Joseph's School, o antigo Secretariado (agora Uttaranchal High Court) e a Municipal Library. A **St-John-in-the-Wilderness** é uma igreja gótica com nome evocativo; possui lindos vitrais e bancos de madeira escura. Nainital tem belas trilhas para caminhadas. Uma delas sai dos "flats", atravessa o arborizado monte Ayarpata e chega a **Tiffin Top** e a **Dorothy's Seat**, de onde se têm vistas panorâmicas do lago. Perto, e quase escondida pela mata, fica uma velha escola pública chamada **Sherwood College**. A Upper Cheena Mall leva ao pico Naina, com belíssimas vistas das cadeias montanhosas. Quem não quer andar, pode pegar o bondinho para **Snow View** a fim de apreciar o panorama.

Lago em Nainital dispõe de barcos e esportes aquáticos

Do século 11, templos de pedra em Jageshwar, perto de Almora

Arredores: Descritos como a Região dos Lagos da Índia, os arredores de Nainital têm diversos lagos serenos, circundados por florestas densas. Existem excursões para **Bhim Tal**, situado 22km a leste de Ninital; **Naukuchiya Tal**, a apenas 4km de Bhim Tal, um lago com nove cantos, rico em pássaros; e **Sat Tal**, um conjunto de sete lagos, 21km a nordeste de Nainital.

Mukteshwar, 30km a nordeste de Nainital, é um dos lugares mais bonitos da região, junto com os pomares de **Ramgarh**, ali perto.

Almora ⓭

Distrito de Almora. 285km a NE de Délhi. *Kathgodam, 90km ao S de Almora, depois táxi ou ônibus.* *KMVN, Holiday Home, (05962) 230 250.*

A ampla cidade comercial de Almora é a sede do distrito. Seu espigão abaulado oferece vistas da espetacular cordilheira do Himalaia, que inclui picos como o Trishul e o fantástico Nanda Devi *(pág. 189)*. A rua de pedras do inconfundível bazar de Almora fica acima de The Mall, onde se vendem produtos *tamta* elaborados localmente (utensílios de cobre e latão forjados a mão e folheados com prata). Aqui também são oferecidos *bal mithai*, confeitos que constituem a marca registrada da cidade. Além disso, destacam-se as casas altas e estreitas, com fachadas de madeira dotadas de entalhes delicados, marca da arquitetura local. A histórica **Almora Jail**, provavelmente uma das poucas do país em ambiente tão pitoresco, foi onde ficaram presos políticos importantes, como Mahatma Gandhi e Jawaharlal Nehru.

Escultura, em Jageshwar

A paisagem é marcada por muitos templos, os mais famosos dos quais são o **Chitai** e o **Udyotchandeshwar**. Na ponta oeste da cidade, o **Brighton End Corner** tem belas vistas das montanhas.

Arredores: De **Binsar**, que fica 34km a nordeste de Almora, a 2.412m de altitude, têm-se lindas vistas das montanhas. A estrada íngreme que atravessa perfumadas florestas de pinheiros é muito bonita, e há um templo de Shiva do século 13 dentro da mata, quase no topo.

Jageshwar, localizada a 34km de Almora, a leste, tem grande significado religioso. Trata-se de um

Para hotéis e restaurantes nesta região, ver págs. 695-7 e págs. 724-6

Campo de golfe de nove buracos de Ranikhet tem vistas das montanhas

complexo impressionante, composto de mais de cem templos talhados na rocha, que remonta ao século 11.

Ranikhet ⓮

Distrito de Almora. 367km a NE de Délhi. *Tourist Reception Centre, Mall Rd, (05966) 220 893.*

Como cidade militar, Ranikhet é sede do famoso Kumaon Regiment do Exército da Índia, fato que marca o lugar. Dispõe de muitos bangalôs de telhado vermelho, que se espalham pelo amplo "Queen's Field" (Campo da Rainha), uma tradução literal do nome da cidade.

O mercado principal fica no **Sadar Bazaar**, enquanto a **Upper Mall** sai do bazar e vai até uma parte mais tranquila da cidade. **Chaubatia**, antes sanatório britânico, fica mais adiante e, agora, abriga o Government Fruit Garden, que cultiva 200 variedades de frutas. Mas o encanto de Ranikhet está nas vistas sem obstáculos que se têm das montanhas, com uma visão panorâmica de quase 350km da cordilheira do Himalaia.

O **Army Golf Course**, descendo 6km pela Almora Road, em Uphat, é um dos campos de golfe mais altos do país, e foi originalmente uma pista de corrida. Ele recebe bem o visitante que paga para jogar; por isso, não se intimide com as placas que ameaçam os intrusos.

Lansdowne ⓯

Distrito de Almora. 216km a NE de Délhi. *Kotdwar, 37km a SO do centro, depois táxi ou ônibus.*

A cidade de Lansdowne é um posto militar e uma das poucas estações de montanha que conseguiram permanecer inalteradas nos últimos 100 anos. Fora do principal circuito turístico, a cidade foi poupada da febre de construções e modernizações que assolou outros destinos mais procurados. Mistura dispersa de bangalôs e lojas, ela fica em uma encosta suave cheia de pinheiros, cedros e carvalhos.

Abelheiro verde com presa

O Garhwal Rifles do Exército tem seu centro regimental aqui, e vale a pena visitar o refeitório muito bem conservado. Uma caminhada agradável leva a **Tip-n-Top**, um mirante a 3km da cidade, de onde se têm excelentes vistas das montanhas.

Kausani ⓰

Distrito de Almora. 385km a NE de Délhi. *Tourist Reception Centre, (05962) 258 006.*

Kausani era o lugar preferido de Mahatma Gandhi nas montanhas. Após uma longa estada aqui, no **Anashakti Yoga Ashram**, em 1929, ele observou que os indianos não precisavam procurar os Alpes europeus por causa de sua saúde se tinham a beleza de Kausani tão perto. Da velha **Circuit House**, tem-se um panorama contínuo de 400km das montanhas de Nanda Devi.

Arredores: Baijnath, 20km ao norte de Kausani, é conhecida pelo grupo de templos, agora em ruínas, construído no século 11. A principal atração é o **Templo de Parvati**, com uma imagem de 2m da deusa, que data do século 12. **Bageshwar**, 41km a leste de Kausani, fica na confluência dos rios Gomti e Saryu e foi importante posto comercial entre o Tibete e Kumaon. Embora não exista mais nenhum laço com o Tibete, os comerciantes locais ainda trazem lãs e peles para a Uttaryani Fair, anual. Com templos de pedra consagrados a Shiva, Bageshwar é importante centro de peregrinação em Kumaon. Nila Parvat (Montanha Azul), desponta altiva entre dois rios, e os moradores locais acreditam que ali residam todos os 330 milhões de divindades do panteão hindu. Muitos visitantes de Bageshwar estão de passagem para a geleira Pindari *(pág. 189)*.

Abóboras secam em telhado de ardósia sob os picos em Kausani

Corbett National Park ⓱

Situado ao longo do vale do rio Ramganga e cercado pelos sopés do Himalaia, ao norte, o Corbett é considerado uma das melhores reservas de vida selvagem da Índia. A princípio, esta área de 1.318km2 era um paraíso para caçadores durante o Raj britânico. Em 1936, tornou-se o primeiro parque nacional do país, principalmente pelos esforços do britânico Jim Corbett, ex-caçador transformado em conservacionista, que deu nome à instituição. O parque tem uma geografia variada, desde campos de savana até espigões montanhosos de florestas de decíduas, com pinheiro *chir* e *sal (Shorea robusta)*. É famoso pela variedade de vida selvagem, a exemplo de tigres, elefantes, *chausingha* (antílopes de quatro chifres) e 600 espécies de pássaros.

Papa-moscas-do-paraíso
O macho, com bela plumagem, tem 50cm de comprimento.

Faisão-cuco, ou faisão-corvo
Este belo pássaro marrom e preto é encontrado por toda a Índia setentrional. Seu chamado alto ecoa por vales e florestas de Corbett e adjacências.

Pastagens
Vastas pastagens de savana (chaurs)*, ideais para avistar cervos e outros animais selvagens, rodeiam Dhikala, o núcleo do parque, localizado ao lado do Reservatório Ramganga.*

Há **machaans** ou torres de observação por todo o parque, ótimas para apreciar a vida selvagem.

Gharial
O gharial, *ou gavial* (Gavialis gangeticus), *é uma espécie avistada nas bordas do Reservatório Ramganga (formado pelo represamento do rio Ramganga). O reservatório também atrai diversas aves aquáticas, como gansos, patos, mergulhões e cegonhas.*

Para hotéis e restaurantes nesta região, ver págs. 695-7 e págs. 724-6

Rio Ramganga
Suporte para a vida selvagem do parque, o rio Ramganga é cercado por altos capins-de-elefante (nall) *e arbustos.*

PREPARE-SE

Distritos de Pauri Garhwal e Nainital. 436km a NO de Lucknow. **Entradas:** *Dhangarhi e Kalagarh.* *Ramnagar, 20km ao S de Dhangarhi.* *Para reservas e permissões contate Ramnagar, (05947) 251 225.* *nov-jun.* *taxa extra para vídeo.*

Safári de Elefante
Os destaques da visita ao Corbett são os safáris de elefante no amanhecer e no pôr-do-sol, disponíveis a partir de Dhikala e Bijrani. Além das manadas de elefantes e cervos selvagens, às vezes é possível encontrar algum tigre ou leopardo solitário.

Tigre Indiano
Agora com cerca de 140 tigres, Corbett se tornou a primeira Reserva de Tigres da Índia, em 1973, sob a proteção do Project Tiger *(pág. 289).*

LEGENDA

- Limites do parque
- Trilha
- Estrada principal
- Estrada secundária
- Informação turística
- Vista panorâmica
- Café
- Hospedagem

JIM CORBETT (1875-1955)

Jim Corbett nasceu em Nainital e se interessou muito pelas florestas de Kumaon. Louco por caça desde cedo (matou o primeiro leopardo quando tinha 8 anos), mudou completamente quando, em uma caçada a patos, ficou horrorizado com a matança de 300 pássaros. Decidiu, então, usar o rifle apenas para abater leopardos e tigres devoradores de gente, que assustavam as vilas próximas. Passagens interessantes de seu livro *Man-eaters of Kumaon*, descrevem como ele rastreou e baleou a temida tigresa Champawat, que havia matado 434 pessoas. Em 1956, após a morte de Corbett, o parque ganhou seu nome, em homenagem a seus esforços de preservação pioneiros.

Busto de Corbett em Dhikala

Dudhwa National Park ⓲

Distrito de Lakhimpur-Kheri. 220km ao N de Lucknow. **Entrada:** *Palia.* *Para reservas, contate o Field Director, em Dudhwa, (05872) 252 106.* *15 nov-15 jun.* *taxas extras. Dispõe de jipes.*

Localizado perto da fronteira com o Nepal, o Dudhwa National Park ocupa 490km² da planície densamente arborizada. Nas florestas há alguns dos melhores exemplares da árvore *sal (Shorea robusta)* da Índia. Em 1988, Dudhwa foi reconhecido como Reserva de Tigres, graças aos esforços de Billy Arjan Singh, famoso ambientalista, que ficou conhecido por ter cuidado e devolvido a seu hábitat a tigresa Tara, em 1978. Agora, o parque tem mais de 30 tigres, e ficou famoso pelas manadas de veados-do-mangue *(Cervus duvauceli)*. Chamado *barasingha* (literalmente, 12 galhadas), esse veado encontra o hábitat ideal nos alagados cheios de capim, na parte sul do parque.

Há outras espécies, como leopardos, ursos-preguiça e uma pequena manada de rinocerontes trazidos de Assam e do Nepal, em uma tentativa de reintroduzir a espécie no Dudhwa.

No parque também vivem quase 400 espécies de pássaros, entre os quais a perdiz-do-pântano, a abetarda e o búcero. Os lagos atraem aves aquáticas como íbis e águias-pescadoras.

Rampur ⓳

Distrito de Rampur. 310km a NO de Lucknow. *281.500.*

Ex-fortaleza de chefes afegãos rohillas (montanheses de Peshawar), Rampur se tornou principado sob o domínio britânico. Era governado por uma dinastia de nababos muçulmanos, grandes conhecedores de arte. Eles atraíram para suas cortes centenas de estudiosos e artistas, cujos livros e pinturas se tornaram parte do acervo do estado. Também criaram a famosa *gharana* (escola) de música clássica.

Hamid Manzil, obra do nababo Hamid Ali Khan Bahadur, que subiu ao trono em 1896, agora abriga a famosa **Raza Library**, que dispõe de uma coleção de quase mil miniaturas moguis, mais de 10 mil livros, diversos manuscritos raros e retratos que datam do século 16 ao século 18. Não está oficialmente aberta à visitação, mas pode-se obter uma permissão com o curador.

Hamid Ali Khan também foi responsável pela reforma de muitos palácios de Rampur, incluindo o amplo complexo de palácio e forte no noroeste da cidade.

Rampur é um labirinto de bazares e a cidade já foi famosa pelos finos tecidos de algodão *khes* (adamascados). Traços de seus antepassados guerreiros rohillas são visíveis nas famosas adagas à venda e nos toques de pashto (língua nativa de Peshawar), que tempera o urdu falado aqui.

Facas e punhais: a cutelaria é uma especialidade de Rampur

Raza Library
Para permissão de visita, contate o curador. ***Tel*** *(0592) 232 5045, 232 5346.*

Nababo Hamid Ali de Rampur

Arredores: Moradabad, 26km a oeste de Rampur, é uma pequena cidade do século 17, conhecida pelas fábricas de utensílios de latão e outros metais. Agora, a mesquita e o forte da cidade estão quase escondidos pelos prédios de apartamento e pelos bazares.

Aligarh ⓴

Distrito de Aligarh. 371km a NO de Lucknow. *667.700.* *Numaish (fev).*

Historicamente importante por estar em uma região agrícola rica, Aligarh foi uma fortaleza rajput a partir do século 12 até ser invadida pelos moguis. Suas fortificações, que datam de 1524, se submeteram aos britânicos comandados por lorde Lake, em 1803. A presença britânica influenciou muitos de seus principais cidadãos, como sir Sayyid Ahmed Khan, que fundou a **Aligarh Muslim University** em 1875, pela qual a cidade é mais famosa atualmente. O campus espaçoso tem edifí-

Veados-do-mangue, ou *barasinghas*, nas pastagens de Dudhwa

Para hotéis e restaurantes nesta região, ver págs. 695-7 e págs. 724-6

cios imponentes, como a mesquita, uma réplica da Jami Masjid *(pág. 86)*, em Délhi, com um terço do tamanho.

Jhansi ㉑

Distrito de Jhansi. 301km a SO de Lucknow. 383.200. *UP Tourism, Shivpuri Rd, (0517) 244 1267.* *Jhansi Festival (fev).*

Famosa pelo papel desempenhado por sua rainha rani Lakshmibai durante o Motim Indiano de 1857, Jhansi é um ponto-chave para visitantes que vão de Délhi até os templos de Khajuraho *(págs. 236-8)*. A principal atração é o **Shankar Fort**, erguido em 1613 pelo rajá Bir Singh Deo. Tem muralhas de 9m de altura em círculos concêntricos ao redor do centro e oferece vistas das fortificações.

O **Archaeological Museum**, localizado fora do forte, tem esculturas medievais hindus, objetos da realeza e algumas ferramentas pré-históricas.

Archaeological Museum
ter-dom. 2° sáb. taxa extra para vídeo e fotografia.

Defesas do Shankar Fort, em Jhansi, atacadas pelos britânicos em 1858

Kanpur ㉒

Distrito de Kanpur. 79km a SO de Lucknow. 2.532.100.

Uma das maiores guarnições britânicas da Índia, Kanpur, ou Cawnpore, como era então chamada, foi palco de algumas das batalhas mais sangrentas de 1857. Mais de mil soldados britânicos e civis foram mortos quando Nana Sahib, governante marata, rompeu o cerco britânico do general sir Hugh Wheeler, em junho de 1857. Quando chegaram os reforços britânicos, ocorreram retaliações igualmente violentas.

Atualmente, Kanpur é uma cidade industrial, que produz basicamente petróleo, artigos de couro e algodão. A antiga guarnição, agora reduto das Forças Armadas, tem algumas relíquias interessantes do Raj. Entre elas está a **All Souls' Memorial Church**, uma grandiosa estrutura gótica, com intricados vitrais sobre a porta oeste. Erguida depois de 1857, é um memorial para os mortos no cerco. A leste da igreja, o bonito **Memorial Garden** tem a estátua de um anjo rodeado por uma tela gótica. Originalmente, esta imagem ficava no local do massacre, onde mulheres e crianças britânicas foram esfaqueadas e jogadas em um poço perto de Bibighar, no centro. A nordeste da igreja, a **Sati Chaura Ghat**, junto ao Ganges, foi onde as forças indianas mataram 500 soldados e civis indianos. O **Military Cemetery**, na borda do alojamento, possui muitas sepulturas interessantes. Na cidade, vale a pena visitar o **King Edward VII Memorial Hall** e a **Christ Church** (de 1840).

Arredores

Bithur, 25km a oeste de Kanpur, tem um forte construído pelo clã peshwa *(pág. 471)*. É também o local lendário de nascimento de Lav e Kush, filhos gêmeos de Rama e Sita *(pág. 27)*. A quase 60km ao sul de Kanpur, fica o templo de tijolo do século 5° em **Bhitargaon**, construído por reis guptas. Único desse tipo que ainda resta, boa parte de seus painéis em relevo desapareceram, mas sobraram algumas esculturas de argila.

Vitrais da All Souls' Memorial Church, em Kanpur

RANI LAKSHMIBAI DE JHANSI

A rani Lakshmibai, sozinha, enfrentou os britânicos quando o marido, o rajá Gangadhar Rao, morreu em 1853 sem deixar herdeiro adulto. Ela queria governar como regente, mas os britânicos invocaram a Doutrina da Preempção *(pág. 53)* e ela foi destronada. Enquanto o Motim Indiano de 1857 fervilhava no norte, a rainha e seu general Tantia Tope capturaram o Gwalior Fort. Ela perdeu a vida defendendo-o em Kotah-Sarai perto de Gwalior, em 1858. Segundo o historiador Christopher Hibbert, "ela morreu vestida de homem, com uma espada em cada mão, e a rédea do cavalo presa aos dentes". A rani se tornou uma das heroínas veneradas na Índia.

A rani Lakshmibai em seu cavalo

Lucknow ㉓

Peixe: emblema dos nababos

À medida que o império Mogul se desintegrava, surgiram muitos reinos independentes, como o de Avadh. Sua capital, Lucknow, ganhou fama quando Asaf-ud-Daula, o quarto nababo, mudou a corte de Faizabad *(pág. 199)* para cá, em 1775. A cidade também era um grande centro cultural, e seus nababos, mais lembrados pelo estilo de vida refinado e extravagante, patrocinavam as artes. No governo deles, a música e a dança floresceram e foram feitas muitas construções. Em 1856, os britânicos anexaram Lucknow e depuseram o último nababo, Wajid Ali Shah. Este incidente ajudou a fomentar o Motim Indiano de 1857, quando a cidade presenciou um dos episódios mais sangrentos da história.

Vista do túmulo de Khurshid Zadi, em Qaiser Bagh

Qaiser Bagh Palace

Qaiser Bagh. *diariam.*

Palácio mais grandioso de Lucknow, o Qaiser Bagh foi construído por Wajid Ali Shah (reinado 1847-56), último nababo. Quando os britânicos retomaram Lucknow, em 1858, demoliram boa parte das estruturas mais extravagantes do complexo, com vistosas esculturas de sereias e querubins. Contudo, as construções restantes, embora em ruínas, sugerem o antigo esplendor. O **Lal Baradari** atualmente abriga uma academia de belas-artes e também uma seção de arqueologia do State Museum; a **Pathar Wali Baradari** é uma escola de música hindustani; e o **Safaid Baradari,** agora prédio de escritórios, era onde o nababo, vestido como um faquir, costumava presidir a corte. Restam apenas duas alas dos aposentos residenciais, que antes abrigavam o grande harém do nababo. Entalhes de peixes, emblema real dos nababos, adornam muitas construções. Ali perto, estão duas obras grandiosas, o **Túmulo de Saadat Ali Khan** (quinto nababo) e o **Túmulo de Khurshid Zadi**, sua esposa.

No governo do nababo Wajid Ali Shah, Lucknow teve um florescimento artístico. Esteta que não se interessava pelo governo, ele se dedicou à poesia e à música, e acredita-se ter sido o introdutor da *thumri* (forma de música clássica leve). As danças também se beneficiaram, e a *gharana* (escola de música) de Kathak *(pág. 28)* evoluiu muito em seu breve reinado, até ele ser deposto pelos britânicos, em 1857, e exilado em Calcutá (atual Kolkata).

Sikander Bagh

Sikander Bagh. *diariam.*

Nomeado em homenagem à favorita de Wajid Ali Shah, Sikander Bagh era o jardim real dos nababos. Em 1857, as tropas britânicas comandadas por sir Colin Campbell suspenderam o cerco à Residency neste local. Agora, o **National Botanical Gardens and Research Centre** se localiza em seu terreno. A oeste, o **Shah Najaf Imambara** tem o túmulo de Ghazi-ud-din Haidar (sexto nababo).

A imponente porta de Sikander Bagh, com o emblema dos peixes

Chattar Manzil

NO de Qaiser Bagh. *diariam.*

Construído no reinado de Saadat Ali Khan (1798-1814), o Chattar Manzil (Palácio Guarda-Sol), deriva seu nome da cúpula dourada em forma de guarda-sol *(chattar)* que coroa a estrutura. Foi construído um subsolo *(tehkhana)* abaixo do nível do rio Gomti, para que suas águas mantivessem a área fresca no verão. Agora, instalou-se no prédio o Central Drug Research Institute.

The Residency

NO de Qaiser Bagh. *diariam.*

Um dos monumentos mais visitados de Lucknow são as ruínas desoladas da Residency. Este conjunto de construções, que cresceu ao redor da ampla casa de alvenaria do representante da Grã-Bretanha, era um reduto britânico exclusivo, protegido por for-

The Residency, antes da destruição durante o cerco de 1857

tificações. Em 1857, os cidadãos britânicos da cidade se refugiaram aqui durante o cerco de cinco meses. O comandante das tropas, sir Henry Lawrence, esperava reforços em 15 dias. Passaram-se 87 dias até a força liderada por sir Henry Havelock vencer as barreiras de sipaios e ficar presa lá dentro. Nas sete semanas seguintes, eles enfrentaram bombardeios constantes, quando, por fim, sir Colin Campbell retomou a Residency em 17 de novembro. A essa altura, quase 2 mil pessoas haviam morrido de ferimentos a bala ou de cólera e tifo.

Atualmente, a Residency está como em 1857. Em seu pequeno museu, ainda se vêem buracos abertos por tiros de canhão. No térreo, o **Model Room** tem uma maquete que mostra as defesas britânicas durante o cerco. Abaixo, ficam os porões onde mulheres e crianças se refugiaram.

O cemitério, ao lado da igreja em ruínas, tem as sepulturas abandonadas dos que morreram, entre elas a de sir Henry Lawrence. Em frente, localiza-se o **Indian Martyrs' Memorial**, à margem do rio Gomti.

Bara Imambara

Hussainabad. *diariam.* *durante o Muharram (mar/abr).*

As estruturas arquitetônicas típicas de Lucknow são os *imambaras*, ou salões cerimoniais usados durante o Muharram *(pág. 669)*. O Bara (Grande) Imambara, erguido por Asaf-ud-Daula, em 1784, era basicamente um projeto assistencial, que fornecia os empregos tão necessários. Diz-se que, enquanto um grupo de trabalhadores construía durante o dia, outro grupo demolia à noite. Portas elaboradas levam ao edifício baixo e amplo. O ponto marcante é o grande salão de 50m de comprimento e 15m de altura, sem a sustentação de nenhum pilar.

PREPARE-SE

Distrito de Lucknow. 516km a L de Délhi. *1.917.000.* *Amausi, 15km a SO de Lucknow* *Regional Tourist Office, 10 Station Road, (0522) 263 8105.* *Muharram (mar/abr).*

Acima está o *bhulbhulaiya*, um labirinto de balcões e passagens. A **Mesquita Asafi** e um poço com escadas também fazem parte do conjunto.

Asaf-ud-Daula também ergueu o **Rumi Darwaza**, de 18m de altura, no lado de fora. Este portal, embelezado com muitos enfeites, era a entrada oeste do Imambara.

Complexo de Bara Imambara, construído no fim do século 18

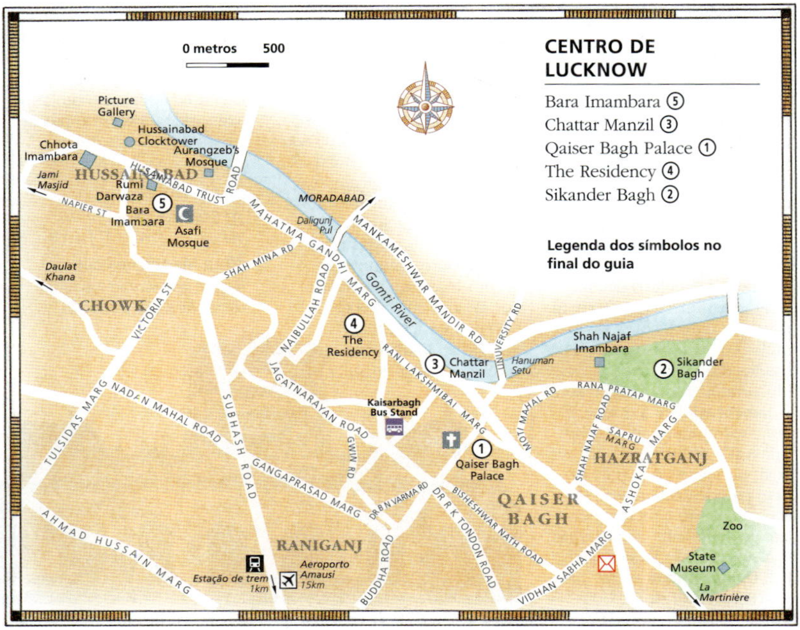

Lucknow: Locais Afastados

Alguns dos melhores núcleos arquitetônicos de Lucknow ficam em pontos longe do centro. Monumentos religiosos, como *imambaras* e mesquitas, revelam clara influência persa, ao passo que os prédios seculares, a exemplo dos palácios dos nababos e de construções coloniais, têm estilo mais europeu. Destes, um exemplar bem extravagante é La Martinière. Residência e mausoléu de um aventureiro francês, depois se tornou escola e foi modelo para a St Xavier's School, imortalizada em *Kim*, romance de Rudyard Kipling.

Retrato do nababo Wajid Ali Shah na Picture Gallery

Perto de Rumi Darwaza *(pág. 197)*, a **Mesquita de Aurangzeb** fica em uma elevação conhecida como Lakshman Tila, local do assentamento original de Lucknow. A leste está a **Torre do Relógio Hussainabad**, construída em 1887. Esta obra gótica, de 67m de altura, foi erguida para marcar a chegada de George Cooper, primeiro tenente-governador de Avadh. A oeste dela, encontra-se o Baradari do século 19, feito por Muhammed Ali Shah (oitavo nababo), onde fica a **Picture Gallery**. Ali estão expostos magníficos retratos em tamanho real dos dez nababos, pintados entre 1882 e 1885 e restaurados recentemente.

A oeste da Picture Gallery situa-se o Hussainabad Imambara, mais conhecido como **Chhota Imambara.** Esta estrutura é coroada por delicada cúpula de ouro, e as paredes externas são entalhadas com caligrafia elegante. O interior é decorado com espelhos de molduras douradas, candelabros ornamentados, púlpitos prateados e coloridos elementos decorativos de estuque. Aqui são mantidos as *tazias* (réplica de túmulos) e os *alams* (modelos) usados durante o festival Muharram, entre março e abril. A **Jami Masjid**, a sudoeste, é outra estrutura notável, construída por Muhammed Ali Shah no início do século 19. Tem paredes enfeitadas, e seus arcos são cobertos por excelente trabalho de estuque.

A noroeste de Jami Masjid fica **Daulat Khana** antigo palácio de Asaf-ud-Daula. Construído no fim da década de 1780, conta com diversas edificações indo-européias. A que mais se destaca é **Asafi Kothi**, com fachada elegante, marcada por vãos semicirculares.

Alam: Chhota Imambara

O mercado principal de Lucknow fica na **Chowk**, região interessante e antiga da cidade. Ele se estende de Gol Darwaza até Akbari Darwaza, e forma um labirinto de *galis* (ruelas) ladeadas de lojas que vendem desde pipas coloridas e *paan* até os famosos *chikankari* de Lucknow – delicados bordados em crivo feitos em finas musselinas. Os mercados atacadistas de flores ficam cheios de rosas e jasmins, e as lojas *attar* vendem frascos minúsculos de perfumes. A Chowk também é o melhor lugar para provar a autêntica culinária local (principalmente as variedades de espetinhos suculentos), refinados por *chefs* ligados às residências dos nababos *(pág. 165)*. No canto sul da cidade, situado no Zoological Gardens, encontra-se o **State Museum** de Lucknow. No acervo estão moedas raras de prata e ouro, pinturas do século 16 e esculturas de pedra do século 2º a.C.

O extraordinário colégio **La Martinière** localiza-se mais ao sul. Foi construído pelo major-general Claude Martin, aventureiro e, em 1793, o europeu mais rico de Lucknow. Este extravagante castelo gótico tem quatro grandes torres octogonais. O exterior é decorado com animais e figuras mitológicas, como leões, gárgulas e uma esfinge. Um dos canhões da esplanada foi fundido, assim como o sino de bronze.

O francês morreu em 1800 e está enterrado no subsolo. Em 1840, para cumprir o testamento, o prédio foi transformado em escola para meninos.

O estabelecimento foi evacuado durante o cerco a Lucknow e reaberto um ano mais tarde, depois de passar por profundas reformas.

Picture Gallery
seg-sáb.

State Museum
Tel (0522) 220 6158. ter-dom.

La Martinière College
Exige-se permissão antecipada do diretor. **Tel** (0522) 222 3863.

Elaborada fachada do La Martinière College para meninos

Para hotéis e restaurantes nesta região, ver págs. 695-7 e págs. 724-6

O colorido Templo Hanuman Garhi, em Ayodhya

Ayodhya 24

Distrito de Faizabad. 134km a L de Lucknow. Kartik Purnima (out/nov).

Localizada à margem do rio Sarayu, Ayodhya é considerada local de nascimento de Rama, herói divino do *Ramayana (pág. 27)*. Dezenas de templos desta pequena cidade de peregrinação comemoram seu nascimento. Seja isso um fato histórico ou apenas parte da tradição oral, o fato é que Ayodhya continua indissoluvelmente ligada à lenda de Rama, para os devotos hindus. Por isso, quando o imperador mogul Babur construiu, em 1526, uma mesquita perto do suposto local de nascimento de Rama, deixou uma obra profundamente contestada. Conhecida com **Babri Masjid** (Mesquita de Babur), por muito tempo provocou tensão entre hindus e muçulmanos. Em 1992, uma multidão de hindus pôs abaixo a mesquita, o que levou a revoltas por todo o país. Agora, há seguranças particulares no local. Um templo provisório fora do círculo de segurança atrai peregrinos, em especial durante a noite de lua cheia de Kartik Purnima. Um dos templos mais famosos, entre as centenas de santuários à beira-rio, é o **Hanuman Garhi.** Erguido dentro dos muros de um velho forte, é dedicado ao Deus Macaco Hanuman.

Arredores: Em **Faizabad**, cidade gêmea de Ayodhya, 6km a oeste, boa parte da população é muçulmana. Foi capital de Avadh até Lucknow assumir o posto, em 1775. No centro fica a Jami Masjid, construída no fim do império Mogul. Do século 18, o túmulo da Bahu Begum, esposa de Shuja-ud-Daula (terceiro nababo de Avadh), é uma estrutura austera, de mármore. Faizabad dispõe de um belo roseiral.

MANGA: A RAINHA DAS FRUTAS

Manga *langra*, fruta de verão

A manga *(aam)* é considerada a rainha das frutas tropicais e é a preferida do país. O imperador mogul Babur disse que ela era a "melhor fruta do Hindustão". O popular tema de estampados deriva do formato da fruta, e as folhas, tidas como auspiciosas, são usadas para enfeitar festas. Das centenas de variedades cultivadas em todo o subcontinente, poucas são tão aromáticas e suculentas como as de Jaunpur. A *langra* é a melhor dentre essas variedades. Tem muita polpa, é suculenta e doce, e possui um sabor penetrante, distinto. É vendida internamente e exportada para a Europa e o Oriente Médio. A *dussehri* de Lucknow e a chausa da região de Rampur também são variedades famosas. A *chausa* é considerada ideal para chutneys e picles, sem os quais nenhuma refeição está completa.

Jaunpur 25

Distrito de Jaunpur. 60km a SE de Lucknow. 160.000.

Embora ignorada pela maioria dos visitantes, Jaunpur conta com uma rica arquitetura islâmica medieval. Localizada junto ao rio Gomti, a cidade foi fundada por Feroze Shah Tughluq *(pág. 91)* no fim do século 14, e logo se tornou importante posto comercial. Depois, sofreu o domínio de governantes muçulmanos independentes da dinastia Sharqi, que a controlaram por boa parte do século 15, até Ibrahim Lodi conquistar a cidade em 1479. Ela acabou sob o jugo mogul no início do século 16.

Cada governante de Jaunpur deixou sua marca arquitetônica distinta na cidade. O imperador mogul Akbar construiu a grande **Ponte Akbari** no rio, ainda em pé. Ao norte, fica o **Old Shahi Fort** do período Tughluq. Ele contém uma mesquita construída com tijolos vitrificados amarelos e azuis e uma réplica exata de um tradicional banho turco ou *hamam*. A mesquita mais notável, a **Atala Masjid**, logo na saída do forte, data do período Sharqi. É embelezada por arcos em nicho e bordas ornamentadas; pátios quadrados cercam a estrutura central. Apesar de construída em uma escala grandiosa, a **Jami Masjid**, do século 15, foi inspirada na arquitetura da Atala Masjid.

Fachada grandiosa da Jami Masjid em Jaunpur

Taj Mahal *(págs. 172-5)* visto do outro lado do rio Yamuna, em Agra ▷

Varanasi 26

Também conhecida como Kashi (Cidade da Luz) ou Benares, Varanasi está situada na margem oeste do Ganges. É a cidade hindu mais sagrada da Índia, com tradições espirituais e religiosas que remontam há quase 3 mil anos. Trata-se da cidade de Shiva, o mais importante dentre os 12 lugares em que o deus se refugiou e, depois, irrompeu para o céu em um flamejante pilar de luz *(jyotirlinga)*. Santificadas pela onipresença de Shiva e pelo Ganges sagrado, as quase 90 *ghats* ao longo do rio definem a vida e a identidade de Varanasi. Elas se estendem desde a Asi Ghat, ao sul, até a Adi Keshava Ghat, ao norte, perto da Ponte Malviya, cobrindo mais de 6km. Ladeadas por templos e santuários, elas ecoam o ciclo interminável da prática religiosa hindu, desde os rituais diários até intensos ritos de passagem.

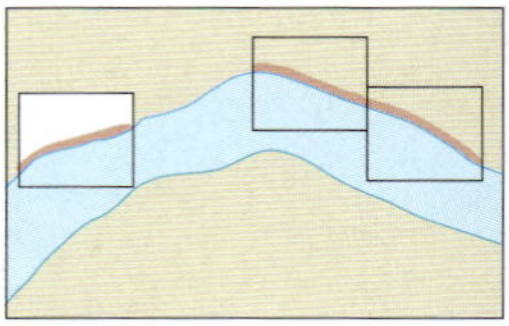

LOCALIZE-SE

Da Asi Ghat até a Shivala Ghat

Tulsi Ghat

Um dos locais mais antigos de Varanasi, esta ghat *(antes chamada Lolarka Ghat), foi renomeada em homenagem ao santo e poeta Tulsidas, que viveu aqui no século 16. Ali perto, ainda existem sua casa e seu templo.*

Asi Ghat

Um linga fica abaixo da árvore pipal, *na* ghat *mais meridional de Varanasi, que marca a confluência dos rios Asi e Ganges.*

Mural de deusa na parede da Ganga Mahal Ghat

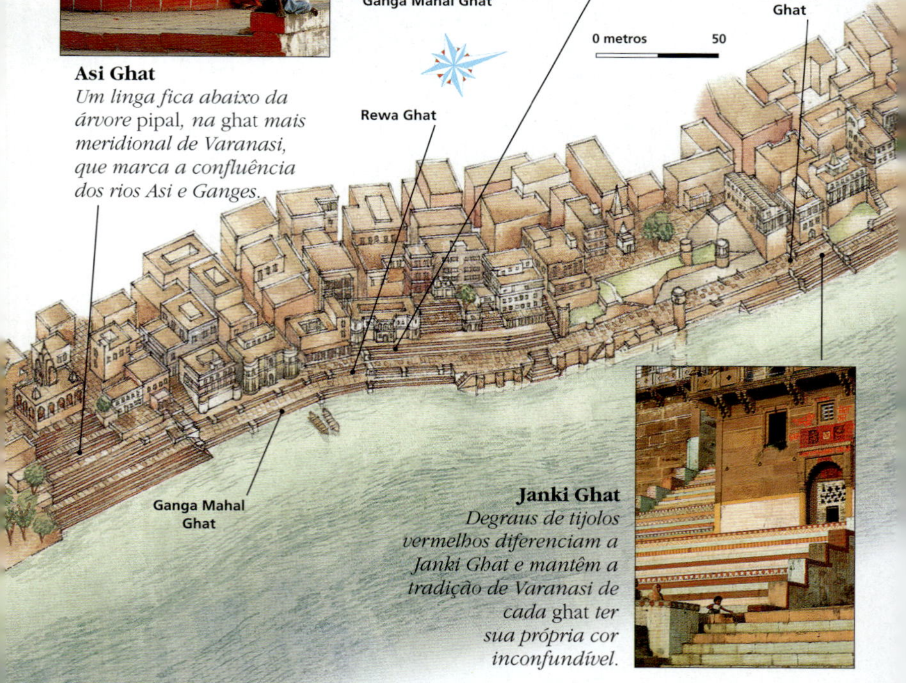

Janki Ghat

Degraus de tijolos vermelhos diferenciam a Janki Ghat e mantêm a tradição de Varanasi de cada ghat *ter sua própria cor inconfundível.*

Para hotéis e restaurantes nesta região, ver págs. 695-7 e págs. 724-6

Chet Singh Ghat
O forte acima desta ghat *marca o ponto em que o marajá Chet Singh foi derrotado pelos britânicos, em meados do século 18.*

PREPARE-SE

Distrito de Varanasi. 286km a SE de Lucknow. *2.000.000.*
22 km a NO da cidade.
Parade Kothi, (0542) 220 8162, Varanasi Junction Station, (0542) 234 6370. *diariam.*
Shivratri (fev/mar), Ramlila (set/out), Ganga Festival (out/nov).

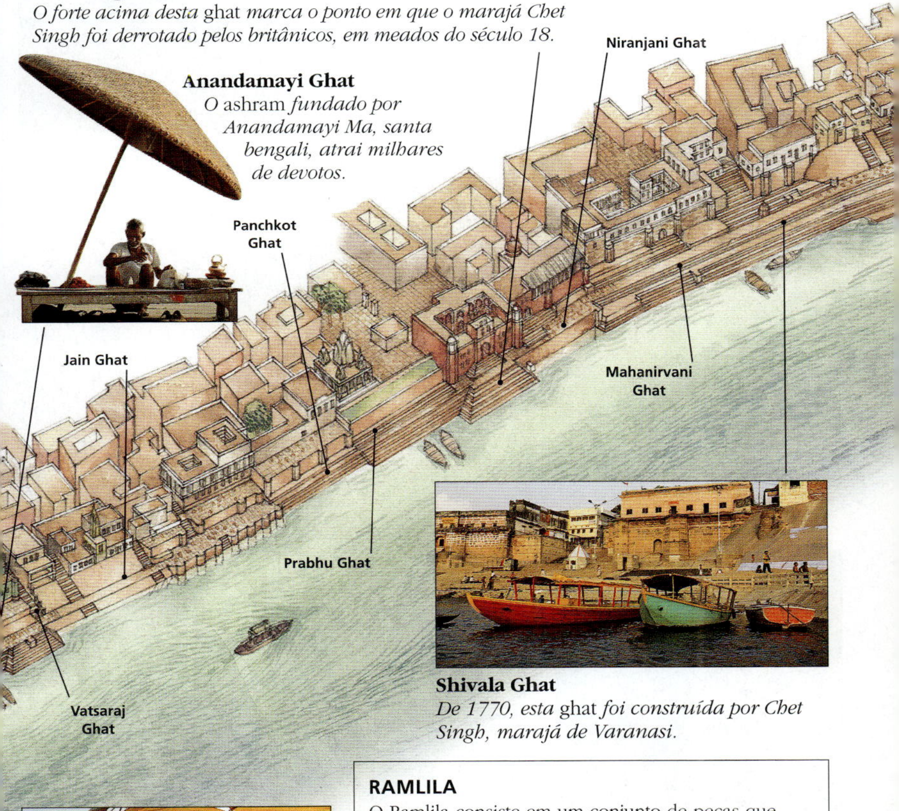

Anandamayi Ghat
O ashram *fundado por Anandamayi Ma, santa bengali, atrai milhares de devotos.*

Shivala Ghat
De 1770, esta ghat *foi construída por Chet Singh, marajá de Varanasi.*

Construção de Barcos
Tábuas de madeira para a construção de barcos, meio de transporte fundamental ao longo do rio movimentado.

RAMLILA

O Ramlila consiste em um conjunto de peças que narram a história do *Ramayana (pág. 27)*, em que Rama fica exilado de seu reino durante 14 anos. A tradição do Ramlila teve início em Varanasi com Tulsidas, autor do *Ramcharitmanas* (versão popular do épico). Apresentações de rua ocorrem à noite, em diferentes locais, em setembro/outubro, e atraem milhares de espectadores. A representação na residência do ex-marajá, no Ramnagar Fort, sem dúvida é a mais espetacular dos Ramlilas de Varanasi.

Meninos vestidos como personagens principais

Varanasi: Da Digpatiya Ghat à Mir Ghat

Estas ghats de localização central são as mais sagradas da cidade, e muitas foram construídas sob o patrocínio de antigos principados da Índia, a exemplo de Darbhanga, Jaipur e Indore. A Harishchandra Ghat, uma das duas *ghats* de cremação de Varanasi, fica logo ao sul. Atrás da santa Dasashvamedha Ghat serpenteia uma ruela chamada Vishwanath Gali, ladeada de lojas que vendem todo tipo de objeto religioso. Ela conduz ao principal santuário da cidade, o Templo Vishwanath, que se diz ter mais de mil anos.

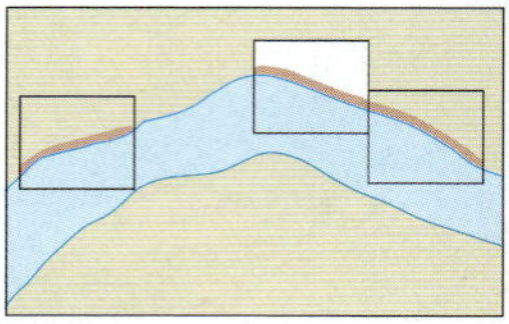

LOCALIZE-SE
Da Digpatiya Ghat à Mir Ghat

Chausatthi Ghat
Aulas sobre as escrituras são ministradas nesta ghat, *cujo nome vem do templo das Chausath Yoginis, ou 64 divindades femininas.*

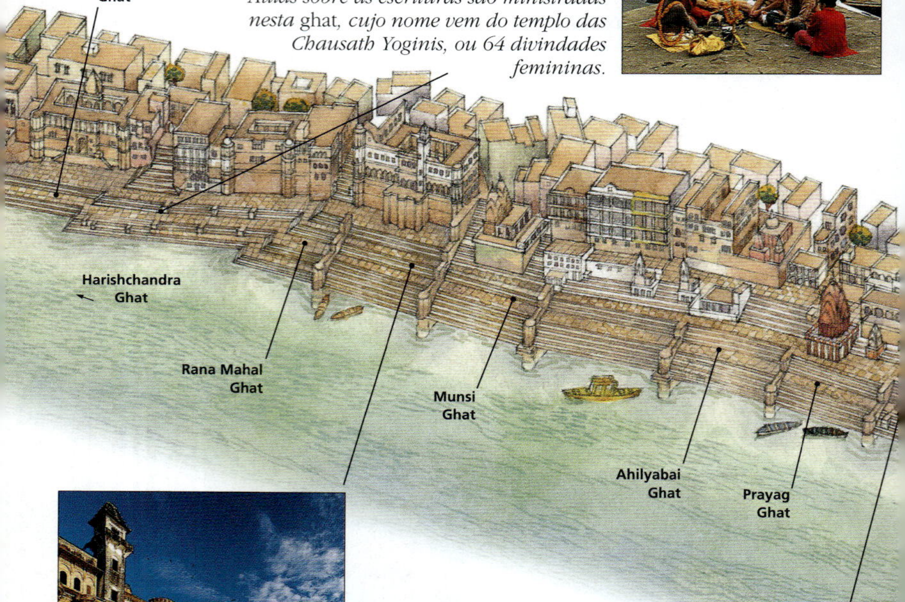

Darbhanga Ghat
Torres e torreões das antigas havelis, *construídas no início da década de 1900 por dois príncipes de Bihar, dominam esta* ghat. *Alguns dos pilares maciços dessas* havelis *são reminiscências do estilo grego.*

Dasashvamedha Ghat
Central, este local santo de Varanasi tem o nome do sacrifício simultâneo de dez cavalos (dasashvamedh) *realizado por Brahma, o Criador. Sacerdotes enfileirados sentam-se sob guarda-sóis de bambu e fazem orações rituais para os peregrinos, que se apinham na* ghat.

Para hotéis e restaurantes nesta região, ver págs. 695-7 e págs. 724-6

Vishwanath Gali
Jarros laqueados, pó vermelho, água do Ganges engarrafada, pulseiras e brocados são vendidos nesta viela que leva ao Templo Vishwanath, grande centro de orações em Varanasi.

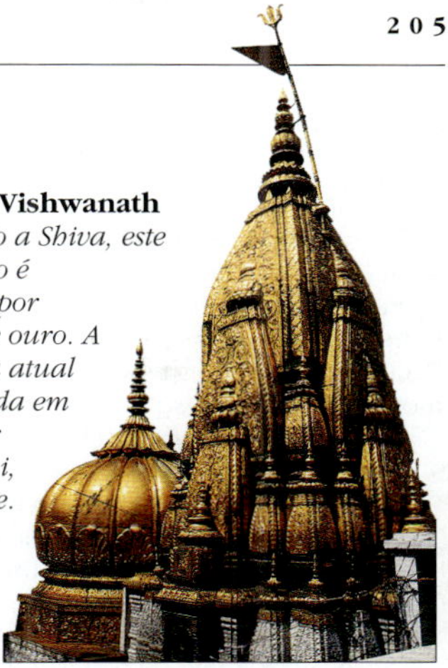

Templo Vishwanath
Dedicado a Shiva, este santuário é coroado por 750kg de ouro. A estrutura atual foi erguida em 1777 por Ahilyabai, de Indore.

Man Mandir Ghat
Jai Singh II, de Jaipur, construiu um de seus quatro Jantar Mantars (págs. 358-9) *no alto do palácio do rajá Man Singh, em 1710. Seu relógio de sol é visível da* ghat.

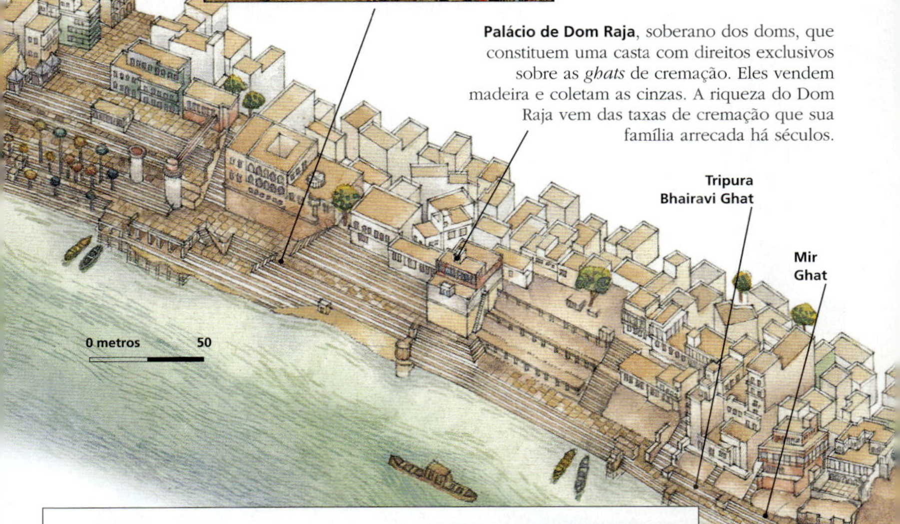

Palácio de Dom Raja, soberano dos doms, que constituem uma casta com direitos exclusivos sobre as *ghats* de cremação. Eles vendem madeira e coletam as cinzas. A riqueza do Dom Raja vem das taxas de cremação que sua família arrecada há séculos.

PASSEIO DE BARCO

A Dasashvamedha Ghat ao amanhecer

Um passeio de barco ao amanhecer é o destaque da ida a Varanasi, hora em que os templos à beira-rio são banhados pela luminosidade suave. Aos poucos, as pessoas de Varanasi saem do labirinto de vielas e se dirigem às *ghats*, na alvorada. Aqui, elas lavam roupas, executam *asanas* de ioga, oferecem flores e incenso ao rio e dão um mergulho ritual. O passeio mais fascinante é da Dasashvamedha até a Manikarnika Ghat *(pág. 206)*. Barcos a remo sobem e descem o rio, e podem ser alugados por hora. Como os preços são negociáveis, combine direito antes de alugar algum.

Varanasi: Da Nepali Ghat à Panchaganga Ghat

Neste trecho fica a famosa Manikarnika Ghat, uma das duas escadarias de cremação da cidade. Segundo a lenda, a *mani* (jóia do penacho) de Shiva e o *karnika* (brinco) de sua consorte Parvati caíram num poço ali perto, enquanto eles se banhavam, daí o nome da *ghat*. Para os hindus, morrer em Varanasi é motivo de comemoração, e acredita-se que isso confere à pessoa salvação instantânea ou *moksha* (libertação do ciclo de nascimento e morte). Consta que Shiva sussurra aos ouvidos do moribundo, e idosos e doentes, sábios e pessoas comuns preferem morrer aqui.

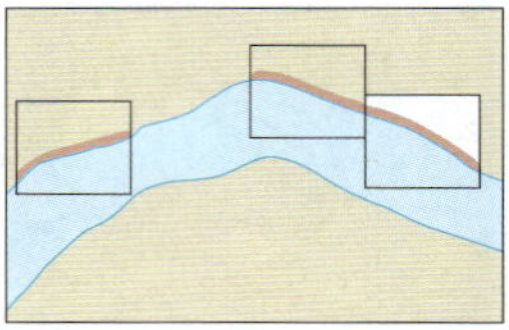

LOCALIZE-SE

Da Nepali Ghat à Panchaganga Ghat

0 metros 50

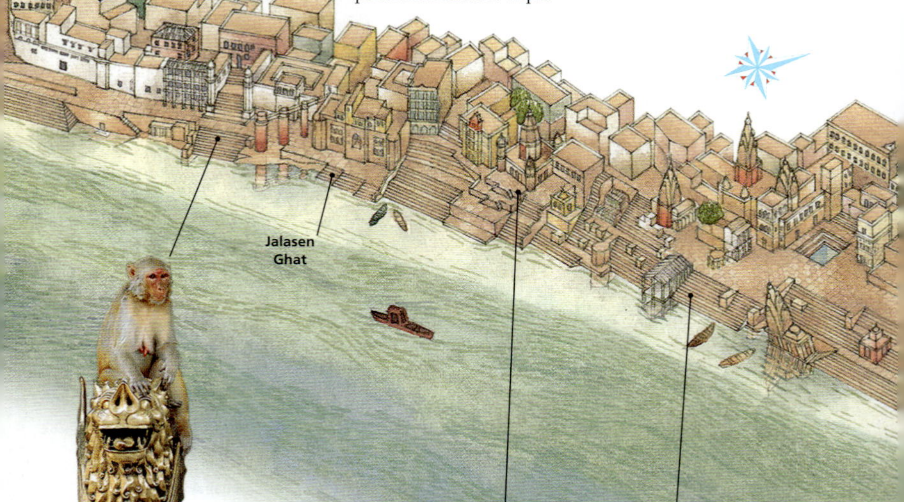

Nepali Ghat
Há um leão do lado de fora do templo de madeira, semelhante a um pagode, erguido pela família real do Nepal.

Manikarnika Ghat
Piras funerárias queimam dia e noite nesta ghat *de cremações, enquanto corpos envoltos em mortalhas repousam em esquifes ao lado de toras de madeira. No meio, fica o poço* (kund) *que Vishnu cavou com seu disco antes que o Ganges corresse por aqui.*

Scindia Ghat
As estruturas elaboradas desta ghat *eram tão pesadas que desabaram. Foram reconstruídas por Daulat Rao Scindia, de Gwalior, em 1937. Um templo está quase submerso no rio, com seu santuário no meio da água.*

Para hotéis e restaurantes nesta região, ver págs. 695-7 e págs. 724-6

RITUAIS REALIZADOS NO GANGES

Vaso para a água santa

Apesar de existirem mais de 700 templos em Varanasi, nenhum é mais sagrado do que o próprio rio. Diz-se que o Ganges, venerado como uma deusa viva, tem o poder de purificar todos os pecados terrenos. Banhos diários em suas águas são aconselhados pelas escrituras hindus, a fim de preparar a alma para a jornada final da libertação. Lindas oferendas de flores e *diyas* flutuam pelo rio.

Mergulho Ritual
Milhares de pessoas vêm a Varanasi todos os dias para banhos e homenagens ao Ganges.

Aarti à Noite
As preces diárias (aarti) *ao amanhecer e ao anoitecer servem de saudações ao rio. Lamparinas são oferecidas e sinos soam quando se cantam os mantras sagrados*

Santuário ao Lado
De branco, uma viúva junta flores, incenso e água do Ganges em uma pequena vasilha de latão, e presta homenagem em um santuário ao lado.

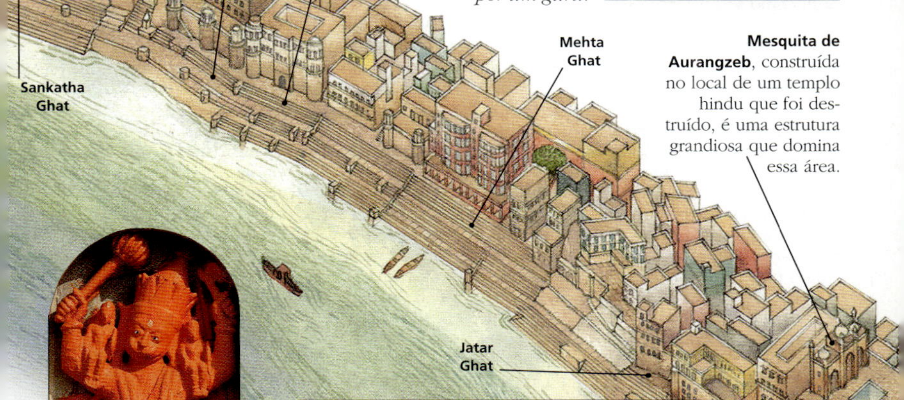

Ganga Mahal Ghat também foi construída pelo rei de Gwalior, no início do século 19.

Bhonsle Ghat

Sankatha Ghat

Akharas
São famosas as akharas, *ou arenas de luta livre, da cidade. Homens vivem e treinam nesses centros, como parte de sua instrução por um guru.*

Mehta Ghat

Mesquita de Aurangzeb, construída no local de um templo hindu que foi destruído, é uma estrutura grandiosa que domina essa área.

Jatar Ghat

Hanuman, o Deus Macaco, na Ganga Mahal Ghat

Panchaganga Ghat
Esta ghat *marca o ponto de encontro mítico de cinco rios sagrados e possui diversas imagens das deusas desses rios: Ganga, Yamuna, Saraswati, Dhupapapa e Kirana.*

Adi Keshava Ghat

Como Explorar Varanasi

Varanasi, contemporânea da Babilônia e de Nínive, data do século 7º a.C. Esta cidade eterna, na qual a religião está integrada na vida diária, sempre atraiu santos, poetas e peregrinos. Atrás das *ghats* à beira-rio ficam ruelas e bazares apinhados, onde as pessoas se acotovelam com vacas sagradas, homens santos de trajes alaranjados e devotos que fazem oferendas nos santuários de rua. Varanasi também é famosa como centro de aprendizagem de sânscrito e de filosofia hindu, atraindo estudiosos e pesquisadores de toda a Índia. A Benares Hindu University, inaugurada no início da década de 1900, perpetua essa tradição.

Defesas impressionantes do Ramnagar Fort, que despontam à beira-rio

Sinuosa e estreita, a Vishwanath Gali leva ao **Templo Vishwanath**, dedicado a Shiva, conhecido aqui como Vishwanath (Senhor do Universo). Entalhes florais pintados decoram as paredes externas e internas do templo, quase sempre apinhado. Ao lado, fica o antigo **Jnana Vapi Well** (Poço da Sabedoria). Consta que suas águas trazem a iluminação. Segundo a lenda, diz-se que este poço contém o *linga* do Templo Vishwanath original, que foi destruído pelo imperador mogul Aurangzeb, no século 17. A **Mesquita Jnana Vapi** foi erguida sobre as ruínas do templo.

Mais ao sul, localiza-se a ampla **Benares Hindu University**, fundada pelo eminente estudioso de sânscrito Madan Mohan Malviya. Dentro do campus, situa-se o famoso **Bharat Kala Bhavan Museum**, conhecido por ter um dos melhores acervos de pintura indiana do país. As quase 12 mil peças cobrem desde o século 11 até o século 20. As que mais impressionam são as miniaturas moguis, principalmente a que retrata o imperador Shah Jahan. A seção de esculturas indianas, também admirável, tem cerca de 2 mil peças, que vão de 300 a.C. até 1400. Entre elas estão uma linda escultura do casamento de Shiva e Parvati e uma estátua de Vishnu encarnado como Varaha *(pág. 679)*. E vale a pena apreciar as esculturas de Gandhara.

O **Ramnagar Fort**, do século 17, junto ao rio, passando a Asi Ghat, foi residência dos marajás de Varanasi durante 400 anos. Embora esteja descuidado, o palácio ainda mantém seu encanto. Espadas ornamentadas, fotografias de caça a tigres e da visita do rei e da rainha da Bélgica se alinham pelas paredes. Atualmente, há um museu instalado no Durbar Hall, onde estão expostos diversos objetos, a exemplo de palanquins e cadeirinhas para colocar no dorso de elefantes (*howdahs*).

Bharat Kala Bhavan
Tel (0542) 230 7621. seg-sáb.

Ramnagar Fort and Museum
diariam.

Sarnath 27

Distrito de Varanasi. 10km a NE de Varanasi. *Buddha Mahotsava (mai).*

Para os budistas, Sarnath é tão sagrada quanto Varanasi é para os hindus. Buda veio para o Deer Park, aqui, em 528 a.C., para pregar a Dharmachakra, ou a Roda da Lei, seu primeiro sermão importante após atingir a iluminação *(pág. 221)*. Nesse tempo, Sarnath era um dos mais antigos centros de aprendizagem da Índia, visitada pelos viajantes chineses Fa-Hsien e Hiuen Tsang, que escreveram sobre seus mosteiros florescentes. O monumento central do complexo atual é a ***Stupa* de Dhamekh**, do século 5º, construída no local em que se acredita que Buda proferiu seu sermão para cinco discípulos. A oeste, estão os restos da *Stupa* Dharmarajika, erguida por Ashoka, imperador mauria *(pág. 42)*, para preservar relíquias de Buda. O complexo também conta com diversos mosteiros e templos menores, com uma Bodhi Tree (Árvore da Iluminação), plantada em 1931, e a estátua de Anagarika Dharmapala, fundador da sociedade que manteve Sarnath e Bodh Gaya *(págs. 222-3)*. O **Archaeological Museum** exibe magnífico acervo de objetos budistas. O destaque é o capitel ashokano com leões de arenito polido *(pág. 4)*, símbolo nacional indiano.

Archaeological Museum
Tel (0542) 258 5002. sáb-qui.

***Stupa* de Dhamekh, principal monumento de Sarnath**

Brocados de Varanasi

Varanasi, o centro de peregrinação mais antigo da Índia, ganhou fama também com seus tecidos. Conhecida por mais de 2 mil anos pelas telas de trama finíssima de algodão, sua tradição em tecelagem adquiriu novo esplendor a partir do século 16, sob patrocínio do império Mogul. Os tecelãos de Varanasi logo aderiram à tecelagem de seda, com tramas douradas e prateadas, a fim de criar brocados suntuosos para trajes reais e decorações da corte, embelezados com sofisticados temas florais, animais e geométricos, preferidos pelos moguis. Também teciam brocados para os mosteiros tibetanos, decorados com temas budistas, como nuvens, lótus e chamas. Agora, é fabricada e vendida grande variedade de brocados para sáris, echarpes e tecidos no estilo tibetano.

Seda com padrão paisley

O **pallav**, *parte final do sári* (pág. 30), *é o trecho de desenho mais requintado da peça. Sua trama rica e complicada exige grande habilidade artesanal.*

Tecidos gyaser *eram tradicionalmente fabricados para o comércio com o Tibete. Este exemplar atual tomou um único elemento (a chama) de um tecido ritual para criar um padrão deslumbrante.*

Um **painel** *com mais de 600 motivos geométricos foi criado como referência de desenhos para os tecelões de brocados de Varanasi.*

O **tema de flores**, *o clássico* latifa buta, *combina fios dourados e prateados em um estilo chamado Ganga-Yamuna por causa dos dois rios cujas águas são claras e escuras.*

Sári Panch Ranga, *ou sári de cinco cores, cria um desenho de* leheriya *(ondas), alternando as cores azul, laranja, roxo, rosa e verde, entremeadas de dourado. A riqueza simples do desenho e das cores é sua característica inconfundível.*

Brocados atuais *recriam padrões com fios dourados e prateados, inspirados nos tecidos* gyaser *e desenhos das* jali *ou treliças usadas na arquitetura mogul.*

As proteções cobertas de trepadeiras do Allahabad Fort, construído pelo imperador mogul Akbar

Allahabad ㉘

Distrito de Allahabad. 227km a SE de Lucknow. 990.300. *Tourist Bungalow, 35 MG Marg, Civil Lines, (0532) 260 1837.* *Kumbh Mela (a cada 12 anos).*

A localização sagrada de Allahabad, na confluência *(sangam)* de três rios –o Ganges, o Yamuna e o mitológico Saraswati–, conferiu-lhe importância cultural, política e religiosa por quase 3 mil anos.

Hiuen Tsang, estudioso e monge budista *(pág. 219)*, visitou a cidade, então conhecida como Prayag, em 643 e descreveu sua prosperidade e fama detalhadamente. No século 16, foi capturada pelos moguis, que lhe deram o nome de Allahabad. Depois, os britânicos mantiveram forte presença militar na cidade, criaram tribunais de justiça e uma universidade. Jawaharlal Nehru *(pág. 57)*, primeiro chefe de governo da Índia, nasceu aqui em 1889, e mais tarde a cidade se tornou importante centro do Movimento da Independência. Agora, Allahabad é um centro tranquilo e próspero. As avenidas largas da área da Civil Lines contrastam com a compacta cidade velha.

O **Allahabad Fort** foi construído em 1583 por Akbar, que mandou trazer de Kausambi para cá um pilar ashokano do século 3º a.C. Infelizmente, tal pilar fica em uma parte do forte fechada ao público. No lado oriental do forte, está um conjunto de templos com uma figueira-da-índia muito antiga, a **Akshaivata**. Diz a lenda que quem pulasse de seus galhos alcançaria a libertação do infinito ciclo de renascimentos. Após muitas tentativas, a árvore foi cercada. Para vê-la, é preciso obter uma permissão especial, solicitada no Centro de Informação Turística local.

Fachada gótica da All Saints Cathedral

O **Khusrau Bagh**, sossegado jardim mogul no lado oeste da cidade, tem o nome do filho mais velho do imperador Jahangir, que liderou uma rebelião fracassada contra o pai e, mais tarde, foi morto em uma batalha de sucessão contra seu irmão Shah Jahan, em 1615. O túmulo dele fica ao lado dos de sua irmã e de sua mãe, uma princesa rajput de Jaipur, que enlouqueceu por causa da guerra entre o marido e o filho e morreu de overdose de ópio. Os *chhatris* no túmulo dela revelam influência rajput.

A **Anand Bhavan**, residência dos antepassados da dinastia política de primeiros-ministros, a família Nehru-Gandhi, agora abriga um museu de memórias de Nehru e descreve os destaques do Movimento da Independência.

Perto, na área de Civil Lines, está o **Muir College** cheio de arcos e torres, construído em 1870 e considerado ótimo exemplo de arquitetura indo- sarracena. Algumas telhas vitrificadas azuis e brancas ainda estão presas à cúpula, e uma das torres alcança a altura de 60m.

Do outro lado da rua fica o **Allahabad Museum**, com uma coleção de cerâmicas de Kausambi e algumas esculturas do século 10º ao século 13, do chamado período Chandela. Para oeste, atravessando a Civil Lines, encontra-se a **All Saints Cathedral**, construída em 1887 e projetada por William Emmerson, que construiu o Victoria Memorial, em Kolkata *(págs. 274 -5)*; o interior é forrado de mármore de Jaipur.

Túmulos do príncipe Khusrau e de sua irmã no Khusrau Bagh

Allahabad Fort
fechado ao público.

Anand Bhavan
ter-dom.

Allahabad Museum
ter-dom.

Para hotéis e restaurantes nesta região, ver págs. 695-7 e págs. 724-6

Arredores: Kausambi fica a 63km e a quase uma hora de carro de Allahabad, na margem oriental do Yamuna. Num raio de 2km, encontram-se as ruínas escavadas de uma *stupa*, de um palácio e de amplas fortificações. Enquanto a lenda local afirma que a cidade foi erguida pelos pandavas, heróis do *Mahabharata* *(pág. 26)*, escavações revelaram que aqui floresceu uma comunidade budista, entre 600 a.C. e 600. O próprio Buda veio pregar aqui. O local contém restos de uma rua pavimentada com tijolos, casas pequenas, cada uma com vala de drenagem de cerâmica, e um pedaço de um pilar ashokano que data do século 3º a.C. (um segundo pilar está no Allahabad Fort). Aqui foram encontrados alguns objetos e selos de cerâmica de 200 a.C., que agora estão no Allahabad Museum.

Rodeada por campos e vilarejos, com o rio como pano de fundo, Kausambi tem uma aura de grande serenidade.

Ruínas das fortificações de alvenaria e barro em Kausambi

A Ramghat de Chitrakoot, com templos, à margem do rio Mandakini

Chitrakoot ㉙

Distrito de Banda. 128km a SO de Allahabad. *Karwi, 8km a NE do centro, depois táxi ou ônibus.* *UPSTDC Tourism Bungalow, (05198) 224 219.* *diariam.*

Esta cidade de peregrinações à margem do rio Mandakini, embora vizinha de Madhya Pradesh, é mais fácil de acessar por Allahabad. Chitrakoot, literalmente "a Colina de Muitas Maravilhas" é a **Colina Kamadgiri**, em uma floresta em que, segundo o *Ramayana*, Rama, Sita e Lakshman passaram boa parte dos 14 anos de exílio. Abaixo da colina, fica a **Hanuman Dhara**, fonte natural que corre sobre uma encantadora imagem do Deus Macaco Hanuman, disposta em um nicho. Com diversos templos e cheia de homens santos *(sadhus)*, a cidade tem um charme singular. Em passeios de barco que saem da atraente **Ramghat**, principal *ghat* de Chitrakoot, têm-se lindas vistas dos templos à beira-rio.

Kalinjar Fort ㉚

Distrito de Banda. 190km a O de Allahabad. *Banda, 53km ao N do Kalinjar Fort, depois táxi ou ônibus.* *diariam.*

Um dos fortes mais antigos da Índia, o Kalinjar era chamado de Kanagora por Cláudio Ptolomeu, geógrafo grego do século 2º. Sua localização estratégica no trajeto entre o Norte e o Sul da Índia, transformou-o em alvo cobiçado por muitos governantes. Por isso teve uma história muito turbulenta e foi ocupado, sucessivamente, por diversos dominadores medievais, até ser controlado pelo soberano afegão Sher Shah Sur *(pág. 79)*, em 1545. Sete portões, com o nome de sete planetas e ladeados por esculturas e entalhes, levam ao forte. Ali há um Shiva gigante com 18 braços e um Ganesha dançante. Dentro do forte, o **Templo Neelkanth** é consagrado a Shiva. O santuário do templo contém um *linga* antigo.

O KUMBH MELA

Peregrinos no Kumbh Mela de Allahabad (2001)

Segundo uma lenda hindu, na guerra entre deuses e demônios pela urna *(kumbh)* do néctar da imortalidade *(amrit)*, Vishnu deu a urna a Garuda, seu veículo alado. Durante a luta, quatro gotas do néctar caíram em quatro lugares: Nasik *(pág. 474)*, Ujjain *(pág. 246)*, Haridwar *(pág. 184)* e Allahabad. Um Kumbh Mela é realizado em um desses locais de cada vez, de três em três anos, quando as configurações planetárias transformam as águas do Ganges em néctar. Peregrinos de todo o país afluem para o Kumbh Mela a fim de purificar os pecados, no maior encontro religioso do mundo. Tendas de hospedagem e barracas comerciais surgem para atender os visitantes. No Kumbh Mela de Allahabad (entre janeiro e fevereiro de 2001), quase 30 milhões de devotos se banharam no Mauni Amavasya (24 jan), o mais sagrado dos seis principais dias de banhos. O próximo Kumbh Mela será em Haridwar (2010).

BIHAR E JHARKHAND

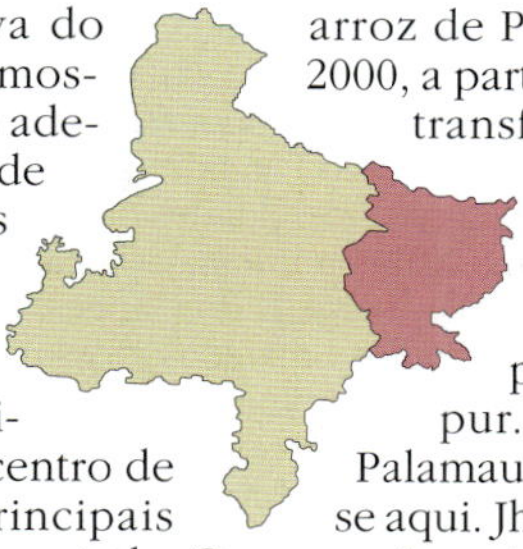

O nome Bihar deriva do sânscrito *vihara* (mosteiro), designação adequada para um estado onde nasceu o budismo. Lugares importantes, associados à vida e aos ensinamentos de Buda, como Bodh Gaya, Nalanda e Rajgir, ficam na planície seca do centro de Bihar e constituem as principais atrações para quem visita o estado. O norte de Bihar é uma fértil planície agrícola, banhada pelo Ganges e seus afluentes, onde se cultiva o famoso arroz de Patna. Em novembro de 2000, a parte meridional de Bihar se transformou no novo estado de Jharkhand, dominado por relevo alto, panorâmico e tomado por florestas, chamado planalto de Chhota Nagpur. As reservas de caça de Palamau e Hazaribagh localizam-se aqui. Jharkhand é rico em recursos minerais, além de abrigar diversas tribos, que possivelmente estão entre os mais antigos colonizadores do subcontinente indiano.

PRINCIPAIS ATRAÇÕES

Cidades
Jamshedpur 16
Munger 5
Patna 1
Ranchi 15

Estações de Montanha
Netarhat 14

Locais Históricos
Nalanda 7
Rajgir 8
Sasaram 2
Vaishali 4

Templos e Locais Sagrados
Bodh Gaya 10
Deoghar 6

Gaya 9
Parasnath 11
Sonepur 3

Parques Nacionais
Hazaribagh Wildlife Sanctuary 12
Palamau National Park 13

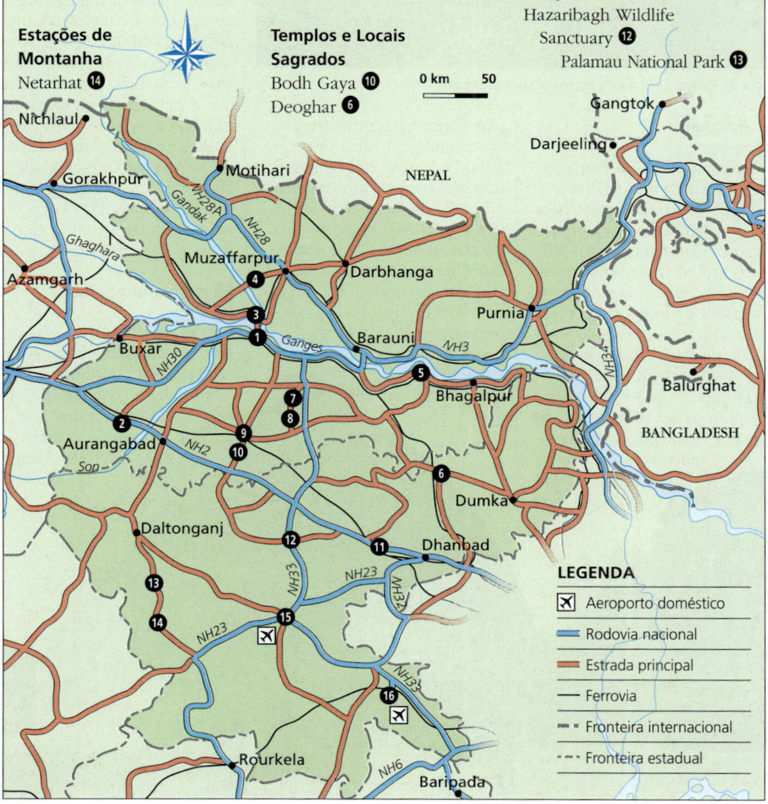

◁ **Templo Mahabodhi, em Bodh Gaya, o mais importante local de peregrinação budista**

Patna ❶

Didarganj Yakshi

A capital de Bihar é uma cidade moderna com raízes milenares, que remontam a 600 a.C. Durante os impérios Mauria e Gupta *(pág. 42)*, Patna, então conhecida como Pataliputra, era famosa como uma das grande cidades da Ásia. Mas agora ela é uma mancha urbana compacta, que se estende pelas margens do Ganges. A parte oeste, traçada pelos britânicos, possui belas mansões e prédios administrativos, enquanto a parte leste compreende a cidade velha e muitas ruelas apinhadas, que circundam monumentos medievais e bazares.

Vista de Patna, situada na margem sul do Ganges

Golghar

diariam.

Referência típica de Patna, o Golghar (literalmente "casa redonda") é uma cúpula enorme que lembra uma colméia gigante. Construído em 1786, pelo capitão John Garstin como silo para armazenar grãos, quando a escassez de comida era frequente, o Golghar nunca foi, de fato, colocado em uso. A construção tem 125m de largura na base e se afila aos poucos até atingir 29m de altura. Do lado de fora, sobem duas escadas laterais espiraladas, com duas plataformas para descansar no caminho. A idéia era carregar os grãos para cima e derramá-los por um orifício no topo, enchendo o vão interno, cuja capacidade é de 124.285 toneladas. Dentro da estrutura, o eco é fantástico. Durante as monções, o topo da cúpula oferece vistas impressionantes do Ganges, que nessa época pode alcançar até 8km de largura.

State Museum

Tel (0612) 223 5731. ter-dom.

Algumas preciosidades estão expostas no State Museum. Entre elas há uma imagem de pedra polida, do período Mauria (provavelmente do século 3° a.C.), de Didarganj Yakshi (criada), considerada uma obra-prima da escultura indiana. Outros destaques incluem estátuas de bodhisattvas no estilo de Gandharan; excelentes imagens de Buda de bronze e pedra preta, que datam do período Pala (século 8° ao século 12); estatuetas de cerâmica, textos budistas antigos e uma coleção de *thangkas* tibetanos. O museu também se orgulha de uma madeira fossilizada de 15m de comprimento, que deve ter 200 milhões de anos.

Khudabaksh Library

Tel (0612) 267 0209. sáb-qui.
www.kblibrary.bih.nic.in

Inaugurada em 1900, esta biblioteca possui uma famosa coleção de manuscritos raros persas e arábicos, entre os quais estão exemplares medievais do Alcorão com iluminuras, e belíssimas pinturas em miniatura moguis. Uma raridade são os volumes salvos de saques na Universidade Moura de Córdoba, na Espanha, no século 11; mas o modo como eles chegaram à Índia é um mistério.

Harmandir Sahib

diariam.

Esta histórica gurdwara sique marca o local de nascimento (em 1666) do guru ativista Gobind Singh *(pág. 103)*. Considerado um dos quatro santuários mais sagrados para os siques,

Golghar em forma de colméia, construído como silo no século 18

Para hotéis e restaurantes nesta região, ver pág. 697 e pág. 726

Acervo particular eclético do Jalan Museum

PREPARE-SE

Distrito de Patna. 1.015km a L de Delhi. *1.377.000.* *7km a O do centro.* *Bihar Tourism, JP Loknayak Bhavan, Fraser Rd, (0612) 222 5411.* *seg-sáb.* *Patliputra Mahotsava (mar).*

este templo de mármore foi erguido no século 19 pelo marajá Ranjit Singh *(pág. 104)*. No andar acima do santuário principal, há um museu com relíquias do guru.

Jalan Museum

Marcar hora. ***Tel*** *(0612) 264 1121.*
Conhecido como Qila House (Casa Fortaleza), este museu tem acervo eclético, reunido por um antepassado da família Jalan, no século 19. Estão expostas pinturas chinesas, jades e baixelas de prata do império Mogul, a cama de Napoleão e porcelanas de Sèvres de Maria Antonieta. A própria Qila House é uma estrutura interessante, erguida sobre as ruínas de um forte do século 16, por Sher Shah Sur *(pág. 79)*.

Kumrahar

ter-dom.
Aqui estão as ruínas da antiga cidade de Pataliputra. Escavações revelaram fortificações de madeira com elaborados entalhes, pilares de arenito e restos de um amplo salão mauria, que parece ter existido no século 2º a.C. O museu no local exibe alguns desses achados, que são de uma era em que Patna foi descrita por Megástenes, enviado grego à corte mauria, como "uma cidade de luz, onde até as paredes de madeira brilham como vidro".

Old Opium Warehouse

Gulzarbagh. *seg-sex.*
Localizado em um conjunto murado à beira-rio, o armazém de ópio da Companhia das Índias Orientais agora é a Government Printing Press. O visitante pode ver os três prédios compridos, onde o ópio era embalado para ir de navio até Kolkata.
Arredores: Maner, 30km a oeste de Patna, é importante centro de ensino islâmico. Conta com o mausoléu de arenito do século 16 do santo sufi Hazrat Makhdum Yahya Maneri, situado em um parque tranquilo. Maner é famosa pelos *laddoos*: doces redondos de farinha de trigo e melado.

Magnífico túmulo do século 16 do governante afegão Sher Shah Sur, em Sasaram

Sasaram ❷

Distrito de Rohtas. 158km a SO de Patna.

A poeirenta cidade de Sasaram, a três horas de carro a oeste de Patna pela histórica Grand Trunk Road *(pág. 179)*, é famosa pelo **Mausoléu de Sher Shah Sur**, grande soberano afegão *(pág. 79)*. Esta obra-prima de meados do século 16 é, para citar o historiador de arquitetura Percy Brown, uma prova da "capacidade estética da arquitetura indiana no seu auge, e do máximo de sua genialidade". Com ambientação espetacular, no meio de um lago artificial, a estrutura piramidal de arenito se levanta em cinco camadas até a altura de 45m. As duas primeiras camadas são formadas de uma base em degraus e de uma esplanada elevada, que parece emergir da água, com um pavilhão em cada canto. O túmulo octogonal está disposto sobre um plinto e se afila em direção à abóbada em três elegantes camadas de arcos, com parapeitos de ameias e quiosques com pilares. A grande cúpula é coroada por um lótus dourado. Tais elementos se combinam para criar uma edificação muito bem proporcionada, que parece flutuar no lago. O túmulo tem um desvio de oito graus em relação ao eixo principal, erro que o arquiteto Aliwal Khan disfarçou com maestria. Os azulejos brilhantes, amarelos e azuis, ainda estão no lugar. Ali perto fica o túmulo de Hasan Sur, pai de Sher Shah, construído pelo mesmo arquiteto.

Sonepur ❸

Distrito de Saran. 25km ao N de Patna. *Bihar Tourism, Patna, (0612) 222 5411. Sonepur Mela (out/nov).*

De Patna para o norte, depois de atravessar os 7,5km da ponte Mahatma Gandhi sobre o Ganges, chega-se à cidadezinha de Sonepur, conhecida pelo *mela* anual, que se considera a maior feira de gado da Ásia. O evento dura um mês e começa na lua cheia de Kartik Purnima, que costuma cair em outubro ou novembro. O local do *mela* é um banco de areia na confluência dos rios Ganges e Gandak. Ela atrai sadhus, peregrinos e famílias do local, além de comerciantes de gado de toda a Índia. Ali são vendidos elefantes, camelos, cavalos, vacas e muitos pássaros exóticos.

Zôo móvel na grande feira de gado de Sonepur

À parte a compra e venda de animais, grãos e forragem, há diversas trupes de cantores e mágicos, grupos de *nautanki* (artistas de variedades), conjuntos de dança, lutadores e ginastas, que exibem suas habilidades na areia. Entre o comércio e as diversões, todos dão um mergulho sagrado no rio, durante o período mais auspicioso do calendário hindu. O departamento de turismo estatal instala uma vila turística, uma semana antes da feira, e podem-se reservar chalés e tendas no escritório deles em Patna. Mesmo que o visitante nem queira comprar um elefante (com preços que começam em US$200), o Sonepur Mela, com sua colorida mistura de religião, diversão e comércio, é uma experiência inesquecível.

Banho de elefantes durante o Sonepur Mela

Para hotéis e restaurantes nesta região, ver pág. 697 e pág. 726

Vaishali ❹

Distrito de Vaishali. 55km ao N de Patna. 🚌 ℹ *Tourist Information Centre, Vaishali (06225) 284 425.*

Localizada em uma paisagem verdejante, ao norte de Bihar, cheia de plantações de banana e lichia, Vaishali é um centro religioso importante. Diz-se que Mahavira, fundador do jainismo *(pág. 396)*, nasceu aqui, em 599 a.C. Aqui, também, Buda fez seu último sermão *(pág. 221)*. No século 6º a.C., Vaishali era uma cidade florescente, sob domínio de governantes Lichhavi, que criaram uma das primeiras cidades-repúblicas do mundo. Um **Mauryan Stone Pillar**, que data do século 3º a.C., com um leão de tamanho real no topo, fica 4km a oeste do Tourist Lodge.

Perto do pilar está o **Ramkund Tank,** também conhecido como Monkey Tank, que agora está seco. Segundo a lenda, ele foi cavado por macacos, que aqui ofereceram a Buda uma vasilha de mel –cena reproduzida em muitas esculturas e pinturas budistas. Também estão perto do pilar as ruínas de uma *stupa* de alvenaria do século 5º a.C. Acredita-se que tenha sido erguida por governantes Lichhavi logo após a morte de Buda, como santuário para as cinzas dele. Escavações revelaram fundações de alvenaria de muitas outras *stupas*. Em 1996, budistas japoneses construíram um templo e a enorme e branca ***Stupa* Vishwa Shanti** (*Stupa* da Paz Mundial), o que recolocou Vaishali no circuito de peregrinação budista.

Leão no topo de pilar do século 3º a.C., em Vaishali

A famosa Bihar School of Yoga, dentro do Munger Fort

Munger ❺

Distrito de Munger. 180km a L de Patna. 🚉 ℹ *Tourist Information Centre, Fort Area, Munger (06344) 222 392.*

Com localização pitoresca à margem do Ganges, Munger sedia a famosa **Bihar School of Yoga**, criada por Swami Satyanand, e agora dirigida por seu discípulo Swami Niranjananand. A escola está dentro do Munger Fort, do século 15, e aceita visitantes. O forte foi ocupado, sucessivamente, pelos moguis, por diversos governantes regionais e pelos britânicos. Próximo à porta norte fica um cemitério britânico do século 18, com túmulos piramidais ornamentados.

Bihar School of Yoga
Tel *(06344) 222 430.* ◯ *diariam.*

PINTURA DE MADHUBANI

A vibrante pintura da cidade de Madhubani *(pág. 81)*, ao norte de Bihar, adquiriu popularidade e prestígio internacionais. Executadas por mulheres nas paredes das casas da cidade, essa arte se vale de motivos e temas inspirados na mitologia hindu, na natureza, em festivais e na vida cotidiana. Composições extremamente elaboradas são criadas para o *kohbar*, ou salão nupcial, para a noite do casamento, e quase sempre têm um deus e uma deusa rodeados por um bando de pássaros e animais, e observados pelo Sol, pela Lua e pelas estrelas. Nos últimos anos, depois que as mulheres de Madhubani participaram de exposições no exterior, surgiram novos temas em seus trabalhos, a exemplo de arranha-céus, aviões e mulheres de salto alto. As cores fortes usadas vêm de corantes vegetais e minerais, e as pinturas são feitas com palitinhos de bambu. Agora, essas pinturas, também executadas em papel e tecido, estão à venda em muitas cidades indianas.

Pintura de Madhubani, com linhas e cores fortes

Deoghar ❻

Distrito de Deoghar. 180km a L de Patna. 🚉 🚌 ℹ *Tourist Information Centre, (06432) 222 422.* *Mela (jul/ago).*

Em Deoghar, o **Baidyanath Dham** é um importante templo de Shiva. Consta que ele marca o local em que caiu o coração de Parvati, consorte de Shiva, quando o deus, tomado de dor, carregou o corpo dela pelo terreno *(pág. 279)*. O *linga* dentro do templo, objeto de veneração especial, é um dos 12 *jyotirlingas (pág. 202)* de Shiva, que se acredita terem sido materializados da luz. Um *mela* anual, que dura um mês, atrai mais de 100 mil peregrinos por dia.

Nalanda 7

Bodhisattva no Templo 3

Antigo centro de ensino que teve muito prestígio na Ásia, a Buddhist University of Nalanda foi fundada no século 5º e tinha mais de 5 mil pessoas, entre alunos e professores internacionais, e uma biblioteca com 9 milhões de manuscritos. Construída em local reverenciado, onde Buda sempre ficava, Nalanda floresceu até 1199, quando foi pilhada e destruída por Bakhtiar Khalji, invasor turco. As ruínas de mosteiros e templos ainda transmitem a vívida sensação da vida de contemplação serena e ordenada e do aprendizado que ocorriam aqui.

Templo 12
O que restou de um torana *fica em frente deste templo do século 7º, voltado para a fileira de mosteiros.*

★ Templo 3
O principal templo de Nalanda e sua maior edificação (31m de altura) datam do século 6º. Há uma câmara-santuário no topo e pequenas stupas *nos cantos.*

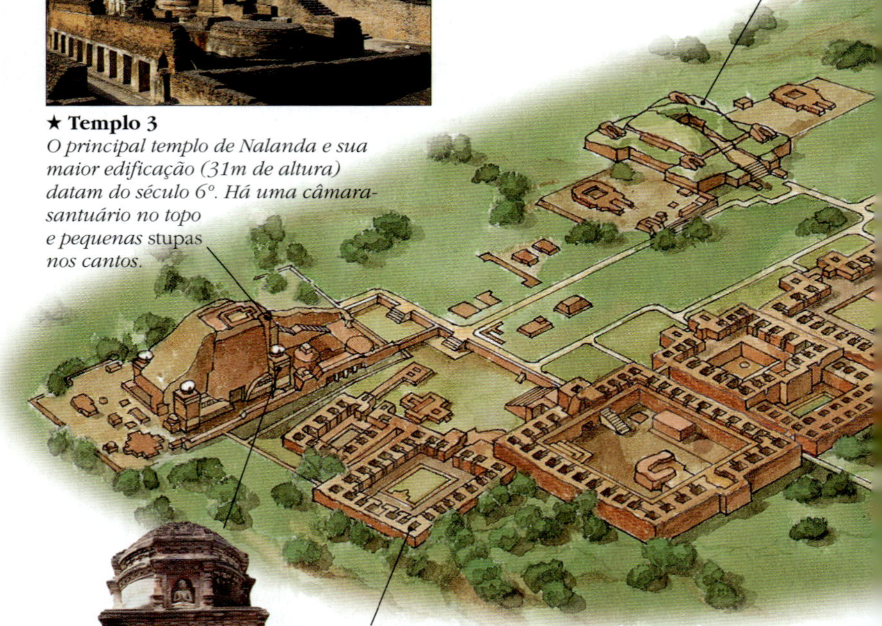

O **Mosteiro 1A** provavelmente foi construído por um rei de Sumatra, no século 9º.

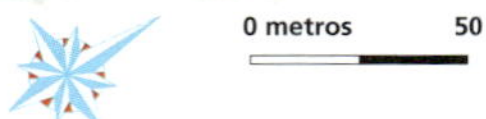

★ *Stupas* Votivas
Localizadas em volta do Templo 3, elas têm imagens de gesso de bodhisattvas em pé e de Budas sentados.

PONTOS ALTOS

- ★ Templo 3
- ★ *Stupas* Votivas
- ★ Painéis de Rodapé do Templo 2

Para hotéis e restaurantes nesta região, ver pág. 697 e pág. 726

Vista dos Mosteiros
As celas dos monges cercam um pátio em cada um dos 11 mosteiros. As ruínas revelam um hábil trabalho de alvenaria.

PREPARE-SE

Distrito de Nalanda. 90km ao S de Patna. *de Patna.* *Bihar Tourism, Nav Nalanda, perto do terminal de ônibus.* *diariam.* **Museu** *sáb-qui.*

No **Templo 14** *podem ser vistos traços de pintura em um nicho com pedestal, onde ficava uma imagem de Buda.*

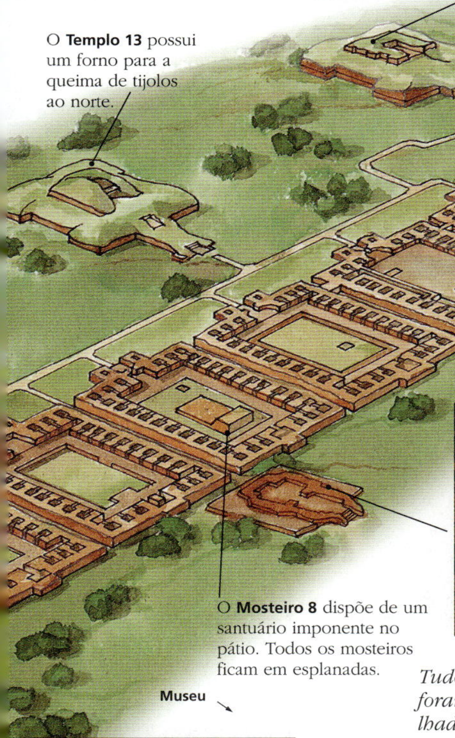

O **Templo 13** possui um forno para a queima de tijolos ao norte.

O **Mosteiro 8** dispõe de um santuário imponente no pátio. Todos os mosteiros ficam em esplanadas.

Museu

★ Painéis de Rodapé do Templo 2
Tudo o que restou desta construção do século 7° foram as fundações, que têm rodapé todo trabalhado, com mais de 200 painéis entalhados com divindades,animais e motivos florais.

Alvenaria
Camadas de construções muito mais antigas, algumas do século 3° a.C., são visíveis na alvenaria de Nalanda.

HIUEN TSANG EM NALANDA

Monge e estudioso chinês, Hiuen Tsang atravessou desertos e montanhas ameaçadores para chegar a Nalanda, no início do século 7°. Aqui, ele passou 12 anos estudando e ensinando, e ficou maravilhado com "as altas cúpulas e agulhas de Nalanda, com os pilares vermelho-perolados, esculpidos e decorados, e com as balaustradas ricamente ornamentadas". Ao voltar para a China, instalou-se no Pagode do Grande Ganso, em Xian, onde traduziu para o chinês os textos budistas que trouxera de Nalanda.

Gravura chinesa de Hiuen Tsang

Fontes térmicas sulfuradas em Rajgir, rodeadas de templos e hospedarias

Rajgir ❽

Distrito de Nalanda. 115km a SE de Patna. *33.700.* *Bihar Tourism, Kund Market. (06119) 252 73*

Cercada por cinco morros sagrados, a cidadezinha de Rajgir é importante para budistas e jainistas. Tanto Buda quanto Mahavira, fundador do jainismo, passaram meses meditando e pregando aqui. Os morros têm templos jainistas, ruínas de mosteiros e cavernas para meditação. O que chama a atenção em Rajgir é a ***Stupa* Vishwa Shanti** no monte Ratnagiri, uma construção de mármore e arenito, nova e grande, feita por japoneses, onde estão quatro estátuas douradas de Buda. O visitante pode chegar de teleférico à *stupa*, de onde sai um caminho para o vizinho monte **Griddhakuta** (Pico do Abutre), local venerado pelos budistas. Aqui, duas cavernas talhadas na rocha eram o refúgio preferido de Buda, e foi neste morro que ele proferiu dois de seus sermões mais famosos. O incidente de Buda domando um elefante selvagem, cena muito reproduzida na arte budista, também ocorreu em Rajgir. A oeste do monte Griddhakuta está o monte **Vaibhava**, em cujo sopé existem fontes termais sulfurosas, cheias de gente para dar um mergulho medicinal. No topo do morro, situam-se as sete **Saptaparni Caves**, onde o primeiro Conselho Budista se reuniu após a morte de Buda, para registrar os ensinamentos dele. Abaixo delas fica a **Pippala Watchtower**, uma curiosa estrutura de pedra, com celas para guardas, que mais tarde foram usadas por monges. Ela data do século 5º a.C., quando Rajgir era capital do império Magadha *(pág. 42)*, governado pelo rei Bimbisara, que se tornou devoto de Buda. Restos da gigantesca muralha que ele fez, com pedras apenas encaixadas, ainda é vista nos montes de Rajgir.

Arredores: Pawapuri, 38km a leste de Rajgir, é sagrada para os jainistas, pois aqui morreu o fundador da crença, Mahavira, em 500 a.C. Um tanque cheio de flor de lótus, tendo ao meio o Templo Jalmandir, de mármore, marca o lugar de sua cremação.

Gaya ❾

Distrito de Gaya. 100km ao S de Patna. *383.200.* *Bihar State Tourist Office, Estação de Trem, (0631) 232 155.*

Disposta à margem do rio Phalgu, Gaya, junto com Varanasi e Allahabad, está entre os três centros mais sagrados para os ritos funerários hindus. Acredita-se que o próprio Vishnu tenha santificado Gaya, determinando que as preces realizadas aqui para as almas que se foram absolveriam seus pecados terrenos. A vida religiosa da cidade é dominada pelo **Templo Vishnupad**, fechado à visitação de não-hindus. Mas não há restrições para as *ghats* pitorescas e os santuários ao longo do rio.

Arredores: As **Barabar Caves**, talhadas a fundo num rochedo, ficam 45km ao norte de Gaya, junto a uma estrada acidentada, só para jipes. Elas inspiraram as Marabar Caves de *Uma passagem para a Índia*, famoso romance de E. M. Forster. Remontam ao século 3º a.C. e constituem os primeiros exemplos indianos de cavernas talhadas na rocha. Das quatro cavernas, contruídas por ascetas sob as ordens de Ashoka, imperador mauria, as duas que mais impressionam são **Lomas Rishi** e a **Sudama**, notáveis pelo polimento das pedras e pelo modo como foram formatadas para imitar as moradias arredondadas de madeira e bambu, comuns naqueles tempos. Até as paredes internas têm ranhuras perpendiculares cortadas na pedra, imitando as marcas do bambu. A fachada da caverna Lomas Rishi tem lindos entalhes nas treliças e uma fileira de elefantes prestando homenagem às *stupas*.

Não é seguro explorar essa área acidentada sem guias confiáveis, recomendados pelo Bihar Tourist Office, na estação de trem de Gaya.

Realização de rituais na Phalgu Ghat, em Gaya

Para Seguir os Passos de Buda

Buda nasceu em 566 a.C. como Sidarta Gautama, príncipe do reino de Kapilavastu. Embora nascido em Lumbini, no Nepal, todos os lugares associados à vida dele e a seus ensinamentos estão em Bihar e Uttar Pradesh. Agora, eles fazem parte de um famoso circuito de peregrinação budista, que segue os passos de Buda desde Bodh Gaya, onde ele alcançou a iluminação, passando por Sarnath, onde fez o primeiro sermão, e por lugares que visitou com regularidade, até chegar a Kushinagar, onde morreu em 486 a.C.

Pegadas de Buda

Ao **renunciar** *a sua vida principesca, aos 30 anos, Sidarta (aqui representado por um cavalo desmontado) deixou seu palácio e sua família, a fim de descobrir o significado da existência humana e do sofrimento.*

Enfraquecido *por jejuns e penitências, ao passar seis anos vivendo com ascetas e vagando como mendigo, o príncipe Sidarta achou que esse autoflagelo não lhe dava respostas.*

A **Iluminação** *veio em Bodh Gaya, onde, após meditar 49 dias sob a Bodhi Tree (Árvore da Iluminação), ele descobriu que a causa do sofrimento é o desejo, e que o desejo pode ser dominado quando se segue o "Caminho de Oito Passos" da Retidão.*

O **Primeiro Sermão**, *proferido em Sarnath* (pág. 208), *continha a essência de seus ensinamentos. Ao evitar o ascetismo, os rituais e as distinções de casta e classe, seu Caminho de Oito Passos prescrevia a Retidão no Pensamento, na Compreensão, na Fala, na Ação, no Meio de Vida, no Esforço, na Concentração e na Contemplação.*

A **Morte de Buda** *ocorreu em 486 a.C. Ele adoeceu depois de comer cogumelos silvestres, preparados por um de seus seguidores, e morreu em um bosque de pés de sal, em Kushinagar, onde uma* stupa *marca o local de sua cremação.*

LOCAIS DE PEREGRINAÇÃO

O **Percurso Budista** *atrai devotos do mundo todo, até de países como o Japão e a Tailândia.* Stupas *e templos no trajeto da peregrinação só existem por causa desses budistas. Esta imagem de Buda, por exemplo, foi construída por japoneses.*

Veja outros aspectos em Little Tibet *(pág. 123)* e Iconografia Budista *(pág. 141)*.

Mosteiro Tailandês de Bodh Gaya, erguido como *wat* (templo) tradicional

Bodh Gaya ⑩

Distrito de Gaya. 115km a SE de Patna. *30.900.* *Gaya, 13km ao N do centro, depois táxi ou ônibus.* *Bihar Tourism, 34 Mahabodhi Market Complex, (0631) 240 0672.* *Monlam Chenmo Prayers (jan/ fev), Buddha Jayanti (mai).*

Centro budista considerado o mais sagrado do mundo, Bodh Gaya é o lugar em que Buda alcançou a iluminação. Destaca-se aqui o **Templo Mahabodhi**, cujas altas torres piramidais dominam a paisagem. De três lados, cerca o templo uma balaustrada de pedra do século 1° a.C., esculpida com medalhões de lótus e cenas da vida de Buda, que inclui a sagrada **Bodhi Tree** (Árvore da Iluminação), sob a qual Buda meditou antes de atingir a iluminação.

O templo original era uma *stupa* circular, construída por Ashoka, rei mauria, no século 3° a.C., mas uma grande reconstrução no século 7° deu ao templo sua forma atual. No século 12, ele foi muito danificado por invasores muçulmanos, mas ganhou uma restauração fiel no século 14, feita por reis birmaneses, que também acrescentaram nos cantos réplicas da torre central. Depois, quando o budismo quase desapareceu no Norte da Índia, o local do templo foi inundado e coberto de lama, ficando praticamente "perdido" por séculos. Alguns budistas birmaneses o redescobriram no fim do século 19, e as ruínas foram escavadas e restauradas.

Atualmente, Bodh Gaya se desenvolve como um dos centros internacionais budistas. A cidade tem muitos templos e mosteiros construídos por diversos países, entre eles China, Japão, Sri Lanka, Vietnã, Tailândia, Taiwan, Coréia, Butão e Nepal. O **Templo Tailandês** é o mais pitoresco, e o moderno **Templo Japonês** se faz notar por ter na frente uma estátua de Buda com 25m de altura. Os **mosteiros Butanês e Tibetano** estão cheios de murais coloridos e rodas de oração, e ambos ficam sempre cheios de monges com roupas vermelhas.

No pátio em volta do Templo Mahabodhi, monges meditam em *stupas*, noviços têm a cabeça raspada e peregrinos rezam diante da Árvore da Iluminação. No inverno, durante três semanas, surge uma cidade de tendas em volta do templo, pois milhares de monges e peregrinos se reúnem aqui para as Orações de Monlam Chenmo, muitas vezes presididas pelo Dalai Lama e outras figuras veneradas do mundo budista.

Estátua de Buda com 25m de altura, construída por japoneses

Do outro lado da rua está situado o **Archaeological Museum**, com fragmentos da linda balaustrada original do templo, do século 3° a.C. e imagens de bronze e de pedra do século 8° até o século 12, escavadas durante os trabalhos de restauração.

Archaeological Museum
sáb-qui.

***Stupas* com belos entalhes, no pátio do templo**

A SAGRADA ÁRVORE DA ILUMINAÇÃO

Segundo as tradições locais, a Bodhi Tree (Árvore da Iluminação – *Ficus religiosa*) original foi derrubada pela esposa do imperador Ashoka, pois tinha ciúme do tempo que ele passava em suas devoções budistas. O imperador reviveu a árvore ao nutrir suas raízes com leite, cercando-a com uma balaustrada para protegê-la. Consta que a árvore atual veio da mesma linhagem da original. Mahinda, filho de Ashoka, levou uma muda da planta original para o Sri Lanka, em uma de suas missões doutrinárias. Ali, a árvore se desenvolveu e, mais tarde, uma muda foi trazida e plantada em Bodh Gaya, depois que a árvore original morreu.

Peregrinos reunidos sob a Árvore da Iluminação

Para hotéis e restaurantes nesta região, ver pág. 697 e pág. 726

Bodh Gaya: Templo Mahabodhi

Entalhe de lótus no Chakramana

O complexo do Templo Mahabodhi, declarado Patrimônio da Humanidade pela Unesco, marca o local onde, há mais de 2.500 anos, o príncipe Sidarta, sob a Árvore da Iluminação, meditou sobre as causas do sofrimento humano, encontrou as respostas que buscava e se tornou Buda, o Iluminado. O melhor momento para visitar o complexo é ao anoitecer, quando milhares de lamparinas inundam o templo de luz dourada e o ar é tomado pelo som das preces budistas.

PREPARE-SE

Complexo do Templo Mahabodhi. *Temple Office, (0631) 240 0445.* *diariam.* *taxa extra.* *Buddha Jayanti (mai).*

Buda
No santuário principal, a imagem de pedra dourada (do fim do século 10) expressa grande serenidade. O pedestal tem entalhes de leões alternados com elefantes.

Torana
O portal para o templo é de granito, coberto de inscrições dos ensinamentos de Buda. Data do século 8º.

A **torre** de 54m de altura é esculpida em camadas e coroada por um remate em forma de guarda-sol.

Foi sob a **Bodhi Tree** (Árvore da Iluminação) que Buda passou 49 dias.

A **entrada** leva ao santuário principal, com a imagem de Buda.

Chakramana
Entalhada com lótus, esta calçada sagrada servia para Buda caminhar, meditando se difundiria sua mensagem para o mundo.

Vajrashila
A laje de arenito vermelho, sob a Árvore da Iluminação, marca o local onde Buda se sentava. Data, provavelmente, do século 3º a.C.

Parasnath ⓫

Distrito de Giridih. 179km a NE de Ranchi. *Madhuban.*

Importante destino para peregrinos jainistas, Parasnath tem nome que deriva de Parsvanatha, 23° *tirthankara* jainista *(pág. 396)* que se acredita ter alcançado o nirvana aqui. Agrupados no topo do monte Sikayi, o pico mais alto de Jharkhand, com 1.400m, estão 24 templos jainistas, dedicados a cada um de seus *tirthankaras*. O templo no ponto mais elevado é dedicado a Parsvanatha. Os peregrinos começam a subida em Madhuban, uma parada no sopé do morro, e levam mais de três horas para vencer as encostas com florestas. Existem palanquins para levar os que não podem andar. A vista do topo é magnífica.

Hazaribagh Wildlife Sanctuary ⓬

Distrito de Hazaribagh. 107km ao N de Ranchi. *Hazaribagh Rd Station, 67km ao S de Pokharia, principal entrada, depois ônibus.* *Tourist Office, perto do ponto de ônibus, na cidade de Hazaribagh, 16km ao S de Pokharia. Para permissão, contate o Divisional Forest Officer, em Hazaribagh, (06546) 22 3340.*

Instalada no planalto Chhota Nagpur e coberta por floresta decíduas, esta reserva de vida selvagem fica a 16km de Hazaribagh (Milhares de Tigres), cujos arredores já foram famosos pela grande população de tigres. Mas, em consequência do desmatamento, a maioria desses animais desapareceu. Agora é difícil avistar algum tigre em qualquer das dez plataformas de observação. A reserva de 190km², inaugurada em 1954, é dividida ao meio pela rodovia Ranchi-Kolkata, que tem tráfego pesado e afugentou muitos animais para outros hábitats. Mas ainda há muitos javalis, nilgais (antílopes) e leopardos, e a floresta densa é um paraíso para os pássaros silvestres.

O pitoresco planalto Chhota Nagpur, no caminho para Netarhat

Leopardo no Palamau Park

Torre de observação no Hazaribagh Wildlife Sanctuary

Palamau National Park ⓭

Distrito de Palamau. 170km a O de Ranchi. *Daltonganj, 24km a NO de Betla, principal entrada.* *Tourist Office, Betla, (06562) 25 6513. Para permissão, contate o Deputy Director, Palamau National Park, em Daltonganj. Jipes disponíveis em Betla.*

Também conhecido como Betla National Park, o Palamau National Park, no extremo noroeste do planalto Chhota Nagpur, fica em uma região montanhosa e tribal, banhada pelos rios Koel e Burha. O parque dispõe de campos, moitas de bambu, bosques de *sal (Shorea robusta)* e altos pés de *mahua (Madhuca indica)*, de cujas flores amareladas as tribos oraon e munda fazem um licor forte. A reserva é habitada por elefantes, veados, leopardos, tigres (44, na contagem de 1997) e variadas espécies de pássaros. Há diversas torres de observação e muitos esconderijos estrategicamente colocados perto da água. As ruínas interessantes de dois fortes do século 16, fontes termais e alguns vilarejos tribais ficam dentro do parque.

Netarhat ⓮

Distrito de Palamau. 156km a O de Ranchi.

A única estação de montanha de Bihar e Jharkhand, Netarhat fica a 1.140m de altitude, nos montes com floresta de Chhota Nagpur, na saída da rodovia Ranchi-Hazaribagh. Há diversos passeios agradáveis pelos morros que rodeiam a cidadezinha e lindas vistas dos arredores, a partir do **Magnolia Point.** As panorâmicas **Burhaga Falls** constituem um local ótimo para piqueniques. Aqui se vê um grande chalé de madeira em estilo suíço, antigo refúgio campestre dos governadores britânicos de Bihar, agora um internato para meninos. Os dirigentes da escola costumam acolher bem os visitantes.

Para hotéis e restaurantes nesta região, ver pág. 697 e pág. 726

Campos nos arredores de Ranchi

Ranchi ⓯

Distrito de Ranchi. 289km a E de Patna. *846.500.* *5km ao S do centro.* *Birsa Vihar Tourist Complex, Main Rd, (0651) 230 1230.* *diariam.* *Rath Yatra (jun/jul).*

Capital do recém-criado estado de Jharkhand, Ranchi é uma boa base de onde se sai para explorar as belezas naturais do planalto Chhota Nagpur.

A cidade foi capital de verão de Bihar, no tempo do Raj britânico, e ainda atrai visitantes que fogem do calor e da poeira da planície de Bihar. A principal atração da cidade é o **Templo Jagannath**, erguido no século 17 em uma montanha a sudoeste. Como o Templo Jagannath, em Puri *(pág. 313)*, este também realiza um festival anual de carruagens.

O planalto Chhota Nagpur abriga as tribos munda e oraon, que povoam as florestas. O variado acervo exposto no **Ranchi Museum** oferece um quadro abrangente do estilo de vida e da estrutura social desses povos.

Dança de moças da tribo oraon

Ranchi Museum
seg-sáb. *feriados.*

Arredores

As **Hundru Falls**, 45km a leste de Ranchi, criam um lindo local para piqueniques. Este é o ponto de onde o rio Subarnarekha cai do planalto Chhota Nagpur e forma uma cachoeira de 100m, que se derrama formando poços.

A sossegada cidade de **McCluskiegunj**, 40km a noroeste de Ranchi, é uma relíquia que restou do Raj. Foi fundada para ser um assentamento de eurasianos, que não se sentiam britânicos nem indianos no seu modo de viver e queriam uma área só para eles.

Atualmente, apenas um punhado de colonizadores originais permanece aqui (muitos imigraram para a Austrália), vivendo do modo antigo, em chalés cheios de porcelanas inglesas e enfeitados com quadros da família real britânica.

Jamshedpur ⓰

Distrito de East Singbhum. 130km a SE de Ranchi. *570.300.* *Tourist Information Centre, Bistupur, (0657) 243 2892.* *diariam.* *Founder's Day (mar).*

Um dos importantes centros industriais da Índia, Jamshedpur é um oásis raro de limpeza e eficiência nesta região. O município planejado, rodeado de lagos, rios e pelos montes Dolma, foi fundado em 1908, pelo magnata pársi sir Jamshedji Tata *(pág. 446)*. Ele é considerado pai do desenvolvimento industrial da Índia. A Tata Iron and Steel Company (Tisco) foi criada por ele nesta área, graças aos ricos depósitos de minério de ferro e de carvão encontrados aqui. O império Tata continua a prosperar, e diversos de seus institutos culturais, educacionais e de pesquisa estão abertos à visitação.

FESTIVAIS DE BIHAR E JHARKHAND

Maner Urs *(fev)*, em Maner. Festival em homenagem ao santo sufi xeique Yahya Maneri, com cantos *qawwali* em seu mausoléu, e com uma feira animada na cidade.
Sarhool *(mar/abr)*, em Jharkhand. A tribo munda realiza cerimônias de veneração de árvores, seguidas de danças e banquetes.
Jatra *(mar/abr)*, em Jharkhand. A tribo oraon apresenta danças animadas, nas quais os jovens escolhem seus pares.
Buddha Jayanti *(mai)*, em Bodh Gaya. Orações e uma feira são realizados para comemorar o nascimento de Buda, a iluminação e o alcance do nirvana.

Peregrino com oferendas para o Deus Sol, em Chhat

Batsavitri *(mai/jun)*. Este festival comemora a lenda de Savitri, que trouxe o marido Satyavan de volta dos mortos, dada a intensidade de seu pranto. É celebrado por mulheres casadas, que jejuam e oram, prendem fios em figueiras e oferecem doces e frutas para imagens de Savritri.
Sonepur Mela *(out/nov)*, em Sonepur *(pág. 216)*.
Chhat *(out/nov)*. Os *thekua*, doces com formato de flor, são feitos em todas as casas durante este festival de ação de graças de três dias, comemorado por todo o estado de Bihar e é dedicado ao Deus Sol.

MADHYA PRADESH E CHHATTISGARH

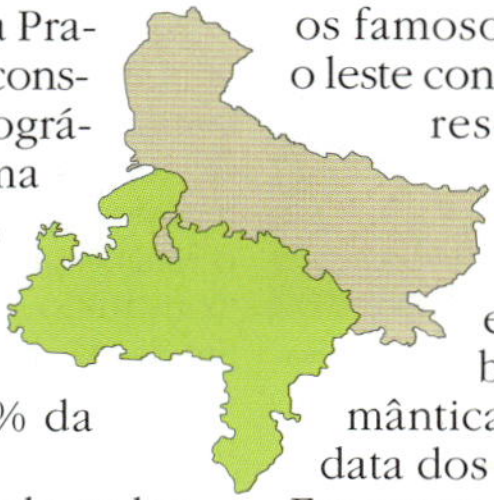

Os estados de Madhya Pradesh e Chhattisgarh constituem o coração geográfico da Índia e ocupam uma área de 443.406km². Juntos, fazem fronteira com sete estados, dispõem de um terço da cobertura florestal indiana e abrigam 40% da população tribal do país.

Madhya Pradesh é cortado pelas montanhas Vindhya e Satpura, e seu principal rio é o Narmada. No norte do estado, de relevo acidentado, ficam os famosos templos Khajuraho; já o leste conta com duas das melhores reservas de caça da Índia: Bandhavgarh e Kanha. O panorâmico planalto Malwa, na região sudoeste, tem a grande *stupa* budista de Sanchi e a romântica cidadela de Mandu que data dos séculos 15 e 16.

Em novembro de 2000, o remoto sudeste, com florestas densas e população quase toda tribal, tornou-se o novo estado de Chhattisgarh.

PRINCIPAIS ATRAÇÕES

Cidades
Bhopal 9
Chanderi 5
Gwalior 1
Gyaraspur 12
Indore 13
Jabalpur 19
Mandla 20
Shivpuri 4

Locais Históricos
Ajaigarh 7
Bhojpur 10
Khajuraho 6
Mandu 15
Orchha 3
Sanchi 11

Parques Nacionais
Bandhavgarh National Park 8
Kanha National Park 21

Estações de Montanha
Pachmarhi 18

Templos e Locais Sagrados
Maheshwar 16
Omkareshwar 17
Ujjain 14

Passeios
Passeio por Bundelkhand 2

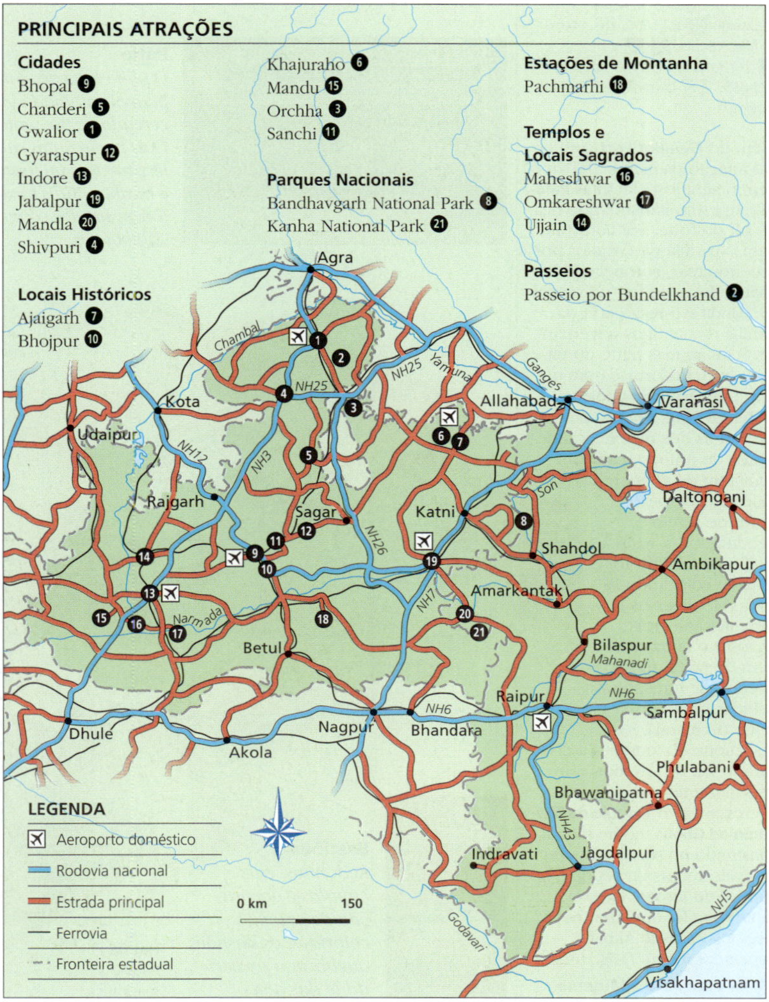

◁ **Esculturas de *apsaras* (donzelas celestiais) no Templo Lakshman, do século 10º, em Khajuraho**

Os dois lustres enormes do Durbar Hall no Jai Vilas Palace

Gwalior ❶

Distrito de Gwalior. 321km ao S de Deelhi. *827.000.* *14km ao N do centro.* *TO Hotel Tansen, MG Rd (0751) 223 4557.* *Tansen Music Festival (nov/dez).*

Além do **Gwalior Fort**, principal atração da cidade, há também o suntuoso **Jai Vilas Palace**, em estilo italiano, que fica ao sul do forte. Foi construído para o marajá de Gwalior por seu arquiteto, coronel sir Michael Filose, no fim do século 19. Ainda é a residência da família dos antigos governantes Scindia, mas parte do palácio foi transformada em museu. O salão mais opulento é o Durbar Hall. Presos ao teto estão dois dos maiores candelabros do mundo, cada um com 13m de altura e 3 toneladas de peso. Antes de serem pendurados, a resistência do telhado foi testada, colocando-se sobre ele diversos elefantes. Ali está exposto o fantástico trem de prata, um brinquedo que transportava bebidas ao redor da mesa de jantar do marajá.

Ao norte do forte fica a cidade velha de Gwalior, com dois monumentos islâmicos interessantes: o **Túmulo de Mohammed Ghaus**, nobre mogul, construído no século 16, com notáveis treliças de pedra, e o **Túmulo de Tansen**, famoso cantor que foi uma das "nove jóias" da corte de Akbar, imperador mogul *(pág. 180)*.

Jai Vilas Palace Museum
qua. ***Tel*** *(0751) 232 2390.*

Gwalior Fort: Man Mandir Palace

Azulejo com papagaios

O sólido Gwalior Fort se estende por quase 3km no topo de um morro de arenito e basalto, com 100m de altitude. Sua muralha de 10m de altura, toda fortificada, protege templos e palácios requintados, dos quais o mais espetacular é o Man Mandir Palace. Construído entre 1486 e 1516 pelo rajá Man Singh, da dinastia Tomar, este palácio de dois andares é considerado um dos melhores exemplos de arquitetura secular rajput, embelezado com belos entalhes e treliças de pedra. Decoram a fachada de Man Mandir azulejos brilhantes, com pintura azul, amarela e verde, que retratam papagaios e pavões, fileiras de patos, elefantes, bananeiras e crocodilos carregando botões de lótus.

Pátio
O pátio interno, com pilares entalhados, é cercado de aposentos. Dois pavimentos subterrâneos, com fontes e banhos, mais tarde foram usados como calabouços.

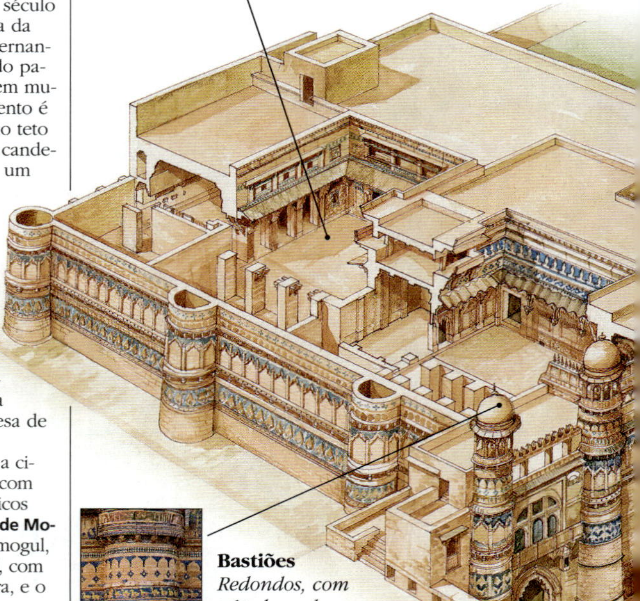

Bastiões
Redondos, com cúpulas e decoração de azulejos coloridos, os bastiões quebram a austeridade das altas muralhas do forte.

Hathia Paur é a magnífica porta principal.

Para hotéis e restaurantes nesta região, ver págs. 697-9 e págs. 726-7

Fachada sul do Man Mandir, toda entalhada e decorada

Treliças de Pedra

A janela das sacadas, na ala feminina (zenana) do palácio é emoldurada com parapeitos de treliças de pedra muito trabalhadas. Elefantes ajaezados ladeiam a janela.

A bela fachada ornamentada do Gwalior Fort ▷

Como Explorar o Gwalior Fort

Descrito por um cronista persa do século 16 como "a pérola do colar de castelos do Hindustão", o Gwalior Fort teve história turbulenta. Fundado no século 8º, foi sucessivamente governado por uma série de dinastias hindus locais, seguida pelos sultões de Délhi, pelo império Mogul e, por fim, pelos maratas Scindia *(pág. 471)*, que se tornaram marajás de Gwalior no século 18. Esteve por pouco tempo sob domínio britânico, no século 19. A entrada mais impressionante do forte é a **Porta Urwahi**, a oeste, onde foram esculpidas na rocha 21 **Esculturas Jainistas** colossais, que retratam os *tirthankaras (pág. 396)* e datam do século 7º ao século 15. À esquerda, fica o **Teli ka Mandir**, templo de 25m de altura (o maior do forte), ricamente entalhado. Construído no século 9º e dedicado a Vishnu, tem *shikhara* incomum, redonda no topo. Após o Motim Indiano de 1857 *(pág. 53)*, soldados britânicos ocuparam o templo e o utilizaram como fábrica de bicarbonato de sódio. Ao norte estão dois templos de Vishnu, do século 11, chamados **Templos Saas-Bahu** (Mãe e Nora). Eles são cobertos com magníficas esculturas de moças e divindades dançando, mas suas *shikharas* foram destruídas em um ataque do sultão Qutbuddin Aibak *(pág. 48)*, no século 12. Ao norte deles, situa-se a **Hathia Paur**, porta de entrada para o Man Mandir Palace, com rico arco saliente e pilares ornamentados que sustentam uma cúpula. A nordeste, encontra-se **Gujari Mahal**, construído pelo rajá Man Singh para sua rainha gujar (tribal). Agora **Archaeological Museum**, tem excelente acervo de esculturas jainistas e hindus, que incluem a famosa estátua da *salabhanjika* (ninfa de madeira), que veio do templo de Gyaraspur *(pág. 243)*.

Imagem jainista na pedra

Teli ka Mandir, do século 9º, o templo mais alto do forte

PREPARE-SE

Ao N do centro. ◯ *diariam.*
Son et Lumière *abr-set: 20h30 diariam; out-mar: 19h30 diariam.*
Archaeological Museum
◯ *10h-17h dom-qui.*
● *sex e feriados.*

GWALIOR FORT

1 Porta Urwahi
2 Esculturas Jainistas
3 Teli ka Mandir
4 Templos Saas-Bahu
5 Porta Hathia Paur
6 Man Mandir Palace
7 Gujari Mahal

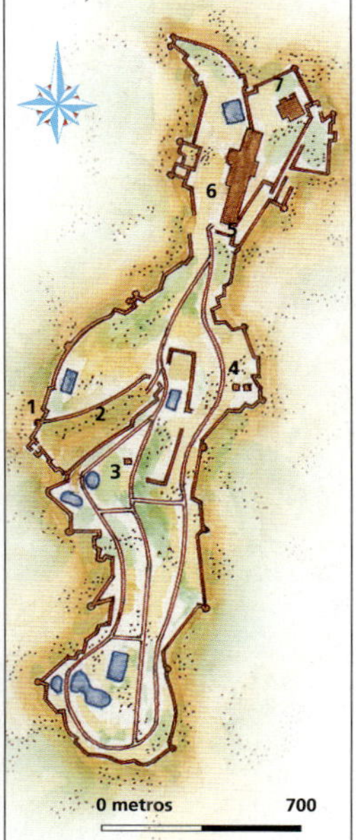

Passeio por Bundelkhand ❷

Gwalior e a região vizinha de Bundelkhand, cujo nome deriva dos rajputs do clã Bundela, formam uma área culturalmente diferenciada na Índia Central. Muitos monumentos e fortes, situados em uma bela paisagem cheia de pedras, ainda lembram histórias do esplendor das cortes Bundela e a bravura de guerreiros como Rahi, de Jhansi *(pág. 195)*. A história gloriosa desta área e suas refinadas tradições artísticas estão marcadas nos tesouros arquitetônicos de Gwalior, na cidade medieval de Orchha e nos templos dos morros de Sonagiri.

Gwalior ①
Capital de muitas dinastias desde o século 8º, Gwalior *(pág. 228)* é o mais esplendoroso "portal" para a região de Bundelkhand.

Pawaya ②
Da rodovia, em Dabra, pode-se avistar o que restou de um forte antigo, nesta capital dos reis Nag (século 3º).

Sonagiri ③
Este complexo de 77 templos jainistas, de manutenção impecável, pode ser acessado por um florescente povoado de peregrinação.

Datia ④
Esta antiga capital bundela, rodeada de muitos laguinhos, tem palácios com localização panorâmica sobre colinas.

Jhansi ⑤
A cidade é famosa pelo forte impressionante e pela heróica rani Lakshmibai, que morreu no comando das tropas contra os britânicos, em 1858.

LEGENDA

- Percurso do passeio
- Outras estradas
- Rio

Orchha ⑥
Em Orchha, templos, cenotáfios e palácios em camadas constituem exemplos perfeitos da arquitetura de Bundelkhand.

DICAS

Extensão: *120km.*
Paradas: *Gwalior, Sonagiri, Datia, Jhansi, Orchha e Taragram são paradas convenientes. Há uma bomba de gasolina em Dabra, depois de Gwalior. Existem hotéis e hospedarias de turismo estatal em Gwalior, Datia, Jhansi e Orchha. Ônibus locais transitam entre as principais paradas.*

Taragram ⑦
Aqui, a fascinante fábrica de papel feito a mão é um centro experimental interessante para a modernização do artesanato local.

Cenotáfio de mármore de Madhavrao Scindia, em Shivpuri

Orchha ❸

Págs. 234-5.

Shivpuri ❹

Distrito de Shivpuri. 117km a SO de Gwalior. *146.900.* *MP Tourism, Estação de Trem, (0751) 254 0777.*

Capital de verão dos governantes Scindia de Gwalior, Shivpuri já foi uma região de florestas e uma das áreas de caça do império Mogul. A maioria dos elefantes do exército do imperador Akbarb saíram dessas florestas. Agora, as principais atrações são os cenotáfios do século 19 de Madhavrao Scindia e de sua mãe, um voltado para o outro, em um jardim formal ao estilo mogul. Com uma mistura de *shikharas* (torres), cúpulas e domos, eles são típicos da arquitetura indo-islâmica. O cenotáfio de Madhavrao é decorado com trabalhos de *pietre dure* feitos de lápis-lazúli e ônix. Há estátuas de tamanho natural do governante e de sua mãe e, conforme a tradição da família, todos os dias as comidas preferidas por eles são trazidas e deixadas aqui. O **Madhav Vilas Palace**, no estilo colonial, possui terraços arejados voltados para a cidade. Com lago artificial e área de 156km², o **Madhav National Park** é uma floresta decídua mista, rodeada de pastagens. **George Castle**, um pavilhão de caça, foi construído por Jiyajirao Scindia em honra ao rei Jorge V, que aqui esteve em 1911.

Chanderi ❺

Distrito de Guna. 227km ao S de Gwalior. *28.300.* *MP Tourism, Tanabana, (07547) 25 2222.*

O que se destaca na cidade medieval de Chanderi é o **Kirtidurga Fort**, situado 200m acima do rio Betwa e voltado para o lago artificial de Kirtisagar. Construída pelos reis Pratihara no século 10º, Chanderi caiu sob o poder do sultanato de Délhi e de Malwa, do imperador mogul Babur e, por fim, dos maratas, tornando-se parte do reino Scindia de Gwalior. A entrada é por Khuni Darwaza (Porta Sangrenta), que marca o ponto em que Babur, imperador mogul, irrompeu pela muralha de granito do forte (que tem 6km de comprimento) quando o conquistou em 1528. Esculpidas no rochedo ao lado há diversas estátuas jainistas imponentes. A maioria das edificações dentro do forte é atribuída ao sultão Mahmud de Malwa e foi executada no gracioso estilo afegão provinciano, que caracteriza as construções de Mandu *(págs. 247-9)*.

O prédio mais ambicioso daqui é o **Koshak Mahal**, erguido em 1445. O sultão queria um palácio de sete andares, mas só conseguiu completar dois, com balcões, fileiras de janelas e tetos abobadados muito bonitos. Outras obras notáveis são a **Jami Masjid**, com cúpula e arcos, e o **Badal Mahal**, com elegante porta. Chanderi era um próspero centro de comércio, e uma exploração da cidade revela, nas vielas sinuosas, amplas *havelis* (residências) de arenito, lojas sobre plintos e caravançarás em ruínas. A cidade ganhou fama pelos diáfanos sáris de musselina e pelos brocados.

Arredores

Deogarh Fort, a "Fortaleza dos Deuses", fica a 25km de Chanderi, a sudeste. Em seu interior há um arranjo de esculturas de um grupo de templos jainistas do século 9º ao 10º. Abaixo do forte está o Templo Vishnu Dasavatara, do século 5º, com excelentes esculturas e pilares entalhados, coroados por músicos celestiais. Uma estátua de Vishnu adormecido sobre Ananta, a serpente cósmica *(págs. 24-5)*, , está entre as obras-primas mais antigas da arte indiana.

Detalhe: minarete no Kirtidurga Fort

Forte de Chanderi, palco de muitas batalhas

Um dos imponentes cenotáfios dos reis bundelas, em Orchha

Orchha ❸

Distrito de Tikamgarh. 120km a SE de Gwalior. *Jhansi, 19km a NO de Orchha, depois táxi ou ônibus.* *MP Tourism, Sheesh Mahal, (07680) 25 2624.* *Ramnavami (abr), Dussehra (setout).*

Orchha fica em uma ilha rochosa do rio Betwa. Fundada em 1531, serviu de capital para os reis bundelas até 1738, quando foi trocada por Tikamgarh.

Sem conservação, palácios, pavilhões, *hamams*, muros e portas, ligados à cidade por uma impressionante passarela de 14 arcos, agora formam tudo que restou. Os três palácios principais estão simetricamente concentrados. São eles: o **Raj Mahal** (1560), o **Jahangiri Mahal** (1626) e o **Rai Praveen Mahal** (meados da década de 1670), cujo nome homenageia uma amante do rei. A cidade velha é dominada por três belos templos: o **Ram Raja**, o **Lakshmi Narayan** e o **Chaturbhuj**. Em uma combinação única de estilos de forte e de templo, o Chaturbhuj é dedicado a Vishnu e possui enormes salões com arcos, para orações em massa, e uma agulha alta.

Dispostos ao longo da Kanchana Ghat no rio Betwa, estão 14 bonitos cenotáfios de governantes de Orchha. Junto com os diversos pilares *sati* do museu de Jahangiri Mahal, eles lembram o passado feudal de Orchha, quando rainhas às vezes cometiam *sati*, pulando dentro das piras funerárias dos maridos.

Orchha: Jahangiri Mahal

Flor: trabalho de pedra turquesa

Excelente exemplo de arquitetura rajput bundela, este palácio foi construído pelo rei bundela Bir Singh Deo, e seu nome homenageia o imperador mogul Jahangir, que passou uma noite aqui. Em muitas camadas, o palácio possui 132 aposentos acima do pátio central e um número quase igual de cômodos subterrâneos. Quadrado, de arenito, possui azulejos embelezados com lápis-lazúli, chhatris graciosos e telas de *jali* ornamentadas. Dispõe também de um museu modesto.

Chhatris
Estes pequenos pavilhões com cúpulas conferem à silhueta do palácio um aspecto delicado e leve.

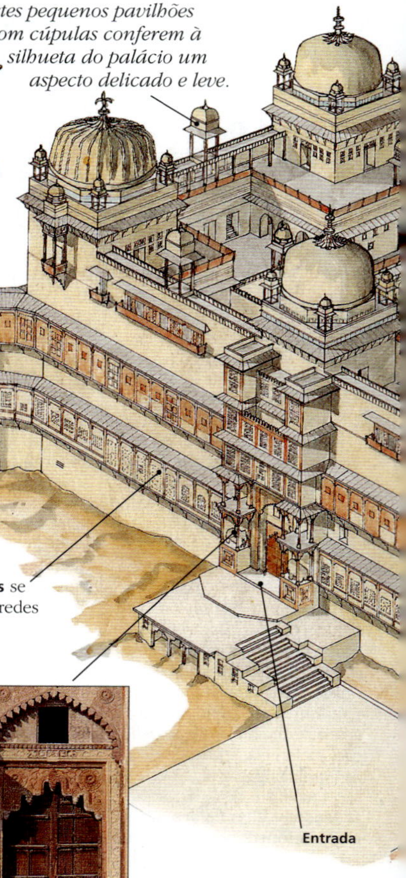

Nichos entalhados se enfileiram nas paredes externas.

Entrada

★ Portão de Entrada
Ladeado por elefantes de pedra, o impressionante portão de entrada conduz ao pátio central.

PONTOS ALTOS

★ Portão de Entrada

★ Pavilhão com Cúpulas

Para hotéis e restaurantes nesta região, ver págs. 697-9 e págs. 726-7

★ Pavilhões com Cúpulas
Nos quatro cantos e no meio das laterais do palácio, há pavilhões com cúpulas, sob as quais existe um apartamento.

PREPARE-SE

Complexo do Palácio. ◯ *diariam.* ● *feriados.* 🛈 *MP Tourism, Sheesh Mahal, (07680) 25 2624.*
Museu ◯ *diariam.* ● *feriados.*

Azulejos Brilhantes
Temas geométricos de lápis-lazúli decoram a parte externa dos pavilhões.

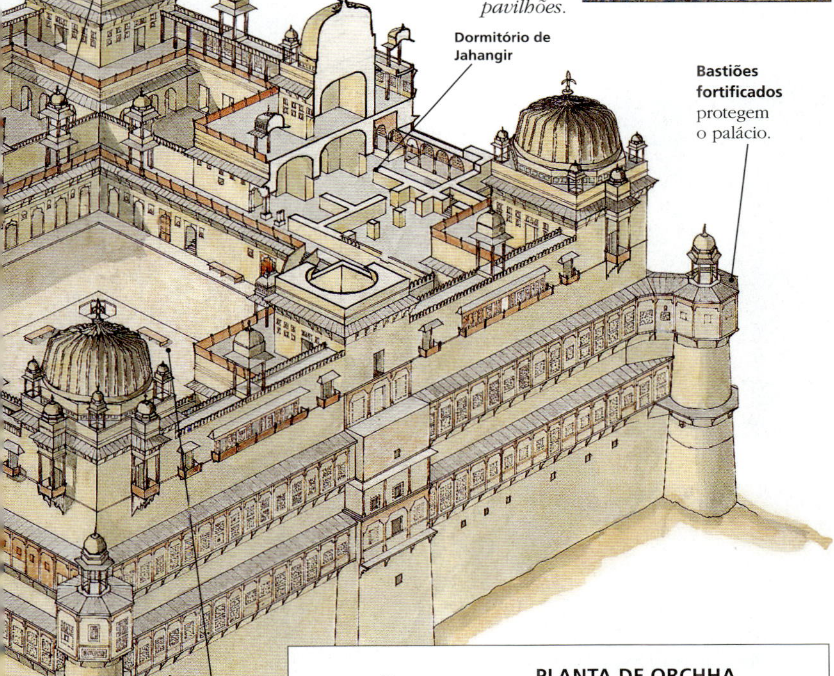

Dormitório de Jahangir

Bastiões fortificados protegem o palácio.

O **pátio central**, avistado de qualquer parte do palácio, possui um pequeno museu instalado em um conjunto de cômodos, dispostos ao longo dele.

PLANTA DE ORCHHA

A cidade fortificada de Orchha conta com três palácios importantes e construções auxiliares em ruínas.

1 Jahangiri Mahal
2 Sheesh Mahal
3 Raj Mahal
4 Rai Praveen Mahal
5 *Hamam*
6 Estrebaria

LEGENDA

Área ilustrada

Khajuraho: Templo Kandariya Mahadev ❻

Par amoroso

O magnífico grupo de templos em Khajuraho, um Patrimônio da Humanidade da Unesco, foi construído entre os século 9º e 10º, pela dinastia Chandela, que dominava a Índia Central nesse período. O templo mais notável é o Kandariya Mahadev, que representa o auge da arte e da arquitetura sacra do Norte da Índia. Chamam atenção as dimensões grandiosas, a composição complexa, mas totalmente harmoniosa, e as requintadas obras esculturais. Mais de 800 imagens embelezam o templo, retratando deuses, deusas, animais, guerreiros, donzelas sensuais, dançarinos, músicos e, é claro, cenas eróticas pelas quais os templos de Khajuraho ganharam fama.

Vista do Templo Kandariya Mahadev, erguido entre 1025 e 1050

★ Apsaras

Muitas vezes esculpidas como suporte de imagens, as donzelas celestiais revelam a habilidade do escultor para as formas femininas. Cheias de encantos naturais e graça sensual, elas são mostradas como dançarinas, auxiliares de divindades ou no desempenho de atividades cotidianas.

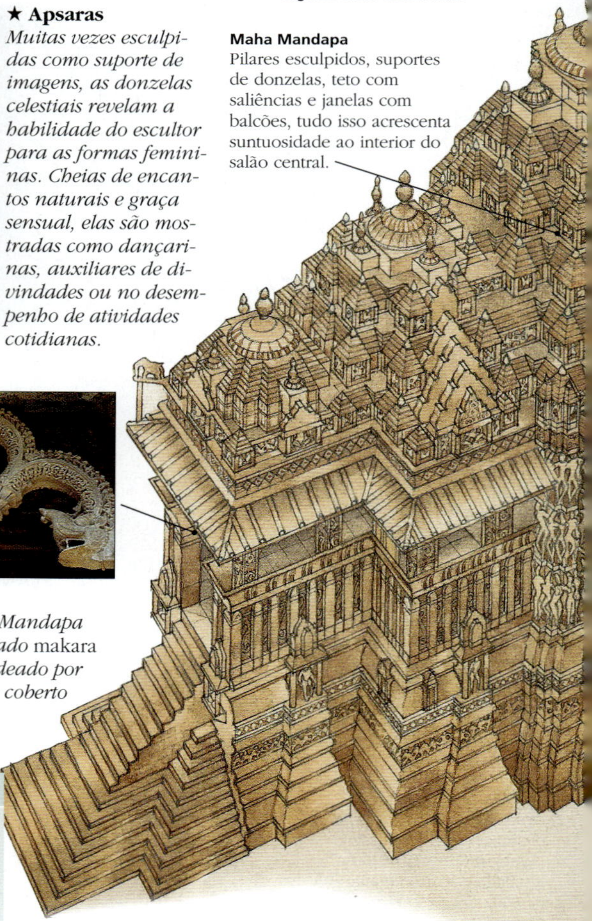

Maha Mandapa

Pilares esculpidos, suportes de donzelas, teto com saliências e janelas com balcões, tudo isso acrescenta suntuosidade ao interior do salão central.

Ardha Mandapa

Voltado para leste, o Ardha Mandapa (pórtico) possui um requintado makara torana *(arco cerimonial) ladeado por duas cabeças de crocodilo e coberto de ornatos florais.*

PONTOS ALTOS

- ★ Apsaras
- ★ Main Shikhara
- ★ Painéis Eróticos

Para hotéis e restaurantes nesta região, ver págs. 697-9 e págs. 726-7

PREPARE-SE

Distrito de Chhatarpur. 275km a SE de Gwalior. *5km ao S dos templos.* *MP Tourism, Chandela Cultural Centre (07686) 27 4051.* ago-set. *Dance Festival (fev-mar).* **Son et Lumière** *19h30 diariam.*

★ Shikhara Principal
A grande agulha tem 30m de altura, e as 84 menores sobem em um crescendo em direção a ela, dando a impressão de uma cadeia de montanhas, em especial o monte Kailasa, a morada de Shiva.

★ Painéis Eróticos
Os maiores painéis eróticos ficam nas alas norte e sul, entre os balcões. Acredita-se que essas esculturas comemorem o casamento de Shiva e Parvati, sirvam como manual do amor ou, então, simplesmente expressem uma celebração exuberante da vida e da criação.

Garbhagriha
O garbhagriha *(santuário interior de culto), escuro e despojado, simboliza um útero. Ele abriga um* linga, *símbolo fálico e principal objeto de veneração de todos os templos de Shiva. Entra-se neste santuário por uma porta com batente ricamente entalhado.*

A **primeira camada** acima da esplanada é entalhada com frisos de cortejos e de deusas.

Como Explorar Khajuraho

Os 25 templos de Khajuraho representam a brilhante explosão artística que ocorreu sob o generoso patrocínio dos poderosos governantes Chandela, que fizeram de Khajuraho sua capital em tempos de paz. A remota localização dos templos os salvou da devastação dos ataques islâmicos, mas também os deixou abandonados após o declínio dos chandelas, no século 13. Escondidos por uma densa floresta durante 700 anos, foram "descobertos" em 1838 pelo capitão T. S. Burt, da Escola de Engenharia de Bengala. Segundo a tradição local, originalmente havia 85 templos, e escavações em curso já desenterraram muitas ruínas na área.

Imagem de pedra de Varaha, Vishnu encarnado como javali

Os templos de Khajuraho se dividem em três grupos. Os mais importantes estão no **Western Group**, que, além do Kandariya Mahadev *(págs. 236-7)*, conta com os templos **Lakshman e Vishwanath**. Ambos se assemelham ao Kandariya Mahadev na composição, nos embelezamentos esculturais e nos temas, mas têm notáveis características próprias.

Apsara passando kohl

Vale a pena apreciar o magnífico teto do pórtico e as figuras femininas que servem de suporte no interior do Templo Lakshman (erguido em 930). A dupla de cantores de rua na fachada sul também é notável, com expressão de total concentração. O mestre arquiteto e seus aprendizes foram requintadamente esculpidos no santuário secundário, no canto leste do templo.

Na frente do Templo Lakshman fica um pavilhão com a estátua de Varaha, Vishnu encarnado como javali *(pág. 679)*, coberto de entalhes de diversas divindades.

No Templo Vishwanath, que data de 1002, há uma fantástica *apsara* arrancando um espinho do pé (fachada sul) e outra bela *apsara* tocando flauta, que podem ser vistas na câmara interna.

O **Templo Matangeshwar** (de 900), de interior circular simples, é o único que funciona diariamente *(pág. 243)*.

Perto da entrada para o Western Group, o **Archaeological Museum**, dispõe de excelente coleção de esculturas encontradas na região, como um Ganesha dançando e um friso fascinante, que mostra a construção dos templos de Khajuraho, com cenas do corte e transporte de pedras. Ali perto ficam os templos do **Eastern Group**. O **Templo Parsvanatha**, jainista, construído em 950, é o que mais se destaca pelos pendentes do teto do pórtico, com entalhes elaborados. Aqui, três esculturas sofisticadas mostram *apsaras* passando kohl nos olhos, pintando os pés (as duas na fachada sul) e prendendo guizos no tornozelo (na fachada norte). A última fase da construção de templos em Khajuraho é observada no **Southern Group**. O **Templo Chaturbhuj** (de 1090) tem uma imponente imagem de Shiva com quatro braços, no santuário interno. Trata-se do único templo importante da cidade sem nenhuma escultura erótica.

Imagem de Vishnu no Templo Lakshman

Archaeological Museum
sáb-qui. ***Tel*** *(07686) 27 2320.*

Arredores
Raneh Falls, 17km ao sul da cidade de Khajuraho, oferece um refúgio mais fresco. O **Rajagarh Palace**, do século 19, 25km a sudeste de Khajuraho, é do mesmo estilo bundela dos palácios de Datia e Orchha *(págs. 234-5)*. Situado a 32km de Khajuraho, para sudeste, o **Panna National Park** acompanha o rio Ken e conta com bandos de veados, leopardos, crocodilos e com a panorâmica Pandav Falls. O local favorito dos visitantes do parque é o restaurante Gille's Tree House, construído a 20m do chão.

Ajaigarh 7

Distrito de Panna. 75km a L de Khajuraho. *diariam.*

Esta poderosa fortificação chandela, construída no século 9º e localizada a 500m acima da planície, agora é uma ruína espetacular. O caminho íngreme até o topo passa por esculturas gigantescas talhadas na face abrupta do rochedo, que incluem uma vaca com bezerro.

Dentro do forte estão as ruínas de antigos palácios magníficos, estátuas quebradas e diversos pilares de *sati*, que marcam a auto-imolação de inúmeras viúvas rajputs.

Para hotéis e restaurantes nesta região, ver págs. 697-9 e págs. 726-7

Bandhavgarh National Park ❽

Tigre indiano

Uma das reservas de tigres mais importantes da Índia, este parque se estende por 625km². Além de cerca de 50 tigres, a vida selvagem do parque conta com leopardos, veados, gatos-do-mato, matilhas de *dhole* (cão selva-gem indiano) e 250 espécies de pássaros. Montes escarpados, florestas decíduas, charcos e campos tornam Bandhavgarh uma das áreas mais panorâmicas do país. Faz parte das atrações um pitoresco forte, com lindas esculturas, no topo de um morro.

PREPARE-SE

Distrito de Shahdol. 237km a SE de Khajuraho. *Umaria, 33km a SO de Tala, entrada principal.* *MP Tourism, White Tiger Lodge, Tala, (07653) 26 5308.* *out-jun.* *taxa extra.* *Dispõe de safáris de jipe.*

Sheshasaya
Uma estátua de 11m de Vishnu deitado, guardada por uma cobra de sete cabeças, fica na base do forte.

O Forte
As defesas do forte de Bandhavgarh, cujas fundações datam do século 1º, são ótimas para ornitófilos.

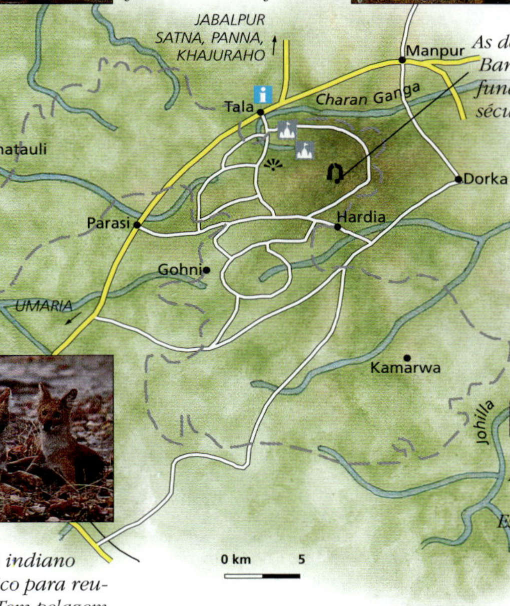

Dhole
O cão selvagem indiano dá um uivo típico para reunir a matilha. Tem pelagem vermelha, grandes orelhas eretas e cauda peluda.

Águia-Cobreira-de-Crista
Esta grande águia caça cobras e lagartos.

LEGENDA

- Limites do parque
- Estrada principal
- Estrada secundária
- Templo
- Informação turística
- Vista panorâmica
- Forte

O TIGRE BRANCO DE REWA

Em 1951, o marajá de Rewa capturou um tigre branco nestas florestas. Chamado Mohan, ele cruzou em cativeiro com diversas tigresas. Atualmente, todos os tigres brancos de zôos do mundo todo descendem de Mohan. Um casal pode ser visto no zôo de Bhopal *(pág. 241)*. Desde 1951, nenhum outro tigre branco foi avistado na região de Bandhavgarh. O tigre branco é uma "aberração evolutiva de cor", e não um albino nem uma subespécie separada.

Tigre branco, muito raro na natureza

Bhopal 9

Detalhe de arco na Moti Masjid

Capital de Madhya Pradesh, Bhopal foi fundada pelo rajá Bhoj, da dinastia Paramara. No século 18, caiu nas mãos de uma dinastia muçulmana que, entre seus governantes, teve diversas mulheres notáveis: as beguns de Bhopal. Cercada de morros, a cidade se estende em volta de dois lagos, o Upper e o Lower. A área mais antiga, ao norte dos lagos, é um labirinto de vielas, bazares e mesquitas. A cidade nova fica ao sul, e tem subúrbios arborizados e núcleos industriais. Em dezembro de 1984, o vazamento de um gás tóxico da fábrica da Union Carbide matou mais de 5 mil pessoas, em um dos piores desastres industriais do mundo. Apesar de ainda guardar essa tragédia na lembrança, Bhopal constitui uma boa base para visitar alguns dos locais fascinantes do estado.

Taj-ul-Masjid

Hamidia Rd. *diariam.* *a não-muçulmanos às sex e em festivais.*

O monumento mais imponente de Bhopal, esta grande mesquita rosada foi iniciada pela begum do sultão Jehan, em 1878, mas ficou inacabada por quase um século, pois só terminou em 1971. Governante progressista, a begum criou hospitais e o sistema postal da cidade, mas quase levou o tesouro real à bancarrota por causa de seus esquemas ambiciosos. O enorme pátio da mesquita possui um *dukka* (espelho d'água) para as abluções rituais, e um amplo e magnífico salão de orações, com fileiras de pilares. Esta mesquita grandiosa é coroada por três cúpulas brancas e ladeada por dois minaretes de 18 andares. No geral, ela é mais majestosa do que bonita.

A Taj-ul-Masjid, monumento mais imponente de Bhopal

Chowk

Bazar *ter-dom.* **Jami Masjid** *diariam.* *a não-muçulmanos às sex e em festivais.*

No centro da área antiga está a Chowk (literalmente, praça principal). Cada rua que sai dela é especializada em um tipo específico de mercadoria *–batuas* de Bhopal (bolsas com bordados elaborados), pelas quais a cidade é famosa, tussores (tecidos de seda), casquetes, tambores e especiarias. As *havelis* ladeiam as ruas e têm lojas com fachada de madeira, no térreo, e elaborados balcões de ferro batido, em cima. No local, destaca-se a **Jami Masjid** com remates de ouro, construída em 1837 pela begum Qudsia, outra governante de Bhopal. Ela é rodeada por lojas de jóias de prata.

Batua de Bhopal

Ao sul da Chowk há outra mesquita, a **Moti Masjid** (Mesquita da Pérola), erguida em 1860 pela filha e sucessora da begum Qudsia. Com cúpula listrada e altos minaretes de arenito, parece uma versão menor da Jami Masjid de Délhi *(pág. 86)*.

Chafariz e espelho-d'água dentro da Moti Masjid, do século 19

Nesta área, vale a pena visitar o **Shaukat Mahal**, palácio do século 19 em estilo indo-sarraceno com rococó. Construído por um mercenário francês que afirmava ser descendente dos Bourbon, agora abriga escritórios do governo, mas os guardas costumam permitir a visitação.

Bharat Bhavan

Shamla Hills. ***Tel** (0755) 266 0353.* *ter-dom.*

Amplo complexo cultural, o Bharat Bhavan foi inaugurado em 1982 para expor e promover as ricas tradições tribais e da arte popular da Índia. À direita da entrada está a Tribal Art Gallery, com acervo magnífico, que conta com objetos votivos, estatuetas de cerâmica, máscaras, murais, entalhes de madeira e inconfundíveis obras de metal esculpidas por artesãos de Bastar *(pág. 253)*. Do outro lado do pátio, uma galeria expõe arte indiana contemporânea. O Bharat Bhavan também faz apresentações noturnas, regulares, de teatro, música e dança.

State Museum

Shamla Hills. ***Tel** (0755) 266 1856.* *ter-dom.*

Uma coleção de bronzes jainistas do século 12, achada no distrito de Dhar, no oeste de Madhya Pradesh, é o destaque no acervo do museu.

Cópia de uma cabana tribal no Rashtriya Manav Sangrahalaya

Ele também dispõe de esculturas de pedra, quase todas do século 6º ao 10º. Entre as peças mais antigas há *yakshis* (criadas) que datam de 200 a.C. e um Buda em pé, de granito preto. A loja do museu vende boas réplicas de gesso de algumas esculturas.

Rashtriya Manav Sangrahalaya (Museu do Homem)

S of Shamla Hills. *ter-dom.*

Instalado nas colinas voltadas para o lago Upper, este museu ocupa uma área de 400 mil metros e possui cópias autênticas de habitações tribais indianas, construídas pelos próprios nativos. As culturas tribais do país todo estão representadas aqui, por meio de mostras abrangentes de utensílios, objetos rituais, instrumentos musicais, ferramentas, murais, entalhes, jóias e trajes. Em uma cabana coberta de palha, a Introductory Gallery explica a planta do museu.

Van Vihar National Park

qua-seg; 6h-10h30, 15h-17h30.

Os habitantes mais famosos deste parque amplo, perto do lago Upper, são os tigres-brancos *(pág. 239)*. Um bom momento para avistar essas criaturas raras é por volta das 16h,

PREPARE-SE

Distrito de Bhopal. 744 km ao S de Délhi. *1,433,900.*
11km a O do centro.
MP Tourism, Paryatan Bhavan, Bhadbhada Rd (0755) 277 4340.
ter-dom.

quando vêm saborear a refeição da tarde. O parque também abriga leões, leopardos e ursos-do-himalaia.

Birla Museum

Perto do Templo Lakshmi Narayan. **Tel** *(0755) 255 1388.* *qui-ter.*

Este museu tem uma coleção bem apresentada de esculturas de pedra que datam do século 7º ao século 12. Shiva, Vishnu e diversas deusas são mostrados em diferentes encarnações. Chamam atenção Vishnu encarnado como javali (Varaha), a deusa Durga na forma da feroz Chamunda e Shiva com Parvati em sua morada celestial no monte Kailasa. Ao lado do museu, voltado para o lago Lower, fica o Templo Lakshmi Narayan construído recentemente e pintado de cores vivas.

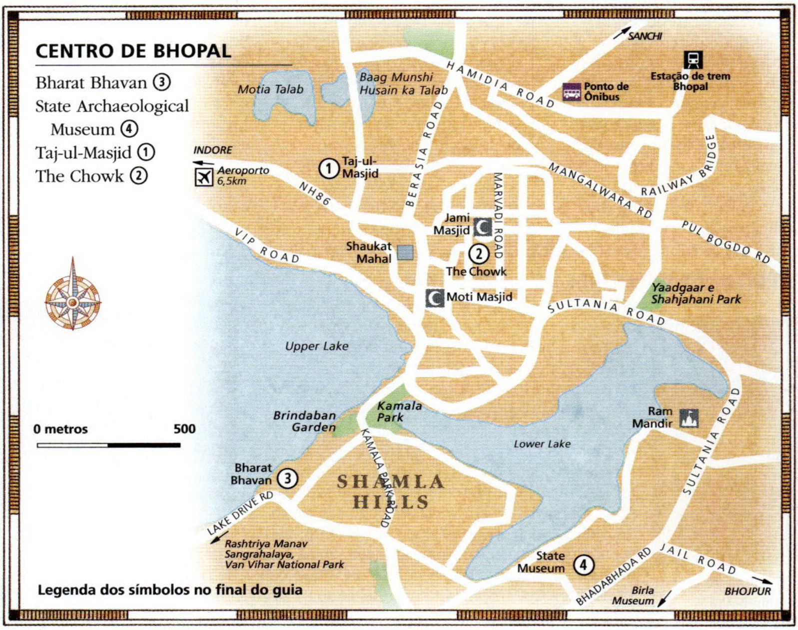

Escultura no Templo Bhojeshwar (inacabado), em Bhojpur

Bhojpur ⑩

Distrito de Bhopal. 28km a SE de Bhopal. *MP Tourism, Bhopal, (0755) 277 4340.*

Fundada no século 11 pelo rajá Bhoj, rei Paramara, que também construiu Bhopal *(pág. 240)*, Bhojpur é dominada pelo **Templo Bhojeshwar**, inacabado, mas monumental. Belas esculturas cobrem partes do teto incompleto e a porta de entrada. Dentro, sobre uma plataforma em camadas, há um enorme *shivalinga* de pedra, de 2,3m de altura e 5,3m de circunferência.

Gravadas nas pedras do calçamento do pátio dianteiro estão as plantas detalhadas do arquiteto para o acabamento do templo. No lado nordeste, localizam-se os restos de uma sólida rampa de terra usada para puxar pedras até o telhado.

Arredores

As **Bhimbetka Caves**, com pinturas pré-históricas que remontam a 12 mil anos, ficam 17km ao sul de Bhojpur.

Sanchi ⑪

Distrito de Raisen. 46km a NE de Bhopal. *Traveller's Lodge, (07482) 26 6723.* *Chaityagiri Vihara Festival (nov).*

O tranquilo monte de Sanchi contém um dos maiores e mais bem conservados centros budistas da Índia. Do século 3º a.C. até o século 7º, aqui existiu um núcleo budista ativo, com *stupas* e mosteiros. Por isso, o conjunto de prédios de Sanchi mostra o desenvolvimento da arte budista em diferentes períodos, que se prolongaram por mais de mil anos.

Fundada pelo imperador Ashoka *(pág. 42)*, cuja esposa era da vizinha Vidisha, Sanchi cresceu e prosperou sob as dinastias posteriores, graças, principalmente, ao generoso patrocínio de ricos comerciantes de Vidisha.

Por volta do século 14, houve um enfraquecimento do budismo na Índia, Sanchi ficou deserta e tudo foi esquecido. Mas, em 1818, o general Taylor, da cavalaria de Bengala, a "descobriu". Entre 1912 e 1919, a cidade ganhou restaurações da Archaeological Survey of India (ASI) sob o comando de sir John Marshall. Sanchi foi declarada Patrimônio da Humanidade pela Unesco, em 1989. A maioria dos prédios da cidade fica dentro de um núcleo no topo de uma colina de 91m, dominada pela **Grande *Stupa***, com quatro portões magníficos *(págs. 244-5)*. Para o norte, perto, está a ***Stupa* 3**, menor (do século 2º a.C.), com um só portão. Ela continha as relíquias de dois discípulos muito próximos de Buda: Sariputra e Maudgalayana.

Dentro do núcleo também se encontram muitos mosteiros, localizados a leste, a oeste e ao sul. Deles, o **Mosteiro 51**, do século 10º, é o mais interessante, com pátio rodeado por colunas que levam às 22 celas dos monges.

***Stupa* votiva com imagem de Buda**

O **Templo 17**, no lado leste, data do século 5º. Tem telhado plano, com colunas coroadas por leões de duas cabeças, e constitui o exemplo mais antigo e bem conservado de templo de pedra indiano. Seu estilo e suas características influenciaram muito o desenvolvimento posterior da arquitetura sacra.

Localizada abaixo da Grande *Stupa*, na saída do núcleo, fica a **Stupa 2** (século 2º a.C.), cujas balaustradas têm entalhes de medalhões de lótus e feras mitológicas. Também foi retratado um cavalo com estribos. Perto do portão sul da Grande *Stupa*, jaz a haste quebrada de um pilar ashokano, feito de pedra muito polida, usado como

PINTURAS RUPESTRES DE BHIMBETKA

Caverna de Bhimbetka

Em 1957, o arqueólogo indiano V. S. Wakanker descobriu mais de mil cavernas, em uma serra rodeada por densa floresta, perto do vilarejo de Bhimbetka. Mais de 500 tinham pinturas feitas com linhas arrojadas, firmes, com a mesma força e energia das pinturas rupestres de Lascaux, na França, ou das obras do Kalahari, na África. As pinturas mais antigas, do paleolítico superior, são de grandes animais, como bisões e rinocerontes, feitas com pigmento vermelho e desenhos de humanos em verde. O maior número de pinturas data do mesolítico (de 8000 a 5000 a.C.) e retrata a vida diária, cenas de caçadas e diversos animais, entre os quais há, curiosamente, uma girafa. Cavernas do século 1º mostram cenas de batalha e divindades hindus. Em 2003 Bhimbetka foi declarada Patrimônio da Humanidade.

Pintura rupestre do mesolítico em Bhimbetka

Originalmente, a *Stupa* 3 guardava relíquias de discípulos de Buda

moenda de cana-de-açúcar por um latifundiário local no século 19. Seu capitel com um leão de quatro cabeças, semelhante ao de Sarnath *(pág. 208)*, mas não tão refinado, pode ser visto no **Archaeological Museum** de Sanchi. Entre outras peças expostas estão um par de leões alados maurias, frisos esculpidos de portões e estátuas de Buda e de bodhisattvas.

Arredores

Besnagar, situada 10km a nordeste de Sanchi, na confluência dos rios Beas e Betwa, foi um próspero centro comercial. A única relíquia de seu passado é a **Heliodorus Column**, com capitel canelado, em forma de sino, que data de 113 a.C. Dedicada ao deus Vasudeva, foi erguida pelo emissário do rei grego de Taxila (agora, no Paquistão), para comemorar a conversão dele ao hinduísmo.

Udayagiri, 20km ao norte de Sanchi, tem ótimos exemplos de cavernas do século 5º, talhadas nas rochas das encostas. A mais notável é a **Caverna 5**, com impressionante escultura de Varaha, Vishnu encarnado como javali, ao resgatar a deusa da terra no mar bravio.

Varaha: Vishnu em forma de javali (Caverna 5, em Udayagiri)

O **Raisen Fort** fica no topo de um morro, 23km a sudeste de Sanchi. Portões, palácios, templos e pavilhões, que aqui existiam no século 13, ficaram em ruínas após o violento ataque do sultão de Gujarat no século 16. E o local ainda possui um ar assombrado.

Em **Udayapur**, 70km a nordeste de Sanchi, situa-se o **Templo Nilkanteshwar**, dedicado a Shiva, uma requintada construção de arenito vermelho do século 11. Ele é comparável aos templos de Khajuraho *(págs. 236-8)* em beleza escultural e em escala. A simetria das *shikharas* feitas de pedra delicadamente entalhada e que sobem em um crescendo é quebrada por uma curiosa figura que parece oscilar no espaço. Segundo uma lenda local, tal figura representa o arquiteto na tentativa de subir aos céus.

Gyaraspur ⓬

Distrito de Vidisha. 64km a NE de Bhopal. 🚌 ℹ *MP Tourism, Bhopal, (0755) 277 4340.*

Com entalhes do século 9º, o **Templo Maladevi**, em Gyaraspur, foi erguido em uma encosta. Esculpido parcialmente na rocha, agora está em ruínas, e boa parte de suas belas esculturas foi pilhada. Daqui foi salva a requintada estátua de uma *salabhanjika*, que agora é o orgulho do Archaeological Museum em Gwalior Fort *(pág. 229)*.

FESTIVAIS DE MADHYA PRADESH E CHHATTISGARH

Shivratri *(fev/mar)*, em Khajuraho. As bodas celestiais de Shiva e Parvati são comemoradas com procissões coloridas e uma elaborada repetição do ritual de casamento, que vara a noite toda, no Templo Matangeshwar.

Dance Festival *(fev/mar)*, em Khajuraho. Neste festival de uma semana, grandes dançarinos clássicos se apresentam na frente do Templo Kandariya Mahadeva. As posturas e a graça deles ecoam pelas belas esculturas de pedra das *apsaras* do templo.

Dançarina clássica no Khajuraho Dance Festival

Dussehra *(set/out)* em Chhattisgarh. Festival de dez dias para Rama, celebrado com grande alegria no coração da tribo bastar, de Chhattisgarh. Ao lado de animados episódios dramatizados do *Ramayana (pág. 27)*, há também feiras tribais coloridas, com danças, briga de galos e espirituosos escambos de mercadorias.

Chaityagiri Vihara Festival *(nov)*, em Sanchi. Budistas de todos os cantos vêm à cidade para ver as relíquias de dois dos mais próximos discípulos de Buda.

Tansen Music Festival *(nov/dez)*, em Gwalior. Com nome do grande músico Tansen, uma das "nove jóias" da corte de Akbar, imperador mogul, este festival reúne os melhores músicos e cantores clássicos do país todo.

Sanchi: A Grande *Stupa*

Animais no *torana*

Construída no século 2º a.C., a Grande *Stupa* de Sanchi é um refinado monumento budista e Patrimônio da Humanidade. Há controvérsias quanto ao formato hemisférico, que talvez simbolize uma tigela de donativos de um monge budista ou um pálio protetor para os seguidores do dharma budista. Os pontos altos da *stupa* são os quatro *toranas* (portões) de pedra, acrescentados no século 1º a.C. Suas esculturas copiam as técnicas de entalhe na madeira e no marfim e cobrem rica variedade de temas budistas.

Portão Oeste
Esta cena movimentada dos Contos de Jataka *mostra macacos atravessando uma ponte para fugir de soldados.*

Calçadas Rotatórias
As calçadas têm balaustradas entalhadas com medalhões de flores, pássaros, animais e com o nome dos doadores que as financiaram.

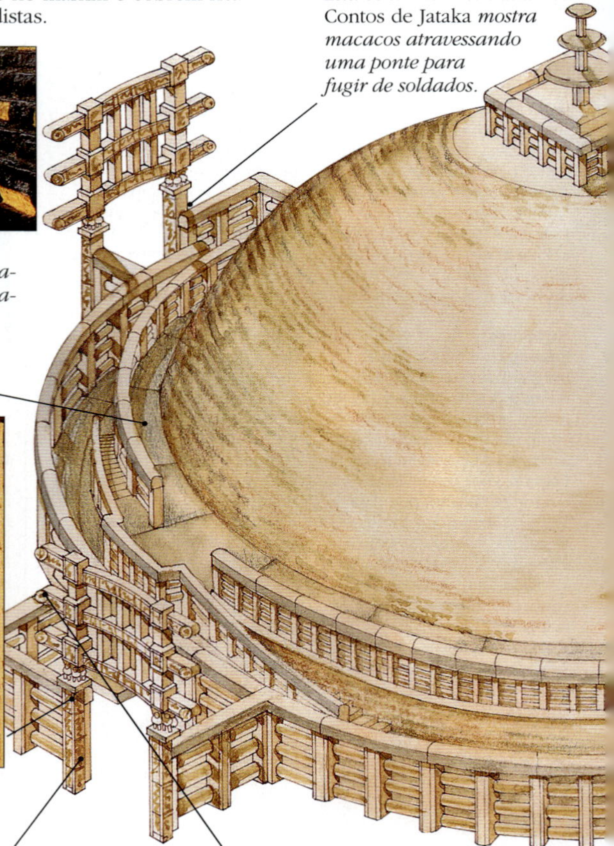

Portão Sul
A Roda da Lei, aqui venerada por devotos, simboliza Buda.

Os **quatro portões** mostram cenas da vida de Buda e episódios dos *Contos de Jataka*. Buda não é retratado em forma humana, apenas por meio de símbolos, a exemplo da Árvore da Iluminação, de pegadas e de uma roda.

Detalhe da Arquitrave
Acredita-se que os complexos entalhes das arquitraves tenham sido obra de entalhadores de marfim e madeira.

Para hotéis e restaurantes nesta região, ver págs. 697-9 e págs. 726-7

★ Portão Norte
Sujata, a filha do chefe da vila, oferece a Buda (a Árvore da Iluminação) o kheer *(pudim de arroz), enquanto a demônia Mara envia uma tentação para seduzi-lo.*

PREPARE-SE

diariam. Archaeological Museum (07482) 26 6611. sex. Conforme a tradição budista, ande em volta da stupa em sentido horário.

As vedika (balaustradas) são uma notável recriação de pedra de um típico desenho de grades de madeira. Elas inspiraram as balaustradas de pedra em torno de Sansad Bhavan, ou Parliament House (*pág. 74*), em Nova Délhi.

A Grande *Stupa* e o Portão Oeste
A Grande Stupa *é coroada por uma umbela de três camadas, que simbolizam os níveis do céu. Dentro há uma* stupa *menor, de tijolos, também foi erguida por Ashoka no século 3º a.C.*

Há **estátuas de Buda** em meditação, acrescentadas no século 5º, na frente de cada portão.

Portão Leste
Esta cena mostra um cortejo real no palácio de Kapilavastu, residência de Buda antes que renunciasse à vida principesca.

★ Salabhanjika
Como suporte da arquitrave mais baixa do Portão Leste encontra-se esta donzela sensual, retratada sob uma mangueira.

PONTOS ALTOS

★ Portão Norte

★ Salabhanjika

Indore ⓭

Distrito de Indore. 187km a O de Bhopal. *1,597,400.* *10km a O da cidade.* *MP Tourism, atrás de Ravindra Natyagriha, (0731) 252 8653.* *seg-sáb.* *Ganesha Chaturthi (ago/set).*

Movimentado centro comercial de Madhya Pradesh, Indore foi principado até 1947, governado pela dinastia marata Holkar.

No coração da cidade, rodeado por um bazar animado, fica o **Rajwada Palace**, agora apenas uma fachada imponente, após o incêndio de 1984. Um pouco a oeste, está o **Kanch Mandir** (Templo de Vidro), suntuoso santuário jainista do século 19, decorado com extravagantes espelhos, candelabros brilhantes e murais de vidro.

Na ponta sudoeste de Indore, encontra-se o luxuoso Lalbagh Palace, erguido pelos governantes no início do século 20, que agora é o museu do **Nehru Centre**. O interior dourado, em estilo rococó, abriga galerias de pinturas em miniatura, moedas medievais e objetos tribais. No jardim há uma estátua da rainha Vitória, com expressão descontente.

Nehru Centre
Lalbagh Palace. ***Tel** (0731) 247 3264.* *ter-dom.*

Arredores
Dewas, 35km a nordeste de Indore, foi cenário para *The hill of Devi* (1953), livro de E. M. Forster.

Interior resplandecente do Kanch Mandir, em Indore

Ghats sagradas no rio Shipra, em Ujjain

Ujjain ⓮

Distrito de Ujjain. 56km a NO de Indore. *429,900.* *MP Tourism, Estação de Trem, (0734) 396 9000.* *Kumbh Mela (a cada 12 anos), Shivratri (fev/mar).*

Ujjain uma das sete cidades sagradas da Índia, à margem do rio Shipra, é um dos quatro locais em que se realiza o Kumbh Mela *(pág. 210)*. Nos séculos 4º e 5º, foi a segunda capital do império Gupta *(pág. 43)*, e aqui se destacou o consagrado poeta de sânscrito Kalidasa.

No entanto, sua glória foi ofuscada no século 13, após ter sido devastada pelo sultanato de Délhi *(pág. 48)*.

A grande atração da cidade é o **Templo Mahakaleshwar** (uma reconstrução do século 18 sobre o local original), com um veneradíssimo shivalinga. Na praça principal está o **Templo Gopal**, do qual se diz que as portas de prata vieram do Templo Somnath, de Gujarat, roubadas por Mahmud de Ghazni no século 11. Existem portas semelhantes no Templo de Ouro de Amritsar *(págs. 106-7)*. Na **Ram Ghat**, a maior das *ghats* sagradas à beira-rio, ocorre o Kumbh Mela.

Na margem oposta encontra-se o **Templo Chintaman Ganesha**, cujos pilares entalhados datam do século 11 e constituem a única relíquia do templo original. No canto sudoeste da cidade fica o **Vedh Shala Observatory**. Construído em 1730 por Sawai Jai Singh II, de Jaipur, governador mogul nomeado para Malwa, é uma versão menor de outro, em Jaipur *(págs. 358-9)*.

Arredores
O charmoso **Kaliadeh Palace**, do século 15, construído pelos sultões de Malwa, fica 8km ao norte de Ujjain, numa ilha do Shipra.

THE HILL OF DEVI

O famoso escritor britânico Edward Morgan Forster (1879-1970) passou meses no principado de Dewas, como secretário particular de seu marajá excêntrico e encantador. A obra *The hill of Devi*, baseada em suas cartas para casa, oferece interessante visão da vida na corte provincial, escrita por quem participou de festas, intrigas e do protocolo complicado. Dewas é dominada por uma colina com o templo da deusa Chamunda Devi, daí o título do livro. Curiosamente, a pequena Dewas foi dividida e governada por dois irmãos, cada um com seu palácio, exército e hino. Forster ficou na corte do mais velho. A experiência também deu ao autor material para seu famoso romance *Uma passagem para a Índia* (1924).

Imagem de Devi, no templo de Dewas

Para hotéis e restaurantes nesta região, ver págs. 697-9 e págs. 726-7

Mandu ⓯

Distrito de Dhar. 105km a O de Indore. *Tourist Cottages, (07292) 26 3235.*

Fileira de arcos altos no Hindola Mahal ou Swinging Palace, em Mandu

Localizada em uma crista das montanhas Vindhya, Mandu é uma cidadela abandonada e um dos locais mais românticos e pitorescos da Índia. Dentro de uma muralha sinuosa e cercados por ravinas escarpadas e arborizadas, estão palácios, mesquitas, lagos e pavilhões para diversões, construídos entre 1401 e 1529, pelos sultões de Malwa *(pág. 49)*, que se referiam a ela como Shadiabad (Cidade da Alegria). Mandu se estende por uma área de 23km², e seus grandes monumentos formam dois grupos: o Royal Enclave e o Village Group.

Royal Enclave

diariam.

O Royal Enclave é dominado pelo **Jahaz Mahal** *(págs. 248-9)* e pelo majestoso **Hindola Mahal** (Swinging Palace) em forma de T, cujos muros inclinados para dentro dão a impressão de que a construção balança. Construído no fim do século 15 como salão de assembléia real, sua fachada austera é suavizada por delicado trabalho ornamental nas janelas em arco. Ao lado fica o poço **Champa Baoli**, ligado a uma série de aposentos subterrâneos, refrigerados pelo fluxo da água, onde as senhoras do harém passavam os dias quentes do verão. A leste, situa-se a **Gada Shah's House and Shop**, que pertencia a um ambicioso nobre rajput da corte de Mandu. Na realidade, a chamada "Shop" (loja) era uma sala de audiência, enquanto a "House" (casa), uma construção de dois andares, com canais de água e chafarizes, ainda possui traços de dois quadros do nobre e da esposa. O monumento mais antigo do enclave é a mesquita de Dilawar Khan, erguida pelo primeiro sultão Malwa, em 1405, com material de templos hindus e jainistas que existiram aqui antes.

Detalhe do túmulo de Hoshang Shah

Village Group

diariam.

Primeiro túmulo da Índia, o de **Hoshang Shah** (de 1440) é uma estrutura de proporções perfeitas, onde foi enterrado o mais poderoso sultão de Malwa. Tem uma inscrição na porta que registra a visita de quatro arquitetos do imperador Shah Jahan, em 1659. Na frente, localiza-se a magnífica **Jami Masjid** (de 1454). Diz-se que foi inspirada na mesquita de Damasco. Três cúpulas grandes e 58 menores sobrepõem-se à colunata, e o *mihrab* é decorado com bela caligrafia. Ao lado, fica a *madrasa* de **Ashrafi Mahal**, com as ruínas de uma torre da vitória, considerada nos relatos da época como a construção mais refinada de Mandu. Foi construída pelo sultão Mahmud, em 1443, para marcar seu triunfo na batalha contra o marajá de Mewar. O interessante é que este último também construiu uma torre da vitória em Chittorgarh *(pág. 402)*, depois da mesma batalha.

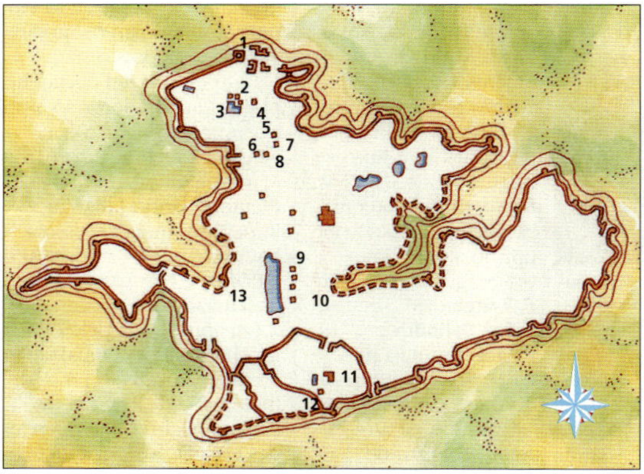

PLANTA DE MANDU

1 Porta de Délhi
2 Hindola Mahal
3 Champa Baoli
4 Gada Shah's House
5 Jahaz Mahal
6 Túmulo de Hoshang Shah
7 Ashrafi Mahal
8 Jami Masjid
9 Mesquita de Malik Mugith
10 Dai ka Mahal
11 Baz Bahadur's Palace
12 Rupmati's Pavilion
13 Neelkanth Mahal

0 metros 800

Mandu: Jahaz Mahal

Janela de pavilhão

O jahaz mahal (Palácio-Navio) é obra de Ghiyasuddin, quinto sultão de Malwa, que reinou de 1469 a 1500. Construído em uma faixa longa e estreita entre dois dos muitos lagos artificiais, Munja Talao e Kapur Talao, o palácio parece um navio ancorado, principalmente nas monções, quando os lagos se enchem. Este palácio dos prazeres do sultão hedonista era totalmente cuidado pelo harém de 15 mil mulheres, que também lhe serviam de guarda-costas.

Os Pavilhões
A justaposição de telhados cônicos e abobadados nos pavilhões confere charme à silhueta de Jahaz Mahal.

Azulejos
Azulejos azuis e amarelos decoravam os pavilhões.

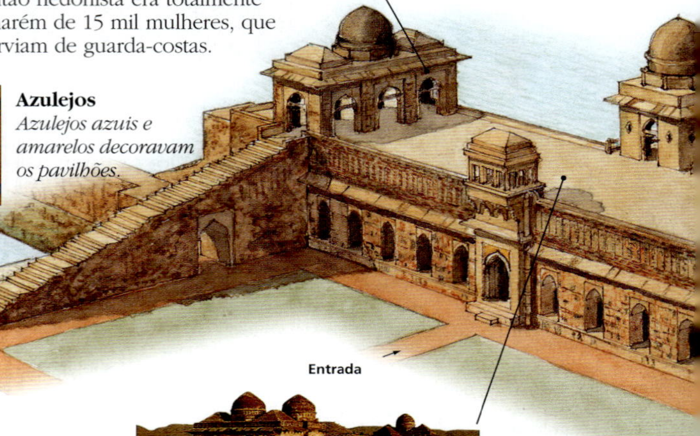

Terraço
Voltado para o lago, o terraço era a parte mais espaçosa do palácio, com pavilhões e quiosques.

PONTOS ALTOS
★ Canais de Água
★ Piscina

Como Explorar Mandu

Entre os monumentos de Village Group e o Sagar Talao, maior lago de Mandu, existem diversas obras que valem uma visita. A **Mesquita de Malik Mugith**, de 1432, tem pilares entalhados, tirados de ruínas de templos hindus. Ao sul, estão dois prédios interessantes, em área arborizada: o **Dai ki Chhoti Bahen ka Mahal** (Palácio da Irmã mais Nova da Ama) e o **Dai ka Mahal** (Palácio da Ama). As duas mulheres eram as favoritas do rei, e as casas com cúpulas octogonais mostram traços de azulejos azuis e amarelos. A sudeste de Sagar Talao, descendo uma estrada sinuosa até a beira de um rochedo, situa-se o Rewa Kund Group of Monuments, ligado ao lendário romance entre o sultão Baz Bahadur e a bela cantora Rupmati. Ao lado do Rewa Kund, um poço com escada alimentado por um rio subterrâneo (com águas consideradas sagradas), situa-se o **Baz Bahadur's Palace**, erguido de 1508 a 1509. Seu traço mais charmoso é um pavilhão octogonal voltado para o jardim, agora coberto de mato. Ao sul do palácio está o **Rupmati's Pavilion**, com cúpulas caneladas, de onde a vista é espetacular.

Shivalinga no Neelkanth Mahal

Baz Bahadur, último sultão de Malwa, foi derrotado em uma batalha com os moguis em 1561. Depois disso, Mandu entrou em decadência, pois os imperadores só a utilizavam como parada nas viagens ao Decã. Em 1616, Mandu ganhou vida novamente, quando Jahangir, imperador mogul, passou aqui sete meses, reformou os palácios e deu grandes festas no Jahaz Mahal.

Em companhia dele estava sir Thomas Roe, embaixador da rainha Elizabeth I à corte mogul. Ele deixou um fascinante relato das festas reais e das caçadas a leões e tigres em Mandu. Para oeste, perto

Para hotéis e restaurantes nesta região, ver págs. 697-9 e págs. 726-7

★ Canais de Água
As caprichosas espirais dos canais de água são típicas da elegância simples da arquitetura de Mandu.

PREPARE-SE

Royal Enclave. *diariam.*
Chalés turísticos, em Mandu, (07292) 26 3235.

★ Piscina
A bela piscina na ala norte é cercada por colunas em três lados.

A **piscina do terraço**, de desenho semelhante à do térreo, é alimentada por um canal de água.

Salas estreitas ficam nas duas pontas do térreo, que tem três paredes largas.

de Sagar Talao, uma escadaria desce a ravina até o **Neelkanth Mahal.** Este palácio, com canais de água e cascatas, foi erguido em 1574 no local de um antigo santuário de Shiva, para a esposa hindu do imperador mogul Akbar. O salão, voltado para o vale, foi reativado como templo de Shiva, embora as paredes estejam cobertas de textos árabes.

Arredores

As **Bagh Caves**, a 50km a oeste de Mandu, datam de 400 a 700. Feitas por monges budistas, têm murais de estilo semelhante ao de Ajanta *(págs. 480-1)*, mas infelizmente estão em péssimo estado de conservação.

BAZ BAHADUR E RUPMATI

Em um dia de caça, o sultão Baz Bahadur (reinado: 1554-61) viu uma moça hindu, Rupmati, cantando enquanto se banhava no rio Narmada. Encantado com sua beleza e com sua voz, Baz Bahadur a convenceu a viver com ele em Mandu. Depois disso, ele passava o tempo em busca de amor e música, deixando o reino vulnerável a ataques. Quando Adham Khan, general do imperador Akbar, atacou Mandu em 1561, obteve uma vitória fácil. Baz Bahadur fugiu da batalha, abandonando Rupmati, que foi capturada. Mas a cortesã se mostrou mais corajosa que o rei. Quando o general mogul aguardava ao lado de seu quarto para dominá-la, Rupmati se matou com uma dose de veneno.

Miniatura do século 18 de Rupmati e Baz Bahadur

Forte, santuários e ghats de Maheshwar, à beira do Narmada

Maheshwar ⓰

Distrito de West Nimar. 90km a SO de Indore. *19.600.* *Barwaha, 39km a L do centro, depois táxi ou ônibus.* *MP Tourism, Narmada Cottages, (07283) 27 3455.* *Panchkosi Yatra (mar).*

Com localização pitoresca à margem do Narmada, Maheshwar é importante centro de peregrinação hindu. Aqui ficava a milenar cidade de Mahishmati, citada em textos sânscritos clássicos. Os belos templos e *ghats* de Maheshwar foram obra da rainha Ahilyabai da dinastia Holkar *(pág. 246)*, em meados do século 18.

Por 1,5km da margem existem santuários, *ghats* e elegantes cenotáfios de governantes Holkar, e os peregrinos vêm para cá se banhar no rio.

Uma escadaria magnífica em forma de leque sai das águas e vai ao núcleo real do Maheshwar Fort e ao **Templo Ahilyeshwar**, de 1798. O pátio, todo entalhado, conduz ao palácio e tem uma estátua de Ahilyabai. Esta rainha bondosa, que também ergueu o Templo Vishwanath *(pág. 205)* em Varanasi, foi descrita por sir John Malcolm, alto funcionário colonial britânico, como "uma das mais íntegras e exemplares governantes que já existiram". Dentro do forte também funciona a Rehwa Weavers' Society, onde são tecidas as sedas e gazes finas de algodão de Maheshwari.

Estátua da rainha Ahilyabai

Omkareshwar ⓱

Distrito de East Nimar. 77km ao S de Indore. *MP Tourism, Tourist Bungalow, (07280) 27 1455.* *Shivratri (fev/abr).*

A ilha de Omkareshwar, na confluência dos rios Narmada e Kaveri, é uma das mais encantadoras cidades de peregrinação do país. Vista de cima, revela o formato do símbolo sagrado do *Om*. Tem 2km de comprimento e 1km de largura, com penhascos escarpados nos lados sul e leste. Está cheia de templos, cavernas de sadhus e ghats, e é tomada pelo som de cânticos. Um caminho de peregrinação circunda a ilha, marcando o trajeto dos peregrinos. Omkareshwar se liga à terra firme por uma passarela de concreto, mas o visitante pode atravessar pelas barcaças que navegam pelo rio. Na ilha, chama atenção a alta *shikhara* branca do **Templo Sri Omkar Mandhata** (Realizador de Desejos), onde está um *shivalinga* sagrado, um dos 12 *jyotirlingas* (*lingas* de pedra natural, que se acredita terem se materializado milagrosamente da luz) da Índia.

Na ponta leste da ilha está o **Templo Siddhnath**, do século 10º, com lindas esculturas de *apsaras*. No extremo norte há um grupo de templos hindus e jainistas.

Na frente do templo, fica um palácio em ruínas, parte de um núcleo fortificado que existiu aqui até ser devastado por invasores muçulmanos no século 11.

Peregrino em prece à beira do Narmada, em Omkareshwar

A POLÊMICA REPRESA DE NARMADA

Desde meados dos anos 1980, um projeto audacioso para represar o rio Narmada causa discussões. A Narmada Valley Authority afirma que a Represa de Sardar Sarovar trará eletricidade, irrigação e água potável para milhões de pessoas. Os ambientalistas são contra. Entre eles estão Medha Patkar, líder do movimento "Salvem o Narmada", e Arundhati Roy, escritora e ganhadora do Prêmio Booker de 1997. Eles contra-atacam, dizendo que a represa inundará quase 37.000ha de florestas e deslocará mais de 200 mil aldeões, na maioria povos tribais pobres, que terão sua cultura inconfundível e seus meios de vida destruídos junto com as terras. A Suprema Corte da Índia decidiu que a obra da represa deve continuar. Quando pronta, será a segunda maior do mundo, depois da Barragem das Três Gargantas, na China.

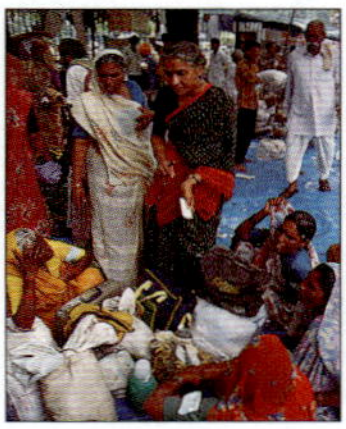

Manifestação contra a construção da represa

O Rio Narmada

Com nascente no planalto de Amarkantak, onde as cordilheiras Vindhya e Satpura se encontram, o rio Narmada corre para oeste por 1.247km, atravessa Madhya Pradesh e Gujarat, desaguando no Mar da Arábia. Um dos sete rios sagrados da Índia, o Narmada, segundo a mitologia hindu, nasceu do suor de Shiva enquanto ele executava sua dança cósmica *(pág. 566)*. Acredita-se, também, que o rio é a encarnação da pureza, e uma lenda diz que, a cada ano, o poluído rio Ganges chega disfarçado de mulher escura e toma um banho purificador no Narmada. Cana-de-açúcar, algodão e banana são produtos cultivados ao longo do rio, cujas margens têm muitos templos.

Imagem do Templo Chausath Yogini

Dhuandhar Falls *local panorâmico onde o rio despenca 25m do planalto Amarkantak. Seu nome, Dhuandhar, significa "Torrente de Fumaça".*

Narmada Kunda *em Amarkantak (Pescoço de Shiva), marca a nascente do rio, rodeada de templos do século 16.*

Maheshwar possui, à beira-rio, belos templos com entalhes e 28 *ghats* para abluções.

Omkareshwar é uma ilha em forma de *Om*, na confluência do Narmada com o Kaveri.

Templo Chausath Yogini, que data do século 10º, fica no alto de um morro, perto de Marble Rocks.

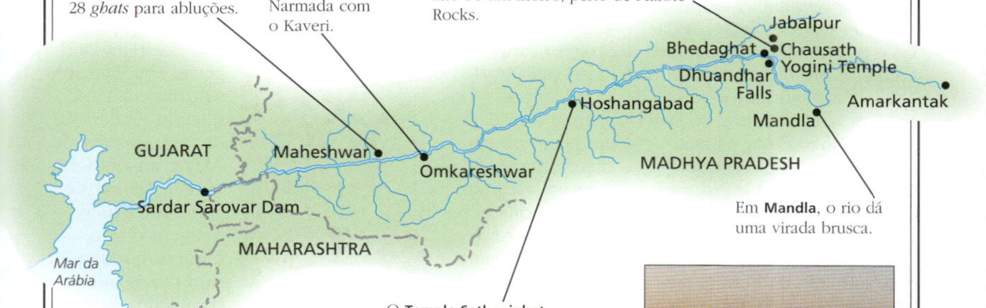

Em **Mandla**, o rio dá uma virada brusca.

O **Templo Sethanighat**, em Hoshangabad, tem uma imagem da deusa Narmada.

A **Narmada Parikrama,** *realizada por muitos sadhus, é uma espécie de romaria a pé pelas duas margens do rio. Percorre 2.600km e leva quase três anos.*

Em **Marble Rocks**, *Bhedaghat, a rápida correnteza do rio cortou uma garganta. Ao luar o local fica muito bonito, e se pode apreciar melhor em passeio de barco.*

Em Pachmarhi, a Christ Church é uma relíquia do Raj, de 1875

Pachmarhi 18

Distrito de Hoshangabad. 210km a SE de Bhopal. *11.400.* *Piparia, 47km ao N de Pachmarhi, depois táxi ou ônibus.* *Pipariya, (07576) 22 3499.* *MP Tourism, Amaltas Complex Station, (07578) 25 2100.* *Shivratri (fev/mar).*

Esta agradável estação de montanha, a 1.067m de altitude, fica nos morros verdejantes da cordilheira Stapura. Entre as atrações estão cascatas e poços, além de cavernas com arte pré-histórica. Em 1857, o capitão James Forsyth, dos lanceiros de Bengala, localizou este planalto em formato de pires, que logo os britânicos transformaram em sanatório e posto do exército.

A cidade conserva o ambiente refinado da era Raj. Entre as relíquias coloniais encontra-se a **Christ Church**, de 1875, com belos vitrais, e a **Army Music School**, que ainda começa o dia com temas marciais ingleses, como *Colonel Bogey March*.

Pachmarhi significa "Cinco Casas", nome que deriva das cinco antigas **Pandava Caves**, situadas em um jardim ao sul do ponto de ônibus. A partir das cavernas, há caminhos que levam ao **Apsara Vihar** (Poço de Fada) e às **Rajat Prapat Waterfalls.**

Os morros arborizados em volta de Pachmarhi, terra das tribos gond e korku, estão cheios de cavernas, algumas delas com pinturas que remontam a 10 mil anos.

A de acesso mais fácil é a **Mahadeo Cave**, a 6km de Jai Stambh (Pilar da Vitória), no centro da cidade. O **Templo da Jatashankar Cave**, dedicado a Shiva, é um passeio de 2km a partir do ponto de ônibus principal. No festival Shivratri, aqui ocorre uma reunião colorida de peregrinos e sadhus. A caminho do templo fica a **Harper's Cave**, (Caverna do Harpista), assim chamada porque dispõe da pintura de um homem tocando um instrumento que parece harpa.

Jabalpur 19

Distrito de Jabalpur. 330km a L de Bhopal. *951.500.* *14km a O do centro.* *MP Tourism, estação de trem, (0761) 267 7690.*

Porta de entrada para Bandhavgarh *(pág. 239)* e Kanha *(págs. 254-5)*, duas das melhores reservas de vida selvagem do país, Jabalpur foi capital de poderoso reino da tribo gond, entre os séculos 12 e 16. Tal reino teve como governante mais famoso uma mulher corajosa e capaz: a rani Durgavati. Em 1817, os britânicos fizeram da cidade um posto do exército e um centro administrativo, a fim de lidar com a crescente ameaça de gangues de bandidos de estrada, chamados *thuggees*, que assaltavam viajantes. Na década de 1830, o coronel William Sleeman lançou sua famosa campanha contra os *thuggees*, e em alguns anos acabou com eles. A palavra "thug" (de *thuggee*) incorporou-se ao inglês, com significado de matador, assassino. No bazar fica o **Rani Durgavati Museum**, com esculturas e objetos da tribo gond. As ruínas do **Madan Mahal Fort**, obra de um rei gond em 1116, vigiam a cidade de uma colina a oeste.

Detalhe de casa da tribo gond

Rani Durgavati Museum
seg-sáb.

Arredores

As **Marble Rocks**, o **Templo Chausath Yogini** e as **Dhuandhar Falls** ficam 22km para sudoeste de Jabalpur.

Mandla 20

Distrito de Mandla. 95km ao S de Jabalpur. *diariam.*

Cidade sossegada, situa-se em uma curva do rio Narmada, que forma um fosso natural para o Gond Fort, do século 17, agora em ruínas. Mandla é uma cidade sagrada para a tribo gond, cuja rainha guerreira Durgavati aqui cometeu suicídio em 1564, quando foi derrotada pelo exército de Akbar, imperador mogul. Templos e *ghats* ladeiam as margens do rio, onde os gonds realizam rituais fúnebres. Vale a pena explorar o bazar principal, perto do ponto de ônibus, cujas lojas vendem jóias tribais de prata e de liga de cobre e estanho.

Rio Narmada, em Mandla, ladeado por templos e *ghats*

Para hotéis e restaurantes nesta região, ver págs. 697-9 e págs. 726-7

Arte Popular de Bastar

O distrito de Bastar, no recém-criado estado de Chhattisgarh, é uma área remota, de floresta densa, habitada quase apenas por povos tribais e pequenas comunidades de artesãos. Eles vivem próximos da natureza e seu artesanato se inspira na beleza, no ritmo e no vigor das criaturas e plantas da floresta. Temas com animais, pássaros e plantas embelezam muitos dos objetos utilitários, decorativos e rituais que eles fabricam com argila, madeira, metal e fios de algodão. Estas peças podem ser encontradas nos mercados tribais semanais realizados em Madhya Pradesh e Chhattisgarh e em lojas de artesanato em Délhi.

Brinquedo de argila com rodas

Casal tribal recém-casado em Bastar

Bastões para caminhada, *brinquedos e objetos rituais são entalhados na madeira macia de raízes e galhos. Os engenhosos bastões para caminhada soltam um silvo assustador, destinado a espantar feras e maus espíritos na floresta.*

Pentes *de madeira ou metal são trocados nas tribos entre rapazes e moças de Bastar, como sinal de amor. Os de madeira são decorados com motivos geométricos simples, ao passo que os de latão têm mais ornamentos.*

Castiçais de ferro, *embelezados com folhas e figuras de animais e pássaros, são uma especialidade dos* lohars *(ferreiros) de Bastar, que também fazem ferramentas agrícolas.*

Pente de latão, entalhado com a imagem de uma divindade

Ceramistas tribais *fazem fascinantes figuras rituais de animais míticos, cavalos e elefantes. O material usado é a argila vermelha e preta das margens do rio, famosa pela resistência e pela elasticidade.*

Imagens de bronze, *como esta divindade guardiã, são produzidas pela comunidade ghadva de uma vila de Bastar, que usa uma antiga técnica de cera.*

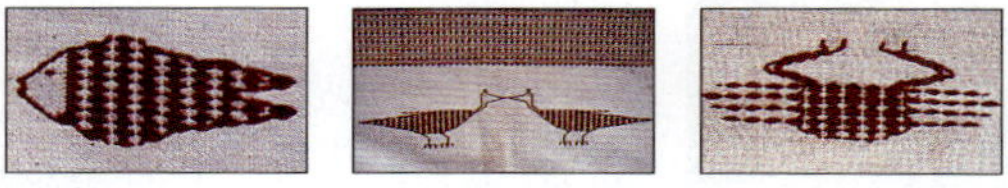

Tecidos *para ocasiões festivas são feitos com algodão cru, sem alvejamento, pela comunidade panka de tecelões. Os motivos, sempre inspirados na natureza, são tramados com fios tingidos com garancina (pigmento vermelho).*

Kanha National Park ㉑

Muitas vezes citado como excelente reserva natural de caça da Índia e modelo de conservação da vida selvagem, o Kanha, com paisagem magnífica, combina campos verdejantes e morros de cume achatado com riachos sinuosos e densas florestas decíduas. Cenário para *O livro da selva*, obra famosa de Rudyard Kipling, agora Kanha é uma importante reserva do Project Tiger *(pág. 289)*. Junto com Bandhavgarh *(pág. 239)*, é um dos melhores lugares para avistar esses animais ariscos. A rica variedade de vida selvagem deste parque de 1.954km^2, antes campo de caça exclusivo dos vice-reis britânicos, conta com veados, leopardos, hienas, ursos-preguiça, pítons e quase 300 espécies de pássaros.

Mangusto Comum
Parecido com o furão, este animal é um lutador feroz, conhecido pela habilidade de enfrentar cobras.

Dadars e Veados
Campos de pastagens, conhecidos como dadars, caracterizam boa parte de Kanha. Constituem hábitat ideal para herbívoros, como o veado-pintado.

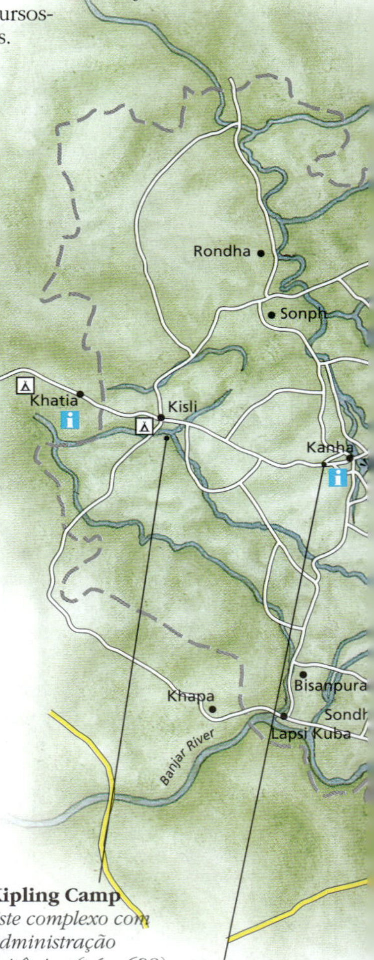

Íbis-Preta
Este pássaro elegante, com plumagem lustrosa, é encontrado à beira dos alagados de Kanha, à procura de peixinhos, rãs e minhocas.

Kipling Camp
Este complexo com administração britânica (pág. 698), fica em Kisli, perto da entrada do parque. Tem chalés agradáveis cercados pela floresta. O camping dispõe de safáris com guias.

Centros explicativos
situados em Khatia, Mukki e Kanha, têm excelentes filmes, livros e maquetes.

Shravantal
Este bebedouro tranquilo atrai muitas aves aquáticas, como a pequena cérceta-assobiadora e o colhereiro. Aqui existem plataformas de observação.

PREPARE-SE

Distrito de Mandla. 196km a SE de Jabalpur. *até Khatia e Kisli, entradas principais.* *MP Tourism, Kisli, (07649) 27 7227; Bhopal, (07649) 27 7242.* **Outras entradas:** *Mukki.* out-jun. taxa extra. serviço obrigatório de guias. de Kisli. *Há safaris de jipe. O visitante não pode andar pelo parque.*

Tigres
Existem quase 100 tigres em Kanha. Os guias do parque os localizam por meio de marcas, e alarmes espantam veados e langures.

Barasingha da Índia Central
A conservação aumentou o número de animais desta espécie rara, que quase foi extinta há 30 anos.

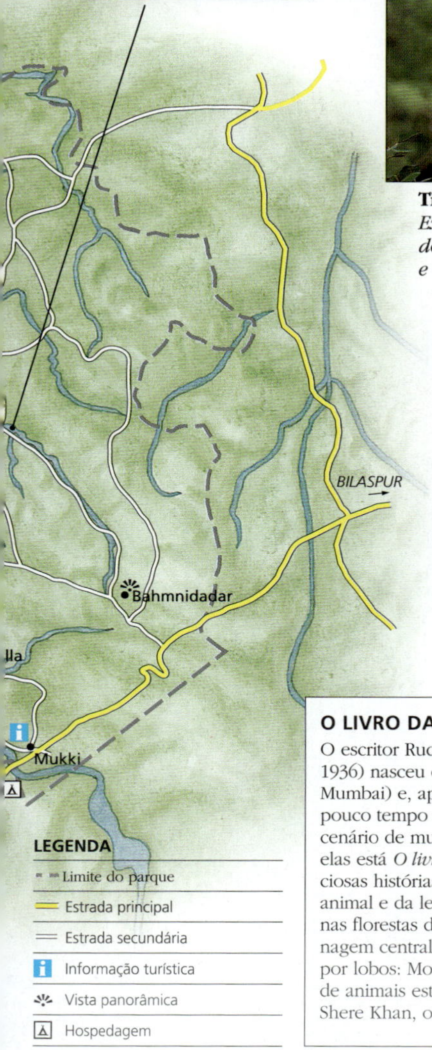

O LIVRO DA SELVA

O escritor Rudyard Kipling (1865-1936) nasceu em Bombaim (atual Mumbai) e, apesar de ter passado pouco tempo na Índia, o país é cenário de muitas obras suas. Entre elas está *O livro da selva*, com deliciosas histórias do comportamento animal e da lei da selva. Passado nas florestas de Kanha, seu personagem central é um menino criado por lobos: Mowgli. Entre as figuras de animais estão Rikki-tikki-tavi, o mangusto, Shere Khan, o tigre, Kaa, a píton, e Baloo, o urso.

Capa de *O livro da selva* na versão de Disney

ÍNDIA ORIENTAL

Introdução à Índia Oriental

Kolkata, ex-Calcutá, é segunda maior cidade do país e o destino mais procurado pelos que visitam a Índia Oriental. Além dessa metrópole sempre fascinante, a região oferece grande diversidade de paisagens, povos e culturas. Aqui existem manguezais enevoados ao longo da baía de Bengala (hábitat do tigre-real-de-bengala), belas vistas das montanhas de Darjeeling (oficialmente Darjiling) e Siquim, e magníficos templos e praias de Orissa. Mais a leste ficam Assam e os estados nordestinos, terra de comunidades tribais, cujas culturas inconfundíveis florescem em áreas de beleza natural intocada.

Por uma corda, ágil membro da tribo nishi, de Arunachal Pradesh, cruza o Siang, afluente do Brahmaputra

VEJA TAMBÉM

- ***Onde Ficar*** págs. 699-702
- ***Onde Comer*** págs. 727-31

Complexo do Templo Mukteshwar, do século 10°, em Bhubaneswar

◁ **Mulher pesca no lago Loktak *(pág. 338)*, em Manipur**

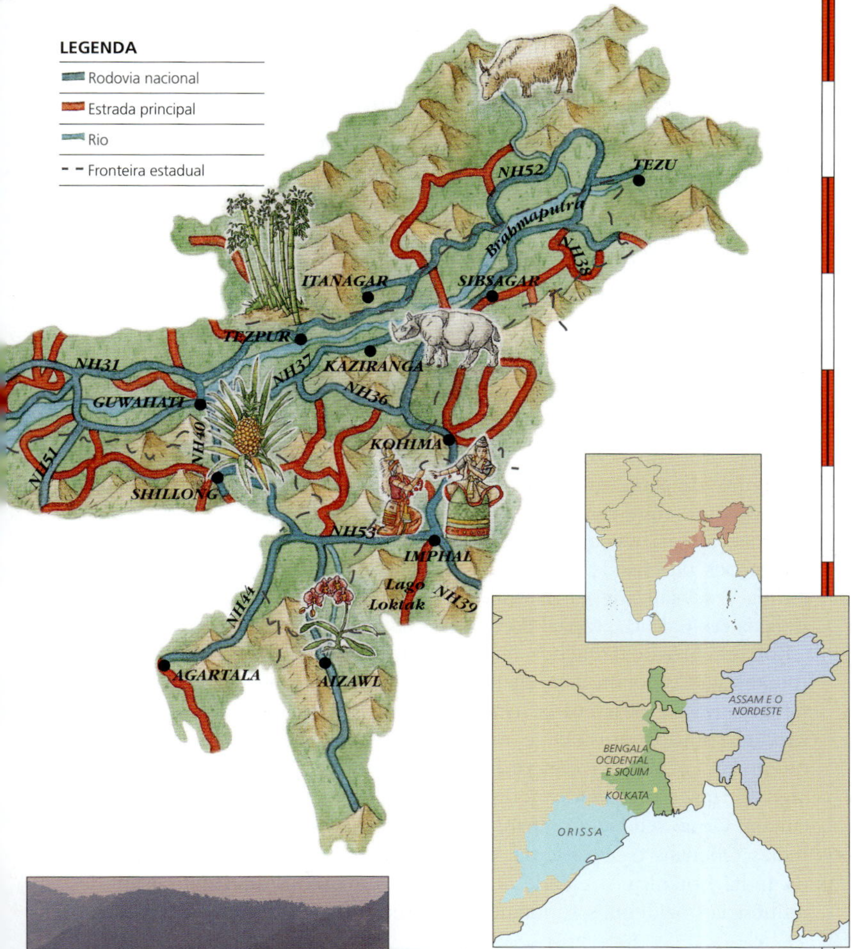

Plantação de chá em Darjeeling, cultivada no sopé do Himalaia oriental

COMO CIRCULAR

Kolkata, Guwahati e Bhubaneswar, as três maiores cidades da região, têm boas conexões aéreas e ferroviárias com o restante do país. De Kolkata e Guwahati, há vôos regulares para todos os estados nordestinos. Para chegar à estação de montanha de Darjeeling e à capital de Siquim, Gangtok, vai-se de avião ou trem até Bagdogra-Siliguri, de onde ônibus e táxis completam a viagem, subindo pela National Highway 31. O encantador Himalayan Toy Train *(pág. 294)* trafega de Siliguri a Darjeeling e, pelo caminho, oferece vistas panorâmicas do Himalaia. De Kolkata, chega-se à maioria dos destinos em Bengala Ocidental pela National Highway 34. Em Orissa, as principais atrações são acessadas pela National Highway 5. Guwahati, em Assam, é a entrada para o Nordeste e tem boas ligações rodoviárias com os outros seis estados pelas National Highways 37, 40 e 52. O visitante precisa de permissão de viagem para alguns destinos no Nordeste *(pág. 758)*.

RETRATO DA ÍNDIA ORIENTAL

Os povos e as culturas encontrados nos estados do Leste da Índia são tão variados quanto a paisagem local. A região se estende da populosa metrópole de Kolkata até os remotos núcleos tribais de Arunachal Pradesh, que faz limite com a China e Mianmar, e conta com o montanhoso Siquim, a Orissa tropical e os verdejantes vales de Assam, banhados pelo caudaloso rio Brahmaputra.

Bengala Ocidental, o maior e mais densamente povoado dos estados do Leste, oferece ao visitante grande variedade de imagens. E elas vão desde os mangues de Sunderbans, território do tigre-real-de-bengala, até as nevoentas plantações de chá de Darjeeling e a vitalidade característica de Kolkata (ex-Calcutá), capital do estado.

Orquídea de Meghalaya

Kolkata provoca reações radicais: romancistas esgotam suas metáforas na tentativa de descrevê-la, cineastas são derrotados por ela, e mesmo quem não é bengali concorda que algo intrínseco à cidade define sua cultura. Como sede da Companhia das Índias Orientais e, mais tarde, capital da Índia britânica, a cidade acolheu influências ocidentais fundamentais, principalmente a educação inglesa. Testemunhou o fenômeno descrito como Renascimento de Bengala, uma complexa e dinâmica reforma sociorreligiosa, e um florescimento artístico e literário, com forte tendência nacionalista. Foi assim que Kolkata se tornou a primeira cidade indiana a possuir uma "intelligentsia". Rabindranath Tagore *(pág. 292)*, seu filho mais famoso, permanece apreciado até hoje por seus contos, poemas, peças e músicas. Outro ícone cultural é o famoso diretor de cinema Satyajit Ray, cuja obra teve grande impacto na cinematografia asiática. Desde 1977, Bengala Ocidental tem governo comunista. Mas a cultura de manifestação de patriotismo se mistura perfeitamente ao

Uma lagoa de aldeia, em Orissa, com pequeno templo hindu na margem

Transporte de estátuas durante o Durga Puja, maior festival de Kolkata

típico passado de *adda* –mescla de debates políticos calorosos, análises intelectuais e fofocas populares– de Kolkata. E o pano de fundo de tudo isso é formado pelos vestígios de uma excelente arquitetura colonial

De Kolkata, muitos visitantes vão para Orissa, no sul, onde há praias e templos com belas esculturas. O ponto alto do ano cultural e religioso de Orissa é o Rath Yatra, festival realizado na cidade de Puri *(pág. 312)*. O estado paga um preço alto pela localização panorâmica na baía de Bengala, pois é assolado por constantes ciclones durante as monções. Mas, nos últimos anos, o povo de Orissa, que conta com grupos tribais moradores das florestas, prosperou muito, com projetos para a utilização dos ricos recursos minerais do estado e com a crescente indústria turística.

Dançarino de festival monástico, em Siquim

Ao norte de Kolkata está Siquim, com horizonte dominado pelo pico nevado da montanha mais alta da Índia, a Kanchendzonga *(pág. 302)*, que atinge 8.598m de altitude. A cultura de Siquim se identifica com a dos vizinhos Tibete e Nepal, e muitas pessoas praticam o budismo tibetano, introduzido no século 15 pelos antigos reis Chhogyals, que vieram do Tibete. Boa parte da vida cultural e religiosa de Siquim ainda gira em torno dos mosteiros budistas, bonitos e serenos.

No extremo oriental da Índia estão Assam e os seis estados nordestinos de Arunachal Pradesh, Meghalaya, Manipur, Mizoram, Nagaland e Tripura, ligados ao restante do país apenas por uma estreita faixa de terra. Esta região abriga dezenas de comunidades tribais, cada uma com língua e cultura próprias *(págs. 336-7)*.

Assam tem uma economia que gira em torno do chá –é responsável por mais da metade da produção do país– e de boa parte do petróleo. Os outros seis estados dispõem de fartos recursos agrícolas e florestais e de poucas indústrias. O isolamento dos estados nordestinos e o fato de fazerem fronteira com Bangladesh, Butão, China e Mianmar resultaram em movimentos separatistas violentos em algumas áreas.

O visitante precisa tirar uma permissão especial *(pág. 759)* para viajar por essa região, cuja principal atração é a beleza natural intocada, dotada de flora e fauna raras.

Mulher em Assam, com pilão de grãos

A História do Chá Indiano

Folhas de chá

A índia é a maior produtora mundial de chá, uma das bebidas mais consumidas no planeta. Sua planta *(Camellia sinensis)* é nativa do Nordeste da Índia. Embora a tribo singpho, de Arunachal Pradesh, já cultivasse e bebesse chá há séculos, como estimulante e preparado medicinal, as plantações para fins comerciais só surgiram em meados do século 19. Atualmente, a indústria do chá emprega mais de 1 milhão de pessoas, metade das quais é de mulheres, e produz 850 mil toneladas de folhas por ano, a maior parte cultivada em Assam, no norte de Bengala e em Darjeeling (Darjiling).

Pitorescas plantações de chá *de Darjeeling cobrem encostas em terraços de até 1.950m de altitude.*

As **folhas** *são colhidas de abril a dezembro. Um bom apanhador colhe quase 40kg por dia, o suficiente para produzir 20kg de chá processado.*

Árvores para sombrear

NA HORA DA COLHEITA

O arbusto do chá tem folhas ovais verdes e brilhantes. É podado com regularidade para permanecer baixo, o que facilita a colheita. Ao natural, a planta vira uma árvore de até 10m de altura.

No **processo de secagem**, *ar quente sobre as folhas reduz sua umidade pela metade. Depois, elas são juntadas, prensadas e fermentadas. Por fim, são secas outra vez.*

Folhas frescas

Folhas secas

Amassar, rasgar e enrolar *é o método usado para processar um chá Assam granulado, mais resistente. As folhas são amassadas, para liberar enzimas, fermentadas e secas.*

Os **provadores** *conhecem a qualidade do chá só de cheirar folhas esmagadas no pulso e inalar o aroma do chá quente. Para fixar o preço mínimo nos pregões, eles também provam a infusão, rodando o líquido pela boca com a língua, como os provadores de vinho.*

Cartaz para vender chá indiano da década de 1950

Logo do chá Darjeeling

Logo do chá Assam

Os chás **Darjeeling** *e* **Assam** *são as variedades indianas mais apreciadas. Os Darjeeling são famosos pelo sabor delicado, moscatel, e os mais refinados já foram vendidos por mais de US$220 o quilo. O Assam possui sabor mais forte e é mais escuro.*

Os delicados dedos femininos são os preferidos para a tarefa de colher as folhas de chá.

Arbusto

Cesto para carregar as folhas colhidas

Chaleiras de bronze *com alça de dragão e bico de tromba de elefante são típicas da região de Darjeeling e Siquim.*

Entre os **tipos de chá indianos** *estão o verde (não fermentado), tomado na Caxemira, e o* masala, *temperado com cardamomo e gengibre. Folhas compridas dão uma infusão superior, e as folhas quebradas e os farelos servem para os saquinhos.*

FAZENDAS DE CHÁ

No início do século 19, os britânicos começaram a procurar um local apropriado ao cultivo de chá para o mercado da Grã-Bretanha. Logo descobriram que o chá silvestre crescia no Nordeste. Por volta de 1850, grandes trechos das florestas habitadas por tigres foram derrubados em Assam, no norte de Bengala e em Darjeeling, para esse plantio. Agora, o país tem mais de 25 mil fazendas de chá, cada uma dotada de escola, lojas e clínica médica. No meio, ficam a casa do administrador e um clube, onde os plantadores se reuniam para jogar tênis e tomar um drinque ao anoitecer.

Bangalô típico de plantador de chá no norte de Bengala

Sabores da Índia Oriental

Esta região, regada pelos rios do delta do Ganges e banhada pelo mar, é uma terra fértil, com abundância de legumes, coco e peixes. A base alimentar é o arroz, do qual a região produz ampla variedade. Os peixes de água doce são muito apreciados nas áreas ribeirinhas. Na maioria dos estados do Nordeste consome-se muita carne de boi e de porco, mas em Sikkim a comida é principalmente tibetana, com brotos de bambu e pratos feitos no vapor compondo o cardápio. As imensas plantações de chá na base dos Himalaias produzem os melhores chás da Índia, especialmente em Darjeeling.

Pimentas verdes e limão

Folhas de louro e pimentas, entre outras vendidas no mercado semanal

PRATOS BÁSICOS

No delta e nas áreas costeiras de Bengala e Orissa, cinco sementes –de mostarda, anis, feno-grego, cominho e cominho negro– são as mais usadas como tempero e o óleo de mostarda é o preferido para cozinhar. As duas culinárias são similares, mas os bengalis se gabam de ter um paladar mais apurado. *Dalma* é o prato típico de Orissa, uma mistura de legumes com *arhar dal* (grão vermelho). Legumes como batata e berinjela podem ser fritos *(bhaja)* ou amassados *(bharta)* e leve ou fortemente apimentados como no *dalna*, e feitos com ervilhas e couve-flor. Os pratos clássicos são o *shukto* (legumes misturados com cabaça-amargosa) e *mochar ghonto*, feito com a flor da bananeira.

PEIXES E FRUTOS DO MAR

Os peixes inspiram o talento culinário da região. Tudo neles é aproveitado –a cabeça ao *curry* é deliciosa *(muri ghonto)* e as ovas fazem um excelente aperitivo *(macher dimer bora)*. Os peixes mais consumidos são *rahu* (carpa), *betki* e o apreciadíssimo *hilsa* ou *ilish*, que desce os rios na época das monções. O hilsa pode ser

Alguns dos inúmeros doces típicos de Bengala

PRATOS E ESPECIALIDADES LOCAIS

Chutney de tomate

A culinária da região é bem variada. Historicamente, Calcutá (hoje Kolkata) é um cadinho sociocultural, e a tradicional *rana bangla*, que combina os peixes de Bengala, pratos levemente condimentados, pratos de carneiro muçulmanos e a *parantha* de Dacci, ganhou novos sabores trazidos pelos colonos judeus, armênios, indo-portugueses e ingleses. O peixe é a base da cozinha de Bengala e de Oriya, e pode ser cozido com legumes. Costuma-se acrescentar camarões secos aos legumes para dar mais sabor. Arroz, um *dal* (lentilhas), legumes variados, chutneys doces e azedos, pimentas verdes e fatias de limão acompanham as refeições. A carne de porco é a preferida no Nordeste. Ela é preparada com brotos de bambu, cogumelos silvestres ou misturada com arroz e ervas na panela chamada *onla*.

Momos, *bolinhos tibetanos, consumidos com forte molho de pimentas vermelhas e uma terrina de caldo de galinha.*

Mulheres trabalham nos arrozais de Orissa

cozido em mostarda, frito, defumado até que os espinhos se desmanchem, cozido no vapor em folha de bananeira *(ilish macher paturi)* ou com suave molho de iogurte e gengibre *(doi maach)*. Outras excelentes criações regionais são o delicado *daab chingri*, ou camarões cozidos em coco tenro *(daab)*, e o *chingri malai* (camarões cozidos em leite de coco) ao curry.

OUTROS FAVORITOS

A culinária de Sikkim recebe influências também de Nepal e Butão. Os pratos mais populares são a *thupka* (sopa grossa de talharim), os *momos* e os vários preparos do queijo *cottage* local *(churpi)*. A culinária de Assam combina condimentos fortes com alimentos fermentados, como o *iromba* de Manipuri, que é o peixe fermentado com legumes e brotos de bambu. Há também o *akshi aong* (porco ao curry fortemente apimentado) e *anok pongsuem* (o peixe no vapor de Nagaland). Em Kolkata, a culinária Raj continua reinando absoluta. Os pratos típicos são o coquetel de camarão, o cordeiro assado com molho de menta e o apreciadíssimo manjar de caramelo.

Cesta de peixes frescos que serão vendidos no mercado

DOCES

Tanto Orissa quanto Bengala primam pela imensa variedade de doces que têm o leite em sua base. O *sandesh*, feito com *chenna* (a ricota indiana), é o mais popular. Queijo *cotttage* e calda são usados em uma grande variedade de doces, entre eles o *kancha* gola, *chumchum* e *danadar*. *Peda* e *kalakand* são feitos com leite condensado e nozes picadas.

NO CARDÁPIO

Bhapa hilsa *Hilsa* marinado em mostarda e pimentas, cozido em folha de bananeira.

Chholar dal Ervilhas partidas amarelas temperadas com sementes de cominho e *garam* masala.

Kamla kheer Pudim de laranja e leite grosso.

Kosha mangsho carneiro ao curry condimentado, acompanhado de arroz ou pães fritos *(luchi)*.

Mishti doi Iogurte adoçado com melaço e guarnecido com nozes picadas.

Saag bhaja Espinafre refogado, guarnecido com coco.

Shoshey maachh Peixe cozido em molho de mostarda.

Prawn malai curry, *camarões cozidos em leite de coco com sementes de mostarda esmagadas e pimentas vermelhas.*

Aloo posto, *prato comum em Bengala e em Orissa, leva batatas cozidas e pasta de sementes de papoula.*

Pudim de caramelo, *iguaria Raj que é uma mistura de leite e ovos assada sobre uma cama de caramelo.*

KOLKATA

Uma das grandes cidades do mundo, Kolkata, ou Calcutá, como era chamada, atravessou muitas encarnações. De obscura aldeia à beira do rio Hooghly, ela se desenvolveu até se tornar capital do império indiano da Grã-Bretanha. Agora, esta cidade vibrante, com inconfundível sabor imperial, é capital do estado comunista de Bengala Ocidental.

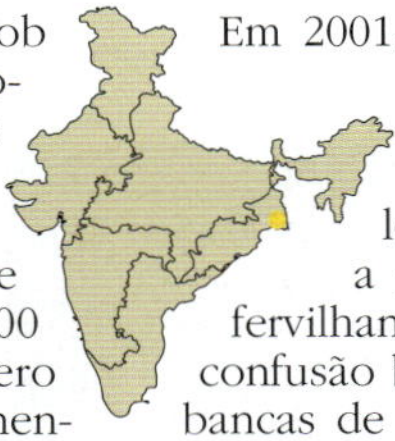

Em 1690, o mercador inglês Job Charnock fundou um posto comercial na aldeia ribeirinha de Sutanuti que, junto com as vizinhas Govindapur e Kolikata, cresceu e formou a cidade de Calcutá. Em pouco mais de 200 anos, ela se tornou um próspero centro de comércio, com imponentes prédios góticos vitorianos, igrejas e avenidas. Ao mesmo tempo, a vida intelectual e cultural floresceu, com o renascimento da arte e da literatura bengalis e o crescimento de um forte movimento nacionalista por reformas, que levou à criação do Brahmo Samaj, um ramo esclarecido do hinduísmo, e à inauguração do Presidency College, então o mais avançado centro educacional inglês. A decisão de mudar a capital para Nova Délhi, em 1911, e a decadência urbana na década de 1960 diminuíram um pouco o fulgor da cidade, mas não sufocaram sua efervescência.

Em 2001, Calcutá se tornou Kolkata, pronúncia bengali de seu nome. Embora superpovoada e com locais sujos, ela mantém a personalidade. A vida fervilhante ao longo do Strand, a confusão barulhenta dos bazares e bancas de rua, as ruas residenciais com mansões outrora graciosas, tudo isso contribui para uma atmosfera cosmopolita, raramente encontrada nas cidades indianas. Os encantos de Kolkata juntam a grandiosidade decadente da capital imperial e os restaurantes e butiques elegantes de Park Street. Eles coexistem com o tradicional mundo bengali da mansão de Rabindranath Tagore, em Jorasanko, com o templo Kalighat e a aldeia de oleiros de Kumartuli e com a política animada da Coffee House e de Maidan, que são dominados pelo grandioso Victoria Memorial, símbolo do apogeu imperial.

Vista do rio Hooghly e da Howrah Bridge, a terceira maior ponte pênsil do mundo

◁ Estátua da jovem rainha Vitória no hall central do Victoria Memorial

Como Explorar Kolkata

LOCALIZE-SE

A cidade de Kolkata fica em uma faixa comprida, com o rio a oeste e os alagados a leste. Ao longo do rio, o Strand constitui o centro da cidade, com o parque Maidan, de 400ha, onde os moradores jogam futebol, fazem comícios ou aproveitam o frescor da tarde. Do outro lado do parque está a rua principal da cidade, a Chowringhee, ou Jawaharlal Nehru Road, com lojas, hotéis, prédios residenciais e de escritórios. Na parte meridional de Kolkata localizam-se áreas residenciais da classe média, enquanto ao norte está a parte mais antiga, com labirintos de ruelas cheias de casas lado a lado com lojas e escritórios.

Cena de rua no New Market, com os táxis típicos de Kolkata

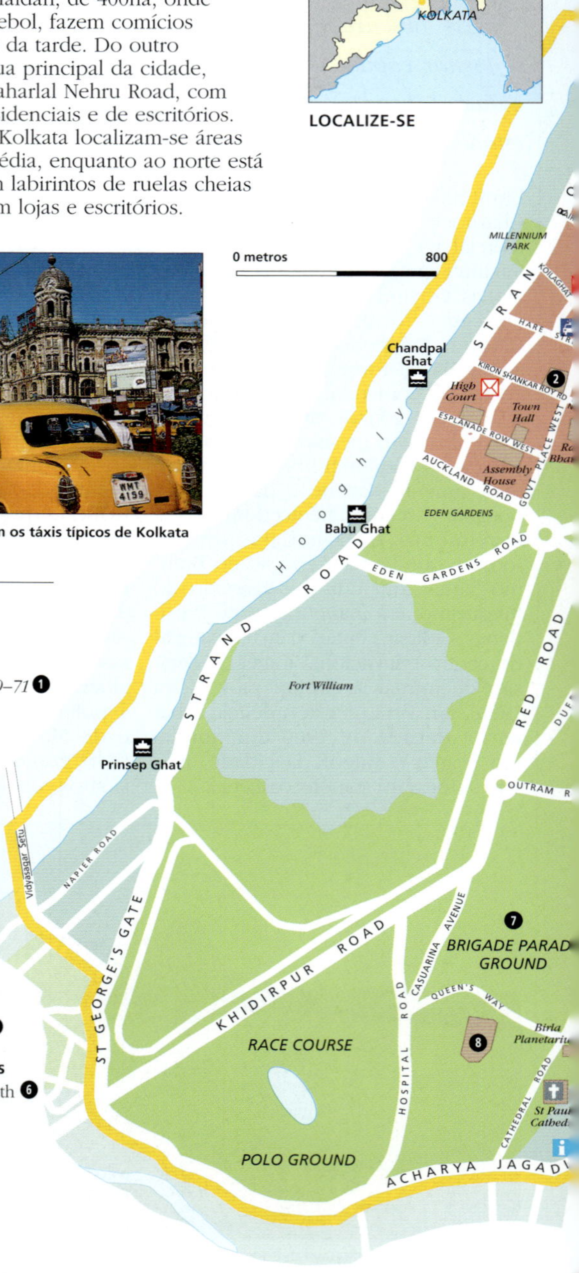

PRINCIPAIS ATRAÇÕES

Prédios Históricos, Áreas e Bairros

Alipore 13
Ao Redor de BBD Bagh págs. 270–71 1
Chowringhee 9
College Street 4
Jorasanko 18
Kumartuli 19
Marble Palace 17
Maidan 7
Mother House 11
Nilhat House 3
Nirmal Hridaya 15
Park Street Cemetery 12
Tangra 16

Museus

Indian Museum pp276–7 10
Victoria Memorial pp274–5 8

Igrejas, Templos e Mesquitas

Armenian Church of St Nazareth 6
Nakhoda Mosque 5
Kalighat 14
St John's Church 2

Parques e Jardins

Botanical Gardens 20

COMO CIRCULAR

A área central de Kolkata é compacta, e se pode conhecê-la a pé. Entre as alternativas estão táxis ou ônibus e microônibus, geralmente apinhados. Outras opções são os bondes e o metrô, que ligam as partes sul e norte da cidade, de Tollygunge até Dum Dum. O riquixá, outro meio de transporte local, opera nas ruelas congestionadas e em ruas laterais.

Banca colorida em um dos mercados de flores de Kolkata

LEGENDA

- Área rua a rua: págs. 270-1
- Estação de trem
- Terminal de ônibus
- Ferryboat
- Metrô
- Informação turística
- Hospital
- Delegacia de polícia
- Templo
- Gurdwara
- Igreja
- Correio
- Rodovia nacional
- Estrada principal
- Estrada secundária

VEJA TAMBÉM

- ***Onde Ficar*** pág. 669-700
- ***Onde Comer*** págs. 727-8

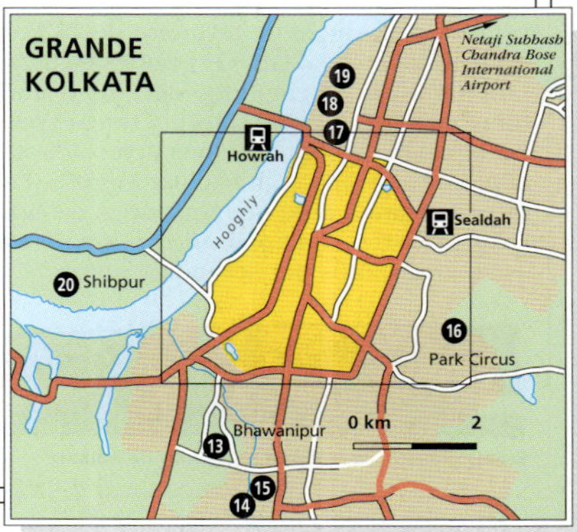

Rua a Rua: Ao Redor de BBD Bagh ❶

Marca do Royal Insurance Building

Este é o "coração" de Kolkata, onde surgiu Kolikata, um dos vilarejos a partir dos quais a cidade evoluiu. No centro, uma pequena lagoa mostra onde Binay, Badal e Dinesh, três jovens defensores da liberdade da Índia, balearam o inspetor-geral da polícia britânico, em 1930. A praça, agora com o nome deles, é rodeada por prédios coloniais britânicos, que datam do século 18 até o início do século 19. Aqui ficavam os centros britânicos de controle administrativo e comercial.

Túmulo de Job Charnock
Acredita-se que Job Charnock lançou as fundações da ocupação britânica em Kolkata.

★ St John's Church
O projeto desta igreja (pág. 272) se baseou na St Martin-in-the-Fields, de Londres. Os engenheiros construtores queriam uma agulha mais alta, mas desistiram, com medo do subsolo encharcado.

Portões do Raj Bhavan
Magníficos portões neoclássicos levam à antiga Government House, construída em meados do século 18. Agora é a residência do governador do estado, e pode ser avistada da rua.

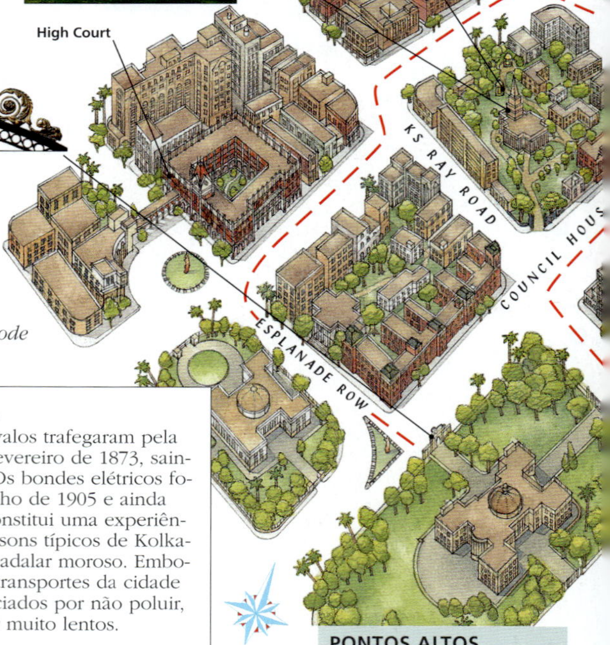

BONDES DE KOLKATA

Bondes puxados por cavalos trafegaram pela primeira vez em 24 de fevereiro de 1873, saindo da estação Sealdah. Os bondes elétricos foram introduzidos em junho de 1905 e ainda funcionam. Utilizá-los constitui uma experiência agradável, e um dos sons típicos de Kolkata é o de seu sino com badalar moroso. Embora pertençam à rede de transportes da cidade *(pág. 269)* e sejam apreciados por não poluir, estão ameaçados por ser muito lentos.

Bonde elétrico, ao trafegar pelas ruas de Kolkata

PONTOS ALTOS

★ St John's Church

★ GPO

★ Writers' Building

★ GPO
O General Post Office de Kolkata funciona neste belo prédio com rotunda. Projetado por Walter Granville e erguido na década de 1860, ocupa o lugar de um antigo forte de tijolos.

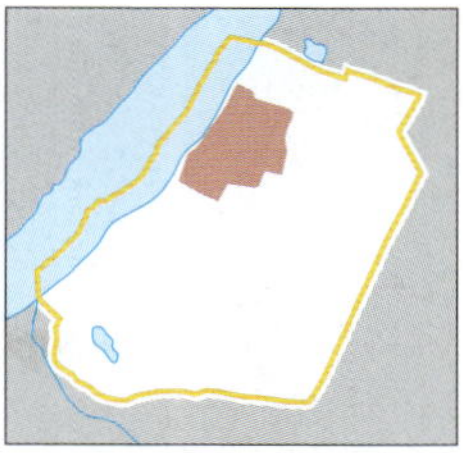

LOCALIZE-SE
Mapa de Kolkata págs.268–9

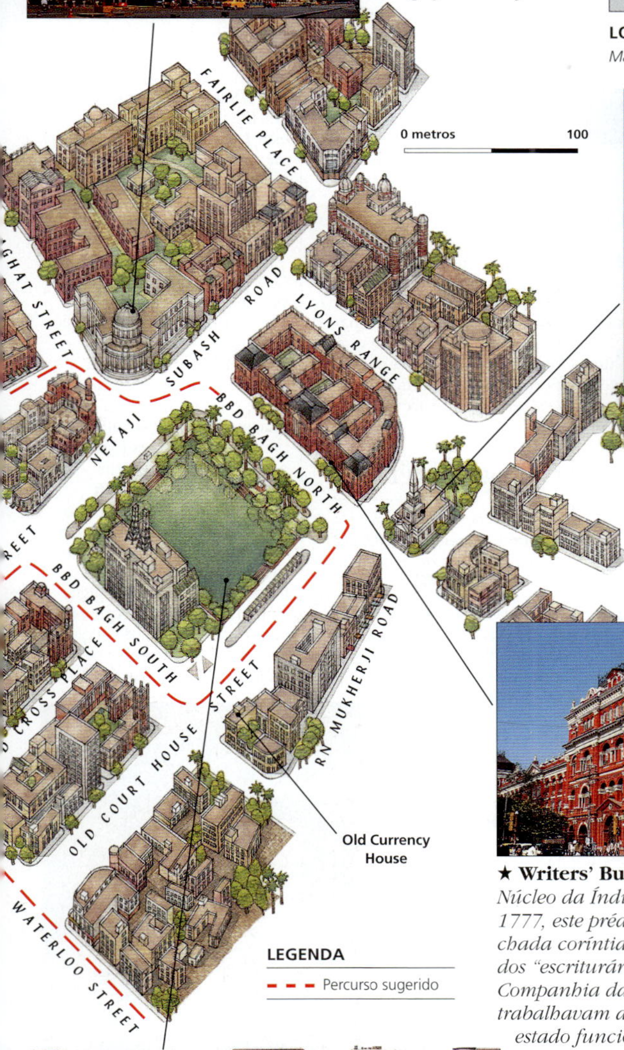

St Andrew's Kirk
Consagrada em 1818, a igreja possui campanário alto, órgão excelente e púlpito com lindos entalhes.

★ Writers' Building
Núcleo da Índia colonial a partir de 1777, este prédio imponente, com fachada coríntia, tem nome que deriva dos "escriturários" (funcionários) da Companhia das Índias Orientais que trabalhavam aqui. O governo do estado funciona aqui.

Do outro lado da lagoa Lal Dighi
A sede administrativa da Companhia das Índias Orientais, os tribunais de justiça e as igrejas para as orações de domingo ficam em volta desta lagoa alimentada por nascentes.

Vista da St John's Church, com campanário alto

St John's Church ❷

Council House St. ***Tel** (033) 2243 6098.*
◻ *diariam.* ✝ *10h-17h.*

Primeira paróquia de Kolkata, a St John's Church foi inaugurada em 1787. Tem um vitral imponente da *Última Ceia*, no qual o artista Johann Zoffany deu aos 12 discípulos os rostos de personalidades britânicas famosas da cidade naquele tempo.

A St John's tem muitas ligações com a história da Companhia das Índias Orientais inglesa. Warren Hastings, governador de Bengala, casou-se aqui. No cemitério da igreja há um memorial a lady Canning, vice-rainha morta em 1861. Seu nome está na memória do povo, pois ela adorava um doce em calda, que tem o nome dela (pronunciado "lédi-quéni", em bengali). Aqui também está o mausoléu de Job Charnock *(pág. 270)*.

Perto, fica o memorial às vítimas da famosa "Black Hole Tragedy", evento que se tornou uma das histórias de terror mais conhecidas do Raj. Quando, em 1756, Siraj-ud-Daula, nababo de Bengala, capturou o velho forte britânico, que ficava no local do atual General Post Office *(pág. 271)*, prendeu mais de cem habitantes britânicos em uma pequena cela sem ventilação. Na manhã seguinte, apenas 23 pessoas foram encontradas com vida –as demais haviam morrido de asfixia e sede.

Nilhat House ❸

Atrás da Old Mission Church. *Pregões às seg e ter às 8h30. Permissão antecipada, nas casas de corretagem,* J. Thomas ***Tel** (033) 2248 6201.*

Centro do pregão de chá, a Nilhat House se localiza onde funcionava uma casa de comércio de anil (*nil* significa "anil", e *hat* é "mercado"). Data de 1861; apenas as casas de pregão de chá de Londres são mais antigas. O chá sempre teve papel importante na economia do estado, principalmente no período colonial. Mas, até hoje, são animados os lances para chás de Darjeeling e Dooars no norte de Bengala e Assam *(págs. 262-3)*. Os preços do pregão são determinados pela opinião de provadores de chá, cujo paladar treinado consegue diferenciar, na hora, o tipo, a origem e o ano de cada bebida. O visitante pode assistir, e participar, a esse animado processo, com permissão prévia.

College Street ❹

Bidhan Sarani, North Kolkata.
Ashutosh Museum ***Tel** (033) 2241 0071.* ◻ *10h30-17h seg-sex, 10h30-13h30 sáb.*

Local das instituições educacionais da elite de Kolkata, a College Street é o coração da vida intelectual bengali. As calçadas estão cheias de bancas com guias de exames, manuais, livros clássicos e de segunda mão, de todos os tipos –há quem afirme ter descoberto primeiras edições valiosas. Aqui também estão muitas das melhores livrarias de Kolkata.

A **Presidency College**, nesta rua, foi fundada em 1817 e era conhecida na época como Hindu College. A faculdade começou como instituição para os ricos da cidade que queriam que os filhos recebessem educação ocidental, e se orgulha de grandes acadêmicos, cientistas e escritores, como o diretor de cinema Satyajit Ray (1922-1992) e o economista Amartya Sen, ganhador do Nobel de economia de 1998. Em frente, situa-se a escura **Indian Coffee House**, frequentada pela "intelligentsia" da cidade desde a inauguração, em 1942. Até agora, os garçons, com faixas de cintura surradas, servem sem parar xícaras de café forte para professores, alunos, escritores e poetas. Em uma ruela na frente da Presidency College está a **Sanskrit College**, fundada em 1824 para promover o estudo de história, cultura e idiomas indianos antigos. No térreo há uma pequena exposição de esculturas medievais hindus e de manuscritos em folhas de palmeira.

Ao lado da Presidency College fica a **Calcutta University**, fundada em 1857. Atualmente, a graciosa construção principal, do século 19, ficou pequena perto dos modernos prédios altos, no meio dos quais quase nem se vê o velho prédio, com pilares jônicos e proporções simétricas.

No térreo, o **Ashutosh Museum** se especializou em arte da Índia Oriental. O acervo conta com excelente coleção de cerâmicas, bronzes, moedas, manuscritos antigos e alguns exemplos requintados de *kantha* (técnica de acolchoados) e de pinturas de Kalighat, ou *pats (pág. 279)*.

Livraria de segunda mão na College Street

Detalhe da entrada ornamentada de Mesquita Nakhoda

Nakhoda Mosque ❺

Zakaria St. **Tel** *(033) 2235 4183.* *diariam.* *a não-muçulmanos, nos horários de oração.*

A planta desta mesquita, a maior da cidade, se baseia no projeto do túmulo de Akbar, em Sikandra *(pág. 178)*. De 1926, é coroada por uma cúpula e tem fachada de arenito vermelho, com minaretes de 46m de altura. Acomoda mais de 10 mil pessoas, e em ocasiões religiosas importantes as pessoas se espalham até a rua. Perto, o **Hotel Royal** é famoso pelos *biryani* e *chaanp* (costela de cabra cozida em molho apimentado). Este é um bairro fascinante, com mansões, bazares e templos do século 19.

Armenian Church of St Nazareth ❻

Armenian St, near Brabourne Rd. **Tel** *(033) 2242 4308.* *diariam.*

Erguida por comerciantes armênios em 1724, a Armenian Church of St Nazareth fica no local da igreja original, de 1707, destruída pelo fogo. Imigrantes de Isfahan, na Pérsia, e armênios estavam entre os primeiros comerciantes estrangeiros a se fixar em Kolkata. Antes uma comunidade próspera, hoje restaram poucos membros. A igreja possui apenas uma agulha redonda, e em suas terras há muitos túmulos com lápides ornamentadas.

Maidan ❼

Limitado pela Strand Rd, AJC Bose Rd, Cathedral Rd e Eden Gardens Rd. **St Paul's Cathedral** *diariam.* *7h30, 8h30 e 18h dom.*

No coração da cidade, este parque de 400ha se estende do rio Hooghly, no oeste, até Chowringhee, no leste, e conta com diversas construções e áreas interessantes. No século 18, uma selva densa foi destruída para a construção do **Fort William**, depois que o antigo forte de tijolos foi arrasado em 1756. O forte atual, um octógono baixo e irregular, foi terminado em 1781. Agora, tornou-se quartel-general do Comando Oriental do Exército Indiano e não costuma abrir para visitações.

Vitral na St Paul's Cathedral

Ao norte do forte está o agradável **Eden Gardens**, onde se realizam partidas internacionais de críquete. Foi concebido e projetado em 1841 por Emily e Fanny Eden, irmãs de lorde Auckland, governador-geral. No canto norte de Maidan, situa-se o **Burmese Pavilion** instalado em um laguinho. Em 1854, lorde Dalhousie o trouxe para cá de Mianmá.

A leste, encontra-se **Shahid Minar**, literalmente "Memorial dos Mártires", que se chamava Ochterlony Monument. Ganhou esse nome em homenagem a sir David Ochterlony, um dos valentes soldados do Raj, que levou as tropas britânicas à vitória na Guerra Anglo-Nepalesa de 1816. O monumento é uma coluna dórica canelada de 48m de altura, com cúpula. Ao sul está o prédio mais imponente de Maidan: o **Victoria Memorial** *(págs. 274-5)*.

A pouca distância do Memorial, situa-se a **St Paul's Cathedral**. Foi projetada pelo major W. N. Forbes em 1847. Sua agulha, copiada da Catedral de Canterbury, na Grã-Bretanha, foi acrescentada após a antiga ser destruída por um terremoto em 1934. A catedral é rodeada de árvores e o interior possui belos vitrais, desenhados por Edward Burne-Jones em memória do vice-rei, lorde Mayo. A **Race Course** fica no canto sudoeste de Maidan. As corridas, concorridas em Kolkata, são realizadas o ano todo. Aqui se joga pólo, durante algumas semanas, na temporada de inverno. Os dois clubes de futebol famosos da cidade, o Mohun Bagan e o East Bengal, têm sede em Maidan, assim como clubes de golfe e de boliche.

Nas tardes de domingo, uma feira animada, com acrobatas, mágicos e ilusionistas, ocorre na ponta norte de Maidan, onde também se realizam grandes comícios políticos.

Eden Gardens, campo para partidas de críquete e de futebol

Victoria Memorial ❽

Leão imperial na entrada

Uma das referências mais famosas da cidade, este monumento à autoconfiança imperial foi uma criação de lorde Curzon (1859-1925), um dos vice-reis mais extravagantes da Índia britânica. A clássica estrutura abobadada, terminada em 1921, foi feita de mármore de Makrana (que também forneceu essa pedra para o Taj Mahal) e financiada por "doações" de príncipes e cidadãos comuns. Tornou-se museu, e suas 25 galerias ocupam o térreo e o primeiro andar. O acervo, que cobre uma fascinante seleção de lembranças do Raj, conta com a Calcutta Gallery, com óleos e aquarelas da história da cidade.

★ Anjo da Vitória
Acima da cúpula encontra-se esta figura giratória de bronze, feita na Itália, de 6m de altura, com uma trombeta.

Lorde Cornwallis
Este governador-geral do século 18 criou a administração do Raj.

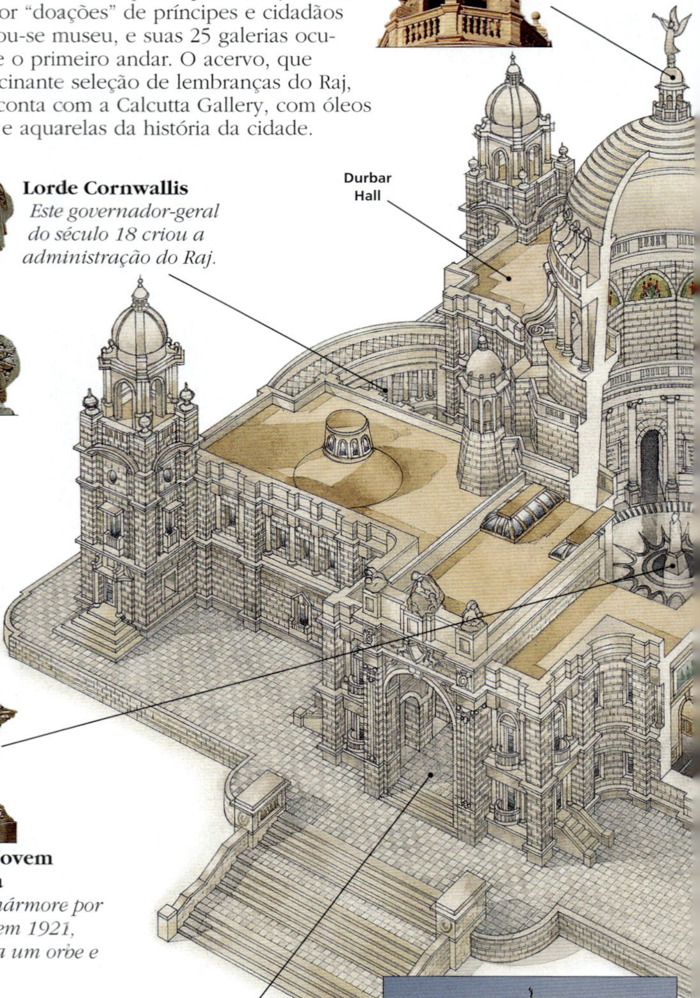

★ Estátua da Jovem Rainha Vitória
Esculpida em mármore por Thomas Brock em 1921, a rainha segura um orbe e um cetro.

Vista Geral
Imponente fachada de mármore do Victoria Memorial.

PONTOS ALTOS

- ★ Anjo da Vitória
- ★ Estátua da Jovem Rainha Vitória

Painel de Bronze
Dois painéis de bronze retratam um cortejo de vice-rei e decoram a ponte, na entrada setentrional do memorial.

Cúpula
Clarabóias na rotunda de mármore permitem que a luz clareie o saguão abaixo.

Calcutta Gallery
Esta galeria dispõe de excelente coleção de paisagens pintadas por artistas britânicos do século 18.

PREPARE-SE

Queen's Way. **Tel** *(033) 2223 5142.* *ter-dom.* *feriados.* **Son et Lumière** *(em inglês) 19h15, out-fev, 19h45, mar-jun.* **www**.victoriamemorial-cal.org

Como Explorar o Victoria Memorial

A pedra fundamental desta edificação suntuosa foi assentada pelo príncipe de Gales, depois rei Jorge V, em uma visita à Índia em 1906. Projetado por William Emerson, presidente do British Institute of Architects, o prédio ocupa um terreno espaçoso, com palmeiras, lagoas e estátuas. O museu dispõe de mais de 10 mil peças, que representam diversas facetas do Raj, a exemplo de uma escrivaninha que pertenceu à rainha Vitória, embelezada com pinturas de pássaros indianos. Na excelente coleção de quadros há obras do pintor de paisagens Thomas Daniell e de seu sobrinho William Daniell, do século 18, cujas aquatintas e litografias de cenas indianas determinaram, virtualmente, o modo como a Índia era percebida na Grã-Bretanha do século 19. O acervo também conta com pinturas de Johann Zoffany (1733-1810), retratos de personalidades imperiais, registros da Companhia das Índias Orientais, um belo conjunto de manuscritos persas e quadros que narram a história de Kolkata.

Estátua de bronze da rainha Vitória, de sir George Frampton

Chowringhee 9

JL Nehru Rd. **The Asiatic Society** *Park St.* ***Tel*** *(033) 2229 2249.* **Biblioteca** *seg-sáb.* **Museu** *12h-16h seg-sex.* **www**.asiaticsocietycal.com

Agora chamada Jawaharlal Nehru Road, a Chowringhee era um ponto da moda durante o Raj. O nome da rua vem do faquir (homem santo) Jungle Giri Chowringhee, que morou aqui. Na extremidade norte fica o **Oberoi Grand** *(pág. 699)*. Inaugurado na década de 1870 e conhecido como Grand Hotel, era considerado "o mais concorrido, atraente e elegante hotel da Índia".

Atrás do hotel, situa-se o **New Market** *(pág. 282)*, erguido em 1874 e diferenciado pela torre de relógio.

As lojas estão dispostas ao longo de corredores interligados. Uma das mais antigas é a Nahoum's, padaria e confeitaria judia, com atraente variedade de doces, chocolates e bolos.

Na ponta sul, na Park Street, fica **The Asiatic Society**, fundada em 1784 por sir William Jones, respeitado estudioso do Oriente. Ele foi o primeiro a constatar as origens comuns do latim e do sânscrito, afirmando que o sânscrito era a "mãe de todas as línguas". O **Museu** e a **Biblioteca** da Society possuem um acervo de mais de 60 mil manuscritos antigos e raros em sânscrito, árabe e persa, além de objetos como um édito de pedra do século 3º a.C. e fólios do século 17 do *Padshahnama,* história de Abdul Hamid Lahori sobre o governo do imperador mogul Shah Jahan.

Fachadas de época bem conservadas de Chowringhee

Indian Museum 10

Moeda gupta de ouro

O Indian Museum, fundado em 1814, é o maior e mais antigo da Índia. Com projeto de Walter Granville, que também elaborou o General Post Office *(pág. 271)*, este prédio imponente data de 1878. O notável acervo do museu é famoso pelos objetos da Civilização do Vale do Indo, de 2.500 a.C., pela escultura de Gandhara, pela balaustrada com entalhes magníficos da *Stupa* Bharhut, com 2 mil anos, e pela excelente coleção de moedas guptas do século 5º.

Pintura Kalighat

No estilo folclórico da escola de Kalighat, do século 19, este quadro representa Chaitanya, santo vaishnava.

Arhat Vanavasin Thangka

Esta pintura em seda de um sábio budista é do Tibete.

Bronze de Pala

Esta figura de bodhisattva do século 12 mostra a graciosidade da escultura de Pala.

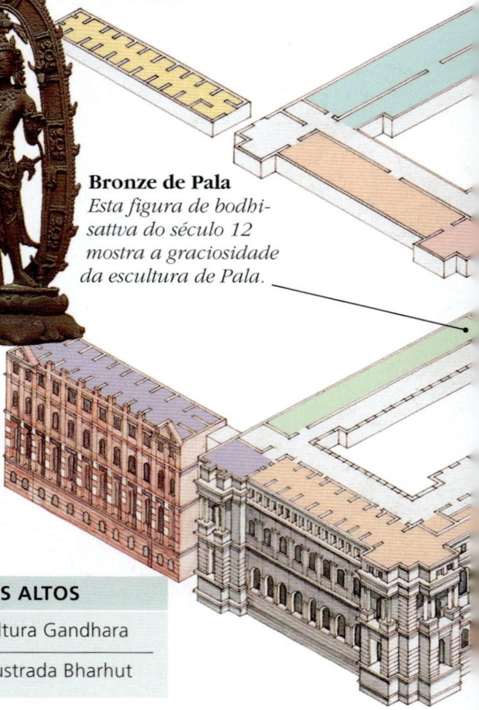

PONTOS ALTOS

★ Escultura Gandhara

★ Balaustrada Bharhut

Festa das Nautch
Quadro do século 19, da Company School, mostra nautch *(jovens dançarinas) e combina técnicas européias e indianas.*

PREPARE-SE

JL Nehru Rd. ***Tel*** *(033) 2286 1702.*
ter-dom. feriados.
taxa extra
Note: Filmes educativos diariamente e exposições especiais.

LEGENDA

- Galeria de Arte e Tecidos
- Seção de Geologia
- Seção de Botânica
- Seção de Zoologia
- Seção de Antropologia
- Galeria de Arqueologia
- Galeria Egípcia
- Galeria de Numismática
- Biblioteca

Escultura Chandela
Do século 10° ou do século 11, esta donzela sensual de Khajuraho segura um bebê no colo, enquanto duas crianças pequenas se agarram a suas pernas.

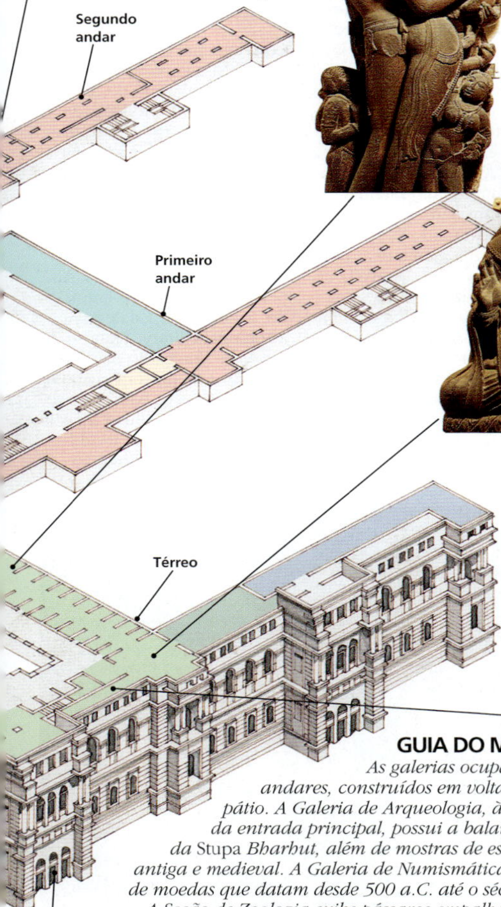

★ Escultura Gandhara
Do século 3°, esta imagem de Maitreya, o Buda do Futuro, revela forte influência grega no modo com que foram esculpidas as dobras da roupa.

GUIA DO MUSEU

As galerias ocupam dois andares, construídos em volta de um pátio. A Galeria de Arqueologia, à direita da entrada principal, possui a balaustrada da Stupa Bharhut, além de mostras de escultura antiga e medieval. A Galeria de Numismática dispõe de moedas que datam desde 500 a.C. até o século 17. A Seção de Zoologia exibe pássaros empalhados, de expedições zoológicas britânicas. O segundo andar tem Galeria de Arte, com pinturas e miniaturas.

★ Balaustrada Bharhut
Episódios das escrituras budistas, eventos da vida de Buda e cenas cotidianas foram entalhados nesta balaustrada.

Missionária da Caridade na frente da Mother House

Mother House ⓫

54A, AJC Bose Rd.
Tel *(033) 2217 2277.* *sex-qua.*
www.mother teresa.org
Donativos são isentos de impostos.

Kolkata tem uma ligação indissolúvel com o nome de Madre Teresa. Ela começou como freira, dando aulas no Loreto Convent. A morte e a devastação que presenciou na cidade, durante a fome de 1943, e a divisão da Índia, em 1947 *(pág. 56)*, a fizeram abandonar esse mundo de clausura e se dedicar aos pobres.

Em 1950, criou uma nova ordem, a das Missionárias da Caridade, com sede na Mother House. Hoje, esta construção simples abriga também seu túmulo, em um salão do térreo. Não há enfeites, apenas uma Bíblia em cima. Na parede, há um quadro com duas palavras: "Tenho sede".

Park Street Cemetery ⓬

Entre as Rawdon St & Park St.
seg-sex.

Enorme e melancólica necrópole do Raj, no meio da cidade, o Park Street Cemetery foi aberto em agosto de 1767, para receber o corpo de John Wood, alto funcionário da Alfândega da Companhia das Índias Orientais. Dessa data até a primeira metade do século 19, serviu de última morada para muitos europeus importantes que morreram em Kolkata. Foi este cemitério que deu à Park Street seu nome original: Burial Ground Road. Já o nome Park Street veio do parque criado na área por Elijah Impey, presidente do Supremo Tribunal. A sepultura dele também está neste cemitério. William Jones, grande estudioso e fundador de The Asiatic Society, repousa sob um túmulo piramidal. Henry Vansittart, um dos primeiros governadores de Bengala, foi igualmente enterrado aqui, assim como Henry Louis Vivian Derozio (1809-1831), professor eurasiano na Hindu College em meados do século 19, que morreu aos 23 anos. Derozio incentivava os alunos a questionar todas as tradições e foi um dos pioneiros do que ficou conhecido como Renascimento de Bengala *(pág. 260)*.

O jazigo mais conhecido é o de Rose Aylmer, primeiro amor do poeta Walter Savage Landor. O túmulo dela, um obelisco espiralado e despojado, tem textos de Landor entalhados. Aqui também foi sepultado o coronel Kyd, fundador do Botanical Gardens *(pág. 281)*.

Alipore ⓭

Entre as AJC Bose Rd, Belvedere Rd & Alipore Rd. **Alipore Zoological Gardens** *9h-17h sex-qua.* **National Library** **Tel** *(033) 2479 1384.* *dairiam.* *feriados.* **Agri Horticultural Society** **Tel** *(033) 2479 0834.* *7h-10h, 14h-18h seg-sáb.* **www**.agrihorticultureindia.com *Flower Show (fev).*

Corretamente descrito como o endereço mais elegante da cidade, o subúrbio de Alipore, no sul de Kolkata, é um mundo quase rural, com avenidas arborizadas e palacetes rodeados por gramados bem tratados. Em 1875, aqui foi criado o zôo de Kolkata, o **Alipore Zoological Gardens**, que tem uma grande seleção de pássaros e mamíferos. Ali perto, em um amplo gramado, a Belvedere Estate abriga a **National Library**. Trata-se da maior biblioteca do país, com mais de 2 milhões de manuscritos e livros. A biblioteca se mudou para o edifício Bhasha Bhawan, no mesmo local. Construído em estilo renascentista italiano, o prédio ori-

Túmulos marcados pelo tempo, no arborizado Park Street Cemetery

Para hotéis e restaurantes nesta região, ver págs. 699-700 e págs. 727-8

A National Library de Alipore, com varanda em colunata

ginal, o Belvedere, era residência dos vice-governadores de Bengala.

Mais abaixo ficam os jardins da **Agri Horticultural Society**, fundada em setembro de 1820, pelo missionário William Carey *(pág. 287)*, para desenvolver a agricultura e a horticultura na Índia. Nos primeiros 40 anos de existência, importava sementes, bulbos e plantas ornamentais da Inglaterra, da África do Sul e do Sudeste Asiático. Desde então a Society reuniu uma coleção variada de árvores floríferas e plantas medicinais. É excelente local para adquirir plantas anuais de inverno.

Kalighat ⓮

Ashutosh Mukherjee Rd.
☐ *diariam.*

Centro de peregrinação mais antigo da cidade, Kalighat é citado em poemas e baladas medievais. Diz a lenda que o deus Shiva, em um acesso de fúria pela tristeza da morte da esposa, Sati (encarnação de Parvati), jogou o corpo dela nos ombros e dançou a terrível *tandava nritya* (dança da morte), destruindo tudo em seu caminho. Para interromper a mortandade, Vishnu lançou seu *chakra* (disco) mágico no corpo de Sati e as partes desmembradas se espalharam pela Terra. O local onde caiu o dedinho do pé se tornou Kalighat, e há quem creia que o nome Kolkata venha daí.

Pintura de Kalighat de dois mendigos errantes

O atual Templo de Kali data do início do século 19, mas este é um lugar santo há muito mais tempo. A imagem da deusa no escuro santuário interno é a de uma figura selvagem, bravia, com cabelos em desalinho e grandes olhos ferozes. Sua língua espichada tem uma camada de ouro que é trocada todo dia. O templo está sempre cheio, principalmente às terças-feiras e aos sábados.

Com o passar do tempo, Kalighat se tornou sinônimo de *pats* de Kalighat, um estilo de pintura diferente, adotado pelos pintores de pergaminho de Bengala. Eles usam papel e tintas solúveis em água, em vez de têmpera, para retratar temas contemporâneos. Uma excelente seleção desses *pats* de Kalighat está exposta no Indian Museum *(págs. 276-7)*.

Torre de tijolo e argamassa no Templo de Kali, em Kalighat

Nirmal Hridaya ⓯

251, Kalighat Rd. ***Tel*** *(033) 2464 4223.* ☐ *8h-11h e 15h-17h seg-sáb, 15h-17h dom.*

A casa que Madre Teresa criou para os carentes, a Nirmal Hridaya (Coração Puro), fica perto do Templo de Kali. É provável que o local tenha sido escolhido porque o santuário vive cheio de pobres e idosos, que vêm para morrer e atingir o *moksha*. Um salão limpo está cheio de camas para doentes, que são cuidados pelas freiras, com o típico sári azul e branco. Quem quiser trabalhar ali tem de se registrar na Mother House.

MADRE TERESA (1910-1997)

Madre Teresa, nascida Agnes Gonxa Bojaxhiu na Albânia, veio para Calcutá em 1929, a fim de lecionar. A pobreza e o sofrimento que viu a impeliram a deixar o convento. Criou a ordem das Missionárias da Caridade, e seu trabalho incansável com hansenianos, doentes terminais e pobres carentes ganhou respeito internacional e amor. Para o povo de Kolkata, esta senhora dedicada era apenas "Madre", e seu amor por ela ultrapassou as barreiras de religião, classe e comunidade. Madre Teresa ganhou o Prêmio Nobel da Paz em 1979.

Selo postal com Madre Teresa

Kim Li Loi, restaurante chinês de gestão familiar em Tangra

Tangra ⓰

Na saída da Metropolitan Bypass. *Chinese New Year (fev).*

Este subúrbio no leste é a nova Chinatown da cidade. A imigração chinesa para Kolkata começou no século 18. Agora, aqui existe uma comunidade significativa dessa etnia. Tangra conserva a cultura rica e variada de sua população de imigrantes. Um periódico e um jornal em chinês são publicados aqui, e existem muitos restaurantes pequenos, na maioria extensões da cozinha da família. A comida "chinesa de Tangra", com evidente toque indiano, é hoje tão diferenciada como a de Szechwan e de Cantão. Todos os curtumes de couro da cidade estão baseados em Tangra, pois, por tradição, os chineses estão envolvidos com o comércio muito lucrativo de calçados.

Marble Palace ⓱

46, Muktaram Babu St. *10h-16h seg, qui e sáb.* **Permissão para entrar** *Contate o Tourism Centre, 3/2 BBD Bagh, (033) 2248 8271.*

Mansão opulenta, foi construída em 1835 pelo rajá Rajendra Mullick, rico *zamindar* (latifundiário). Seus descendentes ainda moram aqui, mas parte da casa fica aberta à visitação. Rajendra Mullick, que viajou muito pela Europa, trouxe uma coleção eclética de candelabros venezianos, vasos Ming e estátuas egípcias, que acomodou em sua mansão de frontão clássico, erguida ao redor de um pátio com colunas. Atualmente, o Marble Palace oferece um vislumbre da vida de uma casa bengali rica no século 19. Cerca de 100 variedades de mármore foram usadas nos pisos, e as paredes escuras têm quadros de artistas europeus. No pátio, está o templo da família. O terreno conta com um jardim de pedras e um aviário com *mynas* e araras.

Jorasanko ⓲

6/4, Dwarkanath Tagore Lane. **Rabindra Bharati Museum** ***Tel*** *(033) 2269 6610.* *10h-17h seg-sex, 10h-14h sáb-dom.* **Son et Lumière** *(18h e 19h em inglês).* *seg e qui.* *Rabindranath Tagore's birthday (mai)*

Importante centro de arte e cultura bengali no século 19, Jorasanko é a casa dos antepassados do filho predileto de Bengala, Rabindranath Tagore *(pág. 292)*. Construída em 1785, esta estrutura simples de três andares, feita de tijolo à vista, foi o lar da animada e culta família Tagore, da qual muitos membros se tornaram intelectuais consagrados e reformadores sociais. A viela onde fica a casa tem o nome de Dwarkanath Tagore (1784-1846), pai do poeta e empreendedor abastado.

Hoje, a casa foi ampliada e se tornou a **Rabindra Bharati University**, especializada no estudo de formas culturais bengali. A casa, em si, foi preservada como **Rabindra Bharati Museum**. A começar pelo quarto em que morreu Rabindranath Tagore, traça-se a história da ilustre família Tagore, com uma grande coleção de arte e de memórias. E há uma seção inteira dedicada às pinturas de Rabindranath.

Rabindra Bharati University, de tijolos vermelhos, em Jorasanko

Retoques finais em uma imagem de Durga

Kumartuli ⓳

North Chitpur Rd.

Literalmente "Área de Ceramistas", Kumartuli é um labirinto de vielas onde são feitas imagens de muitos deuses e deusas hindus. O melhor momento para visitá-la é no fim de agosto e começo de setembro, quando os ceramistas criam as imagens para o Durga Puja, que dura dez dias. É fascinante observá-los moldar a argila, reforçando-a com palha e caules de plantas, para criar imagens da deusa Durga, com olhos de peixe, rosto copiado de atrizes de filmes populares e longos cabelos soltos.

Perto, situa-se um templo antigo dedicado a Shiva, conhecido como **Buro Shiva** (Velho Templo de Shiva). É provável que este seja o único templo de cerâmica que sobreviveu na cidade, embelezado com placas de cerâmica no friso sob o telhado. Adiante, está uma referência consagrada de Kolkata, a **Howrah Bridge** (agora chamada Rabindra Setu), uma delicada e elegante estrutura de aço que parece flutuar acima do caudaloso rio Hooghly *(pág. 267)*. O pôr-do-sol por trás da ponte é uma das belas atrações da cidade. Construída em 1943 para substituir uma ponte flutuante, esta é a terceira ponte de cantiléveres mais comprida do mundo, com 97m de altura e 705m de extensão. Liga Kolkata a Howrah (Haora), principal estação de trem da cidade, na margem oposta, e está sempre engarrafada. Ao sul, fica a Vidyasagar Setu. Esta ponte suspensa por cabos foi erguida em 1993 para ligar o sul de Kolkata ao Shibpur e à estação Howrah.

Botanical Gardens ⓴

Margem O do rio Hooghly, em Shibpur. *de Babu Ghat.*
Tel *(033) 2668 9970.* diariam.
The Palm House *seg-sex.*
The National Herbarium
seg-sex. *sáb, dom e feriados.*

O jardim botânico, no subúrbio Shibpur de Howrah, foi fundado em 1787 pelo coronel Kyd, funcionário da Companhia das Índias Orientais. Dispõe de excelente conjunto de plantas, entre as quais há samambaias, cactos e palmeiras, e exibe plantas de todos os continentes. A grande atração é uma magnífica figueira-de-bengala *(Ficus bengalensis)*. Afirma-se que é a maior figueira do mundo. Tem mais de 200 anos e seus galhos deram origem a quase 300 raízes aéreas que se espalham por mais de 60m. O tronco central, porém, atingido por um raio em 1919, foi removido. Só pela imagem desta ávore a visita vale a pena.

Folhas gigantescas da *Victoria amazonica*, Botanical Gardens

DURGA PUJA

Imagem de Durga de dez braços matando Mahisha

Durga Puja é o ritual anual preferido de Bengala Ocidental, do qual todos participam. Costuma ser realizado entre setembro e outubro, e anuncia a chegada do outono e da nova colheita. Cada localidade cria seu próprio *puja*, organizado por clubes e associações locais e financiado por subscrições públicas, embora algumas das antigas famílias bengalis realizem *puja* particulares na casa dos antepassados. *Pandals* (estruturas de bambu) iluminadas, quase sempre na forma de monumentos famosos, como a Casa Branca ou o Taj Mahal, são erguidas em ruas e parques, e uma imagem da deusa Durga *(pág. 25)* é colocada dentro. A deusa é cuidadosamente enfeitada, e nas casas bengalis tradicionais usam-se jóias verdadeiras. Há troca de presentes e grandes banquetes. No fim do dia, as imagens são mer-gulhadas no Hooghly, ao som de frenéticas batidas de tambor e de gritos de "Jai Ma Durga!" (Salve Mãe Durga!).

Compras e Diversão em Kolkata

Kolkata é uma cidade ótima para as compras, mesmo sem as butiques da moda de Délhi ou Mumbai. Há diversos bazares antigos e lojas de rua que apregoam seus produtos e alguns shoppings elegantes. Muitas lojas armazenam grande variedade de produtos, como as do New Market; outras atendem nichos especiais. Em alguns estabelecimentos, é preciso pechinchar muito –o lojista espera isso e gosta do processo. Kolkata já foi famosa pelas casas de leilão, mas infelizmente a maioria fechou. A cidade tem uma vida cultural vibrante, com apresentações regulares de teatro, música e filmes. No ano todo ocorrem exposições de artistas contemporâneos famosos.

COMPRAS

Em Kolkata, o **New Market** *(pág. 276)*, na Lindsay Street, é o centro de compras mais famoso da cidade. Oficialmente, trata-se do Sir Stuart Hogg New Municipal Market, inaugurado em 1874. Ainda é um paraíso para compradores, onde se podem encontrar desde linguiças e biscoitos da sorte chineses até curiosidades tibetanas e jóias de ouro. A **Sudder Street**, atrás do Indian Museum, é outro local de compras concorrido. Cada localidade tem seu próprio bazar, e os mais conhecidos são Gariahat, Bhowanipore (ou Jadubabu's Bazaar), Bowbazaar e Maniktola. Passear pelos bazares oferece uma visão do comércio de rua, mas prepare-se para os pedintes e os apregoadores.

Em geral, as lojas abrem das 10h às 19h e fecham nos domingos e feriados. O New Market e alguns outros fecham às 14h nos sábados, por isso verifique sempre os horários.

SÁRIS E TECIDOS

As melhores lojas de sáris exclusivos de Bengala Ocidental são **Ananda**, **Meera Bose** e **Kundahar**. A Ananda também tem boa variedade de dhotis e *kurtas*. A **Ritu's**, uma butique chique, dispõe de trajes desenhados por Ritu Kumar, uma estilista famosa da Índia. Requintadas roupas de mesa bordadas a mão e roupas infantis são oferecidas pela **Good Companions**. Encontram-se tapetes e *dhurries* na **Calcutta Carpets.**

ARTESANATO E PRESENTES

O artesanato típico de Bengala Ocidental, como os cavalos de argila de Bankura *(pág. 291)*, é vendido no **Manjusha Emporium**. O **Crafts Council of West Bengal**, outra loja fascinante, oferece sáris tradicionais e objetos, enquanto a **Sasha** tem grande variedade de curiosidades e quinquilharias. Chás de excelente qualidade estão à venda na **Dolly's Tea Shop**, no complexo de compras de Dakshinapan, onde também existem diversos empórios estatais de artesanato.

LIVROS E MÚSICA

Esta cidade de intelectuais e ganhadores do Nobel, como Rabindranath Tagore e Amartya Sen, é um paraíso para quem procura pechinchas literárias de segunda mão nos sebos da **College Street** *(pág. 273)* e da **Free School Street.** Muitas dessas lojas têm uma boa seleção de livros raros ou esgotados. A **Dasgupta & Co** tem muita variedade, mas não dispõe de espaço para pesquisar. Já a **Seagull Bookstore** incentiva você a pesquisar, e é o melhor lugar para literatura séria e livros acadêmicos. A **Starmark** também tem grande estoque, com livros de suspense e enciclopédias. No centro, a **Oxford Bookstore** dispõe de bom estoque, além de ótimo café.

Quem gosta de música deve procurar a **Music World** que possui grande variedade de CDs e cassetes indianos e ocidentais. Na Chitpur Road, na direção da Mesquita Nakhoda *(pág. 273)*, existem lojas que vendem instrumentos como sitar, *sarod*, *veena*, flauta e violino. A Free School Street é praticamente o único lugar na Índia onde se encontram discos da década de 1950 de Elvis Presley e Jerry Lee Lewis e da década de 1960 dos Beatles e Rolling Stones.

DOCES

São famosos os doces de Bengala Ocidental. A variedade é fantástica, e os mais populares são o *sandesh* e o *rosogulla (pág. 264)*. Este último existe em qualquer doceira, mas o da **KC Das & Sons**, da família que inventou essa iguaria, é o melhor. O *sandesh*, feito com queijo cottage e açúcar (melado ou *gur*, no inverno), pode ser de dois tipos: o macio e o com casquinha crocante. Os melhores são encontrados em **Nakur Nandy & Girish Chandra Dey**, **Makhan Lal Das & Sons** e **Balaram Mullick**, embora existam por toda parte.

GUIAS, INGRESSOS E LOCAIS DE DIVERSÃO

A revista do *Sunday Telegraph* e outras publicações diárias de diversões, em inglês, dão uma lista de eventos. Outras fontes de informações úteis são *Cal Calling* e *Kolkata: This Fortnight*, distribuídas pelo West Bengal Tourist Office. Informações sobre ingressos, assim como a crítica de peças e concertos, também aparecem nas publicações.

O centro cultural de Kolkata fica na saída de Maidan.

O **Rabindra Sadan Complex**, cujo nome homenageia Rabindranath Tagore, conta com a **Academy of Fine Arts**. Ao lado, fica **Nandan**, onde são exibidas com regularidade retrospectivas de filmes de Satyajit Ray e outros diretores famosos. Há, ainda, 89 cinemas**, Gorky Sadan**, **Fame** e o famosos **British Council.** Exposições de artistas conhecidos e recém-lançados realizam-se nas diversas galerias de arte da cidade, a exemplo das **Birla Academy of Art and Culture**, **CIMA Gallery** e **Chitrakoot Gallery**. A CIMA Gallery tem também uma loja de presentes.

MÚSICA E TEATRO

Apresentações de teatro clássico e popular *(jatra)*, já consagrados de Bengala Ocidental, são realizadas o ano todo por grupos semiprofissionais e amadores. O teatro bengali talvez seja o mais vibrante do país. Seu repertório rico conta com peças de temas históricos e sociais relevantes, além de traduções de clássicos hindi, sânscritos, gregos e europeus. O *jatra*, por sua vez, foi introduzido pelo homem santo vaishnava Chaitanya Mahaprabhu, no século 16, e se baseia em peças musicais que giram em torno da lenda de Krishna *(pág. 179)*. Caracterizadas por atuação dramática, entremeada de cantos e danças, as peças atendem ao público urbano e rural.

Outra forma popular de diversão é rabindra sangeet. Essas músicas melodiosas, compostas por Tagore, contam com cantigas folclóricas tradicionalmente entoadas por barqueiros que navegam pelo Ganges. Concertos regulares ocorrem na cidade, e atraem um público que continua a aplaudir Tagore.

VIDA NOTURNA

Kolkata é uma cidade com clubes noturnos que datam do período colonial, abertos apenas para sócios. Às vezes, é possível ficar sócio temporário, especialmente no **Tol-lygunge Club** *(pág. 699)*, com terreno enorme, além de árvores e pássaros raros. O visitante pode se hospedar no clube, que tem o conforto de um hotel de qualidade, a preços razoáveis. A vida noturna da cidade, antes animada, decaiu durante os levantes políticos da década de 1960. Agora, está começando a reviver, e jovens abastados enchem os hotéis, onde estão as boates da cidade, como **Shisha**, **Someplace Else**, **Tantra** e **Big Ben**.

AGENDA

SÁRIS E TECIDOS

Ananda
13, Russell St.
Tel *(033) 2229 2275.*

Calcutta Carpets
43, Park St.
Tel *(033) 2229 9464.*

Good Companions
13 C, Russell St.
Tel *(033) 2229 0473.*

Kundahar
10, Dr Sarat Banerjee Rd.
Tel *(033) 2466 1111.*

Meera Bose
8, Dr Sarat Banerjee Rd.
Tel *(033) 2466 4043.*

Ritu's
111, Park St.
Tel *(033) 2226 2792.*

ARTESANATO E PRESENTES

Manjusha Emporium
Dakshinapan Complex, Dhakuria
Tel *(033) 2423 7099.*

Crafts Council of West Bengal
64, Lake Place.
Tel *(033) 2465 6792.*

Dolly's Tea Shop
G–62, Dakshinapan, 2, Gariahat (S).
Tel *(033) 2483 4521.*

Sasha
27, Mirza Ghalib St.
Tel *(033) 2252 1586.*

LIVROS E MÚSICA

Dasgupta & Company
54/3, College St.
Tel *(033) 2241 4609.*

Music World
18 G, Park St.
Tel *(033) 2217 0751.*

Oxford Bookstore
17, Park St.
Tel *(033) 2229 7662.*

Seagull Bookstore
31, SP Mukherjee Rd.
Tel *(033) 2476 5869.*

Starmark
3, Lord Sinha Rd.
Tel *(033) 2282 2617.*

DOCES

Balaram Mullick
2, Puddapukur Rd. Bhowanipur.
Tel *(033) 2475 9490.*

KC Das & Sons
11, Esplanade East.
Tel *(033) 2248 5920.*

Makhan Lal Das & Sons
356, Upper Chitpur Rd.
Tel *(033) 2555 8182.*

Nakur Nandy & Girish Chandra Dey
56, Ramdulal Sarkar St.
Tel *(033) 2241 0048.*

LOCAIS DE DIVERSÃO

89 Cinemas
89 C, Maulana Abdul Kalam Azad Sarani.
Tel *(033) 2320 8900.*

Academy of Fine Arts
2, Cathedral Rd.
Tel *(033) 2223 4302.*

Birla Academy of Art and Culture
108, Southern Ave.
Tel *(033) 2466 2843.*

British Council
16, Camac St.
Tel *(033) 2282 5370.*

CIMA Gallery
Sunny Towers, Ashutosh Chowdhury Ave.
Tel *(033) 2485 8717.*

Chitrakoot Gallery
55, Gariahat Rd.
Tel *(033) 2461 8812.*

Fame
Metropolis Mall, Hiland Park, 925 Chak Garia.
Tel *(033) 2436 7744.*

Gorky Sadan
3, Gorky Terrace.
Tel *(033) 2283 2743.*

Nandan
1/1, AJC Bose Rd.
Tel *(033) 2223 1210.*

Rabindra Sadan
Cathedral Rd.
Tel *(033) 2223 9917.*

VIDA NOTURNA

Big Ben
The Kenilworth, Little Russell St.
Tel *(033) 2282 3939.*

Shisha
22, Camac Street, Block B, 5th Floor.
Tel *(033) 2281 1313.*

Someplace Else
The Park Hotel, Park St.
Tel *(033) 2249 9000.*

Tantra
The Park Hotel, Park St.
Tel *(033) 2249 9000.*

Tollygunge Club
120, Deshpran Sasmal Rd.
Tel *(033) 2473 4741.*

BENGALA OCIDENTAL E SIQUIM

Bengala Ocidental dispõe de três tipos de paisagens. No oeste, a terra vermelha confere o rico colorido dos templos de cerâmica de Bishnupur. O delta do Ganges, em Bengala inferior, possui pântanos cheios de manguezais, onde vivem os tigres-reais-de-bengala, enquanto as charmosas estações de montanha do período Raj, de Darjeeling e Kalimpong, ficam no sopé do Himalaia, no norte do estado.

O estado vizinho de Siquim, que faz fronteira com o Butão, o Nepal e a China, é cercado de montanhas. Em seus vales, mosteiros budistas ricamente ornamentados estão localizados em meio a plantações de chá em terraços verde-esmeralda. A terceira montanha mais alta do mundo, a Kanchendzonga (8.598m), domina o horizonte e a vida do povo de Siquim. Juntos, os dois estados têm 81 milhões de habitantes.

◁ **Imagem da deusa Durga, com dez braços, toda enfeitada para o festival Durga Puja**

Belur Math ❶

Distrito de Howrah. 10km ao N de Kolkata. ou táxi de Kolkata. diariam. Agradece-se o uso de trajes conservadores.

Na saída de Kolkata, na margem oeste do rio Hooghly, fica Belur Math, sede da Ramakrishna Mission. A ordem foi fundada em 1886, por Swami Vivekananda *(pág. 615)*, dinâmico defensor de reformas hindus, discípulo mais destacado de Ramakrishna Paramhansa. Dentro do amplo complexo, foi construído em 1938 um templo moderno para personificar a filosofia de Ramakrishna, que prega a união de todas as crenças. A planta tem formato de cruz. As janelas possuem arcos que lembram construções do império Mogul, o portão revela influência budista e temas arquitetônicos hindus decoram a fachada. Em volta, há templos menores e dormitórios para os monges que pertencem à ordem. O lugar é limpíssimo, e o ambiente, contemplativo e calmo. Atualmente, a Mission tem centros no mundo todo.

Belur Math, na margem oeste do rio Hooghly

Dakshineshwar ❷

24 Distrito de Parganas. 12km ao N de Kolkata. ou táxi de Kolkata. diariam. Agradece-se o uso de trajes conservadores.

Ao norte de Belur Math, na margem leste do rio Hoog-hly, localiza-se o Templo de Dakshineshwar, centro de peregrinação concorrido de Bengala. Construído em 1855 pela rani Rashmoni, uma beata viúva e rica, o templo se contrapôs inicialmente aos interesses religiosos ortodoxos, pois a rani não era brâmane (a mais alta casta indiana). Por isso, nenhum brâmane queria ser sacerdote do templo. Apenas Ramakrishna Paramhansa, ainda rapaz, concordou, e passou ali muitos anos pregando e desenvolvendo sua filosofia de unidade essencial de todas as crenças. Os aposentos dele no complexo do templo estão preservados no estado original.

Telhado *bangaldar* curvo do Templo de Kali, em Dakshineshwar

Este imponente templo caiado foi implantado em um plinto elevado e é coroado por nove cúpulas. O telhado, com uma fileira de cornijas arredondadas, se destaca contra o céu. Dentro do santuário há uma imagem de Bhabatarini, encarnação da deusa Kali.

No enorme conjunto, enfileirados ao longo da margem do rio, estão 12 templos menores, todos dedicados ao deus Shiva. Multidões de peregrinos visitam o Templo de Dakshineshwar diariamente, o que confere ao complexo um ambiente barulhento e alegre.

RAMAKRISHNA PARAMHANSA (1836–86)

Ramakrishna, um dos maiores mestres espirituais da Índia moderna, nasceu pobre, em uma família de sacerdotes, em 1836. Tornou-se sacerdote em Dakshineshwar, onde levou uma vida de oração e meditação. Sua filosofia era clara –há uma verdade inerente em todas as religiões, e uma vida simples é uma vida pura. Místico que afirmava falar diretamente com Deus, conseguia explicar questões teológicas complexas e confusas em um linguajar simples, que atraía pobres e ricos. Seus ensinamentos chegaram aos EUA e à Grã-Bretanha por meio de seu principal discípulo, Swami Vivekananda (1863-1902), que fundou muitos centros da Ramakrishna Mission no exterior, para educação e estudos religiosos.

Ramakrishna Paramhansa

Rio Hooghly ❸

Distrito de Hooghly. 24km ao N de Kolkata até Shrirampur. Cruzeiros no rio. Babu Ghat (perto de Eden Gardens) ou Tourist Office, (033) 2248 7302.

Ao penetrar as planícies gangéticas inferiores, em Bengala Ocidental, o Ganges se divide em canais. O principal tributário, o Hooghly (agora Hugli) percorre 260km de Murshidabad até a baía de Bengala. Entre os séculos 15 e 19, este rio navegável atraiu comerciantes holandeses, franceses, portugueses, dinamarqueses e britânicos. Os assentamentos que eles fundaram transformaram as margens

Visitantes rezam na Church of Our Lady of Bandel

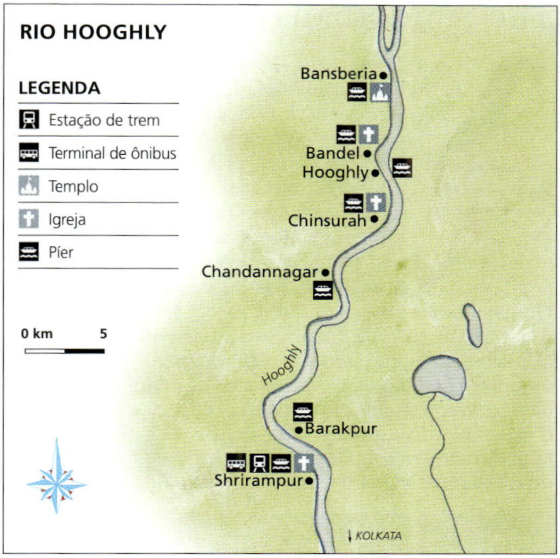

do rio em uma Europa em miniatura –cujos vestígios podem ser apreciados em um dos cruzeiros pelo rio.

Rio acima, a partir de Kolkata, fica **Shrirampur** (Serampore), colônia dinamarquesa até 1845. O dr. William Carey, primeiro missionário batista na Índia *(pág. 279)*, inaugurou a primeira prensa gráfica aqui, em 1799, e traduziu a Bíblia para diversas línguas indianas, entre as quais o bengali, o que deu início à moderna prosa bengali. Em 1805, ele fundou a primeira faculdade de teologia, hoje Shrirampur College, cuja biblioteca dispõe de inestimável acervo de livros dos séculos 18 e 19.

Armenian Church, em Chinsurah

Na margem leste, encontra-se **Barakpur** (Barrackpore), local da ex-casa de campo do vice-rei britânico. A mansão, chamada Lat Bagan (Jardim do Governador ou do Senhor), foi construída por lorde Wellesley, governador-geral no início do século 19.

Chandannagar (Chandernagore), colônia da França de 1673 a 1952, ainda conserva um ar francês. Os bancos públicos à beira-rio (antes Quai Dupleix) são cópias dos que existem nos parques de Paris. Na elegante Administrator's Residence, construída no século 18, agora funciona o Institut de Chandernagore, biblioteca e museu, que contém uma interessante coleção de documentos e objetos do período francês. A Église du Sacré Coeur tem uma estátua de Joana d'Arc e uma gruta de Lourdes. Ao norte de Chandannagar está **Chinsurah** (Chunchura), colônia armênia, tomada pelos holandeses em 1625 e, depois, pelos britânicos. A Armenian Church é de 1697, mas o campanário surgiu um século mais tarde. A cidade de **Hooghly**, ao norte, conta com uma bela *imambara* (mesquita), construída em 1836.

Rio acima, situa-se **Bandel**, fundada pelos portugueses em 1580. De 1599, a Church of Our Lady of Bandel figura entre as mais antigas da Índia Oriental. Depois de ser restaurada com granito, ela perdeu um pouco do encanto. Pessoas de todas as crenças ainda rezam para a imagem de Our Lady of Happy Voyages, ícone com história interessante. Em 1632, quando a cidade foi saqueada pelo imperador mogul Shah Jahan, a imagem afundou no rio; tempos depois, reapareceu à margem, milagrosamente na frente da igreja.

Bansberia, fica mais ao norte e possui diversos templos de cerâmica. O Templo Ananta Vasudeva, de 1679, dispõe de painel com guerreiros entalhados acima da entrada, enquanto o Templo Hanseshwari, de 1814, tem um fantástico conjunto de cúpulas em bulbo, como as do Kremlin, e uma fachada toda entalhada.

A francesa Administrator's Residence, em Chandannagar

The Sunderbans ❹

Martim-pescador-de-peito-branco

O grande delta do Ganges-Brahmaputra, que se estende até Bangladesh, cobre 9.630km² e possui a maior floresta tropical de mangue do mundo. A Sunderbans Reserve, com 2.585km², criada dentro do delta, foi declarada *Tiger Reserve* (reserva de tigres) em 1973, para proteger o tigre-real-de-bengala, espécie ameaçada. Parte da reserva abriga o Sundarbans National Park, Patrimônio da Humanidade da Unesco que cobre 1.330km². A complexa rede de canais, enseadas e ilhas aluviais possui grande variedade de vida marinha, a exemplo de crustáceos e golfinhos, além de répteis como a tartaruga-oliva e o crocodilo-do-estuário. Os alagados também atraem grande diversidade de aves aquáticas. Há passeios de barco.

Caranguejo-violinista
Os machos têm uma pinça grande, que parece um violino com arco, que eles usam para atrair as fêmeas e assustar o inimigo.

Manguezais
Famosa pela variedade de manguezais, a reserva já foi dominada pela árvore sundari (Heritiera fomes), *agora quase extinta em razão da desenfreada retirada de madeira. Os manguezais se adaptaram aos alagados e à salinidade, usando raízes respiratórias ou pneumatóforos.*

Barcos Rústicos
Pequenos barcos a remo, disponíveis em Sajnakhali, levam o visitante pelas águas da reserva. Tais embarcações são preferíveis aos barulhentos barcos a motor, que espantam a vida selvagem, principalmente a rica variedade de aves aquáticas.

VEJA MAIS

No extremo oeste de Sunderbans existem diversas praias e reservas concorridas, às quais se chega de carro ou barco. **Ganga Sagar**, na ilha Sagar, é o ponto em que milhares de peregrinos se reúnem para o anual Ganga Sagar Mela *(pág. 295)*, durante o Makar Sankranti em janeiro. O **Diamond Harbour** é um local popular de piquenique, enquanto **Bakkhali** e **Digha** têm belas praias, com resorts famosos. Bakkhali é também um refúgio de pássaros.

Para hotéis e restaurantes nesta região, ver págs. 700-1 e págs. 728-9

Crocodilo-do-estuário ou de Água Salgada

Os crocodilos de água salgada atingem até 8m de comprimento. Eles se alimentam de pequenos mamíferos e, de vez em quando, podem atacar seres humanos.

PREPARE-SE

24 Distrito de Parganas. 168km a SE de Kolkata. *Canning, 45km a NO de Sajnakhali, entrada para a Tiger Reserve.* *Basanti, 30km a NO de Sajnakhali.* *de Canning ou Basanti via Gosaba até Sajnakhali.* *Para reservas, contate o Field Director, (03218) 255 280. Consegue-se permissão no Tourist Dept, em Kolkata, (033) 2248 7302.* *Nov–Mar.* *obrigatória.* *Em Sajnakhali, alugam-se barcos a remo com barqueiros.*

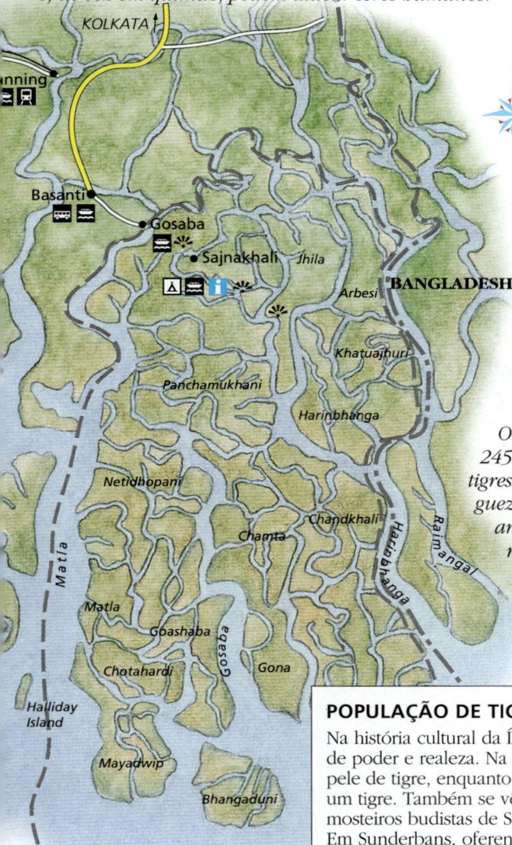

Tigre-real-de-bengala

O trecho indiano de Sunderbans possui 245 tigres-reais-de-bengala. São os únicos tigres que se conhecem que vivem em manguezais e que se adaptaram muito bem ao ambiente inóspito. Bons nadadores, alimentam-se de peixes, e acredita-se que sobrevivam em água salgada.

LEGENDA

- Estação de trem
- Terminal de ônibus
- Píer
- Informação turística
- Hospedagem
- Vista panorâmica
- Estrada principal
- Estrada secundária
- Limite do parque
- Fronteira internacional

POPULAÇÃO DE TIGRES

Na história cultural da Índia, o tigre se tornou um símbolo de poder e realeza. Na iconografia hindu, Shiva usa uma pele de tigre, enquanto a temida deusa Durga monta em um tigre. Também se vêem imagens de tigres em murais de mosteiros budistas de Siquim, Arunachal Pradesh e Ladakh. Em Sunderbans, oferendas rituais são feitas à divindade da floresta, Banbibi, para buscar proteção dos tigres. Contudo, as estatísticas desvirtuam o status mítico do tigre. Em 1900, a população de tigres da Índia era de quase 40 mil; em 1972, havia caído para 1.800. Preocupado, o governo federal lançou o Project Tiger. Desde então, o número cresceu bastante, e agora a Índia tem entre 2.750 e 3.500 tigres (quase 60% da população mundial de tigres), protegidos em 27 Project Tiger Reserves pelo país.

Uma peça que mostra Banbibi protegendo mãe e filho de um tigre

Bishnupur: Shyama Raya Temple ❺

Trepadeira estilizada

Bishnupur, capital do reino de Mallabhumi do século 17 a meados do século 18, é famosa pelos templos de cerâmica com enfeites elaborados, feitos com a argila avermelhada do local. O mais imponente deles é o Shyama Raya, de 1643, ricamente ornamentado com cenas da vida de Krishna, além de episódios tirados do épico *Ramayana* *(pág. 27)*. Entre os outros temas que decoram o templo estão cenas de caça, barcos e tropas militares.

Fachada do Templo Shyama Raya

Shikharas

O desenho das cinco torres foi inspirado pela tradição dos templos da vizinha Orissa (pág. 306).

A **cornija** lembra os contornos da cobertura de palha das cabanas de aldeia.

Fachada em Arcos

Os arcos, sustentados por espessos pilares ornamentados, levam a um corredor abobadado.

A **câmara interna**, chamada *thakurbari* (casa de deus), tem um altar bem decorado em uma das extremidades.

PREPARE-SE

Distrito de Bankura. 152km a NO de Kolkata.
128,811. diariam.
Rasa Festival (ago).

Frisos de Cerâmica
Cenas de épicos se alternam com cenas do dia-a-dia. Aqui, Krishna toca flauta para gopis *(ordenhadoras).*

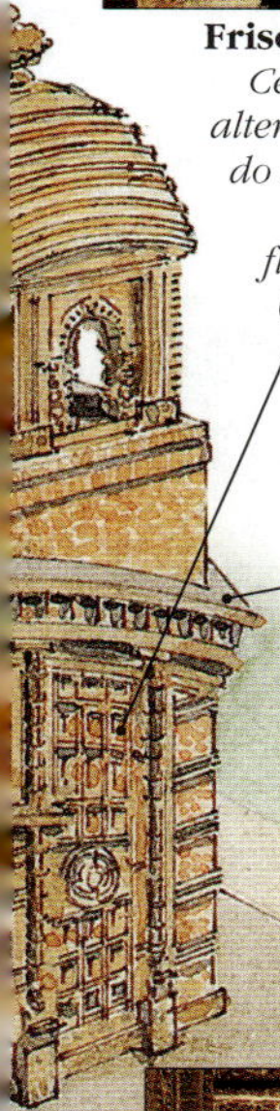

A **cornija curva** desvia a água da chuva.

Arco Interno
Esta porta exibe ricos entalhes de trepadeiras, folhagens e flores.

Telhado como o de cabanas, no Templo Keshta Raya, em Bishnupur

Como Explorar os Templos de Bishnupur

Os templos de cerâmica de Bishnupur espalham-se por um raio de 3km e contrastam com os tons verde e ocre da paisagem.

O **Templo Rasa Mancha**, erguido pelo governante Bir Hambir no fim do século 16, possui 108 pilares e telhado piramidal. Imagens de Krishna e Radha foram dispostas aqui para o Rasa Festival, tradição que permanece até agora.

Ao norte do Templo Rasa Mancha fica o amplo **Templo Keshta Raya (Jor Bangla)**, de 1655. Tem telhado duplo, literalmente *jor bangla*. Temas florais, volutas e cenas do *Ramayana* e do *Mahabharata* enfeitam frisos das paredes.

Mais ao norte, o **Templo Madan Mohan** foi construído em 1694 e conta com frisos que mostram eventos da vida de Krishna.

Do século 19, o **Templo Shridhara**, a noroeste, tem nove torres, ou *nav ratna*. O friso da entrada mostra Shiva dançando.

Barddhaman 6

Distrito de Barddhaman. 125km a NO de Kolkata.
Barddhaman Festival (Jan).

Os rajás de Barddhaman (Burdwan) foram poderosos latifundiários e patronos das artes. Atualmente, a cidade pequena e comum serve de passagem para alguns locais interessantes. Os rajás ergueram diversos templos em **Kalna**, 50km a leste, nos séculos 18 e 19. O Templo de Shiva, com 108 santuários menores, é o mais imponente. Em **Nabadwip**, 20km ao norte, nasceu Sri Chaitanya (1486-1533), fundador do movimento que reviveu o culto a Krishna *(pág. 179)*. Esta é uma cidade encantadora, com algumas casas antigas de tijolos vermelhos e estreitos, exclusivo de Bengala antes dos britânicos. Peregrinos cantam *bhajans* e se aglomeram no Templo Gauranga. Perto, em **Mayapur**, fica o grande Templo Chandrodaya, sede da ISKCON (International Society for Krishna Consciousness).

CAVALOS DE BANKURA

A tradicional arte popular do distrito de Bankura conta com grande variedade de peças de cerâmica. O produto mais famoso é o cavalo, uma figura bem estilizada, com pescoço e orelhas alongados, feito com argila de cores quentes. Há gerações os artesãos usam a mesma técnica de moldar e queimar o barro, deixando-o oco. O tamanho varia: vai desde os minúsculos, que cabem na palma da mão, até os de mais de 1m de altura. Os cavalos são figuras votivas e costumam ser colocados na frente de divindades locais.

Cavalo de argila

Alunos em aula ao ar livre na Visva Bharati University

Shantiniketan ❼

Distrito de Birbhum. 213km a NO de Kolkata. *BBolpur, 3km ao S de Shantiniketan, depois riquixá.* *Bolpur.* *Kendulimela (Jan), Paush Mela (Dez).*

Rabindranath Tagore criou o sereno povoado de Shantiniketan em 1921. Seu propósito era fundar uma instituição que seguisse o tradicional sistema educacional indiano *gurukul*, em que gurus ensinavam seus discípulos sentados na grama, sob árvores frondosas. A universidade também ressaltava a importância da vida comunitária e se especializou em todos os ramos das artes e humanidades, com ênfase na cultura bengali. Atualmente conhecida como **Visva Bharati University**, sua estrutura está mais convencional, mas determinadas tradições, como as aulas ao ar livre, permanecem intocadas. O local ainda é venerado pelos admiradores de Tagore.

No campus fica o Uttarayan Complex, onde o poeta viveu e trabalhou por muitos anos. Entre os outros departamentos existem: **Kala** (belas-artes) **Bhavan**, **Sangeet** (música) **Bhavan** e **China Bhavan**, especializado em estudos chineses. A ligação de Shantiniketan com a arte indiana contemporânea é evidente nas obras expostas de muitos dos principais artistas do país, como Binode Bihari Mukherjee (1904-1980), Nandalal Bose (1882-1966) e Ram Kinkar Baij (1910-1980). O **Vichitra Museum** dispõe de lembranças da vida do poeta, como suas pinturas, criadas a partir de esquemas que ele fazia à margem de suas obras escritas. Apresentações de rabindra sangeet (canções que ele escreveu e musicou) ocorrem no campus todas as noites.

Foi no vilarejo de **Kenduli,** aqui perto, que nasceu o poeta medieval Jayadeva, compositor de um cântico para Krishna: o *Gita Govinda*.

Todos os anos, em janeiro, os *bauls*, menestréis itinerantes, conhecidos pelas canções emocionantes, se reúnem aqui para o Kendulimela, festival em que eles cantam durante três dias sem nenhuma pausa.

Visva Bharati University
Tel (03463) 25 2531. *qui-ter.*
Vichitra Museum
diariam.

Murshidabad ❽

Distrito de Murshidabad. 200km ao N de Kolkata.

Antiga capital dos nababos de Bengala, Murshidabad se localiza na zona rural verde e dourada do estado. Esta cidade, à margem do rio Bhagirathi, foi fundada em 1704 pelo nababo Murshid Quli Khan, governador do imperador mogul Aurangzeb. O túmulo dele jaz sob as escadas da imponente **Mesquita Katra**, construída em 1724, segundo o desenho da mesquita de Kartalab Khan, em Dhaka. O nababo escolheu este local porque desejava que os passos dos fiéis passassem sobre ele.

Hazarduari (Mil Portas), palácio dos nababos, foi erguido na década de 1830 pelo general Duncan McLeod, do

Fachada grandiosa do Hazarduari Palace, em Murshidabad

RABINDRANATH TAGORE (1861–1941)

Tagore foi um perfeito homem do Renascimento na Índia, e sua influência ainda é sentida em todos os ramos da arte, principalmente em Bengala. Nascido na família Tagore *(pág. 280)*, rica e culta, ele se tornou poeta, letrista, romancista, contista, ensaísta, pintor, coreógrafo, ator e cantor –além de autor do hino nacional da Índia. Depois da tradução para o inglês de seu poema *Gitanjali* por WB Yeats, ele ganhou o Prêmio Nobel de Literatura em 1913. O governo britânico concedeu-lhe o título de cavalheiro, mas ele devolveu a honra em protesto contra o massacre de Jallianwala Bagh *(pág. 56)*. Mahatma Gandhi o chamava Gurudev (Grande Mestre). Tagore morreu em agosto de 1941, mas sua memória é reverenciada pelos bengalis e seus retratos, ou seus livros, ocupam local de orgulho em quase todas as casas de classe média de Bengala.

Fotografia de Tagore em 1930

Para hotéis e restaurantes nesta região, ver págs. 700-1 e págs. 728-9

corpo de engenheiros de Bengala, que, inspirado no barroco italiano, fez um salão de banquetes com espelhos e um notável Durbar Hall redondo. Agora, o palácio é um museu com ótimas peças, como um candelabro enorme, ofertado pela rainha Vitória, que foi pendurado sobre o trono de prata maciça dos nababos. A biblioteca tem mais de 10 mil livros, entre os quais alguns exemplares do Alcorão com iluminuras. Entre os itens expostos está uma coleção heterogênea de armas e armaduras que incluem um canhão disparado na Batalha de Plassey, em 1757 *(pág. 52)*, quando Robert Clive derrotou o nababo Siraj-ud-Daulah –batalha que abriu caminho para o estabelecimento do império britânico na Índia. A cidade entrou em declínio depois que Kolkata ficou importante.

Hazarduari Museum
sáb-qui.

Gaur 9

Distrito de Malda. 325km ao N de Kolkata. *Malda, 16km ao N de Gaur, depois táxi ou ônibus.*
Monumentos *diariam.*

As notáveis ruínas de Gaur mostram sua antiga glória, quando a cidade muito impressionou o segundo imperador mogul, Humayun, a ponto de se referir a ela como Jinnatabad (Morada do Paraíso).

Esta cidade abandonada ocupa 52km² e data dos séculos 15 e 16, embora a área tenha uma história bem anterior. Os reis Pala, budistas, governaram aqui do século 8º em diante, até serem depostos pelos senas, última dinastia hindu de Bengala, no século 12.

A partir de então, a cidade foi comandada por uma série de sultões muçulmanos, como os da dinastia Ilyas Shahi. Gaur foi saqueada por Sher Shah Sur *(pág. 79)*, em 1539, e assolada pela praga, em 1575; depois disso, tornou-se parte do império Mogul.

A construção mais antiga é **Sagar Dighi**, grande tanque feito no século 12. Na margem leste do rio Bhagirathi está a muralha de um forte, dentro do qual há um muro de tijolos que cercava um palácio. A porta norte, a **Dakhil Darwaza**, de 1459, tem um arco de entrada alto e cantos decorados com entalhes. Ao norte estão as ruínas da **Mesquita Sona**, de 1526, a maior de Gaur. Existem outros prédios interessantes, como a **Mesquita Qadam Rasul**, erguida em 1530 para guardar uma relíquia: as pegadas do profeta Maomé; a **Mesquita Tantipara** de tijolos; e a **Mesquita Lattan**, com vestígios de azulejos coloridos de azul, verde, amarelo e branco. A **Gumti Darwaza**, porta leste da cidade, ainda está em pé e conservada.

Fachada trabalhada do Mausoléu de Eklakhi, em Pandua

Gumti Darwaza, em Gaur

Dakhil Darwaza, em Gaur, feito de pequenos tijolos vermelhos

Pandua 10

Distrito de Malda. 360km ao N de Kolkata. *Malda, 18km ao S de Pandua, depois táxi ou ônibus.*

Cobertas de trepadeiras, as ruínas de Pandua ficam nos dois lados de uma velha estrada de 10km, pavimentada com tijolos. Em 1353, Pandua substituiu Gaur como capital dos governantes islâmicos de Bengala. Na ponta norte, a **Mesquita Adina**, erguida pelo sultão Sikandar Shah no século 14, imita a grande mesquita de Damasco. Adina já foi a maior mesquita da Índia e contém o túmulo de Sikandar Shah. Mais ao sul, fica o **Mausoléu de Eklakhi**, do início do século 15, com a sepultura do sultão Jalal-ud-din. De custo elevado, é um dos mais antigos túmulos quadrados feitos de tijolos em Bengala. A câmara interior octogonal, curiosamente, tem uma imagem de Ganesha, deus elefante hindu, entalhado acima do arco da entrada.

A **Mesquita Qutb Shahi**, ao sul, às vezes é chamada de "Mesquita Dourada", pois seus minaretes eram forrados de azulejos amarelos. Foi feita em 1585 pelo sultão Makhdum Shah, cujo túmulo está ao lado da mesquita.

Plantações de chá margeiam a estrada entre Bagdogra e Siliguri

Siliguri ⓫

Distrito de Darjeeling. 79km a SE de Darjeeling. *470.300.* *Bagdogra, 12km a O de Siliguri, depois táxi ou ônibus.* *New Jalpaiguri, 60km a SE de Siliguri, depois táxi ou ônibus.* *Tourist Office, Siliguri, (0353) 251 1974.*

Siliguri, situada no sopé do Himalaia oriental, já foi uma cidadezinha calma, com ruas tranquilas e lojas bem sortidas, onde os plantadores de chá vinham renovar as provisões. Atualmente, boa parte da cidade gira em torno dos depósitos de de carga, embora tenha alguns bazares animados, como o da **Tenzing Norgay Road**, onde os artigos tibetanos de lã são uma pechincha, e há muitos móveis de bambu, especialidade da região. No inverno, Siliguri sedia conferências budistas e também serve como parada para os viajantes que vão ao Jaldapara Wildlife Sanctuary.

Arredores

Perto de Siliguri estão **New Jalpaiguri**, terminal ferroviário da região, e **Bagdogra**, que tem aeroporto. Junto com Siliguri, essas cidades funcionam como portas para as estações de montanha de Darjeeling, Kurseong e Kalimpong, e também para o Butão e Siquim. A viagem de carro entre elas passa por agradáveis plantações de chá.

Jaldapara Wildlife Sanctuary ⓬

Distrito de Jalpaiguri. 200km a L de Siliguri. *Madarihat, ponto de entrada, depois táxi.* *Para consultas gerais e reservas para Hollong Forest Lodge contate o Tourist Office, em Siliguri, (0353) 251 1974.* *out-mai.* *taxa extra.* *Hollong.*

A região em volta do Jaldapara Wildlife Sanctuary, no arborizado vale de Dooars, era área de caça dos reis do Butão. Agora, é uma das maiores reservas florestais de Bengala Ocidental, que ocupa uma área de 216km². Criada em 1941, a reserva abrange

DARJEELING HIMALAYAN RAILWAY (DHR)

O caminho mais bonito para ir de Siliguri até Darjeeling é o percorrido pelo Toy Train, oficialmente conhecido como Darjeeling Himalayan Railway (DHR). O trem de bitola estreita resfolega pelo caminho, que sai do terminal ferroviário de New Jalpaiguri e vai até Darjeeling, a 2.128m de altitude. A viagem leva nove horas, e os trilhos sobem um total de 2.088m em um percurso de 80km. Construída entre 1879 e 1881, a estrada de ferro foi considerada uma obra de arte da engenharia, e a Unesco a tornou Patrimônio da Humanidade. A ferrovia faz grandes curvas conforme sobe a montanha, o que exige que o trem retroceda em alguns trechos. Cada locomotiva a vapor (uma das quais é de 1892) puxa até três vagões. Se você desanimar com as nove horas, experimente ir de trem até Kurseong e, depois, de ônibus para Darjeeling, ou viajar de trem só no último trecho (de Ghoom a Darjeeling). As passagens são vendidas nas estações de New Jalpaiguri e Darjeeling. O trem sai das duas estações às 9h e às 15h, no auge da temporada. Veja mais detalhes na pág. 777.

Toy Train puxado por locomotiva a vapor

florestas decíduas e terrenos de vegetação rasteira, banhados pelo rio Torsa. Este é um dos poucos lugares em que se pode avistar com facilidade o grande rinoceronte indiano com um só chifre *(pág. 330)*. Cerca de 50 desses animais vivem na reserva, protegidos dos caçadores que os matam por causa do chifre, que se acredita ser poderoso afrodisíaco. A reserva abriga outras espécies raras e ameaçadas, entre as quais estão o leopardo, o tigre, a lebre-de-pêlo-curto, o texugo e o urso-preguiça. Em Jaldapara, também se pode ver grande número de veados-porcos-da-índia, veados-pintados, veados-muntjac-indianos e gaurs (bisões indianos). Entre as espécies de pássaros estão o búcero-pequeno-variegado, e a abetarda-de-bengala, com plumagem sarapintada e estriada. Há, ainda, oito espécies de cágado nas lagoas de Jaldapara.

A parte setentrional da reserva, conhecida como Totopara, fica às margens do rio Torsa. Ali vive a tribo toto, agora com apenas 950 membros, que se recusam a adotar os confortos da civilização.

Há muitos pássaros nas matas de Jaldapara

Um jeito interessante de conhecer o Jaldapara Sanctuary é se juntar a um safári matinal de elefante que percorre o parque. Os elefantes pertencem ao departamento florestal e passam a vida toda em confinamento na reserva. Muitas vezes, as elefantas que levam visitantes nos safáris vão acompanhadas dos filhotes, que saltitam ao lado delas. Os diversos bebedouros, onde os animais vêm tomar água à tarde, são ótimos pontos para avistá-los. Dentro do parque, o elegante **Hollong Forest Lodge**, em estilo colonial, oferece comida e hospedagem.

Kurseong ⓭

Distrito de Darjeeling. 31km ao N de Siliguri.

A meio caminho entre Siliguri e Darjeeling, pela Darjeeling Himalayan Railway, a isolada Kurseong tem um encanto tranquilo. Menor que Darjeeling, tem clima mais ameno em razão da baixa altitude.

No meio de plantações de chá, com vegetação rica e um lago pitoresco, Kurseong ganhou fama pela beleza natural. Segundo uma lenda local, seu nome vem de *kurson-rip*, linda orquídea da região.

A cidade é um paraíso para quem gosta de caminhar. O trekking de **Mirik** até Kurseong *(pág. 303)*, que leva quase oito horas, passa por fazendas de chá, laranjais, plantações de cardamomo e vilarejos, com vistas espetaculares do vale. E a caminhada de cinco horas até **Ghoom** também é linda, serpenteando pelo espigão que atravessa uma floresta densa e sombreada.

Gaur (bisão indiano) perambula pelos bosques de Jaldapara

FESTIVAIS DE BENGALA OCIDENTAL E SIQUIM

Pandal de Saraswati Puja

Ganga Sagar Mela *(meados jan)*, em Sagar Island. Peregrinos se reúnem para a feira e mergulham ao amanhecer, onde o Ganges entra no mar.

Saraswati Puja *(jan/fev)*. Saraswati é a Deusa do Saber e sua imagem está sempre de roupa amarelo-clara. Escolares e universitárias também se vestem de amarelo e colocam os livros aos pés da deusa, durante o festival, em toda Bengala.

International Flower Festival *(abr/mai)*, em Gangtok. Realizado no auge da temporada de flores, o festival exibe as orquídeas raras de Siquim, rododendros e outros lindos exemplares.

Saga Dawa *(mai)*, em Gangtok. Textos sagrados são tirados dos mosteiros e carregados em grandiosas procissões acompanhadas por lamas neste festival que comemora o nascimento de Buda, sua iluminação e a conquista do nirvana.

Durga Puja *(set/out) (pág. 281)*.

Burra Din *(25 dez)*, em Kolkata. Também conhecido como Natal, o Burra Din é festejado por cristãos e não-cristãos. As principais ruas comerciais de Kolkata são iluminadas e pinheiros de plástico, decorações e bolos de frutas são vendidos em todos os mercados locais.

Vista de Darjeeling, com o monte Kanchendzonga ao fundo

Darjeeling ⓮

Distrito de Darjeeling. 79km a NO de Siliguri. *107.600.* *Bagdogra, 90km ao S do centro, depois ônibus ou táxi.* *Government Tourist Office, Chowrasta, (0354) 225 4050.*

O nome Darjeeling vem do mosteiro de Dorje Ling (Lugar do Raio), que antes ficava no Observatory Hill. Os britânicos escolheram este lugar ensolarado, na face oeste do sopé do Himalaia, para construir um sanatório em meados do século 19. Depois, tornou-se capital de verão de Bengala, e o governo se mudava para cá quando a planície ficava muito quente.

Atualmente, ainda se nota boa parte do esplendor do Raj em Darjeeling, contrastando com seu caráter tibetano, nepalês e bengali.

Esta cidade pitoresca se instalou precariamente na encosta, e tem três ruas principais: **Hill Cart Road**, **Laden Road** e **The Mall**. Esta última é o coração de Darjeeling, e leva até o movimentado **Chowrasta** (Cruzamento), ladeado de livrarias como a **Oxford Book and Stationery**, com grande variedade de livros sobre a Índia. Outras lojas oferecem chás, curiosidades e suvenires. Ambulantes vendem cartões-postais desfocados e guias turísticos. Pode-se dar uma volta de pônei, por dez minutos, ao redor de Chowrasta.

Ali perto fica o **Mosteiro Bhutia Busty**, de 1879. O reverenciado *Livro tibetano dos mortos*, encontrado na biblioteca ligada a este santuário, foi traduzido para o inglês em 1927. O mosteiro tem belos murais, mas o visitante deve pedir permissão para entrar.

A imagem do **Kanchendzonga** (8.598m), pico mais alto da Índia *(pág. 302)*, domina a cidade. Algumas das melhores vistas da cadeia de picos nevados do Himalaia Oriental podem ser apreciadas do **Observatory Hill**, onde o vento faz tremular as bandeirolas de oração. Em **North Point**, no noroeste de Darjeeling, encontra-se o primeiro bondinho de passageiros da Índia, que liga a cidade ao **Singla Bazaar**, no vale do Pequeno Rangeet. O passeio de uma hora propicia uma bela vista das montanhas e das plantações de chá nas encostas e no fundo do vale.

O **Himalayan Mountaineering Institute** está ao sul de North Point, em Birch Hill. Seu Mountaineering Museum dispõe de uma fascinante maquete dos picos do Himalaia, enquanto o Everest Museum conta a história das muitas tentativas de escalar o Everest e outros picos. Ao lado, fica o **Himalayan Zoo**, famoso pela fauna de grandes altitudes, como leopardos-da-neve, tigres-siberianos e pandas-vermelhos. O **Lloyds Botanical Gardens**, ao sul, abriga uma coleção interessante e variada da flora do Himalaia –as centenas de espécies de orquídeas na Orchid House são belíssimas. A cidade também conta com algumas igrejas coloniais bem conservadas.

Fachada do Mosteiro Yiga Choeling, toda entalhada e pintada

Para hotéis e restaurantes nesta região, ver págs. 700-1 e págs. 728-9

A **St Andrew's Church**, a oeste de Observatory Hill, foi erguida em 1843, mas a torre do relógio veio depois. A **St Columba's Kirk**, perto da estação de trem, data de 1894 e vale uma visita pelos magníficos vitrais. Amostras bem conservadas da grandiosidade da era Raj são os hotéis e clubes de Darjeeling. Acima do Observatory Hill, situa-se o **Windamere Hotel** *(pág. 700)*, decorado com ratã e chintz. Lareiras aquecem o saguão tranquilo, onde garçonetes de uniforme engomado servem sanduíches e chá de Darjeeling aos visitantes e hóspedes, ao som de um quarteto de cordas que toca suaves melodias.

Fantasmas dos latifundiários coloniais podem ser percebidos no **Planters' Club**.

Nas paredes há gravuras antigas de caça, e o visitante pode se sentar ao lado de aquecedores a carvão, enquanto garçons, que deviam ser jovens vigorosos em 1947, servem drinques em câmera lenta.

Mosteiro Bhutia Busty
Chowrasta. *diariam.*

Himalayan Mountaineering Institute
Birch Hill Park, entrada na Jawahar Rd West. ***Tel*** *(0354) 225 4268. diariam. qui. taxa extra.*

Himalayan Zoo
sex-qua.

Arredores

Quem se interessa por budismo deve visitar o **Mosteiro Yiga Choeling**, 10km ao sul de Darjeeling, criado em 1875 pela seita Gelugpa (do Chapéu Amarelo). O mosteiro tem murais de divindades budistas e bonitos afrescos, embora desbotados, no salão de orações. Peça permissão antes de entrar no santuário. **Tiger Hill**, 11km ao sul de Darjeeling, oferece vistas espetaculares do **Everest** (8.848m) e de outros picos da cordilheira do Himalaia Oriental, a exemplo do **Makalu** (8.475m) e do **Janu** (7.710m), quando eles pegam os primeiros raios de sol. Os madrugadores podem ir de jipe (cerca de 45 minutos) até Tiger Hill, ver o amanhecer.

Apanhadoras de chá no norte de Bengala, ao redor de Darjeeling

O **Senchal**, 5km a oeste de Tiger Hill, é um lindo lago de montanha que costuma ficar cheio de turistas. Para o visitante que vem a Darjeeling na alta temporada (abril a novembro), vale a pena visitar a agradável plantação de chá **Happy Valley Tea Estate**, logo na saída da cidade.

Mosteiro Zangdopelri Fo-Brang: mural

Mosteiro Yiga Choeling
diariam. Agrad. donativos.

Kalimpong ⓯

Distrito de Darjeeling. 51km a L de Darjeeling. *43.000.*

Kalimpong pertenceu aos territórios de Siquim e do Butão antes de fazer parte da Índia britânica, no século 19. Ela comandava a velha rota de comércio para o Tibete e ainda tem um ar de cidade de fronteira. O mercado vende uma mistura de objetos exóticos, que vão desde mudas de samambaia até baldes de plástico. Encantadores chalés de pedra evocam lembranças do Raj, assim como a singular ambientação do **Himalayan Hotel** *(pág. 700)*, anteriormente uma casa de família. O **Mosteiro Thongsa** é o mais antigo de Kalimpong. Foi erguido em 1692 e fica acima da cidade, em uma caminhada estimulante de uma hora. Ao sul, o **Mosteiro Zangdopelri Fo-Brang**, abençoado pelo Dalai Lama em 1976, dispõe de interessantes mandalas tridimensionais. Muitos viveiros da cidade produzem grande número de orquídeas, gladíolos, amarílis e cactos. Vale a pena visitar o **Udai Mani Pradhan Nursery**.

TENZING NORGAY (1914–86)

Estátua de Tenzing no Himalayan Mountaineering Institute

Tenzing Norgay e sir Edmund Hillary foram os primeiros homens a pisar no topo do monte Everest. Tenzing Norgay nasceu em Tsa-chu, no Nepal, em uma comunidade sherpa, e veio morar em Darjeeling. Fez a primeira escalada como carregador de uma expedição britânica em 1935 e subiu em muitos picos, fazendo ao menos seis tentativas no Everest, até conseguir com Hillary, em 1953, quando era sherpa sirdar (chefe sherpa). Tenzing ganhou a George Medal e, mais tarde, se tornou chefe do Himalayan Mountaineering Institute de Darjeeling. A vida dele enfatizou as contribuições dos sherpas para as expedições ao Himalaia, antes pouco reconhecidas.

***Stupa* no Namgyal Institute of Tibetology de Gangtok**

Gangtok ⓰

Distrito de East Sikkim. 110km ao N de Siliguri. 29.200. *Bagdogra, 117km ao S do centro, depois táxi ou ônibus.* *107km ao S do centro, depois táxi ou ônibus.* *Sikkim Tourism, MG Marg, (03592) 221 634.* *Losar Festival (fev/mar), Enchey Monastery Festival (ago e dez).* **Permissão de viagem** *exigida para entrar em Siquim* (pág. 303).

Capital de Siquim, Gangtok reflete a extraordinária diversidade étnica deste pequeno estado. Na cidade compacta, que se espalha precariamente espigão abaixo, os lepchas (habitantes nativos da região) vivem junto com tibetanos, butaneses, nepaleses e indianos das planícies. Agora, apesar das construções modernas, pode-se conhecer o lado "Xangri-Lá" de Gangtok em bolsões da cidade e nos arredores montanhosos. Até 1975, Siquim foi reino com status de protetorado indiano. Era governado pela dinastia Chogyal, budista de origem tibetana, que teve início no século 17. Mas a política do Raj britânico de importar mão-de-obra barata do vizinho Nepal, para as plantações de arroz, cardamomo e chá de Siquim, modificou drasticamente a demografia do estado, e logo os hindus nepaleses constituíam 75% da população. Em 1975, o povo de Siquim votou em massa para se unir à República da Índia, terminando o domínio de Palden Thondup, último Chogyal.

No norte da cidade, encontra-se o **Mosteiro Enchey**, do início do século 20, cujo amplo salão de orações está cheio de murais e imagens que representam o panteão das divindades do budismo mahaniana *(pág. 141)*. O festival de Enchey apresenta danças espetaculares de mascarados. No lado sul fica o **Namgyal Institute of Tibetology**. Inaugurado em 1958, dispõe de uma coleção rara de textos budistas, bronzes e *thangkas* bordados.

Mosteiro Enchey
diariam. *permitida apenas fora do mosteiro.*

Namgyal Institute of Tibetology
seg-sáb. *2º sáb e feriados.*
www. tibetology.com

Arredores

O **Saramsa Orchidarium**, situado 14km ao sul de Gangtok, exibe muitas das 450 espécies de orquídeas encontradas em Siquim. Elas florescem de abril a maio e, de novo, em outubro.

O **Mosteiro Rumtek**, 24km a sudoeste de Gangtok, é sede da seita Kagyupa (do Chapéu Preto), uma das mais antigas do budismo tibetano, e de seu líder, Gyalwa Karmapa. O 16º Karmapa fugiu do Tibete em 1959, após a invasão chinesa, e construiu aqui uma cópia de seu mosteiro em Tsurphu, no Tibete. Rumtek consiste de um complexo grandioso, com prédios de telhado plano coroado com remate dourado, cheios de tesouros trazidos do mosteiro tibetano. Muito suntuoso é o *chorten* de relíquias do 16º Karmapa, atrás do salão de orações principal, feito de ouro e prata, enfeitado com coral, âmbar e turquesa. Porém, desde a morte dele, em 1981, há dois postulantes ao título de Karmapa (e aos tesouros lendários do mosteiro), incluindo o que fugiu do Tibete para a Índia em 2000.

Guardião do Leste, em Rumtek

Até essa disputa ser resolvida, os guardas armados que cercam o mosteiro permanecerão ali. Os principais festivais de Rumtek são em fevereiro/março e em maio/junho. O **lago Tshangu**, 40km a nordeste de Gangtok, fica em uma altitude de 3.700m. Para visitá-lo é preciso uma permissão especial do Sikkim Tourism Office de Gangtok. O passeio de carro ao lago, perto da fronteira com a China, é espetacular, e ele impressiona tanto na primavera e no verão, quando fica cercado de flores de montanha, quanto no inverno, quando congela. O visitante pode fazer excelentes passeios em iaques pretos e felpudos, que caminham docilmente pelas praias do lago.

Mosteiro Rumtek
Tel *(03592) 252 329.* *diariam.* *permitida apenas fora do mosteiro.* **www**.rumtek.org

Mosteiro Rumtek: salão de orações ricamente decorado

Para hotéis e restaurantes nesta região, ver págs. 700-1 e págs. 728-9

Fauna e Flora do Himalaia Oriental

O Himalaia oriental e seus sopés no norte de Bengala, em Siquim e nos estados setentrionais são muito ricos em animais e plantas raros. Esta região é assolada pelos ventos das monções de sudoeste, que sobem da baía de Bengala e atingem o Himalaia oriental com toda força, perdendo o ímpeto conforme se dirigem para oeste. Em consequência disso, a umidade do ar e do solo é alta e ajudou a criar um hábitat de densas florestas virgens, encostas férteis e viçosas pastagens de altitude. Entre as plantas desta área há mais de 50 espécies de rododendros, 500 de orquídeas e diversas variedades de prímulas e bambus. A fauna típica da região tem iaque, cabra-azul e panda-vermelho. O folclore local acrescenta à lista o Abominável Homem das Neves (ou Yeti), avistado por muitos montanhistas.

Primula calderina

A **papoula-azul** (Meconopsis roylei) *atraiu ao Himalaia oriental, no século 19, pesquisadores de plantas famosos, como Joseph Hooker. Ela cresce acima da linha das árvores, em pastagens de altitude, onde os iaques se alimentam.*

O lírio-gigante-do-himalaia (Cardiocrinum giganteum) *é muito perfumado. Cresce nas florestas temperadas de carvalho, bordo e rododendro, em Siquim.*

Orquídeas, *como esta bonita espécie amarela de* Dendrobium, *enfeitam as florestas de Arunachal Pradesh, Meghalaya, Manipur, Nagaland e Siquim.*

A **Magnolia campbelli** *desabrocha sua linda florada branca no início da primavera, nas florestas temperadas dos morros de Darjeeling e de Siquim.*

O **búcero-grande-variegado** (Buceros bicornis), *com longo bico amarelo e preto, é comum nas florestas de Arunachal Pradesh, onde muitas tribos exibem suas penas pretas e brancas nos enfeites de cabeça.*

O **panda-vermelho** (Ailurus fulgens), *também conhecido como urso-gato, tem pelagem acastanhada com orelhas de beira branca e cauda peluda. Uma de suas comidas prediletas é o bambu-anão, que cresce nas florestas temperadas de Arunachal Pradesh e Siquim.*

O **iaque**, *muito valorizado em Siquim, além de ser animal de carga, fornece leite, carne e lã de sua pelagem felpuda.*

Passeio em Siquim Setentrional ⓱

Área de beleza natural intocada, cercada pelos picos nevados do Himalaia, Siquim Setentrional só se abriu à visitação há pouco tempo. Este passeio, que segue o vale do rio Teesta, passa por mosteiros e vilarejos tranquilos, por florestas de rododendro e vai até Yumthang, onde os iaques pastam em campos cheios de flores de montanha. Durante o caminho, há encantadores mercados rurais e lindas vistas do terceiro pico mais alto do mundo: o monte Kanchendzonga.

DICAS

Extensão: *149km.*
Paradas: *O passeio pode ser feito em 2 ou 3 dias. As paradas são em Phodong, Mangan-Singhik e Lachung.*
Permissões: *O visitante precisa de permissões especiais para esta região, emitidas pelo Department of Tourism, em Gangtok, (03592) 221 634. Só se pode viajar em grupos de duas ou mais pessoas.* *Veja detalhes na pág. 303.*

Yumthang ⑥
A rodovia Lachung-Yumthang atravessa florestas de rododendros que florescem de abril a junho. Yumthang, a 3.614m de altitude, possui fontes termais sulfurosas.

Lachung ⑤
A apenas 15km do Tibete, com o qual costumava negociar antes de 1959, Lachung é um lindo vilarejo que ocupa com dois lados do rio do mesmo nome.

Mangan-Singhik ④
Este centro com mercado para Siquim Setentrional atrai moradores locais, com a venda de laranjas, maçãs e cardamomo. Daqui, há belíssimas vistas da cordilheira de Kanchendzonga.

Phodong ②
Mosteiro sereno, com 260 monges residentes, dispõe de belos murais, entalhes em madeira e imagens budistas. Foi construído em 1740.

Labrang ③
Este mosteiro (de 1844), a 4km de Phodong, tem um insólito formato octogonal. Na trilha abaixo dele, estão as ruínas do Tumlong Palace, sede dos chogyals, no século 19.

Gangtok ①
Construída em um espigão acima do rio Ranikhola, Gangtok *(pág. 298)* é uma cidade movimentada, a 1.780m de altitude.

Pelling 18

Distrito de West Sikkim. 120km a O de Gangtok. *Gezing, 9km ao S do centro, depois ônibus local ou táxi.* *Mount Pandim, Pemayangtse, (03595) 250 573.* *Pemayangtse Festival (fev/abr).* **Permissões** *são necessárias* (pág. 303).

Situada em um espigão, a altitude de 2.086m, com belas vistas de picos e geleiras da cordilheira Kanchendzonga, Pelling é uma cidade de crescimento rápido. Com muitos locais de hospedagem, é uma base prática para explorar Siquim Ocidental e fazer trekkings *(págs. 302-3)*. Esta é a região mais bonita e menos devastada do estado, com trechos de florestas, vales verdejantes, excelentes trilhas para trekking e os mosteiros mais antigos de Siquim. De carro, Pelling fica a um dia de viagem de Gangtok, e é acessível por Darjeeling (72km ao sul). Sua grande atração é o complexo monástico de **Pemayangtse**, de 1705, em um espigão a meia hora de caminhada. Cercado de pitorescos aposentos dos monges, o austero mosteiro principal de três andares é uma casa de tesouros, que guarda belos *thangkas*, murais e imagens, com intricada maquete de Zangdopelri, casa celestial de sete andares, o último deles era do guru Padmasambhava *(pág. 139)*.

Pemayangtse faz um festival anual, com danças de mascarados. O segundo mais antigo mosteiro de Siquim, o **Sangachoeling** (de 1697), fica a caminhada íngreme de 40 minutos por uma floresta densa, acima de Pemayangtse. Ele dispõe de murais refinados. As ruínas da capital de Siquim no século 17, erguida pelo segundo chogyal *(pág. 298)*, encontram-se em **Rabdentse**, 3km ao sul de Pelling.

Detalhe de porta em Pemayangtse

Arredores

O **lago Khecheopalri**, 33km ao norte de Pelling, é um local encantador, sagrado para budistas e hindus, que vêm aqui para fazer um pedido. Visto de cima, o formato do lago parece a pegada de Buda. Embora cercado de floresta, não há nenhuma folha na superfície. E, segundo a crença local, um pássaro santo mergulha para apanhar todas as folhas que caem na água.

Yuksam 19

Distrito de West Sikkim. 162km a O de Gangtok. *Mount Pandim, Pemayangtse, (03595) 250 573.* **Permissões** *são necessárias* (pág. 303).

Yuksam era a capital de Siquim, quando o primeiro rei Chogyal foi coroado, em 1641, por três lamas eruditos. Um trono de pedra e algumas *chortens* marcam este ponto histórico. Abaixo, ficam o **lago Kathok** e o **Mosteiro Dubdi**, de 1700, com requintadas imagens budistas; e há em uma caverna de meditação, numa subida íngreme de meia hora. Yuksam é ponto de partida para o trekking até Dzongri *(pág. 302)*.

Entalhe em pedras de *mani* no Mosteiro Tashiding

Mosteiro Tashiding 20

Distrito de West Sikkim. 145km a O de Gangtok. *diariam.* *Bumchu Festival (fev/mar).* **Permissões** *são necessárias* (pág. 303).

De 1716, o Mosteiro Tashiding fica no topo de um morro em forma de coração, de onde se diz que o guru Padmasambhava lançou uma seta e, depois, meditou no local em que ela caiu. Cercado por *chortens*, pedras de *mani*, rodas de oração movidas a água e pelos rios Ratong e Rangeet, com o monte Kanchendzonga por trás do morro, este lugar é mágico. Durante o festival anual Bumchu, atrai gente de todo o estado.

Neste festival, a água sagrada, que contam ter sido colocada em um jarro lacrado por um santo budista do século 17, é misturada ao rio e distribuída aos devotos como uma bênção poderosa. Milagrosamente, a água do jarro nunca seca e, a cada ano, quando ele é deslacrado, os sacerdotes oráculos predizem o futuro de Siquim pelo nível do líquido –pouco ou em excesso significa calamidades para o estado. Tashiding também tem a **Thongwa Rangdol Chorten**. Consta que apenas uma olhada para ela já basta para a pessoa se livrar de todos os pecados. O templo principal, reconstruído em 1987, dispõe de imagens de Buda e de bodhisattvas.

Bandeirolas de oração perto de Yuksam, primeira capital de Siquim

Trekking em Bengala Ocidental e Siquim

Rododendro em flor

O Himalaia oriental abrange o Tibete, o Nepal, Bengala Ocidental e Siquim, e conta com alguns dos picos mais altos do mundo, como o Kanchendzonga, o Everest, o Lhotse e o Makalu. Oferece opções de trekking em meio a montes verdejantes, repletos de orquídeas e rododendros em flor. A região tem muitas histórias do Abominável Homem das Neves, ou Yeti, criatura enorme, parecida com macaco, que se diz viver na neve. As trilhas mais procuradas de Bengala Ocidental ficam em volta da cordilheira Singalila, perto de Darjeeling, com vistas dos grandes maciços do Nepal, ao passo que a maioria das trilhas de Siquim fica à sombra do Kanchendzonga. As melhores temporadas vão de outubro a novembro e de fevereiro a maio.

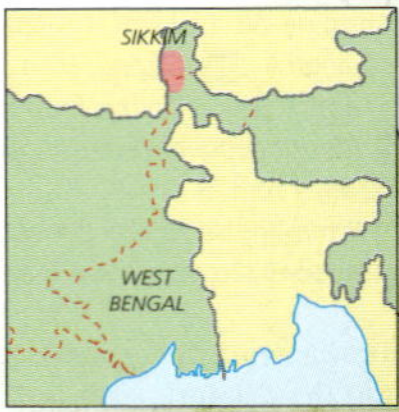

LOCALIZA-SE

área mostrada abaixo

Cordilheira Singalila

Com muitas trilhas, esta cordilheira tem início perto de Darjeeling e se estende até o Kanchendzonga. O percurso Sandakphu-Phalut começa em Maneybhanjan e propicia vistas magníficas do Everest, Lhotse, Makalu e Kanchendzonga, e conta com diversas hospedarias no caminho. A trilha de 60km acaba no terminal rodoviário de Rimbik.

Duração: *6 dias*
Altitude: *3.636m*
Nível de dificuldade: *médio*

MONTE KANCHENDZONGA

O monte Kanchendzonga, terceiro pico mais alto do mundo, com 8.598m, domina o horizonte de Siquim e do distrito de Darjeeling, em Bengala Ocidental. Seu nome significa "Cinco Tesouros das Neves", e o povo de Siquim acredita que os cinco picos do relevo de Kanchendzonga escondem quatro tesouros: ouro e pedras preciosas, grãos, prata e textos sagrados. Esta montanha é venerada como divindade guardiã de Siquim e reverenciada por todo o estado durante o festival Pang Lhabsol, que ocorre no sétimo mês do calendário tibetano (entre agosto e setembro). Orações, rituais e danças de mascarados são realizados nos mosteiros –com o monte representado por uma máscara vermelha coroada com crânios– para garantir que a terra seja protegida no ano vindouro. Tamanho é o respeito do povo pelo pico que, em 1999, foi cancelada uma expedição austríaca para escalá-lo, após um protesto popular dizendo que isso desonraria a divindade e traria catástrofes para Siquim.

Monte Kanchendzonga: vista panorâmica a partir do pico Dzongri

Trilha Dzongri

Em um dos passeios mais concorridos de Siquim, a trilha de Pemayangtse a Dzongri cobre 35km na ida. Vai além de Yuksam e Tsokha, atravessando florestas de rododendro até Dzongri, com vistas claras do Kanchendzonga. A volta para Yuksam leva dois dias.

Duração: *6-7 dias*
Altitude: *4.030m*
Nível de dificuldade: *de médio a alto*

Rafting e Caiaque

O rafting, muito praticado nos rios Teesta e Rangeet, é possível entre outubro e novembro. Caiaques podem ser alugados no West Bengal Tourism Office, em Darjeeling.

LEGENDA

- Cordilheira Singalila
- De Kurseong a Mirik
- Trilha Dzongri
- Estrada principal
- Estrada secundária

De Kurseong a Mirik

Ótima para conhecer as montanhas de Bengala Ocidental, esta caminhada suave de 18km passa por muitos vilarejos e plantações de chá.

Duração: *1 dia*
Altitude: *1.767m*
Nível de dificuldade: *baixo*

DICAS

Preparo: *A aclimatação é essencial para altitudes acima de 3.000m. Veja informações sobre o mal das alturas na pág. 767. Guias e carregadores são contratados em Gangtok e Darjeeling. A região é assolada pelas monções; não se aconselha o trekking do início de junho ao fim de setembro. Veja detalhes sobre trekking na pág. 751.*

Na trilha: *As trilhas de trekking de Siquim sofreram desmatamento e poluição. Por isso, carregue todo o lixo com você. Beba muita água e leve kit de primeiros socorros e combustível para cozinhar. Não queime lenha, um recurso escasso. Apague as fogueiras sem deixar brasa. Algumas trilhas têm sanguessugas (pág. 767); por isso, leve sal, que, espalhado sobre elas, as faz cair.*

Permissões *Estrangeiros precisam de permissão para visitar Siquim, emitida por 15 dias no District Magistrate's Office, em Darjeeling (0354) 225 4233, nos Sikkim Tourism Offices, em Délhi (011) 2611 5346, em Kolkata (033) 2281 5328 e em Siliguri (0353) 221 6502. É permitida uma prorrogação por 14 dias, emitida pelo Department of Tourism, em Gangtok (03592) 221 634, que também emite permissões para áreas restritas, como Dzongri, Yumthang e lago Tsomgo. A viagem para essas áreas é autorizada para grupos de duas ou mais pessoas. As permissões para trekking em Siquim podem ser tiradas no Department of Tourism, em Gangtok, e no Sikkim Tourism, em Délhi. Todos os trekkings têm de ser organizados por agência registrada. Veja mais informações à pág. 758.*

Aluguel de equipamento e operadoras: *A Himalayan Adventures em Darjeeling (0354) 225 4004, e a Sikkim Trekking and Tours em Gangtok (03592) 203 638, são agências de renome. Detalhes:pág 755.*

SHOE STAND

ORISSA

Confinado a oeste pelas montanhas cobertas de florestas de Ghats Oriental e a leste por quase 500km do litoral da baía de Bengala, Orissa se espalha por uma área de 156.000km². Suas atrações mais famosas estão agrupadas em um triângulo compacto na costa leste, situado no delta fértil de seu rio mais importante, o Mahanadi. Entre tais atrações estão o magnífico Templo do Sol, do século 13, em Konark –transformado em Patrimônio da Humanidade pela Unesco–, e outros templos notáveis em Bhubaneswar e Puri. Para o visitante se recuperar do cansaço dos passeios, há praias de fácil acesso em Puri, Konark e Gopalpur-on-Sea, margeadas por coqueirais e cheias de aldeias de pescadores. Ao sul desse triângulo fica o lago Chilika, na realidade a maior laguna da Ásia e paraíso dos ornitófilos. Para o interior, há arrozais e uma porção de ruínas budistas antigas e vilarejos onde se faz o belo artesanato de Orissa. Na espetacular paisagem intocada do norte de Orissa encontra-se o Simlipal National Park, com rica vida selvagem e assentamentos tribais, que somam quase um quarto dos 35 milhões de pessoas que formam a população do estado.

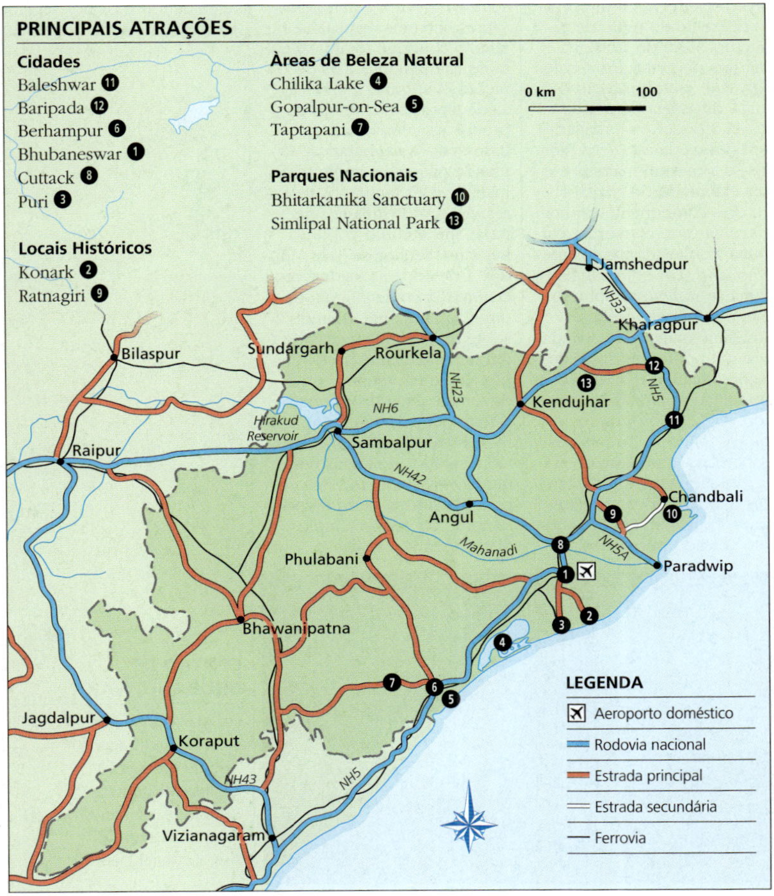

◁ **Multidão de peregrinos em volta da enorme carruagem do Rath Yatra Festival, em Puri**

Bhubaneswar ❶

De Orissa, caixa de dote pintada

Capital de orissa, Bhubaneswar ganhou fama pelos majestosos templos hindus, cuja maioria se encontra na parte sul, mais antiga, da cidade. A parte nova, com prédios administrativos modernos e largas avenidas arborizadas, fica ao norte. Os templos datam do século 7º ao século 13, um período que viu o enfraquecimento do budismo e o reviver do hinduísmo, com as sucessivas dinastias que governaram Orissa: os Shailodbhavas e Bhauma Karas nos séculos 7º e 8º; os Somavamshis do século 9º ao século 11; e os Gangas orientais nos séculos 12 e 13.

Como Explorar os Templos

Diz-se que existiram 7 mil templos em Bhubaneswar, o que lhe valeu o título de "Cidade dos Templos", e deles restaram mais de 400. Desenvolveu-se em Orissa uma versão diferente do estilo de arquitetura sacra do Norte da Índia, no decorrer dos séculos *(pág. 21)*, sob a proteção de muitas dinastias. Conforme crescia o poder e a prosperidade dessas dinastias, os templos se tornavam maiores e mais elaborados. A maioria tem dois componentes principais: uma torre convexa e curvilínea, conhecida localmente como *deul* (em outros lugares, chama-se *shikhara*), sobre o santuário interno, onde se mantém a imagem da divindade; e um pórtico ou salão de orações chamado *jagamohan*, com telhado piramidal escalonado. Alguns dos templos maiores têm dois ou três desses pórticos. Em geral, diversos santuários menores e tanques para abluções rodeiam o templo principal, em um conjunto cercado por muros.

Do século 11, o magnífico **Templo Lingaraj** representa o apogeu do estilo de Orissa, no qual a escultura e a arquitetura estão em harmonia perfeita. A grandeza dele está em sua *deul* (torre), com interessantes nervuras verticais, e no talento com que foram executadas as esculturas e as decorações. As figuras femininas, as de animais e os frisos de procissões cerimoniais mostram graça e exuberância. O grande pátio do templo tem mais de cem santuários menores. Aqui, a divindade principal é Shiva, como Tribhuvaneswar ("Senhor de Três Mundos"), de onde a cidade tomou o nome. A curiosa figura de um leão rampante saltando sobre um elefante agachado é um tema marcante neste templo, como em muitos outros de Orissa, e alguns estudiosos acham que se trata de um emblema real. Os não-hindus estão proibidos de entrar neste templo, mas podem vê-lo de uma plataforma perto da porta norte. Os outros templos ficam abertos à visitação.

Devotos se banham nas águas sagradas do Bindusagar

Ao norte do templo está o grande **Tanque Bindusagar**, com um pavilhão no meio. Acredita-se que ele contenha água de todos os rios sagrados da Índia. A divindade principal

CENTRO DE BHUBANESWAR

Orissa State Museum ⑦
Tanque Bindusagar ②
Templo Lingaraj ①
Templo Mukteshwar ⑤
Templo Parasurameshwar ④
Templo Rajarani ⑥
Templo Vaital Deul ③

Legenda dos símbolos no final do guia

Torre imponente do Templo Lingaraj, do século 11

Para hotéis e restaurantes nesta região, ver pág. 701 e págs. 729-30

do Templo Lingaraj é trazida até aqui para um banho ritual *(pág. 309)* todos os anos. A oeste de Bindusagar, o **Templo Vaital Deul**, do século 8º, é uma obra incomum, com entalhes interiores lúgubres. Isso indica que, provavelmente, era usado para rituais tântricos macabros, que incluíam sacrifício humano. A grande divindade é a terrível Chamunda (uma forma de Durga), de oito braços, com uma grinalda de crânios, sentada em um cadáver e ladeada por um chacal e uma coruja.

Construído no século 7º, na estrada para Puri, o **Templo Parasurameshwar** é o mais bem conservado do grupo de templos mais antigos e tem muitas esculturas. Conta com torre quadrada e *jagamohan* ao lado, decorado com animados grupos de dançarinos e músicos na janela oeste. A entrada principal para o *jagamohan* também tem um excelente entalhe de elefantes domesticados capturando companheiros selvagens, à esquerda do umbral. Nas paredes externas do santuário estão imagens de divindades, como um majestoso Ganesha barrigudo e seu irmão Karttikeya sentados em seu veículo, o pavão.

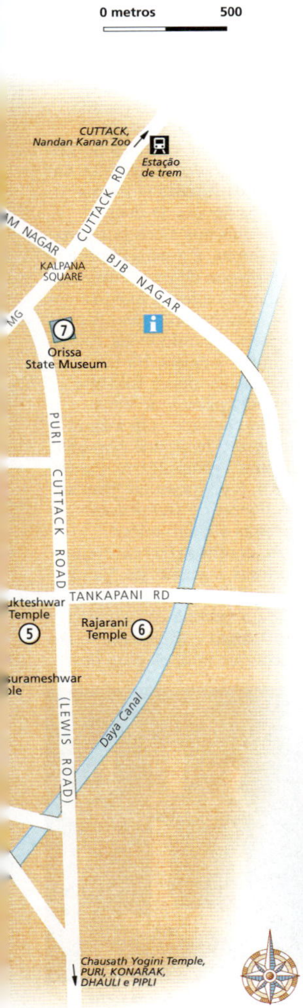

Perto, encontra-se uma das preciosidades da arquitetura sacra de Orissa, o **Templo Mukteshwar**, do século 10º, notável pelas requintadas esculturas e proporções elegantes. Seu bonito *torana* (portal) é decorado com figuras femininas reclinadas sensualmente. O *jagamohan* é iluminado por janelas em losango com treliças nas paredes norte e sul, cujas molduras mostram cenas encantadoras de macacos brincalhões. Um traço exclusivo do *jagamohan* é o teto esculpido com uma flor de lótus de oito pétalas. Neste templo, as esculturas de figuras femininas são notáveis pelos rostos expressivos, com penteados e jóias mostrados em excelentes detalhes. O muro octogonal que cerca o templo possui nichos, e cada um contém uma roda, um medalhão de lótus ou uma voluta delicada.

Figuras guardiãs no Templo Rajarani

Bonito *torana* esculpido do Templo Mukteshwar

PREPARE-SE

Distrito de Bhubaneswar. 480km ao S de Kolkata. *647.350. 4km a NO do centro. Orissa Tourism, BJB Nagar, (0674) 2432 1177. Tribal Mela (jan), Ashokashtami (mar/abr).*

No meio de arrozais, na saída da estrada principal, fica o **Templo Rajarani**, do século 11. Ele possui uma torre muito interessante, decorada com miniaturas dela mesma, que sobem em camadas contínuas em volta. Este templo é famoso pelas excelentes esculturas de *dikpals* (guardiões dos oito pontos cardeais), em cima de flores de lótus. Destes, Agni, Deus do Fogo, montado em um carneiro, e Varuna, Deus dos Oceanos, sentado em um crocodilo, são impressionantes. E vale a pena observar as figuras femininas altas e esbeltas, entalhadas em alto-relevo nas paredes do templo.

Orissa State Museum

BJB Nagar. *ter-dom.* *feriados.*

O destaque deste museu é seu rico acervo budista e jainista de esculturas, moedas e manuscritos feitos em folhas de palmeira. Há também mostras de arte tribal, jóias tradicionais e instrumentos musicais.

Arredores

O **Nandan Kanan Zoo** e jardim botânico, 16km ao norte de Bhubaneswar, é famoso pelos tigres-brancos *(pág. 239)*. Cercado por uma floresta densa, o zôo permite que os animais vivam em ambiente natural. Mesmo em cativeiro, conseguiu-se que as panteras e os gaviais *(Gavialis gangeticus)* se reproduzissem.

Nandan Kanan Zoo

Tue–Sun.

Como Explorar os Arredores de Bhubaneswar

Telha de barro

Perto de Bhubaneswar há diversos lugares de significado histórico e arquitetônico, a exemplo de cavernas jainistas, templos hindus, *stupas* budistas e antigas inscrições em pedras, espalhados pela paisagem verdejante ao redor da cidade. Tais lugares, que datam do século 3º a.C. (quando a região fazia parte do grande reino de Kalinga) ao século 13, acompanharam a importância política e religiosa da região por um período contínuo de mais de mil anos.

A Bagh Gumpha, em Udaigiri, parece a boca aberta de um tigre

Cavernas de Udaigiri e Khandagiri

6km a NO de Bhubaneswar. *diariam.* *Sadhu Convention (jan).*

O Udaigiri (Monte da Alvorada) e o Khandagiri (Monte Quebrado) foram perfurados para servir de refúgio aos monges jainistas, no século 1º a.C. Localizados na saída da rodovia Bhubaneswar-Kolkata, os montes se elevam em meio à planura da região e são separados pela rodovia. Quando o visitante se aproxima de Bhubaneswar, o **Udaigiri** fica à direita, e convém ser explorado primeiro porque tem as cavernas mais interessantes. Das 18 cavernas, a que mais impressiona é a **Rani Gumpha**, ou Caverna da Rainha (Caverna 1). Ela tem dois andares e foi suntuosamente esculpida com frisos de mulheres dançando e tocando instrumentos, de reis e rainhas no esplendor da corte e de elefantes, macacos e folhagens. Chama atenção a animação expressiva das esculturas, comparadas aos famosos portões entalhados de Sanchi *(págs. 244-5)*. Outras cavernas notáveis são a **Chhota Hathi Gumpha** ou Caverna do Elefantinho (Caverna 3), com seis elefantes magníficos do lado da entrada; a **Ganesh Gumpha** (Caverna 10) cujas esculturas contam com uma curiosa cena de batalha em que uma mulher monta um elefante, enquanto os soldados, de saiote, a perseguem; e a **Bagh Gumpha**, ou Caverna do Tigre (Caverna 12), com a frente engenhosamente formatada como a cabeça de um tigre de boca aberta. Historicamente, a mais importante é a **Hathi Gumpha**, ou Caverna do Elefante (Caverna 14). Na rocha acima da entrada há uma inscrição do século 1º a.C. Ela registra que as cavernas foram construídas por Kharavela, terceiro rei da poderosa dinastia Chedi, que conquistou grande parte de Bihar, do Decã e do Sul da Índia. As inscrições também dizem que Kharavela reconstruiu a capital, Kalinganagar, que fora destruída por um ciclone. Até hoje, Orissa continua vulnerável a ciclones, e o último a devastar o estado foi em outubro de 1999. No topo do Udaigiri, encontra-se uma estrutura abobadada em ruínas, provavelmente local de oração dos monges.

Entalhes nas Cavernas Udaigiri

Do outro lado da estrada, no **Khandagiri**, existem 15 cavernas com entalhes de símbolos sagrados jainistas. A **Caverna de Ananta** (Caverna 3), com as figuras de duas serpentes nos arcos por cima das portas, é a mais importante e dispõe de excelentes ornamentos e frisos movimentados, a exemplo de um com rapazes caçando leões, touros e outros animais. Há também entalhes da deusa Lakshmi em uma piscina de lótus, sendo banhada com a água de vasos, despejada por dois elefantes *(pág. 24)*. As cavernas 5, 8 e 9 possuem marcantes figuras de *tirthankaras* jainistas em alto-relevo.

Ao contrário das cavernas budistas, como as de Ajanta *(pág. 479)* e Ellora *(pág. 478)*, a maioria das cavernas de Udaigiri e Khandagiri é tão baixa que nem dá para ficar

Khandagiri, ruína de mosteiro jainista, com câmaras talhadas na rocha

Para hotéis e restaurantes nesta região, ver pág. 701 e págs. 729-30

Em Hirapur, Templo Chausath Yogini, a céu aberto

em pé dentro delas. Isso se devia à autoflagelação e ao asceticismo que os monges jainistas praticavam. O local ainda atrai sadhus, que se reúnem aqui, sempre em janeiro, para meditar nas cavernas. Uma feira animada ocorre no sopé dos montes para entreter as multidões que vêm buscar a bênção dos sadhus.

Dhauli

8km ao S de Bhubaneswar.

Uma *stupa* budista totalmente branca, no meio de um sereno arrozal à margem do rio Daya, marca o local da sangrenta batalha de Kalinga, comandada por um dos maiores governantes da Índia, o imperador mauria Ashoka *(pág. 42)*, em 260 a.C. Ele ganhou a guerra, mas a chacina e a miséria que atingiu o povo encheram o imperador de remorso, o que provocou nele uma mudança drástica. Após a batalha, ele desistiu da *digvijaya* (conquista militar) pela *dharmavijaya* (conquista espiritual), converteu-se ao budismo e publicou suas novas máximas em éditos talhados em pedras, espalhadas por muitas partes do império. Uma delas está aqui, na base do monte Dhauli, na qual o imperador declara "Todos os homens são meus filhos", e mandou que seus funcionários administrassem de modo a garantir imparcialidade, não-violência, justiça e compaixão. O topo da pedra é esculpido como uma imponente cabeça de elefante, que simboliza o darma budista. Esta é uma das esculturas mais antigas encontradas no subcontinente. A enorme **Shanti Stupa** (*Stupa* da Paz), branca, no topo do monte, foi erguida por budistas japoneses, na década de 1970.

Templo Chausath Yogini

15km a SE de Bhubaneswar.

Este templo circular, do século 9º, é dedicado às *chausath yoginis*, ou 64 manifestações da deusa Shakti, que simbolizam a energia feminina criativa. Todas as imagens, cada uma com cerca de 60cm de altura, esculpidas em clorita preta, estão em nichos do recinto interno.

A divindade principal, uma graciosa *yogini* com 10 braços, está no 31º nicho. O templo se encontra no bonito vilarejo de Hirapur.

Guarda-sol de Pipli, com trabalho de aplicações

Arredores

Pipli, 15km ao sul de Bhubaneswar, na rodovia para Puri, é uma vila de artesãos, famosos pelos coloridos tecidos com aplicações. A técnica surgiu para servir os templos, fornecendo abrigos e capas para as divindades, com trabalhos complexos, e tapeçarias de tons vivos para os dias de festa. Em Pipli, agora, são feitos guarda-sóis, capas de almofada, tapeçarias e bolsas, com a mesma técnica pela qual o tecido é recortado como pássaro, flor, animal ou outro formato decorativo, e costurado a um tecido de cor contrastante. Lojas que vendem esses produtos se enfileiram dos dois lado da estrada, colorindo a passagem por Pipli.

FESTIVAIS DE ORISSA

Tribal Mela *(jan)*, em Bhubaneswar. A grande e variada população tribal de Orissa exibe danças, músicas e artesanato neste colorido festival de uma semana.

Makar Mela *(14 jan)*, no lago Chilika. Peregrinos trazem oferendas até uma caverna e um templo dedicados à deusa Kali, em uma ilha rochosa do lago, chamada Kalijai.

Magha Saptami *(jan/fev)*, em Konark. Em honra a Surya, Deus Sol, peregrinos tomam um banho purificador no mar, antes de ir ao templo. Faz-se uma feira colorida, com bancas que vendem comidas e presentes.

Ashokashtami *(mar/ abr)*, em Bhubaneswar. A imagem de Shiva, principal divindade do Templo Lingaraj, vai de carruagem em uma procissão para um banho ritual no sagrado Tanque Bindusagar.

Chaitra Parba *(abr)*, em Baripada. Festival de primavera com apresentações de espetacular dança marcial chamada Mayurbhanj Chhau.

Rath Yatra *(jun/jul)*, em Puri *(pág. 313)*.

Konark Dance Festival *(1-5 dez)*, em Konark. Danças clássicas apresentadas em palco ao ar livre, perto do Templo do Sol, em festival de cinco dias.

Apresentação de dança nos festejos do Rath Yatra

Konark: O Templo do Sol ❷

Elefantes colossais no complexo do templo

Uma das maravilhas arquitetônicas da Índia, este templo ao Deus Sol, Surya, foi concebido como uma carruagem gigantesca, com 12 pares de rodas, para carregar o deus em sua caminhada diária pelo céu. Construído no século 13 pelo rei Narasimhadeva, da dinastia Ganga Oriental *(pág. 44)*, o templo também se destaca pelas magníficas esculturas. Deuses e demônios, reis e camponeses, elefantes e cavalos enchem as paredes, junto com dezenas de casais eróticos. Konark é Patrimônio da Humanidade da Unesco.

Donzela e Pássaro
Estátuas de graciosas donzelas, em poses diversas, decoram as fachadas do templo.

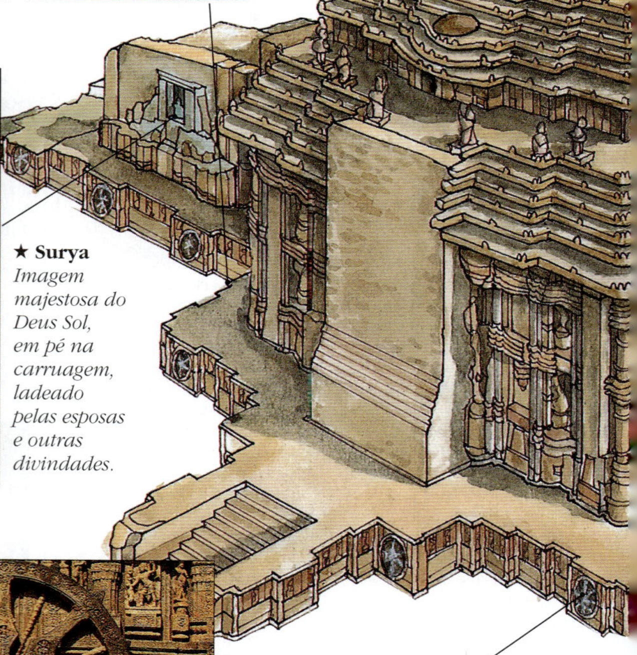

Cena da Corte
Neste relevo encantador, o rei é presenteado com uma girafa, o que indica a existência de comércio marítimo entre os reis Gangas orientais de Orissa e a África.

★ Surya
Imagem majestosa do Deus Sol, em pé na carruagem, ladeado pelas esposas e outras divindades.

★ Rodas da Carruagem
Os 12 pares de rodas esculpidas com requintes representam os meses do ano, enquanto os oito raios marcam a divisão do dia em seções de três horas. Os sete cavalos que puxam a carruagem são os dias da semana.

Para hotéis e restaurantes nesta região, ver pág. 701 e págs. 729-30

Templo do Sol de Konark, à beira da baía de Bengala

PREPARE-SE

Distrito de Puri. 65km a SE de Bhubaneswar. *Orissa Tourism, Sunvilla, (06758) 236 8202.* *diariam.* *Magha Saptami (jan/fev), Konark Dance Festival (dez).* **Archaeological Museum** *sex-qua.*

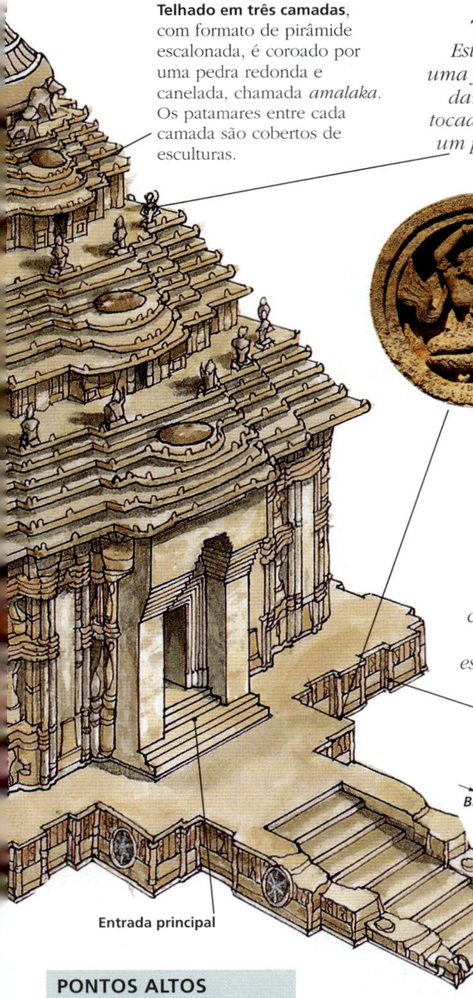

Telhado em três camadas, com formato de pirâmide escalonada, é coroado por uma pedra redonda e canelada, chamada *amalaka*. Os patamares entre cada camada são cobertos de esculturas.

Tocador de Pratos
Esta escultura está em uma fileira de animados dançarinos, músicos e tocadores de tambor, em um patamar do telhado piramidal.

Medalhão
Divindades e dançarinos decoram os medalhões no centro e nos raios das rodas.

Escultura Erótica
Uma acanhada deusa-cobra contrasta com o casal amoroso ao lado dela. As esculturas eróticas de Konark celebram a alegria de viver.

Bhogmandir

Entrada principal

PONTOS ALTOS

★ Surya

★ Rodas da Carruagem

Bhogmandir
Em ruínas, o "Salão das Oferendas" tem leões rampantes sobre elefantes agachados.

Como Explorar Konark

Originalmente, o Templo do Sol de Konark tinha uma *deul* (torre) de 70m de altura, no santuário principal. Visível de longe no mar, o templo auxiliava a navegação dos marujos europeus que rumavam para Kolkata, que o chamavam de Pagode Preto. Com o passar do tempo, as pedras da construção foram desgastadas pela maresia e pela areia, e no século 19 a torre já havia desmoronado, restando apenas a base. Agora, o *bhogmandir* (salão de oferendas) do templo não tem telhado, mas ainda existem o plinto e os pilares, entalhados com figuras de dançarinos, retratados em poses usadas até hoje na dança clássica odissi *(pág. 28)*. O *jagamohan* (salão de orações), em formato de carruagem, ficou soterrado sob areia por quase dois séculos. Só foi escavado e restaurado pela Archaeological Survey of India (ASI) no início do século 20. Entre suas esculturas há no plinto nada menos que 1.700 elefantes em movimento e encantadoras *alasa kanyas* (donzelas em lazer), que brincam com um pássaro de estimação, seguram um espelho ou se inclinam à porta.

Três imagens em tamanho real do Deus Sol, Surya, feitas de clorita de cores contrastantes, estão dispostas de modo que os raios de sol incidam em seus rostos, um a um, ao amanhecer, ao meio-dia e ao anoitecer.

No canto nordeste do complexo fica o **Santuário dos Nove Planetas**, uma grande laje de pedra entalhada com as divindades dos nove planetas. Há esculturas colossais de cavalos e elefantes de guerra ao norte e ao sul. Perto do conjunto, situa-se o **Archaeological Museum**, com belas esculturas recuperadas do local. A praia está a 3km do templo, mas é imprópria para banho por causa das correntes triçoeiras.

Roda e bandeira de Vishnu, no topo do Templo Jagannath de Puri

Puri ❸

Distrito de Puri. 60km ao S de Bhubaneswar. *157.650.* *Orissa Tourism, Station Rd, (06752) 222 664.* *diariam.* *Rath Yatra (jun/jul).* **Jagannath Temple** *diariam.* *a não-hindus.*

Carta de baralho *ganjifa* feita a mão, de Puri

Um dos centros de peregrinação mais importantes do país, esta cidade litorânea tem como grande atração o Templo Jagannath. Os primeiros navegantes europeus, para quem sua torre de 65m de altura era uma referência fundamental, o chamavam de Pagode Branco, para diferenciá-lo do Templo do Sol de Konark, que, para eles, era o Pagode Preto.

O **Templo Jagannath** foi erguido no século 12 pelo rei Anantavarman, da dinastia Ganga Oriental *(pág. 44)*. Cercado por um muro de 6m de altura, tem o portão principal guardado por um par de leões de pedra de colorido vivo. Os não-hindus são proibidos de entrar, mas podem ter uma boa vista do complexo, com diversos santuários pequenos e pátio cheio de peregrinos, do telhado da Raghunandan Library, na frente do portão principal, do outro lado da rua.

O templo tem projeto semelhante ao do Templo Lingaraj, em Bhubaneswar *(pág. 306)*, com três santuários menores junto à torre alta. A elegante coluna de pedra perto da entrada tem em cima a figura de Arun, cocheiro do Deus Sol, e foi trazida do Templo do Sol de Konark no século 18.

A principal rua de Puri, a **Bada Danda**, sai do templo e atravessa a cidade. Está cheia de hospedarias para peregrinos e lojas que vendem comida, lembranças religiosas e artesanato. Especialidades do local são as coloridas pinturas *pattachitra* e as cartas de baralho redondas *ganjifa*, pintadas com temas religiosos.

Outra atração é a praia de Puri, embora nem sempre segura para o banho em razão das correntes perigosas. A orla da praia se enche de barracas e grupos de peregrinos, ao longo da Marine Parade. Para tomar sol e nadar, o visitante deve ir para a extremidade leste, que é mais limpa e afastada, ou para as praias dos melhores hotéis.

Pescadores locais, com chapéus cônicos, servem de salva-vidas na praia, e levam o visitante em seus barcos, para apreciar o pôr-do-sol no mar.

Piquenique em família na praia de Puri

O Culto de Jagannath

Ligado a Jagannath (Senhor do Universo), uma das muitas encarnações de Vishnu, surgiu um culto singular. No Templo Jagannath de Puri, 6 mil sacerdotes residentes executam um ritual diário, que consiste em banhar, vestir e adorar a imagem de Jagannath, juntamente com a de seu irmão Balbhadra e a de sua irmã Subhadra. Refeições suntuosas são oferecidas às três divindades, cinco vezes ao dia, preparadas diariamente pelos 400 cozinheiros do templo. Durante o espetacular Rath Yatra (Festival da Carruagem) em junho/julho, as divindades são carregadas em procissão em enormes carruagens de madeira, puxadas por milhares de peregrinos devotos.

Senhor Jagannath

Oferendas *são vendidas em diversas bancas colocadas nas portas do templo.*

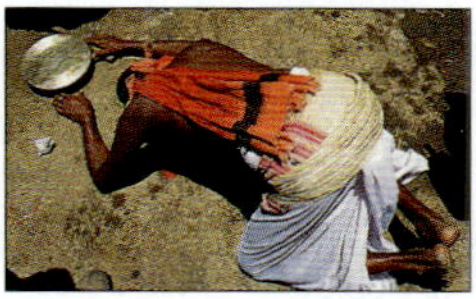

Os **devotos** *procuram passar ao menos três dias em homenagens a Jagannath.*

Balbhadra tem rosto branco e usa carruagem de 14 rodas e quatro cavalos.

Subhadra, de rosto amarelo, tem carruagem vermelha.

Cidade de Puri

Jagannath tem carruagem com 13,7m de altura e 16 rodas.

Templo Jagannath

Policial

Músicos e percussionistas

Sacerdotes do templo

PINTURA PATTACHITRA DO RATH YATRA

O Rath Yatra marca a viagem anual de Jagannath a seu local de nascimento, o Templo Gundicha, a 2km de distância. Mais de 200 mil pessoas, entre sacerdotes, fiéis, músicos e percussionistas, unem-se à procissão.

Dançarinos do templo, *meninos chamados* gotipuas, *apresentam a clássica dança odissi* (pág. 28) *para as divindades, todas as noites. São acompanhados por músicos que cantam versos do* Gita Govinda, *um poema épico do século 12* (pág. 292).

Acredita-se que as três divindades, **Balbhadra, Subhadra e Jagannath**, *tenham origem tribal e que foram absorvidas pelo panteão hindu. Elas têm olhos enormes, que tudo vêem, e braços esticados para proteger e abençoar a humanidade.*

Pescadores na praia em Gopalpur-on-Sea (pág. 316) ▷

Vista do lago Chilika, refúgio de aves aquáticas e golfinhos

Lago Chilika ❹

Distritos de Puri, Ganjam e Khordha. 50km a SO de Puri. *Balugaon, depois táxi ou ônibus.* *Balugaon & Satpada.* *Orissa Tourism, Barkul, (06758) 220 488.* *Makar Mela (jan).* **Ilhas Satpada e Nalabana** *aluguel em Barkul, Balugaon, Satpada e Rambha.*

Laguna grande e rasa, que cobre 1.100km², Chilika é separada da baía de Bengala por um espigão arenoso, com apenas um canal estreito para ligá-la ao mar. Considerada a maior laguna de água salobra da Ásia, é reconhecida como um dos alagados mais importante do mundo por causa da enorme variedade de peixes e pássaros que ali procriam. De novembro a fevereiro, o lago e as ilhas de junco se enchem de ninhos de pássaros, entre os quais muitos migradores de inverno, como a lavandeira-dourada, o flamingo, o frango-d'água e a águia-pescadora. Grande atração de Chilika são os golfinhos, muito avistados à beira da **ilha Satpada**, localizada na confluência da lagoa com o mar. A **ilha Nala-bana**, no meio do lago, é o melhor ponto para os ornitófilos. A Orissa Tourism organiza passeios de barco para as ilhas. Construído em uma ilhota rochosa, o **Templo Kalijai**, é um centro de peregrinação que atrai animadas multidões para o Makar Mela, em janeiro. O lago também sustenta o povo local, que ganha a vida com a pesca de pitus, caranguejos e peixes de Chilika.

Gopalpur-on-Sea ❺

Distrito de Ganjam. 172km a SO de Bhubaneswar. *Berhampur 18km a L do centro, depois táxi ou ônibus.* *Orissa Tourism, Berhampur Railway Station, (0680) 228 0226*

Em tempos remotos, esta tranquila cidade litorânea foi um grande porto para o comércio marítimo de Orissa com a Indonésia *(pág. 318)*. Depois, os britânicos criaram um balneário, que agora tem um charme preguiçoso, menos durante os feriados do Durga Puja *(pág. 281)*, em outubro, quando se enche de turistas de Bengala. O banho de mar não é seguro porque há correntes traiçoeiras. Mas a praia, ladeada de bangalôs e cheia de casuarinas, é um bom lugar para passar o dia, apreciando os barcos de pesca e o pôr-do-sol.

Berhampur ❻

Distrito de Ganjam. 170km a SO de Bhubaneswar. *Orissa Tourism, Railway Station, (0680) 228 0226.*

Principal centro comercial do sul de Orissa, Berhampur ganhou fama com a bela seda ikat, tecida a mão, vendida no bazar barulhento, onde os tecelões se sentam com seus teares.

Terminal ferroviário para a cidade litorânea de Gopalpur-on-Sea, Berhampur também é uma prática base para visitas a **Jaugarh**, 35km ao norte da cidade, onde existe um édito de pedra do imperador Ashoka, feito após a batalha de Kaling, pela qual ele mudou totalmente de vida. O édito é semelhante ao de Dhauli *(pág. 309)*, no qual Ashoka declara que todos os seres humanos são filhos dele e expõe seu código de ética.

Painel pintado de templo do século 17 em Buguda

Flores para uma deusa da fertilidade: fontes termais de Taptapani

A pouca distância, em **Buguda**, fica o Templo Biramchinarayan, do século 17, com belos murais que retratam cenas do *Ramayana*.

Taptapani ❼

Distrito de Ganjam. 51km a O de Berhampur. *Orissa Tourism, (06816) 255 031.*

Com localização pitoresca em um morro arborizado, em Ghats Oriental, este spa é famoso pelas fontes termais. A água sulfurosa borbulha de uma fissura da encosta e é canalizada para um poço em uma clareira. Perto, fica um pequeno santuário para uma deusa tribal da fertilidade. Acredita-se que as fontes termais curem a infertilidade, além de melhorar diversas doenças crônicas. Uma árvore pende para a água, cheia de vagens com sementes, e recomenda-se que as mulheres em busca de cura para a infertilidade peguem sementes que caíram no fundo do poço –façanha difícil, pois a água é muito quente e só se consegue dar um mergulho rápido. Mulheres da tribo saora *(pág. 321)*, que moram em aldeias vizinhas, costumam ser vistas nessa busca de cura. O jeito mais confortável de aproveitar as fontes é com o aluguel de um quarto na hospedaria do Orissa Tourism, abaixo do poço, que canaliza a água quente das fontes diretamente para as banheiras.

Para hotéis e restaurantes nesta região, ver pág. 701 e págs. 729-30

A Arte dos Tecelões de Orissa

Águias em tecido ikat

Orissa tem uma rica e longa tradição de tecidos feitos a mão. Mais de 300 mil pessoas trabalham na indústria têxtil do estado, e produzem diversos materiais que vão de tecidos simples de algodão das áreas tribais a elaboradas tramas pintadas para uso em templos. As florestas de Orissa fornecem muitos casulos de bicho-da-seda silvestre, que nos últimos anos suplementaram as plantações de amora. O estado é famoso pelos tecidos de seda ikat, uma técnica complexa, na qual os fios da urdidura e da trama são tingidos de maneira a produzir desenhos no tecido. Temas típicos: pássaros, animais, peixes, conchas, contas de *rudraksh* e torres de templos.

Sári de algodão bomkai, *do distrito de Ganjam, era tecido para a aristocracia local. Seus traços característicos são o padrão de torres de templo nas bordas e o rico final da peça, com elaborados temas ikat.*

Vriksha Pattachitra *mostra uma versão atual e minimalista do tradicional tecido pintado, usado como panô em templos. A árvore é tingida no fio da seda bruta natural* (tussor).

Sári kotpad, *da região tribal de Koraput, tem a elegância simples do algodão sem alvejamento, enriquecida por uma borda tingida com o vermelho da garancina.*

Sári ekphulia (uma só flor) *consegue um belo efeito com a repetição de uma só flor e de temas de peixes.*

O **tema de conchas** *neste painel de seda ikat, de delicado padrão curvilíneo, é um exemplo do refinamento de desenhos e cores dos tecelões de Orissa.*

Os **peixes** *neste pedaço de* tussor *simbolizam prosperidade e sorte. Abaixo deles há uma fileira de* damroos *(tambores de mão).*

Sári jotai ikat *é inspirado em padrões de dedos pintados, chamados* jotai, *que enfeitam as paredes de casas de vila em Orissa. O rico vermelho do sári e as fileiras de desenhos estilizados de árvores e torres de templos, nas bordas, dão um efeito suntuoso.*

Cuttack 8

Distrito de Cuttack. 35km ao N de Bhubaneswar. 535.150. Orissa Tourism, Arunodaya Market Building, Link Rd, (0671) 231 2225. *Bali Yatra (out/nov).*

Situada no delta do Mahanadi, Cuttack é a cidade mais populosa de Orissa, e foi sua capital do século 10º até 1956, quando a capital mudou para Bhubaneswar *(pág. 306)*. Atualmente, há poucos indícios do passado histórico da cidade. O portão e o fosso do **Barabati Fort**, do século 13, no noroeste de Cuttack, foi tudo que restou desta grande cidadela, que já teve um palácio de nove andares.

A parte leste da cidade é a mais interessante, com lojas de pratarias no **Balu Bazaar** e em **Nayasarak**, onde são produzidas as famosas jóias de prata de Cuttack.

Ali perto, nas lojas da **Jail Road**, vende-se grande variedade dos belos artesanatos de Orissa (como a seda ikat), utensílios de chifre entalhado e pinturas. Nesta área, cúpulas verdes marcam a **Mesquita Kadam Rasul**, do século 18, onde as pegadas do profeta Maomé foram entalhadas em uma pedra redonda.

Mesquita Kadam Rasul, do século 18, em Cuttack

LIGAÇÃO COM A INDONÉSIA

Do século 4º a.C. ao século 14, o poder e a riqueza dos sucessivos reinos de Orissa vinham do rico comércio marítimo, principalmente com Bali, Java e Sumatra. Na realidade, desde o século 10º a palavra *kling*, derivada de Kalinga, antigo nome de Orissa, era usada na Indonésia para se referir à Índia e aos indianos. Com as ligações comerciais vieram influências culturais, que ainda são visíveis no artesanato de Orissa. Os tecelões do estado aprenderam com a Indonésia a complexa arte de tecer o ikat *(pág. 317)*, e mais tarde receberam encomendas para tecer todas as sedas para uso cerimonial nas cortes e nos templos daquele país. Outro artesanato que veio da Indonésia foi o trabalho de ourivesaria de prata, que ainda é feito em Cuttack. Hoje, os antigos laços marítimos com Bali, Java e Sumatra são comemorados em um festival chamado Bali Yatra (Viagem de Bali), realizado em Cuttack na lua cheia de Kartik (out/nov). Uma feira colorida ocorre às margens do rio Mahanadi, e barquinhos feitos de casca de bananeira são iluminados com lamparinas de barro e flutuam pelo rio.

Colorido portão para a feira Bali Yatra, em Cuttack

Ratnagiri 9

Distrito de Cuttack. 70km a NE de Cuttack. *Orissa Tourism, Link Rd, Cuttack, (0671) 231 2225.*

Vale a pena visitar os três locais budistas de Ratnagiri, Udaigiri e Lalitgiri, próximos um do outro, em um passeio de carro de um dia que sai de Cuttack ou Bhubaneswar e passa por paisagens bonitas de morros baixos e arrozais verdejantes. Dos três, o que mais impressiona é Ratnagiri (Colina das Jóias), que, entre o século 7º e o século 11, foi importante estabelecimento universitário e monástico, descrito por Hiuen Tsang *(pág. 219)*, viajante chinês do século 7º. Localizada no topo de uma colina, coroada por uma grande *stupa*, a estrutura mais bem conservada daqui é um mosteiro com pátio central e notável colunata ao redor das celas dos monges. Dentro, fica a imagem de Buda sentado, com 4m de altura, junto a outras divindades budistas. A porta de entrada tem entalhes requintados. Um pequeno **Archaeological Museum** exibe obras encontradas no local.

Udaigiri (Colina da Alvorada), 10km ao sul de Ratnagiri, ainda está sendo escavada e parece ter esculturas em melhor estado. O espigão oeste da colina tem uma fileira de esculturas entalhadas na rocha, e o espigão norte é coberto com ruínas de *stupas*

Do século 7º, imagem serena de Buda meditando, em Ratnagiri

Bando de aves pernaltas nos manguezais do Bhitarkanika Sanctuary

de tijolos. Aqui, a escultura colossal de Buda tem inscrição do século 8º.

Supõe-se que **Lalitgiri** (Colina da Graça), quase 10km ao sul de Udaigiri (e com ligação direta de ônibus com Cuttack), seja o mais antigo desses locais. As ruínas, espalhadas por duas colinas adjacentes, contam com uma plataforma de pedra, uma galeria com figuras de bodhisattvas em tamanho natural e um templo abobadado. Algumas das esculturas mais bem conservadas e um portal entalhado foram incorporados a um templo hindu moderno. No sopé da colina há uma aldeia de entalhadores de pedra que mantêm viva a excelente tradição desse tipo de trabalho em Orissa.

Ratnagiri Archaeological Museum
sáb-qui.

Bhitarkanika Sanctuary ⑩

Distrito de Kendrapara. 106km a NE de Cuttack. **Entradas:** *Chandbali, Rajnagar.* *Bhadrakh, 50km a NO de Chandbali, depois ônibus.* *até Rajnagar.* *de Rajnagar ou Chandbali a Dangmal, Ekakula e Habalikhati.* *Para permissões e reservas, contate Bhubaneswar, (06786) 220 397 ou Rajnagar, (06729) 272 460.* *meados out-meados abr.*

Famosa como área de reprodução da tartaruga-oliva, esta reserva de 170km² está situada no delta dos rios Brahmani e Baitarani, na baía de Bengala. Também conta com o maior manguezal do país, depois de Sunderbans, em Bengala Ocidental *(págs. 288-9)*, com 63 das 72 espécies de mangue encontradas aqui. Bhitarkanika engloba 12 ilhas oceânicas, longas praias de areia e diversos riachos e enseadas, e abriga grande variedade de peixes, mais de 170 espécies de pássaros, como cegonhas, garçotas, íbis e patos-migradores, e o maior número de crocodilos de água salgada do país.

Há acomodações em uma hospedaria florestal em Chandbali, na entrada da reserva, e também na área mais interna, em Dangmal, Habalikhati e Ekakula (todos eles acessíveis de barco). O Orissa Tourism, em Bhubaneswar e Cuttack, organiza passeios e providencia as permissões exigidas pelo Forest Department para Bhitarkanika.

A TARTARUGA-OLIVA

Todo ano, em um fenômeno que impõe respeito, milhares de tartarugas-oliva vêm de lugares longínquos, como a América do Sul, para desovar em Gahirmatha, em uma faixa de praia de 10km, perto da foz do rio Brahmani, no Bhitarkanika Sanctuary. A maior *arribada* ("grande chegada", em espanhol) ocorre em fevereiro e março, quando cerca de 200 mil fêmeas em postura se reúnem aqui. Cada uma põe de 50 a 200 ovos em covas fundas, que elas fazem na areia. Após dois meses de incubação sob o calor do sol, os ovos eclodem e surgem milhões de filhotes que correm para o mar, à noite.

Tartaruga-oliva cava ninho em praia de Gahirmatha

Infelizmente, menos de 0,1% chega à idade adulta, pois cachorros, gaivotas, tubarões e seres humanos acabam com muitos deles. A ausência de *arribadas* em 1997 e 1998 assustou os ambientalistas, até que, em março de 2000, chegou um recorde de 700 mil tartarugas-oliva em Gahirmatha. Como as tartarugas voltam a cada ano para fazer a postura no lugar em que nasceram, o ciclo continua.

Recém-nascidas, tartarugas-oliva vão para o mar

Baleshwar ⓫

Distrito de Baleshwar. 214km a NE de Bhubaneswar.
Orissa Tourism, SPA Complex, Station Square, (06782) 262 048.

Baleshwar já foi porto movimentado. Fundada por britânicos, em 1642, depois passou ao domínio francês e holandês, mas no século 18 perdeu importância, com o assoreamento do porto.

Logo se reconhece o seu passado colonial pelas ruínas de alguns túmulos holandeses e daquilo que dizem ser os restos de velhos canais que levavam ao mar.

Atualmente, Baleshwar é uma cidade tranquila, cercada de arrozais e aldeias. Ficou famosa pelo artesanato de lindas caixas laqueadas e de peixes de latão.

Arredores

15km para leste de Baleshwar, encontra-se a tranquila vila de **Chandipur**, aonde se chega facilmente em uma curta corrida de táxi ou motoneta. Aqui, o mar recua até 5km na maré baixa, deixando um ampla faixa de areia branca e limpa. O Orissa Tourism oferece hospedagem em um pitoresco bangalô antigo, bem perto da praia, onde a pescaria do dia é servida no jantar. O único senão neste ambiente de paisagem serena é o campo de testes de foguetes do exército indiano, bem na saída da vila. Faz anos que ambientalistas e moradores lutam contra a presença desse campo.

Peixe de latão de Baleshwar

Baripada ⓬

Distrito de Mayurbhanj. 295km a NE de Bhubaneswar.
diariam. *Chaitra Parba (abr), Rath Yatra (jun/jul).*

Principal cidade com mercado a nordeste de Orissa, Baripada é sede do distrito de Mayurbhanj, rico em florestas e com numerosa população tribal. Baripada também serve de passagem para o Simlipal National Park. Na cidade, realiza-se um Rath Yatra (Festival da Carruagem) em junho/julho, que ocorre em volta do **Templo Jagannath**. Este festival é uma versão em escala menor do realizado em Puri *(pág. 312)*, igualmente animado e vibrante, pois a cidade toda entra na procissão. Uma exclusividade de Baripada: a carruagem de Subhadra, divindade feminina, é puxada só por mulheres.

Outro colorido festival daqui é o Chaitra Parba (em abril), no qual grupos tribais executam a vigorosa dança Chhau, com trajes fantásticos. Originalmente, era apresentada apenas por guerreiros, momentos antes de irem para o campo de batalha. Na parte leste da cidade, o **Baripada Museum** conta com ótimas esculturas, cerâmicas e moedas encontradas nesta área.

Baripada Museum
ter-dom.

Arredores

Haripur, 16km a sudeste de Baripada, tem ruínas que fazem imaginar como seriam os palácios e templos construídos pelos governantes da dinastia Bhanja, que fez da cidade sua capital no século 15.

As ruínas mais impressionantes são as do Templo Rasikaraya, feito de tijolos, e o Durbar Hall dos reis Bhanjas.

Simlipal National Park ⓭

Distrito de Mayurbhanj. 320km ao N de Bhubaneswar. **Entradas:** *Lulung e Jashipur. Baripada, 50km a L do parque, depois táxi ou ônibus. até Lulung (via Baripada) e Jashipur. Para reservas e permissões, contate o Field Director, Simlipal Tiger Reserve, Baripada, (06792) 52 553. nov-meados junho. taxa extra. Aluguel de jipes no parque.*

Este belíssimo parque se encontra no meio de florestas intocadas e montes do nordeste de Orissa. Ocupa uma área de 2.750km² que conta com densas florestas de *sal (Shorea robusta)* e paurosa, entremeadas por pastagens viçosas. Diversos rios e corredeiras atravessam as florestas e criam cachoeiras espetaculares, como as de

Mulheres transplantam mudas de arroz perto de Baleshwar

Para hotéis e restaurantes nesta região, ver pág. 701 e págs. 729-30

Cachoeira desce a montanha em Barehipani, no Simlipal National Park

Joranda (150m) e Barehipani (400m). Originalmente, Simlipal era território de caça exclusivo do marajá de Mayurbhanj, e foi declarado reserva de vida selvagem em 1957. Uma das primeiras reservas de tigres da Índia, abriga cerca de 100 desses animais, além de grande diversidade de fauna, que inclui elefantes, leopardos, veados, gaurs (bisões indianos) e pangolins. Estes últimos são animais curiosos, cobertos de escamas sobrepostas, que se alimentam exclusivamente de cupins e formigas. Eles rompem os formigueiros com as patas poderosas e retiram os insetos com as línguas compridas. Quando ameaçado, o pangolim se enrola e vira uma bola cascuda e impenetrável. Também existem no parque mais de 230 espécies de pássaros. Os raros *muggers* (crocodilos-do-pântano) são avistados nos rios ou tomando sol nas margens, onde cavam túneis para se manter frescos. Em Jashipur, entrada oeste do parque, há um **Crocodile Sanctuary**, onde os répteis podem ser admirados de perto. Um dos melhores locais do parque para observar os animais fica nas pastagens, em **Bacchuri Chara**, ponto preferido pelas manadas de elefantes. Outra área boa para avistamentos é no **Pico Manghasani** (1.158m), um dos mais altos da reserva. Há comida simples e alojamento nas hospedarias da floresta, em Lulung, Barehipani Chahala, Joranda e Nawana.

Pangolim de Simlipal

Escultura do século 11 de Shiva e Parvati em Khiching

Arredores

Capital dos reis bhanjas no século 10º e no século 11, **Khiching** dispõe de alguns dos melhores exemplos de esculturas sacras vistos em Orissa. Ela fica a 20km para oeste de Jashipur (a entrada ocidental para o Simlipal National Park) e a 114km a oeste de Baripada.
A principal atração é o alto Templo Khichakeshwari, totalmente reconstruído no início do século 20, a partir das ruínas do templo original. O santuário é adornado com refinadas imagens de diversas divindades, entre as quais há um alegre Ganesha que dança. Muitos outros templos, junto com as ruínas de dois fortes erguidos pela dinastia Bhanja, espalham-se pelo vilarejo. Vale a pena visitar o pequeno **Archaeological Museum**, onde se destacam estátuas de tamanho natural de Shiva e de sua consorte Parvati e requintados painéis entalhados de antigos templos destruídos.

Archaeological Museum
ter-dom. *feriados.*

TRIBOS DE ORISSA

Moça kondh com jóias tribais

Vivem em Orissa mais de 60 tribos diferentes, descendentes dos nativos pré-arianos que habitavam este território. Muitas ainda moram em montes e florestas do remoto interior do estado, relativamente intocadas pelas influências externas. Os saoras, que vivem na vizinhança de Taptapani *(pág. 316)*, são agricultores cujas casas de barro têm lindas pinturas, decoração nas portas e umbrais entalhados. Mais a oeste vivem os koyas, cujos costumes determinam que suas mulheres se casem apenas com homens bem mais novos. A tribo dominante em Orissa é a dos kondhs, que realizavam sacrifícios humanos, para assegurar a fertilidade da terra, até que os britânicos erradicaram essa prática em meados do século 19. Agora, os kondhs são famosos por conhecer ervas medicinais e pelas belas jóias de metal. O governo de Orissa promove passeios em algumas áreas tribais. O visitante interessado deve procurar o Orissa Tourism de Bhubaneswar (0674) 43 2203, para se informar sobre as permissões necessárias e a hospedagem em locais com poucos recursos para viajantes. Veja mais detalhes nas págs. 754-5.

ASSAM E O NORDESTE

Assam e os seis estados nordestinos, muitas vezes chamados Sete Irmãs, formam a parte da Índia menos visitada e mais isolada geograficamente. Esta região, que faz fronteira com a China, Myanmá (ex-Birmânia), Butão e Bangladesh, tem uma diversidade incomum de grupos étnicos, línguas, religiões, climas e paisagens. A maior das Sete Irmãs é Assam, espalhado pelo vale do rio Brahmaputra, e famoso pelas plantações de chá e pelos raros rinocerontes de um só chifre. Nos morros arredondados e verdejantes de Meghalaya situam-se a agradável estação de montanha de Shillong e um dos lugares mais úmidos do mundo: Cherrapunji. Arunachal Pradesh, Nagaland, Manipur, Mizoram e Tripura contam com mais de cem tribos diferentes, com culturas próprias e fascinantes. O Nordeste é também um paraíso para os naturalistas, com fauna e flora ricas e raras.

PRINCIPAIS ATRAÇÕES

Cidades

- Agartala 13
- Aizawl 14
- Bomdila 3
- Dimapur 18
- Guwahati 1
- Imphal 15
- Itanagar 8
- Kohima 17
- Sibsagar 6
- Tezpur 2
- Ziro 9

Parques Nacionais

- Kaziranga National Park 5
- Namdapha National Park 10

Estações de Montanha e Áreas de Beleza Natural

- Loktak Lake 16
- Majuli River Island 7
- Shillong 11

Passeios

- Shillong to Cherrapunji Tour 12

Mosteiros

- Tawang Monastery 4

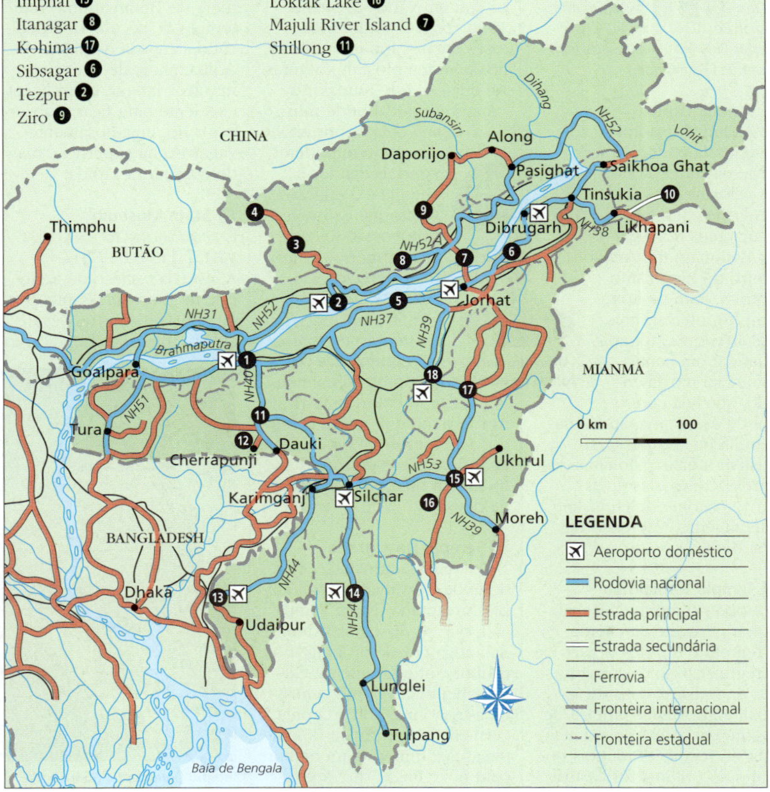

◁ **Samambaias em volta de uma cachoeirinha na densa floresta tropical de Meghalaya, perto de Shillong**

Devotos no Templo Kamakhya de Guwahati, importante centro de peregrinação hindu

Guwahati ❶

Distrito de Kamrup. 1.081km a NE de Kolkata. *808,000.* *Borjhar, 25km a O do centro, depois ônibus ou táxi.* *Assam Tourism, Station Rd, (0361) 254 4475.* *Rongali Bihu (abr), Ambubachi (jun), Assam Tea Festival (dez).*

Guwahati, capital de Assam, é a porta de entrada para o Nordeste da Índia. Rodeada pelos montes Neelachal, alonga-se às margens do largo rio Brahmaputra. Antigo centro do hinduísmo tântrico, com muitos templos interessantes nos arredores, agora a cidade é um centro comercial movimentado, que lida com o chá de Assam e as indústrias petrolíferas. Na periferia existem muitas palmeiras das nozes bételes, das quais deriva o nome de Guwahati (literalmente, "Mercado de Noz Bétele").

Templo Kamakhya

No topo do monte Nilachal, 8km a noroeste da cidade, este templo é um dos pontos de peregrinação mais consagrados da Índia. A construção atual, com *shikhara* típica de Assam, em forma de colméia, data do século 17, depois que o templo original foi destruído por invasores muçulmanos. Segundo a lenda, quando Shiva, furioso e tristíssimo, carregava pelos céus a esposa morta, Sati (também chamada Parvati), partes do corpo dela caíram em vários pontos da Terra *(pág. 279)*. E todos esses lugares foram santificados com templos importantes. Acredita-se que Kamakhya marque o local onde caiu a vagina dela e, por isso, se diz que tem poderes especiais ligados à energia e à criação. Conforme os rituais tântricos, todos os dias uma cabra é sacrificada aqui e oferecida à deusa. As tartarugas gigantes nos poços do templo esperam ser alimentadas pelos visitantes. Anualmente, o colorido festival Ambubachi, que marca o fim do ciclo menstrual da Terra, atrai peregrinos de toda a Índia, em busca das bênçãos da deusa.

Utensílio para folhas de bétele

Templo Navagraha

No monte Chitranchal, a nordeste de Guwahati, fica o Templo Navagraha (Nove Planetas), que se diz marcar o local da antiga cidade de Pragjyotishpur, antigo nome de Guwahati, famosa como centro de astronomia. Sob a cúpula vermelha, em formato de colméia, fica uma câmara escura com nove lingas que representam os nove planetas.

Templo Umananda

Ilha Peacock. *Umananda Ghat, 1km ao N da estação de trem.*

Com bela localização, na verdejante ilha Peacock, no meio do Brahmaputra, este templo do século 16 é dedicado à esposa de Shiva. A ilha, cheia de amistosos macacos langur, é um lugar excelente para ficar e observar o rio, enganosamente vagaroso na superfície, mas de correnteza rápida.

State Museum

GN Bordoloi Rd. ***Tel** (0361) 254 0651.* *ter-dom.*

A leste da estação de trem, este museu interessante dispõe de ótimas reconstruções de aldeias tribais, grande acervo

Templo Umananda, numa linda ilha do Brahmaputra

Para hotéis e restaurantes nesta região, ver pág. 701-2 e págs. 730-1

de artesanato do local e uma galeria de esculturas medievais de pedra e bronze escavadas de Ambari, um sítio arqueológico no centro da cidade.

Zoo & Botanical Gardens
RG Baruah Rd. sáb-qui. taxa extra.
O zôo bem cuidado fica na parte leste da cidade. Leopardos malhados, búceros e, é claro, rinocerontes de um só chifre podem ser avistados nos espaçosos recintos com fosso. O Botanical Gardens fica ao lado.

Templo Vashishtha, em uma colina arborizada cheia de riachos

Arredores
O **Templo Vashishtha**, 12km a sudeste de Guwahati, fica num belo lugar que marca a confluência de três rios, com cachoeira e bosque. Diz-se que era o local do ashram (refúgio) do sábio Vashishtha, personagem do *Ramayana* *(pág. 27)*.

Sualkuchi, 32km a oeste de Guwahati, é importante centro têxtil de Assam, com as famosas sedas *muga* e *paat* de tonalidades douradas. Em diversas casas, as mulheres trabalham em teares e ficam felizes em receber o visitante.

Hajo, 32km a noroeste de Guwahati, é centro de peregrinação para budistas, hindus e muçulmanos. O Templo Hayagriva Madhava, no monte Manikuta, é sagrado para hindus e budistas, que crêem que Buda morreu aqui. Lindas cenas em baixo-relevo do *Ramayana* decoram as paredes. Abaixo do templo há um laguinho que abriga a moradora mais famosa de Hajo: uma tartaruga gigante. Em outro morro de Hajo, fica a Mesquita Poa Mecca (Quarta Parte de Meca), erguida por um príncipe iraquiano que visitou Assam no século 12. Consta que uma peregrinação para cá seja equivalente à quarta parte da piedade que um hadji consegue indo a Meca.

As espetaculares ruínas de templos em **Madan Kamdev** encontram-se a 50km para noroeste de Guwahati. Entalhes eróticos de divindades e donzelas celestiais estão espalhados por um outeiro. Eles datam do século 10º ao século 12, quando a região era governada pela dinastia Pala *(pág. 44)*.

Escultura de deusa de um templo em ruínas, em Madan Kamdev

O PODEROSO BRAHMAPUTRA

Filho de Brahma, Criador do Universo –este é o nome deste rio majestoso que influi na vida de Assam e de boa parte de Arunachal Pradesh. Curiosamente, trata-se do único rio indiano com nome de homem. O Brahmaputra inicia seu trajeto de 2.900km perto da montanha sagrada de Kailasa, no Tibete, onde se chama Tsang Po. Desce de uma altitude de 5.200m e vai cavando uma calha reta e profunda, de 1.100km de comprimento, pelo planalto tibetano. Depois, dá uma ampla volta ao redor da extremidade oriental do Himalaia e mergulha pelos profundos desfiladeiros de Arunachal Pradesh, onde recebe o nome de Siang. Nesta região, é cruzado por uma série de pontes de aspecto assustadoramente frágil, feitas de corda, entre as quais está uma ponte pênsil de 367m em Kamsing, uma das mais longas do mundo. Já com o nome de Brahmaputra, invade a planície perto da fronteira entre Assam e Arunachal. Corre para oeste e atravessa Assam por 724km, largo e tranquilo, exceto nas monções, quando se avoluma e inunda terras baixas e florestas, carregando casas, plantações e animais, em um ritual de destruição que se repete todos os anos. Um pouco antes do mar, o Brahmaputra se junta ao Ganges para criar o enorme delta de Bengala e deságua na baía de Bengala, em Bangladesh.

Amanhecer no Brahmaputra

Ruínas do Templo Da Parbatia, em Tezpur, que data dos séculos 5º e 6º

Tezpur ❷

Distrito de Sonitpur. 180km a NE de Guwahati. 58.250. *Saloni, 10km ao N do centro, depois ônibus ou táxi.* *Tourist Office, Zenkuis Rd, (03712) 221 016.*

Cidade pitoresca na margem norte do rio Brahmaputra, Tezpur é rodeada de vales verdes e ondulados, cobertos de plantações de chá. Os montes do norte de Arunachal criam um fundo panorâmico para a cidade; para os visitantes, Tezpur é uma parada prática e ponto de partida de passeios a áreas de Arunachal Pradesh.

Tezpur significa "Cidade de Sangue", e esse nome lúgubre deriva de seu passado lendário como capital dos reis-demônios hindus, os Asuras. Diz-se que Krishna os derrotou aqui, em uma batalha sangrenta. Em 1962, Tezpur quase teve outro banho de sangue, quando o exército chinês invasor chegou até os arredores, mas, de repente, foi declarado cessar-fogo *(pág. 57)*.

As ruínas do **Templo Da Parbatia** (séculos 5º e 6º), 5km a oeste da cidade, testemunham o passado milenar da cidade e representam o exemplo mais antigo da arte escultural de Assam. Tudo que restou do templo foram algumas esculturas e uma moldura de porta entalhada, com imagens das deusas dos rios Ganga e Yamuna de cada lado. O **Cole Park**, perto do Tourist Lodge, é o lugar mais bonito de Tezpur, com jardim muito bem tratado, perto de um lago. É embelezado com esculturas dos séculos 9º e 10º, escavadas na cidade. Uma charmosa igreja colonial do século 19 fica atrás do Tourist Lodge.

Arredores

A panorâmica **Bhalukpong**, 58km a noroeste de Tezpur, fica no sopé verdejante dos morros que marcam a fronteira entre Assam e Arunachal Pradesh. O rio Kameng corre por ali. Outras atrações são as fontes termais medicinais e o Orchid Centre, localizado a 7km de distância, em **Tipi**, com quase 500 variedades de orquídeas nativas de Arunachal. O **Nameri Sanctuary**, 35km ao norte de Tezpur, cobre 200km². O rio Jia Bhoroli serpenteia por suas florestas decíduas, que abrigam leopardos-nebulosos, *mithuns* (bisões indianos) e os raros patos-de-asa-branca. Nameri pode ser explorado no dorso de elefantes. O Potasali Eco-Camp, no rio, gerido pelo Forest Department, organiza rafting em corredeiras e pesca de *mahseer* para os visitantes. O **Orang Wildlife Sanctuary**, 65km a noroeste de Tezpur, costuma ser descrito como um mini-Kaziranga *(págs. 330-1)*, pois se assemelha nas paisagens alagadas, nos rios e nas pastagens, hábitat preferido dos rinocerontes de um só chifre. A pequena reserva também abriga búfalos selvagens e gibões-hoolock.

Orquídea nativa

Nameri Sanctuary
Permissões *Divisional Forest Officer, Koloabhomora, (03712) 220 854.* *set-abr.* *taxa extra.* *Potasali Eco-Camp 09854019932, 09435250025.*

Orang Wildlife Sanctuary
Permissões *Divisional Forest Officer, Mangaldoi, (03712) 22 065.* *out-abr.*

Bomdila ❸

Distrito de West Kameng. 140km a NO de Tezpur. *Losar (fev/mar).* **Permissões** *são necessárias* (pág. 758).

A estrada panorâmica que sai de Tezpur serpenteia para subir pela densa floresta até esta cidadezinha agradável, a 2.530m de altitude. Sede do distrito de West Kameng, em Arunachal, Bomdila possui mosteiros budistas cercados de macieiras, com vistas dos picos nevados, dos arrozais em terraços e de quedas-d'água. O **Crafts Centre** ganhou fama pelos tapetes tecidos a mão. Quase todos os habitantes da cidade pertencem às tribos monpa e sherdukpen, que mesclam o budismo tibetano com rituais e crenças de seus ancestrais. Usam curiosos bonés pretos com cinco "rabos" na aba, que servem para desviar a água da chuva para longe do rosto.

Monpas festejam o Ano-Novo com dança do iaque, perto de Bomdila

Para hotéis e restaurantes nesta região, ver pág. 701-2 e págs. 730-1

Fileiras de rodas de oração no Mosteiro Tawang, do século 17

Mosteiro Tawang ❹

Distrito de Tawang. 325km a NO de Tezpur. Losar *(fev/mar)*. **Permissões** *são necessárias* (pág. 758).

Maior mosteiro budista da Índia, Tawang fica em Arunachal Pradesh, em uma altitude de 3.050m. Conforme a estrada sobe de Bomdila, a paisagem se torna montanhosa, cheia de pinheiros, carvalhos e rododendros, e de um bambu baixo, das grandes altitudes, que é a comida preferida do panda-vermelho *(pág. 299)*.

Depois do vale Dirang, com seu velho *dzong* (forte), a estrada tem uma subida íngreme até o **Passo Sela**. A 4.249m de altitude, este é o segundo passo mais alto do mundo onde passa carro; o mais alto fica em Ladakh *(pág. 143)*. Esta paisagem estéril e sem atrativos é amenizada por um lago sereno, abaixo do Passo Sela.

Após o memorial a um corajoso soldado indiano que reteve o avanço do exército chinês no conflito Índia-China, em 1962, a estrada desce até um vale amplo e bonito. O mosteiro se localiza em um espigão rodeado de picos nevados e domina o vale. Quando o Dalai Lama fugiu do Tibete, em 1959, seu trajeto pela Índia passou por Tawang, e ele ainda visita a região com regularidade para fazer orações especiais.

Fundado em 1645 por um lama de Merak, no vizinho Butão, este santuário Gelugpa (do Chapéu Amarelo *–pág. 139)* conta com mais de 500 monges residentes. Aqui nasceu o sexto Dalai Lama. Seu *dukhang* (salão de orações) de três andares dispõe de magnífica estátua de Buda, com 8m de altura. A biblioteca antiga, que leva ao pátio central, possui excelente coleção de *thangkas* e valiosos manuscritos budistas. O **Convento Bramdungchung**, ligado ao Mosteiro Tawang, situa-se 12km para noroeste. A estrada para Tawang, que se pode trafegar de jipe, tem lindas paisagens de montanhas com picos nevados e de aldeias monpas, com casas de pedra, zimbros e moitas de rododendro. Bandeirolas de oração e um longo muro de preces marcam a proximidade do convento, guardado por mastins-tibetanos, como a maioria dos mosteiros da região.

Complexa pintura mural da Roda da Vida, no Mosteiro Tawang

FESTIVAIS DE ASSAM E DO NORDESTE

Losar *(fev/mar)*, em Bomdila e Tawang. As tribos monpa e sherdukpen de Arunachal Pradesh festejam seu Ano-Novo com banquetes, danças de mascarados e orações especiais nos mosteiros.

Dançarinas no Rongali Bihu Festival, em Assam

Rongali Bihu *(abr)*, em Guwahati. O Ano-Novo de Assam é celebrado no estado todo, com cantos e danças. As mulheres apresentam graciosas danças sinuosas, e os homens as acompanham com trompas e tambores. As festas mais animadas são as de Guwahati.

Weiking Dance *(abr/mai)*, em Shillong. Este festival de três dias que anuncia a primavera tem procissões, orações e danças. As virgens khasis, com jóias do clã e coroas, dançam em círculo, enquanto rapazes vestidos de guerreiros, com escudos, arcos e flechas, ficam em volta delas.

Lai Haraoba *(abr/mai)*, em Imphal e Moirang. Este festival da primavera de Manipuri reverencia divindades pré-hindus da natureza. Orações cerimoniais especiais, lindas apresentações de artes marciais de Manipuri e danças rituais graciosas são realizadas para apaziguar as divindades. As festas mais bonitas ocorrem em Moirang.

Rio Brahmaputra na cheia, ao passar por Assam ▷

Kaziranga National Park ❺

Ganso-indiano em vôo

O excelente Kaziranga National Park de Assam, considerado Patrimônio da Humanidade pela Unesco, abriga o rinoceronte indiano de um só chifre. Com linda localização à margem do Brahmaputra, os 430km² da paisagem do parque se caracterizam por amplos alagados e pastagens, salpicados por manchas de florestas semiperenes. Os montes Mikir, para onde muitos animais migram nas monções, formam os limites ao sul. A rica variedade de vida selvagem em Kaziranga conta com 80 tigres, grande número de búfalos da Ásia, manadas de elefantes, gibões-hoolock, serpentes e 300 espécies de pássaros, entre os quais o raro floricano-de-bengala.

Visita ao Kaziranga *No dorso de elefante, o visitante se protege do ataque de rinocerontes e búfalos.*

Búfalo Selvagem da Ásia *Kaziranga tem a maior população desse búfalo enorme, que gosta de chafurdar nos alagados do parque.*

Floricano-de-bengala *Esta ave rara tem bela plumagem raiada.*

RINOCERONTE DE UM SÓ CHIFRE

Kaziranga é um dos últimos refúgios do rinoceronte indiano de um só chifre *(Rhinoceros unicornis)*, uma espécie ameaçada, que beirou a extinção no início do século 20. Medidas preservacionistas bem-sucedidas fizeram o número deles subir para 2.500 (em Assam e no Nepal), dos quais 1.500 estão em Kaziranga. Antes ele era encontrado em todo o subcontinente, mas sua população diminuiu drasticamente em razão da caça para pegar o chifre, ingrediente valorizado pela medicina chinesa. Na realidade, trata-se de um emaranhado de pêlos, e cada chifre desses alcança um preço exorbitante no Sudeste Asiático, pois se acredita que possua propriedades medicinais e afrodisíacas.

Mãe rinoceronte com filho, nas vastas pastagens de Kaziranga

Para hotéis e restaurantes nesta região, ver pág. 701-2 e págs. 730-1

***Beel* (Lago Raso)**

As enchentes inundam o parque nas monções, deixando beels *e alagados quando as águas recuam. Isso atrai manadas de elefantes selvagens e muitos outros animais e aves aquáticas.*

PREPARE-SE

Distrito de Golaghat. 215km a NE de Guwahati. *Jorhat, 96km a NE de Kohora, ponto de entrada, depois táxi.* *Furkating, 75km a L de Kohora, depois táxi.* *Bonani Tourist Lodge, Kohora, (03776) 262423.* *nov-abr.* *taxa extra.* *Jipes disponíveis.*

Veado-porco-da-índia

Este animal, aparentado com o veado-pintado (chital), é encontrado em grande número nas pastagens ribeirinhas do parque.

LEGENDA

- Limite do parque
- Rodovia nacional
- Estrada secundária
- Informação turística
- Vista panorâmica
- Hospedagem

Wild Grass Resort

Localizado 5km a leste de Kohora, na saída do parque, este resort ecológico e simpático (pág. 702) *organiza passeios de elefantes e excursões às plantações de chá próximas* (págs. 262-3).

Gibão-hoolock

Reconhece-se este símio de 1m pelas típicas manchas prateadas acima das sobrancelhas e pelo grito alto, que ressoa na floresta.

Sibsagar ❻

Distrito de Sibsagar. 370km a NE de Guwahati. *54.500.* *Jorhat, 60km ao S do centro, depois táxi ou ônibus.* *Assam Tourism, perto do Templo Shivadol, (03772) 222 394.* *Shivratri (fev/mar).*

No coração da região de Assam que produz chá e derivados de petróleo, Sibsagar é também a grande cidade histórica do estado, pois sediou a dinastia Ahom *(pág. 49)*, que governou Assam por 600 anos. Originários de Myanmar (ex-Birmânia), os Ahoms se converteram ao hinduísmo e se aculturaram aos poucos, depois de conquistar Assam, em 1228. Foram derrotados pelos birmaneses em 1817, e o reino se tornou parte do Império Britânico Indiano em 1826. Os Ahoms foram grandes construtores, como se verifica nas ruínas em Subsagar e arredores.
A cidade dispõe de um enorme lago artificial de 103ha, o **Sibsagar**, com três templos nas margens. O **Templo Shivadol** chama atenção pela torre dourada de 33m de altura, erguida por uma rainha Ahom em 1734. Cerca de 4km ao sul da cidade ficam as ruínas de dois palácios de alvenaria do século 18: o **Kareng Ghar** e o **Talatal Ghar**, ambos de sete andares, mas o último tem mais três andares subterrâneos e muitos túneis secretos. A nordeste está o elegante **Rang Ghar**, com um pavilhão real de esportes, oval e com dois andares, construído em 1746.

Ilha Fluvial Majuli ❼

Distrito de Jorhat. 314km a NE de Guwahati. *Neamati Ghat, 13km ao N de Jorhat.* *de Neamati Ghat até Majuli, depois ônibus até Garamur.* *Ao chegar, os estrangeiros devem se registrar no Sub-Divisional Officer, em Majuli, que também faz reservas.*

Máscara vaishnava, Majuli

Talvez a maior ilha fluvial habitada do mundo, Majuli tem 929km² de área. É fácil esquecer que se trata de uma ilha, pois conta com morros, riachos e ilhotas. A massa de terra amorfa muda constantemente de tamanho e formato por obra do Brahmaputra. Todo ano, durante as monções, o rio inunda grandes extensões de terra e obriga os habitantes a procurar lugares altos. Quando as águas baixam, deixando a terra fértil com os sedimentos novos, o povo volta para cultivar a área. Tão interessantes quanto a paisagem diferente de Majuli são os *satras*, mosteiros singulares fundados no século 15 por Shankardeva, reformador e filósofo vaishnava. Tais *satras* dispõem de rico acervo dos artesanatos de Assam e periodicamente encenam danças-dramas dedicados a Vishnu.
O principal assentamento é **Garamur**, que possui dois *satras*. Cerca de outros 20 se espalham pela ilha. O visitante pode ficar nos *satras*, e deve se dispor a fazer uma doação para cobrir os pernoites e/ou as refeições.

Itanagar ❽

Distrito de Papum Pare. 420km ao N de Guwahati. *35.000.* *Lakhimpur, 60km a NE do centro, depois táxi ou ônibus.* *Directorate of Tourism Itanagar (0360) 221 4745.* **Permissões** *são necessárias* (pág. 758).

Até se tornar capital de Arunachal Pradesh, em 1971, Itanagar era um centro da tribo nishi, uma das maiores das 26 mais importantes que vivem no estado. Ainda restaram algumas tradicionais

Floresta de bambu nas vizinhanças de Itanagar, em Arunachal Pradesh

Para hotéis e restaurantes nesta região, ver pág. 701-2 e págs. 730-1

Mulher apatani em viçoso arrozal perto de Ziro

casas comunitárias nishis, agora superadas pelas edificações recém-construídas pelo governo de Itanagar. Os nishis são facilmente reconhecíveis –exibem penas pretas e brancas de búceros no arranjo de cabeça feito de junco e puxam os cabelos para fazer um birote na testa; costumam usar bolsa de pele de urso.

O **Nehru Museum**, perto do Secretariado, oferece uma visão geral do artesanato de todas as tribos de Arunachal Pradesh. Aqui estão expostos objetos de junco e bambu, tecidos, jóias e totens. Uma estrada de 6km, bonita mas acidentada, sai de Itanagar e chega ao **lago Gyakar Sinyi**, verde-esmeralda, cercado de florestas densas. Muitas árvores altas exibem orquídeas.

Nehru Museum
Siddharth Vihar. ***Tel*** *(0360) 221 2276.* *dom-qui.*

Ziro 9

Distrito de Lower Subansiri. 150km a NE de Itanagar. *12.300.* *Deputy Commissioner's Office, (03788) 224 255.* **Permissões** *são necessárias* (pág. 758).

Pitoresca, a cidadezinha de Ziro, no centro de Arunachal Pradesh, fica em um vale amplo e plano, cercado de morros cobertos de pinheiros. Esta área, mais conhecida como planalto Apatani, abriga a próspera tribo apatani, que pratica um sistema agrícola exclusivo, combinando o cultivo de arroz com piscicultura. Os arrozais alagados recebem alevinos. Assim, as duas bases da dieta apatani vêm do mesmo terreno. Como os nishis, os apatanis fazem um birote na testa, preso por um palito de latão. Homens e mulheres são tatuados, e as mulheres usam uma rodela de bambu no nariz.

Casa comunitária em Along

A Nordeste de Ziro, três outras áreas, **Along**, **Pasighat** e **Daporijo**, agora estão abertas a estrangeiros (com permissão). As duas primeiras ficam à margem do Brahmaputra e são habitadas pela tribo adi *(pág. 336)*. O passeio de carro de Ziro a Pasighat (300km) tem belas paisagens, passando por densas florestas intocadas e aldeias tribais com casas comunitárias cobertas de palha.

Namdapha National Park 10

Distrito de Changlang. 380km a NE de Itanagar. *Margherita, 64km a SO de Miao, ponto de entrada.* *Director, Project Tiger, Miao, (03807) 222 249.* *out-mar.* **Permissões** *são necessárias* (pág. 758).

Este belo parque, no extremo leste de Arunachal Pradesh, na fronteira com Mianmá, tem 1.985km². Sobe das planícies até 4.500m de altitude, no Himalaia. Conta com diversos hábitats, e é a única reserva da Índia onde se encontram os quatro grandes felinos do Himalaia: tigre, leopardo, leopardo-nebuloso e o raro leopardo-da-neve. Foi declarada Tiger Reserve em 1983. Entre outros animais estão o búcero-grande-indiano, o panda-vermelho *(pág. 299)* e o gibão-hoolock *(pág. 331)*.

Arredores

A lendária Burma Road (ou Stilwell Road) começa em **Ledo**, 60km a sudoeste de Miao. Seus 1.700km foram de importância estratégica na Segunda Guerra Mundial, pois ligava Ledo a Kunming, na província chinesa de Yunnan, passando por florestas e montanhas ameaçadoras de Arunachal Pradesh e do norte de Mianmá. Supervisionada pelo general americano Joseph Stilwell, foi construída em dois anos à custa de muitas vidas humanas. Agora, mal conservada, ainda é usada pelos moradores para viagens a pé.

Indivíduos de tribo do leste de Arunachal Pradesh na Burma Road

Cestos de bambu feitos no local à venda no Bara Bazaar de Shillong

Shillong ⓫

Distrito de East Khasi Hills. 127km ao S de Guwahati. 132.900. *Meghalaya Tourism, 3rd Secretariat, Lower Lachumiere, (0364) 222 0736.* *Weiking Dance (abr/mai).*

Capital do pequeno estado de Meghalaya, com morros cobertos de bruma, florestas de pinheiros, lagos e cascatas, Shillong às vezes é chamada de "Escócia do Oriente". Em uma altitude de 1.496m, foi escolhida como sede da administração britânica de Assam em 1874. Logo se tornou uma estação de montanha concorrida, que oferecia alívio para o calor sufocante das planícies.

A cidade ainda mantém um ambiente tipicamente colonial, com bangalôs que imitam o estilo tudor, igrejas, campo de pólo e um belo campo de golfe de 18 buracos. Aqui também vive a matriarcal tribo khasi. A bucólica área rural pode ser explorada em passeios curtos.

Bara Bazaar

Bara Bazaar Rd. *seg-sáb.*

Este mercado amplo dá uma idéia da sociedade tribal khasi. As bancas têm pilhas de produtos dos vilarejos em volta: mel, abacaxi, leitão, peixe seco, cogumelos silvestres, noz bétele crua e cestos de bambu. Quem domina o mercado são as mulheres khasi, que detêm a maioria das bancas. Vestidas com o tradicional *jainsems* (que parece uma túnica) e xale xadrez, estas alegres matriarcas são duras na negociação.

Museum of Entomology

Umsohsun Rd. ***Tel*** *(09863) 021955.* *seg-sáb.*

Este pequeno museu particular, ao norte do Bara Bazaar, foi criado na década de 1930 pela família Wankhar e se orgulha do acervo de borboletas e insetos raros encontrados em Meghalaya. Entre eles estão bichos-pau enormes, besouros iridescentes e enormes borboletas de colorido amarelo e preto, que se cobrem de veneno para se proteger de pássaros predadores. A família também controla um centro reprodutivo para espécies raras.

Ward Lake & Lady Hydari Park

Parque *diariam.* *taxa extra.*

No centro da cidade, o lago Ward, em forma de ferradura, dispõe de uma agradável calçada para caminhar em volta, pedalinhos de aluguel e um café. Ali perto, para o sul, fica o Lady Hydari Park, com lindo jardim japonês e um minizôo que tem fauna nativa das florestas de Mahalaya, como o búcero, o gato-leopardo e o lóris-lento, criatura que parece um furão e se arrasta como se estivesse dopada.

Arredores

As bonitas **Bishop** e **Beadon Falls**, 3km ao norte de Shillong, ficam bem na saída da rodovia Guwahati-Shillong. No mesmo trajeto, 17km ao norte de Shillong, está o **Lago Umiam**, grande reservatório artificial criado entre morros com florestas. Oferece recursos para pesca com vara, caiaque, esqui aquático, e há um orquidário no parque ao lado. A panorâmica **Elephant Falls** se encontra a 11km ao sul de Shillong. A estrada até **Mawphlang**, 24km a sudoeste de Shillong, corta florestas de pinheiros e carvalhos, e é ótimo lugar para apreciar algumas espécies raras de orquídeas de Meghalaya, no hábitat natural.

A Elephant Falls cai sobre samambaias e pedras

A TRIBO KHASI

A tribo khasi se destaca na área de Shillong. Acredita-se que seja nativa do Sudeste Asiático, e sua língua pertence ao grupo mon-khmer. Não se sabe quando esse povo migrou para a região. Atualmente, a maioria dos khasis é cristã, pois seus antepassados foram convertidos por missionários britânicos no século 19. Contudo, eles mantêm muitos costumes tribais. A tribo é regida por uma estrutura social matriarcal, que determina que a propriedade da terra só pode ser herdada pelas mulheres, e a filha caçula recebe uma posição especial de administradora da casa da família e dos rituais tradicionais do clã.

Banca de matriarca khasi no mercado principal de Shillong

Para hotéis e restaurantes nesta região, ver pág. 701-2 e págs. 730-1

Passeio de Shillong a Cherrapunji ⓬

A estrada até Cherrapunji atravessa os montes East Khasi, serpenteando por densas florestas de pinheiros e carvalhos, cheias de samambaias e orquídeas. No caminho, há gargantas e desfiladeiros, cascatas e cavernas de calcário. Cherrapunji é um dos locais mais úmidos do planeta e estabeleceu um recorde mundial de 2.621cm de chuva em 1861. Continua a registrar a média de 1.143cm de chuva nas monções de julho a setembro.

Famosas laranjas de Cherrapunji

Pico Shillong ②
Ponto mais alto de Meghalaya a 1.965m, este pico tem nome derivado da deusa dos khasis, Ushyllong.

Shillong ①
O lago Ward marca o centro da cidade.

Cherrapunji ④
Cercada de laranjais e bananais, esta cidadezinha dispõe de um movimentado mercado semanal, e ganhou fama pelo delicioso mel de flor de laranjeira.

Mylliem ③
Diversas espécies raras de orquídea crescem em volta deste tradicional vilarejo de ferreiros khasis, onde são feitas ferramentas agrícolas.

Nohkalikai Falls ⑤
Segunda cachoeira mais alta da Índia. As altas pedras memoriais khasis estão por toda a área ao redor.

Cavernas Mawsmai ⑥
Algumas destas cavernas de calcário têm mais de 4km de profundidade.

DICAS

Extensão: *120km.*
Paradas: *O passeio leva de 6 a 7 horas. Melhores lugares para as paradas: Pico Shillong, Cherrapunji (onde há refeições e toaletes), Nohsngithiang Falls, Nohkalikai Falls e Cavernas Mawsmai.*
Como circular: *A Meghalaya Tourism (0364) 222 6054 e diversas agências de viagem organizam passeios diários de Shillong a Cherrapunji. Leve lanterna para explorar as cavernas.*

LEGENDA
- Percurso do passeio
- Outras estradas
- Rodovia nacional

Nohsngithiang Falls ⑦
Em dias claros, têm-se lindas vistas da planície de Bangladesh nestas cachoeiras, também chamadas Seven Sisters Falls.

Tribos do Nordeste

Cesto: tribo naga

O Nordeste da Índia conta com uma extraordinária diversidade de tribos. Arunachal Pradesh, sozinho, possui 26 tribos importantes, enquanto Nagaland tem 16. Dezenas de outras ocupam áreas de Assam, Manipur, Mizoram, Meghalaya e Tripura. Embora vivam na mesma região, ficaram isoladas geograficamente por montanhas íngremes, rios e desfiladeiros. Por isso, essas tribos mantiveram sua identidade cultural e sua língua.

Megálitos imensos *são encontrados por todo o estado de Meghalaya. Foram erguidos pela tribo khasi em memória de seus mortos.*

Cachimbos *de madeira e metal das tribos de Arunachal Pradesh.*

Trabalho de contas elaborado pelos wanchos de Arunachal

Os **adis** *de Arunachal Pradesh são famosos pelas habilidades de engenharia. Constroem pontes fantásticas, como este tubo de bambu sobre o rio Brahmaputra.*

Os **thankuls** *de Manipur são excelentes tecelões. Produzem um tecido típico, vermelho e branco, com brilho sedoso.*

Os **konyaks** *de Nagaland, que executam danças marciais animadas, usam trajes coloridos, com penas de búceros, dentes de ursos e quepes de bambu pintado.*

Esta **casa de um chefe** *em Nagaland possui beirais cruzados e é decorada com os símbolos da tribo. O crânio de* mithun *(tipo de bisão) em primeiro plano representa poder e prosperidade.*

Este **chefe naga** *era caçador de cabeças. Em sua cesta, as cabeças de madeira mostram quantas ele obteve.*

A **dança dos cheraws** *é apresentada em festivais tribais de Mizoram. Os mizos adoram música e dança, e a dos cheraws requer que as mulheres sapateiem entre barras de bambu deslocadas com rapidez.*

Ujjayanta Palace em Agartala, construído em 1901

Agartala ⓭

Distrito de West Tripura. 600km ao S de Guwahati. *189.300.* *12km ao N do centro, depois ônibus ou táxi.* *Tripura Tourism, Ujjayanta Palace Complex, (0381) 222 3893.*

Capital de tripura, ex-principado na fronteira com Bangladesh, Agartala é uma cidadezinha agradável, com vegetação tropical e uma porção de prédios cívicos de tijolos à vista. Chama atenção o amplo e branco **Ujjayanta Palace**, construído em 1902 em estilo indo-sarraceno. Sede atual da Assembléia do estado, tem interior suntuoso. Exibe o Salão Chinês, azulejado, com teto magnífico elaborado por artesãos chineses. Fica aberto à visitação quando a Assembléia não está em sessão. Tripura ganhou fama pelo trabalho de junco e bambu, à venda no mercado.

Cestaria de Tripura

Arredores

O **Neermahal Water Palace**, 55km ao sul de Agartala, em uma ilha do lago Rudrasagar, era casa de veraneio dos antigos marajás de Tripura. Construído com mármore branco e arenito vermelho, este palácio de contos de fada tem uma profusão de pavilhões, torres e pontes. Parte dele está aberta à visitação.

Udaipur, 58km ao sul de Agartala, é famosa pelo **Templo Tripurasundari**, com o típico telhado curvo ao estilo de Bengala. Foi erguido no século 16.

Aizawl ⓮

Distrito de Aizawl. 480km a SE de Guwahati. *229.700.* *35km a O do centro, depois ônibus ou táxi.* *Mizoram Tourism, Chandmary, (0389) 233 3475.* **Permissões** *são necessárias* (pág. 758).

Localizada sobre um espigão, Aizawl conta com casas e igrejas que contrastam com o verde das encostas. É capital de Mizoram e abriga as tribos mizos, que parecem ter vindo dos montes Chin, de Mianmá, há 300 anos. No centro fica o movimentado **Main Market**, onde se reúnem os fazendeiros locais. Atualmente, quase toda a população de Mizoram (assim como a de Nagaland e de Meghalaya) é cristã, convertida por missionários, que vieram para cá em 1891. As escolas que eles abriram são responsáveis por Mizoram possuir o segundo mais alto índice de alfabetização da Índia. Entre os homens, os jeans são mais comuns hoje em dia, mas as mulheres ainda usam elegantes *puans* (saias justas e longas) –pode-se ver como são tecidas no **Weaving Centre** de Luangmual, a 7km.

Aizawl se espalha sobre um espigão

Venda de peixe no Ima Keithel de Imphal

Imphal 15

Distrito de Imphal. 484km a SE de Guwahati. *217.300.* *6km ao S do centro.* *Manipur Tourism, ao lado do Hotel Imphal, (0385) 232 1285.* *Yaosang (fev/mar), Lai Haraoba (abr/mai).* **Permissões** *são necessárias* (pág. 758).

Capital de Manipur (Terra Preciosa), Imphal se encontra em um amplo vale oval, cercado por montes com florestas. Quase todos os habitantes são da tribo meitei. A parte mais movimentada da cidade é o **Ima Keithel** (Mercado das Mães), onde mais de 3 mil mulheres se reúnem diariamente para vender produtos frescos: peixes, grãos, cestaria e artesanato, a exemplo dos elegantes tecidos listrados usados pelas mulheres meiteis. Essas *imas* formidáveis, que usam *tikas* de pasta de sândalo entre as sobrancelhas, formaram um sindicato poderoso e se orgulham de ter preços justos.

O **Templo Govindaji**, o principal de Imphal, fica a leste do mercado, e nos festivais ligados a Krishna, aqui é apresentada a graciosa dança de Manipur *(pág. 29)*. O Sagol Kangjei, o pólo de Manipur, é um esporte concorrido em Imphal (que diz ter inventado o jogo), e o Polo Ground se encontra no centro da cidade. Este é um jogo rápido e impetuoso, em que os jogadores usam dhotis e costumam montar em pêlo nos velozes cavalos de Manipur.

Existem dois **Commonwealth War Graves Cemeteries** bem conservados na periferia norte e leste da cidade. Aqui foram enterrados o mortos nas lutas contra os japoneses durante a invasão de Manipur, na Segunda Guerra Mundial. Vale a pena visitar o **Orchidarium**, que exibe diversas espécies nativas e fica 12km ao norte da cidade.

Manipur: dança

Arredores

Moirang, 45km ao sul de Imphal, com templo milenar ao deus Thangjing, pré-hindu, é o centro espiritual dos meiteis, que aqui comemoram o Lai Haraoba *(pág. 327)*. Na Segunda Guerra Mundial, a cidade foi quartel-general do Indian National Army (INA), comandado por Subhash Chandra Bose, que lutou contra os aliados.

Loktak Lake 16

Distrito de Bishnupur. 48km ao S de Imphal. *Para reservas na ilha Sendra contate Manipur Tourism, (0385) 222 0802.* **Permissões** *são necessárias* (pág. 758).

O lago Loktak é um dos locais mais encantadores do Nordeste. Quase dois terços desta grande extensão de água doce são cobertos por ilhas flutuantes arredondadas, feitas de junco e húmus, chamadas localmente *phumdi*, que abrigam uma comunidade de pescadores. A parte meridional do lago forma o **Keibul Lamjao National Park**, onde massas contíguas de *phumdi* formam o hábitat muito especial do ameaçado veado-marrom-de-galhada, chamado *sangai*. Este veado possui galhadas encurvadas e casco bipartido, especialmente adaptado para seu hábitat flutuante. Restam aproximadamente cem desses animais vivendo na natureza, em uma área de 6km² dentro do parque. A **ilha Sendra**, no coração do parque, oferece lindas vistas do lago, de suas ilhas e dos diversos pássaros. Há passeios de

Ilhas flutuantes de junco e húmus, com casas de pescadores e barcos atracados, no lago Loktak

Para hotéis e restaurantes nesta região, ver pág. 701-2 e págs. 730-1

Igreja batista em Kohima, uma das muitas igrejas da área

barco, mas devido à instabilidade política da região, são realizados somente passeios diurnos.

Kohima ⓱

Distrito de Kohima. 339km a L de Guwahati. 👥 *78.600.* 🚂 *Dimapur, 74km a NO de Kohima, depois táxi ou ônibus.* 🚌 ℹ *Nagaland Tourism, (0370) 227 0107.* **Permissões** *são necessárias* (pág. 758).

Kohima, capital de Nagaland, está a 1.500m de altitude. É uma cidadezinha agradável, cercada de montanhas pontilhadas de vilarejos. Ficou famosa na Segunda Guerra Mundial pela batalha decisiva, realizada na quadra de tênis da casa do vice-comissário britânico, que pôs fim ao avanço japonês na Índia, em abril de 1944.

War Cemetery, em Kohima

Os mortos na batalha foram enterrados no **War Cemetery**, muito bem conservado, que ocupa uma esplanada na montanha. Na base de uma das duas enormes cruzes que existem aqui está escrito: "Quando você for para casa, fale de nós, e conte que demos a vida pelo amanhã de vocês". A **Cathedral of Reconciliation**, voltada para o cemitério, foi construída em 1995, parcialmente financiada pelo governo japonês.

O principal bazar de Kohima é um bom lugar para conhecer o bonito povo naga *(págs. 336-7)*, com seus xales coloridos, que vêm das aldeias vizinhas vender seus produtos. O mercado também oferece ao visitante uma idéia da dieta que dizem ter transformado os nagas nesses guerreiros fantásticos: larva de abelha e carne de cachorro.

O **State Museum**, 2km ao norte do bazar, exibe excelente acervo de máscaras, tecidos, jóias e totens, todos das 16 tribos nagas. Muito interessante é o grande tambor cerimonial que parece uma canoa de um só tronco, colocado sob um galpão fora do museu. O tambor tem desenhos de ondas estilizadas e gongos que parecem remos. Este e outros fatores, como o uso de conchas do mar em suas roupas, levaram alguns antropólogos a concluir que os nagas navegavam no mar, possivelmente vindos de Sumatra. Agora, uma alta porcentagem de nagas é cristã, e podem-se encontrar igrejas em diversos locais do estado.

A aldeia que deu origem a Kohima, **Bara Basti**, é um assentamento da tribo angami naga, localizada em um morro com vista da cidade. Apesar de agora estar bem modernizada, ainda possui o portal cerimonial e uma grande casa comunitária tradicional, a *morung*, com chifres cruzados no topo do frontão. Menos moderna é a aldeia angami naga de **Khonoma**, 20km a sudoeste de Kohima, com casas de madeira, portal entalhado e muro de pedra em volta. Os aldeões são famosos pelas técnicas agrícolas –arrozais em terraços cobrem as encostas, com o cultivo de 20 variedades de arroz, e um complexo sistema de calhas de bambu faz a irrigação das plantações.

🏛 State Museum
Tel (0370) 226 0133 🕒 *seg-sáb.* ⬤ *feriados.*

Dimapur ⓲

Distrito de Kohima. 74 km a NO de Kohima. 👥 *107.400.* 🚂 🚌 ℹ *Tourist Office, perto do Nagaland State Transport Office.* **Permissões** *são necessárias* (pág. 758).

Esta movimentada cidade na planície funciona como portal para o restante de Nagaland. Foi fundada pelos reis dos kacharis, povo de origem tibetana e birmanesa, que no século 13 foi deslocado de suas terras, em Assam, pelos invasores ahoms *(pág. 332)*. Algumas ruínas de sua antiga capital podem ser vistas no coração da cidade. São notáveis os 30 megálitos entalhados, que se acredita serem símbolos de fertilidade. A cerca de 5km do centro, na estrada para Kohima, encontra-se o **Ruzaphema Bazaar** que vende variado artesanato tribal.

Monólito entalhado em Dimapur, erguido pelos reis dos kacharis

ÍNDIA OCIDENTAL

Introdução à Índia Ocidental

Esta região tem alguns dos destinos mais procurados da Índia. Em Rajasthan, os fortes de Jaisalmer e Jodhpur, no deserto, os palácios e lagos de Udaipur, e o Ranthambhore National Park evocam o esplendor do passado, quando o estado era principado. Os templos jainistas e os projetos complexos dos poços com escadas de Gujarat são maravilhas arquitetônicas, ao passo que suas belezas naturais podem ser apreciadas nas praias de Diu e na reserva de leões em Gir. As paisagens da região vão das dunas de Rajasthan e áreas salgadas de Kutch ao burburinho urbano das duas capitais estaduais: Jaipur e Ahmedabad.

Mulheres de Rajasthan em trajes de festa, na Pushkar Fair

Pimentas secam ao sol do deserto, perto de Osian, em Rajasthan

0 km 50

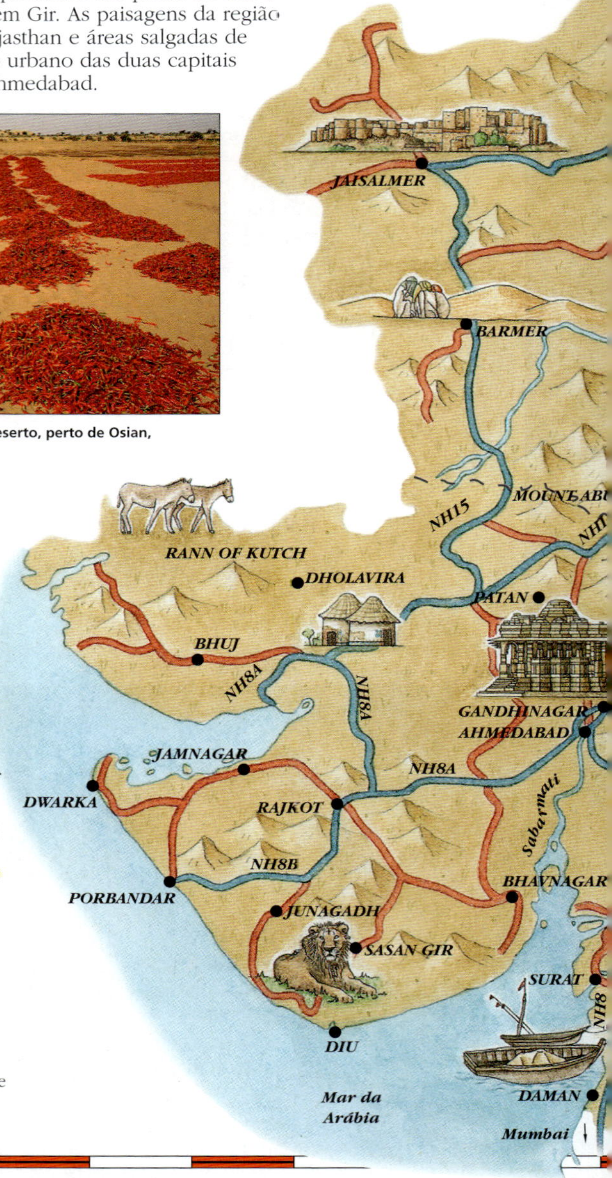

COMO CIRCULAR

Jaipur, Jodhpur, Udaipur e Ahmedabad têm boas conexões aéreas entre si e com Délhi e Mumbai. Há trens entre as cidades maiores, e expressos ligam a região com Délhi e Jaipur. Dois trens de luxo, o Palace on Wheels e o Royal Orient *(pág. 777)*, oferecem um meio mais romântico de conhecer Rajasthan e Gujarat. Em Rajasthan, uma rede de rodovias nacionais faz a ligação entre os destinos mais importantes, enquanto as National Highways 8, 14 e 15 vão até Gujarat.

◁ **Murais coloridos dentro do Garth Palace de Bundi *(pag. 404)*, em Rajasthan**

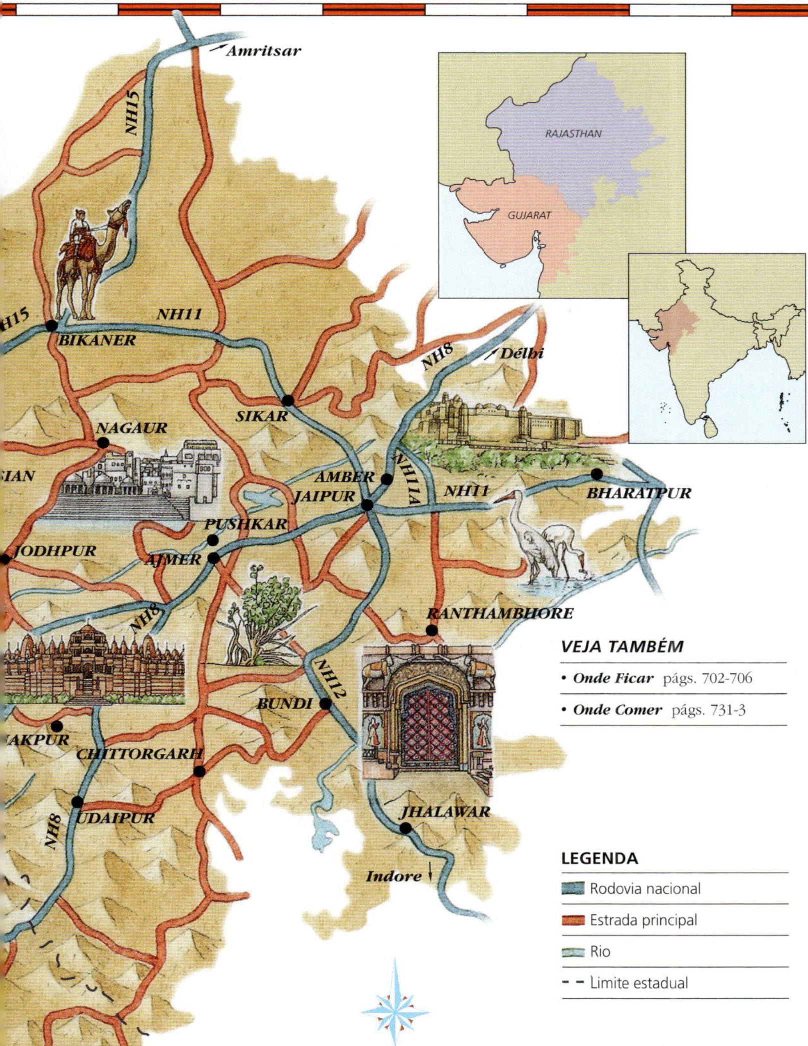

VEJA TAMBÉM

- ***Onde Ficar*** págs. 702-706
- ***Onde Comer*** págs. 731-3

Pastor rabari nômade com seu rebanho em Gujarat

RETRATO DA ÍNDIA OCIDENTAL

O grande deserto de thar e o mar da Arábia sempre tiveram grande influência na história e na cultura de Rajasthan e Gujarat. Os dois estados fazem fronteira com o Paquistão e, antes de 1947, dispunham de diversos principados. No entanto, em outros aspectos os dois revelam muitos contrastes.

Rajasthan, literalmente "Terra de Reis", fez jus ao nome até a Independência, em 1947. O estado era formado por mais de 20 principados, que representavam a opulência real e a ostentação feudal e que eram governados por clãs rajputs, como os kachhawahas de Jaipur, os rathores de Jodhpur e os sisodias de Udaipur. Seu legado ajudou a fazer do estado um dos destinos turísticos mais procurados do país. Terra de palácios maravilhosos de contos de fada e de feiras e festivais animados, Rajasthan concretiza todas as fantasias que se costumam fazer a respeito da Índia.

Os fortes outrora inexpugnáveis de Rajasthan atualmente estão abertos à visitação, e muitos dos antigos palácios e castelos feudais principescos foram transformados em hotéis fantásticos, quase sempre administrados pelas famílias que antes eram governantes. Além de se tornarem hoteleiros bem-sucedidos, muitos ex-príncipes encontraram novos papéis na política, representando seu eleitorado no Parlamento indiano. O tradicional artesanato de Rajasthan também foi revivido, e os turistas agora substituem os marajás como clientes.

Abrigo de nômades do deserto, em Rajasthan

Em Rajasthan, 80% dos habitantes continuam a viver nas áreas rurais, com atividades agrícolas e pastoris. O ritmo de vida nos vilarejos quase não mudou em centenas de anos, e a rotina do dia-a-dia é interrompida por festas religiosas e feiras de gado, como as de Pushkar *(págs. 374-5)* e Nagaur *(pág. 376)*. Tais eventos coloridos oferecem aos habitantes das vilas oportunidade para participar de festas, atividades sociais, comércio e aproveitar as diversões tradicionais, como corridas de camelos e espetáculos de marionetes. As feiras também se tornaram atrações importantes para os visitantes, pois propiciam um contato mais próximo e inesquecível com os povos e as culturas rurais de Rajasthan. Em questões sociais, sua sociedade ainda é bem conservadora e dá muito valor aos antigos códi-

Venda de camelos na Pushkar Fair

gos feudais de conduta e honra. Em 1987, um ritual de *sati* ocorreu aqui, quando uma viúva jovem imolou-se na pira funerária do marido, enquanto a vila toda observava com admiração. Mas as coisas estão mudando: a alfabetização de mulheres em Rajasthan, que não passava de 20% na década de 1990, cresceu muito e agora as mulheres presidem muitos conselhos governamentais de vilas. Os esquemas de desenvolvimento rural trouxeram escolas, hospitais e água para remotas vilas do deserto. Mas o que não mudou foi a cortesia e a hospitalidade, há muito tempo encontradas por todo o Rajasthan, seja em um palácio ou em uma cabana de pau a pique no deserto.

A Tarnetar Fair, em Gujarat

Em contraste com Rajasthan, Gujarat é um dos estados mais urbanizados e industrialmente avançados do país, e quase 60% da população vive nas cidades.

A famosa perspicácia de seus habitantes para os negócios ajudou a fazer do estado um dos mais prósperos da Índia.

Embora a extensão assustadora do deserto de Thar tenha isolado a sociedade local durante séculos, nos 1.600km de litoral de Gujarat foram realizadas negociações comerciais com árabes e persas, com a África Oriental, a China e a Indonésia, nos portos de Surat *(pág. 420)* e Mandvi *(pág. 429)*. E do século 15 em diante mercadores europeus estabeleceram bases no litoral.

No fim do século 19 e início do século 20, muitos homens de Gujarat emigraram para países distantes, em busca de oportunidades melhores. Atualmente, seus descendentes (muitos com sobrenomes Patel e Shah) se distinguem como hoteleiros nos EUA, comerciantes na Grã-Bretanha, industriais na Nigéria ou advogados na África do Sul.

Os gujarates foram muito influenciados pelo jainismo *(pág. 396)*, que se difundiu na região no século 11, durante o governo dos reis solankis. A ênfase do jainismo na não-violência, no serviço comunitário, na vida simples e nos pensamentos elevados fazia parte da filosofia do filho mais famoso de Gujarat, Mahatma Gandhi, que liderou a luta pela independência da Índia *(pág. 56)*. As pessoas comuns também procuram seguir esses propósitos em suas vidas.

A maioria dos gujarates, seja no próprio país, seja no exterior, é totalmente vegetariana. Esse povo é conhecido pela obstinação e autoconfiança, e pela frugalidade e filantropia. Tais qualidades ficaram evidentes após o terremoto devastador que atingiu Gujarat em janeiro de 2001 *(pág. 428)*, do qual o estado se recuperou totalmente de maneira notável.

Mulheres rajastanis preparam o almoço

Fortes e Palácios

Cravos em portão de forte

Os fortes espetaculares de Rajasthan já foram cidadelas ameaçadoras e intransponíveis, mas em meados do século 16, quando a maior parte dos estados rajputs selou a paz com o império mogul, palácios luxuosos, pavilhões e jardins foram acrescentados a eles, onde se viam muitos detalhes de influência mogul. No início do século 20, houve a construção de mais palácios em Rajasthan e em Gujarat. Por causa do contato entre o Raj britânico e os principados, é visível a grande influência européia na arquitetura e na decoração desses palácios.

Canhões *para defender o forte estão montados nos bastiões, que se elevam acima da área adjacente.*

O **Sileh Khanas** *(arsenal) guarda diversas armas, de espadas cerimoniais com pedras preciosas a socos-ingleses, e até uma armadura especial para elefantes de guerra.*

A **proteção** segue o contorno do morro.

Rana Kumbha's Palace

Os **portões** *têm altura suficiente para a passagem de elefantes. Possuem grandes cravos para evitar que elefantes do inimigo os atacassem.*

Reservatórios de água, *muitas vezes alimentados por fontes subterrâneas, são encontrados nos fortes das áreas áridas de Rajasthan e Gujarat.*

TIPOS DE FORTES

Tratados indianos antigos falam de seis tipos de fortes para boas defesas. Enquanto os *giri durgs* (fortes em morros), como o Chittorgarh, são inexpugnáveis, há outros tipos: *dhanva durg*, protegido pelo deserto, a exemplo do Jaisalmer *(págs. 388-9)*; *vana durg*, guardado pela floresta, igual ao Ranthambhore *(pág. 406)*; *mahi durg*, com grossos muros de barro, feito o Bharatpur's Lohagarh *(pág. 367)*; *jala durg*, cercado de água, do tipo do Ghagron *(pág. 403)*; e *nara durg*, forte urbano, semelhante ao Nagaur *(pág. 376)*, defendido por homens de confiança.

Ghagron Fort, em Rajasthan, exemplo de forte protegido pela água

PALÁCIOS

Os palácios erguidos por marajás durante o Raj, ao contrário dos que há nos fortes, têm encanamento moderno, salão de recepções e de jantar, adequados para receber dignitários britânicos.

O **Lalgarh Palace**, *em Bikaner* (pág. 379), *foi feito em 1902. Combina muito bem traços decorativos rajputs com elementos europeus, como salão de banquete e sala de bilhar.*

O **Wankaner Palace** (pág. 427) *é de 1907. As viagens do governante à Europa o fizeram gostar de pilares italianos e arcos góticos, que, aqui, são coroados por pavilhões mogüis.*

Corredores *e escadarias, que ligam os aposentos privativos nos palácios rajputs, costumam ser estreitos e cheios de voltas, para confundir o invasor inimigo.*

A **torre da vitória** foi erguida em 1458 após o triunfo em uma batalha. Cada um dos nove andares é um templo.

Templos foram construídos por governantes e comerciantes, na crença de que suas divindades protegiam o forte.

FORTES

Chittorgarh *(pág. 402)*, fundado em 728, mas com muitos acréscimos em tempos diferentes até o século 16, como outros fortes rajputs foi construído em uma posição de controle, acima da planície. Suas fortificações maciças rodeiam palácios, templos, estábulos e reservatórios.

Sheesh Mahals *(Salões dos Espelhos) são salões de cerimônias com mosaicos de espelhos. Uma só vela, refletida em uma porção de espelhos, faz o ambiente todo brilhar.*

Os **zenanas** *(aposentos femininos) dispõem de pátios isolados e de requintadas treliças de pedra* (jali). *A maioria dos zenanas é ampla, porque abrigavam as diversas concubinas do governante.*

Os Sabores da Índia Ocidental

Rajasthan, em sua maior parte arbustos e deserto, dominado por altas fortificações de pedras, tem uma culinária simples, ditada pela paisagem e pelo clima. A comida local é mais robusta e fortificante, como se vê no uso criativo dos cereais e das lentilhas. O variado paladar de Gujarat surgiu do contato entre as comunidades que se instalaram no estado. A comida típica de Gujarat é a vegetariana com variações regionais ao Norte e ao Sul do estado, em Kathaiwar e Kutch. É um equilíbrio delicado entre doce e apimentado, e a infinita variedade de pratos tem como melhor exemplo a *thali* (travessa) de Gujarat.

Ramo de feno-grego

Temperos fortes selecionados e muito apreciados pelos rajastanis

RAJASTHAN

O prato mais conhecido é o *dal-baati*, que são lentilhas ao curry acompanhadas de massa de trigo assadas sob a areia. O mesmo *baati* esmagado e guarnecido com passas e castanhas dá um doce delicioso, o *chorma*. Essa comida se conserva durante muitos dias nesse ambiente inóspito. Nas áreas desérticas, leite, *ghee* (manteiga clarificada) e leite magro compensam a escassez de água. Outros alimentos são *amchur*, ou manga desidratada em pó, que substitui o tomate. As plantas do deserto, como os feijões *sangri (Prosopsis cineraria)* e *khair (Capparis decidua)* têm alto valor nutricional. Secos e cozidos em óleo e pimentas, eles compõem o *khair-sangri*. Chutneys de menta cúrcuma, manga e alho são os acompanhamentos mais comuns.

A cozinha dos clãs marciais de Rajput inclui pratos de carne condimentados. O mais apreciado é o *lal maas*, cordeiro cozido em *ghee* e pimentas vermelhas. O *Khud khargosh* é um prato de verão em que o coelho é recheado com pimentas, selado com massa e assado envolto em um pano. Lentilhas picantes, ervilhas partidas, amendoim e arroz inchado dão petiscos saborosos e crocantes como o *bhujia*, *dal-moth* e *khatta-meetha sev*.

Pães selecionados de Rajasthan e Gujarat

PRATOS E ESPECIALIDADES LOCAIS

Khandvi e dhokla

Os pratos vegetarianos dominam Rajasthan e Gujarat, estados muito influenciados pelo jainismo e o vaishnavismo, que proíbem a matança de animais. A dieta de Rajasthan, baseada em cereais, inclui *kadhi* (sopa de lentilhas e iogurte), vários tipos de *khichdi* (arroz enriquecido) e pães feitos de *bajra* (painço) e *jowar* (sorgo). A culinária de Gujarat usa grande variedade de cereais e legumes, e se distingue pela sutileza dos condimentos. As conservas, geralmente feitas com *kairi* (manga verde), estão sempre presentes. Os doces incluem o *aamras* (doce de manga com nata batida) e o *doodh pak*, leite adoçado, com frutas secas e nozes.

Undhiyo, *um* thali *de Gujarat, preparado com batatas e berinjelas assadas em panela de barro.*

Mulheres vendem legumes em uma aldeia de Rajasthan

GUJARAT

Em Gujarat vive uma grande comunidade jaina, que além de praticar a não-violência, desenvolveu uma refinada culinária vegetariana, considerada uma das mais sofisticadas da Índia. A sua típica *thali* envolve várias cuias *(katoris)* de legumes, lentilhas, *farsaans* (petiscos condimentados), conservas, chutneys, pães e doces. Esta refeição conseguiu estabelecer um sutil equilíbrio entre os sabores doce e azedo, salgado e apimentado, crocante e tenro, desengordurado e frito.

O *bajra* (painço) é o grão básico de Gujarat, com o qual se faz o *rotlis* (pão assado), presente em todas as refeições. Outro é o *thepla*, um pão de forma baixo feito com farinha de grão-de-bico. Arrozes especiais, como o *khichdi* (uma nutritiva mistura de arroz e cinco tipos de lentilhas), *vangi bhat* (arroz com berinjela e coentro) e *masala bhat* (arroz condimentado) ficam ainda melhores com a adição de uma porção de *ghee* no final. O açúcar mascavo e o branco adoçam todos os pratos, e a comida é incrementada com mostarda, assa-fétida e feno-grego, usados tanto como temperos quanto digestivos.

Jovens recolhem as pimentas vermelhas secas ao sol

Fazem parte da refeição os crocantes *farsaans*, especialmente o *dhokla* (bolo esponjoso de farinha de grão-de-bico e iogurte, cozido no vapor), *khandvi* (rolinhos de farinha de grão-de-bico recheados com coco), *mirchi pakora* (fritas de pimenta verde) e *khakra* (wafers). Saurashtra é famoso pelas conservas e pelo *methis masala*, um molho de salada feito com feno-grego, sal e pimentas.

NO CARDÁPIO

Batata nu shak Batata desidratada e apimentada.

Besan halwa Doce feito com farinha de grão-de-bico.

Dahi pakora Bolinhos de lentilhas com iogurte.

Kadhi Grão-de-bico e lentilhas ao curry levemente apimentado.

Makki soyta Espigas de milho em molho apimentado.

Mattar ki kachori Pão frito recheado com ervilhas.

Mula ni kadi Curry de iogurte e rabanete branco.

Paunk Prato de inverno de legumes variados, temperados com limão e açúcar mascavo

Gatta curry, *bolinhos cozidos no vapor feitos de farinha de grão-de-bico com molho apimentado de iogurte.*

Sulas, *especialidade dos clãs de Rajput, são feitas de carne grelhada e a pasta de uma fruta parecida com o melão.*

Shrikhand, *sobremesa de iogurte temperado com açafrão, cardamomo, nozes e frutas secas.*

RAJASTHAN

Nenhum estado da Índia é tão rico em palácios e fortes magníficos, festivais e bazares coloridos, como Rajasthan. Seus 342.000km² são atravessados pela cordilheira Aravalli, que corre em diagonal de nordeste para sudoeste. O Chambal é seu principal rio. O deserto de Thar, que cobre o oeste de Rajasthan, foi dominado por grandes reinos: Jaisalmer, Jodhpur e Bikaner. Shekhawati, com suas *havelis* pintadas, fica no norte semi-árido, enquanto nas planícies do leste encontra-se a movimentada Jaipur, capital do estado, e o Ranthambhore National Park, famoso pelos tigres. No sul montanhoso e coberto de florestas estão palácios de contos de fada, lagos e fortes de Udaipur e os espetaculares templos jainistas de Ranakpur e Dilwara, no monte Abu.

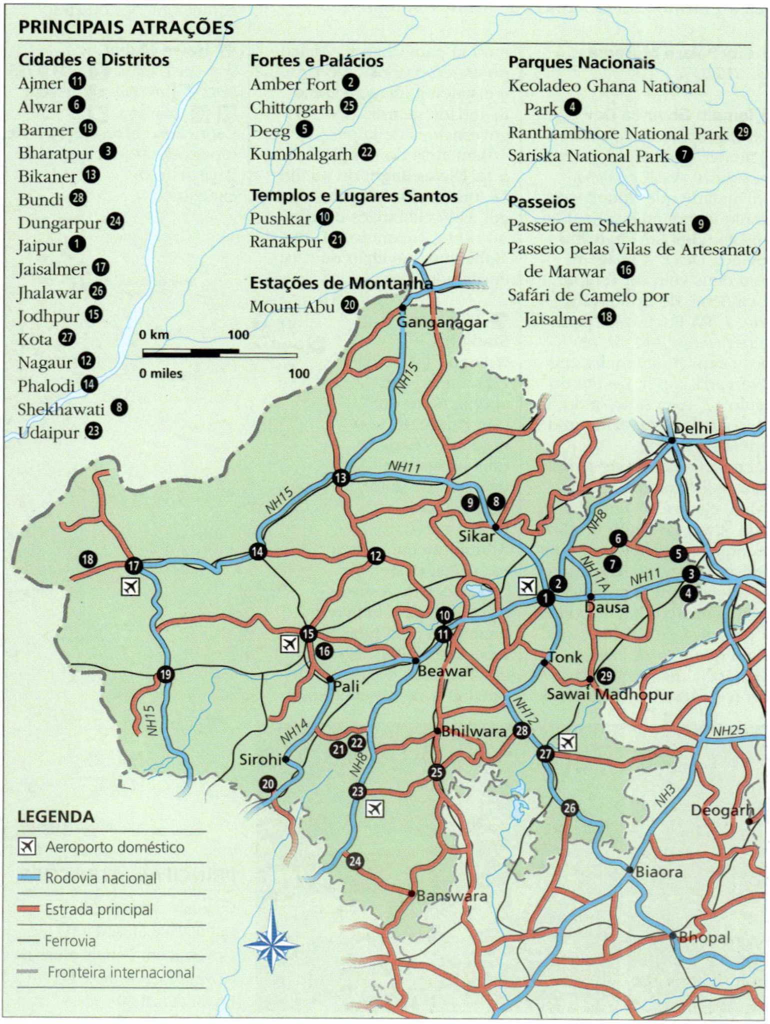

◁ Detalhe da fachada de pedra com entalhe requintado da Patwon ki Haveli (século 19), em Jaisalmer

Jaipur ❶

Guardião de Hawa Mahal

Muitas vezes chamada de "Cidade Rosada", em razão da pintura de seus prédios importantes, Jaipur é um labirinto fascinante de bazares, palácios suntuosos e locais históricos. Aqui, a tradição coexiste com a modernidade. Nas ruas coloridas, motos lutam por espaço com camelos, e idosos de turbante se acotovelam com os jovens de jeans. A velha área murada de Jaipur conta com o City Palace, um observatório astronômico e bazares que vendem desde calçados até jóias. Há pouco tempo foi criado um centro de artes, mas a grande atração ainda é o Hawa Mahal.

Templo Govinda Dev, dedicado a Krishna

City Palace Museum

Págs. 356–7.

Templo Govinda Dev

Jaleb Chowk (atrás do City Palace). *diariam.* *Holi (mar), Janmashtami (ago/set), Annakut (out/nov).*

A divindade que orienta este templo incomum é o Krishna flautista (também chamado Govinda Dev). A imagem deste deus veio do Templo Govindeoji, de Brindavan *(pág. 179)*. Foi trazida para Amber *(págs. 364-5)*, na época capital da família que governaria Jaipur, no fim do século 17, para salvá-la do furor iconoclasta de Aurangzeb, imperador mogul.

Acredita-se que este templo tenha sido um pavilhão de jardim, chamado Suraj Mahal, onde Sawai Jai Singh II morava enquanto a cidade de seus sonhos, Jaipur, era construída. Diz a lenda que, em uma noite, o rei acordou e se viu na presença de Krishna, que exigiu que esta *devasthan* (residência divina) lhe fosse devolvida. Então, Jai Singh se mudou para Chandra Mahal, no extremo oposto do jardim, e instalou a imagem como divindade guardiã dos governantes de Jaipur.

Bem atrás do templo fica o **Jai Niwas Bagh**, do século 18, um jardim ao estilo mogul, com chafarizes e canais. Ao norte, encontra-se o Badal Mahal, um pavilhão de caça encantador.

Chaugan Stadium

Brahmpuri. *diariam.*

Esta ampla área aberta, perto do City Palace, tirou o nome de *chaugan*, uma antiga modalidade de pólo persa, jogada com bastão curvo. Anteriormente, a área era usada para procissões de festivais e partidas de luta livre, e também para lutas de leões e elefantes. Na atualidade, o estádio, com pavilhões de observação, é palco do famoso Elephant Festival *(pág. 371)* realizado ao mesmo tempo que as comemorações de Holi.

Hawa Mahal

Sireh Deori Bazaar. *(0141) 266 8862.* *diariam.* *feriados.* *taxa extra.*

Caprichoso acréscimo ao rico repertório arquitetônico de Rajasthan, o excêntrico

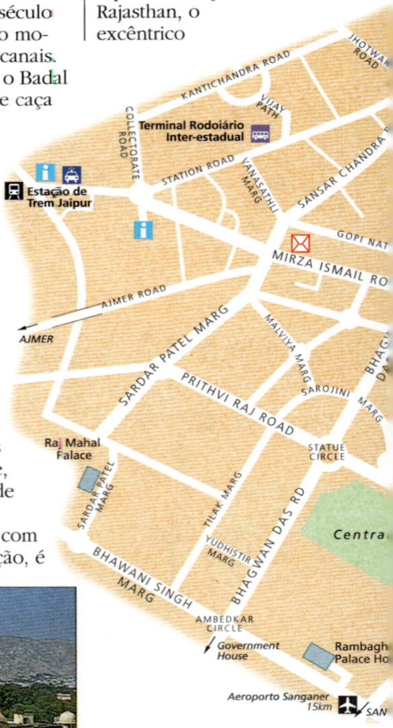

PRINCIPAIS ATRACÕES

Chaugan Stadium ③
City Palace Museum ①
Government Central Museum ⑤
Govind Dev Temple ②
Hawa Mahal ④
Jantar Mantar ⑥

Vista da cidade murada de Jaipur

Para hotéis e restaurantes nesta região, ver págs. 702-5 e págs. 731-2

Hawa Mahal (Palácio dos Ventos) foi erguido em 1799 pelo esteta Sawai Pratap Singh (reinado: 1778-1803). A fachada rosada e ornamentada se tornou o ícone da cidade. A edificação meio barroca, com janelas e balcões em camadas que se projetam, e com telas vazadas, tem altura de cinco andares mas apenas um salão de profundidade, com paredes que não ultrapassam 20cm de espessura. Construída de calcário e argamassa, a estrutura foi projetada desse modo para permitir que as senhoras do harém (com véu e sem ser notadas) observassem as cenas da rua abaixo. Dedicado a Krishna, o Hawa Mahal, visto de longe, parece a *mukut* (coroa) que adorna a cabeça do deus. O visitante pode subir a rampa sinuosa; uma porta para oeste leva até o complexo. Dentro, há escritórios administrativos e o **Archaeological Museum**, com uma pequena coleção de esculturas e de artesanatos locais, a exemplo de utensílios que datam do século 2º a.C.

PREPARE-SE

Distrito de Jaipur. 261km a SO de Délhi. 2.324.500.
15km ao S do centro.
Paryatan Bhavan, Mirza Ismail Rd, (0141) 511 0598. seg-sáb.
Kite Flying Festival (14 jan), Elephant Festival (mar), Gangaur (mar/abr), Teej (jul/ago).

Government Central Museum

Ram Niwas Bagh. (0141) 256 5124. sáb-qui. feriados. grátis na seg.

Também conhecido como Albert Hall, este museu grandioso foi projetado por sir Samuel Swinton Jacob, mestre no estilo indo-sarraceno (pág. 22). No térreo, o museu exibe escudos decorativos, salvas com relevos e algumas peças da cerâmica vitrificada do local. Um *phad* (panô de tecido pintado) de 9m retrata a vida de Pabuji, herói popular do século 14 (pág. 381). O grande tesouro do museu, no entanto, é um dos maiores tapetes persas do mundo (de 1632) que pode ser visto, por solicitação, no Dubar Hall. Atualmente o museu está fechado para reforma. Entre em contato para obter mais informações.

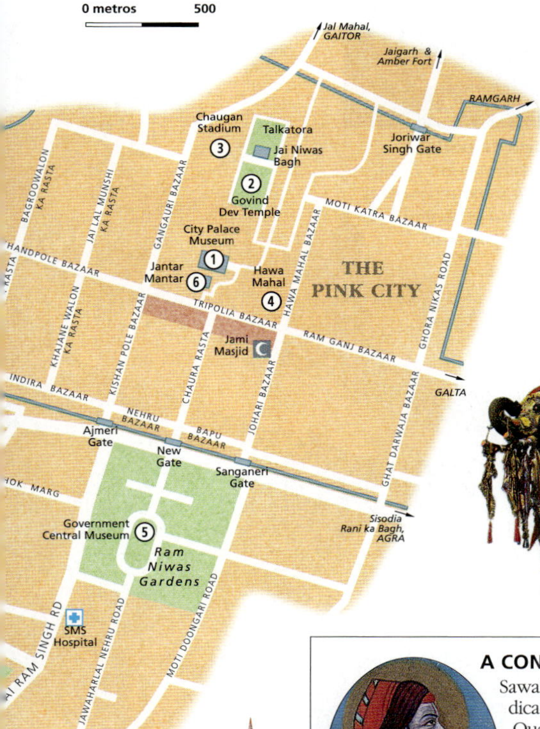

Elefante enfeitado para um festival

Jantar Mantar

Págs. 358–9.

LEGENDA

Área rua a rua: págs. 354–5

Legenda dos símbolos no final do guia

A CONSTRUÇÃO DE JAIPUR

Sawai Jai Singh II (reinado: 1700-43)

Sawai Jai Singh II foi um estudioso dedicado, estadista e patrono das artes. Quando tinha apenas 11 anos, ganhou do imperador mogul Aurangzeb o título de "Sawai" (um e um quarto), metáfora para alguém extraordinário. Com a ajuda de Vidyadhar Chakravarty, engenheiro talentoso de Bengala, Jai Singh ergueu uma nova capital ao sul de Amber e a chamou Jaipur (Cidade da Vitória). As obras começaram em 1727 e terminaram seis anos depois. Cercada por um muro com ameias, transposto por sete portões, Jaipur dispõe de um traçado geométrico de ruas e praças, em um dos melhores exemplos de cidade planejada da Índia.

Rua a Rua ao Redor da Badi Chaupar

A Badi Chaupar (Praça Grande) fica em uma ponta do colorido Tripolia Bazaar. Pouco se mexeu na planta original das ruas e praças do século 18. Das ruas principais, ramificam-se vielas de pedestres onde artesãos modelam marionetes, jóias de prata e outras peças em oficinas minúsculas. Atrás, estão as *havelis* de cidadãos importantes, algumas usadas como escola, loja e escritório.

A área é um centro de atividades, rico em aromas penetrantes e cores vibrantes, com o toque de sinos para aumentar a cacofonia dos sons das ruas.

★ Jantar Mantar

O observatório de instrumentos astronômicos de Jai Singh II parece um grupo de esculturas futuristas (págs. 358-9).

Porta Tripolia

Construída em 1734, esta porta imponente era a entrada principal para o palácio.

Ishwar Lat

Em 1749, Ishwari Singh construiu esta torre para comemorar sua vitória contra Madho Singh I, seu meio-irmão.

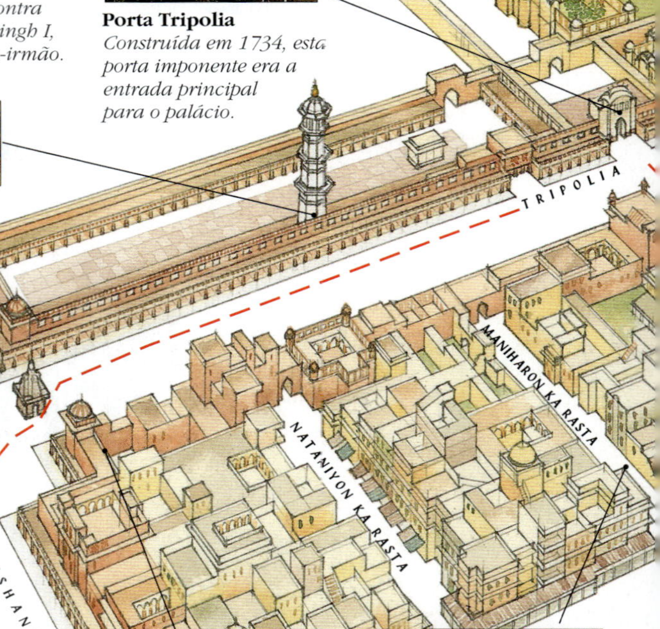

A Chhoti Chaupar

(Pracinha) leva ao Kishanpol Bazaar, famoso pelas lojas que vendem sorbets com sabor de rosa, açafrão, amêndoa e vetiver.

Venda de Flores

Tagetes e outras flores se transformam em grinaldas, oferecidas às divindades veneradas nos templos e santuários de rua.

Pulseiras de Laca

Maniharon ka Rasta tem oficinas que fazem pulseiras de laca.

Para hotéis e restaurantes nesta região, ver págs. 702-5 e págs. 731-2

★ Hawa Mahal
Do City Palace tem-se uma vista da fachada posterior do Hawa Mahal.

★ Johari Bazaar
Vendedores de verduras ficam em uma ponta desta rua, em que muitos negociantes de jóias também têm escritórios e lojas.

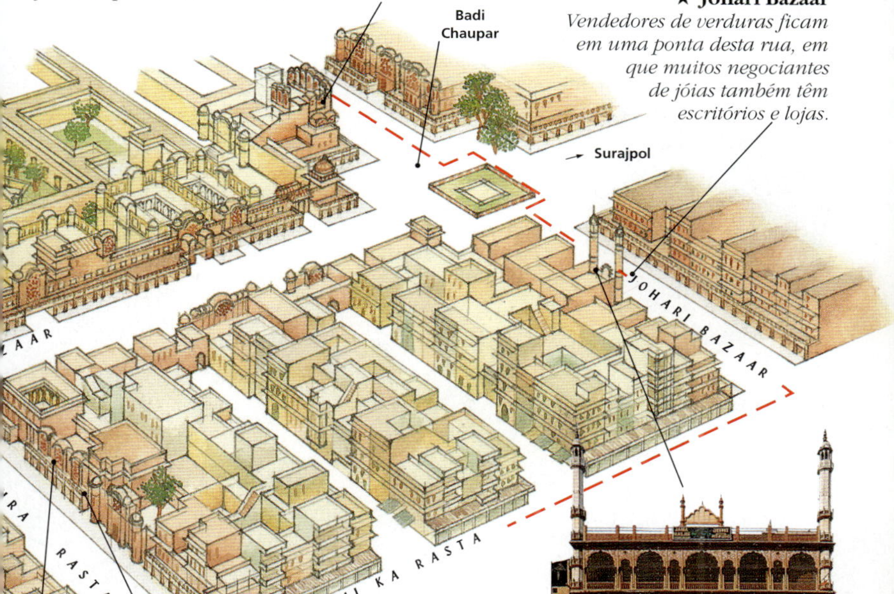

LEGENDA

- - - Percurso sugerido

Jami Masjid
Minaretes altos marcam a "Mesquita da Sexta-Feira", de três andares, com arcos de treliças na fachada.

Loja de Cerâmica
Aqui são vendidos grandes urnas de barro, potes de todos os tamanhos, sinos, estátuas, limpa-pés e lamparinas, feitos por artesãos tradicionais.

PONTOS ALTOS

★ Jantar Mantar

★ Hawa Mahal

★ Johari Bazaar

Jaipur: City Palace Museum

Brasão de Jaipur

No coração da cidade de Jai Singh II, o City Palace abrigou os governantes de Jaipur desde a primeira metade do século 18. O complexo amplo é uma sofisticada mistura das arquiteturas rajput e mogul. Seus prédios públicos abertos e arejados, no estilo mogul, conduziam aos aposentos privativos. Atualmente, parte do complexo é aberta à visitação, como o Maharaja Sawai Man Singh II Museum, mais conhecido como City Palace Museum. O acervo, que inclui pinturas em miniatura, manuscritos, tapetes moguis, instrumentos musicais, trajes reais e armamentos, oferece uma bela introdução ao passado de Jaipur como principado e a seu artesanato fascinante.

★ Pritam Chowk
O "Pátio das Amadas" tem quatro portas com pinturas delicadas, que representam as estações.

Sileh Khana
O antigo arsenal abriga o acervo de armas, um dos melhores da Índia. Algumas peças, como este escudo, são todas decoradas.

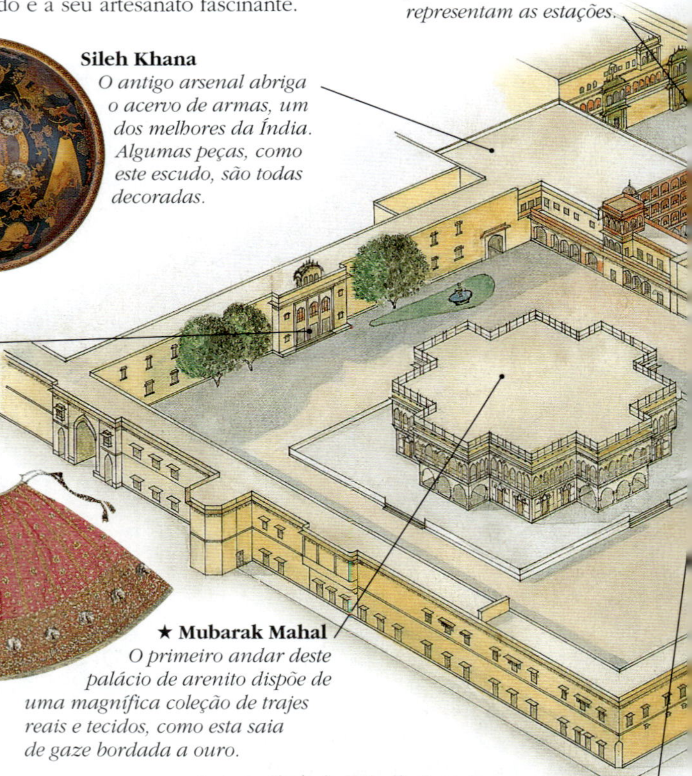

Área de demonstração de artesanatos

★ Mubarak Mahal
O primeiro andar deste palácio de arenito dispõe de uma magnífica coleção de trajes reais e tecidos, como esta saia de gaze bordada a ouro.

★ Rajendra Pol
Nos lados desta porta há dois elefantes, cada um esculpido num só bloco de mármore.

PONTOS ALTOS

- ★ Pritam Chowk
- ★ Mubarak Mahal
- ★ Rajendra Pol
- ★ Vasos de Prata

Chandra Mahal
Cada um dos sete andares deste palácio, fechado à visitação, é decorado com extravagância e ganhou um nome de acordo com sua função.

PREPARE-SE

City Palace Complex. **Tel** (0141) 260 8055. ☐ diariam. ● feriados. Apenas museu e Jaigarh Palace. Só fachadas; taxa extra para vídeos e fotos. **Área de Demonstração de Artesanato** ☐ diariam. ● feriados.

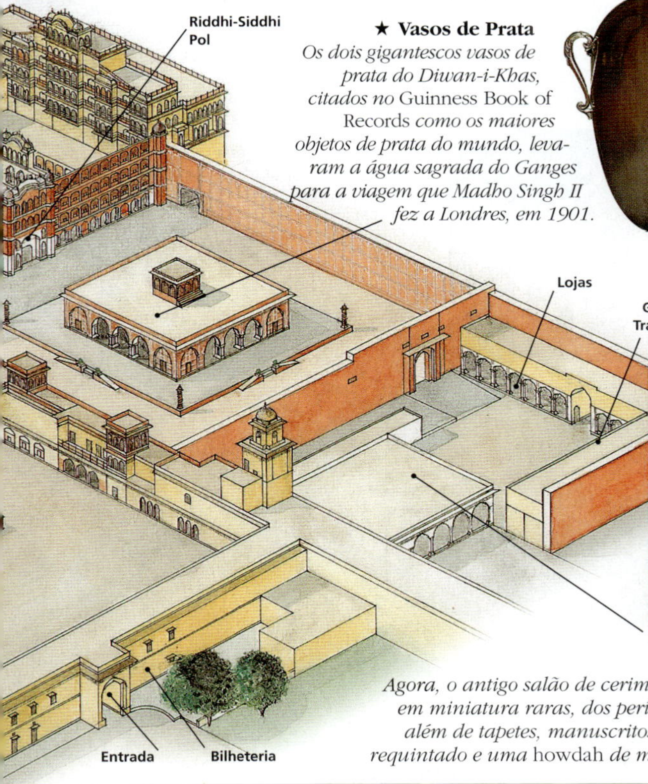

★ Vasos de Prata
Os dois gigantescos vasos de prata do Diwan-i-Khas, citados no Guinness Book of Records *como os maiores objetos de prata do mundo, levaram a água sagrada do Ganges para a viagem que Madho Singh II fez a Londres, em 1901.*

Diwan-i-Aam
Agora, o antigo salão de cerimônias exibe pinturas em miniatura raras, dos períodos mogul e rajput, além de tapetes, manuscritos, um trono de prata requintado e uma howdah *de marfim para elefante.*

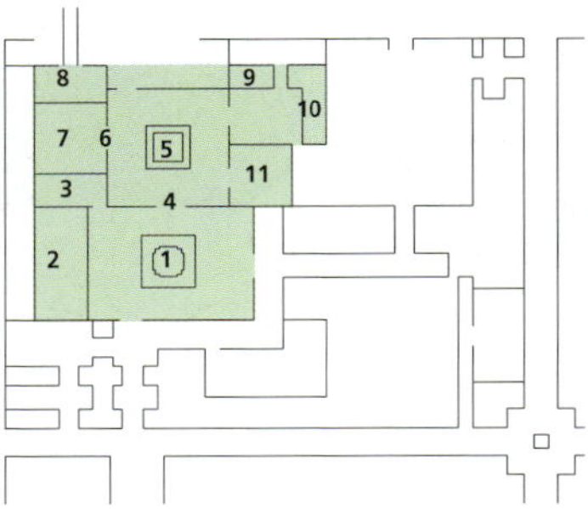

CITY PALACE

1 Mubarak Mahal
2 Área de Dem. de Artesanato
3 Sileh Khana
4 Rajendra Pol
5 Diwan-i-Khas
6 Riddhi-Siddhi Pol
7 Pritam Chowk
8 Chandra Mahal
9 Lojas
10 Galeria de Transportes
11 Diwan-i-Aam

LEGENDA

Área ilustrada

0 metros 200

Jaipur: Jantar Mantar

Kantivrita Yantra

Dos cinco observatórios construídos por Sawai Jai Singh II, o de Jaipur é o maior e o mais bem conservado. Os outros ficam em Délhi *(pág. 78)*, Ujjain, Mathura e Varanasi. Astrônomo entusiasta, Jai Singh mantinha-se a par dos estudos mais recentes da astronomia mundial e se inspirou muito na obra de Mirza Ulugh Beg, rei-astrônomo de Samarcanda. Construído entre 1728 e 1734, o observatório foi descrito como "a paisagem de pedra mais realista e lógica", e seus 16 instrumentos lembram um grupo de esculturas gigantescas. Alguns deles ainda são usados para prever o nível de calor dos meses de verão, a data possível da chegada, a duração e a intensidade das monções e a possibilidade de inundações e de escassez de comida.

Narivalaya Yantra
Com inclinação de 27 graus, estes relógios de sol representam os dois hemisférios e calculam o tempo acompanhando a trajetória solar.

Laghu Samrat Yantra
Este "relógio de sol pequeno" foi construído a 27 graus de latitude norte (latitude de Jaipur) e calcula a hora local com precisão de até 20 segundos.

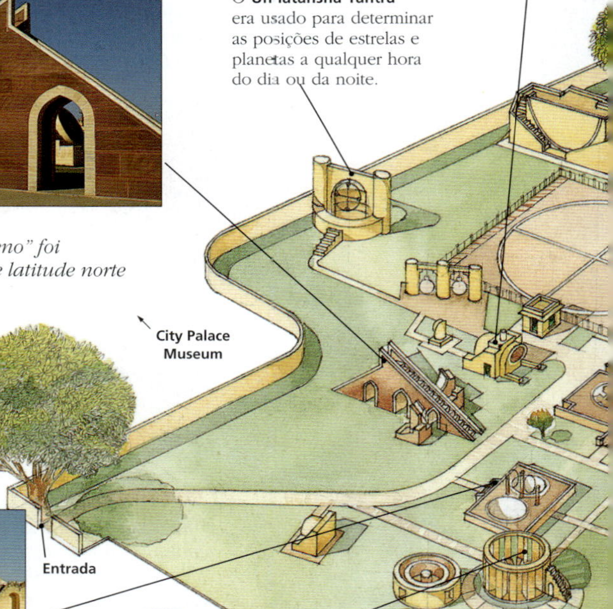

O **Unnatansha Yantra** era usado para determinar as posições de estrelas e planetas a qualquer hora do dia ou da noite.

Chakra Yantra
Um tubo de latão passa pelo centro destes dois instrumentos circulares de metal, que podem ser usados para calcular os ângulos de estrelas e planetas a partir do equador.

★ Ram Yantra
Colunas verticais suportam um número igual de placas horizontais, nas duas estruturas de pedra idênticas que formam este instrumento. Sua leitura determina o arco celeste do horizonte até o zênite, assim como a altitude do Sol.

Para hotéis e restaurantes nesta região, ver págs. 702-5 e págs. 731-2

Vista de Jantar Mantar
O conjunto de instrumentos de pedra e metal foi consertado, com o acréscimo de um engaste de mármore, sob encomenda de Madho Singh II, em 1901.

PREPARE-SE

Chandni Chowk, fora do City Palace. *(0141) 261 0494.* *diariam.* *feriados.* *grátis na seg.* *taxa extra.*

★ **Samrat Yantra**
Jai Singh supunha que grandes instrumentos ofereceriam resultados mais precisos. Este relógio de sol, com 23m de altura, prevê as perspectivas para a colheita do ano.

Rashivalaya Yantra
Compõe-se de 12 peças, que representam signos do zodíaco e, portanto, se voltam para diferentes constelações. Este yantra *(instrumento), usado por astrólogos para criar horóscopos, é o único desse tipo.*

★ **Jai Prakash Yantra**
Estes dois hemisférios no fundo mapeiam o céu. Alguns historiadores acreditam que o próprio Jai Singh inventou este instrumento para avaliar a precisão de todos os outros do observatório.

PONTOS ALTOS

- ★ Ram Yantra
- ★ Samrat Yantra
- ★ Jai Prakash Yantra

Jaipur: Ao Sul da Cidade Murada

No fim do século 19, Jaipur já havia ultrapassado em muito os limites dos muros erguidos por Sawai Jai Singh II. Palácios, pavilhões de caça e mansões surgiram em seus arredores, o que fez da cidade uma mistura harmoniosa do velho com o novo.

Templo Lakshmi Narayan: mármore branco na Cidade Rosada

Moti Doongri Palace

Jawaharlal Nehru Marg.
ao público.

Este palácio, instalado no alto de um pequeno morro, deve seu exterior ornamentado a Sawai Man Singh II, que transformou o antigo forte Shankargarh em palácio, e acrescentou-lhe torreões, ao estilo dos castelos escoceses. Em 1940, ele se casou com a bela princesa Gayatri Devi de Cooch Behar, e este palácio, com interior modernizado, se tornou palco de grandes festas oferecidas pelo sofisticado casal. Ao pé de Moti Doongri fica o **Templo Lakshmi Narayan**, de mármore branco, lugar de oração muito procurado e admirado pelos entalhes primorosos.

Rambagh Palace

Bhawani Singh Rd. ***Tel*** *(0141) 221 1919.* *aberto a não-residentes.*

O Rambagh Palace, agora hotel requintado *(pág. 703)*, tem um passado interessante. Erguido em 1835 para ser um pequeno pavilhão no jardim para a ama-seca de Ram Singh II, foi usado como pavilhão de caça depois da morte dela, em 1856. Mais tarde, quando voltou da Inglaterra, o filho de Ram Singh II, Madho Singh II, o transformou numa área de esportes, com quadras de tênis e squash, campo de pólo e piscina coberta. Em 1933, tornou-se residência oficial de Man Singh II, herdeiro adotado de Madho Singh, que contratou uma empresa de Londres para redecorar o interior. Entre as novidades estavam uma exótica sala chinesa, vermelha e dourada, banheiros de mármore preto, lustres de cristal Lalique e uma mesa de jantar iluminada. Com belos jardins, tornou-se hotel em 1957, quando Man Singh II se mudou para o Raj Mahal Palace, menor.

Raj Mahal Palace

Sardar Patel Marg. ***Tel*** *(0141) 510 5665.* *aberto a não-residentes.*

Hoje hotel grandioso, este agradável palácio do século 18, menos suntuoso que o Rambagh Palace, ocupa um lugar especial na história de Jaipur. Construído em 1739 para Chandra Kumari Ranawatji, rainha favorita de Sawai Jai Singh II, era usado como casa de veraneio pelas senhoras da corte. Em 1821, foi declarado residência oficial do representante britânico em Jaipur. Porém, a fase mais glamourosa de sua história foi na época em que Man Singh II e Gayatri Devi se mudaram para cá, em 1956, vindos do Rambagh Palace. Entre as celebridades que receberam estavam o príncipe Philip, jogador de pólo como Man Singh II, e Jackie Kennedy.

Jawahar Kala Kendra

Jawaharlal Nehru Marg. ***Tel*** *(0141) 270 5879.* *diariam.*

Projetada pelo arquiteto Charles Correa, em 1993, esta notável construção homenageia o design indiano contemporâneo. Criativamente modelada segundo o famoso traçado da cidade, cada um de seus nove pátios ou praças aloja um pequeno *mahal*, ou palácio, com o nome de um planeta. E cada uma exibe uma mostra selecionada de tecidos, artesanatos e armamentos, enquando no centro há uma praça muito bem elaborada, a céu aberto, onde ocorrem apresentações de música e dança rajastanis tradicionais.

Jawahar Kala Kendra

Interior luxuoso do Rambagh Palace, agora um hotel

Para hotéis e restaurantes nesta região, ver págs. 702-5 e págs. 731-2

Jóias de Jaipur

Sejam os fabulosos rubis e esmeraldas dos antigos marajás e suas esposas, sejam os requintados ornamentos exibidos por pessoas comuns, as jóias fazem parte da cultura rajastani. Até camelos, cavalos e elefantes têm pulseiras de tornozelo e colares com design especial. Jaipur é um dos maiores centros de fabricação de adereços da Índia, e o *meenakari* (trabalho com esmalte) e o *kundankari* (trabalho de incrustação de pedras preciosas) são duas técnicas tradicionais pelas quais a cidade ganhou fama. No século 16, Man Singh I *(pág. 364)*, influenciado pela moda na corte mogul, trouxe cinco esmaltadores siques de Lahore para cá. Desde então, gerações de joalheiros altamente capacitados viveram e trabalharam aqui. Jaipur atende a todos os gostos, oferecendo desde enfeites de prata bem simples até desenhos mais sofisticados e complicados de ouro com pedras preciosas.

Pendente kundankari

Caixinha trabalhada, *com tampa* kundankari. *A parte de baixo dispõe de fino trabalho* meenakari, *com padrões florais tradicionais, em vermelho, azul, verde e branco.*

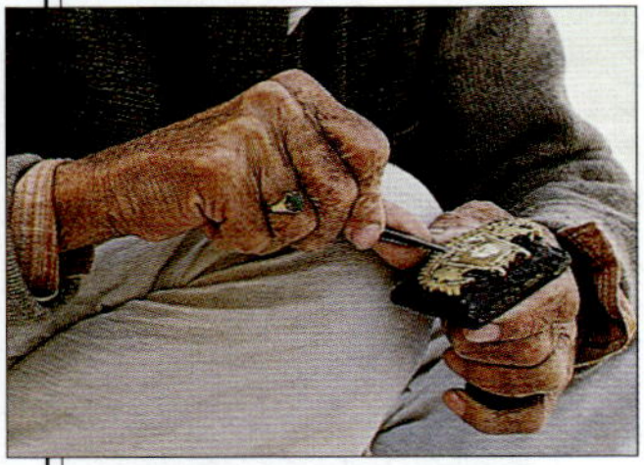

A **habilidade de incrustar pedras** *pode ser apreciada nas movimentadas vielas de Haldiyon ka Rasta, Jadiyon ka Rasta e Gopalji ka Rasta. A joalheria, uma arte que passa de pai para filho, tem comércio regulado por associações de artesãos.*

O **Sarpech**, *enfeite de turbante em forma de cipreste, era um símbolo da moda introduzida pelos imperadores mogüis, no início do século 17, para exibir suas melhores pedras preciosas. Os governantes rajputs, impressionados com a extravagância mogul, usavam adereços igualmente deslumbrantes, como esta peça de ouro esmaltado, com esmeraldas, rubis, brilhantes e safiras, rematada com uma gota de pérola.*

O **meenakari** *embeleza o anverso da joalheria* kundan, *pois o gosto dos rajastanis por adereços exige que mesmo a parte de trás de uma peça (à esquerda) seja tão bonita quanto a da frente (à direita).*

O **Kundankari** *usa ouro altamente purificado como base, que depois é incrustada com laca e recebe pedras preciosas e semipreciosas para lhe conferir cor e desenho. Fios de ouro rematam o contorno e também disfarçam o fundo de laca.*

Jaipur, *agora, é um centro de lapidação, especializado em cortar esmeraldas e diamantes da África, América do Sul e diversas regiões da Índia. Os artesãos aprendem o ofício cortando granadas.*

Como Explorar Jaipur: Fora do Centro

Uma cadeia de montanhas corre paralela à periferia oriental de Jaipur, de Sanganer, no sul, até Amber e região, fechando um vale estreito. Nesta área, que consiste em encostas cobertas de florestas e terreno rochoso, a nobreza construiu templos, jardins, pavilhões e palácios. Instaladas em terreno acima da cidade estão as notáveis fortalezas de Nahargarh e Jaigarh, que protegiam tanto Amber como a nova capital, Jaipur. A região adjacente também conta com restos de muros fortificados, templos, *havelis* e os cenotáfios dos reis kachhawahas de Amber e Jaipur.

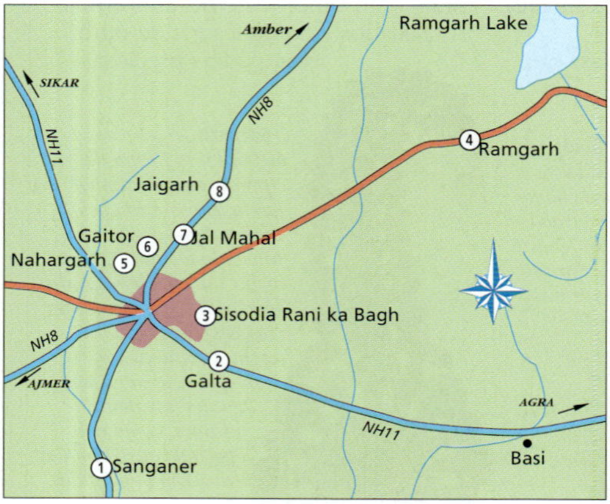

PRINCIPAIS ATRAÇÕES

Gaitor ⑥
Galta ②
Jaigarh ⑧
Jal Mahal ⑦
Nahargarh ⑤
Ramgarh ④
Sanganer ①
Sisodia Rani ka Bagh ③

LEGENDA

- Centro de Jaipur
- Rodovia nacional
- Estrada principal

0 km 25

***Tirthankara* jainista de mármore do Templo Sanghiji, em Sanganer**

Sanganer

Distrito de Jaipur, 15km a SO de Jaipur.

Esta cidade é famosa pelo algodão estampado. A maioria das prensas e tintas pertence, atualmente, a uma associação, com pontos-de-venda que oferecem tecidos a preços razoáveis. Sanganer deve seu sucesso como centro de estamparia a um riacho, cujas águas têm um componente mineral que fixa os corantes. A cidade também produz papel artesanal e a famosa cerâmica azul de Jaipur, com delicados desenhos persas, turcos e indianos, pintados a mão em vasos e azulejos. Protegido na antiga cidade murada está o **Templo Sanghiji**, jainista, suntuosamente decorado com entalhes. Agora, Sanganer é um subúrbio movimentado de Jaipur e conta com o aeroporto da cidade.

Tanque sagrado em Galta

Galta

Distrito de Jaipur. 10km a L de Jaipur.

Este desfiladeiro abriga o Galta Kund, centro religioso do século 18, com dois templos principais e diversos santuários menores. Diz-se que seus sete tanques sagrados, alimentados por nascentes naturais, têm poderes curativos. Os dois pavilhões que ladeiam o complexo possuem afrescos bem conservados. O Templo Surya, no alto de uma serra, oferece belas vistas de Jaipur.

Sisodia Rani ka Bagh

Distrito de Jaipur. Purana Ghat. 6km a E de Jaipur. *(0141) 264 0594.* *diariam.*

Este jardim em terraços foi projetado no século 18 para a segunda esposa de Sawai Jai

O pitoresco Jal Mahal parece flutuar durante as monções

Singh II, que se casou com ele com a condição de que o filho dela seria o sucessor ao trono. Para fugir das inevitáveis intrigas palacianas, a rainha se mudou para fora da cidade murada. Seu pequeno palácio de dois andares, decorado com belos murais, é cercado de lindos jardins. Agora, é uma concorrida locação para filmes indianos.

Ramgarh

Distrito de Jaipur. 40 km a L de Jaipur.

Em Ramgarh ficava uma das primeiras fortalezas dos reis kachhawahas. Foi construída por Duleh Rai (reinado: 1093-1135), fundador da dinastia, que também ergueu um templo dedicado à deusa Jamvai Mata, agora visitado por milhares de devotos. O Ramgarh Lodge, na margem norte de um lago artificial, é um elegante pavilhão de caça ao estilo de vila francesa, feito em 1931 para a família real de Jaipur. Tornou-se hotel tradicional e agradável, com um dos melhores campos de pólo do país.

Nahargarh

Distrito de Jaipur. 9km a NO de Jaipur. (0141) 253 0293. diariam. feriados.

Ameaçador, no topo de um monte, o forte de Nahargarh (Forte do Tigre) ocupa uma área que já foi uma floresta densa. A violenta tribo meena dominava a região até ser derrotada pelos kachhawahas. As defesas, fortificadas por Sawai Jai Singh II, foram expandidas por sucessivos governantes. Madho Singh II acrescentou um palácio chamado Madhavendra Bhavan para suas nove rainhas. Disposto em um labirinto de esplanadas e pátios, tem um aposento superior arejado e fresco, do qual as senhoras podiam avistar a cidade. Paredes e pilares são um exemplo importante de *arayish*, tipo de trabalho de gesso polido a mão com um pedaço de ágata para dar o acabamento de mármore.

Gaitor

Distrito de Jaipur. 8km ao N de Jaipur. diariam. feriados.

Os cenotáfios de mármore dos reis Kachhawahas estão dentro de um jardim murado, na saída da estrada para Amber. A área foi escolhida por Sawai Jai Singh II como o novo local de cremação, depois que Amber *(págs. 364-5)* foi abandonada. Pilares com entalhes sustentam *chhatris* de mármore, erguidos sobre as plataformas onde os marajás eram cremados. Um dos cenotáfios mais notáveis do complexo é o do próprio Jai Singh II. Possui 20 pilares de mármore entalhados com cenas religiosas e mitológicas; por cima há uma cúpula de mármore branco. O cenotáfio mais recente foi erguido em 1997, em memória de Jagat Singh, único filho de Sawai Man Singh II e Gayatri Devi.

Jal Mahal

Distrito de Jaipur. 8km ao N de Jaipur. diariam.

Durante as monções, o lago Man Sagar fica cheio e o Jal Mahal (Palácio da Água) parece se erguer dele, como uma miragem. Construído em meados do século 18 por Madho Singh I, inspirou-se no Lake Palace de Udaipur, onde o rei passou a infância. Mais tarde, foi usado para festas reais de caça ao pato, e muitas aves aquáticas ainda são vistas por aqui. O jardim em terraços, cercado por passarelas em arco, possui em cada canto elegantes torres com cúpula.

Jaigarh

Distrito de Jaipur. 12km a NO de Jaipur. (0141) 267 1848. 9h-16h30 diariam. feriados.

O Jaigarh (Forte da Vitória) vigia Amber, a antiga capital. Aqui fica uma das poucas fundições de canhões que ainda restam. Uma de suas peças mais apreciadas é o monumental Jai Van, de 50 toneladas, fundido em 1726 e considerado o maior canhão sobre rodas do mundo. Curiosamente, apesar do tamanho, esse canhão nunca foi disparado. Outras atrações são a Diva Burj (torre de sete andares, onde uma enorme lamparina era acesa no aniversário do rei), dois templos e um palácio erguido há mais de 200 anos.

O famoso Jai Van

Defesas do Jaigarh Fort, uma façanha da engenharia militar

Amber Fort ❷

Shila Devi: detalhe de porta

O forte e palácio de Amber foi cidadela Kachhawaha até 1727, quando a capital passou a Jaipur. Governantes posteriores continuaram a vir aqui em ocasiões importantes para pedir as bênçãos de Shila Devi, divindade da família. A fortaleza foi erguida em 1592 por Man Singh I sobre as ruínas de um velho forte do século 11, mas os diversos prédios acrescentados por Jai Singh I (reinado: 1621-67) constituem as principais atrações.

Passeio de elefante no piso de pedra para o forte

Aram Bagh, jardim dos prazeres.

★ Sheesh Mahal
A chama de uma única vela, refletida nos pequenos espelhos engastados neste aposento, transforma-o em um céu estrelado.

Jas Mandir
Este Salão de Audiência Privativa dispõe de janelas com treliças e de teto floral com elegante trabalho de alabastro em relevo e incrustações de vidro. Uma tela lavrada no mármore está voltada para o lago Maota e permite a entrada de ar fresco.

Jai Mandir

Vista do Amber Fort
Protegidas pelo Jaigarh Fort, as defesas maciças do Amber Fort acompanham o contorno do espigão natural.

PONTOS ALTOS

- ★ Sheesh Mahal
- ★ Ganesh Pol
- ★ Templo Shila Devi

Para hotéis e restaurantes nesta região, ver págs. 702-5 e págs. 731-2

PREPARE-SE

Distrito de Jaipur. 11km ao N de Jaipur. (0141) 253 0293. 8h-17h30 diariam. feriados.

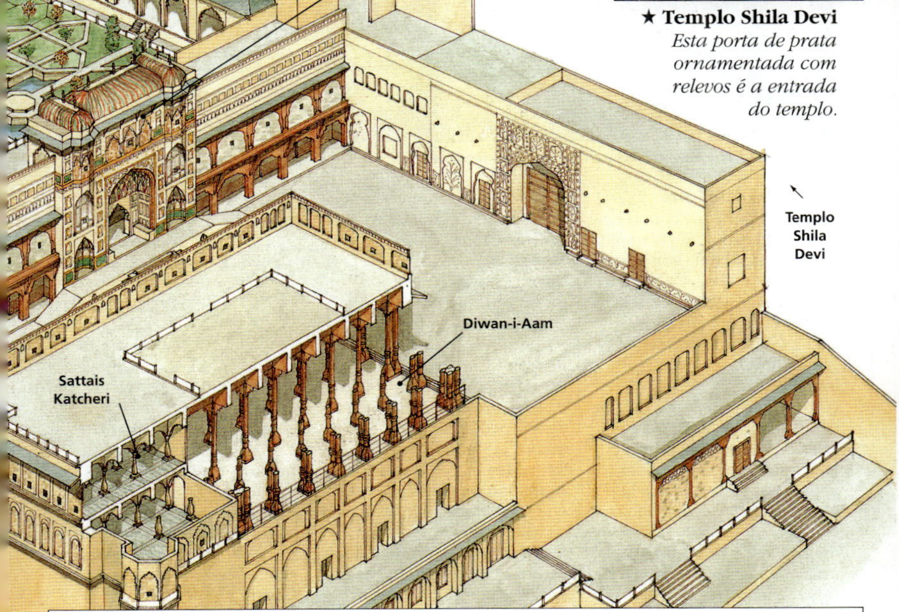

★ **Ganesh Pol**
Este belo portal de três andares, construído em 1640, faz a ligação com os aposentos privativos no andar mais elevado, reservado para as senhoras no purdah.

★ **Templo Shila Devi**
Esta porta de prata ornamentada com relevos é a entrada do templo.

PLANTA DO AMBER FORT

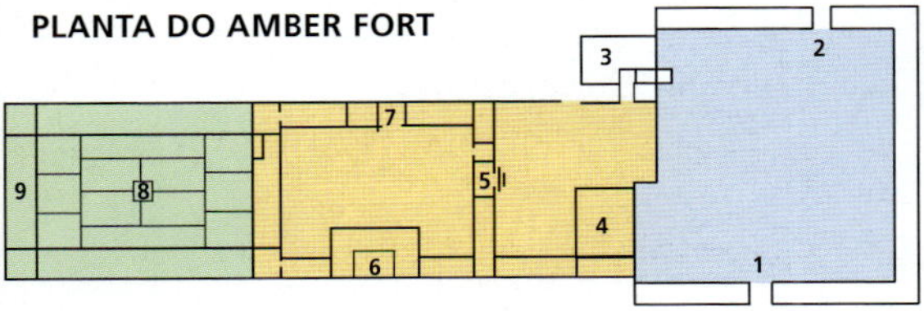

LEGENDA

- Área ilustrada
- Man Singh's Palace
- Jaleb Chowk

0 metros 100

1 Suraj Pol
2 Chand Pol
3 Shila Devi Temple
4 Diwan-i-Aam
5 Ganesh Pol
6 Jai Mandir
6 Jas Mandir
6 Sheesh Mahal
7 Sukh Niwas
8 Baradari
9 Zenana

Como Explorar Amber (Antiga Capital)

Detalhe do Ganesh Pol

No topo do morro, o Amber Fort oferece vista panorâmica do lago Maota. No sopé, encontra-se a antiga cidade histórica, primeira sede dos reis de Amber, antes que transformassem o forte em capital. *Havelis*, poços com escada e templos podem ser observados abaixo do forte, o que indica a existência de um município autosuficiente, onde Akbar, imperador mogul, costumava parar em sua peregrinação anual a Ajmer *(pág. 376)*.

A Sattais Katcheri, onde se faziam os registros dos rendimentos

O Complexo do Forte

A entrada principal para o histórico Amber Fort é pela imponente **Suraj Pol** (Porta do Sol), que está voltada para o sol nascente, emblema da família Kachhawaha. A porta leva a um pátio enorme, o **Jaleb Chowk**, rodeado por lojas de suvenires e de refeições ligeiras. Um lance de escada conduz ao **Templo Shila Devi**, que tem portas e lamparinas de prata, pilares grandiosos com entalhes que parecem folhas de bananeira, e abriga a divindade da família Kachhawaha: uma imagem de pedra *(shila)* da deusa Kali. O pátio seguinte é o **Diwan-i-Aam**, espaço para audiência pública. Perto, fica a **Sattais Katcheri**, uma colunata de 27 *(sattais)* pilares, onde os escribas registravam as petições de rendimentos.

O magnífico **Ganesh Pol** é um portal para três palácios, cada um com características especiais, construídos ao redor de um jardim em estilo mogul, o **Aram Bagh**. O lago Maota, que fornece água ao forte, é cercado por dois jardins requintados: o **Kesar Kyari Bagh** possui canteiros em forma de estrela, onde se cultivavam flores de açafrão *(kesar)*; já o **Dilaram Bagh**, feito em 1568 como lugar de repouso para Akbar, quando se dirigia a Ajmer, é um jogo de palavras com o nome de seu arquiteto, Dilaram (Tranquilidade do Coração). Ali perto fica o pequeno Archaeological Museum. A extremidade mais afastada e antiga do forte foi transformada em zenana, com telas e balcões cobertos para o recolhimento das senhoras em *purdah*. Traços de afrescos ainda são visíveis nas paredes. No centro do pátio há um pavilhão com 12 pilares, o **Baradari**.

O Município

A **Chand Pol** (Porta da Lua), oposta à Suraj Pol, leva à cidade velha, fora do forte. O belo **Templo Jagat Shiromani**, com magnífico *torana* (portal), é um dos muitos templos ao longo desse trajeto. Tem um tanque d'água, o **Panna Mian ka Kund**. A leste fica **Sagar**, bom local para piqueniques, com dois lagos em desnível. A Jaipur-Delhi Highway atravessa a cidade; o principal mercado de Amber e o ponto de ônibus estão nessa rodovia. Mais ao norte, fica a **Mesquita Akbari**, construída pelo imperador Akbar, em 1569, e a leste, **Bharmal ki Chhatri**, uma área murada, com um conjunto de memoriais. Este era o antigo local para a cremação dos governantes de Amber, até a escolha de um novo ponto em Gaitor *(pág. 363)*, próximo a Jaipur.

Entalhe de divindade hindu

O nome do Kesar Kyari Bagh vem das raras flores de açafrão que eram plantadas nos canteiros em estrela

Para hotéis e restaurantes nesta região, ver págs. 702-5 e págs. 731-2

Bharatpur ❸

Distrito de Bharatpur. 181km a L de Jaipur. 204.500. *RTDC Hotel Saras, (05644) 22 2542. Jaswant Mela (out).*

Mais conhecido pela reserva de pássaros, o reino de Bharatpur foi fundado pelos destemidos jats, comunidade ligada às terras. Seu líder mais famoso, o rajá Suraj Mal (reinado: 1724-63), fortificou a cidade de Bharatpur em 1733 e usou a pilhagem de prédios mogüis para embelezar fortes e palácios de seu reino. No centro da cidade fica o **Lohagarh** (Forte de Ferro), uma obra-prima da engenharia. Suas fortificações duplas e maciças são feitas de barro e brita compactados, cercadas por um fosso impressionante, que resistiu aos ataques marathas e britânicos, até ser capturado por lorde Lake, em 1805. Três palácios erguidos no forte exibem sofisticada mistura dos estilos mogul e rajput. Agora, um deles é sede de uma faculdade de farmácia e os outros dois, ao redor do Katcheri Bagh, abrigam o **State Museum**. Seu acervo conta com uma coleção rara de entalhes em pedra dos séculos 1º e 2º. Ali perto há um curioso *hamam* (banheiro) embutido. Em 1818, Bharatpur foi o primeiro principado da região a assinar um tratado com a Companhia das Índias Orientais.

Fosso e defesas de Lohagarh

State Museum
***Tel** (05644) 22 8185. sex-qua. feriados. grátis na seg. taxa extra.*

Keoladeo Ghana National Park ❹

Págs. 368–9.

Deeg ❺

Distrito de Bharatpur. 36km ao N de Bharatpur. *RTDC Hotel Saras, Bharatpur, (05644) 22 3700. Holi (mar), Jawahar Mela (ago).*
Water Palace *diariam. no dia seguinte ao Holi (mar).*

Antiga capital dos reis jats de Bharatpur, Deeg ganhou destaque após o declínio do império mogul, no século 18. O forte quadrado e a cidade fortificada, antes cheios de mansões grandiosas e jardins, agora estão descuidados e esquecidos. Suraj Mal, rajá de Deeg, e seu filho Jawahar Singh foram grandes construtores de belos palácios. O mais notável é o **Deeg Water Palace**, um romântico refúgio de verão dos reis jats. A magia das monções inspirou um belo conjunto de pavilhões de arenito e mármore, cheios de jardins e espelhos-d'água. Um hábil sistema de refrigeração captava água de um reservatório enorme e usava diversos efeitos inovadores para simular as chuvas das monções e até produzir arco-íris. Agora, as fontes coloridas são usadas apenas no Jawahar Mela.

Sawan Pavilion, Deeg Water Palace

DEEG WATER PALACE

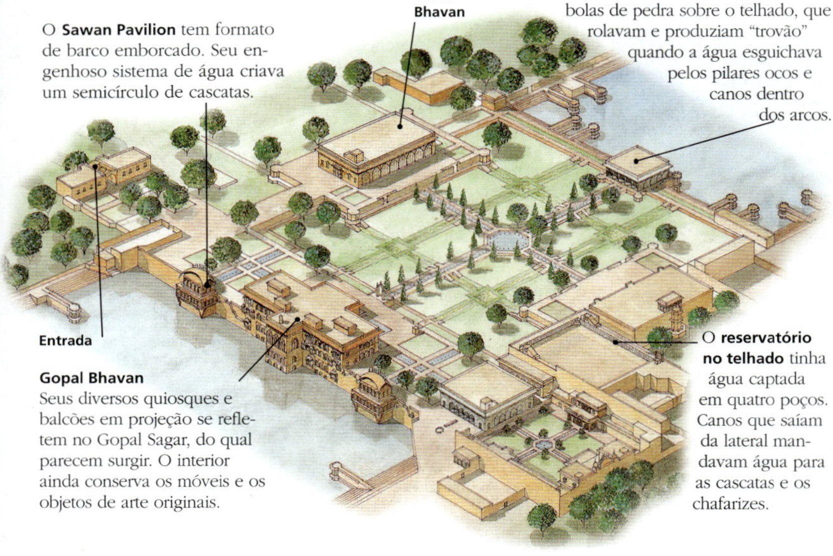

Keoladeo Ghana National Park ❹

Patrimônio da Humanidade da Unesco, uma das reservas de pássaros mais importantes do mundo, o Keoladeo Ghana tem o nome derivado de um templo de Shiva (Keoladeo) dentro de uma floresta *(ghana)* densa. Este terreno árido foi modificado pelos governantes de Bharatpur, em meados do século 18, com o desvio das águas de um canal de irrigação próximo para criar uma reserva privativa de patos. Aqui foram realizadas caçadas com festas extravagantes para os vice-reis britânicos e outros convidados reais, quando se abatiam centenas de pássaros em um só dia. Agora, o parque ocupa quase 30km² de alagados e atrai grande variedade de aves aquáticas e migratórias, que no inverno vêm de terras remotas como a Sibéria. A área seca de Keoladeo mistura plantas decíduas e arbustos, e abriga muitos animais, como o famoso nilgai (antílope).

As garças nidificam nos excelentes alagados rasos

Como Circular pelo Parque
Barqueiros experientes navegam pelos alagados e indicam as colônias de pássaros. Também se podem percorrer os caminhos da floresta de bicicleta ou riquixá de pedalar.

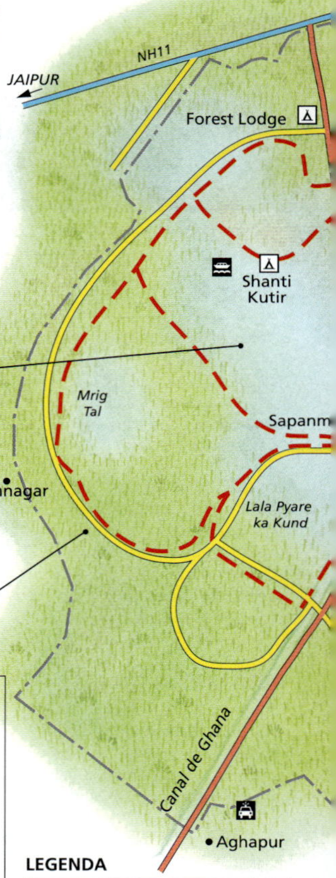

A **área seca**, com plantas arbustivas, oferece boa pastagem para o nilgai e cervídeos.

LEGENDA

- Estrada principal
- Estrada secundária
- Limite do parque
- Caminho/trilha de bicicleta
- Alagados
- Vista panorâmica
- Píer
- Barcos
- Delegacia de polícia
- Templo
- Hospedagem

PÁSSAROS RESIDENTES E MIGRANTES

Dança do grou-indiano macho para atrair a fêmea

O parque atrai mais de 375 espécies de pássaros, que pertencem a 56 famílias. Garçotas, cararás, cormorões, garças-cinzentas e cegonhas chocam quase 30 mil ovos todos os anos. O visitante mais esperado é o grou-siberiano, agora uma espécie ameaçada. Há outros pássaros, como o falcão-peregrino, a águia-da-estepe, o marreco, a biguatinga e a íbis-branca. Entre as variedades de cegonha, existem as de bico aberto asiáticas, as pintadas e as de pescoço preto, consideradas a mais altas do mundo. Esta ave, de pernas avermelhadas, atinge 2m de altura, com envergadura de 2,5m. O grou-indiano, símbolo de fidelidade na mitologia indiana, corteja sempre a mesma companheira, com elaborada dança de acasalamento.

Cormorões ainda pequenos

Para hotéis e restaurantes nesta região, ver págs. 702-5 e págs. 731-2

Cegonhas-pintadas
De julho a outubro, as árvores recebem ninhos de quase 5 mil pares deste pássaro, cujo nome se deve aos bicos coloridos e à plumagem "pintada" com estrias pretas.

PREPARE-SE

Distrito de Bharatpur. 185km a L de Jaipur. *Bharatpur, 5km ao N da entrada, depois táxi. Bharatpur. RTDC Hotel Saras, Bharatpur, (05644) 22 3700. Deputy Chief Wildlife Warden, (05644) 22 2777.* *taxa extra.* *Dispõe de bicicletas e riquixás de pedal.*

Tartagura indiana de casco mole
O parque dispõe de alagados, hábitat ideal para esta espécie ameaçada.

Uma **placa de pedra** perto do templo registra o número de pássaros mortos no passado.

Nilgai
O maior dos antílopes asiáticos, devastador de plantações, é protegido contra a caça por causa da semelhança com a vaca sagrada. Seu dorso largo oferece uma área confortável para os pássaros descansarem.

Alcião-de-garganta-branca
Uma das aves mais encontradas no parque, este alcião de cores vivas é geralmente visto perto de lagos e pântanos, empoleirado aos bandos, esperando por presas.

Ninhadas
Com a chegada das monções, milhares de pássaros, como estes cormorões maiores, cuidam de suas ninhadas. Até 60 ninhos barulhentos podem ocupar uma única árvore nessa estação.

Alwar ❻

Distrito de Alwar. 150km a NE de Jaipur. 260.300. RTDC, Nehru Marg, na frente da estação de trem, (0144) 234 7348. *Jagannathji Fair (mar/abr).*

O antigo principado de Alwar agora é uma cidade provinciana empoeirada, visitada por poucos turistas, com exceção dos que estão a caminho do Sariska National Park. Mas possui alguns monumentos notáveis, construídos pelos ricos governantes no século 18, que valem a pena ver. O mais significativo é o **City Palace**, com detalhes arquitetônicos extravagantes, como uma profusão de telhados *bangaldar* curvos e *chhatris* (pavilhões),

Porta do Túmulo de Fateh Jang

assim como delicados ornatos florais moguis e *jalis*. O palácio, de 1793, agora abriga o District Collectorate e o Police Headquarters, e pode-se apreciá-lo melhor do pátio central, com lindos pavilhões de mármore. O Durbar Hall, com decoração suntuosa, e o Sheesh Mahal, no primeiro andar, só são visitados com permissão. Uma porta à direita do pátio leva ao **City Palace Museum**, espalhado por três salões do último andar do palácio. Seus tesouros, que testemunham o estilo de vida dos marajás de Alwar, contam com cópias raras e requintadas do *Gulistan*, escrito em 1258 pelo poeta persa Sa'adi, e do *Babur Nama*, ou "Memórias de Babur" (1530), magníficas miniaturas mogüis e rajputs, e armamentos fantásticos. Chama atenção uma espiral macabra, chamada *nagphas*, usada para estrangular inimigos. Outra peça singular é uma mesa de jantar de prata, com aberturas pelas quais se podem ver peixes de metal.

O cenotáfio do marajá Bakhtawar Singh (reinado: 1790-1815) fica atrás do palácio, do outro lado de um belo *kund* (tanque). É conhecido no local como **Moosi Maharani ki Chhatri**, em homenagem à sua amada, que cometeu *sati* depois da morte dele. Monumento elegante, mistura arenito amarronzado com mármore branco. Tem tetos com pinturas de folhas de ouro.

Num morro acima da cidade, encontra-se o **Bala Qila**, um forte com portas maciças e vistas espetaculares no topo. No início, era um forte de barro do século 10º, que foi aumentado por mogüis e jats, e capturado por Pratap Singh, de Alwar, em 1775. Dentro, há um lindo palácio cheio de afrescos, o Nikumbh Mahal, em cujo pátio está inadequadamente localizado um posto policial de radiopatrulha. Também é possível ver as ruínas do Salim Mahal, nome em homenagem a Jahangir (Salim), herdeiro de Akbar, imperador mogul, que ficou exilado aqui depois de ter tramado a morte de Abu'l Fazl, historiador da corte. Perto da estação de trem está outro belo monumento, o **Túmulo de Fateh Jang**, um ministro do imperador Shah Jahan, construído em 1647. Dominados por uma cúpula enorme, as paredes e o teto desta estrutura de cinco andares possuem enfeites de gesso.

O pulmão verde de Alwar, o **Company Bagh**, é um lindo jardim com estufa.

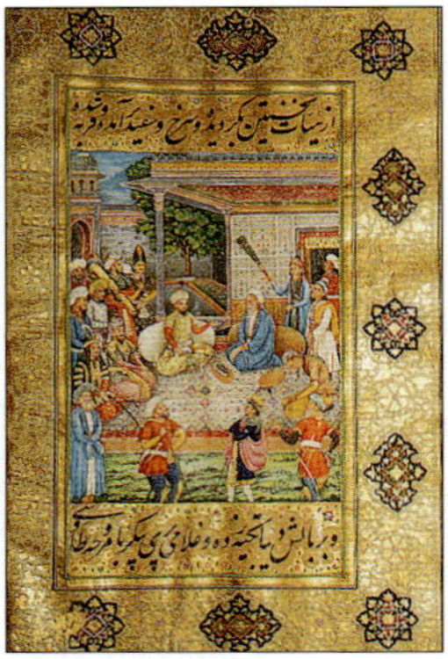

Página do *Gulistan*

City Palace
Próximo ao Collectorate. *diariam.*

City Palace Museum
sáb-qui. *feriados.*

Moosi Maharani ki Chhatri
sáb-qui. *feriados.*

Bala Qila
diariam. Permissão por escrito não é mais necessária. O visitante é registrado no escritório do Superintendent of Police, City Palace.

Túmulo de Fateh Jang
Próximo à estação de trem.
diariam

O elegante pavilhão de mármore Moosi Maharani ki Chhatri

Para hotéis e restaurantes nesta região, ver págs. 702-5 e págs. 731-2

O Sariska Palace, hotel de luxo bem na saída da Tiger Reserve

Sariska National Park 7

Distrito de Alwar. 37km a NE de Alwar. *Field Director, Project Tiger Sanctuary, Sariska (0144) 284 1333.* *set-jun.* *taxa extra para veículos pessoais ou jipes.*

Nomeado Tiger Reserve do Project Tiger *(pág. 289)* em 1979, o Sariska National Park foi território de caça do principado de Alwar. Ocupa 800km², com área central de 480km². A cordilheira Aravalli se ramifica em Sariska, e forma platôs e vales, onde vive grande variedade de plantas e animais.

Estima-se que a população de tigres de Sariska esteja entre 20 e 30 animais e ver um deles é muito raro. A mídia chegou a dizer que não havia mais nenhum tigre na reserva, no entanto guias florestais conhecem o caminho em que eles foram vistos recentemente e, às vezes, podem levar o visitante a localizar esse predador ardiloso.

Em Sariska, há uma série de poços d'água em Pandupol, Bandipol, Slopka, Kalighati e Talvriksha, onde se pode observar a vida selvagem, principalmente ao anoitecer, quando manadas de animais se juntam para matar a sede. É comum ver o tímido chital (veado-pintado) nesses poços do parque, enquanto o *chausingha* (antílope-de-quatro-cornos), exclusivo de Sariska, aparece em Pandupol. Entre as outras espécies a ser vistas estão panteras, langures-de-cara-preta, chacais, hienas, nilgais, ursos e porcos-espinhos.

Entre os pássaros, em especial nos refúgios de Kalighati e Slopka, há a águia-cobreira-de-crista, a grande coruja-de-chifre-indiana, o pica-pau, o martim-pescador e a perdiz.

As secas florestas de decíduas voltam à vida durante a breve primavera e o início do verão, quando florescem a *dhak (Butea monosperma)* e o laburno. A tamareira começa a frutificar, enquanto as frutinhas conhecidas no local como *kair (Capparis decidua)* surgem em arbustos.

Flor de paineira

Dentro do parque estão o **Kankwari Fort**, do século 17, ruínas de templos, como as do **Templo Pandupol**. O **Sariska Palace**, erguido no fim do século 19 para ser pavilhão de caça dos governantes de Alwar, transformou-se em um hotel luxuoso *(pág. 705)* com uma coleção de fotografias *shikar* antigas.

Em Sariska, é comum avistar macacos Hanuman de cara preta

FESTIVAIS DE RAJASTHAN

Nagaur Cattle Fair *(jan/fev)*, em Nagaur. Corridas de camelos, teatro de marionetes, música e dança marcam esta feira de uma semana *(pág. 376)*.

Gangaur *(mar/abr)*. Festival de 18 dias. Celebra a felicidade de Shiva e Parvati, e é um evento importante em todo o Rajasthan, festejado com mais entusiasmo em Udaipur. As mulheres fazem a dança *ghoomar*, com requebros, e carregam imagens da deusa em procissões coloridas pelas ruas, orando pelo bem-estar dos maridos.

Festa do Gangaur, em Udaipur

Elephant Festival *(mar)*, em Jaipur. Os destaques das festas são os desfiles de elefantes com enfeites magníficos e um torneio de pólo com elefantes.

Mewar Festival *(mar)*, em Udaipur. As tradições de Mewar são comemoradas com shows e fogos.

Teej *(ago/set)*. As moças de Rajasthan vestem roupas novas, cantam e dançam alegres neste festival que venera Parvati, deusa da harmonia no casamento. Também anuncia a chegada das monções.

Urs *(out)*, em Ajmer. A música hipnótica das louvações qawwalis é um destaque nos 13 dias de cerimônias do aniversário de morte do santo sufi Khwaja Moinuddin Chishti.

Pushkar Fair *(out/nov)*, em Pushkar *(págs. 374-5)*.

Shekhawati 8

Distritos de Sikar e Jhunjhunu. 115km a NO de Jaipur até Sikar.
Gangaur Festival (mar/abr), Dussehra (set/out).

O nome desta região se deve a Rao Shekha, governante do século 15. Ela tem diversas cidadezinhas fascinantes, com *havelis* pintadas, fortes e templos, todos bem conservados. Entre as mais interessantes estão **Lachhmangarh** e **Fatehpur**, com *havelis* suntuosas, e **Dundlod**, cujo forte foi bem restaurado. E vale a pena visitar **Ramgarh**, 20km ao norte de Fatehpur, famosa pelo Templo Shani, que possui interior ornamentado com espelhos e dourados. A cidade também exibe o Ram Gopal Poddar Chhatri, coberto com mais de 400 pinturas. O bazar principal está cheio de "antiquários", que vendem portas e janelas entalhadas de *havelis* abandonadas; mas muitas delas são cópias recentes e muito bem-feitas das originais. **Mahansar**, 15km a nordeste de Ramgarh, conta com a magnífica Sone ki Dukan Haveli, dotada de muitos trabalhos folheados a ouro. As pinturas que revestem o teto abobadado retratam as encarnações de Vishnu, e talvez sejam as melhores da área.

Vista aérea da *haveli* Char-Chowk, em Lachhmangarh

Em **Bissau**, 10km a noroeste de Mahansar, encontra-se o Keshargarh Fort, do século 18, que oferece excelente vista das dunas ao norte e a oeste.

Interior do Dundlod Fort

Aqui também existem dez *havelis* com belas pinturas. Durante o Dussehra, toda noite tem apresentações de Ramlila, e os atores usam máscaras e trajes feitos por *sadhvis* (mulheres ascetas) locais, uma tradição que teve início no século 19.

Churu, 12km a noroeste de Bissau, fica no deserto. Embora, na realidade, não faça parte de Shekhawati, foi incluída no circuito de *havelis* pintadas, pois muitos comerciantes tinham casas aqui. A Surana Double Haveli, de proporções imponentes e 1.111 janelas, é a grande atração. A Banthia Haveli, a leste do mercado de vegetais, tem afrescos interessantes e até bizarros, a exemplo de um com Jesus fumando charuto.

HAVELIS PINTADAS DE SHEKHAWATI

As casas dos antepassados de algumas destacadas famílias de industriais indianos, como Birla e Goenka, podem ser vistas em diversas cidadezinhas de Shekhawati. Essas *havelis* amplas e antigas, com afrescos exuberantes, foram construídas entre o fim do século 18 e o início do século 20 por comerciantes marwaris, que migraram para as cidades portuárias de Bombaim (Mumbai) e Calcutá (Kolkata), em busca de fortuna. A interação com os britânicos e com as tendências urbanas e industriais influenciou o estilo de vida deles. E suas casas se tornaram cada vez mais grandiosas, refletindo as novas idéias, além da fortuna recente e do novo status social. O estilo e o conteúdo dos afrescos de Shekhawati constituem uma narrativa sobre a urbanização de um gênero tradicional. Os artistas locais ainda seguiam o realismo unidimensional da tradicional pintura rajput *(pág. 405)*; mas, junto com deuses, deusas e heróis de guerra, estão imagens de um mundo que se modificava. Na maneira que encontraram de celebrizar os temas "populares" contemporâneos, os afrescos de senhoras britânicas, cavalheiros de cartola, conjuntos de instrumentos de metal, soldados, trens, carros a motor, aviões, gramofones e telefones simbolizavam a sociedade industrial emergente no fim do século 19.

Afresco de um grupo de chefes rajputs de turbante

Entrada para a Biyani Haveli, em Sikar

Passeio em Shekhawati ❾

Situada ao longo da antiga rota de caravanas de camelos, a noroeste de Jaipur, a região de Shekhawati (Jardim de Shekha) parece um museu a céu aberto. Uma rede de estradas excelentes, que atravessa uma área semi-árida, interliga diversas cidades e vilarejos, conhecidos por fortes menos importantes, *baolis* e *havelis* pintadas de importantes famílias de comerciantes da Índia, que mantêm o antigo esplendor.

Parede da Poddar School, em Nawalgarh, que retrata deuses e deusas empinando pipas

Mandawa ④
Agora, este forte-palácio é um hotel charmoso, que serve de base para visitar as cidades vizinhas.

Dundlod ⑤
Vale a pena visitar seu forte-palácio e duas magníficas *havelis* dos Goenkas.

Fatehpur ③
Cidade pitoresca, de meados do século 15, é mais conhecida pelas *havelis* dos Singhanias, Goenkas e Jalans.

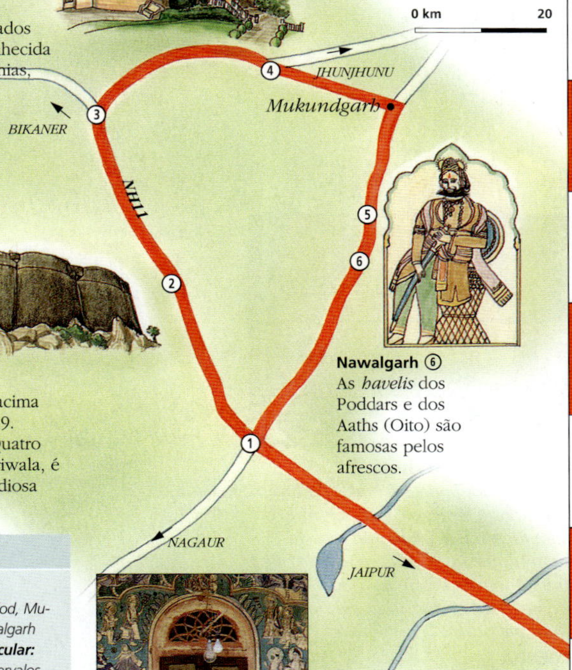

LEGENDA

- Percurso do passeio
- Estrada
- Rio

Lachhmangarh ②
O velho forte desponta acima desta cidade do século 19. A *haveli* Char Chowk (Quatro Pátios), da família Ganeriwala, é considerada a mais grandiosa da região.

Nawalgarh ⑥
As *havelis* dos Poddars e dos Aaths (Oito) são famosas pelos afrescos.

DICAS

Extensão: *111km.*
Paradas: *Mandawa, Dundlod, Mukundgarh, Fatehpur e Nawalgarh têm bons hotéis.* ***Como circular:*** *Há postos de gasolina a intervalos regulares na estrada principal. Diversas estradas menores saem da NH11 para Jhunjhunu. Todas têm lanchonetes à beira da estrada que vendem água mineral, bebidas quentes, refrigerantes e lanches.*

Sikar ①
O charme de Sikar está nas *havelis* com pinturas coloridas, nos bazares e no ambiente rural.

Rua a Rua: Pushkar ❿

Oratório de tartaruga

Cidade de peregrinação, com lagos e 400 templos, Pushkar deriva seu nome de *pushpa* (flor) e *kar* (mão), pois a lenda diz que seus lagos foram criados a partir das pétalas que caíram das mãos divinas de Brahma, o Criador. Agora, sua vida gira em torno das *ghats* à beira dos lagos, dos templos e dos bazares coloridos e movimentados. E essa harmoniosa mistura espiritual e comercial é que atrai as pessoas para Pushkar.

Aldeões na Feira
Milhares de pessoas, camelos e gado aguardam a feira anual, uma das maiores da Ásia.

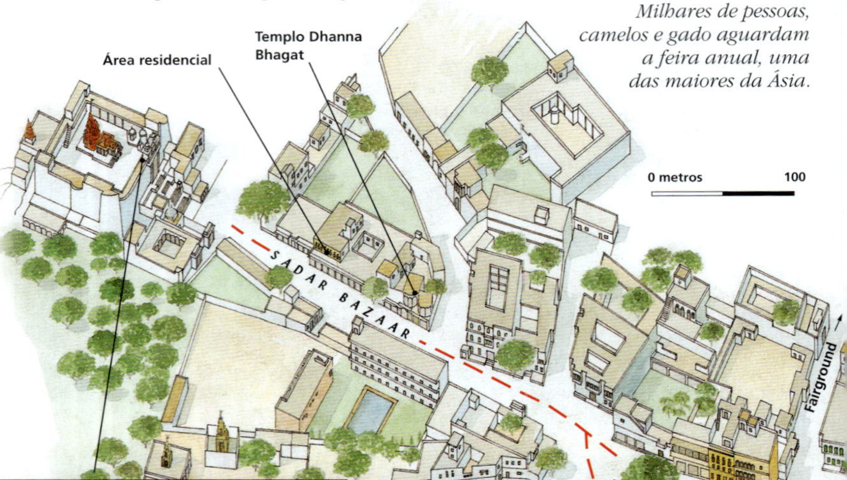

★ Templo de Brahma
Este é um dos poucos templos da Índia dedicados a Brahma, que, segundo o mito, foi amaldiçoado pela esposa Savitri quando, na ausência dela, ele convidou uma moça da tribo, Gayatri, para substituí-la em um ritual importante.

LEGENDA

- - - Percurso sugerido

Lago de Pushkar
No topo de um morro, ao lado do lago sagrado de Pushkar, fica o Templo de Savitri. Do outro lado do lago, em outro morro, está o Templo de Gayatri.

PONTOS ALTOS

★ Templo de Brahma

★ Ghats

Para hotéis e restaurantes nesta região, ver págs. 702-5 e págs. 731-2

Templo Rangji

Este templo exibe a típica arquitetura do sul da Índia (pág. 20). *Seu* gopura *(portal), com entalhes de mais de 360 imagens de divindades, destaca-se na área.*

PREPARE-SE

Distrito de Ajmer. 144km a SO de Jaipur. *14.800.* *RTDC Hotel Sarovar, (0145) 277 2040.* *diariam.* *Pushkar Fair (out/nov). Em Pushkar, não se permite o consumo nem se vendem carne, ovo e álcool.*

Mulheres do Sadar Bazaar

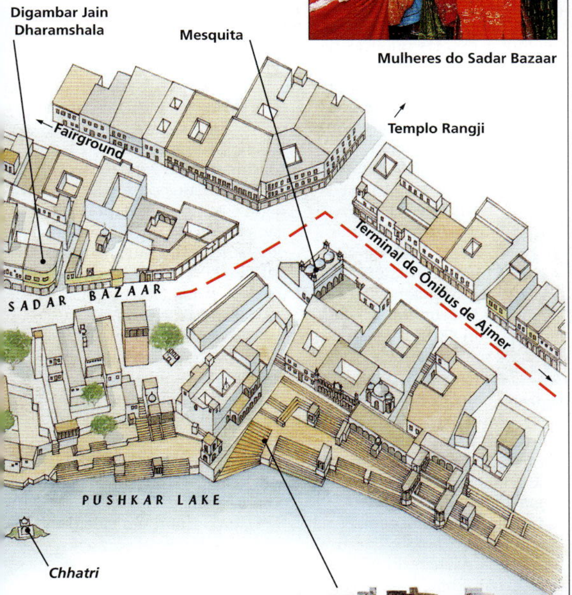

★ Ghats

Pushkar possui 52 ghats. *Devotos hindus fazem ao menos uma peregrinação a Pushkar e se banham nas* ghats *sagradas, para lavar os pecados e, assim, garantir um lugar no céu.*

Camelo na Pushkar Fair

A Pushkar Fair

No mês hindu de Kartik (outubro/novembro), dez dias após o Diwali, esta cidade pacata e seus arredores ganham vida com o início da mais esperada feira anual de gado. Tendas e acampamentos surgem de repente para acomodar milhares de aldeões, peregrinos e turistas, com manadas de gado, cavalos e camelos, que participam deste evento espetacular.

Pushkar sempre foi o mercado de gado da região, para pastores e fazendeiros, que compram e vendem camelos e raças nativas de gado. Com o passar dos anos, este comércio de animais aumentou muito de volume. Agora, é uma das maiores feiras de gado da Ásia e transforma a tranquila cidade em um mercado barulhento.

Especialmente construído para isso, há um enorme anfiteatro na periferia da cidade, onde ocorrem concursos e corridas de camelos, cavalos e burros, em meio à gritaria dos espectadores. Durante a feira, que dura duas semanas, Pushkar assume um ar festivo, carnavalesco. Rodas-gigantes imensas e teatro ao ar livre oferecem diversão, enquanto bancas de comida fazem um comércio animado, assim como as lojas que vendem uma fascinante variedade de produtos. À noite, as pessoas se reúnem em volta de fogueiras, para ouvir as baladas populares rajastanis. A feira chega ao auge na noite de lua cheia *(purnima)*, quando peregrinos mergulham no lago sagrado. Ao anoitecer, durante a bonita cerimônia do *deepdan*, são acesas centenas de lamparinas de barro em barquinhos de folhas, que flutuam em um espetáculo mágico.

Ajmer ⓫

Distrito de Ajmer. 135km a SO de Jaipur. 485.200. *Rajasthan Tourism, perto do Khadim Hotel, (0145) 262 7426.* *Urs (out).*

Ajmer ganhou fama no subcontinente em razão do santuário sagrado dos muçulmanos, **Dargah Sharif**, túmulo do grande santo sufi Khwaja Moinuddin Chishti (1143-1235). No canto sudoeste da cidade, o túmulo abobadado fica no coração do complexo de Dargah, que é praticamente uma cidade. Conta com bazar e duas mesquitas de mármore, construídas pelos imperadores moguis Akbar e Shah Jahan nos séculos 16 e 17. Akbar foi o devoto mais famoso de Chishti, e certa vez caminhou descalço de Agra até Ajmer, uma distância de 363km, como ação de graças pelo nascimento de seu filho Salim, futuro imperador Jahangir.

Milhares de peregrinos vêm a Ajmer para o Urs (aniversário de morte) do santo, em outubro, quando músicos sufis cantam louvores ao santo, na frente do túmulo. Um pudim especial de arroz, feito em gigantescos caldeirões de ferro, no pátio de Dargah, é oferecido aos devotos.

A oeste de Dargah Sharif, encontra-se uma preciosidade arquitetônica de Ajmer: a **Adhai-Din-ka-Jhonpra** (Choupana de Dois Dias e Meio). Consta que esse nome estranho deve-se à duração de uma feira religiosa, que ocorria aqui. Embora esteja em ruínas, é impressionante o complexo da mesquita, do início do século 13, erguido em uma encosta. Sua grande atração é a requintada tela de sete arcos, na frente do salão em colunata. Cada arco é diferente, e as colunas exibem entalhes elaborados.

Dargah Sharif de Ajmer, santuário islâmico mais sagrado da Índia

No canto sudeste de Ajmer fica o **Mayo College**, uma das melhores escolas públicas da Índia. Exemplar excelente de arquitetura indo-sarracena, foi inaugurado em 1875 pelo vice-rei lorde Mayo, como uma "Eton do Oriente" para os príncipes rajputs. Os primeiros alunos vieram com ajudantes e tutores particulares, e alguns, como o príncipe de Alwar, trouxeram até seus elefantes. Atrás do **Templo Nasiyan**, do século 19, no coração da cidade velha, situa-se o Svarna Nagari Hall, decorado com mosaicos coloridos e grandes figuras de madeira dourada, que recriam cenas da mitologia jainista.

Adhai-Din-ka-Jhonpra: caligrafia

O **Rajputana Museum**, também na cidade velha, fica no forte e palácio do imperador Akbar. Entre suas peças estão magníficas esculturas do século 4º ao século 12.

Em volta do **lago Anasagar**, a noroeste da cidade, encontram-se elegantes pavilhões de mármore, construídos pelo imperador Shah Jahan no século 17. Ficam à margem do lago, em um lindo jardim chamado Daulat Bagh. Ao norte da cidade, no topo de Beetli Hill, situam-se as ruínas do **Taragarh Fort**, do século 12, com vistas magníficas de Ajmer e da área adjacente.

Templo Nasiyan
SM Soni Marg. *diariam.*

Rajputana Museum
Perto do pto. de ônib. *diariam.*

Nagaur ⓬

Distrito de Nagaur. 137km a NE de Jodhpur. *83.400.* *Cattle Fair (jan/fev).*

Esta cidadezinha do deserto, a meio caminho entre Jodhpur e Bikaner, é dominada pelo **Ahichhatragarh Fort**, do século 12. Em meados do século 18, o governante de Jodhpur ganhou o forte dos mogüis e o embelezou com um charmoso palácio. Diversos cômodos têm afrescos requintados, agora sob cuidadosa restauração. O palácio também possui lindos canais de água decorados com padrões de escama de peixe e chafarizes, assim como um engenhoso sistema de dutos de ar que refrescavam os aposentos internos.

A Nagaur Cattle Fair rivaliza com a Pushkar Fair *(pág. 375)*, e constitui um caleidoscópio fascinante de animais, artesanato e gente, como os famosos titereiros de Nagaur, cujos espetáculos dramáticos mantêm vivos o folclore e as lendas de Rajasthan.

Tela de sete arcos com decoração exuberante em Adhai-Din-ka-Jhonpra, Ajmer

Para hotéis e restaurantes nesta região, ver págs. 702-5 e págs. 731-2

"Navios" do Deserto de Thar

Em Rajasthan, os moradores do deserto não sobreviveriam sem os camelos. Na grande extensão do deserto de Thar, arenosa e inóspita, esses animais são o único meio de transporte, funcionam como bestas de carga e constituem importante fonte de alimento (o leite de camela, de sabor ligeiramente salgado, é tomado em todos os desertos de Rajasthan).

Mural de camelos

Resistente e pouco exigente, o camelo pode ficar sem comida e água por até um mês, no inverno, e uma semana, no verão, tomando quase 70 litros de água de uma só vez. A afeição dos rajastanis pelos camelos é evidente em todas as feiras do deserto, onde os camelos têm lugar de destaque, enfeitados com borlas coloridas e bijuterias.

VARIEDADES DE CAMELO

Três variedades de camelo vivem em Rajasthan. Todas elas possuem duas fileiras de cílios, o que ajuda a evitar areia nos olhos. Suas corcovas contêm uma espessa camada de gordura que protege o corpo do escaldante sol do deserto.

Os **camelos de Bikaner** *têm orelhas peludas, são resistentes e aguentam muita carga.*

Os **camelos de Jaisalmer**, *de pernas mais longas, percorrem mais de 22km em uma hora.*

Os **camelos de Gujarat** *têm pêlo mais escuro e atravessam áreas pantanosas, como o* rann *de Kutch.*

Carroças de camelos, *equipadas com velhas rodas de avião, são comuns nas cidades de Rajasthan.*

As **corridas** *testam a regularidade do passo do animal, ao verificar a que distância ele consegue levar um pote de leite sem derramar nada.*

Dhola *e* **Maru**, *namorados perseguidos do folclore de Rajasthan, fugiram em um camelo, e são tema constante de pinturas.*

O **artesanato de couro de camelo** *inclui belas garrafas d'água decoradas, bolsas, chinelos e abajures, entre outros produtos.*

Os **regimentos de camelos** *do exército indiano tiveram origem nos regimentos do marajá de Bikaner, que lutaram no Egito durante a Primeira Guerra Mundial. Hoje, eles patrulham as fronteiras do deserto.*

Bikaner ⓭

Distrito de Bikaner. 361km a NO de Jaipur. 529.000. Dhola Maru Hotel, Pooran Singh Circle, (0151) 222 6701. Camel Festival (jan), Jambeshwar Festival (fev/mar), Kolayat Fair (nov).

Defesas imponentes do Junagarh Fort, do século 16

Junto com Jodhpur e Jaisalmer, Bikaner foi um dos três grandes Reinos do deserto de Rajasthan e, como eles, prosperou em razão de sua localização estratégica na rota comercial das caravanas para a Ásia Central e a China. A cidade foi fundada em 1486 por Rao Bika, filho mais novo e descontente de Rao Jodha, governante de Jodhpur *(págs. 380-1)*, que saiu de casa em busca de novos territórios para consquistar.

Embora ofuscada pelo esplendor de Jodhpur e Jaisalmer, Bikaner tem muito a oferecer ao visitante, com a velha cidade murada (onde camelos passeiam por bancas coloridas), os diversos templos e palácios, e o magnífico Junagarh Fort, talvez o mais bem preservado e mais ornamentado de todos os fortes de Rajasthan.

Junagarh Fort: balanço do marajá

Junagarh Fort

sáb-qui. taxa extra.
Museu diariam.

Construído entre 1587 e 1593 por Rai Singh, terceiro governante de Bikaner, o Junagarh Fort é protegido por um muro de arenito com 986m de comprimento e 37 bastiões, por um fosso e pela maior defesa de todas: o assustador deserto de Thar. Não é de estranhar que o forte nunca tenha sido conquistado, o que explica seu excelente estado de conservação. Dentro dos austeros muros de pedra do forte há 37 palácios, todos decorados, templos e pavilhões, construídos por sucessivos governantes, durante séculos, que mantiveram um estilo harmonioso. O que mais se destaca é o **Anup Mahal**, erguido pelo marajá Anup Singh, em 1690, como Salão Privativo de Audiência. Recebeu decoração suntuosa, entre 1787 e 1800, do marajá Surat Singh. Em uma engenhosa imitação do trabalho de *pietre dure* mogul, por uma fração do preço, as paredes de gesso e cal do Anup Mahal ganharam polimento para brilhar. Elas estão cobertas com padrões de laca vermelhos e dourados, e embelezadas com espelhos e folheados a ouro. O **Karan Mahal** (feito entre 1631 e 1669) é o Salão de Audiência Pública e foi adornado em estilo semelhante, mas menos profuso. Dois outros palácios belíssimos e muito enfeitados são o **Chandra Mahal** (Palácio da Lua) e o **Phool Mahal** (Palácio da Flor), ambos do século 17. Este último tem uma cama pequena e baixa, de pernas curvas, onde Rao Bika dormia com os pés apoiados no chão. A cama tinha esse desenho para permitir que Rao Bika ficasse rapidamente em pé e enfrentasse intrusos assassinos. O Chandra Mahal, palácio das rainhas, dispõe de painéis de mármore entalhado que retratam a lenda de Radha e Krishna, e os dois palácios possuem requintados entalhes em pedra e *jalis*. Azul e dourado, o **Badal Mahal** (Palácio da Nuvem) é coberto de pinturas de nuvens, raios amarelos e chuvas –uma fantasia comum nessa terra árida. O **Hawa Mahal** (Palácio dos Ventos) tem um espelho enorme sobre a cama do marajá, que aparentemente permitia que ele avistasse o pátio abaixo, o que o alertaria da aproximação de perigo. O palácio mais antigo do forte é o **Lal Niwas**, de 1595, decorado com temas florais vermelhos e dourados. O mais recente é o enorme **Durbar Niwas** (Palácio da Coroação), erguido no início do século 20 pelo governante mais progressista de Bikaner: sir Ganga Singh (reinado: 1887-1943), que deu à cidade uma ligação ferroviária e construiu o Ganga Canal, que trouxe água para irrigar seu reino. Ele também ficou famoso por organizar

Interior luxuoso do Anup Mahal, com trabalho ornamental de laca

elaboradas *shikars* (expedições de caça) para dignitários britânicos em visita. Agora, no Durbar Niwas está instalado o museu do forte, em cuja galeria de armas há peças fascinantes, como uma armadura de 56kg, uma adaga com pistola embutida e espadas com punho em formato de leão. Há também um trono de sândalo perfumado, que se diz remontar aos antepassados que foram reis de Kannauj (em Uttar Pradesh) no século 5º, e uma curiosa meia colher de sopa, usada pelo marajá para garantir que seus volumosos bigodes ficassem imaculados às refeições.

Brasão dos governantes de Bikaner

Walled City

O da MG Rd. **Lojas** diariam..

Na velha cidade murada, na qual se entra pela Porta Kote, fica o bazar onde se encontram excelentes artesanatos locais, como tapetes pequenos e grandes, abajures pintados feitos de couro de camelo e belas miniaturas no estilo de Bikaner. Petiscos saborosos (*bhujias*) são uma especialidade local, e as de Bikaner são famosas em toda a Índia, assim como os doces feitos com leite de camela. As grandiosas *havelis*, dos séculos 17 e 18, pertencentes a ricos comerciantes de Bikaner, se alinham pelas ruelas nas proximidades da Rampuria Street. Duas das mais adornadas são as *havelis* **Rampuria e Kothari.** Agora, a primeira é um simpático hotel. No canto sudoeste da cidade murada estão dois templos jainistas do início do século 16: o **Bhandeshwar** e o **Sandeshwar**. Os dois têm entalhes ornamentais e foram embelezados com afrescos, trabalhos de espelhos e arabescos folheados a ouro. Sua construção deveu-se a dois irmãos que não tinham filhos e ergueram essas obras-primas para a posteridade.

Um dos dois canhões que ladeiam a entrada do Lalgarh Palace

Lalgarh Palace

N do centro. *(0151) 254 0201.*
Museu *qui-ter.*

O Lalgarh Palace, fora da cidade murada, é uma construção ampla e singular, com frisos entalhados, *jalis*, pilares e arcos feitos com o típico arenito avermelhado do local (o que fez Bikaner ser chamada de "Cidade Vermelha"). Erguido entre 1902 e 1926, teve projeto de sir Samuel Swinton Jacob *(pág. 353)* em um estilo que combina traços tradicionais rajputs e do Renascimento europeu, com decoração interior Art Nouveau. Parte dele foi transformada em hotel *(pág. 702)* e outra seção, em museu, com fotografias de época e troféus da vida selvagem. O museu do Lalgarh Palace e seus belos jardins estão abertos a visitação.

Arredores

O melhor momento para visitar a **Camel Breeding Farm**, 9km a sudeste de Bikaner, é à tarde, quando os camelos voltam do pastoreio. Fundada em 1975, a fazenda cria quase a metade dos camelos indianos, entre os quais os do regimento do exército da Índia. **Gajner**, 30km a noroeste de Bikaner, conta com o Summer Palace dos marajás, feito de arenito vermelho, agora hotel de luxo *(pág. 702)*, e com o Gajner National Park, que tem antílopes cervicapras, ursos, raposas-do-deserto e grande número de aves migratórias. O **Templo Karni Mata** de Deshnok, 30km a sudeste de Bikaner, também é conhecido como Templo do Rato, pois centenas deles proliferam ao redor e dentro dele. Considerados sagrados, esses animais são alimentados com doces e leite pelos sacerdotes e visitantes, na crença de que os ratos são reencarnação de homens santos. O templo é dedicado a Karni Mata, encarnação de Durga. Suas portas de prata têm entalhes complexos e foram presenteadas por sir Ganga Singh.

Camel Breeding Farm
seg-sáb.

Karni Mata Temple
diariam. *Karni Mata Festival (mar/abr e set/out).).*

Devotos dão leite aos ratos no Templo Karni Mata, em Deshnok

Phalodi ⓮

Distrito de Jodhpur. 150km a SO de Bikaner.

Esta cidade ampla atrai visitantes por causa do lindo vilarejo de Khichan, 4km a leste, famoso pelos grous-demoiselles que se reúnem ao redor do lago entre setembro e março.
Estes pássaros vêm das estepes mongóis passar o inverno. Todos os dias, os aldeões jogam comida nos campos para os grous; em consequência disso, o número dessas aves aumentou muito em anos recentes. Na última contagem, 7 mil grous passaram o inverno em Khichan.

Jodhpur ⑮

Umaid Bhavan Palace: relógio

Com o majestoso Mehrangarh Fort despontando sobre palácios suntuosos, bazares coloridos e as areias do deserto de Thar, Jodhpur sintetiza todo o romance e o esplendor feudal de Rajasthan. Agora a segunda maior cidade do estado, foi fundada em 1459, por Rao Jodha, governante rathore do reino de Marwar. Estrategicamente localizada na rota comercial terrestre, logo se tornou um florescente centro de negócios, onde seus comerciantes marwaris *(pág. 372)* mantiveram as habilidades empresariais e continuaram a gerir muitas casas de negócios importantes na Índia. Os culotes de montaria, conhecidos como *jodhpurs*, foram desenhados aqui.

Casas caiadas de azul em volta do Mehrangarh Fort de Jodhpur

Mehrangarh Fort

Págs. 382–3.

Sardar Bazaar

diariam.

O bazar de Jodhpur encontra-se no coração da cidade velha, que é cercada por um muro de 10km dotado de oito portas. Disposto ao redor da torre do relógio (de 1912), o bazar é uma área fascinante, com lojinhas que vendem jóias de prata, pulseiras laqueadas, tecidos tingidos, calçados de couro macio de camelo, marionetes, estatuetas de argila e uma porção de doces e especiarias coloridos. A calçada fica cheia de artistas que pintam as mãos de mulheres com intricados padrões rendados, feitos com hena. Nesta área está o **Taleti Mahal**, edificação interessante, do início do século 17, com balcões entalhados, sustentados por pilares. Construído para a favorita do rei, foi transformado em escola. Existem muitas outras casas bonitas perto do bazar, quase todas de arenito vermelho com muitos adornos.

Jaswant Thada

diariam.

Este elegante memorial com pilares de mármore e requintadas treliças entalhadas é o *chhatri* (cenotáfio) do marajá Jaswant Singh II (reinado: 1878-95), cujo sistema de irrigação inovador trouxe água e prosperidade a esta terra seca. O povo do local acredita que

Para hotéis e restaurantes nesta região, ver págs. 702-5 e págs. 731-2

O Umaid Bhavan Palace, mescla de estilos rajpu, jainista e Art Déco

o marajá conservou seu toque de cura, e vem com regularidade fazer preces e oferecer flores em seu santuário. Cenotáfios de governantes posteriores e membros das famílias reais também estão aqui, embora os primeiros governantes tenham seus memoriais em Mandore.

Umaid Bhavan Palace

diariam.

Este palácio enorme, construído de arenito rosado e mármore, é um excelente exemplo da opulência principesca da Índia. Entre seus 347 cômodos estão oito salões de jantar, dois teatros, um salão de baile, diversas salas de recepção com decoração suntuosa e uma imensa piscina no subsolo. Uma cúpula de 60m cobre o salão central, que na inauguração acomodou mil pessoas para jantar.

Foi encomendado pelo marajá Umaid Singh, aparentemente a fim de criar empregos para seus súditos famintos. Iniciado em 1929, ocupou 3 mil homens que levaram 15 anos para terminá-lo. Foram assentados 19km de trilhos para trazer o arenito da pedreira. H. V. Lancherster, arquiteto do Central Hall de Westminster, em Londres, criou uma agradável mescla de estilos rajput, jainista e Art Déco europeu para seu patrão real.

Gaj Singh, neto de Umaid Singh, ainda vive em uma parte do palácio, enquanto o restante foi transformado em hotel de luxo. O museu do palácio, aberto à visitação, possui uma bela coleção de armas decoradas, relógios de formatos fantásticos, móveis e porcelanas franceses.

Cheia de antiquários, a rua da frente leva ao Ajit Bhavan Palace, de tamanho menor.

Arredores

Mandore, 9km ao norte de Jodhpur, foi a capital dos reis rathores de Marwar até o século 15, quando Rao Jodha construiu a nova capital em Jodh--pur. Instalados em um lindo jardim em uma encosta, estão os *chhatris* de arenito vermelho dos primeiros governantes de Jodhpur. O mais imponente é o de Ajit Singh, com torre alta como a de um templo. Quando ele morreu, em 1724, suas seis esposas e 58 concubinas cometeram *sati* na pira funerária. No Hall of Heroes, encontram-se 15 estátuas de tamanho natural de divindades e heróis folclóricos, esculpidas na pedra. Mais acima, situam-se os cenotáfios das rainhas (Raniyon ki Chhatri) e o Ek Thamba Mahal Palace, alto e estreito, do século 17. **Balsamand**, 6km ao norte de Jodhpur, tem o palácio das águas dos marajás, do século 19, feito de arenito vermelho, ao lado de um grande lago artificial. O **lago Sardar Samand**, 55km ao sul de Jodhpur, atrai aves aquáticas, como íbis e pelicanos. Na praia fica o pavilhão de caça dos marajás, em estilo Art Déco. O caminho passa por vilas de bishnois *(pág. 385)*.

PREPARE-SE

Distrito de Jodhpur. 331km a O de Jaipur. *846.500.* *5km ao S do centro.* *High Court Rd, (0291) 254 5083.* *seg-sáb.* *Jodhpur–Rajasthan International Folk Festival (out), Marwar Festival (out).*

O Jaswant Thada, cenotáfio do século 19 do marajá Jaswant Singh II

BALADA BHOPA

Como os trovadores da Europa medieval, a tribo nômade bhopa, do oeste de Rajasthan, cultiva a tradição de contar histórias por meio de canções e danças. Um longo panô pintado (conhecido como *phad*) está cheio de desenhos que retratam eventos dramáticos da vida de um herói de Marwar, o guerreiro Pabuji. O bhopa desenrola seu panô e conta a história por meio de baladas, e destaca cenas importantes no panô com uma lanterna, enquanto sua esposa dá vida à narração com animadas sequências de danças. Estas apresentações atraem multidões entusiasmadas em feiras e festivais de toda a região de Marwar.

Panô usado pelos bhopas

Jodhpur: Mehrangarh Fort

Contorno de mãos *sati* em Loha Pol

O Mehrangarh, que desponta acima de uma rocha de 125m de altura, talvez seja o forte mais majestoso de Rajasthan. Descritas com admiração por Rudyard Kipling como “a criação de anjos, fadas e gigantes”, as assustadoras defesas do Mehrangarh contrastam com os palácios de decoração excêntrica que estão lá dentro. Erguido por Rao Jodha em 1459, o forte de arenito recebeu acréscimos de governantes posteriores, principalmente entre os séculos 17 e 19. Os aposentos reais no forte agora fazem parte de um ótimo museu.

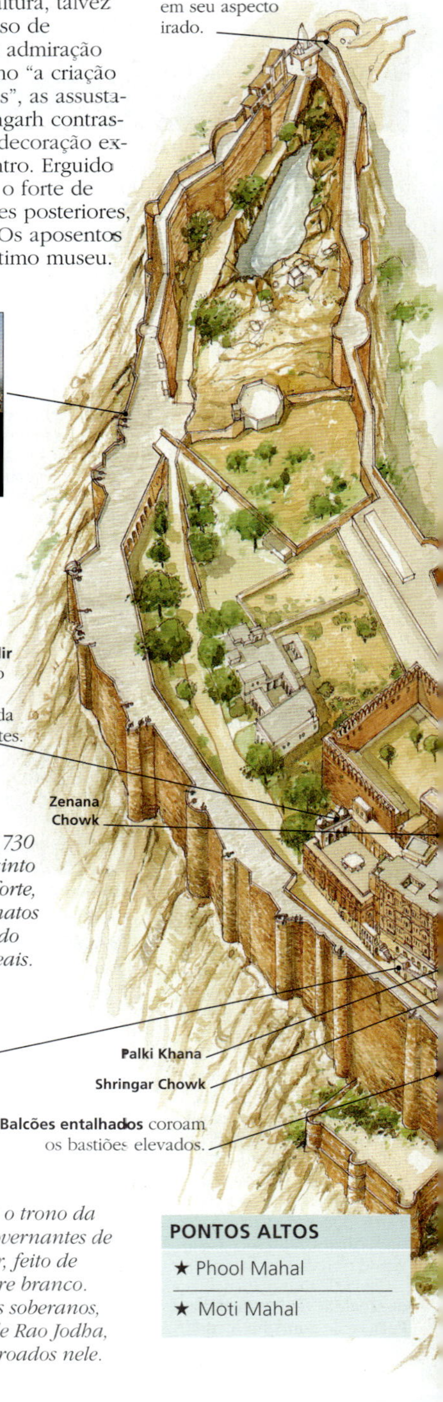

O **Chamundi Devi Mandir** é dedicado à deusa Durga, em seu aspecto irado.

As Defesas

As muralhas com bastiões têm 24m de espessura e 40m de altura. Partes delas foram lavradas diretamente na pedra. Sobre as defesas, encontram-se canhões antigos.

O **Nagnechiaji Mandir** tem uma imagem do século 14 da deusa Kuldevi, divindade da família de governantes.

★ Phool Mahal

Construído entre 1730 e 1750, este é o recinto mais opulento do forte, com pinturas e ornatos dourados. Era usado para cerimônias reais.

Zenana Chowk

Suraj Pol é a entrada do museu.

Palki Khana

Shringar Chowk

Balcões entalhados coroam os bastiões elevados.

Shringar Chowk

Este pátio possui o trono da coroação dos governantes de Jodhpur, feito de mármore branco. Todos os soberanos, depois de Rao Jodha, foram coroados nele.

PONTOS ALTOS

★ Phool Mahal

★ Moti Mahal

Casas caiadas de azul na vila de Brahmapuri, reunidas abaixo das defesas do Mehrangarh Fort

PREPARE-SE

Mehrangarh Fort e Museu
diariam. *Museum Trust, (0291) 254 8790.* *taxa extra.*

★ Moti Mahal
Construído entre 1581 e 1595, este recinto magnífico era o Salão Privativo de Audiências. O teto é decorado com espelhos e folhas de ouro. Conchas moídas foram misturadas com gesso para conferir às paredes um aspecto lustroso.

O **Chokelao Palace**, agora em restauração, foi um palácio de veraneio construído em volta de um jardim.

Takhat Mahal
Esta sala com pinturas exuberantes possui teto de madeira. Era o refúgio predileto do marajá Takhat Singh (reinado: 1843-73), que tinha 30 esposas e diversas concubinas.

O **Jhanki Mahal** é uma galeria comprida, com delicadas treliças talhadas em pedra.

Phool Mahal

O **Sileh Khana** tem uma coleção magnífica de armas, a exemplo de adagas mogüis damasquinadas, escudos com pedras preciosas engastadas e uma armadura para elefantes de guerra.

Jai Pol
Um dos sete portões reforçados do forte, agora é sua entrada principal. Foi construído em 1806 pelo marajá Man Singh para comemorar uma vitória em batalha.

Para hotéis e restaurantes nesta região, ver págs. 702-5 e págs. 731-2

Como Explorar o Mehrangarh Fort Museum

Considerado o melhor museu de palácio de Rajasthan, dispõe de acervo rico e variado, que inclui um trono dourado, pinturas em miniatura, trajes tradicionais e armas magníficas. Os aposentos reais foram restaurados com apuro e retratam a vida principesca e a cultura deste estado.

Berço do marajá, com sistema de balanço mecânico, em Jhanki Mahal

Entra-se no museu pela Suraj Pol, no lado sudeste do forte. À direita, fica o **Palki Khana**, com uma coleção de palanquins dourados. Junto com impressionantes *howdahs* (cadeirinhas) de elefantes expostas na **Howdah Gallery**, ao lado, eles refletem a importância dos cortejos grandiosos na vida da corte. É impressionante um *howdah* do século 17, feito de prata maciça, presente de Shah Jahan, imperador mogul. Outra preciosidade é um palanquim folheado a ouro, de 1730, que fica no **Daulat Khana** (Salão do Tesouro), na frente do **Sileh Khana**, com requintada coleção de armas.

Daqui, uma escada leva ao **Umaid Mahal**, com pinturas em miniatura da Escola de Jodhpur. Muito influenciadas pelo estilo mogul, essas pinturas mostram vinhetas fascinantes da vida palaciana –governantes montando camelos, com suas cortesãs, jogando pólo e encabeçando cortejos cerimoniais. Aqui também há um grandioso dossel de seda, usado pelos governantes em acampamentos.

No andar de cima, fica o dourado **Phool Mahal** (Palácio da Flor), do século 18, o Salão de Audiências Públicas. Ele conta, igualmente, com belas miniaturas, entre as quais há um conjunto de 36 pinturas *Ragamala* que retratam as emoções provocadas por diferentes ragas musicais.

Escudo com pedras engastadas

O **Takhat Mahal**, do século 19, aposento de um governante que gostava de prazeres, contém murais de Radha e Krishna e donzelas que dançam. As bolas de Natal de vidro, penduradas no teto, foram acrescentadas na década de 1930. O **Sardar Vilas**, bem abaixo de Takhat Mahal, apresenta excelente trabalhos de madeira de Jodhpur, como a porta com incrustações de marfim.

A câmara seguinte é o **Jhanki Mahal** (Palácio para Espiar), assim chamado porque as mulheres do zenana real podiam espiar por belíssimas treliças talhadas na pedra, a fim de observar as cerimônias e festas nos pátios abaixo. Agora, possui um conjunto de berços palacianos, a exemplo de um que tem engenhoso sistema mecânico de balanço, coroado por anjos da guarda. Um pátio conduz ao **Moti Mahal** (Palácio da Pérola), do século 16. Uma quiromante fica nesse pátio para ler o futuro do visitante.

O museu também possui uma bela coleção de turbantes de Rajasthan e de instrumentos de música popular.

Estão sendo preparados salões para exposição de trajes, tendas reais e tesouros especiais.

Arredores

Osian, 64km a noroeste de Jodhpur, abriga 16 notáveis templos jainistas e hindus. Construídos por comerciantes ricos, entre o século 8º e o século 12, quando Osian era importante parada na rota das caravanas comerciais para a Ásia Central, eles representam a fase inicial da arquitetura sacra de Rajasthan.

Os 11 templos situados nas pontas sul e oeste de Osian são famosos pela variedade e exuberância da decoração escultural. Desses, o mais impressionante é o **Templo de Mahavira**, com teto requintado e 20 pilares entalhados que sustentam o pórtico. Igualmente bonitos são o **Templo do Sol**, do século 10º, de elegância clássica, e os **templos de Vishnu** e **Harihara**, dos século 8º e 9º, com muitas esculturas.

Os outros templos ficam em um morro a leste da vila, dominados pelo **Templo de Sachiya Mata**, do século 12, ao qual se chega por uma série de arcos com belos entalhes. Este templo é muito procurado por mulheres pouco férteis, pois elas acreditam que Sachiya Mata, uma encarnação de Durga, possui poderes especiais para ajudá-las a ter filhos.

Templo de Sachiya Mata, em Osian

Para hotéis e restaurantes nesta região, ver págs. 702-5 e págs. 731-2

Passeio pelas Vilas de Artesanato de Marwar ⓰

A árida região rural ao sul de Jodhpur é pontilhada de vilarejos, com cabanas de barro e sapé, cujos moradores são os bishnois e comunidades de oleiros e tecelões. O passeio de um dia por esta área oferece uma oportunidade inesquecível para observar o cotidiano dessas aldeias, conhecer sua calorosa hospitalidade e apreciar os belos artesanatos tradicionais aqui produzidos.

DICAS

Extensão: *55km.*
Como circular: *Reserve 6 a 7 horas para o passeio. Há refeições ligeiras em Gudda Bishnoi, Salawas e Kakuni. Os hotéis de Rohet e Luni (Fort Chanwa) oferecem boa comida e lugares agradáveis para uma pausa. Hotéis e agências de viagens de Jodhpur podem contratar táxis. Recomenda-se viajar de carro.*

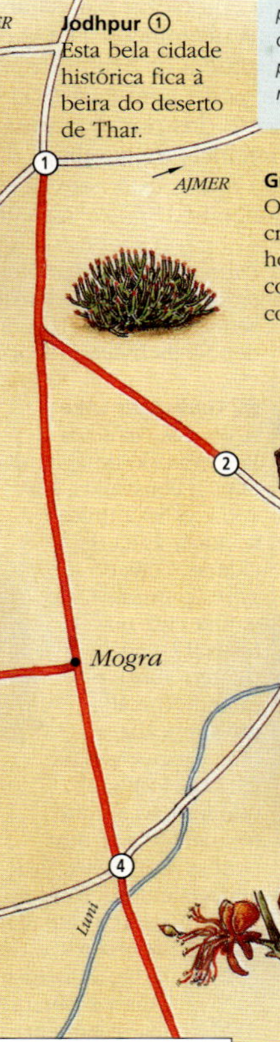

Jodhpur ①
Esta bela cidade histórica fica à beira do deserto de Thar.

Salawas ③
Aqui, os aldeões são excelentes tecelões de *dhurries* (tapetes pequenos), com desenhos geométricos tradicionais, feitos de algodão ou pêlo de camelo, tingidos com pigmentos vegetais.

Gudda Bishnoi ②
Os bishnois deste vilarejo criam camelos e cabras. Os homens só se vestem de branco, mas as mulheres usam cores vivas e jóias de prata.

Kakuni ④
Esta vila, 26km ao sul de Jodhpur, é famosa pela cerâmica, feita com excelente argila local.

Rohet ⑤
Agora, este forte-palácio do século 17 é um hotel *(pág. 704)*, cercado de vilas com artesanato de couro.

OS BISHNOIS

Os bishnois, grandes ambientalistas, são seguidores de Jambeshwar, sábio do século 15 cuja doutrina abrange 29 *(bis noi)* princípios. A maioria deles diz respeito à proteção ambiental, e a fé dos bishnois os convida a proteger todos os seres vivos –até com a vida, se for preciso. Assim, o normalmente arisco antílope cervicapra é visto pastando livremente perto das vilas bishnois, sabendo que não será perturbado. Os bishnois acreditam que reencarnarão como cervos.

Mulher bishnoi

LEGENDA
- Percurso do passeio
- Outras estradas
- Rio

Jaisalmer ⓱

Atualmente posto avançado no deserto de Thar, Jaisalmer foi fundada no século 12 pelo maharawal Jaisal, do clã rajput Bhatti. Era um grande centro comercial, com localização estratégica na rota de caravanas para o Afeganistão e a Ásia Central. Os primeiros governantes enriqueceram ao saquear pedras preciosas, seda e ópio das caravanas. Mas por volta do século 16 Jaisalmer havia se tornado uma cidade pacata, cujos ricos comerciantes e governantes competiam para embelezar aquela área desértica com *havelis* e palácios magníficos. Feitos com arenito amarelo-dourado, constituem os exemplos mais espetaculares da arte de lavrar pedras em Rajasthan. No século 18, com o crescimento dos portos de Surat e Bombaim (Mumbai), a importância de Jaisalmer diminuiu. Mas as construções dessa época estão em pé, agrupadas em volta de um forte magnífico *(págs. 388-9)*.

Manik Chowk

Localizado na entrada do forte, este é o mercado principal, onde as caravanas paravam no passado. As pequenas lojas vendem cobertores de pêlo de camelo, jóias de prata e belos tecidos bordados. Nômades do deserto e seus camelos ajudam a colorir o bazar.

Badal Vilas

Próximo à Amar Sagar Gate. diariam.

Este palácio do final do século 19 se destaca pela torre de muitas camadas em formato de *tazia* –uma torre de madeira, metal e papel colorido, carregada por muçulmanos xiitas em Muharram *(pág. 669)*. A Torre de Tazia de Badal Vilas, erguida em meados do século 20, foi um presente de despedida para o maharawal dado pelos entalhadores xiitas da cidade, muitos dos quais se mudaram para o Paquistão depois da Independência.

Gadisagar Lake

SE dos muros da cidade.

Reservatório de água da chuva, construído em 1367, já foi a única fonte de água da cidade. Cercado de *ghats* e templos, ele ganha vida no festival Gangaur (março/abril), quando o maharawal encabeça uma procissão para cá. O belo portal que leva ao tanque foi erguido por uma cortesã real, Telia, cuja audácia enfureceu tanto as rainhas que elas exigiram sua demolição imediata. Muito esperta, Telia imediatamente mandou colocar uma estátua de Krishna no alto, o que garantiu não só que o portal permanecesse como também que todos fizessem reverência ao passar por ele.

O lago Gadisagar, cercado de *ghats*

Salim Singh's Haveli

Próximo à entrada do forte. Guias locais agendam visitas por uma taxa.

De 1815, esta *haveli* foi construída por um poderoso primeiro-ministro de Jaisalmer. Com a base estreita, seus seis andares vão alargando a cada nível, e todos os 38 balcões têm desenhos diferentes. Pavões dançam entre arcos no balcão mais alto, e cúpulas azuis cobrem o telhado. Infelizmente, a parte de trás desta *haveli* foi danificada no terremoto de Gujarat, em janeiro de 2001, mas ela continua aberta a visitação.

PREPARE-SE

Distrito de Jaisalmer. 285km a O de Jodhpur. 58.300. *Tourist Reception Centre, Station Rd, (02992) 25 2406.* *Desert Festival (fev), Gangaur Festival (mar/abr).*

Nathmalji's Haveli

Próximo à Gandhi Chowk. Guias locais agendam visitas por uma taxa.

Construída em 1855 por outro primeiro-ministro de Jaisalmer, o grande charme desta mansão de cinco andares é que os dois lados da fachada foram entalhados por dois irmãos artesãos: Hathu e Lallu. Embora à primeira vista eles pareçam idênticos, os detalhes de cada lado são bem diferentes. Além dos padrões comuns geométricos, florais e animais, os temas desta *haveli* refletem influências novas: um cavalo com carruagem em estilo europeu, bicicletas e locomotivas a vapor.

Homem fuma um hookah

Patwon ki Haveli

L E da Nathmalji's Haveli. diariam.

Muito elaborada e enorme, esta *haveli* foi erguida entre 1805 e 1855 por Guman Chand Patwa, um dos comerciantes e banqueiros mais ricos de Jaisalmer, que negociava sedas, brocados e ópio, e possuía uma rede de postos de comércio que se estendia do Afeganistão até a China. Com seis andares, a mansão dispõe de cinco apartamentos adjacentes, um para cada filho, e 66 balcões. Os beirais curvos dos balcões lembram uma frota de veleiros. As janelas com treliças têm magnífico trabalho de entalhe.

Havelis de Jaisalmer

Depois do forte, as *havelis* de Jaisalmer são sua maior atração. Construídas no século 19 por comerciantes e ministros da cidade, as mansões dominam um labirinto de vielas. As *havelis* de Salim Singh, Nathmalji e Patwon constituem os melhores exemplos desse tipo de arquitetura, com fachadas de pedras douradas, cheias de entalhes tão finamente trabalhados que parecem renda. Muitas gerações de famílias inteiras viveram juntas nessas enormes mansões, que costumavam ter aposentos protegidos para as mulheres, nos quais um estranho não podia entrar. Os pedreiros especiais de Jaisalmer ainda praticam sua arte, em obras de restauração e no exterior para novos patrões ricos, no golfo Pérsico e na Arábia Saudita.

Elefante esculpido

A **entrada** *da maioria das* havelis *é sobre um plinto, acima do nível da rua, para evitar que a areia do deserto penetrasse nos cômodos. O térreo não tinha salas de estar e costumava ser usado como depósito ou despensa.*

O **pátio interno**, *encontrado em todas as* havelis, *era um local protegido para as crianças brincarem e para as mulheres realizarem as tarefas diárias com privacidade.*

Jharokhas, *ou balcões em balanço, têm beirais* bangaldar *curvos. Seu propósito era mais decorativo que funcional, e dava aos pedreiros a oportunidade de mostrar todos os seus recursos e criatividade.*

As **jalis**, *ou telas de treliça de pedra, exibem uma rica variedade de desenhos. Elas protegem do sol escaldante do deserto, mas deixam passar o ar fresco. Também permitem que as mulheres observem a rua sem ser vistas.*

O **arenito amarelo** *se presta bem a entalhes finos. Macio, quando recém-extraído da pedreira, o arenito endurece com a exposição ao ar.*

As **ruas estreitas** *nas vizinhanças da Patwon ki Haveli, rodeadas por fachadas com entalhes intricados, conservam seu ar tradicional.*

Jaisalmer Fort

Detalhe do Jaisalmer Fort

O Jaisalmer Fort se ergue como uma miragem fantástica das areias do deserto de Thar, com os contornos ameaçadores de seus 99 bastiões suavizados pelo matiz dourado da pedra. Construída em 1156 pelo maharawal Jaisal, e ampliada por seus sucessores, esta fortaleza está no topo do morro Trikuta, de 80m de altura. Em tempos medievais, toda a população de Jaisalmer vivia dentro do forte, e, mesmo agora, milhares de pessoas moram aqui, o que faz dele o único forte residencial da Índia. Dentro dos muros há palácios, templos jainistas, mansões e lojas.

As defesas do sul são feitas de pedra sem argamassa

★ Templos Jainistas
Templos com requintados entalhes foram construídos nos séculos 15 e 16 por ricos comerciantes da cidade.

Gyan Bhandar, no subsolo do Templo Sambhavnatha, é uma biblioteca de manuscritos jainistas ilustrados, feitos em folhas de palmeira. Alguns são do século 11.

Intricados entalhes em arenito são encontrados nestes sete templos dedicados aos *tirthankaras* jainistas, como Rishabdeo, Sambhavnatha Parsvanatha e outros.

As **defesas**, com um muro interno paralelo, têm enormes balas de canhão dispostas no topo, prontas para esmagar os invasores.

JAISALMER EM PERIGO

O crescimento do turismo, junto com esforços recentes para fazer plantações no deserto próximo, ironicamente colocou o forte sob ameaça. Construído para um clima árido, que quase nunca recebe chuva, o forte não tem recursos para suprimento de água ou drenagem. Agora, com o crescimento dos níveis de água na área e a introdução de água encanada no forte, os vazamentos fizeram a pedra dourada ruir em alguns pontos. Indianos e organizações internacionais estão fazendo esforços para salvar este forte singular e a cidade.

O aumento da umidade ameaça o Jaisalmer Fort, do século 12

PONTOS ALTOS

- ★ Templos Jainistas
- ★ Moti Mahal
- ★ Dussehra Chowk

Para hotéis e restaurantes nesta região, ver págs. 702-5 e págs. 731-2

Complexo Real
O complexo palaciano de sete andares compõe-se de diversos palácios interligados, construídos entres os século 16 e 19.

PREPARE-SE

Jaisalmer Fort. *Rajasthan Tourism, Station Rd, (02992) 25 2406.* *diariam.* *taxa extra.* **Templos Jainistas** *diariam.* *taxa extra.* **Gyan Bhandar** *diariam.*

Sarvottam Vilas
Azulejos azuis brilhantes e mosaicos de vidro decoram este palácio de meados do século 18.

Annapurna Bhandar, originalmente, era o celeiro do forte. No térreo há um templo.

Moti Mahal

O **Naqqar Khana** (Galeria dos Percussionistas) possui um balcão octogonal ricamente entalhado.

Rani Mahal

★ Moti Mahal
Pinturas florais e portas entalhadas embelezam este palácio do século 18.

★ Dussehra Chowk
Festivais, apresentações e cortejos reais ocorriam nesta praça aberta, emoldurada pelo complexo palaciano. O trono de mármore dos governantes dominava a praça.

Como Explorar os Arredores de Jaisalmer

Próximo a Jaisalmer há muitos lugares de interesse arquitetônico e de beleza natural, a exemplo de belos templos, das ruínas da antiga capital, de uma notável vila do deserto, de dunas e do hábitat de um raro pássaro do deserto: a abetarda-indiana-grande.

Músicos manganiyares, cujas baladas narram a história de Jaisalmer

Templo Bhattiani Rani

2km ao S do forte. *diariam.*

Este santuário hindu afastado foi construído no século 19, em honra de uma princesa de Jaisalmer que, surpreendentemente, cometeu *sati* na pira funerária do cunhado. Um clã de músicos muçulmanos, os manganiyares, é zelador do templo, e narra esse fato, com seus intrigantes semitons, em baladas emocionantes sobre a história de Jaisalmer.

Abetarda-indiana-grande

Bada Bagh

7km ao N do forte.

Os cenotáfios reais, com tetos cheios de entalhes e belas estátuas equestres dos governantes, encontram-se em um oásis verdejante. Ali perto fica o Templo Bhaironji, frequentado por mulheres sem filhos que oferecem seus cintos de prata para o deus, na esperança de que ele as cure da infertilidade.

Lodurva

15km a NO de Jaisalmer.

Capital dos rajputs Bhatti, antes da construção do forte de Jaisalmer, Lodurva foi abandonada depois do saque feito por invasores muçulmanos, no século 11. Um grupo de templos jainistas domina o local, onde os restos de muitas outras construções excelentes jazem escondidos sob as areias do deserto. Um belo *torana* leva ao templo principal, onde há uma escultura de metal da Kalpavriksha (Árvore Celestial). Acredita-se que ela tenha o poder de realizar desejos.

Akal Fossil Park

17km a SE de Jaisalmer. *diariam.*

Neste parque estão troncos de árvores fossilizados, alguns com 180 milhões de anos. Eles comprovam que esta região árida já foi coberta por densa floresta.

Khuri

40km a SO de Jaisalmer.

Localizado entre as dunas, este vilarejo é um ótimo exemplo da arquitetura do deserto. Ao mesmo tempo bonitas e funcionais, suas casas possuem grossas paredes de barro, que as protegem do calor abrasador e dos ventos do deserto, enquanto as pinturas que decoram a parte de fora trazem colorido e beleza ao ambiente seco e amarronzado.

Desert National Park

43km a O de Jaisalmer. *Para permissões, contate o Collector's Office, em Jaisalmer, (02992) 25 2201. Safáris de jipe e de camelo.*

Este parque fascinante ocupa uma área de 3.162km² de vegetação baixa e terrenos arenosos, perto da fronteira com o Paquistão. A grande atração é a abetarda-indiana-grande *(Choriotis nigriceps)*, pássaro com 1,2m de altura. Esta ave foi caçada quase até a extinção, e agora restam apenas mil exemplares, que podem ser avistados aqui.

Há também cortiçóis, diversas espécies de falcões e abutres, raposa-do-deserto e *chinkaras* (gazelas-indianas).

Barmer ⓳

Distrito de Barmer. 160km a SE de Jaisalmer. *Rajasthan Tourism, Khartal, (02982) 22 2956. Tilwara Cattle Fair (jan/fev), Thar Desert Festival (mar).*

Esta remota cidadezinha do deserto, cujo solo árido não comporta agricultura, tornou-se importante centro de artesanato. Madeira entalhada, tecidos estampados, bordados e tapetes constituem a principal fonte de renda de seus habitantes. Eles também esbanjam habilidade nas casas de barro, lindamente decoradas com desenhos geométricos e florais. Barmer fervilha durante a anual Tilwara Fair (janeiro/fevereiro), uma das grandes feiras de gado de Rajasthan.

Visitantes em um safári de camelo, próximo a Jaisalmer

Safári de Camelo por Jaisalmer ⓲

Janela de casa de barro no deserto

Para conhecer melhor a paisagem desértica ao redor de Jaisalmer o mais indicado é o safári de camelo. Uma excursão de dois dias abrange atrações históricas e vilarejos de pastores de ovelhas e camelos. O pernoite em tendas oferece alvoradas e crepúsculos fantásticos em meio às dunas. São fornecidas almofadas, mas seria bom levar mais algumas, para amenizar os efeitos do passo gingado do camelo.

DICAS

Duração: *Dois dias e duas noites.* ***1º Dia:*** *De Jaisalmer a Lodurva via Bada Bagh e Ramkunda, 18km.* ***2º Dia:*** *De Lodurva a Sam via Kahala e Kanoi, 20km; de Sam a Jaisalmer (de jipe), 45km.* ***Pernoites:*** *Campings em Lodurva e Sam. Veja mais detalhes sobre safáris na pág. 751; para operadoras de viagem, veja pág. 755.*

Jaisalmer ①
Os camelos partem da Primeira Porta do magnífico forte (século 12) de Jaisalmer

Bada Bagh ②
Os cenotáfios dos maharawals (governantes) de Jaisalmer são cercados por pomares de mangueiras e bosques das espinhosas *khejri* (*Prosopsis cinerararia*).

Ramkunda ③
No almoço, um piquenique é saboreado nesta pequena vila, que tem um templo de Shiva do século 15.

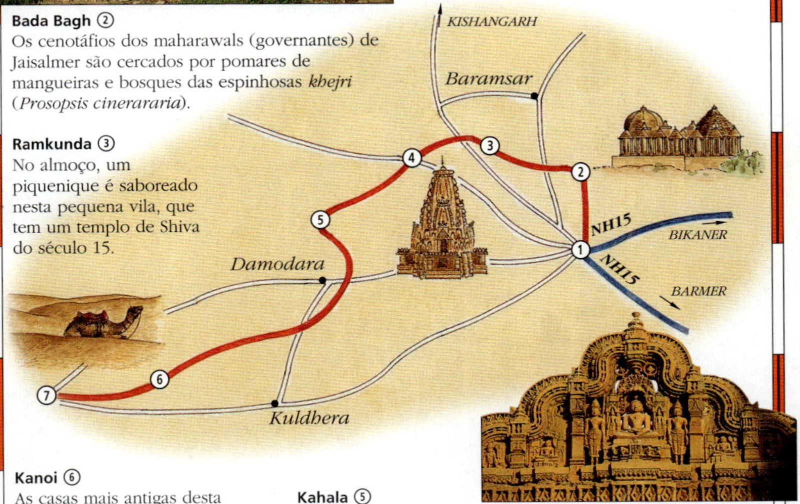

Kanoi ⑥
As casas mais antigas desta vila têm pinturas de flores, animais e pássaros. Os artesãos locais produzem selas para camelos, com entalhes elaborados e incrustações de latão.

Kahala ⑤
Esta aldeia tem casas de barro, onde moram pastores de cabras e carneiros, que também tecem lindas mantas.

Lodurva ④
Passa-se a noite na antiga capital dos maharawals, que possui belos templos jainistas. O jantar é servido sob um céu sempre estrelado.

0 km 5

LEGENDA

- Percurso da excursão
- Outras estradas
- Rodovia nacional

Sam ⑦
A ondulação das dunas se estende até onde a vista alcança. A viagem de 45km para voltar a Jaisalmer é feita de jipe, na manhã seguinte.

GUEST HOUSE

RESTAURANT

Entalhes requintados do Templo Vimala Vasahi

Mount Abu 20

Distrito de Sirohi. 185km a O de Udaipur. 22.100. Abu Rd, *20km a SE do centro, depois ônibus.* *na frente do terminal de ônibus principal, (02974) 23 5151.* *Summer Festival (jun).*

Única estação de montanha de Rajasthan, Mount Abu é famosa pelos **Templos Jainistas de Dilwara**. Este conjunto de cinco templos de mármore situa-se 3km a nordeste da cidade. Destacam-se o **Templo Vimala Vasahi** e o **Templo Luna Vasahi**, que possuem entalhes requintadíssimos. Os detalhes esculturais nos portais, arcos, pilares, nichos e tetos dos dois templos são magníficos, com trabalhos de mármore tão delicados que, em alguns lugares, são quase translúcidos.

O Templo Vimala Vasahi, dedicado a Adinath, primeiro *tirthankara* jainista, foi erguido em 1031 por Vimala Shah, rico primeiro-ministro dos reis solankis de Gujarat. A estátua dele sentado em um elefante está em um pavilhão, à direita da entrada. Dentro, ninfas graciosas e músicos, cavalos e elefantes cheios de vivacidade adornam arcos e pilares. Um magnífico teto abobadado, em 11 camadas, cobre o salão principal. O santuário interno tem uma estátua de Adinath em meditação, e 52 nichos entalhados contêm imagens de outros *tirthankaras*. O Templo Luna Vasahi, dedicado a Neminath, o 22º *tirthankara* jainista, data de 1231 e tem muito mais ornamentos entalhados. Seu grande atrativo, o salão principal, possui um magnífico pendente em formato de lótus em camadas, que desce do teto abobadado, e foi esculpido de um único bloco de mármore. Atrás do santuário principal fica o Salão dos Doadores, com uma série de figuras montadas em elefantes, algumas de mármore preto. Há também estátuas de tamanho natural dos doadores e de suas esposas, com todos os requintes de trajes e jóias meticulosamente entalhados.

Em Mount Abu o **lago Nakki** é cercado de mansões coloniais, do século 19, e de palácios de veraneio dos governantes rajputs. Com formato curioso, a **Toad's Rock** está virada para o lago, e o **Sunset Point**, a sudoeste do lago, é uma esplanada de pedra que oferece vistas espetaculares.

Dançarina do Templo Luna Vasahi

Cerca de 4km abaixo de Mount Abu, na saída da rodovia principal que leva à cidade, encontra-se o histórico **Templo Gaumukh** (Boca de Vaca) com uma fonte natural que flui da boca de uma vaca de mármore.

Templos Dilwara Jain
diariam. *a mulheres menstruadas. Proibido o uso de peças de couro.*

Arredores

Achalgarh, 8km depois de Dilwara, tem as ruínas de um forte do século 15 e um templo de Shiva, que possui uma estátua de Nandi, feita com mais de 4 toneladas de ouro, prata, latão e cobre. Em uma caminhada de 4 minutos chega-se ao **Guru Shikhar**, ponto mais elevado de Rajasthan, a 1.721m, com um pequeno templo de Vishnu.

Ranakpur 21

Distrito de Rajsamand. 90km a NO de Udaipur. **Complexo de Templos** *diariam.* *a mulheres menstruadas. Proibido o uso de peças de couro.*

Instalado em um isolado vale verdejante das montanhas Aravalli, o complexo de templos de Ranakpur, do século 15, dominado pelo grande **Templo de Adinath**, é um dos cinco lugares mais sagrados da fé jainista. A escala grandiosa e a leveza arquitetônica do templo de mármore branco, talvez o distingam como o exemplar mais impressionante de arquitetura sacra da Índia Ocidental *(págs. 396-7)*.

O templo possui uma planta incomum de quatro lados, com quatro entradas separadas. Cada uma leva a uma verdadeira floresta de colunas e a diversos salões e capelas com belos adornos, até o santuário central, que contém uma imagem de quatro lados de Adinath.

Cada um dos 1.444 pilares do templo é entalhado com desenhos diferentes de temas

Vista do complexo de templos jainistas de Ranakpur

Defesas em curvas do intransponível Kumbhalgarh Fort

florais, e o jogo de luz e sombra sobre esses pilares, conforme o Sol se move diariamente de leste para oeste, é um dos destaques do monumento. Também impressionam os sofisticados entalhes filigranados nos pendentes concêntricos do teto e a graça exuberante das deusas que formam os suportes. Em uma das colunas voltadas para o santuário, um painel entalhado com duas figuras retrata Dharna Shah, construtor do templo, que foi ministro do maharana de Mewar, e seu arquiteto, Depa.

Um muro culminando com pequenas torres circunda este sereno complexo, que também tem um Templo do Sol hindu, e mais dois templos jainistas. Destes, o Parsvanatha, do século 15, se destaca pelo trabalho rendilhado das janelas.

Kumbhalgarh ㉒

Distrito de Rajsamand. 63km ao N de Udaipur. *Kankroli, 35km a SE de Kumbhalgarh, depois ônibus.*

Como uma gigantesca cobra marrom, as grandes defesas do Kumbhalgarh Fort serpenteiam ao longo do contorno acidentado das montanhas Aravali por 36km. Este forte maciço do século 15, com localização estratégica a 1.050m de altitude, na fronteira entre Marwar (Jodhpur) e Mewar (Udaipur), era conhecido como "O Olho de Mewar", pois possibilitava a visão total da zona rural por quilômetros à sua volta. Construído pelo maharana Kumbha (reinado: 1433-68), que também ergueu o grande forte de Chittorgarh *(pág. 402)*, Kumbhalgarh ganhou merecida fama de ser o forte mais inexpugnável de Rajasthan. Suas defesas têm largura suficiente para seis cavaleiros lado a lado, e conta com sete portas fortificadas, dotadas de cravos assustadores. Os muros com ameias do forte englobam a fortaleza menor de Kartargarh, diversos palácios e templos (agora em ruínas), campos, reservatórios de água e estábulos. No ponto mais alto do forte fica **Badal Mahal,** uma ampliação do século 19, com cômodos arejados pintados de rosa, verde e turquesa, e excelentes pinturas de parede com cenas de caça. O **Templo Neelkantha**, do século 15, também dentro do forte, possui um enorme *shivalinga*, e ainda está em uso. Outra atração é o **Templo Navachoki Mamdeva**, situado a leste de Kartargarh. Contém diversas placas de granito preto com inscrições que contam a história de Mewar, e a mais antiga data de 1491. Perto, encontra-se o cenotáfio do maharana Kumbha.

Acredita-se que a divindade no muro do forte evite os males

Kumbhalgarh também é o local de nascimento do maharana Pratap (1540-1597), grande rei-guerreiro, famoso pela resistência aos exércitos de Akbar, imperador mogul.

Arredores

O **Kumbhalgarh Wildlife Sanctuary** cobre 578km^2 das montanhas Aravalli, a oeste do forte. Aqui são avistados esquilos-voadores, panteras, lobos e muitas espécies de pássaros. Em **Kankroli**, 35km a sudeste de Kumbhalgarh, está o Templo Dwarkadhish, do século 17, na margem sul do lago Rajsamand. A margem oeste tem belos pavilhões de mármore e *ghats.* A charmosa cidade de **Deogarh**, 55km ao norte de Kumbhalgarh, instalada entre lagos e morros, possui o Rajmahal Palace, do século 17, com sofisticados murais, e o Templo Anjaneshwar Mahadev, em uma caverna da encosta. Deogarh ganhou fama como base movimentada de safáris a cavalo *(pág. 751)*, que exploram esta parte pitoresca de Mewar.

Mármore nos Templos Jainistas

Detalhe de Ranakpur

Os mais notáveis templos jainistas de Rajasthan, em Ranakpur e Dilwara, de Mount Abu *(pág. 394)*, possuem magnífica, rica e variada ornamentação escultural. Feitos de mármore branco extraído de Makrana, que também forneceu o mármore do Taj Mahal, os templos de Ranakpur e Dilwara constituem maravilhas arquitetônicas. Acima de tudo, são testemunhos da incrível arte dos entalhadores de mármore que criaram estas obras-primas. O visitante deve usar binóculos para apreciar todos os detalhes do belíssimo trabalho nos tetos e pilares.

Esta imagem de Adinath, *primeiro* tirthankara, *fica no principal santuário de Ranakpur e contempla igualmente os quatro pontos cardeais.*

O JAINISMO

Monjas jainistas com a boca coberta

Religião fundada no século 6º a.C., baseia-se na doutrina de não-violência em relação a todos os seres vivos. Os jainistas são rigorosamente vegetarianos, e os mais ortodoxos cobrem a boca para não engolir, sem querer, organismos vivos. Eles crêem em 24 *tirthankaras*, ou encarregados da travessia das almas, que as guiam pelo "rio da transmigração" (jornada da alma de uma vida para a seguinte). O primeiro *tirthankara* foi Adinath, também chamado Rishabdeo, e o último foi Mahavira (nascido em 540 a.C.). Considerado fundador da religião, Adinath teve seu aniversário de 2.600 anos comemorado em 2001. O jainismo atraiu muitos seguidores entre os ricos comerciantes da Índia Ocidental, que também eram politicamente poderosos como financistas e ministros dos principados rajputs. Como ato de devoção e penitência, eles financiaram a construção de diversos templos, com entalhes requintados, em Gujarat e Rajasthan.

SALÃO DE PILARES

Uma floresta de colunas entalhadas ligadas por arcos ondulados leva ao santuário principal do Templo Vimala Vasahi de Dilwara. Data do século 11.

O EXTERIOR

Em Ranakpur, o exterior sem entalhes do Templo de Adinath, do século 15, contrasta com a profusa decoração interior. Isso simboliza a crença jainista na insignificância das formas exteriores e a importância de uma rica vida interior.

TETOS COM MODILHÕES

Os tetos são entalhados em camadas concêntricas para simbolizar a visão jainista do universo como uma série de ciclos cósmicos. Os entalhadores eram pagos em ouro conforme o peso das raspas de mármore que apresentavam no fim do dia de trabalho.

Dançarinas e divindades, *esculpidas com graça, constituem o suporte do teto.*

Este **teto de Ranakpur** *mostra a arte dos entalhadores de mármore de Rajasthan. O trabalho é tão delicado que o mármore, em partes, fica translúcido.*

Painéis esculpidos *em Ranakpur mostram dançarinas cheias de graça e movimento.*

Os **pilares** *de Dilwara têm muitos entalhes com temas florais e figuras em nichos. Nenhum pilar possui ornamento idêntico a outro.*

Medalhões kalpavalli, *com sofisticados desenhos de folhagem, gavinhas e flores, aparecem em Dilwara e Ranakpur.*

A **placa de Parsvanatha** *mostra o 23º* tirthankara *protegido por uma cobra de muitas cabeças. Fica na parede sul do Templo de Adinath, em Ranakpur.*

Udaipur ㉓

Cidade de conto de fadas, com palácios de mármore e lagos rodeados por montanhas, Udaipur foi fundada pelo maharana Udai Singh, em 1559, e se tornou capital de Mewar após a queda de Chittorgarh, em 1567 *(pág. 402)*. A dinastia dos governantes de Mewar, que pertenciam ao clã rajput Sisodia, remonta ao ano de 566. Totalmente independentes, eles recusaram alianças matrimoniais com os mogüis e tinham muito orgulho da fama de grandes defensores da honra dos rajputs. A cidade é dominada pelo City Palace, voltado para o lago Pichola, com seus românticos palácios em ilhas. *Havelis* pitorescas, *ghats* e templos se alinham à beira do lago, tendo por trás os bazares movimentados da antiga cidade murada.

Jag Niwas (Palácio do Lago) situado à beira do lago Pichola

City Palace

Págs. 400–401.

Jag Mandir

Lago Pichola. *diariam.* *City Palace Jetty.* **Jag Niwas** *(0294) 252 8016.* *aberto a não-moradores.*

Erguido em 1620, o Jag Mandir tem jardins viçosos e aposentos de mármore com trabalhos sofisticados de incrustações de pedras coloridas. Oito elefantes de pedra fazem a guarda solene da entrada. Entre 1623 e 1624, este palácio em uma ilha serviu de refúgio ao príncipe Khurram (depois imperador mogul Shah Jahan), quando ele se rebelou contra o pai. Diz-se que muitas idéias do Taj Mahal foram inspiradas aqui.

O **Jag Niwas**, ou Palácio do Lago, construído entre 1734 e 1751 como local de veraneio real, agora é excelente hotel *(pág. 705)*. É também muito procurado para filmagens (como as de *007 contra octopussy*). Os dois palácios podem ser vistos num passeio de barco pelo lago Pichola.

Jagdish Mandir

Moti Chhohta Rd. *diariam.* **Bagore ki Haveli** Gangaur Ghat.

Este templo do século 17, ao norte da porta principal do City Palace, tem uma imagem de pedra preta de Vishnu, no santuário cheio de entalhes. A entrada é ladeada por elefantes de pedra, e uma estátua de bronze de Garuda (pássaro mítico, veículo de Vishnu) fica na frente do templo Perto, na Gangaur Ghat, acha-se a **Bagore ki Haveli**, do século 18, agora um excelente museu com artesanatos tradicionais de Udaupur, trajes, instrumentos musicais e trabalhos em mármore. Todas as noites, às 19h, aqui são feitas apresentações de música e dança.

Pintura *pichhwai*

A velha cidade murada tem uma mistura de lojas e casas, muitas com belas fachadas pintadas, e fica a leste de Jagdish Mandir. Nas vielas estão os bazares **Bapu** e **Bara**, que vendem brinquedos de madeira, marionetes, tecidos, jóias e *pichhwais.*

Vista do lago Pichola, com o Jag Mandir Palace em uma ilha

Lago Fateh Sagar

Fateh Sagar Rd.

Ao norte do lago Pichola fica o lago Fateh Sagar, com um café em sua ilha. Ao alto, vê-se o monte Moti Magri com uma estátua do grande guerreiro de Udaipur do século 16, o maharana Pratap, e de seu cavalo, Chetak.

Saheliyon ki Bari

Saheli Marg. *diariam.*

Encantador refúgio (cujo nome significa "Jardim das Damas de Companhia") do século 18, no norte da cidade, tem chafarizes ornamentais, laguinho e roseiral. Foi criado para uma rainha de Udaipur, em cujo dote havia 48 damas de companhia.

Ahar

Ashok Nagar Rd. **Museu** *sáb-qui.* *feriados.*

Localizada 3km a leste de Udaipur, Ahar possui belos cenotáfios de 19 governantes de Mewar e um pequeno museu arqueológico.

Arredores

Shilpgram, 8km a noroeste de Udaipur, é uma vila ativa de artesanato etnográfico, com artesãos, artistas folclóricos e réplicas de casas tradicionais. Podem-se fazer passeios de camelo.

Pavilhão do Saheliyon ki Bari, jardim da rainha (século 18)

Para hotéis e restaurantes nesta região, ver págs. 702-5 e págs. 731-2

Templos Saas-Bahu, de Nagda, vistos pelo *torana* com belos entalhes.

PREPARE-SE

Distrito de Udaipur. 269km ao S de Jodhpur. *389.400.*
25km a L do centro.
Rajasthan Tourism, Suraj Pol, (0294) 241 1535.
Gangaur Festival (mar/abr), Mewar Festival (abr).

Eklingji, 22km a nordeste de Udaipur, é um complexo de 108 templos e santuários dedicados a Shiva. Marca o lugar em que Bappa Rawal, fundador da dinastia governante de Mewar, recebeu bênçãos de um sábio que vivia aqui. O templo principal data do século 16. Feito de mármore e granito, conta com salão de pilares e uma imagem de Shiva com quatro lados, feita de mármore preto, com o touro Nandi, de prata, na frente.

Vale a pena visitar **Nagda**, perto de Eklingji, pelos Templos Saas-Bahu (Templos da Mãe e da Nora), duas construções dedicadas a Vishnu. Entra-se nesses templos do século 11 por um *torana* com entalhes delicados. Eles são famosos pelas esculturas elaboradas que retratam casais amorosos e cenas do épico *Ramayana*.

Um dos principais centros de peregrinação de Rajasthan é o Templo Shrinathji, do século 18, em **Nathdwara**, 48km a nordeste de Udaipur. A grande divindade é Krishna, que no local se chama Shrinathji. Sua imagem de pedra preta foi trazida de Mathura *(pág. 178)* para salvá-la da destruição de Aurangzeb, imperador mogul do século 17. Lindos panôs pintados, os *pichhwais*, estão pendurados por trás. Quem não é hindu não pode entrar no templo, mas o pitoresco bazar da cidade, com pintores de *pichhwai* trabalhando, vale uma visita. Esses *pichhwais* constituem uma das formas mais vibrantes da pintura indiana, feitos de tecido rijo, com corantes vegetais e minerais. Eles retratam 24 cenas da lenda de Krishna, cada uma ligada a um festival ou dia santo. No centro de cada pintura há uma imagem estilizada de Krishna, com pele escura, olhos amendoados e jóias complexas; como fundo, estão folhagens verdejantes, pássaros, animais e paisagens celestiais. Em volta do deus estão vacas, ordenhadoras e devotos.

Udaipur: City Palace

Sol: símbolo real

Em Udaipur, o City Palace fica na margem leste do lago Pichola. É uma combinação fascinante da arquitetura militar rajput com técnicas decorativas de estilo mogul. Sua fachada austera como a de um forte tem por cima diversos balcões, cúpulas e torres, e já foi descrita por um escritor como um bolo simples e massudo coberto com um glacê fantástico. Maior palácio de Rajasthan, que cobre uma área de 20 mil metros, o City Palace é, na realidade, um conjunto de palácios construídos ou acrescentados por 22 maharanas entre os séculos 16 e 20. Agora, boa parte se transformou em museu; e quase todo o restante é ocupado por hotéis de luxo.

Fateh Prakash
Do início do século 20, este palácio é agora um hotel. Possui magnífico Durbar Hall e galeria com decoração de cristal.

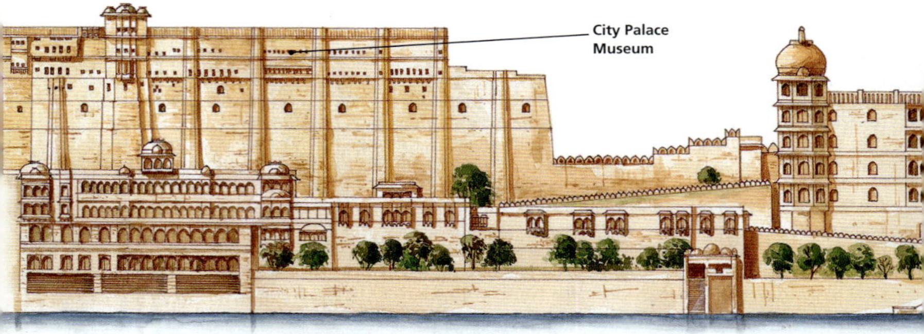

A Rajya Angan Chowk, com templo da deusa Dhuni Mata

Como Explorar o City Palace

A parte mais antiga do complexo do City Palace data de 1568. Por trás do muro fortificado há um labirinto de aposentos reais, salões de recepção e pátios. Tudo está interligado por passagens estreitas e lances de escada –uma característica dos palácios rajputs desse perído, com o propósito de confundir os invasores. O excelente **City Palace Museum** ocupa diversos palácios desta seção. Entra-se nele pela imponente **Tripolia Gate** (de 1713). Acima da entrada está o selo de Mewar: um grande rosto do Sol (que reforça a alegação do clã Sisodia de que eram descendentes do Sol), flanqueado por guerreiros rajput e bhil (a tribo bhil, de arqueiros hábeis, teve papel heróico em batalhas de Mewar). Depois, vem a **Ganesh Deorhi Gate** onde são vendidos ingressos para o museu. Ela conduz a um pátio com afrescos de cavalos e elefantes e com um relevo de mármore de Ganesha cercado por belas incrustações de espelho e vidro. O pátio seguinte é a **Rajya Angan Chowk**, de onde uma escada leva ao **Chandra Mahal** (de 1620). Um dos palácios mais bonitos do complexo, tem lindas colunas, janelas com ornatos em relevo e magníficos entalhes no mármore com mulheres rajputs, uma das quais usa um escudo. Daqui, tem-se uma bela vista do lago Pichola e dos palácios em ilhas.

Outro lance de escada leva ao charmoso **Bari Mahal** (de 1699). Equilibrado a 27m acima do solo, foi construído na esplanada de uma encosta que está totalmente contida pelos muros do palácio. Sa-

Vista do City Palace, na margem leste do lago Pichola

PREPARE-SE

Complexo do City Palace
(0294) 252 8016. diariam. limitadas.
Museu taxa extra.
Fateh Prakash *aberto a não-hóspedes.* **Shiv Niwas** *aberto a não-hóspedes.*

Shambhu Niwas
agora é a casa dos descendentes do maharana.

Shiv Niwas
Palácio em forma de lua crescente, com decoração suntuosa, era casa real de hóspedes e se tornou hotel de luxo (pág. 705).

Fateh Prakash

Shiv Niwas

O Kanch Burj, com magnífica decoração de vidro vermelho e prata

lões com fileiras de arcos entalhados se abrem para um lindo pátio, com piscina de mármore no meio. Em volta, árvores de *neem*, altas, oferecem bastante sombra. Do Bari Mahal chega-se ao **Dilkhushal Mahal** (de 1620) com dois aposentos notáveis: a Kanch Burj (Torre de Vidro), com trabalhos de vidro vermelho e prata, e o Krishna Niwas que exibe lindas pinturas em miniatura *(pág. 405)* de Mewar. Aqui ficavam os aposentos da princesa Krishna Kumari, de 16 anos, que cometeu suicídio em 1807, quando pretendentes rivais de Jodhpur e Jaipur ameaçaram entrar em guerra pela mão dela. À esquerda deste palácio, encontra-se o ornamentado **Moti Mahal,** aposentos do dissoluto maharana Jawan Singh (reinado: 1828-38), que certa vez prometeu a uma dançarina metade de seu reino se ela conseguisse atravessar o lago Pichola em uma corda bamba. A moça tinha quase conseguido, quando cortesãos alarmados cortaram a corda e a dançarina se afogou. Mais à esquerda está o **Mor Chowk** (Pátio do Pavão), com lindo mosaico colorido, do século 19, da dança de três pavões. A extremidade sul do complexo possui outros três palácios suntuosos, erguidos no fim do século 19 e início do século 20 –o **Shambhu Niwas**, onde moram os descendentes dos governantes; o **Fateh Prakash**, com magnífico Durbar Hall, finos retratos e uma galeria de peças de cristal; e o semicircular **Shiv Niwas**, construído para ser casa real de hóspedes (a rainha Elizabeth II já se hospedou aqui). Agora, o Fateh Prakash e o Shiv Niwas são hotéis de luxo, mas estão abertos a não-hóspedes para visitas e refeições.

Mosaico de pavões no Mor Chowk

Decoração colorida em salão do Juna Mahal, em Dungarpur

Dungarpur ㉔

Distrito de Dungarpur. 110km ao S de Udaipur. 42.550. *Vagad Festival (jan/fev), Baneshwar Festival (fev).*

Esta cidade distante, quase desconhecida, exibe algumas preciosidades artísticas inesperadas. Aqui se destaca o **Juna Mahal**, de sete andares, construído no século 13 sobre um grande rochedo. Em contraste com o exterior meio gasto, o interior deste palácio-forte apresenta decoração exuberante e contém alguns dos afrescos mais bonitos de Rajasthan. Muito bem conservados, contam com uma série de pinturas eróticas do *Kama Sutra*, no antigo quarto do governante, no andar mais alto.

À beira do lago, o **Udai Vilas Palace**, do século 19, foi construído com granito cinza-esverdeado do local, em uma mescla de estilos rajput e mogul. Do meio do pátio, ergue-se um fantástico pavilhão de quatro andares, com arcos em cúspide, frisos entalhados e uma profusão de dosséis e balcões. O grande salão do último andar dispõe de variadas pedras semipreciosas engastadas nas paredes.

Chittorgarh ㉕

Distrito de Chittorgarh. 115km a NE de Udaipur. *Janta Avas Graha, Station Rd, (01472) 24 1089. Meera Utsav (out).*

O grande Chittorgarh Fort, com marcas de batalhas, sintetiza em sua história trágica o valor, o romance, o cavalheirismo e o rigoroso código de morte diante da desonra, glorificados nos mitos e lendas rajputs. Ele se estende por 280ha no topo de um monte rochoso, a 180m de altura. Seus palácios, templos e torres em ruínas são testemunhas de um passado ilustre e turbulento, quando era capital dos governantes sisodias de Mewar, entre os séculos 12 e 16.

Como forte mais poderoso de Rajasthan, foi alvo de sucessivos invasores. O primeiro cerco, em 1303, foi do sultão Alauddin Khilji *(pág. 48)*, cujo objetivo não se limitava a tomar o forte, mas também capturar a rainha Rani Padmini, dona de beleza lendária, que, segundo consta, o sultão havia vislumbrado refletida em um espelho. Quando a derrota parecia inevitável, Rani Padmini e mais 13 mil mulheres cometeram *jauhar* –um ritual de suicídio em massa como sacrifício, praticado por mulheres rajputs para escapar da desonra nas mãos dos inimigos. Diz-se que 50 mil guerreiros rajputs morreram na batalha que se seguiu. O exército de Alauddin saqueou o forte e destruiu muitas edificações. No entanto, alguns anos depois, o neto do governante retomou tudo para a dinastia Sisodia.

Outra grande luta, desta vez contra o sultão Bahadur Shah de Gujarat, em 1535, viu a rainha-mãe, Rani Jawaharbai, comandar o ataque da cavalaria e morrer no campo de batalha, junto com a nata da juventude rajput. Novamente, milhares de mulheres dentro do forte cometeram *jauhar*. O terceiro e último assalto a Chittorgarh foi liderado por Akbar, imperador mogul, que conseguiu capturá-lo em 1567. Depois disso, Chittorgarh foi abandonada, e os sisodias mudaram a capital para Udaipur *(págs. 398-9)*.

Sete portas maciças, com cravos, se abrem para o forte. O primeiro prédio à direita é o **Rana Kumbha's Palace** (erguido entre 1433 e 1468), provavelmente o exemplo mais antigo de palácio rajput que sobreviveu. Seu lado norte tem uma profusão de balcões com ricos

Vista do impressionante Chittorgarh Fort, instalado em um morro rochoso

entalhes e um muro singular escalonado. Cocheiras de elefantes e um salão do conselho estão nas áreas públicas, enquanto os aposentos privativos constituem um labirinto de cômodos pequenos, que incluem a seção da zenana. Perto, encontra-se o **Fateh Prakash Palace**, do século 20, que agora abriga um museu de esculturas encontradas no local; o **Templo Kumbha Shyam**, do século 15, com uma bela imagem de Vishnu em sua encarnação como Varaha (javali); e o **Templo Meerabai**, construído em 1440 por Meerabai *(pág. 49)*, outra notável rainha de Mewar. Mística e poetisa, ela desafiou as convenções rajputs e devotou a vida à adoração de Krishna. A rua principal segue para o sul, em direção à **Vijay Stambh** (Torre da Vitória), de nove andares, erguida pelo maharana Kumbha, entre 1458 e 1468, para comemorar a vitória sobre o sultão Mahmud de Malwa *(pág. 247)*. Com 36m de altura, a vista do topo é extraordinária. A magnífica estrutura é de arenito, ricamente entalhado com deuses e deusas. A rua principal continua para o sul, passa por mansões de nobres e vai até o **Gaumukh Reservoir**, alimentado por nascente subterrânea, e o **Templo Kalika Mata**, do século 16, construído sobre o Templo do Sol original, destruído durante o cerco devastador de 1303.

Vijay Stambh

Na frente deste templo, situa-se a reconstrução, feita no século 19, do **Padmini's Palace**, com um pavilhão no lago adjacente. O palácio contém o espelho no qual Alauddin Khilji supostamente avistou o reflexo de Padmini. Para o sul, passando alguns templos jainistas, fica a **Kirti Stambh**, torre de sete andares dedicada a Adinath, primeiro *tirthankara* jainista.

Fateh Prakash Museum
sáb-qui.
grátis na seg.

Templo do Deus Sol, do século 11, em Jhalrapatan

Jhalawar 26

Distrito de Jhalawar. 323km ao S de Jaipur. *48.100.* *Hotel Chandrawati, (07432) 23 0081.* *Chandrabhaga Cattle Fair (out/nov).*

Simpática cidadezinha, rodeada de laranjais e campos de papoula, possui um forte do século 19, sede dos antigos príncipes de Jhalawar. Agora, aqui estão instalados escritórios do governo. Uma parte incongruente mas charmosa do forte é o **Bhavani Natya Shala Theatre** (de 1921), copiado dos grandes teatros que o marajá vira em suas viagens à Europa. A velha cidade murada de **Jhalrapatan** (Cidade dos Sinos), 6km ao sul do forte, tem um belo conjunto de templos do século 11. O mais impressionante deles é o **Templo Surya**, com linda imagem do Deus Sol. A cerca de 1,5km ao sul do templo, à margem do rio Chandrabhaga, fica o **Templo Chandra Mauleshwar**, do século 7º, com entalhes requintados.

Arredores
Erguido no século 14, o **Ghagron Fort**, situado 10km a oeste de Jhalawar, desfruta de localização privilegiada, em meio a uma paisagem pitoresca de morros, bosques e campos, rodeado em três lados pelos rios Kali, Sindh e Ahu.

As florestas luxuriantes, os rochedos e as pastagens do **Darrah Wildlife Sanctuary**, 70km a oeste de Jhalawar, lembram os cenários de caçadas como aparecem nas famosas pinturas de Kota *(pág. 405)*, só que agora não existem tigres nem príncipes.

Kota 27

Distrito de Kota. 261km ao S de Jaipur. *696.000.* *Hotel Chambal, (0744) 232 7695.* *Dussehra Mela (set/out).*

A fachada imponente do fortificado **City Palace** de Kota, que data de 1625, estende-se pela margem do rio Chambal e lembra o passado principesco desta cidade, agora industrializada. A rica tradição artística de Kota está bem representada nos aposentos palacianos –cada superfície disponível é coberta com pinturas em miniatura, trabalhos com espelhos, murais e mosaicos, tudo magnífico. O grande destaque é o Durbar Hall, com portas de ébano e marfim e pinturas que retratam a história de Kota. Diversos aposentos reais agora fazem parte do excelente **Rao Madho Singh Museum**, que dispõe de requintado acervo de armas, pinturas e insígnias reais.

No lago Kishorsagar, no meio da cidade, encontra-se uma ilha com o charmoso palácio **Jag Mandir** *(veja a capa)*, erguido no século 18 por uma rainha de Kota, que tinha saudade da casa de sua infância, em Udaipur *(pág. 398)*.

Rao Madho Singh Museum
sáb-qui.

Arredores
Bardoli, 55km a sudoeste de Kota, tem um dos complexos de templos mais bonitos de Rajasthan. Do século 9º, o Templo Ghateshwar Mahadev dispõe de uma linda imagem de Nataraja (Shiva que dança) sobre a porta do santuário.

Porta de ébano e marfim no City Palace, do século 17, em Kota

Vista de Bundi, que ocupa um vale estreito nas montanhas Aravalli

Bundi ㉘

Distrito de Bundi. 215km ao S de Jaipur. 88.350. Rajasthan Tourism, Circuit House, (0747) 244 3697. diariam. Gangaur (mar/abr).

Bundi muitas vezes é descrita como a jóia escondida de Rajasthan. Com três lados rodeados pelas acidentadas montanhas Aravalli com densas florestas, esta cidade murada conservou boa parte de seu caráter histórico. O **Taragarh Fort** fica no topo de um monte voltado para a cidade, e o **Garh Palace** acompanha a encosta, de modo pitoresco. Este palácio é uma preciosidade de Bundi e de Rajasthan. O tenente-coronel James Tod, (1782-1835), agente político britânico e autor de *Annals and antiquities of Rajasthan*, escreveu: "O palácio acastelado de Boondi, de onde quer que se olhe, é a visão mais notável da Índia".

O estado de Bundi foi criado em 1341 por Rao Deva, do clã rajput Hada Chauhan, e o maciço e quadrado Taragarh Fort data de seu reinado. As obras do palácio começaram no século 16 e ele foi ampliado por sucessivos governantes, nos 200 anos seguintes, em diversos níveis da encosta. Diferentemente da maioria dos outros palácios de Rajasthan, há pouquíssima influência mogul em sua arquitetura. Ele representa um exemplo raro do puro estilo rajput, e tem na cobertura pavilhões e quiosques com telhados curvos, além de uma profusão de colunas e suportes ornamentados, com temas rajputs típicos, como elefantes e flores de lótus. O interessante é que o palácio não foi construído com arenito, preferido em outros reinos rajputs, mas com serpentina esverdeada, extraída do local. Esta pedra, ao contrário do arenito, não se presta a entalhes requintados. Porém, o Garh Palace foi embelezado por pinturas magníficas. Entra-se nele pelo imponente **Hathia Pol** (Portal do Elefante), ladeado por duas torres e coroado por um par de enormes elefantes pintados. As partes mais espetaculares do conjunto são o **Chattar Mahal** (de 1660) e o **Chitrashala**, uma galeria com arcada (construída entre 1748 e 1770), voltada para um jardim suspenso. Os murais das duas edificações estão entre os melhores exemplares da pintura rajput. Entre os temas abordados estão cenas de cerimônias religiosas, cenas de caçadas e outros passatempos principescos. As cores predominantes são o azul e o verde, com toques de vermelho e amarelo.

Pintura de Chitrashala

No meio da cidade fica o **lago Naval Sagar**, com um pequeno templo situado em uma ilha no centro. O forte e o palácio refletidos no lago oferecem uma visão encantadora.

Bundi tem mais de 50 poços com escada, dos quais o mais bonito é o **Rani-ki-Baori**, com 46m de profundidade, também no centro da cidade. Construído no século 17, é muito parecido com o Adalaj Vav de Gujarat *(págs. 414-5)*, e apresenta arcos decorados e esculturas dos dez avatares de Vishnu *(pág. 679)*.

Situado na ponta norte da cidade, encontra-se o **Sukh Niwas Mahal**, do século 18, um romântico palácio de verão voltado para o **lago Jait Sagar**. Na extremidade do lago ficam cenotáfios reais, e na ponta oeste está uma elegante torre de caça, a **Shikar Burj**.

Arredores

Bijolia, 50km a sudoeste de Bundi, na estrada para Chittorgarh, conta com três belos templos do século 13, dedicados a Shiva. **Menal**, que fica 20km mais adiante, na mesma estrada, é um delicioso lugar arborizado, com templos do século 11 dispostos perto de um desfiladeiro.

Tonk, 113km ao norte de Bundi, foi capital do único principado muçulmano de Rajasthan. Fundada no início do século 19, sua principal atração é a requintada **Sunehri Kothi** (Mansão Dourada), dentro do complexo do palácio, cujo interior é totalmente folheado a ouro, com obras de laca, estuque moldado e belos trabalhos de espelho. Vitrais banham os ambientes suntuosos com cores vivas.

O Arabic and Persian Research Institute de Tonk possui manuscritos islâmicos medievais, raros, decorados com iluminuras.

Interior dourado da Sunehri Kothi, em Tonk

Para hotéis e restaurantes nesta região, ver págs. 702-5 e págs. 731-2

Pinturas em Miniatura de Rajasthan

Radha e Krishna, em Bundi

As intricadas e vívidas pinturas dos principados de Rajasthan surgiram a partir das iluminuras de textos sagrados hindus e jainistas. A princípio, elas retratavam quase apenas temas religiosos, com linhas firmes e cores primárias. Contudo, depois do século 17, a influência da tradição artística mogul-persa, mais sofisticada, trouxe delicadeza de traços e uma ampla gama de cores e temas para a arte de Rajasthan. Por volta do século 18, muitos principados, como Kishangarh, Mewar, Bundi e Kota haviam desenvolvido seus próprios estilos. Na maior parte das escolas de pintura de Rajathan, porém, as figuras humanas aparecem de perfil, e diferentes cores, estações, flores e animais são usados simbolicamente para expressar diversos estados de espírito. Essas escolas de pinturas em miniatura continuam a florescer até agora em Rajasthan.

The Maharana Celebrating Gangaur (1715)

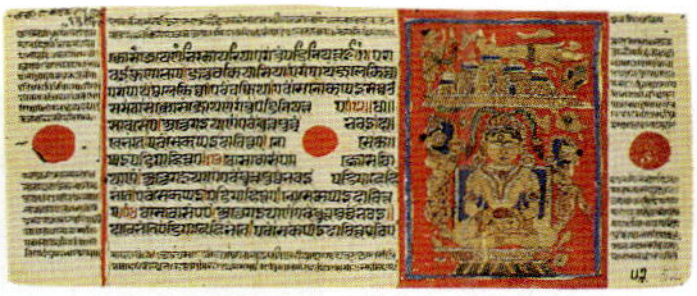
Texto jainista, do início do século 17

PINTURAS DE MEWAR

Composições amplas e detalhadas, com cenas da vida de maharanas de Udaipur, são típicas da escola de Mewar. Os quadros retratam festivais, cortejos grandiosos, batalhas históricas e cerimônias religiosas. Os detalhes intricados eram conseguidos com o uso de um único pêlo de esquilo como pincel.

PINTURAS DE BUNDI E KOTA

Bundi e Kota, principados vizinhos, produziram miniaturas magníficas. Bundi se especializou em retratos da vida palaciana e cenas da história de Krishna, executadas em tons claros de verde e azul. Kota ganhou fama pelas requintadas cenas de caçadas, ambientadas em belas paisagens florestais, com excelentes representações de animais e folhagens. Um pintor da corte do século 18 chamado Sheikh Taju criou muitas delas.

Miniatura de Bundi retrata cena palaciana

Bani Thani Radha, conhecida como Mona Lisa indiana

PINTURAS DE KISHANGARH

Nihal Chand, pintor de Kishangarh do século 18, ficou famoso pelos retratos excelentes. Encontrou sua modelo predileta na cortesã real Bani Thani Radha, com traços elegantemente alongados e expressão enigmática. Também ficou conhecido pelas telas poéticas de céus e estações do ano.

Maharao Durjan in the Kota Forest (1730)

Ranthambhore National Park 29

Placa do parque

Este parque fica à sombra das cordilheiras de Aravalli e Vindhya, e cobre uma área central de 275km². Serras pontiagudas, desfiladeiros rochosos, lagos e florestas constituem o hábitat de carnívoros como linces, panteras, chacais e hienas, e de diversas espécies de veados. Conta com uma rica variedade de pássaros locais e migratórios. Porém, o residente mais famoso é o tigre, e avistar este majestoso animal é uma experiência única. Como outros parques da região, este era campo de caça dos marajás de Jaipur, e só se tornou Project Tiger Reserve em 1973.

Rajbagh Talao
Há pavilhões em ruínas à margem do Rajbagh Talao, um dos três lagos do parque.

Ranthambhore Fort
O nome do parque vem deste grande forte florestal rajput, que tem mil anos de idade e fica a 215m de altitude.

Sambar
Grandes manadas de veados-sambar (Cervus unicolor) *são avistadas em volta dos lagos, banhando-se na água e alimentando-se de plantas aquáticas, sem se importar com jipes e visitantes.*

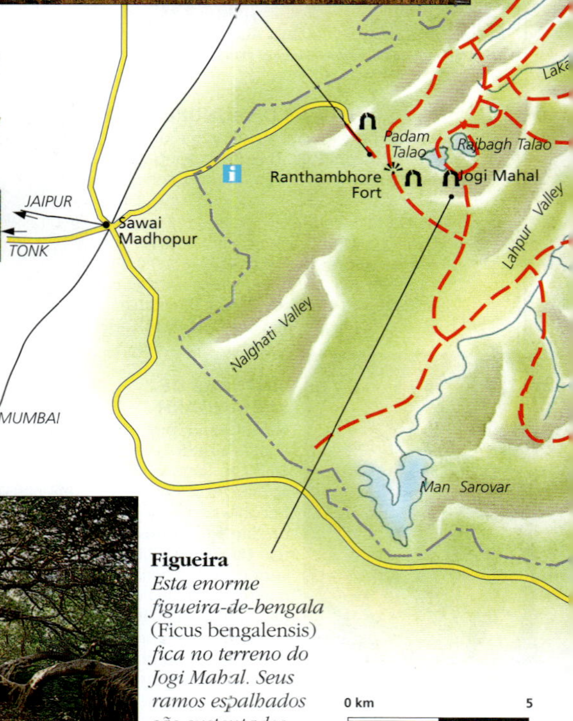

Figueira
Esta enorme figueira-de-bengala (Ficus bengalensis) *fica no terreno do Jogi Mahal. Seus ramos espalhados são sustentados por raízes.*

Para hotéis e restaurantes nesta região, ver págs. 702-5 e págs. 731-2

Tigre
Avistar o principal predador do parque é uma questão de sorte, mas sempre se podem encontrar indícios de suas atividades.

PREPARE-SE

Distrito de Sawai Madhopur. 180km a SE de Jaipur. *Sawai Madhopur, 10km a L da entrada, depois táxi.* *Sawai Madhopur.* *RTDC Hotel Vinayak, Sawai Madhopur, (07 462) 221 333.* *out-jun.* *taxa extra.* *obrigatória. Caminhar é terminantemente proibido. Apenas jipes contratados no escritório do Project Tiger, (07462) 220 223, perto da estação de trem, podem circular no parque.* *The Dastkari Kendra, (07462) 222 892, na frente da vila de Kutalpura, a caminho de Kundera.*

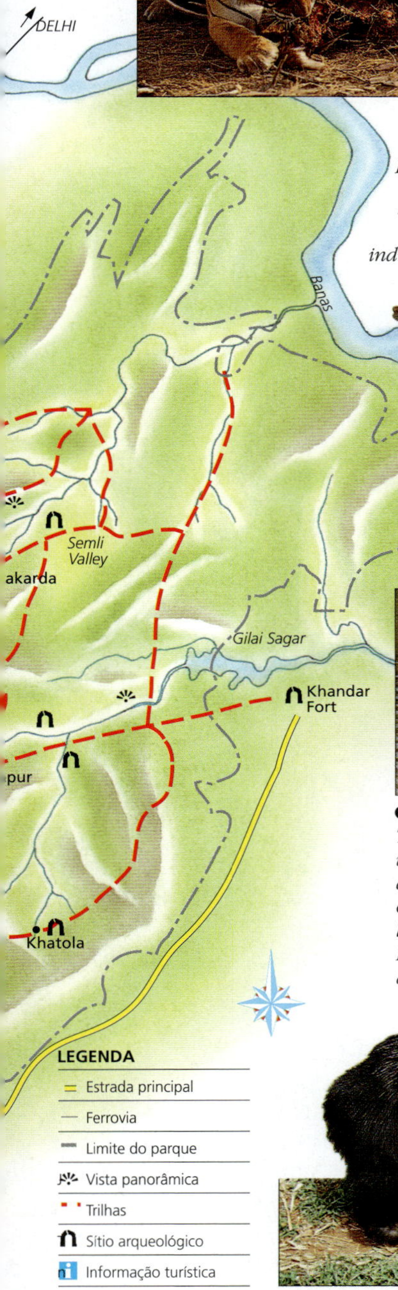

Rolieiro-de-bengala
Esta é uma das muitas espécies encontradas no parque. Entre as outras estão aves de rapina, como a águia-cobreira-de-crista e a águia-de-bonelli, e muitas espécies de pombos, papa-moscas, cegonhas e aves aquáticas.

Crocodilo-palustre
Também chamado crocodilo-do-pântano, pode ser visto submergir na água ou tomando sol à beira dos lagos. Suas principais presas são os mamíferos com casco. Às vezes, é possível ver um crocodilo levando a carcaça de um veado para a água. Lagartos-monitores e pítons são outros répteis que vivem no parque.

Urso-preguiça
Este urso peludo, com pernas posteriores curtas e focinho comprido, sai ao anoitecer para se alimentar. De dia, ele se abriga em tocas e dificilmente é visto.

GUJARAT

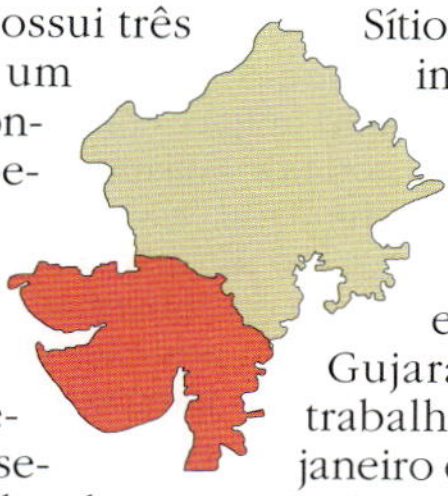

O estado de Gujarat possui três regiões distintas: um corredor norte-sul, onde fica a zona industrial; a península chamada Saurashtra; e Kutch, que é parte deserto e parte área de alagados. Os 1.600km de litoral do estado atraíram navegantes através dos tempos, seduzidos pelas possibilidades de rico comércio. Árabes, portugueses, holandeses, mogüis e britânicos, além de pársis que fugiram do Irã, todos deixaram marcas na cultura gujarate. Sítios arqueológicos fascinantes, imponente arquitetura jainista, hindu e islâmica, artesanatos de primeira e uma rara vida selvagem, que inclui o leão asiático, estão entre as atrações de Gujarat, sem falar em seu povo trabalhador e empreendedor. Em janeiro de 2001, um terremoto atingiu Gujarat e devastou a região de Kutch. Mas, com a capacidade que tem de superar dificuldades e desastres, o povo não perdeu tempo e refez a vida a partir dos escombros.

PRINCIPAIS ATRAÇÕES

Cidades
- Ahmedabad 1
- Bhavnagar 12
- Bhuj 22
- Daman 11
- Diu 14
- Jamnagar 20
- Junagadh 17
- Mandvi 23
- Patan 6
- Porbandar 18
- Rajkot 21
- Siddhpur 7
- Surat 10
- Vadodara 8

Locais Históricos
- Adalaj Vav 2
- Champaner 9
- Dholavira 24
- Lothal 3
- Templo do Sol em Modhera 5

Templos e Lugares Santos
- Dwarka 19
- Palitana 13
- Somnath 15

Parques Nacionais e Áreas de Beleza Natural
- The Little Rann of Kutch Sanctuary 25
- Nal Sarovar Sanctuary 4
- Sasan Gir National Park 16

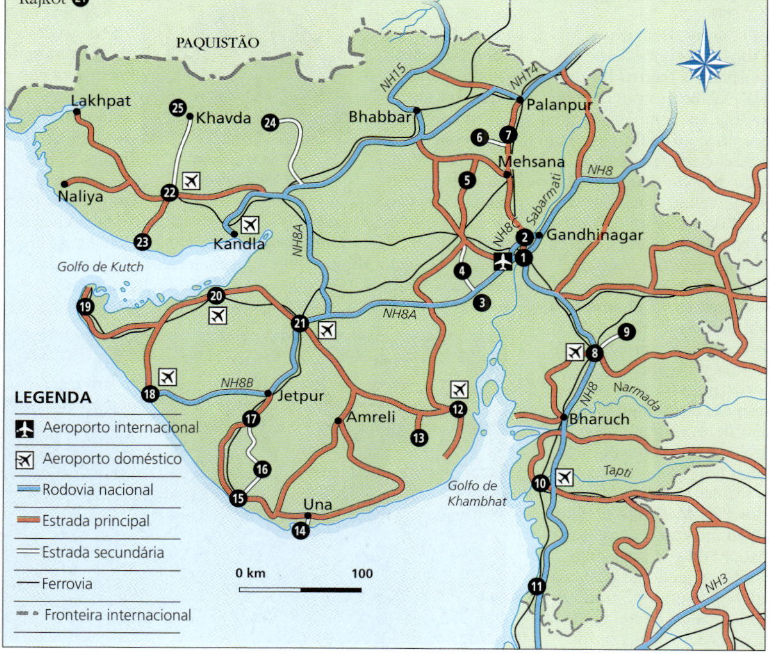

◁ **Mulher kutchi da tribo meghwal, com roupa bordada com espelhos e pesadas jóias de prata**

Ahmedabad ❶

Principal cidade de Gujarat, Ahmedabad foi capital do estado até 1970. Este centro industrial e comercial muito ativo também possui um bairro antigo, com o sabor da cultura tradicional e da história de Gujarat. Segundo a lenda, a cidade deve sua fundação ao sultão Ahmed Shah (reinado: 1411-42), que, ao sair para caçar, encontrou uma coelheira à margem do rio Sabarmati. Para surpresa dele, os coelhos avançaram nos cães de caça e defenderam seu território. O sultão interpretou isso como sinal auspicioso e construiu a nova capital nesse local, dando-lhe seu próprio nome: Ahmedabad.

Vista das margens urbanizadas do rio Sabarmati

Cidade Velha

Confinada pelas Lady Vidyagauri Rd, Sardar Patel Rd e Kasturba Gandhi Rd. **Heritage Walking Tours** *(079) 2657 4335.*

Um labirinto de bazares apinhados, *pols* (grande portas que levam a bairros residenciais), fachadas com entalhes requintados, templos, mesquitas e poços subterrâneos com escadas *(vavs)* marcam o quadrado de 3km ocupado pela Cidade Velha. Para conhecê-la é melhor andar a pé, e a Ahmedabad Municipal Corporation organiza um Heritage Walking Tour diário pelas ruelas típicas. O **Bhadra Fort**, local de origem da cidade, oferece vistas panorâmicas das ruas adjacentes. A sudoeste do forte fica a **Mesquita de Ahmed Shah**, lugar de oração simples, erguido em 1414 sobre um antigo templo hindu do início do século 13.

Talvez a **Mesquita de Siddi Saiyad**, no canto nordeste do Bhadra Fort e monumento mais fotografado de Ahmedabad, seja famosa por seu refinado trabalho de treliça de pedra amarela. Feitas por um escravo de Ahmed Shah em 1572, as duas *jalis* na parede oeste retratam os ramos entrelaçados de uma árvore, entalhados com delicadeza extraordinária. A sudeste do forte, o **Teen Darwaza** (Portal Triplo) atravessa rua, que é ladeada de lojas com tecidos estampados, objetos de prata e bugigangas variadas. Ali perto, na Mahatma Gandhi Road, fica a **Jami Masjid**, que o sultão Ahmed Shah construiu em 1423, para que os fiéis se reunissem nas preces das sextas-feiras. Os pedreiros que ergueram esta estrutura de arenito amarelo foram engenhosos ao usar peças recuperadas de templos hindus e jainistas demolidos –diz-se que a placa preta perto do arco principal é a base de uma imagem jainista invertida. As 15 cúpulas da mesquita são sustentadas por 260 pilares recobertos de entalhes. O interior tem iluminação natural filtrada por telas de treliça.

***Jali* da Mesquita de Siddi Saiyad**

Na saída leste da Jami Masjid, perto do bazar de jóias de Manek Chowk, fica o **Túmulo de Ahmed Shah**, cujas varandas têm elegantes pilares, onde o sultão, o filho e o neto foram sepultados. No coração do mercado, em uma cópia da planta e da disposição do túmulo do sultão, encontra-se o **Rani-ka-Hazira**, mausoléu de suas muitas rainhas.

A sudeste de Manek Chowk está a **Mesquita da Rani Sipri**, também chamada Masjid-e-Nagina (Jóia de uma Mesquita), por suas proporções elegantes e minaretes esguios. A noroeste de Manek Chowk situa-se a **Mesquita da Rani Rupmati**, dedicada à esposa hindu do sultão. Construída em meados do século 15, a mesquita incorpora elementos dos estilos decorativos hindu e islâmico, com tela de pedra rendilhada para a privacidade das mulheres.

Os famosos Shaking Minarets, localizados perto da estação de trem, estão fechados à visitação.

Trânsito movimentado atravessa o Teen Darwaza

Para hotéis e restaurantes nesta região, ver págs. 705-6 e pág. 733

Fora da Cidade Velha

N da Cidade Velha.

Na saída da Delhi Gate, o **Templo Hatheesing** foi construído em 1859 por Huthising Kesarising, comerciante jainista. Este templo de mármore com entalhes delicados é dedicado a Dharmanath, 15° *tirthankara* jainista *(pág. 396)*. Um pátio pavimentado possui 52 cubículos, que abrigam santuários dedicados a diferentes *tirthankaras*. Ótimo exemplo de poço com escada de Gujarat é o **Dada Harir Vav**, a nordeste da Cidade Velha. Erguido em 1500 para a Bai Harir Sultani, dama do harém do sultão, tem paredes e pilares decorados com entalhes elaborados.

Nova Ahmedabad

O do rio Sabarmati.

Do outro lado do rio, a moderna Ahmedabad tem bons exemplos de arquitetura contemporânea projetados por Le Corbusier *(pág. 101)* e pelo americano Louis Kahn. De Le Corbusier, o **Sanskar Kendra** tem raro acervo de pinturas em miniatura. O Indian Institute of Management (IIM), principal faculdade de administração do país, fica num campus projetado por Louis Kahn. Ali perto, o **LD Institute of Indology** guarda manuscritos e pinturas antigas, e o **Calico Museum** *(págs. 412-3)* exibe magnífica coleção de tecidos. O consagrado National Institute of Design fica na margem sul do rio.

Sabarmati Ashram

8h30-19h diariam.

meados jun-meados out.

Colônia espartana de casas cobertas de telhas, o **Sabarmati Ashram** era o segundo lar de Mahatma Gandhi. Foi daqui que ele organizou a luta final pela liberdade da Índia. Seu chalé, Hriday Kunj, foi mantido como ele o deixou e contém alguns itens pessoais, como os óculos arredondados, chinelos de madeira, livros e cartas.

Sala de Gandhi na Sabarmati Ashram, com sua roca

PREPARE-SE

Distrito de Ahmedabad. 545km a NO de Mumbai.

3.515.400. 10km ao N do centro.

HK House, Ashram Rd, (079) 2657 8046. seg-sáb.

Uttarayan (14 jan), Navratri (set/out).

Arredores

Cerca de 4km ao sul da cidade, encontra-se o **Vishala Complex**, cujo museu exibe utensílios tradicionais e objetos do dia-a-dia. Tem também ótimo restaurante ao ar livre, com culinária gujarate, em simpático ambiente rural *(pág. 733)*. A pouca distância para sudoeste está **Sarkhej Roja**, bonito conjunto de túmulos e pavilhões em volta de um lago artificial, feito de 1445 a 1461 como refúgio de veraneio para os governantes de Gujarat. Entre as sepulturas está a do xeique Ahmed Khattu, conselheiro espiritual de Ahmed Shah. Treliças de latão finamente entalhadas marcam o local. Construída no fim da década de 1960, **Gandhinagar**, capital do estado, fica 25km ao norte de Ahmedabad. Esta cidade se espalha por 60km²; no centro está a administração do estado.

CENTRO DA VELHA AHMEDABAD

- Bhadra Fort ①
- Jami Masjid ⑤
- Mesquita da Rani Rupmati ⑨
- Mesquita da Rani Sipri ⑧
- Mesquita de Ahmed Shah ②
- Mesquita de Siddi Saiyad ③
- Rani-ka-Hazira ⑦
- Teen Darwaza ④
- Túmulo de Ahmed Shah ⑥

0 metros 500

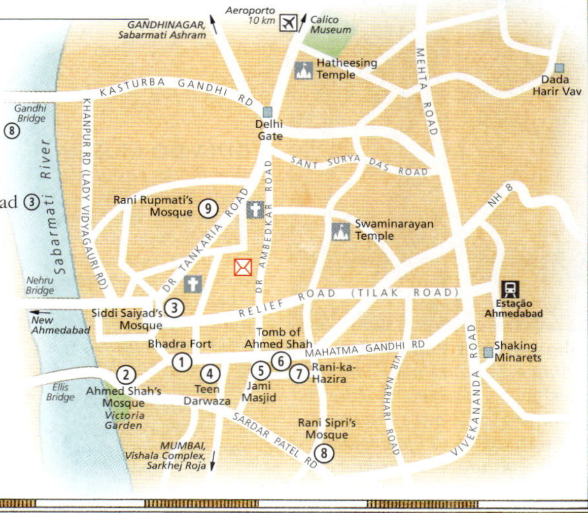

Legenda dos símbolos no final do guia

Ahmedabad: Calico Museum

Detalhe de tecido kalamkari

Importante centro indiano de produção e comércio de tecidos, desde o século 15, Ahmedabad é o local adequado para este museu excelente. Em sua coleção de tecidos raros estão tendas reais, tapetes e trajes; pinturas religiosas em panos; bordados, brocados e tramas de seda; e xales de Caxemira. As peças, cuja maioria data dos séculos 17 e 18, estão expostas em uma bela *haveli* antiga. O museu foi criado em 1949 pela família Sarabhai, proprietária de tecelagens e grande filantropa de Gujarat.

Brocado Patka
Do século 18, esta faixa de cintura de brocado dourado, com papoulas rosadas, fazia parte de um traje real.

★ Tenda Mogul
Esta tenda suntuosa, do século 17, é feita de painéis de algodão, com intricadas pinturas a mão com a técnica kalamkari (pág. 680). *Os reis moguis usavam essas tendas em campanhas militares, expedições de caça e em viagens pelo reino.*

★ Sharad Utsav Pichhwai
Krishna toca flauta nesta magnífica pichhwai *do século 18, feita em Nathdwara* (pág. 399). *Era pendurada no templo, na lua cheia do outono, quando se acredita que transborde néctar do céu. Uma vaca lambe a perna de Krishna.*

GUIA DO MUSEU
Situado nos jardins de Shahi Bagh, o museu ocupa mais de 12 salões nos dois andares da haveli. *As peças estão dispostas com criatividade, e cada galeria apresenta obras de determinado grupo tribal, região ou seita religiosa. Dentro do complexo do museu instaladas em outra excelente* haveli, *estão as Sarabhai Foundation Galleries, com belo acervo de imagens de bronze e pinturas.*

Vista do Calico Museum, com a fachada de madeira ricamente entalhada da velha *haveli* em que está instalado.

PREPARE-SE

Sarabhai Foundation, Shahi Bagh, ao N da Delhi Gate.
(079) 2286 8172.
qui-ter. *feriados.*
10h-12h30, 14h30-17h30.

Sarabhai Foundation Galleries *qui-ter.*
feriados

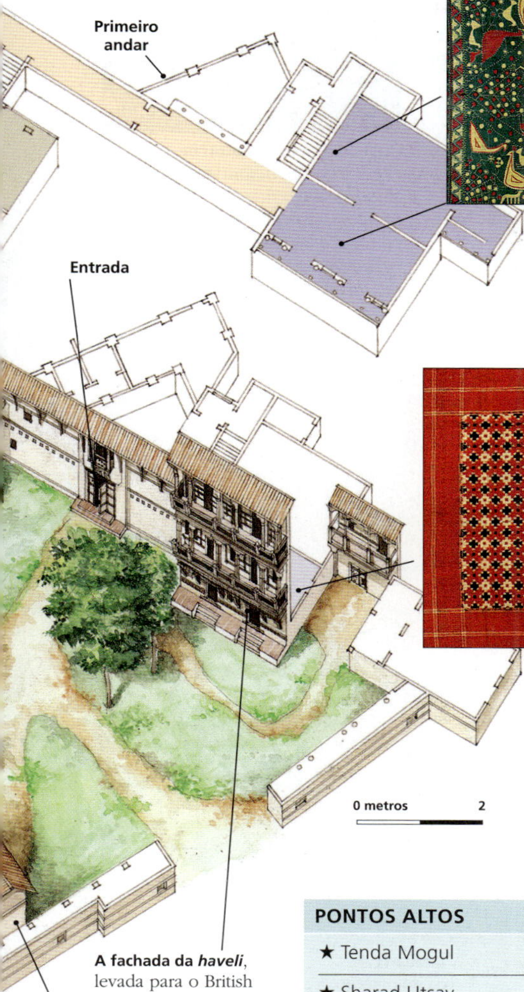

★ Phulkari
Bordado muito elaborado, feito em tecido de algodão trabalhado com fios de seda. Esta peça do século 19 veio de Punjab e fazia parte do enxoval de uma noiva.

Telia Rumal
Este lenço de cabeça de algodão, de Andhra Pradesh, foi feito com uma técnica exclusiva, em que o fio é untado antes de ser tingido e tecido.

A fachada da *haveli*, levada para o British Museum no século 19, veio de volta e foi meticulosamente reconstruída na década de 1950.

PONTOS ALTOS

- ★ Tenda Mogul
- ★ Sharad Utsav Pichhwai
- ★ Phulkari

LEGENDA

- Galerias de tecidos exportados
- Tecidos palacianos
- Galeria de xales
- Trajes mogüis
- Tecidos jainistas e vaishanavistas
- Bordados de Kutch e Sindh
- Bordados de Kathiawar
- Tecidos de Orissa
- Colchas de Madhubani
- Phulkari de Punjab, Kantha de Bengala
- Galeria dos tingidos amarrados

Adalaj Vav ❷

Entalhe em nicho de parede

Os poços com escadas *(vavs)* de Gujarat constituem uma resposta engenhosa à escassez de água nesta região árida. Muitos desses poços subterrâneos, ornamentados com requinte, são dedicados a divindades, em agradecimento à mão de Deus ao fornecer suprimento de água. O Adalaj Vav, talvez o melhor poço com escadas de Gujarat, foi construído em 1499 por Rudabai, esposa de um chefe local, a fim de armazenar água e oferecer um ambiente fresco e agradável às pessoas. Uma série de belas plataformas e galerias foi feita nas laterais do poço, por toda a descida até o fundo.

Mulheres locais no poço, que ainda é usado para repouso e diversão

Corredor em Escadaria
O corredor principal desce cinco andares até o fundo, 30m abaixo, passando por pavilhões com paredes, pilares e nichos cobertos de esculturas.

★ Primeiro Poço
Adalaj possui um tanque intermediário, com 7m de diâmetro, um pouco antes do poço principal. A abertura octogonal é toda recoberta de entalhes requintados.

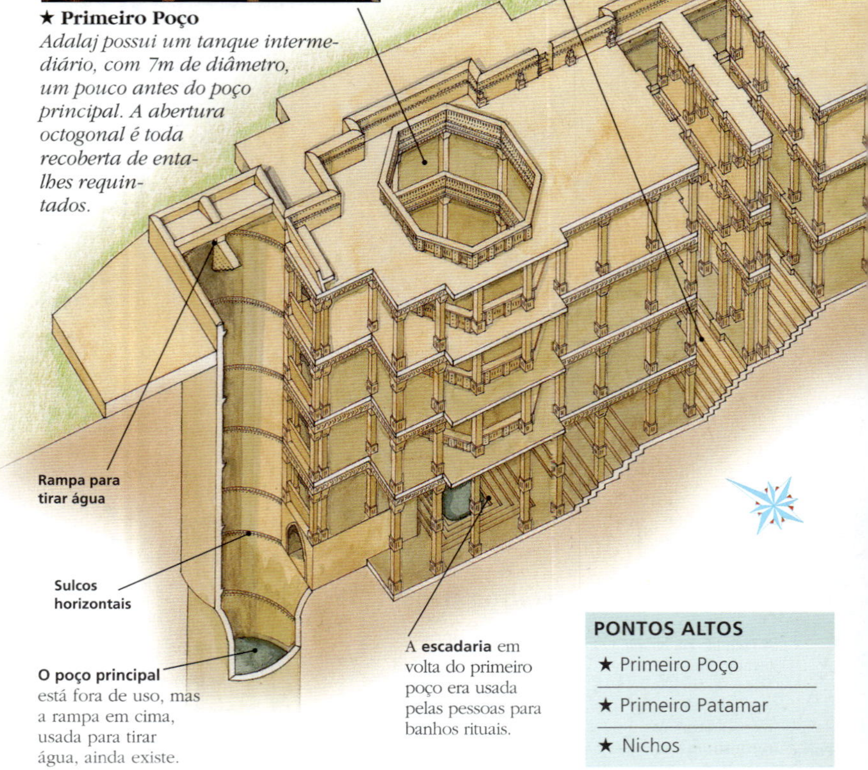

Rampa para tirar água

Sulcos horizontais

O poço principal está fora de uso, mas a rampa em cima, usada para tirar água, ainda existe.

A **escadaria** em volta do primeiro poço era usada pelas pessoas para banhos rituais.

PONTOS ALTOS

- ★ Primeiro Poço
- ★ Primeiro Patamar
- ★ Nichos

Para hotéis e restaurantes nesta região, ver págs. 705-6 e pág. 733

Detalhes Ornamentais
As aberturas do poço têm uma profusão de entalhes, com temas florais e geométricos, entremeados de estatuetas.

PREPARE-SE

Distrito de Gandhinagar. 17km ao N de Ahmedabad. *Táxis e carros são as melhores opções, vindo de Ahmedabad.* *diariam.* *proibido usar flash.*

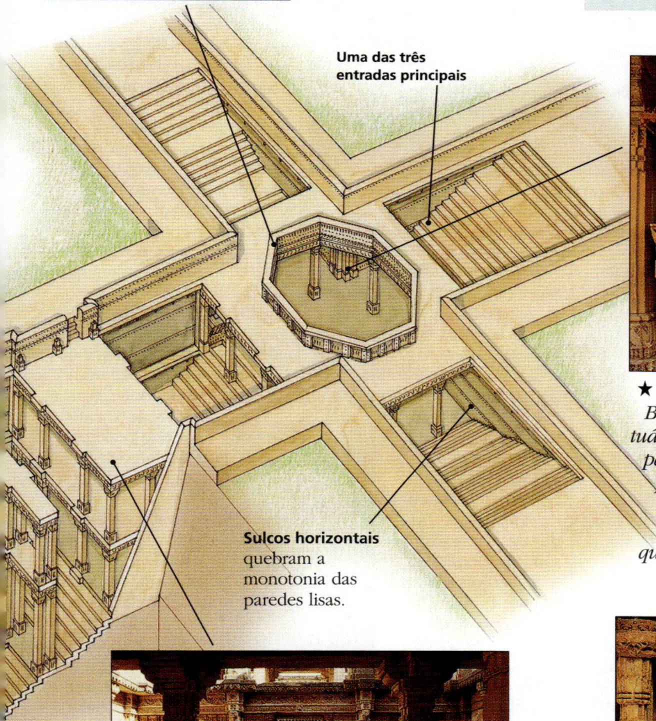

★ Primeiro Patamar
Balcões, janelas e santuários se alinham neste patamar, uma grande plataforma subterrânea. Vê-se melhor Adalaj ao meio-dia, quando a luz solar vai até o fundo.

Pavilhões
Os pavilhões, sustentados por fileiras de pilares entalhados, são iluminados por luz difusa e criam locais ideais para o repouso.

★ Nichos
Todos os pavilhões apresentam nichos entalhados com vasos, cavalos, flores e folhagens.

OUTROS VAVS DE GUJARAT

Do século 11, o **Rani ni Vav** em Patan *(pág. 417)* está entre os poços com escadas que têm os entalhes mais elaborados, com quase 800 esculturas. Erguido em 1499, o **Dada Harir Vav** *(pág. 411)* em Ahmedabad, fica entre os melhores exemplos de *vavs* do período muçulmano em Gujarat. O **Ambarpur Vav**, do século 15, a 18km de Ahmedabad, é um dos poucos *vavs* em uso.

Rani ni Vav em Patan, um dos maiores da Índia

Doca seca que data de 2500 a.C., em Lothal

Lothal ❸

Distrito de Ahmedabad. 75km a SO de Ahmedabad. *estação de Lothal-Burkhi , 6km a SO de Lothal, depois transporte local.* *até Burkhi.* *sáb-qui.*

Escavações em Lothal revelaram os resquícios de uma cidade notável da civilização do vale do Indo *(pág. 41)* que existiu há 4.500 anos. Localizada 6km a nordeste da confluência dos rios Sabarmati e Bhogavo, Lothal (literalmente, "Morro dos Mortos") tinha um estuário navegável até o golfo de Cambay (agora golfo de Khambat), o que a tornou um porto próspero que negociava com o Egito, a Pérsia e a Mesopotâmia.

O sítio revela as fundações de uma cidade bem planejada, com quarteirões de casas, drenagem com revestimento, canais, poços e 12 banhos públicos. Entre outros achados estão lindas contas de enfeite e cerâmicas decoradas com desenhos de animais. Também foram encontrados selos com inscrições pictográficas (ainda indecifradas) e pesos e medidas. A cidade era cercada por uma barragem de tijolos para protegê-la das enchentes que, provavelmente, a destruíram por volta de 1900 a.C. Entre as peças valiosas expostas no **Archaeological Museum** estão uma estatueta de cobre e um colar de contas de ouro.

Em 2001, oceanógrafos indianos fizeram uma descoberta surpreendente ao realizar testes de poluição das águas próximas no golfo de Khambat. Eles encontraram as fundações de duas cidades completas sob o mar, com ruas, casas, escadarias e templos. Os objetos recuperados do leito do mar, como uma placa de pedra coberta de marcas misteriosas (que talvez sejam uma antiga escrita, ainda por descobrir) e toras de madeira entalhada, foram datados com carbono como de 7500 a.C. A descoberta deste sítio, chamado de "Atlântida da Ásia", entusiasmou historiadores e arqueólogos do mundo todo, pois sugere que a civilização pode ter começado 5 mil anos antes do que se acreditava. Supõe-se que as cidades possam ter submergido quando o nível do mar subiu após a Era Glacial, por volta de 8000 a.C.

Archaeological Museum
sáb-qui.

Nal Sarovar Sanctuary ❹

Distrito de Ahmedabad. 60km a SO de Ahmedabad. *Viramgam, 35km ao N da entrada, depois táxi.* *Viramgam.* *Conservator of Forests (Wildlife), Gandhinagar, (079) 952717–223 500.* *É preciso obter permissão do Departamento de Florestas para entrar na reserva.*

O Nal Sarovar Sanctuary constitui uma das maiores reservas de pássaros do país. O melhor momento para visitar o lago Nal, de 115km², e as florestas pantanosas que o cercam é entre novembro e fevereiro, quando atraem perto de 250 espécies de aves aquáticas, como flamingos, gansos, grous, pelicanos, cegonhas, cormorões, íbis e colhereiros. Os que migram no inverno vêm de longe, como da Sibéria, e entre eles está o elegante grou-demoiselle, cinza-azulado, que aflui às centenas e pode ser observado bem de perto. Um residente perene é o grou-indiano, maior espécie de grou do mundo. Tido como monogâmico, realiza um ritual de corte espetacular, em uma dança sincronizada, com encurvamento do corpo e abertura das asas. Infelizmente, as pressões por moradias das comunidades de pescadores e do crescente número de turistas está acabando com a rica variedade de pássaros do lago Nal.

Leito de junco no lago Nal

Flamingos graciosos, uma visão comum no Nal Sarovar Sanctuary

Para hotéis e restaurantes nesta região, ver págs. 705-6 e pág. 733

Excelentes imagens de divindades hindus no Rani ni Vav de Patan

Templo do Sol em Modhera ❺

Págs. 418–9.

Patan ❻

Distrito de Mehsana. 140km de Ahmedabad. *112.050.* *Jatar Fair (set/out).*

A cidade de Patan foi capital da região entre o século 8º e o século 15, antes que o sultão Ahmed Shah mudasse sua base para Ahmedabad *(págs. 410-1)*, em 1411. As ruínas da velha capital, Anhilwada, ficam 2km a noroeste de Patan, e contam com o **Rani ni Vav**, impressionante poço com escada, e com um tanque de água. O poço de sete andares está na mesma categoria do Adalaj Vav *(págs. 414-5)*, como os melhores de Gujarat. Esta magnífica obra arquitetônica do período Solanki (século 10º-século 14), agora meticulosamente restaurada, exibe cerca de 800 esculturas elaboradas. Construído no século 11 pela rainha Udaymati como memorial para o marido, Bhimdeva, sua característica exclusiva consiste na série de escadarias diretas e laterais até a beira d'água. Na base há 37 nichos com imagens do deus-elefante Ganesha.

Ali perto, o **Sahastralinga Talav**, um tanque de água com mil oratórios dedicados a Shiva, fica à margem do rio Saraswati. Patan também se orgulha de mais de cem templos jainistas, com lindos entalhes, dos quais o mais notável é o **Templo Panchasara Parsvanatha**. A cidade também tem muitas *havelis* tradicionais, com fachada toda trabalhada.

Outra atração para diversos visitantes é o belo sári *patola*. Este tecido suntuoso é produzido em Patan por uma única família, que passou a técnica de uma geração para outra. Está à venda no local e nas grandes cidades.

Siddhpur ❼

Distrito de Mehsana. 128km ao N de Ahmedabad. *53.600.*

Instalada ao longo do rio Anjuni, Siddhpur já foi famosa pelo complexo de templos Rudra Mala de Shiva, do século 10º, destruído por invasores muçulmanos no século 13. Registros históricos descrevem um complexo de três andares, com profusão de entalhes de pedra, sustentado por 1.600 pilares, com 11 santuários menores e três portais de 40m de altura. Dois pórticos e quatro colunas do santuário principal foi o que restou, junto com um portal de duas colunas altas, entalhado e bem conservado. Uma exploração da cidade revela interessantes *havelis* de madeira e mansões com pilares, erguidas por comerciantes muçulmanos no século 19.

Arredores

Nesta região estão situadas as famosas cidades-templos de **Ambaji**, 88km ao norte de Siddhpur, e **Bahucharaji**, 55km a sudoeste de Siddhpur. Seus templos são dedicados à deusa Amba (reencarnação de Parvati, consorte de Shiva) e atraem multidões de devotos durante quatro festivais anuais nas luas cheias dos meses de março, junho, setembro e novembro. Os peregrinos, em massa, têm a cabeça raspada nesses dois templos.

Casas tradicionais em Siddhpur, com fachadas entalhadas

TECELAGEM PATOLA

Detalhe de típico sári patola

Patola é uma técnica complexa de tecer a seda, aplicada em Patan. A urdidura e a trama são coloridas em partes, por tingimento amarrado, e depois se criam desenhos claros, em um método chamado duplo ikat *(pág. 668)*. Os temas típicos são jóias, flores, animais e mulheres dançando, entremeados de formas geométricas. A tarefa é trabalhosa –um mês de trabalho produz apenas um sári (5,5m de comprimento)–, mas atinge preços altos, principalmente nos enxovais de noivas. Este tecido requintado era exportado para a Indonésia, onde era usado em trajes reais.

Templo do Sol em Modhera ❺

Surya, o Deus Sol

O Templo do Sol em Modhera foi erguido em 1026 pelo rei Bhima I, da dinastia Solanki. Sua construção acompanha com tanta precisão o eixo leste-oeste que, todos os dias, a luz do Sol percorre seus aposentos e atinge o centro do santuário interior ao meio-dia. As esculturas internas e externas têm muitos detalhes e retratam o panteão de divindades hindus, assim como cenas cotidianas. Um tanque notável domina a parte da frente. A proximidade do tanque e do Templo do Sol foi inspirada nas escrituras védicas, pelas quais o Sol nasceu das profundezas de um oceano primordial.

Salão de Entrada
Este salão tem 12 representações de Surya, que retratam as fases do Sol em cada mês do ano.

Santuários
O tanque é cercado de santuários em miniatura, coroados por shikharas *abauladas.*

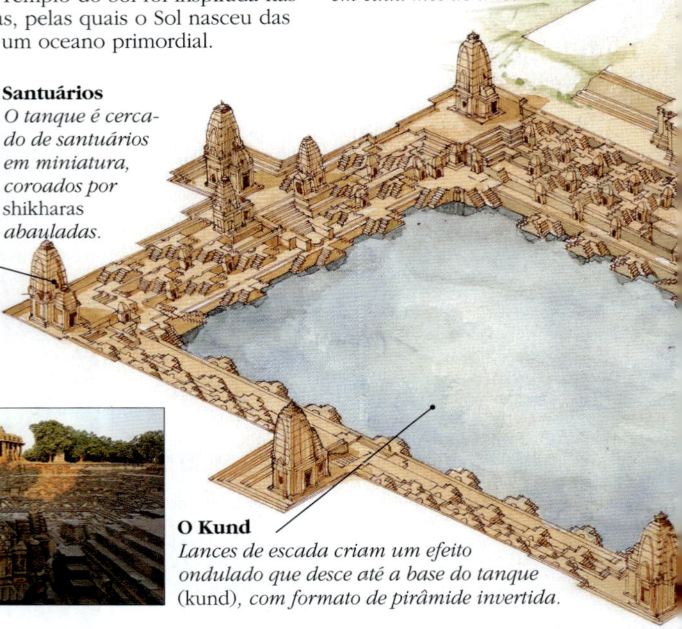

O Kund
Lances de escada criam um efeito ondulado que desce até a base do tanque (kund), *com formato de pirâmide invertida.*

Vadodara ❽

Distrito de Vadodara. 113km a SE de Ahmedabad. *1.306.100.* *8km a NE do centro.* *Gujarat Tourism, (0265) 242 7489.* *Vadodara Municipal Corporation, (0265) 243 3116.*

Situada às margens do rio Vishwamitri, Vadodara deve boa parte de seu esplendor a Sayajirao Gaekwad (1875-1939), ex-governante que transformou seu principado em um progressista centro de cultura, educação e indústria. Agora, Vadodara, também chamada Baroda, é uma cidade vibrante, com prédios interessantes, museus e parques.

O **Laxmi Vilas Palace**, um bloco de edificações indo-sarracenas, foi projetado pelo arquiteto inglês major Charles Mant *(pág. 468)*. A construção demorou 12 anos e terminou em 1890. Ainda é residência da antiga família reinante, embora existam planos para transformar uma parte em hotel de luxo. O **Maharaja Fateh Singh Museum,** no terreno do palácio, possui raro acervo de telas

Fachada magnífica do Laxmi Vilas Palace

Para hotéis e restaurantes nesta região, ver págs. 705-6 e pág. 733

O Torana
Tudo que restou do torana, *portal em arco, foram estas duas colunas com entalhes elaborados, que levam ao templo.*

PREPARE-SE

Distrito de Mehsana. 119km a NO de Ahmedabad. *Mehsana, a 25km de distância, depois táxi ou ônibus.* *(02734) 28 4334.* *diariam.* *Modhera Dance Festival (jan).*

Garbhagriha
As paredes e os pilares do santuário interno são ricamente entalhados com imagens de divindades, rigorosamente na ordem da hierarquia celestial.

O **Sabha Mandapa**, salão de assembléia, era reservado para discursos religiosos e cerimônias socioculturais.

Nritya Mandapa
Este recinto, que vai do salão de assembléia ao santuário interno, era usado para apresentações de dança.

do famoso pintor Ravi Varma (1848-1906). O **Sayaji Bagh**, belo parque no coração da cidade, abriga um zoológico, um planetário e o **Vadodara Museum and Picture Gallery**, que exibe uma coleção eclética de miniaturas mogüis, óleos europeus, tecidos, portas entalhadas de antigas *havelis* e objetos reais. O grande destaque é a notável coleção de 68 bronzes de Akota, centro da cultura jainista do século 5º. Outras atrações são **Kirti Mandir**, o *samadhi* (memorial) da família real de Vadodara; o **Nyaya Mandir**, um prédio indo-sarraceno que, agora, é tribunal de justiça. A cidade também conta com uma faculdade do marajá Sayajirao, a **College of Fine Art**, uma escola de projeção nacional.

***Radha* e *Madhava*, do rajá Ravi Varma**

Laxmi Vilas Palace
Tel *(0265) 243 1819.* *ter-dom. Visitas com hora marcada.*

Maharaja Fateh Singh Museum
Tel *(0265) 242 6372.* *ter-dom.*

Vadodara Museum and Picture Gallery
Tel *(0265) 279 3801.*
10h30-17h30 ter-dom.

Arredores

O famoso Amul Dairy encontra-se em **Anand**, 38km a noroeste de Vadodara. Sinônimo da "Revolução Branca", que tornou a Índia auto-suficiente em leite, ajudou o movimento pioneiro das cooperativas de laticínios e agora obtém 1 milhão de litros de leite, diariamente, das mil cooperativas associadas. Está aberto à visitação todos os dias, das 15h às 17h.

Templo jainista do Pavagadh Fort, perto de Champaner

Champaner 9

Distrito de Vadodara. 52km a NE de Vadodara. *Mahakali Festival (mar/abr).*

Abandonada, a cidade de Champaner é Patrimônio da Humanidade da Unesco e encontra-se no sopé do monte Pavagadh. Era sede de uma dinastia rajput Chauhan, mas foi conquistada pelo muçulmano Mahmud Begada, em 1484. Em 23 anos, ele reconstruiu a cidadela, ergueu mesquitas, palácios e túmulos dentro dos muros maciços, guardados por portas enormes. Champaner foi capital de Gujarat até 1535, quando Humayun, imperador mogul, a conquistou. Desde então, caiu em declínio.

Boa parte está em ruínas, e os resquícios de velhas mesquitas e palácios refletem uma mistura das tradições jainistas e islâmicas. A **Jami Masjid**, erguida em 1523, é uma grande estrutura simétrica com cúpula de proporções perfeitas. O exterior, com ornamentos requintados, tem 172 pilares e minaretes de 30m de altura, o que faz dela um dos melhores monumentos muçulmanos da Índia Ocidental. Outra mesquita elegante é a **Nagina Masjid**, do século 16. O **Pavagadh Fort**, no monte Pavagadh, de 820m de altitude, fica 4km a sudoeste de Champaner. Possui um grupo de santuários muçulmanos, hindus e jainistas, além das ruínas de uma fortificação antiga, que refletem seu passado diversificado. Na subida do monte estão as ruínas do **Sat Mahal**, palácio de sete andares dos reis Chauhan. Os soberanos foram mortos quando se recusaram a adotar o islamismo, depois da conquista muçulmana, e suas mulheres e filhos cometeram *jauhar*.

Há também dois celeiros abobadados: o Makai Kothar e o Naulakha Kothar.

Arredores: O **Dabhoi Fort**, 75km ao sul de Champaner, foi construído no século 13 pelos rajputs Solankis (século 10º-século 14). Trata-se de um exemplo interessante de arquitetura militar rajput, com quatro portões, tanque de água alimentado por um aqueduto e campos cultivados dentro do forte para fornecer comida em caso de cerco.

Ruínas da Jami Masjid, do século 16, em Champaner

Surat 10

Distrito de Surat. 234km ao S de Ahmedabad. *2.433.800.* *1/847 Athugar St, Nanpura, (0261) 247 8586.* *seg-sáb.*

Com localização estratégica no litoral, Surat já foi porto importante, e muitos inimigos lutaram para controlá-la entre os século 16 e 18. Em diversos momentos, portugueses, holandeses, mogüis, maratas e britânicos tomaram posse do lugar, mas sua importância começou a diminuir depois de 1837, quando foi devastada por enchente e incêndio. Muitos comerciantes hindus e pársis de Surat *(pág. 447)* foram para Bombaim (Mumbai), que, a partir de então, superou Surat como primeiro porto da costa oeste. Embora o porto tenha perdido importância, Surat se tornou um grande centro industrial.

Detalhe da Jami Masjid

O **Surat Castle**, do século 16, ao lado da Tapti Bridge, é a edificação mais antiga da cidade. Construído por Khudawan Khan, um cristão albanês convertido ao islamismo, o castelo tem defesas de 12m de altura e muros de 4m de espessura. Tiras de ferro juntam seus diversos elementos e todas as frestas foram preenchidas com chumbo derretido, para deixar essas defesas impenetráveis. Vale a pena apreciar o imponente portal na ala leste, com exterior cheio de cravos assustadores e interior delicadamente entalhado. É uma pena que escritórios instalados no castelo ofusquem seu caráter histórico.

A nordeste do castelo, passando a Kataragama Gate, estão os cemitérios britânico, holandês e armênio, testemunhas do passado cosmopolita da cidade. Embora cobertos de mato, vale a pena conhecê-los por causa das histórias pessoais intrigantes narradas nos epitáfios das sepulturas. Destaca-se o mausoléu de sir George Oxinden, diretor do porto de Surat, e de seu irmão no cemitério britânico.

Para hotéis e restaurantes nesta região, ver págs. 705-6 e pág. 733

O túmulo do barão Adriaan van Reede, do século 17, no cemitério holandês, tem enorme cúpula dupla.

A moderna Surat é famosa pela florescente indústria têxtil, que produz a apreciada seda *tanchoi* (brocado). Também se especializou em jóias, e é importante centro de corte de diamantes para fornecedores do mundo todo.

Infelizmente, na década de 1980, a cidade se tornou sinônimo de miséria, e em 1994 sofreu um surto de peste bubônica. Isso fez a administração da cidade se empenhar em saneá-la, o que resultou no renascimento de Surat como centro comercial próspero.

Damão ⓫

Daman Union Territory. 390km ao S de Ahmedabad. *35.750. Vapi, 10km a SE de Damão, depois táxi ou ônibus. Nani Daman, (0260) 225 5104.*

Na ponta sul de Gujarat, ao lado de Maharashtra, fica o minúsculo território de Damão, colônia portuguesa até 1961. O rio Damanganga, que corre para o mar da Arábia, divide a cidade em duas partes: Nani Daman (Pequena Damão, em hindi), cheia de hotéis e bares, e Moti Daman (Grande Damão), velho distrito português.

Moti Daman é cercada pelo maçico **Daman Fort**. Seus dez bastiões e dois portões datam de 1559, e em volta dele há um fosso ligado ao rio. Entre as igrejas bem conservadas de Damão está a grande **Bom Jesus Cathedral**, de 1603, com portal ricamente entalhado e altar ornamentado. A **Rosario Chapel**, menor, fora do muro do forte, tem painéis de madeira com entalhes requintados que mostram cenas da vida de Jesus. O farol, ao norte do forte, permite belas vistas do golfo de Cambay.

Portal do St Jerome's Fort, em Nani Daman

O **St Jerome's Fort**, em Nani Daman, é menos grandioso que o Daman Fort, mas abriga a linda capela de Our Lady of the Sea, com delicada fachada clássica de 12 colunas, coroada por uma cruz.

A bebida é liberada nos bares sombrios de Nani Daman, o que atrai muitos bebedores do resto de Gujarat, onde o álcool é proibido. Quem quiser apreciar os típicos ambientes locais deve ser aconselhado a evitar os bares e a conhecer o mercado de fazendeiros ou o mercado de peixes à beira-rio.

As praias de Devka e Jampore, respectivamente 5km ao norte e ao sul de Damão, não são espetaculares, mas oferecem um refúgio tranquilo sob as casuarinas.

Vista do porto abaixo do St Jerome's Fort em Nani Daman, Damão

FESTIVAIS DE GUJARAT

Uttarayan *(14 jan)*. Este festival colorido coincide com o Makar Sankranti, que marca o auge do inverno. Enche o céu de Gujarat com milhares de belas pipas.

Modhera Dance Festival *(jan)*, no Templo do Sol de Modhera. Este festival de três dias de dança clássica indiana é uma oportunidade única de apreciar esses tipos de dança no ambiente em que foram originalmente apresentados.

Pulseiras na Tarnetar Fair

Tarnetar Fair *(ago/set)*, em Tarnetar. Este exclusivo mela casamenteiro vê possíveis noivos passearem pela feira, segurando guarda-chuvas coloridos, enquanto moças com saias rodadas giram dançando. A moça revela sua preferência ao se aproximar de um jovem para conversar, e deixa que os mais velhos cuidem dos detalhes matrimoniais.

Navratri *(set/out)*. Navratri, ou "nove noites", é festejado em todo o Gujarat, marcado por nove noites de dança em homenagem à deusa-mãe. Mulheres executam a dança garba, girando e batendo palmas ao redor de um círculo. O divertido dandia ras é o destaque, quando homens e mulheres batem pequenos bastões laqueados, em um ritmo cada vez mais rápido, até um crescendo frenético.

Bhavnagar ⓬

Distrito de Bhavnagar. 200km a SO de Ahmedabad. *511.000.* *8km a SE do centro.*

Para a maioria dos visitantes, Bhavnagar não passa de uma base prática para conhecer a magnífica cidade-templo de Palitana, embora não seja desprovida de encantos. Seu bazar antigo, cheio de *havelis* de comerciantes, possui lojas especializadas em tecidos tingidos amarrados e em jóias de ouro e prata. No canto sudeste da cidade, no caminho para o aeroporto, fica o semicircular **Barton Museum** (de 1895). Ele contém a coleção particular do coronel Barton (oficial britânico que serviu aqui no século 19), composta de moedas, armas e objetos de arte.

O **Nilambagh Palace**, residência dos antigos governantes, foi erguido em 1859 e agora é hotel de luxo *(pág. 706)*, com um grande salão de banquetes e pavões no jardim.

Barton Museum
Tel *(0278) 242 4516. 10h-18h30 seg-sáb. feriados.*

Nilambagh Palace
Ahmedabad Rd. ***Tel*** *(0278) 242 4241.*

Arredores

As pastagens planas do **Velavadar National Park** de 36km² (65km ao norte de Bhavnagar) abrigam mil antílopes cervicapras. Esses animais recebiam proteção da comunidade bishnoi *(pág. 385)* até o estado assumir esse papel. Em uma caminhada pelo parque ao anoitecer dá para vislumbrar os lobos que caçam esse antílope e os nilgais que se reúnem nos bebedouros do parque.

Velavadar National Park
Forest Dept, Bhavnagar, (0278) 288 0222. meados out-mai. taxa extra.

Palitana ⓭

Distrito de Bhavnagar. 52km a SO de Bhavnagar. *(02848) 25 2327.* *Falgun Suth Tera (fev/mar).*

Um grupo singular de 1.008 templos jainistas ocupa o topo de dois picos do monte Shatrunjaya, em Palitana, e cobre o espigão que os liga.

Detalhe da porta de um templo em Palitana

Diz-se que Adinath *(pág. 396)*, primeiro *tirthankara* jainista, visitou este monte, e acredita-se que Pundarika, seu principal discípulo, tenha alcançado a iluminação aqui. Grande parte dos templos data do século 16 –os primeiros santuários do local foram destruídos por invasores muçulmanos, nos séculos 14 e 15. Os templos se agrupam em nove grupos fortificados, chamados *tuks*, e com nomes de ricos fiéis que financiaram sua construção. Cada *tuk* possui um templo principal rodeado de outros, menores. O mais impressionante dos santuários principais é o **Templo de Adinath**, do século 17, no espigão norte do monte. Os tetos, as paredes e os suportes são cobertos de entalhes de santos, dançarinos, músicos e flores de lótus. Muitas

Esculturas de *tirthankaras* jainistas em um templo em Palitana

imagens de Adinath foram entronizadas aqui. O espigão sul é dominado pelo **Templo de Adishvara**, do século 16, com torre ricamente ornamentada. Dentro, a imagem principal retrata Rishabhnath, com olhos de cristal e adornada com colares e uma coroa de ouro magnífica.

A subida de 4km até o topo leva quase duas horas, um esforço amenizado pela silhueta espetacular das centenas de agulhas e cúpulas dos templos contra o céu. De cima, avistam-se o golfo de Cambay e toda a zona rural.

Diu ⓮

Diu Union Territory. 418km ao S de Ahmedabad. *21.600.* *Delwada, 8km ao N do centro.* *Diu Jetty, (02875) 225 2653.*

Pequena, a ilha de Diu cobre uma área de apenas 39km². Conhecida como "Gibraltar do Oriente", foi uma ativa co-

O Nilambagh Palace, do século 19, cercado por um imenso jardim, em Bhavnagar

Para hotéis e restaurantes nesta região, ver págs. 705-6 e pág. 733

Do século 16, forte à beira-mar abandonado, em Diu

lônia portuguesa a partir do século 16. Cedida à Índia em 1961, agora é território da União, administrado pelo governo central. O majestoso **Diu Fort**, na ponta leste da ilha, domina a cidade. Erguido em 1535, quando os portugueses assumiram o controle de Diu, vale uma visita por causa do notável fosso duplo, dos velhos canhões e das vistas que oferece ao pôr-do-sol.

A cidade de Diu, imprensada entre o forte, a leste, e o muro, a oeste, conserva uma atmosfera tipicamente portuguesa em suas igrejas e em muitas mansões.

A **Nagar Seth Haveli** se destaca, com balcões entalhados e leões de pedra. A **Church of St Paul** (de 1610) dispõe de lindo altar de madeira entalhada, imagens de santos e um antigo órgão harmonioso. Sua notável fachada gótica foi reconstruída em 1807. Ali perto, a **St Thomas Church** (de 1598) conta com museu de objetos religiosos e pedras com inscrições referentes à história da ilha.

A praia de **Nagoa**, a 7km da cidade, tem longo trecho de areia marcado por palmeiras. Outras praias de fácil acesso de Diu são Jallandhar e Chakratirth, com vista panorâmica no pôr-do-sol. Como território da União, Diu não está sujeita às leis de restrição de álcool de Gujarat. Isso explica a profusão de bares na cidade e a invasão de sedentos gujarates nos fins de semana.

Somnath ⓯

Distrito de Junagadh. 406km a SO de Ahmedabad.

Situado no litoral, com vista abrangente do mar da Arábia, o **Templo Somnath** é reverenciado como um dos 12 locais mais sagrados dedicados a Shiva. A riqueza lendária do templo foi alvo de sucessivos exércitos saqueadores, a começar com o de Mahmud de Ghazni, em 1026, que se diz ter saído de lá com camelos carregados de ouro e pedras preciosas, deixando o edifício em ruínas. O ciclo de pilhagem e reconstrução de Somnath prosseguiu pelos sete séculos seguintes. O templo atual, feito de pedra, foi erguido em 1950.

A leste do templo, na confluência de três rios, fica **Triveni Tirth**. Consta que, neste ponto, as *ghats* que descem até o mar marcam o local em que foram realizados os ritos funerários de Krishna, depois que um caçador o confundiu com um cervo e o matou.

Sasan Gir National Park ⓰

Distrito de Junagadh. 368km a SO de Ahmedabad. **Entrada:** *Sasan Gir.* *Para permissões, contate o Field Director, de Sinh Sadan, em Sasan Gir (02877) 28 5541.* *meados out-meados jun.* *taxa extra.* *Jipes disponíveis.*

Há cerca DE um século, o leão asiático perambulava por vastas áreas da Índia, desde Gujarat e por toda extensão de Bihar, no leste. Agora, o Sasan Gir National Park é o único hábitat que restou ao leão fora da África. Os leões asiáticos são menores que os africanos, com uma dobra de pele na barriga. Os machos têm juba mais curta. Aproximadamente 320 leões vivem na vegetação arbustiva dos 259km² de Gir. No início da década de 1900, o leão asiático foi caçado até quase a extinção. Seu notável ressurgimento em Gir é atribuído aos esforços preservacionistas do antigo nababo de Junagadh *(pág. 426)* e, depois, do governo de Gujarat. Diversos rios banham Gir, o que o torna um refúgio para uma vida selvagem variada, que inclui o caracal, o *chausingha* (antílope-quatro-cornos), o antílope cervicapra e uma significativa população de leopardos.

Leoa asiática se aquece ao sol, no Sasan Gir Sanctuary

O DEUS LUA E SOMNATH

Existe uma lenda muito interessante sobre a origem do templo em Somnath. Som, o Deus Lua, havia se casado com as 27 filhas de Daksha, um filho de Brahma, mas amava apenas uma delas, Rohini, o que frustrou muito as irmãs. Daksha, enfurecido, amaldiçoou o genro, fazendo-o perder o fulgor. Desesperado, Som se voltou para Shiva e o serviu com tanta devoção que Shiva suspendeu parcialmente a maldição –ele poderia brilhar metade do mês e minguar no restante. Em agradecimento, o Deus Lua ergueu um templo para Shiva em Somnath.

Templo Somnath, procurado por devotos de Shiva

Vista dos 1.008 templos jainistas de Palitana, agrupados no topo do monte Shatrunjaya ▷

Magnífico complexo de templos jainistas no monte Girnar, na saída de Junagadh

Junagadh ⓱

Distrito de Junagadh. 393km a SO de Ahmedabad. 168.700. *Majwadi Darwaza, (0285) 262 1201.* *seg-sáb.* *Bhavnath Fair (fev/mar), Kartik Mela (out/nov).*

Junagadh, que significa "Velho Forte", tirou o nome do antigo forte de Uparkot, construído no século 4º em uma elevação na ponta leste da cidade. Cercado por muros maciços com mais de 20m de altura em alguns lugares, possui um fosso de 90m de profundidade dentro dos muros. Tal fosso ficava cheio de crocodilos, alimentados com criminosos e inimigos políticos. Um portal ornamentado, com três arcos, marca a entrada do forte. Dentro, um caminho pavimentado passa por templos hindus e vai até a **Jami Masjid**, agora abandonada, no topo da elevação. Seus trabalhos de pedra e pilares entalhados mostram que foi erguido sobre os destroços de um templo hindu. Ali perto está um grupo de cavernas budistas que datam do século 2º. O forte tem dois magníficos poços com escadas do século 11: Adi Charan Vav e Navghan Kuan.

Em meados do século 19, os nababos de Junagadh se mudaram do velho forte para a cidade, a fim de morar em novos palácios em estilo colonial. O **Durbar Hall** do City Palace, erguido em 1870, abriga um museu com peças típicas da realeza: palanquins, tronos de prata e armaduras antigas. Há um conjunto de mausoléus reais perto da estação de trem, e o mais notável deles é o **Mahabat Maqbara**, com belas portas de prata.

Entalhe intricado em Mahabat Maqbara

Contudo, a principal atração de Junagadh é o **monte Girnar**, 6km a leste da cidade. Este vulcão extinto era um lugar sagrado para budistas, jainistas e hindus desde o século 3º a.C. Mais de 4 mil degraus sobem os 1.080m do monte. No caminho fica o **Édito de Pedra Ashokano**, de 250 a.C. *(pág. 42)*, que transmite a mensagem do imperador Ashoka sobre não-violência e paz. Na metade da subida está um grupo de belos templos jainistas, onde se destaca o **Templo Neminath**, com uma imagem de mármore preto do 22º *tirthankara* jainista *(pág. 396)* que se acredita tenha morrido aqui. No topo, o **Templo Amba Mata** é muito procurado por recém-casados em busca de bênçãos.

Durbar Hall Museum
Tel *(0285) 262 1685.* *qui-ter.* *2º e 4º sáb.*

Porbandar ⓲

Distrito de Porbandar. 404km a SO de Ahmedabad. 133.100. *seg-sáb.* *(0286) 221 085.* *taxa extra.*

Porbandar já foi um porto importante no mar da Arábia, e hoje é famosa como local de nascimento de Mahatma Gandhi. A casa em que ele nasceu em 1869 ainda existe em uma viela pequena, na parte oeste da cidade. Ao lado, fica o **Kirti Mandir Museum**, com fotografias da vida de Gandhi e trechos de seus discursos e textos. A cidade tem poucas atra-

O NABABO DE JUNAGADH E SEUS CÃES

O 11º nababo de Junagadh (1900-1959), como seus antepassados, tinha a paixão de criar cachorros, e 800 deles desfrutavam o luxo de quartos separados com criados pessoais. O nababo até organizava banquetes para comemorar o "casamento" deles. Na noite da independência da Índia, quando os principados tiveram a opção de permanecer com a Índia ou se tornar parte do Paquistão, a decisão do nababo de aderir ao Paquistão foi frustrada por um protesto popular. Então, o nababo resolveu sair de Junagadh. E na hora da partida seguiu suas preferências e embarcou seus cães no avião, deixando para trás todo o harém de concubinas.

Retrato do nababo com o cachorro preferido

Para hotéis e restaurantes nesta região, ver págs. 705-6 e pág. 733

ções e, em anos recentes, ganhou a desagradável fama de abrigar chefes da máfia local. O interessante é que uma grande quantidade das pessoas que partiram de Gujarat, principalmente as que emigraram para a África, saiu deste distrito.

Entrada do Kirti Mandir Museum, em Porbandar

Dwarka ⑲

Distrito de Jamnagar. 453km a O de Ahmedabad. *Janmashtami (jul/ago).* *(02892) 23 4013.*

Diz a lenda que aproximadamente 5 mil anos atrás Krishna *(pág. 679)* abandonou seu reino em Mathura *(pág. 178)* e veio morar à beira-mar, em Dwarka, onde criou uma cidade resplandecente. Acredita-se que tal cidade tenha sido engolida pelo mar. Mito ou realidade? O fato é que escavações recentes descobriram a existência de uma cidade submersa nas proximidades de Dwarka. Grande número de peregrinos hindus vem para cá o ano todo.

O principal santuário da cidade é o alto **Templo Dwarkadhish**, do século 16. Construído com granito e arenito sobre um plinto de 540m, é sustentado por 60 pilares e, com seus sete andares, atinge 51m de altura. A pouca distância para leste fica o **Templo de Rukmini**, com entalhes requintados. Erguido no século 12, é dedicado à esposa de Krishna.

Jamnagar ⑳

Distrito de Jamnagar. 308km a SO de Ahmedabad. *447.800.* *10km a O da cidade.* *sex-sáb.*

Fundada em 1540 pelo príncipe Jam Rawal, a velha cidade murada de Jamnagar é dominada pelo **Lakhota Fort**, sede original de seus governantes, e pelo **lago Ranmal**, que a rodeia. O forte foi muito danificado pelo terremoto de janeiro de 2001, embora o visitante ainda possa entrar. O museu do forte possui magníficas esculturas, escavadas de sítios próximos e datadas do século 9º ao século 18. Ali perto está o Kotha Bastion, com o arsenal dos governantes.

No coração da velha cidade encontra-se o **Darbar Gadh**, circular, onde os Jamsahebs (como os reis eram chamados) realizavam audiências públicas. Esta estrutura também foi abalada pelo terremoto de 2001, mas o térreo é seguro. Vale a pena conhecer as ruelas que saem dele, pois a cidade é famosa por seus tecidos tingidos amarrados e pelas jóias de prata. Nesta área ficam dois santuários jainistas: os **Templos de Shantinath** e **de Adinath**, recobertos com trabalhos de espelhos, folheados a ouro, murais e mosaicos. Perto fica a **Mesquita Ratanbai**, do século 19, com portas incrustadas de madrepérola. No início do século 20, Jamnagar era governada pelo famoso jogador de críquete K. S. Ranjit Sinhji (reinado: 1907-33), com quem a cidade ganhou parques e prédios públicos.

Lakhota Fort Museum
quin-ter. *2º e 4º sáb.*

Arredores

O **Marine National Park**, no golfo de Kutch, fica a 30km de Jamnagar. Neste arquipélago de 42 ilhas, a vida marinha do parque é rica e variada, mais bem apreciada na tranquila ilha de Pirotan.

Marine National Park
Pier de Jamnagar. Para permissão, contate o Park Director, em Jamnagar, (0288) 255 2077.

Rajkot ㉑

Distrito de Rajkot. 216km a O de Ahmedabad. *966.700.* *1km a NO do centro.* *Bhavnagar House, (0281) 223 4507.* *seg–sáb.*

Durante o British Raj, Rajkot era quartel-general da região de Saurashtra (sudoeste de Gujarat). Agora, a moderna cidade se tornou centro comercial e industrial. Sede do comércio de amendoim da região, também é famosa pelo artesanato. Os diversos prédios do século 19 dão à cidade um caráter tipicamente colonial. O **Watson Museum**, em Jubilee Bagh, com nome de um representante político britânico, tem excelente acervo de retratos de governantes locais, objetos tribais, achados arqueológicos de Harappan e uma estátua da rainha Vitória. O **Rajkumar College**, criado para os filhos da nobreza de Gujarat, ainda é uma escola pública de prestígio.

Watson Museum
Tel *(0281) 222 3065.*
9h-13h, 15h-18h qui-ter.
2ª, 4ª e sáb. *taxa extra.*

Arredores: O **Wankaner Palace**, 39km a nordeste de Rajkot, é uma mescla dos estilos mogul, italiano e vitoriano. Embora a antiga família real ainda resida nele, uma parte se tornou hotel de luxo. **Halvad**, 125km ao norte de Rajkot, tem um palácio do século 17 à beira do lago.

Estátua do primeiro diretor do Rajkumar College, em Rajkot

Mulheres rabaris, perto de Bhuj, carregam água

Bhuj ㉒

Distrito de Kutch. 217km a O de Ahmedabad. *121.100.* *7km ao N do centro.*
Gujarat Tourism, Toran Rann Resort, em Mirzapur Bhuj, (02832) 22 4950. *Ashadhi Bij (jul/ago).*

Até o terremoto de janeiro de 2001 reduzir boa parte de Bhuj a ruínas, ela era uma fascinante cidade murada, com belos palácios e *havelis*, e um bazar famoso pelo artesanato e pelas jóias.

Bhuj foi capital do próspero principado de Kitch, cuja riqueza vinha do comércio marítimo com a África Ocidental e com os portos do golfo Pérsico. Os escravos africanos eram parte importante do comércio marítimo de Kutch, e seus descendentes ainda vivem na cidade. A principal atração da cidade era o complexo do **Darbargadh Palace**, com o fabuloso **Aina Mahal** (Palácio dos Espelhos). Erguido em 1752, ficou muito danificado pelo terremoto de 2001 e foi reformado recentemente. O palácio e o que ele contém estão ligados à vida memorável de seu arquiteto gujarate, Ramsinh Malam. Aos 12 anos, ele naufragou na costa leste da África e foi salvo por um navio holandês que o levou para a Holanda, onde passou 17 anos. Lá, ele se revelou como artesão, dominando a produção de ladrilhos, de vidro, de esmaltamento e de relojoaria. Quando voltou para casa, o governante de Kutch, Rao Lakha, deu-lhe a oportunidade de mostrar tais habilidades. Assim, o Aina Mahal foi decorado com candelabros em estilo veneziano, azulejos pintados de azul, objetos de prata esmaltados e relógios com carrilhão –tudo feito no local sob supervisão de Ramsinh. Ao mesmo tempo, peças locais de alta qualidade também foram expostas, como uma sofisticada porta incrustada de madrepérola, escudos e espadas com pedras preciosas, e um maravilhoso panô de 15m de comprimento, que retrata um cortejo real, com pajens africanos. Tudo isso faz parte do museu do palácio.

Agora, infelizmente, os cenotáfios reais, o Templo Swaminarayan e o bazar estão em ruínas, mas o excelente **Folk Arts Museum** sobreviveu. Ele contém uma seleta coleção de tecidos de Kutch e outros artesanatos locais, e uma reconstruída vila de *bhoongas* rabaris *(pág. 430)*

Folk Arts Museum
Mandvi Rd. *(02832) 220 541.*
seg-sáb.

TERREMOTO EM GUJARAT

Em 26 de janeiro de 2001, às 8h46, quando a Índia comemorava o Dia da República, um terremoto violento atingiu Gujarat, com epicentro em Kutch. Medindo 7,7 pela escala Richter, destruiu boa parte de Bhuj, a sede do distrito de Kutch, e arrasou 450 vilarejos do distrito. Entre os 20 mil mortos pelo terremoto estavam 400 estudantes de Anjar, esmagados sob os destroços de prédios de uma rua estreita, enquanto se encaminhavam para o desfile do Dia da República. Em Ahmedabad, capital do estado, os mortos ficaram presos em altos edifícios de apartamentos, recém-construídos, que desmoronaram como castelos de cartas, ao passo que, ironicamente, monumentos históricos centenários em todo o estado sofreram relativamente poucos danos. Uma exceção foi o espetacular Darbargadh Palace, do século 18, em Bhuj, com interior ricamente decorado com o melhor trabalho artesanal de Gujarat. Boa parte dos danos que ele sofreu é irrecuperável; mas, depois de algumas reformas, já foi reaberto a visitação. Em contraste, as tradicionais e redondas *bhoongas* de barro, dos rabaris seminômades de Kutch, resistiram muito bem ao terremoto. Gujarat e, principalmente, Kutch sempre foram área de atividade sísmica, e alguns historiadores acreditam que essa seja uma das razões pelas quais as cidades da civilização do vale do Indo *(pág. 41)*, como Dholavira e Lothal, declinaram por volta de 1900 a.C. Em tempos mais recentes, 1.100 pessoas morreram no terremoto de 1819 e 7 mil no de 1956. O abalo de 2001 deixou mais de 250 mil pessoas desabrigadas. Um enorme esforço de recuperação começou quase imediatamente. Além dos governos gujarate e federal, mais de 150 países se prontificaram a enviar ajuda. Mas, acima de tudo, foi a capacidade de recuperação dos moradores que normalizou a vida novamente.

Trabalhadores em um centro de relocação, em Bhuj

Litoral tranquilo de Mandvi, antes porto movimentado

Mandvi 23

Distrito de Bhuj. 60km a SO de Bhuj. *14.300.*

Esta antiga cidade portuária tem praias boas para o banho, onde se pode passear de camelo e a cavalo. Perto da praia encontra-se o **Vijay Vilas Palace**, imponente edificação indo-eduardiana erguida na década de 1940, como palácio de veraneio. O jardim, a sala de recepção e o terraço de cobertura são abertos a visitação e oferecem lindas vistas do mar. Na cidade, fica o curioso **Old Palace** (século 18) dos reis de Kutch (agora, escola feminina). Trata-se de uma mistura arquitetônica de estilos locais e europeus, com fachada decorada com meninos angelicais holandeses segurando taças de vinho –brinde do arquiteto Ramsinh Malam a seu país de adoção.

Vijay Vilas Palace
qui-ter. *taxa extra.*

Dholavira 24

Distrito de Bhuj. 250km a NE de Bhuj. *Para permissão, contate o Superintendant of Police, em Bhuj, (02832) 25 0444.* *diariam.*

Dholavira é um vilarejo em que arqueólogos escavaram o que restou de uma cidade de aproximadamente 3000 a.C. Situada na ilha Khadir, no rann de Kutch, ela é o maior assentamento conhecido do vale do Indo, junto com Lothal *(pág. 416)*. O sítio arqueológico revela indícios de uma notável cidade planejada, com ruas largas e uma cidadela central, residências espaçosas, uma cidade baixa com área para mercados e festas, e dois estádios.

Uma intrigante inscrição de dez caracteres (ainda por decifrar) aparece na porta norte da cidadela central.

A presença de grandes reservatórios e de uma represa refletem a existência de sistemas sofisticados de captação de água.

Hemíono-indiano selvagem de Kutch

The Little Rann of Kutch Sanctuary 25

Distrito de Kutch **Entradas:** Dhrangadhra, 130km a O de Ahmedabad, e Dasada, 117km a NO de Ahmedabad. *Dhrangadhra, 20km ao S do parque.* *Dhrangadhra e Dasada, depois ônibus ou jipe.* *Gujarat Tourism, Ashram Rd, em Ahmedabad, (079) 2657 8046. Para permissão e excursões, contate o Forest Office, em Dhrangadhra.* *taxa extra.*

Região de campos salgados e pastagens, no noroeste de Gujarat, o Little Rann of Kutch é de uma beleza agreste inesquecível. À luz do sol, os cristais de sal na areia brilham como diamantes, e à noite eles banham a paisagem com uma névoa azulada e misteriosa. Todo ano, nas monções, quando o mar e os rios inundam a região, os campos salgados se transformam em grandes pântanos salobros, com manchas de terras elevadas que formam ilhas verdejantes, conhecidas como *bets*. Cerca de 4.800km² deste ecossistema único, que sustenta grande variedade de fauna rara, formam uma reserva de vida selvagem que é um dos últimos refúgios do hemíono-indiano selvagem *(Equus hemionus khur)*, conhecido no local como *ghorkhur*. Aparentado com o *kiang* do Tibete, o *ghorkhur* se diferencia pela faixa escura nas costas. Agora, só restam mil deles. Conhecido pela velocidade (60km/h), o hemíono-indiano vive em bandos liderados por um garanhão, e migra entre as *bets* verdejantes, na mudança das estações, em busca de alimento. A reserva também tem grande população de nilgais (touros-azulados), antílopes cervicapras, *chinkara* (gazela-indiana), lobos e o raro caracal. Entre os pássaros há grous-demoiselle, pelicanos e flamingos, que vêm para os pântanos salobros nos meses de inverno. Duas bases interessantes para visitar o Little Rann of Kutch Sanctuary são **Dhrangadhra** e **Dasada**. Esta última possui um forte do século 15 e um vilarejo onde trabalham oleiros e tecelões. A família dos antigos chefes feudais de Dasada providenciam hospedagem e guias para um passeio pelo rann.

Dhrangadhra, capital de um ex-principado, tem um excelente palácio do século 18 e um bazar com interessantes prédios coloniais. As visitas à reserva são organizadas pelo escritório da Forest daqui. E há acomodações na hospedaria do governo.

Salinas do rann, importante fonte de sobrevivência em Kutch

A Vida Rural e a Arte de Kutch

Nicho de barro

Em Kutch existem diversas comunidades pastoris, muitas delas de pastores seminômades de camelos e carneiros. Entre elas estão os rabaris, cujas casas redondas *(bhoongas)*, com telhados cônicos, constituem um traço típico da paisagem local. Tais comunidades são exímias em muitos artesanatos, e os coloridos vibrantes e os formatos de suas criações embelezam este ambiente agreste. Anjar, centro de artesanato de Kutch, foi tragicamente destruída pelo terremoto de janeiro de 2001, assim como outras vilas perto de Bhuj. Apesar de tudo, os artesãos corajosos continuam a trabalhar e a vender seus produtos para lojas de Mumbai, Ahmedabad e Délhi.

Típica casa rabari, em formato de cogumelo, em Kutch

A BHOONGA RABARI

As *bhoongas* dos rabaris, com projeto magnífico para o clima quente e árido de Kutch, também têm estrutura sólida, pois a maioria suportou o terremoto de 2001. Um grupo típico de *bhoongas*, cujo interior possui linda decoração que expõe as aptidões artísticas dos rabaris, pode ser visto em Tunda Vandh, 15km a leste de Mandvi.

O **telhado** *é cônico, com grande beiral para manter as paredes frescas. A armação em guarda-sol é feita de madeira e coberta com palha assentada de modo compacto.*

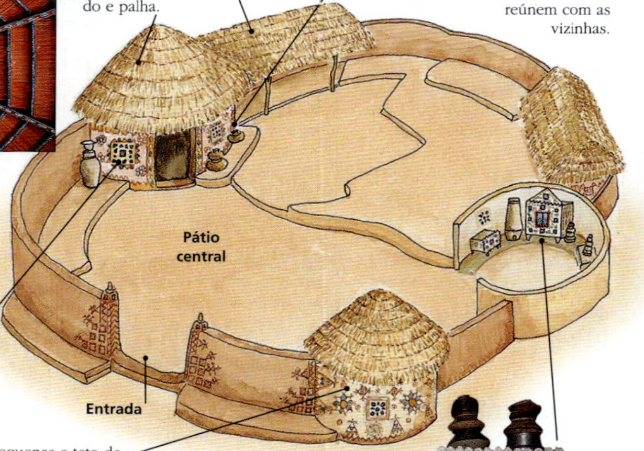

As **bhoongas** são feitas de barro compactado e palha.

Abrigo para animais

A **otla** é uma plataforma que rodeia a casa, sombreada pelo teto de palha. Aqui, as mulheres bordam e se reúnem com as vizinhas.

Janelas pequenas, abertas nas paredes grossas, são embelezadas com apliques de latão.

Paredes grossas, janelas pequenas e teto de palha oferecem excelente isolamento contra o severo clima desértico. O formato circular ajuda na suave circulação interna do ar

Potes e caixas *para armazenar grãos, leite ou roupas são de barro, decorados por mulheres com pássaros, animais e temas geométricos.*

A **sala circular** *é revestida de barro branco, coberta de padrões em relevo e enfeitada com espelhos minúsculos para dar mais luz ao ambiente escuro e fresco. Nichos e prateleiras feitos na parede servem para guardar itens de uso diário.*

As mulheres rabaris *usam roupa de lã preta, em um belo contraste com as jóias de prata. Também exibem tatuagens de pavões e camelos e pequenas cruzes para afastar mau-olhado.*

Os homens rabaris, *em contraste com as mulheres, só usam branco, com bordados nas costas dos* kediyans *(casacos) pregueados. Xales brancos e vermelhos e turbantes volumosos completam o traje.*

OS POVOS

Entre as comunidades pastoris de Kutch estão jaths, ahirs, meghwals, bharwads e sodhas, além de rabaris. Enquanto os homens perambulam com os rebanhos, mulheres, crianças e idosos ficam em casa e aumentam a renda familiar com suas habilidades artesanais.

As meninas rabaris *usam o melhor da herança da família. Elas começam a bordar as roupas do enxoval assim que conseguem manejar uma agulha.*

ARTESANATO

O artesanto não é apenas um meio de ganhar dinheiro para o povo rural de Kutch. Também consiste em uma expressão de orgulho e criatividade da cultura e da identidade de cada comunidade. E, por essa expressão, objetos utilitários como armários, colchas, calçados, sinos de vaca e pratos de cerâmica são transformados em peças de arte.

O **bordado** *é feito pela maioria das comunidades seminômades. Esta seção de um grande panô mostra o trabalho de uma mulher rabari.*

A **rogan**, *especialidade da vila de Niruna, perto de Bhuj, é uma técnica exclusiva pela qual o tecido é decorado com relevos intricados e coloridos.*

As peças de couro *são feitas por homens meghwals. Elas são decoradas com borlas e bordados vistosos.*

As peças de cerâmica, *como este prato grande usado nos banquetes da vila, são produzidas por homens da comunidade (oleira) de Kumbhar.*

O patchwork *de cores vivas, com retalhos e sobras de material, é feito por mulheres bharwads, que elaboram peças como colchas, toldos e cobertas para selas de camelos.*

Os trabalhos de prata *são produtos da comunidade sodha, que também faz jóias sob encomenda, com desenhos tradicionais, para outras comunidades pastoris.*

SUDOESTE DA ÍNDIA

Introdução ao Sudoeste da Índia

Maharashtra, Goa e Karnátaka são os três estados do Sudoeste da Índia, que contém o planalto central do Decã, o litoral estreito de Konkan e a escarpada Ghats Ocidental, que corre paralela à costa. A cidade mais importante é Mumbai (Bombaim), vibrante capital comercial da Índia. Entre as variadas atrações da região estão as praias bucólicas e as igrejas portuguesas de Goa, as cavernas e os templos antigos de Ajanta e Ellora, e as ruínas magníficas de Hampi. Mais ao sul, estão Bangalore, muitas vezes descrita como o vale do Silício da Ásia, o ex-principado de Mysore e os grandiosos templos Hoysala de Belur e Halebid.

Fazendeiros de Maharashtra e seu gado, muitas vezes com enfeites coloridos

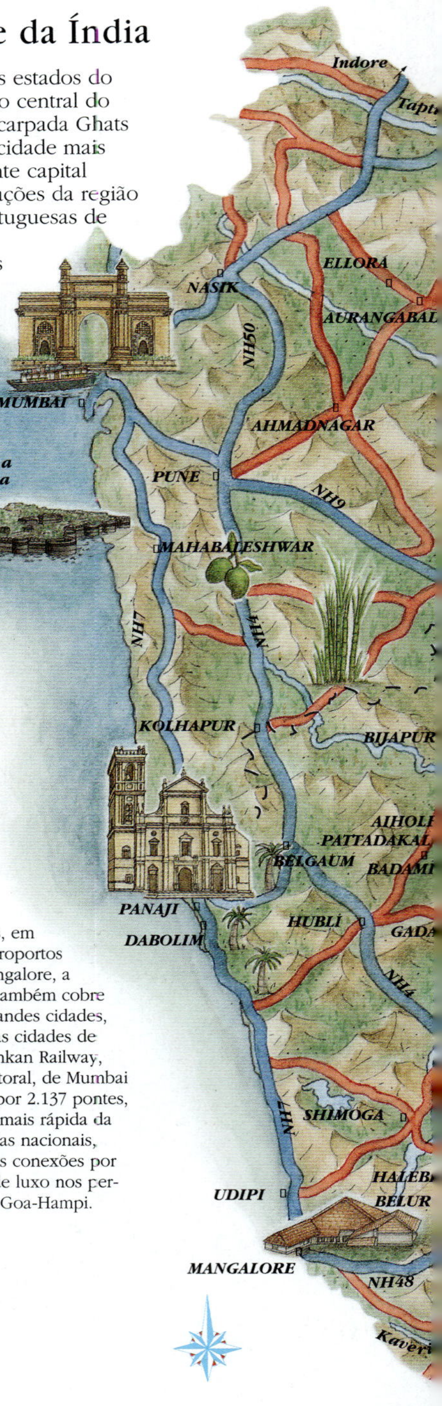

COMO CIRCULAR

A região dispõe de três aeroportos internacionais, em Mumbai, Bangalore e Dabolim, em Goa. Com aeroportos domésticos em Pune, Aurangabad, Nagpur e Mangalore, a área tem boa conexão aérea. A Indian Railways também cobre bem a região. Trens rápidos circulam entre as grandes cidades, e os que têm ar-condicionado ligam a maioria das cidades de médio porte e dos municípios. A espetacular Konkan Railway, recém-terminada, percorre 760km ao longo do litoral, de Mumbai até Thiruvananthapuram (em Kerala), passando por 2.137 pontes, 140 rios e 83km de túneis. A 160km/h, é a linha mais rápida da Índia. O interior, atravessado por diversas rodovias nacionais, por estradas principais e secundárias, possui boas conexões por ônibus. Empresas particulares oferecem ônibus de luxo nos percursos mais procurados, como o trecho Mumbai-Goa-Hampi.

LEGENDA

- Rodovia nacional
- Estrada principal
- Rio
- Limite estadual

◁ **Figueiras formam uma cobertura sobre um trecho de estrada em Maharashtra**

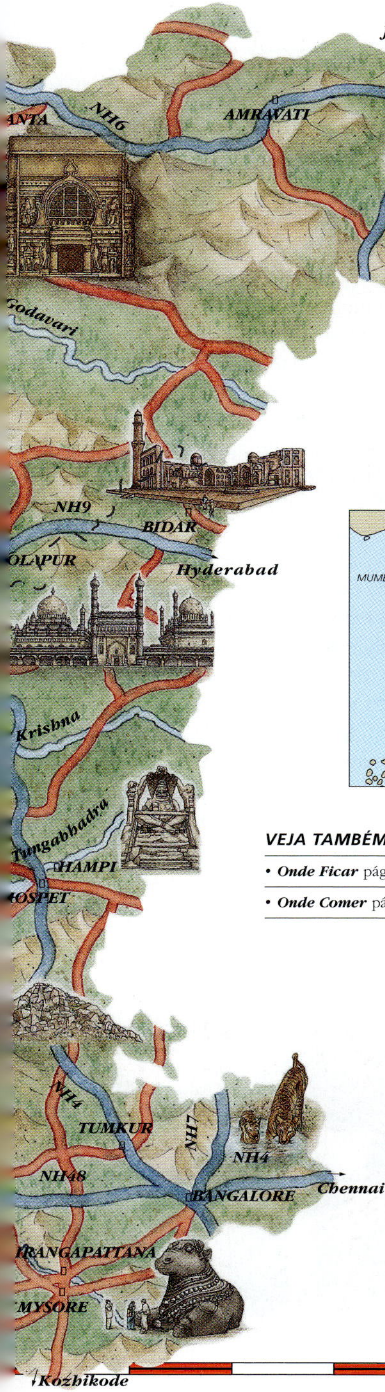

Vistosos carros alegóricos desfilam durante o Carnaval de Goa

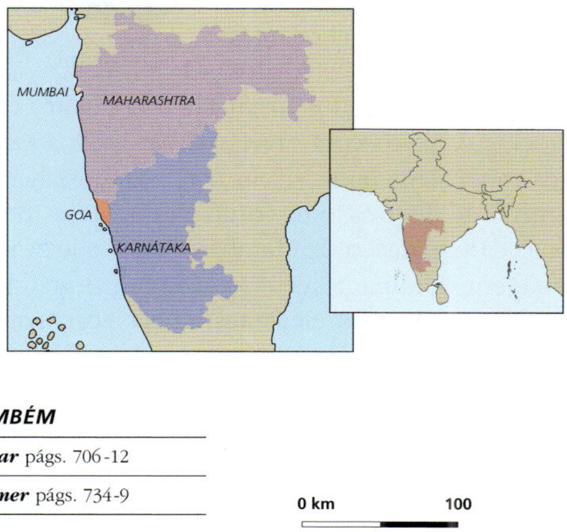

VEJA TAMBÉM

- ***Onde Ficar*** págs. 706-12
- ***Onde Comer*** págs. 734-9

Vista da King's Bathing Ghat cercada por arrozais de Srirangapattana, em Karnátaka

RETRATO DO SUDOESTE DA ÍNDIA

O Sudoeste é uma região de muitas atrações variadas. Os três estados –Maharashtra, Goa e Karnátaka– possuem praias douradas, montes arborizados, vilas tranquilas ao longo do litoral pitoresco do mar da Arábia e as duas cidades mais dinâmicas e cosmopolitas da Índia: Mumbai (antes Bombaim) e Bangalore.

Mumbai, capital de Maharashtra, é a maior e mais populosa cidade da Índia e sua capital financeira e comercial. Aqui também está a maior indústria cinematográfica do mundo, popularmente conhecida como Bollywood. A cidade apresenta contrastes muito fortes e, às vezes, chocantes –o glamouroso universo dos astros de cinema e dos magnatas dos negócios coexiste com favelas e barracos miseráveis, onde vivem mais de 3 milhões de pessoas (quase um quinto da população de Mumbai). Mas a imagem dominante é a de cidade progressista, de ruas elegantes, cheia de dinamismo e de alegria de viver. A população de Mumbai tem hindus que falam marata, considerável número de muçulmanos e cristãos, além de judeus, pársis e outras comunidades de diferentes partes da Índia, atraídas pela cultura empresarial ativa e, com frequência, pelo sonho de aparecer nos filmes. Embora isso torne Mumbai muito cosmopolita, já houve ocasiões em que levou a lutas sectárias, principalmente na última década, desde o avanço do Shiv Sena Party, de militantes direitistas.

Coco verde

Maharashtra é um vasto estado com mais de 96 milhões de habitantes, o que o torna politicamente importante, e grandes indústrias de algodão, açúcar, material de engenharia e alimentos processados, o que lhe confere vitalidade econômica. Há poucos anos começaram a aparecer plantações de

Pequenos barcos de pesca no porto de Mumbai, tendo ao fundo os arranha-céus da cidade

Mulheres goenses a caminho da missa de domingo

morango e de uva na rica área agrícola; o produto mais valioso, porém, é a manga-alfonso, uma variedade doce e saborosa, exportada para o mundo todo. A parte central de Maharashtra conta com dois Patrimônios da Humanidade em Ajanta e Ellora *(págs. 476-81)*. Os murais e esculturas encontrados aqui mostram as raízes milenares comuns ao hinduísmo e ao budismo.

Hanuman em Nasik, Maharashtra

Muitos visitantes viajam de trem de Mumbai até Goa, pequeno estado vizinho. A Konkan Railway que conecta os dois e continua para o sul, até Karnátaka, é um excelente meio de apreciar o verdejante cenário litorâneo de coqueirais, plantações de especiarias e vilas de pescadores. Goa, colônia portuguesa de 1510 a 1961, foi libertada pelo Exército. Os portugueses partiram em paz, deixando um rico legado cultural nas catedrais e mansões, na música e na dança, e na culinária diferenciada. Outra herança dos 450 anos de domínio português foi a religião: quase um terço da população de Goa é católica romana. Agora, o turismo e as indústrias afins constituem importante fonte de renda. Visitantes do mundo todo enchem as belas praias, que oferecem refúgios afastados, orlados de palmeiras, e resorts animados com bares, cafés e discotecas.

Costuma-se descrever Karnátaka como o ponto de encontro geográfico e cultural entre o sul dravídico e o norte indo-ariano. A paisagem e a arquitetura variadas do estado refletem essa mescla sem par. A estreita faixa litorânea fértil de Karnátaka tem por trás os montes verdes da cordilheira Ghats Ocidental, cobertos com florestas de sândalo perfumado e teca. Depois, o relevo forma um amplo planalto, banhado pelos rios Kaveri e Krishna.

Aqui fica o coração histórico e cultural do estado, salpicado de tesouros arquitetônicos, em uma fantástica variedade de estilos. Eles foram construídos por dinastias locais hindus e muçulmanas, assim como por governantes ambiciosos do norte, por guerreiros maratas e chefes islâmicos medievais, que durante algum tempo estabeleceram seus reinos aqui.

Bangalore, capital do estado, apresenta um grande contraste com os sítios históricos de Karnátaka.

Como centro dinâmico da florescente indústria indiana de softwares para computadores, esta cidade se transformou em uma grande vitrine globalizada, de alta tecnologia, da Índia contemporânea. Diversas empresas multinacionais abriram escritórios aqui, enquanto pubs e lojas enchem as ruas, para atender a uma população jovem e cosmopolita.

Paisagem agradável ao longo do litoral de Karnátaka

O Litoral de Konkan

Pescadora konkani

Por todo o litoral de Konkan, de Mumbai até o sul de Mangalore, existem vilas nas quais, há mais de 2 mil anos, comunidades pesqueiras vivem do que retiram do mar. Nesta área, desenvolveu-se uma cultura diferente, protegida pelos montes arborizados da Ghats Ocidental. Fora da costa, há férteis arrozais e plantações de coco, caju, noz bétele, pimenta e outras especiarias, além de seringais. Esta também é a terra das monções da Índia, onde a de sudoeste é mais forte, e para a qual mercadores árabes foram levados pelos ventos dessas monções, chegando para comerciar bem antes dos europeus.

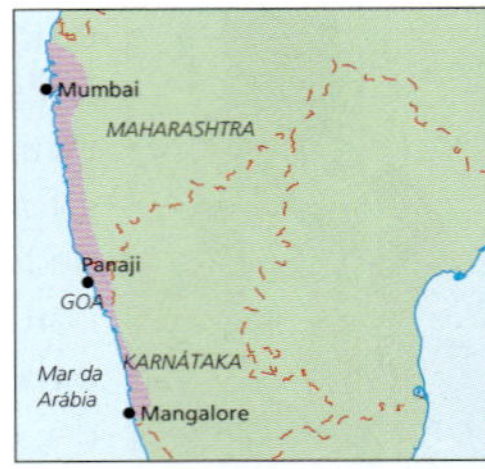

LOCALIZE-SE

Extensão da área

A **colheita** *do arroz é uma tarefa que ocupa completamente a vila toda.*

ARROZAIS

No cultivo de arroz irrigado, as mudas de sementeira são transplantadas em campos alagados, quando atingem 30cm de altura.

Pimenta, **caju** *e* **noz bétele** *são algumas das plantações rentáveis de grande cultivo na região.*

Bangalô de seringal *com varais de tiras de borracha colocadas para secar.*

COMUNIDADES PESQUEIRAS

A população costeira pertence a diversas comunidades que têm os próprios dialetos e festivais locais. A vida dessa população forte e trabalhadora é regida pelas forças naturais.

Pescadores preparam os barcos *para sair antes do amanhecer. Eles voltam no fim da manhã.*

A **cesta de peixe fresco** *é levada para ser vendida diretamente aos clientes que aguardam a pescaria.*

Barcos pequenos ancorados em remanso de Konkan

As **casas litorâneas** *têm coberturas inclinadas de telhas para escoar as pesadas chuvas das monções.*

As mulheres *da pequena comunidade pesqueira koli, em Mumbai, com vistosos trajes de festa.*

As flores *são adornos comuns, colhidos de manhã, para meninas e mulheres enfeitarem os cabelos.*

A COSTA DE KONKAN

Esta estreita faixa litorânea no mar da Arábia é protegida pelas encostas verdejantes da Ghats Ocidental. A região pode ser explorada de carro ou pela Konkan Railway *(pág. 434).*

A **Ghats Ocidental**, *ou cordilheira Sahyadri, forma uma linha ininterrupta pela costa.*

As **nuvens de monções** *anunciam o início da temporada, quando o litoral é açoitado por chuvas torrenciais, de junho até o começo de setembro.*

Os peixes secos *são consumidos nas monções, quando as chuvas impedem a pesca.*

Os mercados locais *têm grande variedade de peixes recém-pescados.*

A **construção de barcos** *é feita por artesãos especializados, que consertam barcos velhos com métodos tradicionais e constroem novos com madeira do local.*

Os Sabores do Sudoeste da Índia

Como grande parte da região fica nas praias do mar Arábico, peixes, coco e arroz são os principais ingredientes. A metrópole Mumbai concentra inúmeros grupos humanos e sua cozinha reflete as múltiplas influências. Mais ao sul, na costa de Konkan, no sentido Goa e Mangalore, a dieta de peixe e arroz tem variações regionais. Maharashtra, no interior, abriga muitas comunidades vegetarianas, especialmente ao redor de Puna, ainda que os apimentados carneiros ao curry sejam típicos do estado. A comida de Karnátaka é um mosaico de suas várias comunidades, como os pratos vegetarianos de Udipi, na costa, ou à base de carne em Kodagu.

Pinha

Mulher vende bananas, cocos e outras frutas

PRATOS BÁSICOS

Em Maharashtra, arroz, trigo, lentilhas e *jowar* (sorgo) são a espinha dorsal da dieta. Acompanham *bhaji* (um prato de legumes) ou *rassa* (legumes cozidos em óleo de amendoim ao curry). A comida é rica em condimentos e *kalaa masalas*. Os *koshimbirs* (petiscos preparados com pepino e cenouras frescas) incrementam a refeição.

Em Karnátaka, os três básicos são arroz, *jowar* e *ragi* (milho miúdo). Nas áreas rurais, o ragi é cozido no vapor, enrolado em formato de bolas e servido com chutney apimentado ou com *huli* (um prato de lentilhas muito forte). A dosa *(págs. 554-5)* e suas variações também vêm acompanhadas de chutney de coco e batatas.

PRATOS DO LITORAL

Na costa de Konkan há muito coco, castanha de caju e legumes, embora predominem os frutos-do-mar, especialmente camarões, lagostas e mariscos, percas, salmão *(rawas)* e cavala. O peixe pode ser grelhado, frito ou cozido no molho de curry, com coco fresco e condimentos. *Kokum* (ameixa seca salgada), tamarindo,

Frutos-do-mar encontrados no litoral do mar Arábico

PRATOS E ESPECIALIDADES LOCAIS

Castanha de caju

São muitas as opções culinárias da região, das bancas que vendem condimentos como *bhelpuri*, *pani-puri* e *pav-bhaji*, às barracas de praia e aos restaurantes especializados. O gosto eclético reflete os sabores de lugares tão distantes quanto o Irã (os parsis) e Portugal (Goa). A comida vegetariana de Karnátaka e Maharashtra é complementada pelos pratos de peixe, porco e galinha da costa de Konkan, de Goa, Mangalore e Coorg. A região também é rica em frutas como *chikoo* (sapoti), pinha, manga, papaia, uva e caju, e também em cana-de-açúcar e pimentas, especialmente pimentão. Nos invernos amenos ao sul de Maharashtra se faz o açúcar mascavo e, junto com ele, as balas de abacaxi e gergelim *(chikki)*.

Akuri, *ovos mexidos apimentados, cozidos em tomate e cebola, e guarnecidos com coentro são uma especialidade parsi.*

Pescador descarrega a pesca do dia, em Goa

manga verde e vinagre de Goa são agentes acidificantes. *Kokum* e leite de coco compõem a bebida *sol kadhi*.

Embora o litoral tenha características culinárias comuns, em especial, no preparo de frutos-do-mar, a cozinha de Goa se distingue por combinar sabores locais e portugueses. Entre os pratos típicos se destacam o peixe à portuguesa (peixe ao curry com azeite de oliva) e o *ambot-tik* (peixe ao curry condimentado com tamarindo). As pimentas de Goa são muito coloridas e usadas no recheio *masala*, que é acrescentado aos curries de peixes, porco e carneiro.

Os pratos de peixes de Malvan também são saborosos, especialmente o *mori chi aamti* (cação ao curry) e a *bangda* (cavala frita com pimentas).

OUTROS FAVORITOS

A culinária dos parsis de Mumbai reflete sua ancestralidade persa. A comida basicamente não-vegetariana inclui *patra ni machhi* (peixe cozido em folha de bananeira), *jardaloo sali boti* (carneiro com damasco) e a popular *dhan sak* (caçarola de carne com lentilhas).

Os kodavas de Coorg têm cultura e cozinha distintas, e é a única comunidade hindu que permite carne e álcool em casamentos. Um dos favoritos é o *pandi* (porco ao curry), acompanhado de bolas de arroz cozido no vapor *(kadum-buttu)*. A *koli*, galinha ao curry, e o *bembla*, brotos de bambu ao curry, também são especialidades, além de outros excelentes preparos de arroz, como *noolputtu* (talharini de arroz) ou *oduputtu* (panquecas de arroz), apreciados também por outras comunidades.

Grãos de café em uma plantação em Coorg, Karnátaka

NO CARDÁPIO

Amti Lentilhas agridoces.

Balachão Escabeche condimentado de camarão ou galinha.

Bebinca Bolo com várias camadas.

Kesari bhath Doce de semolina, açúcar e açafrão.

Kolhapuri mutton Carneiro temperado com pimentas, coco, sementes de anis e de papoula.

Moru kolumbu Molho de legumes e iogurte.

Patra ni macchi Peixe com chutney de coco e coentro, cozido no vapor em folhas de bananeira.

Suran Inhame cozido no vapor guarnecido com pimentas vermelhas e folhas de caril.

Vindaloo, *carne de porco marinada em vinagre, pimentas vermelhas e cozida, é um prato típico de Goa.*

Fugad, *repolho cortado fino e refogado, guarnecido com coco e pimentas. Também se usam grãos de favas.*

Bisibele huliyana, *lentilhas feitas com arroz e legumes – refeição de prato único de Karnataka.*

MUMBAI

Mumbai (antes Bombaim), capital de Maharashtra, é a cidade mais povoada, dinâmica e cosmopolita da Índia. Centro financeiro do país e seu porto mais movimentado, ela também abriga a maior indústria cinematográfica do mundo, conhecida como Bollywood. Vivem nesta fervilhante megalópole cerca de 15 milhões de pessoas, de magnatas milionários a moradores de rua.

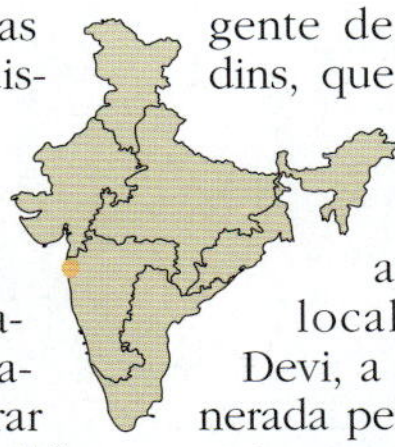

Formada por sete ilhas pantanosas quando os portugueses a conquistaram, em 1534, Bombaim (corruptela da expressão portuguesa "boa baía") foi parar nas mãos da Coroa britânica, em 1661, como parte do dote de Catarina de Bragança, quando se casou com Carlos II. Ao considerar as ilhas de pouco interesse, os britânicos as cederam por uma ninharia à Companhia das Índias Orientais, que logo percebeu seu potencial como excelente porto natural no mar da Arábia. Por volta do século 18, Bombaim se tornara uma cidade importante e área de construção naval na costa oeste; e, no século 19, a recuperação de terras uniu as ilhas em um promontório estreito, como é hoje. A promessa de oportunidades comerciais atraiu comunidades de gujarates, pársis *(pág. 447)* e também gente de Bagdá e judeus sefardins, que se instalaram em Bombaim, conferindo-lhe uma pulsante identidade multicultural. Agora, a cidade retomou o nome local, Mumbai, de Mumba Devi, a deusa de oito braços venerada pelos pescadores kolis, primeiros moradores das ilhas.

Mumbai tem grandes contrastes. Arranha-céus se erguem junto a construções vitorianas suntuosas, bazares tradicionais e barulhentos convivem com shoppings modernos e bairros ricos estão cercados de favelas.

A população urbana cresce e se espalha pela periferia em razão da contínua chegada de migrantes de outras partes do país, que procuram a "cidade de ouro" em busca de fama, dinheiro ou só para participar de um filme de Bollywood.

Trânsito em volta da Flora Fountain, no coração de Mumbai

◁ **Gateway of India (Portal da Índia), uma referência em Mumbai, à beira do mar da Arábia**

Como Explorar Mumbai

Mumbai, um promontório comprido e estreito que cobre $430km^2$, penetra o mar da Arábia. O centro da cidade é a área histórica do Fort, em Mumbai Sul, que deriva do nome de antigas fortificações coloniais. Aqui ficam as melhores atrações e os melhores hotéis e restaurantes. A elegante área residencial de Malabar Hill se localiza ao longo do litoral oeste, bem ao norte da Marine Drive. Os subúrbios de Mumbai, com a expansão de novos empreendimentos, alongam-se para o norte, a partir de Bandra.

VEJA TAMBÉM

- ***Onde Ficar*** págs. 706-8
- ***Onde Comer*** págs. 734-5

Barcos de pesca enfeitados para o Holi, em Mumbai Sul

PRINCIPAIS ATRAÇÕES

Prédios, Ruas e Bairros Históricos
Ballard Estate 13
Bandra 21
Colaba Causeway 3
Flora Fountain 9
Gateway of India 1
General Post Office 14
Horniman Circle 7
Kala Ghoda pp448–9 4
Khotachiwadi 18
Malabar Hill 16
Marine Drive 15
Mumbai Stock Exchange 8
Shahid Bhagat Singh Marg 12
Town Hall 6
Victoria Terminus pp454–5 10
Wellington Fountain 2

Locais Históricos
Elephanta Island 25

Museus
The Prince of Wales Museum pp450–51 5

Templos e Mesquitas
Banganga 17
Haji Ali Mosque 20
Mahalaxmi Temple 19

Praias e Parques
Juhu Beach 22
Sanjay Gandhi National Park 24

Compras
Crawford Market 11

Diversão
Film City 23

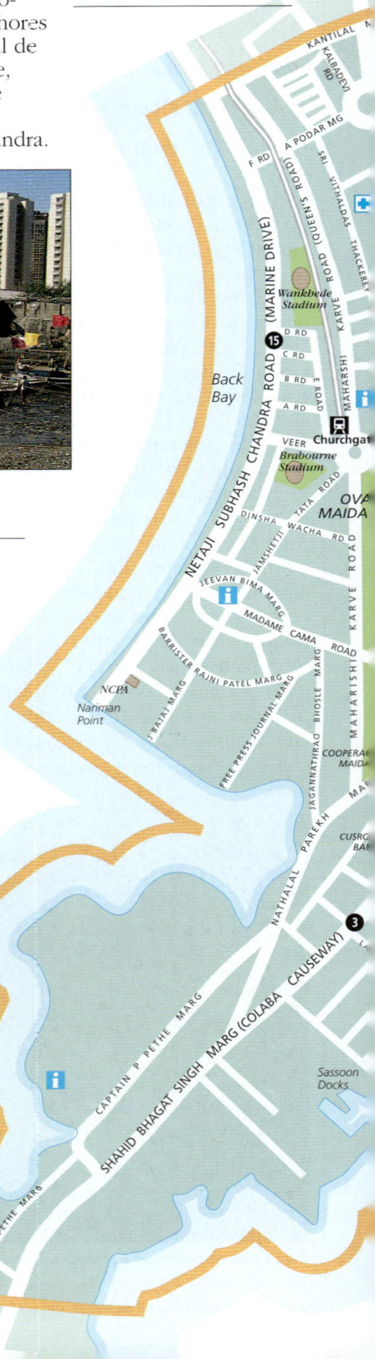

LOCALIZE-SE

LEGENDA

- Rua a rua: págs. 448-9
- Aeroporto internacional
- Aeroporto doméstico
- Estação de trem
- Terminal de ônibus
- Ferryboat
- Informação turística
- Hospital
- Delegacia de polícia
- Correio
- Igreja
- Rodovia nacional
- Estrada principal

COMO CIRCULAR

Três linhas pontuais, mas apinhadas, ligam os subúrbios do norte ao centro e à ponta sul. Carro particular, táxi ou os ônibus vermelhos BEST são meios convenientes e de preço razoável para circular dentro da cidade.

Ônibus de dois andares na Victoria Terminus *(págs. 454-5)*

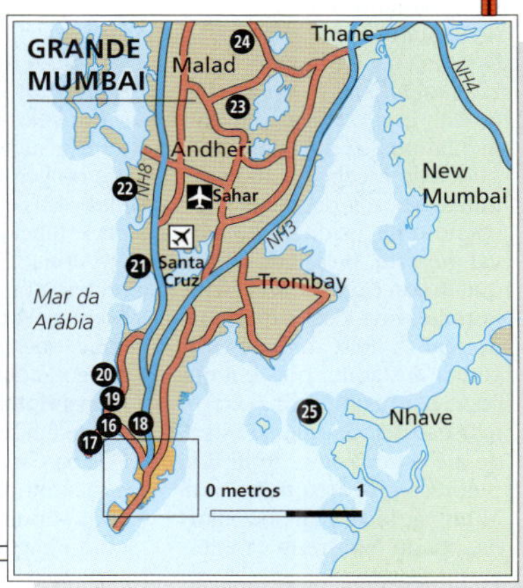

Atrás do Gateway of India vê-se o Taj Mahal Hotel, com cúpula vermelha

Gateway of India ❶

Apollo Bunder, Chhatrapati Shivaji Marg e PJ Ramchandani Marg.

Referência mais famosa de Mumbai, o Gateway of India era o primeiro a saudar os que chegavam ao litoral indiano durante o apogeu do Raj britânico. Por ironia, serviu também de porta de saída das tropas britânicas, após a independência do país, em 1947. Foi erguido para comemorar a visita do rei Jorge V e da rainha Mary, em 1911, a caminho do Durbar de Délhi; mas de fato, o rei e a rainha encontraram um modelo estruturado em papelão. O verdadeiro Arco do Triunfo, feito de basalto bege, só foi terminado em 1924, alguns anos após a visita real. Esta edificação monumental possui dois grandes salões de recepção, arcos e minaretes, e a decoração se inspirou na arquitetura medieval gujarate, projetada pelo arquiteto escocês George Wittet. Permite uma vista espetacular do mar. À noite, o Gateway ganha destaque, pois é iluminado para contrastar com o mar escurecido que se estende até o horizonte. Aqui fica o coração da área turística de Mumbai, local mais popular da cidade para reunir multidões e sempre cheio de moradores, visitantes, vendedores e barqueiros. Os barcos e barcaças ancorados oferecem serviços regulares para a travessia da baía e até as ilhas, como a Elephanta *(pág. 461)*. Também podem ser alugados para viagens de passeio pelo litoral de Mumbai.

Estátua de Chhatrapati Shivaji na frente do Gateway

Ao norte do Gateway of India, na direção da Wellington Fountain, fica a Chhatrapati Shivaji Road. Antes Apollo Pier Road, foi renomeada em homenagem a Shivaji *(pág. 471)*, grande guerreiro e herói de Maharashtra. A estátua equestre de Shivaji foi colocada aqui, em um jardim agradável, alinhada com o Gateway. Bem perto está outra estátua, a de Swami Vivekananda *(pág. 615)*, grande filósofo e reformista hindu do século 19.

Em volta do Gateway, encontram-se alguns prédios majestosos do período colonial. Entre eles estão o antigo **Yacht Club**, onde funcionam os escritórios da Atomic Energy Commission (entrada proibida), o **Royal Bombay Yacht Club**, construído como anexo residencial do antigo Yacht Club, e o **Taj Mahal Hotel** *(pág. 708)*, atrás do qual fica o movimentado Colaba Causeway.

O suntuoso Taj Mahal Hotel, com cúpula vermelha, foi erguido em 1903, por um destacado industrial pársi, Jamshedji Tata *(pág. 225)* que, ao que consta, decidiu construir este hotel magnífico quando foi impedido de se hospedar no Watsons Hotel, "só para brancos". O Taj, com esplêndidos arcos e colunas mouriscos, suntuosas escadarias e galerias, mantém-se como um dos melhores hotéis asiáticos, enquanto o Watsons é agora um prédio decadente, pois o hotel fechou há tempos.

A faixa leste voltada para o mar, na frente do Gateway of India, é o passeio preferido de Mumbai. Chamado **Apollo Bunder**, era um estaleiro de pescadores koli do local, primeiros habitantes das ilhas. Agora, encantadores de serpentes e donos de macacos amestrados, astrólogos e limpadores de orelhas acotovelam-se entre os pedestres. Dezenas de iates, barcos de pesca e ferryboats ficam ancorados ao largo.

Royal Bombay Yacht Club, uma relíquia do Raj britânico

Entrada de Cusrow Baug, um núcleo pársi ao longo de Colaba

Wellington Fountain ❷

Cercada por MG Rd, Shahid Bhagat Singh Marg, Chhatrapati Shivaji Marg e Madame Cama Rd.

Construída para comemorar a visita do duque de Wellington a Bombaim, em 1801, esta fonte (que agora se chama Shyama Prasad Mukhherjee Chowk) é rodeada por alguns prédios coloniais magníficos. Entre eles estão o antigo **Majestic Hotel**, com minaretes falsos e balcões gujarates, que se transformou no Sahakari Bhandar, de propriedade do governo, e o elegante **Regal Cinema**, Art Déco, projetado por Charles Stevens e terminado em 1934. Seu pai, Frederick William Stevens, projetou em 1876 o imponente **Sailors' Home**, de pedra cinza em estilo indo-gótico, com baixo-relevo de Netuno no frontão da fachada; agora é quartel-general da polícia.

Também impressionam o Cowasjee Jehangir Hall, eduardiano, atual **National Gallery of Modern Art** *(pág. 449)*, e o indo-sarraceno **Prince of Wales Museum** *(págs. 450-1)*. Ao lado, fica a Hornbill House, sede da Bombay Natural History Society (BNHS), consagrada instituição fundada em 1883.

Colaba Causeway ❸

Shahid Bhagat Singh Marg. **Afghan Memorial Church** ☐ *diariam.* ✝ *7h e 16h30, dom.*

Feito pelos britânicos em 1838, o Colaba Causeway ajudou a integrar a cidade com Colaba, um espigão no extremo sul. Atualmente, o Causeway (Passeio), também conhecido como Shahid Bhagat Singh Road *(pág. 456)*, é uma animada mistura de lojas, restaurantes e núcleos residenciais. Entre esses, encontra-se o charmoso grupo residencial pársi de **Cusrow Baug**, construído na década de 1930, onde se preservaram a cultura e o estilo de vida diferentes dessa comunidade. Dos muitos restaurantes do Causeway, um se tornou uma instituição, o **Leopold Café and Bar** *(pág. 735)*, inaugurado em 1871, e desde então local muito procurado. Mais ao sul, situam-se as **Sassoon Docks**, que merecem uma visita de manhã cedo, no auge da agitação, quando os pescadores desembarcam o que pegaram e surge um mercado atacadista comandado pelas esposas dos pescadores koli, muito animadas e espertas.

Na extremidade sul de Cobala está a **Afghan Memorial Church of St John the Evangelist**, erguida entre 1847 e 1858 *(pág. 21)*. Esta grandiosa estrutura neogótica, com torre alta e imponente pórtico de basalto bege, surgiu em memória dos soldados que morreram na Primeira Guerra Afegã (1843) e está cheia de lápides tocantes. Possui vitrais magníficos, principalmente nas janelas do lado oeste, onde um belo painel retrata a Crucificação. No jardim, há um memorial aos mártires.

Pescadores trazem o que pegaram no dia para as Sassoon Docks

COMUNIDADE PÁRSI EM MUMBAI

O maestro Zubin Mehta é pársi nascido em Mumbai

A cultura cosmopolita e progressista de Mumbai deve muito à contribuição da comunidade pársi. Originária do Irã, onde seguia a antiga fé de Zoroastro, migrou para a Índia no século 9º, quando o advento do Islã trouxe consigo a perseguição religiosa dos zoroastristas. Os pársis se estabeleceram ao longo da costa de Gujarat e absorveram muitas tradições locais. Mais tarde, mudaram-se para Mumbai, onde ganharam fama como financistas e comerciantes brilhantes. Com frequência, adotaram o nome de sua profissão, e há muitos sobrenomes como Mistry (pedreiro) e Vakil (advogado), ou mesmo Readymoney (dinheiro à vista). Comunidade rica e talentosa, que produziu diversas famílias de industriais de peso, como os Tatas e os Godrejs, os pársis também são famosos pela filantropia e fundaram diversas instituições culturais, educacionais e médicas em Mumbai.

Rua a Rua: Kala Ghoda ❹

Torre do Relógio: detalhe

Kala ghoda (cavalo preto) tirou o nome da estátua equestre do rei Eduardo VII, que ficava no cruzamento da Mahatma Gandhi Road com a K. Dubash Marg. A estátua foi removida há muito tempo, mas o nome permanece na lembrança do povo. Esta área histórica, centro de atividades culturais, estende-se da Wellington Fountain, na ponta sul da Mahatma Gandhi Road, até a Bombay University, ao norte, e é ladeada pelo Oval Maidan e pela base naval de Lion Gate. Conta com galerias de arte, cafés, restaurantes, lojas finas e butiques.

David Sassoon Library
Atrás, há um jardim que serve de área de leitura.

Esplanade Mansion, antigo Watsons Hotel, testemunhou o primeiro filme da cidade, em 1896.

★ Torre do Relógio de Rajabai
Com 78m de altura, esta torre da Bombay University tem figuras que representam diferentes comunidades indianas.

★ Corte Suprema
Semelhante a um forte, este é o segundo maior prédio público da cidade. Tem grandiosa escadaria central, salas de tribunal bem equipadas e grande biblioteca.

PONTOS ALTOS

- ★ Torre do Relógio de Rajabai
- ★ Corte Suprema
- ★ Prince of Wales Museum

Army and Navy Building
Esta construção neoclássica era loja de departamentos no início da década de 1900. Agora, abriga diversos escritórios do Tata Group.

Para hotéis e restaurantes nesta região, ver págs. 706-8 e págs. 734-5

Sinagoga Kenneseth Eliyahoo
Esta é a sinagoga sefardim mais antiga da cidade, doada pela família Sassoon e usada para as orações da comunidade israelita de bagdalis e Bene Israeli.

0 metros 50

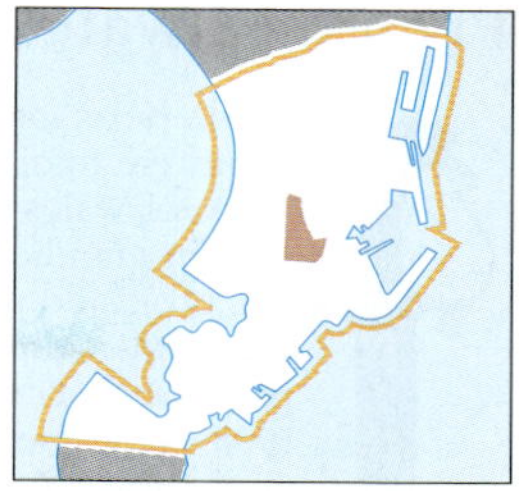

LOCALIZE-SE
Veja mapa de Mumbai págs. 444-5

Elphinstone College
Parte deste prédio gótico-veneziano abriga os State Archives.

LEGENDA

– – Percurso sugerido

★ Prince of Wales Museum
Museu mais prestigiado de Mumbai, possui bom acervo de miniaturas e esculturas rajputs (págs. 450-1).

National Gallery of Modern Art, no estilo eduardiano, dispõe do espaço de exposições mais marcante de Mumbai.

Jehangir Art Gallery
Esta galeria expõe telas de consagrados pintores indianos contemporâneos e tem um café movimentado.

Prince of Wales Museum ❺

Espada damascena, de Mysore, 1732

Afamado pelas magníficas esculturas e pinturas em miniatura, o acervo do Prince of Wales Museum está instalado em um grandioso prédio indo-sarraceno, projetado por George Wittet. A pedra fundamental foi assentada pelo príncipe de Gales (depois Jorge V), em 1905. Na Primeira Guerra Mundial, serviu de hospital militar, e foi formalmente inaugurado em 1923. Doações generosas de colecionadores particulares permitiram que o museu formasse uma coleção de alta qualidade.

***Cloisonné* Japonês**
Este vaso do século 19 faz parte de uma bela coleção de arte oriental.

Estatueta de Marfim
A jovem pársi Bai Aimai Wadia é retratada com roupas tradicionais nesta peça do século 19, da galeria de artes decorativas.

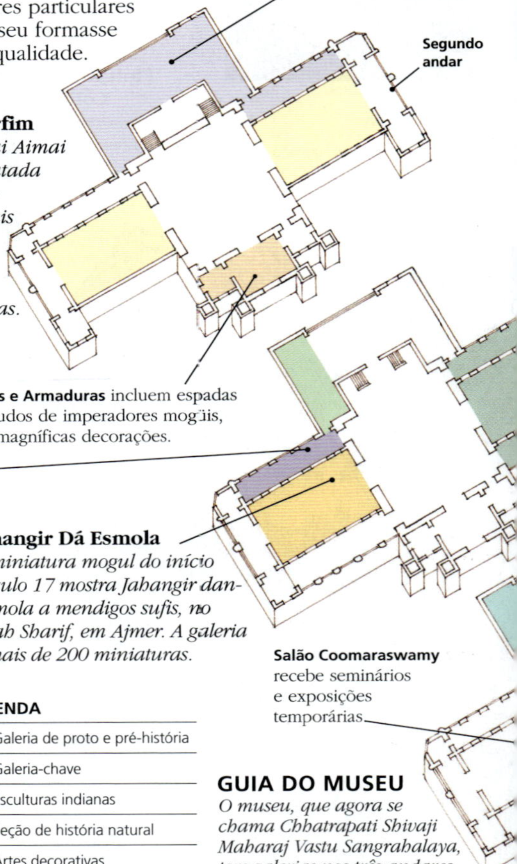

Armas e Armaduras incluem espadas e escudos de imperadores mogóis, com magníficas decorações.

★ Jahangir Dá Esmola
Esta miniatura mogul do início do século 17 mostra Jahangir dando esmola a mendigos sufis, no Dargah Sharif, em Ajmer. A galeria tem mais de 200 miniaturas.

Salão Coomaraswamy recebe seminários e exposições temporárias.

LEGENDA

- Galeria de proto e pré-história
- Galeria-chave
- Esculturas indianas
- Seção de história natural
- Artes decorativas
- Pinturas em miniatura
- Bronzes
- Arte tibetana e nepalesa
- História marítima
- Pinturas européias
- Arte oriental
- Armas e armaduras
- Galeria Premchand Roychand

GUIA DO MUSEU

O museu, que agora se chama Chhatrapati Shivaji Maharaj Vastu Sangrahalaya, tem galerias nos três andares. O térreo contém esculturas (que incluem obras-primas de Gandhara), a galeria de proto e pré-história e a seção de história natural. No primeiro andar estão pinturas em miniatura, artes decorativas, arte tibetana e nepalesa e a recém-inaugurada galeria Premchand Roychand. O segundo andar dispõe de pinturas européias, armas e armaduras.

PONTOS ALTOS

- ★ Jahangir Dá Esmolas
- ★ Buda Maitreya
- ★ Escultura de Gandhara

Para hotéis e restaurantes nesta região, ver págs. 706-8 e págs. 734-5

PREPARE-SE

MG Rd, Fort Area. ***Tel*** *(022) 2284 4519.* ter-dom. *Estudantes com carteira internacional têm desconto.*

Galeria-chave
No térreo, o salão central contém exemplares das preciosidades do museu, com peças valiosas das diferentes galerias.

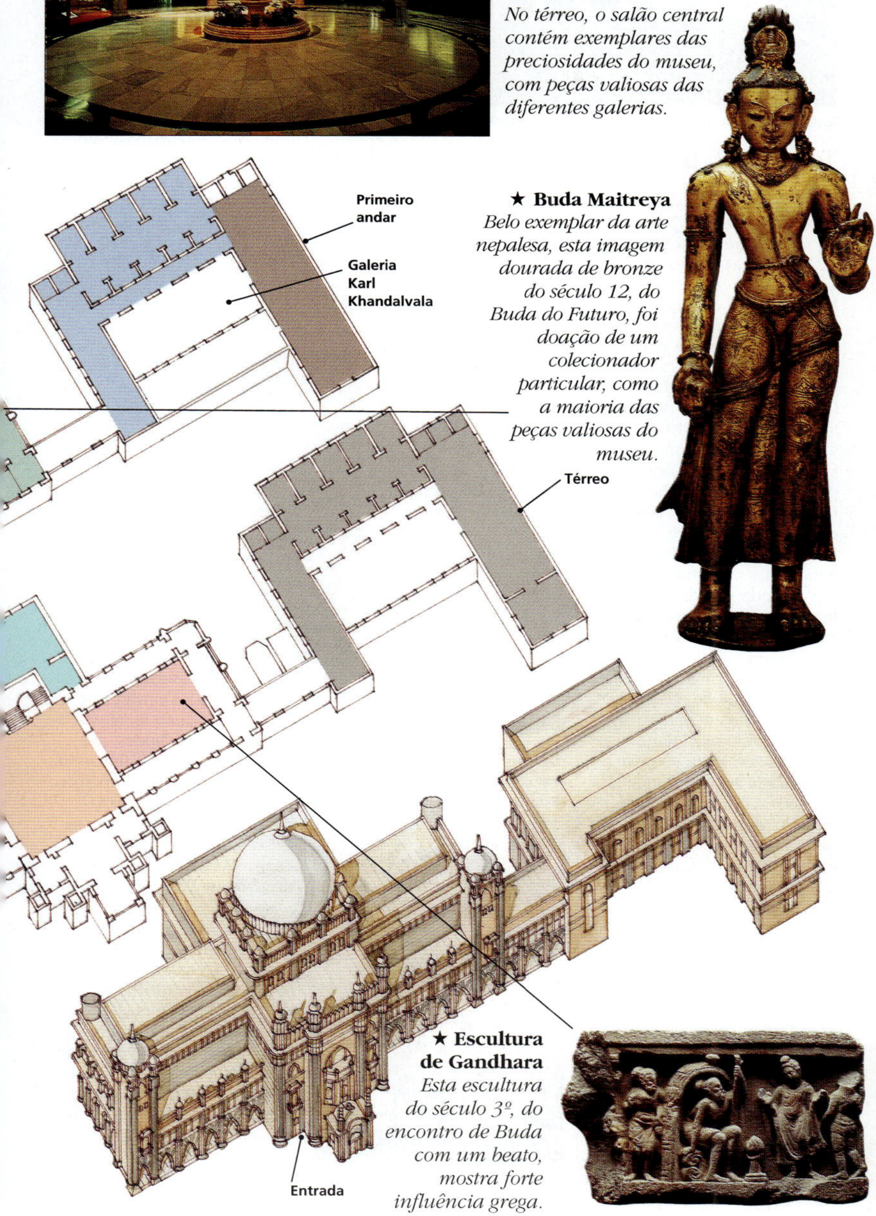

★ Buda Maitreya
Belo exemplar da arte nepalesa, esta imagem dourada de bronze do século 12, do Buda do Futuro, foi doação de um colecionador particular, como a maioria das peças valiosas do museu.

★ Escultura de Gandhara
Esta escultura do século 3º, do encontro de Buda com um beato, mostra forte influência grega.

Town Hall (prefeitura), prédio público mais elegante de Mumbai

Town Hall ❻

Shahid Bhagat Singh Marg, Fort Area. **Tel** *(022) 2266 0956.* *seg-sáb.* *feriados.* **The Asiatic Society** *(022) 2266 0956.* *seg-sáb.*

No século 19, em reconhecimento da importância de Mumbai como florescente centro comercial, a cidade ganhou uma Town Hall (prefeitura) voltada para o amplo espaço aberto de Cotton Green (agora Horniman Circle). Com projeto do coronel Thomas Cowper e terminado em 1833, o prédio figura entre as melhores construções neoclássicas de Mumbai.

A fachada grandiosa exibe frontão triangular apoiado em uma fileira de colunas dóricas, que vieram de navio da Inglaterra. Uma escadaria leva ao magnífico Assembly Hall, local de encontros públicos durante o Raj.

Na ala norte, encontra-se **The Asiatic Society**, fundada em 1804, com imponente teto elevado, paredes com painéis de teca e elegantes balaustradas de ferro fundido.

A grande biblioteca da instituição possui um inestimável acervo de 800 mil volumes, entre os quais figuram a primeira edição de *A divina comédia*, de Dante, manuscritos sânscritos milenares e antigos dicionários geográficos de Bombaim.

No primeiro andar, há estátuas de mármore dos fundadores de Mumbai, entre eles dois governadores, Mountstuart Elphinstone e sir Bartle Frere, e do filantropo pársi sir Jamsetjee Jeejeebhoy.

Horniman Circle ❼

Veer Nariman Rd, Fort Area. **St Thomas' Cathedral** **Tel** *(022) 2202 0121. (022) 2202 0121.* *diariam.* *8h e 16h30, dom.*

A área verde central, o antigo Cotton Green, onde comerciantes compravam e vendiam fardos de algodão, foi transformado em jardim público em 1869. Depois conhecido como Elphinstone Circle, ganhou o nome atual após a Independência, em homenagem a Benjamin Guy Horniman, ex-editor do jornal *Bombay Chronicle*, defensor ativo do Movimento pela Liberdade da Índia. Agora, o jardim é um lugar agradável, muito frequentado por estudantes e funcionários de escritórios que relaxam aqui antes de voltar para casa, em subúrbios distantes. No jardim também ocorrem apresentações teatrais ao ar livre e eventos culturais no inverno.

Entalhe de inspiração grega em Horniman Circle

Os elegantes prédios neoclássicos em volta do jardim foram construídos na década de 1860 e modelados segundo exemplos ingleses consagrados, como Bath Crescent e Tunbridge Wells. Projetados por James Scott, esses prédios dispõem de fachadas uniformes, com arcadas para pedestres e imagens decorativas de cerâmica vindas da Inglaterra, e constituem as primeiras composições urbanas planejadas de Mumbai.

Na extremidade oeste do campo florido de Horniman Circle fica a **St Thomas' Cathedral**, igreja mais antiga da cidade, consagrada em 1718. Da mesma forma que outros grandes edifícios de Mumbai, este também foi financiado por donativos públicos, em grande parte coletados por um jovem capelão da Companhia das Índias Orientais chamado Richard Cobbe. A catedral possui campanário e arcobotantes imponentes e alguns vitrais do século 19. No interior espaçoso da igreja se destacam os esplêndidos memoriais de mármore para os heróis do Raj. Um deles é o excepcional monumento ao governador Duncan, que o retrata ao ser abençoado por hindus, por seus esforços de pôr fim ao infanticídio. Na frente do pórtico fica um charmoso chafariz neogótico. Desenhado por sir Gilbert Scott, foi doado pelo financista pársi sir Cowasjee Readymoney.

Vitral da St Thomas' Cathedral

Na frente da catedral existem algumas belas construções, como o **Elphinstone Building**, neogótico, erguido no final do século 19, e o **British Bank of the Middle East**, neoclássico. Do outro lado da rua, encontra-se a **Readymoney Mansion** com minuciosos trabalhos de madeira, balcões entalhados e arcos mogüis. Reminiscente de uma *haveli* no estilo de Rajasthan, também foi projetada por George Wittet *(pág. 450)*.

Para hotéis e restaurantes nesta região, ver págs. 706-8 e págs. 734-5

Mumbai Stock Exchange, centro financeiro da Índia

Mumbai Stock Exchange 8

Dalal Street, Fort Area. ao público.

Núcleo financeiro da Índia, a Bolsa de Valores de Mumbai desponta acima da Dalal Street. Esta é a Wall Street da cidade e seu nome se refere aos muitos corretores de valores *(dalals)* da área. A proximidade de quase 50 bancos em um trecho curto ressalta o ritmo frenético das atividades comerciais. Antes do almoço, a área se enche de *dabbawallahs* *(pág. 457)* que trazem comida caseira para milhares de pessoas que trabalham na área.

Flora Fountain 9

Cruzamento da Veer Nariman Rd, MG Rd e Dr Dadabhai Naoroji Rd, Fort Area.

Localizada no cruzamento de três ruas importantes, a Flora Fountain é um símbolo de Mumbai. Esculpida com arenito de Portland e trazida de navio da Inglaterra, a fonte tem em cima a deusa romana Flora, em pé sobre conchas, golfinhos e animais mitológicos. Instalada em 1869 no que, então, era uma praça espaçosa, agora a fonte está no meio de um mar de trânsito, sombreada pelo **Martyrs' Memorial**, erguido pelo governo do estado de Maharashtra em 1960. A área foi renomeada como Hutatma Chowk (Praça dos Mártires) e é marcada pelas defesas ocidentais do antigo forte, agora destruído, que foi feito pela Companhia das Índias Orientais, em 1716, para defender a parte sul da cidade. O forte foi demolido na década de 1860 pelo governador sir Bartle Frere, a fim de permitir que a cidade se expandisse e acomodasse os grandiosos edifícios cívicos e comerciais que ele planejara. Todos esses prédios foram projetados com arcadas para pedestres, que hoje ficam cheias de camelôs vendendo uma infinidade de produtos, de livros velhos a roupas e aparelhos eletrônicos.

Ao norte da Flora Fountain, na direção da Victoria Terminus, está a Dadabhai Naoroji (D. N.) Road, ladeada por magníficas construções vitorianas e coloniais tardias, como o **Capitol Cinema**, com detalhes clássicos, o **J. N. Petit Institute and Library** (de 1898), com fachada neogótica veneziana, e o **Watcha Agiary** (Templo de Fogo pársi), Art Déco, cheio de entalhes no estilo assírio, construído em 1881. Entre outras edificações importantes estão o **Times of India Building**, de estilo indo-sarraceno, e o elegante **Municipal Corporation Building**, com minaretes islâmicos, torres góticas e cúpulas em forma de bulbo.

Flora Fountain, uma referência em Mumbai

Victoria Terminus 10

Págs. 454-5

Crawford Market 11

Dr Dadabhai Naoroji Rd e Lokmanya Tilak Rd. **Lojas** *diariam.*

Um dos pontos mais fascinantes e animados de Mumbai, o Crawford Market, agora chamado Mahatma Jyotiba Phule Market, fica ao norte da Victoria Terminus. Projetada por William Emerson e terminada em 1869, esta miscelânea arquitetônica de arcos mouriscos, frontões de madeira, coroada por um campanário, consiste em um grande salão central com duas alas. Fileiras de bancas de madeira exibem diariamente quase 3 mil toneladas de produtos frescos, de frutas e flores a peixes e pássaros exóticos. O chão tem pavimento de pedra de Caithness, na Escócia, que permanece fresco o dia todo. As luminárias têm formato de dragão alado. Acima das portas de entrada, baixos-relevos encantadores retratam cenas da vida do mercado. Eles foram entalhados por Lockwood Kipling *(pág. 110)*, pai do escritor Rudyard Kipling, assim como o chafariz no pátio, com decoração exuberante de deusas do rio Indo e de animais. A oeste do Crawford Market está o **Zaveri Bazaar**, onde comerciantes de diamantes, ouro e prata têm lojas suntuosas. A noroeste do mercado, na Mutton Street, encontra-se o **Chor Bazaar** (Bazar dos Ladrões), com antiquários e lojas de bugigangas.

Banca de verduras e legumes no Crawford Market

Victoria Terminus ⑩

Emblema da Central Railway

Exemplar mais notável da arquitetura gótica vitoriana na Índia, a Victoria Terminus Railway Station (agora Chhatrapati Shivaji Terminus) é uma obra excêntrica, com cúpulas, torres e arcos. Projetada por Frederick William Stevens e decorada por estudantes de arte e artesãos locais, foi terminada em 1888. Seu nome comemorava o Jubileu de Ouro da rainha Vitória. Agora, é sede da Central Railway, por onde passam, todos os dias, mais de mil trens e 2 milhões de passageiros, o que inclui a multidão que mora nos subúrbios. Em 2004, foi declarada Patrimônio da Humanidade pela Unesco.

A Victoria Terminus, muitas vezes confundida com um palácio ou uma catedral grandiosa

Frontões
Eles são coroados com esculturas que representam a engenharia, a agricultura e o comércio.

★ Booking Hall
Um teto abobadado neogótico, com vigas de madeira, cobre o salão. Vitrais, azulejos coloridos e grades decorativas de ferro ajudam a embelezá-lo.

Entrada
Os pilares do portão têm em cima um leão e um tigre esculpidos em pedra, que simbolizam, respectivamente, a Grã-Bretanha e a Índia.

PONTOS ALTOS

★ Booking Hall

★ Entalhes e Esculturas de Pedra

Para hotéis e restaurantes nesta região, ver págs. 706-8 e págs. 734-5

PREPARE-SE

Dr Dadabhai Naoroji Rd, Fort Area. ***Tel*** *(022) 2264 6464*
do interior.

Cúpula Central
Uma estátua do "Progresso", com 4m de altura, segura uma tocha e coroa a enorme cúpula, que possui oito nervuras decoradas.

As majestosa escadaria de pedra azul, com balaustrada de ferro, sobe por baixo da cúpula.

Os gárgulas para escoamento de água, em formato de cabeças de animais, projetam-se da base da cúpula.

Vitrais
Na torre octogonal abaixo existem belos vitrais de cores vivas, decorados com uma locomotiva e folhagens.

Medalhões com Retratos
Encravados na fachada estão bustos de personalidades do período do Raj, como sir Bartle Frere (pág. 452).

★ Entalhes e Esculturas de Pedra
Requintado pavão entalhado decora esta janela. Outros frisos e telas esculpidos exibem elefantes, macacos e cobras.

Fonte Ruttonsee Mulji, decorada e com entalhes elaborados

Shahid Bhagat Singh Marg ⓬

Fort Area.

Esta rua movimentada, também conhecida como Colaba Causeway *(pág. 447)* na ponta sul, é o agitado centro comercial e administrativo da chamada Fort Area *(pág. 453)*. Não existe mais nenhum traço dessa estrutura histórica, mas a área ainda oferece vislumbres interessantes das ligações entre a Mumbai colonial e a atual. O **Reserve Bank of India**, que se encontra no local dos antigos alojamentos militares, é a maior instituição bancária do país. Construído em 1939, com projeto de J. A. Ritchie, tem grandiosa entrada Art Déco, ladeada por duas colunas impressionantes, que fortalecem o aspecto de solidez. Conta com belas grades de ferro forjado nos painéis das janelas. Os novos escritórios no alto do Reserve Bank, do outro lado da rua, ficam no terreno do antigo **Mint** (Casa da Moeda). Trata-se de um edifício majestoso, com fachada clássica, erguido em 1817 pelo major John Hawkins, membro do Regimento de Engenharia de Bombaim. A entrada no Mint é proibida, mas é possível observar um portão de pedra feito pelos portugueses, agora dentro do estabelecimento naval I. N. S. Angre.

A oeste do Mint, em um canto do cruzamento das ruas Pherozeshah Mehta e Shahid Bhagat Singh, situa-se o imponente **Gresham Assurance Building**. Esta construção Art Déco dispõe de fachada de basalto, com dois pilares grandes e uma cúpula.

Bem na frente, o **Marshall Building** possui cúpula florentina e foi erguido em 1898 para acomodar os depósitos e escritórios de uma empresa de engenharia britânica. A fachada, embelezada por uma miscelânea de anjos, vigias e frontões, é um exemplo maravilhoso de como a arquitetura européia contemporânea foi transplantada com sucesso para o ambiente oriental.

Bebedouros de água ou *pyavs* foram colocados pela cidade toda por filantropos do local, a fim de amenizar o quente verão indiano. No ponto onde a Shahid Bhagat Singh Marg encontra a Mint Road fica a **Ruttonsee Mulji Drinking Water Fountain** desenhada por F. W. Stevens, principal arquiteto da Bombaim vitoriana, que também projetou o Municipal Corporation Building e a Victoria Terminus *(págs. 454-5)*. Ela foi erguida em 1894 por um comerciante local, em memória de seu único filho, cuja estátua se encontra na cúpula. Feita de arenito e granitos vermelho e azul, é decorada com cabeças de elefante que se projetam para as trombas esguicharem água. A cúpula, sustentada por colunas de granito azul, é coroada pela figura do menino. A fonte também tem um cocho onde os animais podem beber.

Mais abaixo na Mint Road, logo antes do cruzamento com a Walchand Hirachand Marg, há outro *pyav* e a **Kothari Kabutarkhana**. Literalmente "Casa de Pombos", a Kabutarkhana é uma estrutura de pedra ornamentada, feita no século 18 por Purushottamdas Kothari, comerciante jainista, e ampliada no século 19 e no início do século 20.

Os jainistas, do mesmo modo que os budistas, crêem que todos os seres vivos têm alma, e os cuidados com todas as formas de vida conferem méritos ao indivíduo na próxima vida.

Gresham Assurance Building

Na extremidade oeste da Walchand Hirachand Marg encontra-se **Nagar Chowk**, um oásis verdejante no meio do trânsito pesado, que dispõe de uma bela estátua de sir Dinshaw Manekji Petit, baronete, industrial e importante filantropo pársi do início do século 20. A obra foi esculpida por sir Thomas Brock, e o jardim em volta é um bom lugar para apreciar alguns dos grandiosos prédios vitorianos de Mumbai, entre os quais estão a Victoria Terminus, o prédio da Bombay Municipal Corporation e o General Post Office. A Shahid Bhagat Singh Marg acaba na D'Mello Road, antes chamada Frere Road. Esta área era um charco até a década de 1860, quando foi recuperada pelo Port Trust. Hoje, a rua é ladeada de restaurantes populares.

Pombos na Kothari Kabutarkhana, ciscando pelo suprimento diário de milho

Para hotéis e restaurantes nesta região, ver págs. 706-8 e págs. 734-5

Ballard Estate ⓭

Contida pelas Shahid Bhagat Singh Marg, Walchand Hirachand Marg e Shoorji Vallabhdas Marg.

Toda esta área fazia parte do mar até ser recuperada pelo Bombay Port Trust e transformada em zona comercial. Planejada entre 1908 e 1914 por George Wittet, arquiteto do Gateway of India, a região se desenvolveu segundo as rígidas orientações que ele estabeleceu, com elegância contida em contraste com a ornamentação exagerada dos prédios vitorianos da Fort Area. As calçadas largas e as avenidas arborizadas do bairro são ladeadas por construções de pedra, com altura e estilo uniformes, o que confere ao Estate uma atmosfera de tranquilidade, incomum em ambiente de negócios.

Um ponto prático para entrar em Ballard Estate é pela Shoorji Vallabhdas Marg, perto do imponente Marshall Building. Entre as edificações mais notáveis desta rua está a **Customs House**. Com projeto do próprio Wittet, conta com pórtico grandioso, em estilo renascentista suntuoso, emoldurado por duas colunas com a altura do prédio. Ao lado fica o **Bombay Port Trust**, também chamado George Wittet. Dois admiráveis navios com velas enfunadas foram esculpidos na fachada de basalto. Mas abaixo, para o leste da rua, acha-se o **Port Trust War Memorial,** em homenagem aos portuários que morreram na Primeira Guerra Mundial. O memorial possui uma única coluna estriada, de pedra, coroada por um lampião. O **Grand Hotel** sobressai na esquina da Walchand Hirachand Marg com a Ram Gulam Marg. Outro projeto de George Wittet, tem um belo átrio central. O pomposo **Mackinnon and Mackenzie Building** exibe um pórtico magnífico, colunas e estátuas. Este e outros bonitos prédios eduardianos, como a **Darabshaw House** e a **Neville House**, fazem de Ballard Estate um bairro comercial elegante.

O General Post Office combina traços europeus e indianos

Port Trust Memorial

General Post Office ⓮

Walchand Hirachand Marg.
☐ *seg-sáb.*

Acabada em 1911, esta fantástica composição de minaretes, cúpulas e arcos teve projeto de John Begg e supervisão de George Wittet. Excelente exemplo do estilo indo-sarraceno, o prédio do General Post Office (GPO) mistura elementos da arquitetura indiana, em especial uma cúpula islâmica inspirada no Gol Gumbad, em Bijapur *(pág. 543)*, com tradições clássicas européias. Principal posto de correio de Mumbai, o GPO dispõe de uma elevada rotunda de três andares, que leva a seus diversos departamentos. As remessas são realizadas em guichês de madeira bem antigos.

OS DABBAWALLAHS DE MUMBAI

Dabbawallahs entregam comida caseira para funcionários de escritórios

Entre as atrações típicas de Mumbai estão os *dabbawallahs*, homens que pegam almoços recém-preparados em mais de 100 mil casas de subúrbio e os entregam a funcionários por toda a cidade. A maioria dos funcionários de escritório gasta uma média de duas horas para chegar ao trabalho. Por isso, normalmente, seria um luxo conseguirem almoçar uma comida caseira se não existissem os *dabbawallahs*. De cada casa, eles pegam as refeições, quase sempre rotis, legumes e dal, acondicionadas em três ou quatro vasilhas de aço inox, conhecidas como caixas de almoço ou *dabbas* (daí o nome *dabbawallah*), e colocam códigos das cores dos escritórios nas tampas, prendem as *dabbas* em tábuas compridas e vão de bicicleta até a estação mais próxima. Lá, as dabbas são transferidas para outros *dabbawallahs*, que fazem a entrega no escritório certo. Raramente os almoços se extraviam, e as *dabbas* vazias são devolvidas no fim da tarde. Os *dabbawallahs*, tradicionalmente migrantes da cidade vizinha de Pune, pertencem à Mumbai Tiffin Box Suppliers Association e oferecem um dos serviços mais eficientes de Mumbai.

A Marine Drive forma um arco ao longo do mar e liga as pontas norte e sul de Mumbai

Marine Drive ⓯

Netaji Subhash Chandra Rd.

Conhecida como "Colar da Rainha" por causa da fileira de luzes que a delimita, a Marine Drive (que agora se chama Netaji Subhash Chandra Road) se estende ao longo de uma calçada à beira-mar, que vai de **Nariman Point** até Malabar Hill. Construída em um aterro sobre a praia, na década de 1920, é também a principal ligação entre os subúrbios e os grandes centros comerciais e administrativos da cidade, o Nariman Point e a Fort Area *(pág. 453)*. Situado na ponta leste está o **Oval Maidan**, berço de heróis indianos do críquete, como Sachin Tendulkar (n. 1973) e Sunil Gavaskar (n. 1949).

As construções da Marine Drive caracterizam-se por um forte toque Art Déco, comum em Mumbai nas décadas de 1930 e 1940. Com a chegada de elevadores elétricos e com a substituição de pedras e tijolos pelo concreto, os prédios de apartamentos erguidos à beira-mar seguem o padrão de cinco andares de altura, o que fez da área o espaço residencial mais elegante daquele tempo.

A melhor maneira de conhecer a Marine Drive de dia é no piso superior de um ônibus vermelho de dois andares, que oferece vistas panorâmicas do mar e da silhueta da cidade. À noite, a avenida se enche de pessoas caminhando, casais que se encontram depois do trabalho e famílias que rodeiam vendedores de água de coco e *bhelpuri (pág. 441)*. A **Chowpatty Beach** é o passeio mais popular da cidade e a praia mais meridional de Mumbai. Antes apinhada de bancas de comida e de camelôs, a área foi reorganizada pelas autoridades municipais. Destino noturno barato para os moradores, tem movimento até tarde da noite. É também palco do maior festival de Mumbai, o Ganesha Chaturthi *(pág. 467)*, quando multidões se reúnem na Chowpatty Beach para banhar imagens de Ganesha, o Deus Elefante, no mar da Arábia.

O **National Centre for Performing Arts (NCPA)**, na ponta sul da Marine Drive, é o local mais ativo para apresentações de música, dança e teatro. Aqui, o Tata Theatre e o Experimental Theatre encenam obras de dramaturgos indianos e internacionais, com os melhores elencos locais, ao passo que excelentes músicos e dançarinos se apresentam com regularidade em seus outros auditórios *(págs. 462-3)*.

Malabar Hill ⓰

Limitada pela Napean Sea Rd, Ridge Rd e Walkeshwar Rd.

Esta área residencial arborizada, antes pontilhada de bangalôs em grandes complexos, hoje está cheia de altos edifícios de apartamentos, onde moram os ricos e famosos de Mumbai. Aqui também se encontram as **Towers of Silence** dos pársis *(pág. 447)*, que consideram sagrados os elementos terra, água, ar e fogo, os quais não devem ser maculados. Eles colocam seus mortos nessas altas torres cilíndricas de pedra para que os corpos sejam limpos por abutres. Segundo a crença pársi, este é um dos modos de dispor dos mortos que mais respeitam o ambiente. A diminuição da população de abutres de Mumbai preocupa os fiéis. Um muro alto e uma larga fila de árvores rodeiam as torres, fechadas à visitação.

Os **Hanging Gardens** oferecem um agradável espaço aberto nas proximidades, com belas vistas da cidade.

Hanging Gardens: dispostos em camadas em Malabar Hill

Banganga ⓱

Walkeshwar, Malabar Hill.

Escondido no meio dos prédios de Malabar Hill está o pequeno assentamento de Banganga, instalado em volta de um tanque sagrado. Segundo a lenda, Rama, herói do *Ramayana (pág. 27)*, ao fazer uma parada aqui a caminho de resgatar a esposa Sita, que fora sequestrada, atirou uma flecha no chão e dali brotou uma fonte. Esta foi a origem do tanque, onde os devotos vêm se banhar ritualmente. Banganga tem diversos templos. O **Jabreshwar Mahadeo**, no canto do tanque, é o mais bonito, e o **Templo Walkeshwar** (século 18) possui um linga que se diz ter sido erguido pelo próprio Rama. Ao redor do tanque há hospedarias *(dharamsalas)* para peregrinos.

Ruelas e casas com balcões de Khotachiwadi

Khotachiwadi ⓲

Limitada pela Jagannath Shankarshet Rd e Raja Ram Mohan Roy Rd, em Girgaum.

Nas estreitas ruelas transversais de Girgaum, no centro de Mumbai, situa-se o bairro de Khotachiwadi (Pomar do Chefe). A área cresceu como assentamento suburbano, ao norte do forte, no século 19, e conservou o caráter sossegado de vila litorânea.

Os chalés térreos, cobertos com telha, têm beirais de madeira e varandas com balaustrada de ferro forjado, onde

O Templo Mahalaxmi, dedicado a Lakshmi, Deusa da Prosperidade

ocorre a maioria das atividades do dia. Os habitantes foram convertidos ao cristianismo por missionários portugueses e adotaram nomes como Fernandes, Costa e Lima. Anant Ashram, um restaurante minúsculo em uma ruela de Khotachiwadi, serve excelente curry de camarão com arroz.

Templo Mahalaxmi ⓳

Mahalaxmi Temple Lane, na saída da Bhulabhai Desai Rd.

Devotos ricos ou pobres se acotovelam neste templo dedicado a Lakshmi, Deusa da Fartura e da Prosperidade, também conhecida como Laxmi em Maharashtra e partes de Gujarat *(pág. 419)*. O acesso é ladeado por bancas que vendem oferendas religiosas, como cocos, flores e pequenas imagens de plástico. A história do templo começa no século 18, quando um aterro construído ao longo da baía era sempre levado pelo mar. O empreiteiro sonhou que, se fosse construído um templo para Laxmi, o muro se manteria em pé. E foi o que aconteceu. Ali perto fica a **Mahalaxmi Race Course**, ao lado da Mahalaxmi Station, onde há corridas de cavalos nos fins de semana, de novembro a abril. Nas arquibancadas cheias, os elegantes da cidade se misturam aos pobres e esperançosos.

Mesquita Haji Ali ⓴

Na saída da Lala Lajpat Rai Marg.

Chega-se à mesquita por uma passarela comprida que submerge na maré alta. Lá se encontra o *dargah* (túmulo) de Haji Ali Shah Bukhari, comerciante rico que se desfez de seus bens após uma peregrinação a Meca. O *dargah* data do século 15, mas a bela mesquita branca foi erguida na década de 1940 e parece flutuar em uma ilhota do mar da Arábia. A passarela, quase sempre cheia de mendigos, leva a um imenso pátio de mármore. O túmulo fica no centro, e os devotos encostam a cabeça no *chador* (tecido cerimonial) todo bordado que o cobre. As devotas se sentam atrás de uma *jali* (tela) de pedra.

A Mesquita Haji Ali, erguida numa ilha e ligada à terra por uma passarela

Bandra 21

N de Mahim Bay. **Mount St Mary Basilica** Mount Mary Rd. ***Tel*** *(022) 2642 3152.* *diariam.* *Bandra fête (set).*

O próspero subúrbio de Bandra, ao norte de Mumbai, liga-se à cidade pelo Mahim Causeway. No meio de prédios de apartamento, butiques elegantes e restaurantes, há vestígios de seu passado de colônia portuguesa. As vielas tranquilas, com bangalôs cobertos de telha, são habitadas por uma comunidade de cristãos das Índias Orientais, cujos antepassados foram convertidos pelos portugueses, que também ergueram diversas igrejas católicas. Portugal dominou Bandra até o fim do século 18. A igreja mais importante é a **Mount St Mary Basilica**, que atrai devotos de todas as fés. Ao lado da igreja existe um mercado bizarro, que vende modelos de cera de várias partes do corpo. Os devotos com algum problema compram o órgão adequado e o colocam solenemente no altar da Virgem Maria, na crença de que ela fará a cura milagrosa. Em um morro, o **Castella de Aguada**, forte português abandonado, oferece vistas lindas do mar e do campo.

Em Bandra, a rica localidade de **Pali Hill**, com mansões de astros de Bollywood, atrai multidões de turistas, fãs dos artistas. Suas outras atrações são as calçadas à beira-mar em **Bandstand** e **Carter Road**, muito frequentadas pela juventude local. Aqui também fica uma aldeia de escadores koli.

Vendedor de coco verde na apinhada Juhu Beach de Mumbai

Juhu Beach 22

N de Bandra.

A arenosa Juhu Beach, ao norte do centro da cidade, não é uma praia para banho de sol preguiçoso, pois vive apinhada. Nos fins de semana, principalmente, fica cheia de famílias fazendo piqueniques, que jogam críquete na areia, tentam nadar e aproveitam a brisa do mar. Inúmeros vendedores, que oferecem comidas, brinquedos e passeios, aumentam a sensação de *mela* (feira). Juhu também tem muitos hotéis de luxo, refúgios de fim de semana para magnatas de Mumbai e artistas de cinema de Bollywood.

O **Prithvi Theatre**, na Juhu Church Road, foi inaugurado em 1978 pelos Kapoors, uma das grandes famílias de Bollywood. Encena peças em hindi, gujarate e inglês e tem café animado, procurado por gente do meio artístico. Aqui ocorre um festival de teatro em novembro *(pág. 462)*.

Filmagem de uma cena na Film City, em Goregaon

Film City 23

Goregaon East. *Contate o Public Relations Office de Film City (022) 2840 1533.*

Criada em 1978 para atender à crescente indústria cinematográfica hindi de Mumbai, e mais conhecida como Bollywood *(págs. 32-3)*, a Film City se estende por 140ha, ao norte da cidade. Bollywood lança quase 120 filmes por ano, o que faz dela a maior indústria cinematográfica do mundo, cujas únicas concorrentes são as indústrias telugu e tâmil, no sul da Índia. A Film City produz muitos sucessos de Bollywood, assim como a maioria das novelas e dos seriados de TV. Números de canto e dança, cenas de melodramas chorosos e sequências de ação ocorrem simultaneamente nas dezenas de sets de gravação de Film City, com fortes medievais, florestas densas e palácios de papelão. Entre as tomadas, heróis mitológicos esbarram em bandidos com rifles e mulheres fatais com pouca roupa.

Sanjay Gandhi National Park 24

Borivili. *Conservation Educ. Centre, perto do portão do elefante de Goregaon, (022) 2842 1174.* *ter-dom.* **Cavernas Kanheri** *ter-dom.*

A uma hora de trem para o norte de Mumbai, este parque nacional é um dos poucos da Índia dentro dos limites de uma cidade. Cercado por morros ondulados, tem florestas de decíduas que sustentam grande variedade de pássaros e animais como ursos, serpentes e alguns tigres. Safáris para ver tigres e leões são oferecidos para seções isoladas do parque.

Em uma área arborizada do parque há um magnífico conjunto de 109 cavernas budistas, as **Cavernas Kanheri**, do século 2º ao século 9º. A que mais impressiona é a **Caverna 3** do século 6º, com Budas colossais, pilares e sustentações ricamente entalhados e uma *stupa* hemisférica. É mais fácil chegar às cavernas pela entrada norte do parque.

Ilha Elephanta ㉕

Esculturas de Shiva e Parvati

Localizados em uma ilha ao largo da costa leste de Mumbai, os templos das cavernas da Elephanta, do século 6º, escavados em um rochedo e dedicados a Shiva, contêm algumas obras-primas da escultura indiana. Originalmente chamada Gharapuri (Cidade-Forte), a ilha recebeu dos portugueses o nome de Elephanta, por causa de uma enorme pedra em forma de elefante, que agora está no jardim do Bhau Daji Lad Museum, na área de Byculla de Mumbai. Patrimônio da Humanidade da Unesco, os templos da Elephanta podem ser visitados em um dia, com barco que sai de Mumbai.

PREPARE-SE

9km a NE de Mumbai. do Gateway of India às 9h. para ferryboats, (022) 2202 6364. qua-seg. Elephanta Music and Dance Festival (fev)

Cavernas da Elephanta, cortadas na rocha bem acima do mar

PLANTA DAS CAVERNAS DA ELEPHANTA

1 Entrada Norte
2 Mahesamurti
3 Ardhanarishvara
4 Gangadhara
5 Entrada Oeste
6 Casamento de Shiva-Parvati
7 Shiva Lanceia Andhaka
8 Entrada Leste
9 Shiva e Parvati Jogam Dados

Como Explorar a Elephanta

Não se conhecem ao certo as origens dos templos das cavernas da Elephanta, mas a probabilidade é que datem do século 6º e representem o período de renascimento bramanista, depois que o budismo começou a declinar. Do píer, onde o visitante desembarca, um lance de 125 degraus leva à **Entrada Norte**, enorme salão quadrado, cujos lados medem 40m, sustentado por 24 pilares maciços. Aqui, em uma reentrância profunda na parede posterior (sul), fica a grande estátua de Shiva com três cabeças, o **Mahesamurti**. Esta é a grande atração da Elephanta, e poucos visitantes não se impressionam com uma imagem tão poderosa e atraente, saudada pelo historiador da arte Percy Brown como "criação de um gênio". Os três rostos representam Shiva em suas diferentes manifestações. O rosto central, com coroa alta e elaborada, retrata Shiva, o Preservador, com sublime serenidade e introspecção. A face voltada para oeste representa Shiva, o Criador, gentil, solícito e gracioso. A cabeça virada para leste, com boca cruel, nariz adunco e serpentes como enfeite dos cabelos, mostra Shiva, o Destruidor. Nos dois lados da estátua há outras esculturas requintadas.

A do leste mostra Shiva como **Ardhanarishvara** –o Senhor que é macho e fêmea e, assim, simboliza a unidade divina, na qual todos os opostos se resolvem. A imagem do oeste é Shiva como **Gangadhara**, que ajuda a deusa do rio Ganga a descer para a Terra *(pág. 163)*, enquanto sua consorte Parvati e outras divindades observam.

Imagens contrastantes de paz e violência, alegria e fúria podem ser vistas em esculturas magníficas nos templos. Assim, uma escultura perto da **Entrada Oeste** retrata com lirismo o casamento de Shiva e Parvati, e na frente há um painel vigoroso que mostra Shiva empalando o demônio Andhaka. Na **Entrada Leste**, Shiva e Parvati jogam dados em sua morada na montanha, enquanto o rei-demônio Ravana tenta destruir a casa deles sacudindo a montanha.

O Mahesamurti, com 5,5m de altura, domina o templo da caverna

Compras e Diversão em Mumbai

Mumbai é um dos melhores destinos para compras na Índia. Shoppings amplos, lojas de departamentos e butiques exclusivas, com grifes internacionais, coexistem com bazares tradicionais e bancas de rua, que vendem desde brilhantes até dentaduras. A vida noturna agitada conta com mais discotecas e pubs do que qualquer outra cidade indiana. Como sede da indústria cinematográfica hindi, Bollywood, muitas vezes a cidade realiza noites de première de gala em seus diversos cinemas. O movimentado calendário cultural dispõe de concertos, exposições, espetáculos de teatro e festivais. Mas talvez o melhor entretenimento que a cidade ofereça seja o circo contínuo, apresentado em ruas e calçadas.

COMPRAS

As grandes áreas de compras no sul de Mumbai são Colaba Causeway, Kemp's Corner e a galeria de lojas do Oberoi Hotel, em Nariman Point. O ponto tradicional para produtos frescos é o Crawford Market *(pág. 453)*, enquanto Bhuleshwar e Kalbadevi, ao norte da Fort Area, oferecem tecidos e jóias. Crossroads, um grande shopping novo, surgiu no centro de Mumbai, perto da Mesquita Haji Ali.

ANTIGUIDADES E JÓIAS

Fascinante local para comprar antiguidades é o Chor Bazaar (Bazar dos Ladrões), perto do Crawford Market. Suas lojas estão abarrotadas de móveis coloniais, bugigangas vitorianas e porcelana chinesa, junto com muitas cópias e porcarias. Mas ainda se encontram boas pechinchas aqui. A **Phillips Antiques**, na Shyama Prasad Mukherjee Chowk, dispõe de ótima coleção de cartões-postais, gravuras e litografias do período Raj. Contudo, há regras rigorosas quanto à exportação de antiguidades *(pág. 758)*.

O Zaveri Bazaar, no centro, é ladeado de joalherias, das quais se destaca a **Tribhovandas Bhimji Zaveri.** O **Palazzo**, no Crossroads Mall, tem dezenas de joalherias sob o mesmo teto, e oferece designs elegantes e exclusivos. As galerias de lojas dos hotéis **Oberoi e Taj** *(págs. 707-8)* também são bons locais para adquirir jóias.

TECIDOS E MODA

Mumbai é uma cidade ligada à moda, e a maioria dos estilistas indianos tem loja aqui. Entre as butiques exclusivas estão **Ensemble, Melange** e **Abraham & Thakore**, e para encontrar roupas informais há a **Cotton World. Fantasia e Indian Textiles** são especializadas em grande variedade de tecidos tradicionais indianos, a exemplo de sáris de seda, decoração para casa e acessórios. Para estofados de qualidade feitos a mão e forrações, a melhor loja é a **Shyam Ahuja**.

ARTESANATO E PRESENTES

Peças artesanais de toda a Índia são vendidas em Mumbai. Grande variedade e alta qualidade podem ser encontradas em **Cottage Industries Emporium**, **Contemporary Arts and Crafts** e **Bombay Store**, na Fort Area. A **Chimanlal's** possui boa seleção de papel artesanal, enquanto a **Inshallah Maashallah** dispõe de essências aromáticas *(attar)* em minúsculos frascos com fragrâncias de rosa, vetiver e jasmim.

Mumbai é famosa pelos produtos de couro de alta qualidade e preços razoáveis. A **Rasulbhai Adamji**, em Colaba, e muitas lojas do Oberoi Shopping Centre têm boa variedade de casacos, bolsas, carteiras e malas, alguns "inspirados" em Gucci, Prada e Louis Vuitton. A **Joy Shoes**, no Taj Hotel, oferece excelentes sapatos e acessórios de couro.

Livros, CDs e cassetes de música indiana e ocidental podem ser encontrados em diversas lojas espalhadas pela cidade, além das livrarias de hotel. Mas uma das melhores lojas de música é a **Rhythm House.**

GUIAS DE DIVERSÕES, INGRESSOS E LOCAIS

Os jornais publicam as atrações e os eventos do dia em suas páginas de variedades. Outra boa fonte de informação é a revista *Discover Mumbai*. Um site que oferece informação on-line sobre eventos culturais e diversões é o *www.explocity.com.*

Ingressos para a maioria dos concertos e peças podem ser adquiridos na **Rhythm House** ou no próprio local.

Os grandes palcos para eventos culturais de Mumbai ficam no **NCPA**, ou National Centre for the Performing Arts *(pág. 458)*, no auditório do **Nehru Centre** e no **Shanmukhananda Hall.** O **Prithvi Theatre** em Juhu *(pág. 460)* é um centro movimentado de produções teatrais. E há também a **Jehangir Art Gallery**, a **NGMA** (National Gallery of Modern Art) e o Artists' Centre, localizado no Kala Ghoda *(págs. 448-9).*

ARTES CÊNICAS

Mumbai é um grande centro de música clássica indiana, e muitos músicos famosos se apresentam aqui. Esta cidade cosmopolita também conta com entusiastas de jazz e de música clássica ocidental (o maestro Zubin Mehta iniciou seus estudos em Mumbai), e concertos frequentes são executados por grupos locais e internacionais. Apresentações de danças clássicas e folclóricas de diferentes partes do país também ocorrem com regularidade no calendário cultural. Mumbai possui uma vibrante tradição teatral, com produções em inglês e em marata, gujarate e hindi. Quase sempre, elas são encenadas no **Horniman Circle Gardens** *(pág. 452)*, a céu aberto. O auge da temporada cultural vai de novembro a abril, embora existam espetáculos o ano todo.

CINEMA

Como capital da indústria cinematográfica hindi, Mumbai acolhe diversos eventos ligados ao cinema. Grande parte dos estúdios fica nos subúrbios, assim como as residências da maioria das celebridades da tela. Faz-se muita agitação no lançamento das produções grandes e caras, e ocorrem premières cheias de brilho em cinemas concorridos, como o **Sterling**, o **Regal** e o **Metro**. Esses eventos atraem fãs dos astros, que passam horas em pé, esperando para espiar seus artistas preferidos. Festivais de filmes, apresentações de documentários, palestras, discussões e exibições também ocorrem o ano todo, em muitos locais, como o **British Council.**

PASSEIOS HISTÓRICOS

A Maharashtra Tourism Development Corporation (MTDC) oferece passeios com guia por Mumbai em ônibus de dois andares. Organizados por um grupo de jovens arquitetos, os **Bombay Heritage Walks** levam o visitante a bairros históricos, como Banganga, Khotachiwadi e a Fort Area, em fins de semana, exceto nas monções (junho-setembro). Agende com antecedência.

BOATES E BARES

Em outras cidades indianas não há vida noturna tão ativa como a de Mumbai. Boates e bares abrem e fecham a toda hora, mas alguns permanecem concorridos. Um dos mais animados é o **Fire & Ice**, engenhosamente instalado em um moinho de Parel. Na zona sul, o **Not Just Jazz by the Bay** apresenta música ao vivo de quarta a sábado. Os hotéis costumam ter seus próprios bares e boates, como o **Insomnia**, no Taj, e o Opium Den, no Oberoi, que atraem grandes astros de Bollywood. Outro lugar procurado pelo jetset de Mumbai é o **Athena**, um dos novos lugares da moda na noite da cidade.

AGENDA

ANTIGUIDADES E JÓIAS

Palazzo
Crossroads Mall.
Tel (022) 2351 5890.

Phillips Antiques
SP Mukherjee Chowk.
Tel (022) 2202 0564.

Tribhovandas Bhimji Zaveri
Zaveri Bazaar.
Tel (022) 2342 5001.

TECIDO E MODAS

Abraham & Thakore
The Courtyard, Colaba.
Tel (022) 5638 5486.

Cotton World
Mandlik Rd, Colaba.
Tel (022) 2283 3294.

Ensemble
Great Western Bldg, Shahid Bhagat Singh Marg.
Tel (022) 2287 2883.

Fantasia
Oberoi Shopping Centre.
Tel (022) 2284 6369.

Indian Textiles
Taj Hotel, Apollo Bunder.
Tel (022) 2202 8783.

Melange
Altamount Rd.
Tel (022) 2385 4492.

Shyam Ahuja
Crossroads Mall.
Tel (022) 2351 5890

ARTESANATO E PRESENTES

Bombay Store
Western India House, PM Rd, Fort Area.
Tel (022) 2288 5048.

Chimanlal's
Fort Area.
Tel (022) 2207 7717

Cottage Industries Emporium
Chhatrapati Shivaji M Rd.
Tel (022) 2202 6564.

Contemporary Arts and Crafts
Napean Sea Rd.
Tel (022) 2363 1979

Inshallah Maashallah
Colaba.
Tel (022) 2204 9495.

Joy Shoes
Taj Hotel, Apollo Bunder.
Tel (022) 5665 3366.

Rasulbhai Adamji
Colaba.
Tel (022) 2202 1267.

Rhythm House
Kala Ghoda.
Tel (022) 2284 2835.

INFORMACÃO SOBRE DIVERSÃO

www.explocity.com

LOCAIS DE DIVERSÃO

British Council
Nariman Point.
Tel (022) 2282 3530.

Jehangir Art Gallery
Fort Area.
Tel (022) 2284 3989.

NGMA
Kala Ghoda.
Tel (022) 2285 2457.

NCPA
Nariman Point.
Tel (022) 2283 4500.

Nehru Centre
Worli.
Tel (022) 2496 4676.

Prithvi Theatre
Janaki Kutir, Juhu.
Tel (022) 2614 9546.

Shanmukhananda Hall
King's Circle.
Tel (022) 2401 5164.

CINEMA

Metro
MG Rd, Dhobi Talao.
Tel (022) 2203 0303.

Regal
Shyama Prasad Mukherjee Chowk.
Tel (022) 2202 1017.

Sterling
Hazarimal Somani Marg.
Tel (022) 2207 5187.

PASSEIOS HISTÓRICOS

Bombay Heritage Walks
Tel (022) 2834 4622.

BOATES E BARES

Athena
Minoo Desai Marg, Colaba.
Tel (022) 2280 5155.

Fire & Ice
Parel.
Tel (022) 2498 0555.

Insomnia
Taj Hotel, Apollo Bunder.
Tel (022) 5665 3366.

Not Just Jazz by The Bay
Marine Drive.
Tel (022) 2285 1876.

MAHARASHTRA

Montes verdejantes, belas planícies litorâneas e centros industriais agitados formam a paisagem variada de Maharashtra, que ocupa uma área de 300.000km². Os montes da Ghats Ocidental, com as nascentes de muitos rios, correm paralelos à estreita Konkan Coast. No centro, encontra-se o planalto do Decã, formado de lava preta derramada há 70 milhões de anos. Do século 2º a.C. em diante, esta área teve grande florescimento artístico e arquitetônico, e aqui estão dois famosos Patrimônios Históricos da Humanidade da Unesco: as cavernas budistas, em Ajanta, e os templos escavados na pedra, em Ellora. O terreno rochoso ao redor de Pune está cheio de fortes maciços, erguidos no século 17 por Shivaji, líder marata, que comandou guerrilhas bem-sucedidas contra os mogüis. Agora, sua imagem é perpetuada pelo Shiv Sena, um partido político nacionalista. O moderno estado de Maharashtra é uma região próspera e industrializada, com forte base agrícola. Há grande cultivo de algodão e fumo, e também de frutas, como laranja, *chikoo* (sapoti) e manga.

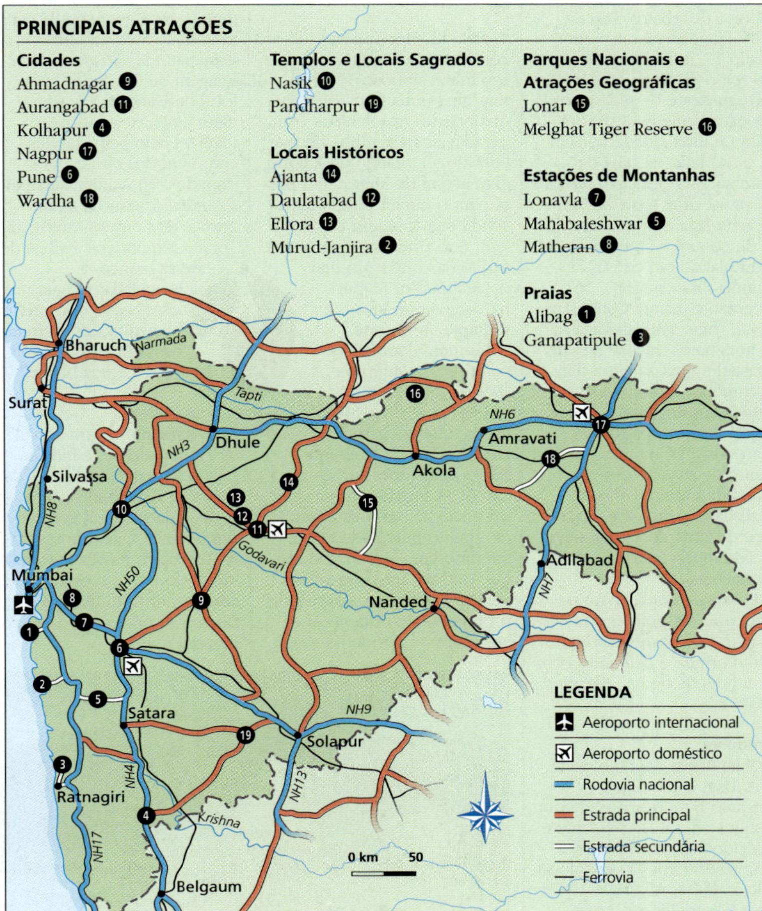

◁ ***Stupa* votiva no salão *chaitya*, do fim do século 5º, na Caverna 19 de Ajanta**

Vista do imponente Janjira Fort, erguido em uma ilha

Alibag ❶

Distrito de Raigarh. 108km ao S de Mumbai. *do Gateway of India, em Mumbai, até Mandve, 18km ao N de Alibag, depois ônibus.*

O porto de Alibag cresceu muito com os maratas, no século 17, a fim de proteger seu reino dos holandeses, portugueses e britânicos, cada vez mais poderosos. Agora, Alibag é uma cidade pacata, do outro lado da baía de Mumbai. Sua principal atração é a praia, uma faixa de 5km de areia fofa e prateada, orlada de coqueiros e casuarinas.

O Kolaba Fort, construído em uma ilha, em 1680, pelo governante marata Chhatrapati Shivaji *(pág. 471)*, destaca-se no horizonte. Trata-se de uma assustadora massa cinza feita de chumbo, aço e pedra, erguida em uma rocha que se projeta do mar, e pode ser alcançada a pé na maré baixa. Dentro de suas defesas altas estão um templo dedicado a Ganesha e, perto dele, um poço de água doce, que deve ter sido muito útil durante cercos militares.

Há duas entradas para o forte: uma da praia e outra do mar. O enorme portão do lado da praia é decorado com esculturas de tigres, elefantes e pavões.

Arredores

A **Kihim Beach**, 9km ao norte de Alibag, é um lugar tranquilo para descansar, com bosques cheios de pássaros e flores do campo. Era o local favorito do famoso ornitólogo indiano Salim Ali (1896-1987), autor dos melhores livros sobre pássaros da Índia.

Murud-Janjira ❷

Distrito de Raigarh. 185km ao S de Mumbai. *do Gateway of India, em Mumbai, até Mandve, 120km ao N de Murud, depois ônibus. de Rajpuri até Janjira Fort.*

Cidade litorânea sossegada, com casas indo-góticas e caminhos sinuosos, Murud tem uma praia linda que promete tardes ensolaradas com agradáveis mergulhos no mar límpido. O vilarejo de Rajpuri, 4km ao sul de Murud, é a porta para o Janjira Fort, a mais sólida ilha-fortaleza de Konkan, que ainda suporta o açoite das ondas do mar da Arábia. Em Rajpuri há barcos que levam o visitante até o forte.

Também conhecido como Jazira-Mehruba (Forte da Lua), foi construído em 1511 pelos siddis, que chegaram ao Decã vindos da Abissínia, como mercadores de escravos. A fortaleza, com defesas altas, 22 bastiões e muros de granito misturado com chumbo para aguentar o ataque do mar, mostrou-se invencível contra os ataques de portugueses e britânicos, e até contra o grande líder marata Shivaji. Uma escada leva a um portão de pedra, onde o entalhe de um leão segurando seis elefantes minúsculos em cativeiro representa as seis sucessivas vitórias dos siddis. Canhões enferrujados saem de nichos nas defesas. Os palácios, jardins e mesquitas estão em ruínas, e a vegetação cresce em volta do palácio de Sirul Khan, governante siddi.

Ganapatipule ❸

Distrito de Ratnagiri. 365km ao S de Mumbai. *Ratnagiri, 22km ao S de Ganapatipule, depois ônibus. Gauri Ganapati (set/out).*

O nome da pequena vila litorânea de Ganapatipule vem do templo Swayambhu Ganapati, de 400 anos, onde a imagem de Ganapati (nome local de Ganesha) apareceu naturalmente. O lugar é reverenciado pelos hindus como um dos oito centros sagrados, ou Ashtha Ganapatis, da Índia. Apesar de atrair grupos de homens santos, suas praias têm longos trechos de areias brancas e imaculadas e águas claras. Mais para o interior, há plantações de frutas, como manga, banana, jaca, coco e noz bétele.

Manga-alfonso

Arredores

Ratnagiri, 19km ao sul de Ganapatipule, é famosa pelas extensas plantações da deliciosa manga-alfonso, conhecida no local como *hapus*. Bala Qila, a fortaleza de Ratnagiri, localiza-se ao longo do litoral e está intacta, com um notável templo de Bhagavati protegido dentro de seus muros.

O templo Swayambhu Ganapati, no sopé de uma colina em Ganapatipule

Para hotéis e restaurantes nesta região, ver págs. 708-9 e págs. 736-7

Ganesha, Aquele que Remove Obstáculos

Ganesha, deus com cabeça de elefante, filho de Shiva e Parvati, é a divindade mais auspiciosa e popular da Índia, muito querida em Maharashtra. Imagens desse deus afetuoso são encontradas em todas as casas, em portais de templos e entradas de lojas, em papéis de carta e convites de casamento. Nunca se começa uma tarefa ou um empreendimento sem invocá-lo, pois se trata do Senhor das Coisas Novas. Adorado sob muitas aparências, ele é Vighneshvara, Aquele que Remove Obstáculos, e Siddhidata, Deus da Prosperidade e do Sucesso. Acima de tudo, ele é um amigo, amável e bondoso. Seu festival, o Ganesha Chaturthi, ultrapassa todas as barreiras sociais e une as pessoas de Maharashtra numa animada comemoração de dez dias.

Ganesha faz imitação da dança de Shiva

O SENHOR GANESHA

Os quatro braços de Ganesha seguram seus atributos. Dois deles, a presa quebrada e um doce chamado modaka, estão sempre presentes. Nas outras duas mãos, ele às vezes segura uma flor de lótus, um aguilhão de elefante, um machado ou contas de oração. Segundo a lenda, Ganesha ficou com cabeça de elefante depois que Shiva, furioso, arrancou a cabeça do filho e, depois, com remorso, prendeu nele a cabeça de um elefante que passava.

Aguilhão de elefante

A auréola indica sua divindade.

A **presa quebrada**, usada como caneta para escrever o *Mahabharata,* resultou de um encontro com Parasurama *(pág. 679).*

Modaka

Um **rato** é o veículo de Ganesha.

Elaboradas imagens de argila *de Ganesha são feitas e consagradas no primeiro dia do Ganesha Chaturthi* (pág. 473). *Depois, entronizadas em* pandals, *ou altares enfeitados, elas recebem reverências contínuas por dez dias, em meio a orações em hindi e marata e a números musicais.*

Coloridos carros alegóricos, *acompanhados por dançarinos folclóricos, puxam procissões sinuosas que enchem as ruas, com cantos e batidas de tambores. As procissões terminam à beira d'água, onde centenas de imagens são imersas em rios, lagos ou no mar. Esta imersão final, depois dos dez dias, marca o retorno da divindade para sua morada.*

Veja também detalhes sobre mitologia hindu *(págs. 24-5)*, Shiva *(pág. 566)* e Vishnu *(pág. 679)*

Barcos pesqueiros coloridos ancorados na Malvan Coast

Kolhapur ❹

Distrito de Kolhapur. 225km ao S de Pune. *485.500.*
Maharashtra Tourism, (0231) 265 2935.

Situada à margem do rio Panchganga, a cidade de Kolhapur é um centro comercial florescente, notável pela indústria de laticínios. Trata-se, também, de importante centro de peregrinação de Maharashtra, vinculado, desde os primórdios, à veneração de Shakti (a Deusa-Mãe). Governada pela dinastia hindu Yadava entre o século 10º e o século 13, foi mais tarde ocupada pelos mogüis. Em 1675, Kolhapur foi tomada pelo chefe marata Shivaji *(pág. 471)* e, depois, herdada por seu filho caçula. O governo permaneceu com os Bhonsles (uma das quatro famílias de príncipes maratas) até a independência.

Dos muitos templos de Kolhapur, o **Shri Mahalakshmi,** ou Templo Amba Bai, dedicado à Deusa-Mãe, é o mais venerado. Construído no século 7º pelo rei chalukya Karnadeva, tem um ídolo que se considera ser um *swayambhu*, ou seja, um monólito de aparecimento espontâneo, todo incrustado de brilhantes e outras pedras preciosas. O *mandapa* possui teto finamente entalhado.

***Chappal* kolhapuri**

Atrás do templo encontra-se o **Old Palace**, ou Rajwada, onde ainda mora a família do ex-marajá. Seu enorme salão de entrada era usado para grandes cerimônias de casamento. Perto dos portões do palácio ficam os campos de luta livre da cidade, onde os jovens praticam a tradicional luta livre indiana, conhecida como *kushti.*

O **New Palace**, 2km ao norte do centro, foi terminado em 1881, com projeto do major Charles Mant *(pág. 418)*, que misturou elementos europeus, jainistas, hindus e islâmicos para criar um estilo arquitetônico que se tornou

Barco de pesca de Malvan

MALVAN COAST

A linha litorânea no sul de Konkan, no distrito de Sindhudurg, é conhecida como Malvan Coast e dispõe de fortes e lindas vilas de pescadores. Valem uma visita, mesmo estando fora dos trajetos mais procurados. O Vijaydurg Fort, 505km ao sul de Mumbai, fica no local de um forte do século 11, reconstruído pelo sultanato de Bijapur *(págs. 542-3)* no século 16. Em 1654, foi reestruturado por Shivaji, que acrescentou mais fortificações, 27 bastiões e 300 canhões. Tornou-se a principal base naval para o grande almirante marata Kanhoji Angre, que usou o forte para pilhar navios europeus em 1698. Foi conquistado pelos britânicos em 1756. Há uma plataforma em seu terreno, onde os astrônomos britânicos assentaram telescópios para estudar um eclipse solar. Cerca de 74km ao sul de Vijaydurg, o **Sindhudurg Fort**, construído por Shivaji em 1664, está abandonado em uma ilha chamada Kurte. Com defesas de 10m de altura, foi fortaleza marata até o poder mudar para Vijaydurg. É o único lugar da região em que uma estátua de Shivaji aparece sem barba. As impressões das mãos e dos pés dele foram preservadas em argamassa, perto da entrada. O pequeno porto de **Malvan**, 4km ao norte de Sindhudurg, emprestou o nome a ese trecho do litoral. Está recebendo incentivos para se tornar um balneário, assim como **Vengurla**, 52km ao sul de Malvan. **Savantwadi**, 23km a leste de Vengurla, foi capital dos reis Bhonsles. Surgiu aqui a arte de fazer cartas de jogar *ganjifas* (redondas e pintadas). É também conhecida pelos brinquedos de madeira e trabalhos de laca. **Amboli**, 25km a nordeste de Savantwadi, é estação de montanha.

Vista do Vijaydurg Fort, voltado para a baía

conhecido como indo-sarraceno. Agora, o palácio se tornou o Shahji Chhatrapati Museum, que exibe relíquias da realeza, como trajes, fotografias de caçadas e uma das espadas do imperador mogul Aurangzeb.

A **Town Hall**, outro prédio projetado por Mant, possui um pequeno museu com diversos objetos escavados de sítios próximos.

Kolhapur também ganhou fama pela sandálias de couro feitas a mão, conhecidas como *chappals* kolhapuris.

Old Palace
diariam.

New Palace
diariam.

Arredores: Um dos fortes mais importantes do Decã fica em **Panhala**, estação de montanha, 19km a noroeste de Kolhapur.

Situada em uma encosta íngreme, a fortaleza tem a proteção de três portas duplas muradas e defesas com 7km de extensão. Dentro dos muros há dois templos, um dedicado a Amba Bai e o outro a Maruti, Deus do Vento. Os monumentos mais interessantes são os enormes celeiros de pedra, sendo que o maior deles, o Ganga Kothi, ocupa uma área de 948m².

Criado no século 12 pelo rajá Bhoja II, o forte foi sucessivamente conquistado pela dinastia Yadava, por Adil Shahis, de Bijapur, por Shivaji, pelo imperador Aurangzeb e pelos britânicos. Em Panhala existem muitas residências, como a do famoso cantor Lata Mangeshkar *(pág. 503)*.

O Panhala Fort, no pitoresco monte Sahyadri, depois das monções

Panchgani, com vistas espetaculares do rio Krishna

Mahabaleshwar ❺

Dist. de Satara. 115km a SO de Pune.
12.800. *Bicicletas disponíveis.*

Mahabaleshwar, a maior estação de montanha de Maharashtra, fica a 1.372m acima do nível do mar.

Em 1828, sir John Malcolm, governador de Bombaim, escolheu este belo lugar para sanatório de oficiais. Logo depois, as encostas arborizadas estavam cheias de típicas construções coloniais, entre as quais a **Christ Church**, **o Frere Hall**, a **Government House** (grandiosa residência do governador) e o **Mahabaleshwar Club**, além de campos de pólo e da pista de corrida.

Em razão da altitude, a cidade tem clima fresco e oferece passeios agradáveis. Há também diversos mirantes, como o **Bombay Point**, de onde se vê o mar em dias claros, e o **Arthur's Seat**, com vistas panorâmicas do litoral de Konkan. E o **lago Venna** tem barcos de passeio.

Na cidade velha encontra-se o sagrado **Templo de Krishna**, erguido no local lendário de Panchganga, ou nascente de cinco rios: Koyna, Savitri, Venna, Gayatri e o caudaloso Krishna. Este último percorre 1.400km, desde este ponto até a baía de Bengala, na costa leste. O templo dispõe de um venerado Shivalinga, de ocorrência espontânea, e de um pequeno tanque. Aqui há outros dois templos, dedicados a Hanuman e a Rama.

Bica no Templo de Krishna

Por perto, também existem muitas fazendas que plantam frutas, onde o visitante pode ajudar na colheita de morangos, framboesas e amoras.

Arredores: A estação de montanha de **Panchgani**, 18km a leste de Mahabaleshwar, é rodeada por cinco morros e serve de ponto de partida para trekkings panorâmicos *(pág. 473)*. Aqui existem charmosos e antigos bangalôs britânicos e pársis, alguns dos quais podem ser visitados. Os majestosos fortes **Pratapgarh** e **Raigad**, no alto da montanha, a respectivamente 18km para oeste e 70km para noroeste da Mahabaleshwar, eram fortalezas dos maratas e oferecem lindas vistas da região ao redor.

A cerca de 111km para o sul de Mahabaleshwar está **Chiplun**, à margem do rio Vashishti, cujas águas alimentam o lago Koyna, um grande reservatório artificial. A cidade é conhecida pelo sistema de irrigação criado na década de 1980, que fornece água para a faixa litorânea entre os montes Sahyadri e o mar. Este lugar sossegado tem belas vistas do rio Vashishti serpenteando pelo vale.

Amplo campus da Pune University

Pune 6

Distrito de Pune. 170km a SE de Mumbai. 2.540.500. *12km a NE do centro, depois táxi ou carro.* *Maharashtra Tourism, I Block, Central Bldg, (020) 2612 6867.* *Ganesha Chaturthi (ago/set).*

Pune, cidade industrializada e de crescimento rápido, situa-se no planalto do Decã, na confluência dos rios Mutha e Mula, e é cercada pelas montanhas Sahyadri a oeste. Seu clima agradável e a proximidade de Mumbai fizeram dela a capital perfeita durante as monções para os britânicos do século 19. Chamada, então, Poona, tornou-se importante centro administrativo e posto militar. Até agora o Comando Sul do Exército indiano está baseado aqui.

Pune foi onde o líder marata Shivaji passou a infância. De 1750 a 1817, como capital da Confederação Marata, era governada pelos peshwas. O que sobrou de seu **Shaniwar Wada Palace** fica na cidade velha. Construído em 1736, o palácio foi destruído por um incêndio em 1828. Restaram apenas as paredes externas e a entrada principal, com grandes cravos para deter os elefantes do inimigo. Mais ao sul está **Vishram Bagh Wada**, bonito palácio peshwa, com elaborada fachada de madeira.

Para muitos visitantes, Pune é sinônimo da famosa **Osho International Commune**, fundada por Bhagwan Rajneesh, ou Osho, e situada no Koregaon Park, no norte da cidade. O excêntrico místico pop, ou "guru do sexo", como era chamado, teve ascensão meteórica no Ocidente. Mesmo após sua morte, em 1990, o bem arrumado ashram continua a atrair devotos da Europa e das Américas.

Instalado em uma tradicional casa marata, ou *wada*, está o charmoso **Raja Kelkar Museum**, particular, que expõe uma coleção de bonitos objetos cotidianos, como potes, lamparinas, canetas, tinteiros, conjuntos de quebra-nozes e outros itens utilitários. Uma peça interessante é um panô Chitrakathi de Maharashtra, usado em apresentações de teatro folclórico.

O **Tribal Museum**, a leste da estação de trem, mostra as culturas tribais do estado, principalmente das regiões de Sahyadri e Gondwana.

Pintura warli do Raja Kelkar Museum

Foi no **Aga Khan Palace**, do outro lado do rio Mula, ao norte da cidade, que os britânicos mantiveram Mahatma Gandhi preso por dois anos; agora, é o Gandhi National Memorial. Kasturba, esposa de Gandhi, morreu aqui e suas cinzas foram enterradas em um memorial no jardim.

Entre outros locais de interesse na cidade estão a St Mary's Church, consagrada em 1825; o Templo Pataleshwar escavado na rocha, que data do século 8º; o Templo de Parvati, no topo de um morro; e muitos jardins excelentes, como Empress Botanical Gardens e Bund Gardens.

Pune é o centro da cultura marata, com forte tradição de teatro, música e dança clássicos.

É igualmente uma cidade importante e sede do Film and Television Institute e do National Film Archives, ambos geridos pelo governo.

Arredores: Cerca de 6km a sudoeste, encontra-se a **National Defence Academy**, escola de preparação de cadetes para o Exército, a Marinha e a Aeronáutica, em Khadakvasla. Mais a sudoeste estão os espetaculares fortes **Rajgad** e **Sinhgad** (Forte do Leão). Este último está vinculado a Tanaji Malasure, general de Shivaji. Segundo a lenda, ele amarrou cordas fortes em lagartos, fez os animais se grudarem nos muros com as patas adesivas e, assim, escalou as defesas e tomou o forte.

Osho International Commune
***Tel** (020) 401 9999. (020) 401 9999.* *diariam.*

Raja Kelkar Museum
11378, Shukrawar Peth. *diariam.* *feriados.*

Tribal Museum
Fora de Koregaon Rd. *diariam.*

Aga Khan Palace
Ahmadnagar Rd. *seg-sáb.* *2º e 4º sáb, feriados.*

O Vishram Bagh Wada, palácio peshwa no coração da cidade velha

Para hotéis e restaurantes nesta região, ver págs. 708-9 e págs. 736-7

Shivaji e os Maratas

Shivaji, nascido em 1627 e maior herói de Maharashtra, era filho de Shahji Bhonsle, chefe de Pune, que servia os sultãos de Bijapur *(págs. 542-5)*. Ousado, ambicioso e inquieto desde a infância, quando tinha 19 anos se tornou líder de um bando de guerreiros intrépidos. Logo, a brilhante tática de guerrilha de Shivaji contra o imperador Aurangzeb e o exército mogul, e suas rápidas conquistas de fortes marítimos e de montanhas, permitiu que ele criasse um reino marata separado. Em 1674, foi coroado chhatrapati, título tradicional de um monarca hindu, em sua capital, Raigad. Quando morreu, em 1680, aos 53 anos, deixou um estado marata forte, que desempenhou um papel importante na história da Índia nos cem anos seguintes.

Dossel da coroação, em Raigad

Waghnakh *(garra de tigre), mortal arma de mão, foi usada por Shivati para dominar e matar Afzal Khan, general de Bijapur, em um encontro "amistoso", em Pratapgad.*

Os **cavaleiros maratas** *eram temidos pelos ataques relâmpagos que devastavam o território inimigo. O terreno acidentado do planalto do Decã ajudou em suas táticas de guerrilha contra os mogüis.*

Shivaji *é reverenciado em Maharashtra como um herói semideus. Soldado destemido e líder carismático, ele uniu os maratas em uma força formidável que desafiou os poderosos mogüis. Atualmente, ele se tornou símbolo do movimento de renascimento hindu.*

As fortalezas, *como Rajgad e Raigad* (pág. 469) *e os fortes marítimos* (pág. 468) *ao longo da costa oeste, foram fundamentais para a estratégia e o sucesso dos maratas. Quando Shivaji tomou o importante Purandhar Fort, em 1649, o sultão de Bijapur o condenou como rebelde.*

Shaniwar Wada *era a antiga residência dos Peshwas, que assumiram o poder após a morte do neto de Shivaji. Os outros principais clãs da Confederação Marata –força significativa no século 18– eram os Holkars* (pág. 246), *os Scindias* (págs. 228-9), *os Gaekwads* (pág. 418) *e os Bhonsles* (pág. 468).

Chaitya griha budista, em Karla Cave, perto de Lonavla

Lonavla 7

Distrito de Pune. 62km a NO de Pune. *55.700.* **Cavern Karla** *Maharashtra Tourism, em Karla, (02114) 282 230.* *diariam.* **Bhaja Caves**

Situada na principal linha de trem de Mumbai até Pune, Lonavla já foi uma tranquila estação de montanha, famosa pelo *chikki*, um tipo de doce caramelizado. Agora, tornou-se um refúgio muito procurado nos fins de semana para os moradores de Mumbai. Espalhada em volta da animada rua principal, cheia de lojas de suvenires, a cidade oferece caminhadas agradáveis e é uma base prática para explorar os montes ao redor.

Arredores: Cerca de 8km a noroeste de Lonavla está **Khandala**, outra linda cidade com vistas panorâmicas das Ghats Ocidentais. A 11km para leste de Lonavla, encontra-se a famosa **Caverna Karla**, budista, talhada na rocha, que data do século 2º ao século 1º a.C. O esplêndido *chaitya griha (pág. 20)*, o maior e mais bem conservado das primeiras cavernas budistas do Decã, constitui a grande atração do local. Ele dispõe de magnífico pátio esculpido, fachada com 14m de altura com uma janela em forma de ferradura, um grande salão com pilares e uma *stupa* monolítica. As 20 **Cavernas Bhaja**, localizadas a 3km fora da estrada de Karla são as mais antigas da região, datando do século 2º a.C. A caverna 12, uma *chaitya griha*, ainda contém resquícios de vigas de madeira no teto. Nos dois lados da fachada há entalhes de estruturas de muitos andares, com janelas e balcões.

Casal divino em Karla Cave

As **Cavernas Bedsa**, a 9km para sudeste de Bhaja, são do século 1º. O teto da caverna principal apresenta vestígios de pinturas.

Matheran 8

Distrito de Raigarh. 118km a NO de Pune. *5.200.* *De Neral Junction, pegue o toy train até Matheran (2h).* *Na frente da estação de trem.*

Estação de montanha mais próxima de Mumbai, Matheran (Floresta-Mãe) fica a 803m acima do nível do mar. Esta cidade pitoresca está situada nos arborizados montes Sahyadri. Em 1855, lorde Elphinstone, governador de Bombaim, visitou Matheran e a cidade logo entrou na moda. Ele ergueu a suntuosa **Elphinstone Lodge**, que se tornou seu refúgio de fim de semana. Uma ferrovia foi inaugurada em 1907, e um singular toy train *(pág. 777)* ainda sobe vagarosamente o morro e atravessa as florestas, a partir do ramal de Neral. Todos os veículos a motor estão proibidos de circular dentro dos limites da cidade, o que a torna um lugar sossegado, apesar da crescente multidão de visitantes, ainda mais nos fins de semana. Matheran tem 33 mirantes. O **Porcupine Point**, ou Sunset Point, muito procurado por turistas, é conhecido pelos pores-do-sol espetaculares. **Louisa Point** tem vistas das ruínas do Prabal Fort e uma trilha de montanha chamada Shivaji's Ladder. Porém, a vista panorâmica mais impressionante é a do **Hart Point**, de onde se enxerga Mumbai em dias claros. A St Paul's Anglican Church, o Lord's Hotel e a Roman Catholic Church estão entre as construções do período Raj em Matheram.

Bela vista no Porcupine Point, também chamado Sunset Point, em Matheran

Entalhes na Mesquita Damri

Ahmadnagar ❾

Distrito de Ahmadnagar. 140km a NE de Pune. 307.500.

Sede de poderoso reino muçulmano no século 16, Ahmadnagar foi fundada em 1490 por Ahmad Nizam Shah Bahri, filho de um hindu convertido. Em 1599, os mogüis, liderados por Akbar, invadiram a cidade depois que seu comandante favorito, Abu'l Fazl, assassinou o sultão governante. Mas a irmã do sultão, Chand Bibi, defendeu o reino com habilidade. Os anos seguintes viram a ascensão de Malik Ambar, ex-escravo africano que participou de muitas batalhas bem-sucedidas contra os vizinhos Bidar *(pág. 544)* e Golconda *(págs. 666-7)*. Em 1636, o reino acabou dominado pelos mogüis.

Os governantes da dinastia Nizam Shahi foram grandes construtores, e seu estilo arquitetônico revela inconfundível influência persa. O **Ahmadnagar Fort**, 4km a nordeste da estação, foi construído em 1490, mas os impressionantes muros de pedra só surgiram em 1563. Seu palácio, a única construção que restou, consiste em amplo salão com uma série de cúpulas. Em 1942, recebeu um importante preso político, Jawaharlal Nehru, que aqui escreveu seu famoso livro *A descoberta da Índia*. A **Jami Masjid** data do mesmo período. Perto, fica a ornamentada **Mesquita Damri**. Erguida em 1568, tem parapeito com trevos entalhados e remates no telhado em forma de pequenos pavilhões.

Aurangzeb morreu em Ahmadnagar em 1707, e seu corpo ficou algum tempo no pequeno **Alamgir Dargah**, até ser enterrado em Khuldabad *(pág. 475)*. A oeste da cidade encontra-se o **Bagh Rauza**, um complexo ajardinado e murado, que contém o mausoléu de Ahmad Nizam Shah Bahri, com interior suntuoso.

CAMINHADAS NOS SAHYADRI

A cordilheira Ghats Ocidental, também conhecida em Maharashtra como montes Sahyadri, corre paralela à costa oeste da Índia e se prolonga pelos estados de Maharashtra, Karnátaka, Tamil Nadu e Kerala. Formados de rocha vulcânica, os montes constituem um labirinto de espigões e vales. Em Maharashtra, as muitas estações de montanhas famosas servem de excelente ponto de partida para caminhadas panorâmicas. **Mahabaleshwar** e **Panchgani** são muito bem sinalizados, com trajetos que atravessam florestas verdejantes e vales. Esses montes também possuem diversas faces escarpadas, perfeitas para montanhismo, e **Lonavla** é a base preferida dos entusiastas em escalar. Em **Matheran** há a trilha Shivaji's Ladder, que sai de One Tree Hill e desce até o vale. Os montes Sahyadri ficam muito bonitos em setembro, depois das chuvas, quando as encostas se recobrem de flores e as cascatas parecem surgir em todos os cantos.

Relevo acidentado dos montes Sahyadri

FESTIVAIS DE MAHARASHTRA

Janmashtami *(jul/ago)*. Em todo o estado, festeja-se com entusiasmo o nascimento de Krishna. Potes de manteiga são enfileirados no alto das ruas e pirâmides humanas tentam alcançá-los, imitando as brincadeiras da infância do deus.

Janmashtami, em Mumbai

Naga Panchami *(ago/set)*. Cobras, consideradas criaturas poderosas, reverenciadas na Índia, são veneradas neste festival. Após receberem vasilhas de leite, elas são levadas em procissões coloridas e, depois, soltas nos campos.

Ganesha Chaturthi *(ago/set)*. Festival muito importante em Maharashtra, é celebrado com fervor em Pune e Mumbai. Imagens de argila de Ganesha *(pág. 467)* são feitas e veneradas por dez dias, em meio a festas animadas. Depois, levadas em procissões até as águas mais próximas, ali são imersas.

Kalidasa Festival *(nov)*, em Nagpur. Grandes nomes da música e da dança clássicas se reúnem neste festival, organizado em honra ao dramaturgo e poeta de sânscrito Kalidasa, do século 4º.

Ellora Festival *(dez)*, em Ellora. Este festival apresenta grande variedade de artes cênicas clássicas, tendo como pano de fundo o cenário evocativo do Templo Kailasanatha.

Tanque santo do Ramkund, em Nasik

Nasik ⓾

Distrito de Nasik. 187km a NE de Mumbai. *1.077.000.* *Maharashtra Tourism, (0253) 257 0059.* *Kumbh Mela (a cada 12 anos).*

Nasik é um dos lugares mais santos da Índia. Cidade-templo movimentada, construída nas duas margens do rio Godavari, possui mais de 200 santuários. As *ghats* à beira-rio são palco do espetacular Kumbh Mela *(pág. 211)*. Diz a lenda que Rama, herói do *Ramayana* *(pág. 27)*, viveu aqui durante seus 14 anos de exílio. Acredita-se que o **Ramkund**, tanque localizado no centro e grande atração da cidade, marque o local em que se banharam Rama e sua esposa, Sita. As cinzas dos mortos também são imersas aqui.

A maioria dos templos de Nasik data do século 18. O **Templo Kala Rama**, a leste do Ramkund, é de pedra preta, com uma *shikhara* de 25m de altura. Consta que ela serve para indicar o local em que Sita foi raptada por Ravana. O **Templo Rameshwar** possui entalhes no teto do salão, enquanto o **Templo Muktidham**, perto da estação, dispõe de inscrições do *Bhagavad Gita* nas paredes.

Arredores: Pandu Lena, 8km ao sul de Nasik, tem 24 cavernas budistas, que datam dos séculos 1º e 2º a.C. A mais antiga é a caverna 10, um *vihara* (mosteiro) que possui esculturas e inscrições magníficas acima da entrada. A caverna 18, antigo *chaitya griha*, dispõe de belos entalhes no exterior. As cavernas 3 e 20 também se destacam. O sagrado **Templo Trimbakeshwar**, 33km a oeste de Nasik, foi erguido no local de um dos 12 *jyotirlingas* (lingas da luz) de ocorrência natural. Ele é rodeado por uma plataforma pavimentada e possui uma *shikhara* entalhada. Apesar de fechado a não-hindus, o visitante consegue ter uma boa visão do pátio e do santuário. Cerca de 65km ao sul de Nasik, encontra-se **Shirdi**, complexo de templos do primeiro Sai Baba, homem santo mais popular de Maharashtra, que morreu em 1918.

Aurangabad ⓫

Distrito de Aurangabad. 404km a NE de Mumbai. *873.000.* *10km a E do centro, depois táxi.* *Maharashtra Tourism, Station Rd East, (0240) 233 1513.*

Maior cidade no norte de Maharashtra, Aurangabad é a conexão aérea mais próxima para as esplêndidas cavernas de Ellora e Ajanta *(págs. 476-81)*. Foi fundada em 1610 por Malik Ambar, primeiro-ministro dos governantes Nizam Shahi de Ahmadnagar *(pág. 473)*. Em 1653, tornou-se a sede de Aurangzeb, último grande imperador mogul. Foi a partir desta cidade –à qual deu seu nome– que ele conquistou os estados do Decã. O monumento mais famoso da cidade é o **Bibi ka Maqbara**. Localizado fora da cidade murada, esta imitação do Taj Mahal foi erguida em 1678 por Azam Shah, filho de Aurangzeb, em memória de sua mãe, Rabia Durrani. Disposto no meio de um amplo jardim mogul, possui quatro minaretes desproporcionalmente grandes nas extremidades da plataforma elevada. Como o Taj, foi feito de mármore branco e estuque, mas não há nenhum trabalho de *pietre dure* como os da criação de Shah Jahan *(págs. 172-3)*. A cidade murada de Aurangzeb forma a parte central da zona urbana, embora ainda subsistam algumas obras da antiga cidade de Malik Ambar, como o **Naukonda Palace** (quase todo em ruínas) e a **Jami Masjid**. Na margem esquerda do rio Khan, fica o **Dargah de Baba Shah Musafir**, santo sufi que foi guia espiritual de Aurangzeb. Conta com uma mesquita pequena, *madrasa* (escola de teologia), tribunal de justiça, zenana (aposentos femininos) e moinho d'água (panchakki), alimentado por um tanque retangular. Dentro da cidade velha, perto da porta Zafar, fica a **Himroo Factory**. Aurangabad ganhou fama pela milenar arte de tecer brocados com o uso de fios de seda e ouro, chamada *kamkhab*. Quando a prosperidade da cidade diminuiu, os tecelãos começaram a usar fios

Detalhe da porta no Bibi ka Maqbara

O Bibi ka Maqbara, em Aurangabad, uma imitação do Taj Mahal de Agra

Para hotéis e restaurantes nesta região, ver págs. 708-9 e págs. 736-7

Pilares com entalhes na caverna 3, nas Cavernas Aurangabad

de algodão e de prata, menos caros, para produzir o *himroo*, que significa "similar". Muita variedade de xales e sáris desse tipo está à venda pela cidade. A fábrica também produz ricos sáris paithani, com trama entremeada de fios de ouro.

Arredores: Cerca de 3km ao norte, estão as **Cavernas Aurangabad**. Escavadas principalmente nos períodos Vakataka e Kalachuri (séculos 6º e 7º), essas cavernas são divididas em dois grupos. Das cinco cavernas do grupo ocidental, a mais antiga é a caverna 4, do século 1º. Trata-se de excelente *chaitya griha* com *stupa* monolítica. Do lado de fora, esculpida na pedra, há uma imagem de Buda, sentado em um trono de leão. A caverna 5 (século 5º) possui um salão de pilares e acústica elaborada, que amplia o som. No santuário interno, um Buda sentado tem ao lado devotos que lhe oferecem flores.

O grupo oriental compreende quatro cavernas, e a de número 6 tem delicadas esculturas de bodhisattvas rodeados por figuras que voam. A mais bonita é a caverna 7, um santuário suntuoso, com grandes imagens de Tara e Avalokitesvara *(pág. 141)*. O santuário interno dispõe de um lindo friso com uma dançarina acompanhada de sete músicos.

Tecido *himroo*, de Aurangabad

Daulatabad ⓬

Distrito de Aurangabad. 13km a L de Aurangabad. *A Maharashtra Tourism oferece passeios de ônibus, em Aurangabad, (0240) 233 1513. Táxis e jipes também disponíveis em Aurangabad.* diariam.

No topo de um penhasco de granito do planalto do Decã, este forte testemunhou alguns dos maiores massacres da região. Originalmente conhecido como Deogiri, foi capturado em 1296 por Alauddin Khilji, primeiro invasor muçulmano do Decã, vindo de Délhi. Depois, chegou Muhammad bin Tughluq, que anexou o forte em 1328 e renomeou a cidade como Daulatabad (Cidade da Fortuna). Com perspectivas equivocadas, resolveu mudar a capital para cá e obrigou toda a população de Délhi a percorrer 1.127km. Milhares morreram de fome ou doença durante o caminho, e quando a mudança fracassou o sultão e sua corte voltaram para Délhi. Daulatabad foi sucessivamente conquistada por sultões Bahmani do Decã, pelos Nizam Shahis, mogüis, maratas e, por fim, pelos Nizam de Hyderabad e cada conquista se revelava mais sangrenta e selvagem que a anterior.

O morro em forma de pirâmide no qual o forte foi construído destaca-se no relevo e se ergue a 183m de altitude. Isso fez o historiador do imperador mogul Shah Jahan reparar que "nem as formigas nem as cobras conseguiam escalá-lo". Quatro sólidos muros concêntricos protegem o forte. A primeira de suas três zonas é **Ambarkot**, o forte externo. Dentro, fica **Chand Minar**, a torre da vitória de 60m de altura, erguida em 1435 por Alauddin Bahmani para celebrar a conquista do forte. Na **Jami Masjid**, 106 pilares de templos jainistas e hindus dividem o salão principal em 25 naves. Um portal triplo cheio de cravos de ferro dá acesso a **Kataka**, o forte interno. Portões atravessam os muros fortificados e chegam à base da cidadela, conhecida como **Balakot**, cercada por um fosso que ficava cheio de crocodilos.

Perto do portão mais interno fica o **Chini Mahal**, azulejado de branco e azul, onde o último sultão de Golconda ficou aprisionado por Aurangzeb, em 1687. Em um bastião há um enorme canhão de bronze, o **Qila Shikhan** (Destruidor de Forte), com 6m de comprimento, uma esplêndida cabeça de carneiro e inscrições em persa ao longo do cano, que o chamam de "Criador de Temporais". Uma série de túneis escuros leva ao coração da cidadela e acaba perto de um pavilhão com pilares, o **Baradari**, uma construção mogul tardia. As defesas do forte oferecem vistas panorâmicas.

Arredores: A cidade murada de **Khuldabad** (Morada Celestial) fica 10km ao norte de Daulatabad. O Alamgir Dargah, dedicado ao santo muçulmano Sayeed Zain-ud-din (morto em 1370), é seu monumento mais famoso. Também chamado Rauza, este complexo religioso, criado por santos sufis no século 14, era considerado tão sagrado que diversos sultões do Decã optaram por ser enterrados aqui. O imperador Aurangzeb, que morreu no Decã em 1707, foi enterrado em um túmulo simples, e o bonito túmulo de Malik Ambar *(pág. 473)* fica próximo, ao norte.

Chand Minar, antes forrado de azulejos persas, em Daulatabad

Ellora: Templo Kailasanatha ⓭

Detalhe do telhado do portal

O que mais se destaca no grupo de cavernas talhadas na pedra em Ellora é o magnífico Templo Kailasanatha (caverna 16), declarado Patrimônio da Humanidade pela Unesco. Encomendado por Krishna I, rei da dinastia Rashtrakuta, no século 8º, este complexo gigantesco ocupa uma área de 81m por 47m, e foi cavado diretamente em um grande rochedo. Para modelarem $85.000m^3$ de pedra, os escultores começaram no alto do rochedo e foram descendo. O resultado foi esta maravilha, embelezada com enormes painéis esculturais, que representa o monte Kailasa, a morada sagrada de Shiva.

★ Telhado
O telhado do mandapa *(salão de orações) é decorado com uma flor de lótus entalhada em anéis concêntricos, coroada por quatro leões de pedra.*

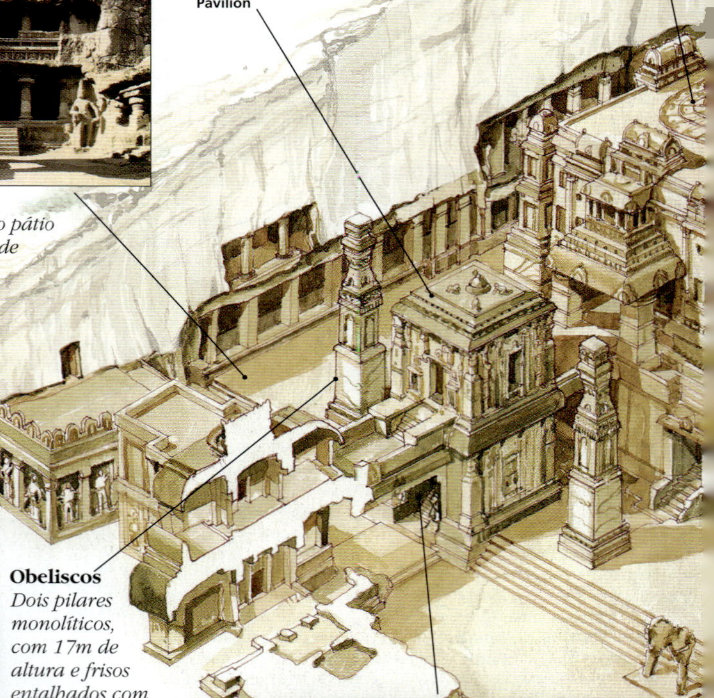

Nandi Pavilion

Pátio
De cada lado do pátio há um elefante de tamanho real.

Obeliscos
Dois pilares monolíticos, com 17m de altura e frisos entalhados com lótus e guirlandas, ladeiam o Nandi Pavilion.

★ Lakshmi com Elefantes
De frente para a entrada, o ornamentado painel Gajalakshmi no Nandi Pavilion retrata Lakshmi sentada em uma lagoa de lótus, banhada por elefantes, que têm um pote virado na tromba.

Para hotéis e restaurantes nesta região, ver págs. 708-9 e págs. 736-7

A **torre** tem 32,6m de altura e era coberta de reboco branco, para imitar os picos nevados do monte Kailasa.

PREPARE-SE

Distrito de Aurangabad. 30km a NO de Aurangabad. *Há jipes disponíveis em Aurangabad e as operadoras de viagens organizam excursões.* ter-dom (todas as cavernas). *Flash é proibido. A luz é melhor à tarde.* *Leve almoço embalado e uma lanterna. Use calçado confortável e chapéu.* *Ellora Festival (dez).*

Suporte de Elefantes
Elefantes com lótus na tromba foram esculpidos no andar mais baixo, e parecem sustentar toda a estrutura.

0 metros 10

Mosteiros escavados na pedra

★ Ravana Sacode o Monte Kailasa
Um grande painel retrata Ravana (o rei-demônio no Ramayana*) sacudindo o monte Kailasa para perturbar Shiva e Parvati em sua morada na montanha.*

Painéis do Ramayana ladeiam a parede sul, enquanto a do norte mostra o *Mahabharata* e lendas de Krishna.

PONTOS ALTOS

- ★ Telhados
- ★ Lakshmi com Elefantes
- ★ Ravana Sacode o Monte Kailasa

Três Deusas
O Salão do Sacrifício contém imagens em tamanho real de Durga, Chamunda e Kali, além de Ganesha, Parvati e sete deusas-mães.

Como Explorar Ellora

As 34 cavernas de Ellora, lavradas em uma escarpa de 2km de comprimento, estão entre os exemplos mais fantásticos de arquitetura indiana talhada na rocha. O surgimento e o crescimento da importância de Ellora coincidiu com o declínio do budismo e com uma revitalização do hinduísmo, nas dinastias Chalukya e Rashtrakuta (séculos 7º e 8º). Ellora ficava em uma importante rota de comércio, entre Ujjain, em Madhya Pradesh, e a costa oeste. Foram os lucros desse rico comércio que financiaram os 500 anos de escavações em Ellora, já que as cavernas mais antigas de Ajanta começaram a ficar abandonadas.

As cavernas de Ellora se dividem em três grupos –budista, hinduísta e jainista– e foram numeradas a partir da extremidade sul. As **Cavernas Budistas** (de 1 a 12) datam do período Chalukya, entre os séculos 7º e 8º. As nove primeiras são variações de *viharas,* ou mosteiros, e estão cheias de imagens de Buda, bodhisattvas e cenas da mitologia budista. A mais admirável é a **caverna 10**, ou Vishwakarma, nome do carpinteiro celestial. Trata-se de incrível *chaitya griha (pág. 20)*, dominado pela figura da Pregação de Buda entalhada na frente de uma *stupa* votiva, sob um teto abobadado. Os entalhes parecem feitos de madeira. Outras cavernas importantes são a **caverna 11**, ou Do Thal (de dois andares), e a **caverna 12**, ou Tin Thal (três andares). O salão superior da caverna 12 tem grandes bodhisattvas entalhados nas paredes, e sete imagens de Buda flanqueiam a entrada da antecâmara.

Vista da fantástica escarpa de Ellora, com cascata sazonal

As **Cavernas Hindus** (de 13 a 29) foram elaboradas entre os séculos 7º e 9º, e representam o auge de Ellora. A **caverna 14**, ou Ravana ki Khai, contém esculturas de divindades do panteão hindu, como Durga matando o búfalo-demônio, e Vishnu como Varaha, com cabeça de javali. A **caverna 15**, ou Dashavatara, também possui belas esculturas. A **caverna 21**, ou Rameshvara, e a **caverna 29**, ou Dhumar Lena, são igualmente notáveis.

As **Cavernas Jainistas** (de 30 a 34) datam da última etapa de Ellora, no século 9º, e são mais simples do que as hindus. A **caverna 32**, ou Indra Sabha, é a melhor do grupo. Santuário monolítico, possui esculturas de elefantes, leões e *tirthankaras (pág. 396)* nas paredes do pátio. A **caverna 30**, ou Chhota Kailasa, é uma réplica incompleta do Templo Kailasanatha *(págs. 476-7)* e contém esculturas de *tirthankaras* e de Mahavira em um trono de leão.

Arredores: Ali perto, o **Templo Grishneshvara**, do século 18, é um dos 12 santuários *jyotirlinga* dedicados a Shiva, erguidos pela rani Ahilyabai de Indore *(pág. 250)*.

Salão de cima de Vishwakarma (caverna 10)

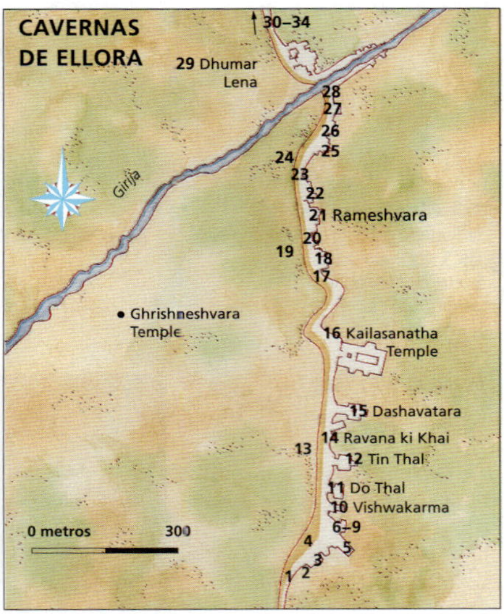

Fachada da caverna 19, em Ajanta, com grande janela em arco

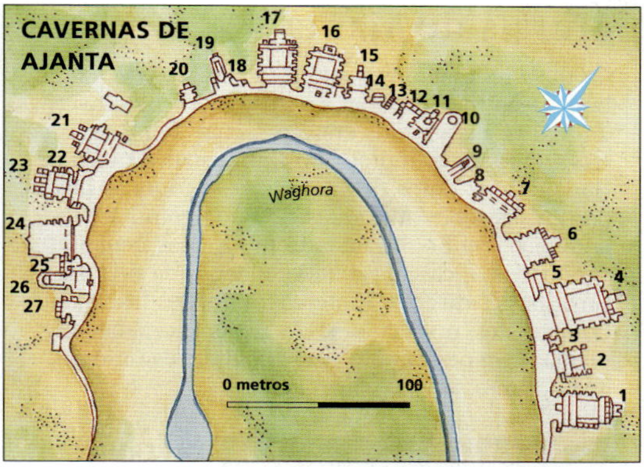

Ajanta ⓮

Distrito de Aurangabad. 110km a NE de Aurangabad. *de Aurangabad.* *ter-dom.* *Flash é proibido.* *Em Aurangabad existem escursões organizadas e táxis. Leve almoço embalado, água e lanterna. Use calçado confortável e chapéu.*

Patrimônio da Humanidade da Unesco, as 30 cavernas de Ajanta, escavadas na rocha, encontram-se em uma escarpa em forma de ferradura, voltada para a estreita garganta do rio Waghora. No topo, há uma cascata que cai no poço Saptakunda. As cavernas foram ocupadas por apenas um período curto e, com o tempo, a floresta que as cercava escondeu sua existência. Elas foram "redescobertas" sem querer, em 1819, quando John Smith, da 28ª Cavalaria de Madras, avistou o topo da caverna 10, em uma caçada a tigres.

As cavernas de Ajanta formam dois grupos. O mais antigo pertence à fase austera do budismo, a hinayana (séculos 2º e 1º a.C.), durante a qual Buda não era representado na forma humana, só por símbolos, como a Roda da Lei ou a Árvore da Iluminação. O segundo grupo data do período mahayana (séculos 5º e 6º), esculpido no governo da dinastia Vakataka, quando a expressão artística ganhou exuberância. As cavernas eram habitadas por monges, pintores e artesãos, que as usavam como *varshvatikas*, ou santuário das monções. Quanto ao estilo, elas são de dois tipos: *chaityas grihas* (salões de oração) e *viharas* (mosteiros). Os *chaityas* têm teto abobadado e colunas octogonais que dividem o espaço em um salão central com *stupa* votiva, objeto de veneração; e as naves laterais são usadas para uma espécie de romaria ritual ao redor. Os *chaityas* mahayanas também têm imagens de Buda. Os *viharas* típicos possuem varanda, salão cercado de celas e santuário interno com figuras enormes de Buda.

Das sete cavernas mahayanas (século 5º), a **caverna 1** é famosa pelos murais *(págs. 480-1)*. Acima das varandas existem frisos com cenas da vida de Buda, e o teto é sustentado por 20 pilares entalhados e pintados. A **caverna 2** possui fachada requintada, com entalhes de reis Nagas e seus criados *(ganas)*, e o santuário principal dispõe de teto com pinturas magníficas.

As cavernas 8, 9, 10, 12, 13 e 15 são hinayanas. A **caverna 9**, uma *chaitya griha*, tem fachada com janelas e treliças. As grandes imagens de Buda ao longo das laterais foram colocadas depois (século 5º) e há murais dos dois períodos. Imagina-se que a **caverna 10** seja a mais antiga de Ajanta e é um de seus melhores *chaitya grihas*.

As cavernas 15 até 20 são mahayanas, do fim do século 5º. A **caverna 16** conta com esculturas de belas donzelas ao lado do portal, ao passo que na **caverna 17** a entrada para o santuário interno é enfeitada com figuras de Buda, de deusas e de flores de lótus.

O grupo final é o das cavernas 21 a 27 (século 7º). A **caverna 26** exibe a grandiosidade da arte de Ajanta. Vale a pena observar dois painéis esplêndidos: um retrata a tentação de Buda pelo demônio Mara, enquanto o **Parinirvana** é uma imagem de 7m de Buda, deitado, com olhos fechados como se dormisse. Seus discípulos lamentam sua morte, enquanto acima seres celestiais alegram-se com a salvação dele.

O comovente Parinirvana que retrata a morte de Buda, caverna 26

Murais de Ajanta

Os mais requintados e antigos exemplos de pintura budista na Índia podem ser apreciados nas cavernas de Ajanta. Elaborados entre o século 2º a.C. e o século 5º, os murais mostram cenas da vida de Buda e dos Contos de Jataka, que reconta as histórias das encarnações anteriores de Buda como ser iluminado ou bodhisattva. Composições magníficas e detalhadas, incluem retratos de cenas da corte, com príncipes e músicos, e oferecem noções fascinantes do cotidiano no século 5º. As tintas, extraídas de plantas e minerais, têm ricas tonalidades de ocre, limão, preto, verde e lápis-lazúli.

Avalokitesvara, *também identificado como Vajrapani, é o bodhisattva mais venerado do panteão mahayana, e é visto à direita do portal da antecâmara.*

CAVERNA 1
Este *vihara* (mosteiro) do fim do século 5º contém alguns dos murais mais evocativos de Ajanta.

Padmapani *(Senhor do Lótus), o bodhisattva da compaixão, fica na parede à esquerda do portal da antecâmara. Ele está cercado de seres celestiais e de figuras aladas.*

O **Milagre de Sravasti**, *na parede direita da antecâmara, retrata o famoso milagre pelo qual Buda se multiplicou em milhares.*

O **Mahajanaka Jataka**, *à esquerda da antecâmara, descreve a vida do príncipe Mahajanaka, que renunciou ao mundo para se tornar asceta. Aqui, o príncipe está cercado de criadas.*

Cena em que um rei, provavelmente Harisena, governante vakataka, recebe uma missão persa.

Cenas do **Mahajanaka Jataka**, *da esquerda para a direita, retratam o príncipe Mahajanaka, a rainha Shivali seduzindo o príncipe, criadas do palácio e uma dançarina.*

CAVERNA 2

Com projeto semelhante ao da caverna 1, este *vihara* do século 5º tem muitas pinturas com cores brilhantes. Paredes, colunas, capitéis e teto são forrados de padrões geométricos e florais, com diversos painéis do *Jataka*, que contam histórias ligadas ao nascimento de Buda.

A **grande mandala** *(diagrama circular) domina o teto com pinturas elaboradas, nesta bela caverna. Um retrato do cosmo tem anel externo cheio de flores de lótus.*

Muitas figuras de Buda *embelezam alguns dos pilares octogonais (em um total de 39) que separam as naves laterais da central, na caverna 10.*

CAVERNA 10

O mais antigo de Ajanta, este *chaitya griha* data do século 2º a.C. A parede esquerda possui um mural milenar: friso que retrata um príncipe adorando a Árvore da Iluminação.

CAVERNA 16

As notáveis pinturas desta caverna retratam a conversão de Nanda, meio-irmão de Buda, e mostram a esposa dele desmaiando ao saber que ele se tornará monge.

Sundari, esposa de Nanda, desmaia ao saber da conversão dele

CAVERNA 17

Esta caverna possui o maior número de pinturas. Entre as melhores está um painel com o naufrágio de Simhala e seu encontro com uma ogra que se alimenta de homens; e uma senhora se admirando no espelho.

Oito Budas sentados *foram pintados acima da porta da varanda, com uma fileira de casais amorosos abaixo deles.*

Painel do Visvantara Jataka, *à esquerda da entrada, mostra o príncipe Visvantara e sua esposa tomando vinho. Depois eles vão até o portão da cidade e dão esmolas aos carentes.*

Este detalhe de uma apsara *(donzela celestial) adorando Buda faz parte de um mural maior na varanda, à direita da porta. Os murais de Ajanta são famosos pelos requintados retratos de mulheres.*

A enorme cratera de meteorito em Lonar, em parte tomada por um lago

Lonar ⓯

Distrito de Buldana. 130km a L de Aurangabad. *Jalna, 83km a O de Lonar, depois ônibus.* *de Aurangabad; há táxis também.*

O vilarejo de Lonar é famoso pela cratera de meteorito. Acredita-se que seja a única cratera de impacto a alta velocidade em rocha basáltica do mundo. Possui 2km de diâmetro e 700m de profundidade, e estima-se que tenha 50 mil anos. Os cientistas acham que o meteorito ainda está enterrado sob a ponta sudeste da cratera. Um lago enche o fundo, e as ruínas de alguns templos hindus ocupam as margens. A cratera tem muitos pássaros, e avistam-se macacos e rebanhos de veados. Há poucas hospedarias que oferecem quartos, e o vilarejo também dispõe de alguns restaurantes.

Melghat Tiger Reserve ⓰

Distrito de Amravat. 400km a NE de Aurangabad. *Amravati, 100km a SE da entrada. A Maharashtra Tourism organiza idas de ônibus ou jipe de Amravati até o parque.* *Para reservas, contate o Field Director, (0721) 266 2792.* *dez-mai.*

A Project Tiger Reserve de Melghat, que significa "Local de Encontro nas Ghats", espalha-se pelos montes Gawilgarh, na parte meridional das montanhas Satpura. Sua altitude mais elevada é de 1.178m. Esses montes têm uma densa cobertura de florestas de teca e de bambu, que agora estão ameaçadas pela desenfreada exploração comercial de madeira. Junto com os 73 tigres esquivos, a reserva protege cerca de 80 leopardos, *chausinghas* (antílopes-quatro-cornos), *dholes* (cães selvagens indianos), gatos do mato, hienas e rica variedade de pássaros. A reserva também abriga a maior concentração de *gaur* do estado: o bisão-indiano ameaçado de extinção

O melhor momento para visitas é entre janeiro e abril, quando o parque fica com temperatura agradável. Seus cinco rios –Khandu, Khapra, Sipna, Garga e Dolar– secam no verão, e os poucos poços de chuva que restam são altamente valorizados como bebedouros.

Arredores

Chikhaldhara, 25 km a nordeste de Melghat, é uma estação de montanha singular, criada pelos britânicos em 1839.

Tigre descansa em árvore na Melghat Tiger Reserve

Nagpur ⓱

Distrito de Nagpur. 520km a NE de Aurangabad. *2.051.500.* *10km ao S do centro, depois ônibus ou táxi.* *Maharashtra Tourism, (0712) 253 3325.* *Pola (jun/jul), Kalidasa Festival (nov).*

Situada à margem do rio Nag, Nagpur foi capital das Províncias Centrais até se tornar parte do estado de Maharashtra, após a independência. Trata-se de uma cidade industrial de crescimento rápido, que fica na principal ferrovia norte-sul da Índia, e também é a capital dos laranjais do país. Historicamente, era capital das tribos gonds nativas até ser capturada pelos maratas Bhonsles *(pág. 468)* em 1740, e finalmente pelos britânicos em 1861.

Em outubro de 1956, a cidade presenciou um evento de grande importância social, quando o dr. B. R. Ambedkar, autor da Constituição indiana e defensor da liberdade, nascido em uma família hindu de casta mais baixa, converteu-se ao budismo em oposição ao rígido sistema de castas hindu. Cerca de 200 mil pessoas seguiram seus passos, e o movimento resultou em quase 3 milhões de conversões.

A cidade de Nagpur foi erguida ao redor do **Sitabaldi Fort**, cercado por um fosso profundo, que está aberto à visitação apenas em 26 de janeiro e 15 de agosto. Na parte leste da cidade há resquícios do **Bhonsle Palace**, destruído por um incêndio em 1864. Ao sul da cidade velha ficam os **Chhatris**, ou memoriais dos reis Bhonsles, enquanto muitos prédios coloniais encontram-se na parte oeste de Nagpur. Entre os mais notáveis estão a Corte Suprema (1737-42) e a Anglican Cathedral of All Saints (1851).

Arredores

Ramtek, localizada 40km a nordeste de Nagpur, está ligada aos 14 anos de exílio de Rama, Sita e Lakshman, como conta o épico *Ramayana* *(pág. 27)*.

Foi capital da dinastia Vakataka entre os séculos 4º e 6º, e o forte na colina de Rama data

Cestos de laranjas suculentas no florescente mercado de Nagpur

desse período. Os muros, porém, foram erguidos mais tarde, em 1749, por Raghoji I, fundador da dinastia Bhonsle de Nagpur. Existem templos dedicados a Rama e a Sita, que datam do século 5º.

Wardha ⓲

Distrito de Wardha. 493km a NO de Aurangabad. *de Nagpur até Wardha, depois ônibus ou carro até Sevagram.* ***Tel*** *(07152) 284 753.*

Grande parte dos que visitam Wardha está a caminho da histórica **Sevagram Ashram** de Mahatma Gandhi, agora uma instituição nacional, 8km a noroeste da cidade. Criada por Gandhi em 1933, a Sevagram (Vila de Serviço) se baseava na filosofia de desenvolvimento econômico rural que ele elaborou. Tornou-se a sede do Movimento Nacionalista da Índia, onde Gandhi morou e trabalhou por mais de 15 anos. Instalada em uma fazenda de 40ha, o ashram tem diversas *kutirs* (moradias rurais) e centros de pesquisa. Objetos pessoais de Gandhi, como sua roca e seus óculos, estão expostos, e o *khadi*, tecido grosseiro de algodão de fiação caseira que Gandhi tornou famoso como símbolo da luta pela liberdade do país, está à venda. Uma exposição de fotos, na frente da entrada principal, mostra cenas da vida de Gandhi. Um hospital que atende os moradores fica na rua principal. O visitante pode participar das orações realizadas diariamente às 4h30 e às 18h, sob uma figueira-dos-pagodes plantada por Gandhi.

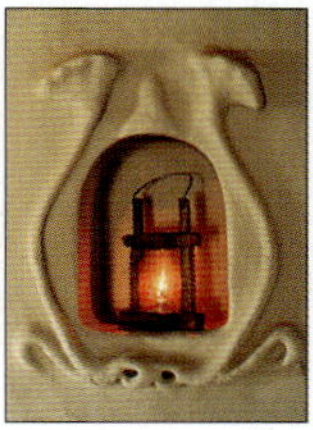

Lamparina, em Sevagram

Arredores

O ashram de Vinobha Bhave, discípulo de Gandhi, fica 10km ao norte de Sevagram, em **Paunar**. Bhave iniciou o bem-sucedido Movimento Bhoodan (literalmente, "doação de terras"), que buscava convencer ricos latifundiários a doar parte de suas terras aos pobres.

Pandharpur ⓳

Distrito de Sholapur. 250km a SE de Pune. *91.500.* *Ashadh Ekadashi Fair (jul).*

Capital espiritual de Maharashtra, Pandharpur fica às margens do rio Chandrabhaga, onde está o santuário sagrado de Vithoba, uma encarnação de Vishnu. O templo, construído em 1228, é o centro da peregrinação sagrada que, sempre em julho, atrai milhares de varakaris (membros de uma das seitas religiosas mais populares do estado) para participar da feira Ashadh Ekadashi. *Dindis*, ou grupos de procissões, saem de todas as vilas da região e viajam até Pandharpur, acompanhados de cantos religiosos.

As margens do rio, cheias de *ghats* para banhos, ganham vida com tanta gente que vem dar um mergulho ritual.

Interior espartano do ashram de Mahatma Gandhi em Sevagram, perto de Wardha

GOA

Este estado minúsculo, ao longo da Konkan Coast, abrange 3.702km² e possui somente dois distritos: North e South Goa. A cultura diferente de Goa é um legado de seu passado colonial. Em 1510, Alfonso de Albuquerque fundou aqui um núcleo português pequeno, mas poderoso. Embora Goa tenha se tornado parte da União Indiana em 1961, a influência de mais de 400 anos de domínio português continua presente nos trajes, na língua, na religião e na culinária, sem falar na música, uma fusão da tristeza do fado com os alegres ritmos das canções folclóricas konkanis. Agora, Goa é um dos destinos de férias mais concorridos da Índia, com praias bucólicas, viçosos campos de arroz, coqueirais e vilarejos pontilhados de lindas igrejas caiadas e mansões grandiosas. Entre outras atrações estão os templos hindus ao redor de Ponda, erguidos entre os séculos 15 e 18, e as magníficas catedrais da Velha Goa. A hospitalidade de seu povo, simpático e calmo, faz o visitante se sentir à vontade.

◁ **Coqueiral e campo de arroz em volta de uma capela de aldeia, em Goa**

Panaji ❶

Capital de Goa, Panaji fica na foz do rio Mandovi e lembra uma cidade mediterrânea. No início, era porto dos reis Adil Shahi de Bijapur *(pág. 542)*. Com a chegada dos portugueses, em 1510, tornou-se reduto militar e armazém. Em 1759, após uma série de epidemias na Velha Goa, o vice-rei foi obrigado a transferir sua residência para Panaji, ou Panjim, como era chamada então. Mas foi apenas em 1843 que a cidade se transformou em capital oficial dos territórios portugueses na Índia. Agora, Panaji é tranquila e simpática, principalmente ao longo das avenidas arborizadas da cidade velha *(págs. 488-9)*. O centro comercial mais novo, com disposição das ruas em grade, possui edifícios de concreto entremeados com igrejas e construções coloniais.

Church of Our Lady of the Immaculate Conception

Secretariado

Avenida Dom João Crasto.
Tel *(0832) 222 2701.* ◯ *seg-sex.*

No Secretariado, à beira-rio, funciona a Assembléia Legislativa do estado. É um dos prédios mais antigos de Panaji. Era palácio de verão de Yusuf Adil Shah, governante muçulmano de Goa no século 16, e foi tomado pelos portugueses em 1510, apesar da potente bateria de 55 canhões e do fosso de água salgada que o protegia.

Reconstruído em 1615, sua localização estratégica fez dele o ponto de entrada de navios e uma parada para os vice-reis e governadores que seguiam para a Velha Goa *(pág. 501)*. Em 1760, depois que a Velha Goa foi abandonada em favor de Panaji, o Idalcaon's Palace (corruptela de Adil Shah's, ou Khan's Palace), como era conhecido, tornou-se residência oficial dos vice-reis até 1918, quando a residência foi transferida para o Cabo Palace, no sudoeste de Panaji. Reformas profundas transformaram a estrutura islâmica original na atual construção colonial, com telhado de várias águas, amplas varandas de madeira e pilares de ferro fundido. A Chakra de Ashoka e a Roda da Lei budista, emblemas do governo indiano, substituíram o brasão dos vice-reis portugueses acima da entrada do prédio.

Abade Faria: estátua do século 19

A oeste do Secretariado há uma interessante estátua do abade Faria. Esse padre goense, nascido em Cadolim em 1756, recebeu ensinamentos teológicos em Roma. Quando foi ordenado, mudou-se para Paris, onde foi consagrado como pai da hipnose moderna.

Church of Our Lady of the Immaculate Conception

Church Square. ***Tel*** *(0832) 242 6939.*
◯ *diariam.* ✝ *(inglês) 8h, seg-sáb; 8h30, dom.*

Voltada para o Largo da Igreja, praça principal de Panaji, encontra-se a Church of Our Lady of the Immaculate Conception, referência mais importante da cidade. Os navegantes portugueses costumavam frequentar a capela original, consagrada em 1541, para dar graças ao chegarem da viagem longa e traiçoeira desde Lisboa.

A igreja atual, com fachada barroca ladeada por torres, foi erguida em 1619. Sua característica marcante, acrescentada em 1871, consiste nos dois lances de escadarias que levam até a igreja. O frontão central foi feito na mesma

Vista do Secretariado de Panaji, à beira-rio, com telhado de várias águas e fachada colonial

época, assim como o campanário para acomodar o enorme sino trazido do mosteiro agostiniano da Velha Goa *(pág. 496)*. A capela do transepto sul possui um belo retábulo de altar, recuperado da capela do Secretariado. O esplendor barroco do altar-mor e dos dois altares do transepto contrasta com o restante do interior, bastante simples.

Pavilhão central, em Azad Maidan

Menezes Braganza Institute
Malaca Rd. ***Tel*** *(0832) 222 4143.* *seg-sex.*
Excelente exemplo da arquitetura cívica portuguesa do século 19, o Institute Vasco da Gama foi construído como centro de ensino de artes e ciências. Depois, ganhou o nome do filantropo Luís de Menezes Bragança (1878-1938), cuja família tem casa em Chandor *(pág. 508)*.

Atualmente, aqui está instalada a Central Library de Goa, com bom acervo de livros raros. O magnífico mural de azulejos azuis, colocado no saguão em 1935, retrata cenas do épico *Os lusíadas* (lusíada, que significa "lusitano", deriva de Lusitânia, antigo nome de Portugal). Escrita no século 16 pelo poeta português Luís Vaz de Camões, a obra narra a história da presença portuguesa em Goa. O instituto possuía uma galeria de arte, com obras de artistas europeus do fim do século 19 e início do século 20. Agora, essas peças estão no State Museum.

Azad Maidan, a praça gramada na frente do Institute, tem em um dos lados o Police Headquarters, construído em 1832 com pedras retiradas de prédios abandonados da Velha Goa. O pavilhão no centro foi feito em 1847, com pilares coríntios retirados de uma igreja dominicana de meados do século 16. Dentro, um memorial ao defensor da liberdade Tristão de Bragança Cunha substituiu uma estátua anterior do primeiro vice-rei, Alfonso de Albuquerque. Agora, ela está no Archaeological Museum da Velha Goa *(pág. 500)*.

State Museum
Patto. ***Tel*** *(0832) 243 8006.*
seg-sex. *feriados.*
Este museu conta com acervo bem modesto de objetos pré-coloniais, a exemplo de estátuas, pedras de *sati*, móveis antigos e entalhes de templos hindus devastados, além de algumas imagens cristãs.

PREPARE-SE

Distrito de North Goa (Tiswadi taluka). 588km ao S de Mumbai
58.800. *Dabolim, 30km ao S do centro, depois ônibus ou táxi.* *Margao, 33km a SE do centro.* *GTDC Trionora Apartments, (0832) 222 6515.* *Feast of Our Lady (dez); Carnaval (fev).*

Arredores: Miramar, praia mais próxima de Panaji, fica 3km a oeste. **Dona Paula**, 7km a sudoeste de Panaji, situa-se em um promontório que divide os estuários dos rios Zuari e Mandovi. Seu nome homenageia a filha do vice-rei, que, segundo consta, se lançou ao mar quando foi proibida de se casar com um pescador. Do píer avista-se o Fort Aguada, do outro lado da baía. Há jet-skis de aluguel, e o visitante também pode fazer um passeio de ferryboat até o porto de Vasco da Gama.

Cena de *Os lusíadas* retrata a chegada de Vasco da Gama a Goa

CRUZEIROS EM GOA

Um jeito agradável de se divertir à noite em Goa é participar de um dos muitos cruzeiros noturnos pelo rio Mandovi, organizados pela Goa Tourism Development Corporation (0832) 222 6728, e também por operadoras particulares. A maioria dos cruzeiros parte do píer embaixo da ponte Mandovi, todos os dias, entre 18h e 19h (passagens disponíveis no píer). Grupos de dançarinos e músicos goenses se apresentam durante o passeio. Nas noites de lua cheia, serve-se excelente jantar a bordo. Algumas operadoras, como a Sea Adventure (0832) 255 0705, organizam passeios especializados em remansos cheios de mangues, hábitat de crocodilos-palustres e aves migratórias. Em termos de cultura e comida, a Spice Villages, (0832) 234 4268, leva o visitante ao ambiente rural das plantações de especiarias, que atraem bandos de pássaros belíssimos.

Cruzeiro noturno no rio Mandovi

Rua a Rua: Cidade Velha de Panaji

Medalhão de cerâmica

Encaixadas entre Ourem Creek e Altinho Hill, em Panaji, estão as antigas áreas residenciais de Fontainhas e São Tomé, construídas sobre aterros, no século 19. Fontainhas tem esse nome por causa do chafariz de Phoenix, único forte de água do bairro, enquanto São Tomé emprestou o nome da igreja homônima. Estes bairros europeus, caracterizados por uma miscelânea de casas pintadas, cobertas com telhas, possuem ruas ladeadas por tabernas com a autêntica cozinha goense e *feni* (licor de castanha-de-caju) e padarias que servem *bebinca*, delicioso bolo local. Muitos moradores ainda falam português.

Padre na porta da St Sebastian's Chapel

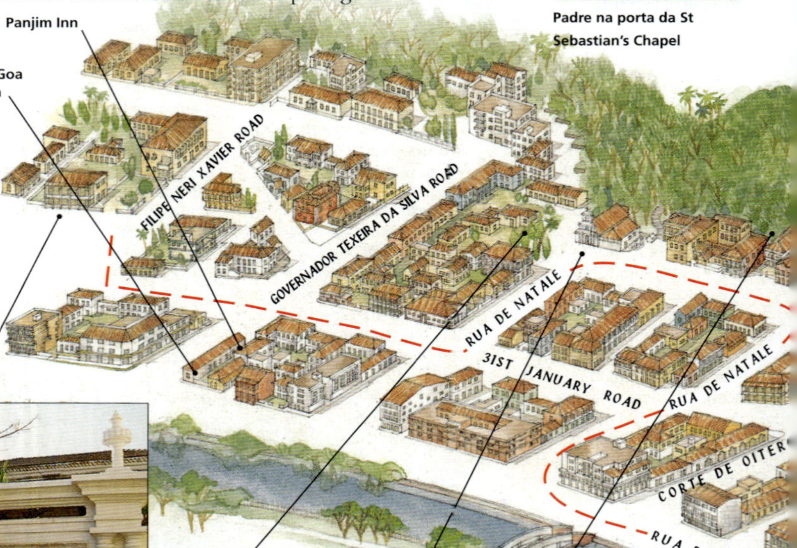

Panjim Inn

Velha Goa Galeria

Mansão do dr. Armínio Ribeiro de Santana

★ Fundação do Oriente
Originalmente uma casa de família, agora abriga uma fundação portuguesa que promove trabalhos artísticos, culturais e científicos. Sua biblioteca é aberta ao público.

★ St Sebastian's Chapel
Esta capela de 1888 tem um crucifixo de tamanho real que estava no Palace of the Inquisition, na Velha Goa.

★ Rua de Natale
Esta rua serpenteia ao subir Altinho Hill e possui degraus para ajudar o pedestre e suavizar a escalada.

PONTOS ALTOS

- ★ Fundação do Oriente
- ★ St Sebastian's Chapel
- ★ Rua de Natale

Para hotéis e restaurantes nesta região, ver págs. 709-11 e págs. 737-8

Ourem Creek
A pitoresca Rua de Ourem margeia Ourem Creek. Por trás, casas coloridas acompanham as encostas de Altinho Hill.

PREPARE-SE

Fontainhas e São Tomé. **St Sebastian's Chapel** ◯ *só de manhã.* **São Tomé Church** ◯ *só de manhã.* **Fundação de Oriente Library** ***Tel*** *(0832) 243 6108.* ◯ *dom-sex.* **Velha Goa Galeria** ***Tel*** *(0832) 242 6628.* ◯ *seg-sáb.*

Venite Restaurant
Deste restaurante no primeiro andar avista-se a rua abaixo. Tem ótimo ambiente e serve excelente comida européia e goense.

São Tomé, uma igrejinha construída em 1849, já foi o centro de atração da praça movimentada. Perto, a Mint (Casa da Moeda) marca o local das execuções da Inquisição.

Arruamento
As casas, em geral, são pintadas de amarelo, ocre, verde ou azul, com ornamentos brancos, segundo o antigo código português de edificações.

Retábulo do altar-mor na igreja dos Reis Magos

Reis Magos ❷

Distrito de North Goa (Bardez taluka). 3km a NO de Panaji. *Feast of Three Kings (jan).*

O forte em Reis Magos foi construído em 1551 por dom Alfonso de Noronha, quinto vice-rei, como segunda linha de defesa depois dos fortes de Aguada e Cabo (na ponta de Dona Paula). Aqui havia uma prisão que foi transferida para Mormugão em 1996. Ao lado fica a igreja dos Reis Magos, erguida em 1555. Esta é uma das primeiras igrejas de Goa, e tem o brasão real português na fachada.

Arredores

O **Fort Aguada**, 4km a oeste de Reis Magos, foi feito em 1612 como defesa contra os maratas e os holandeses. Sua igreja, dedicada a são Lourenço, padroeiro dos marinheiros, surgiu em 1630, ao passo que o enorme farol data de 1864. Agora, em alguns prédios do forte fica a prisão do estado. A praia local, Sinquerim, é conhecida pelos resorts de luxo.

Calangute ❸

Distrito de North Goa (Bardez taluka). 16km a NO de Panaji. *GTDC Tourist Resort, (0832) 227 6024.*

Centro hippie nas décadas de 1960 e 1970, Calangute é a praia mais procurada de Goa. De dia, fica cheia de banhistas, camelôs, massagistas, trançadores de cabelos e limpadores de orelhas. Todo o trecho de areia até a Baga Beach, ao lado, está tomado por resorts, bancas de bijuteria, bares e quiosques de praia como Reggie's Bar e Souza Lobo *(pág. 738)*, que servem excelente comida goense. O **Atlantis Water Sports** oferece diversos esportes aquáticos. E podem-se fazer passeios em barcos de pesca, por preços convidativos. **St Alex** é a igreja de Calangute, com grande cúpula, e fica a caminho de Mapusa. Tem interior em estilo rococó, branco e dourado, com belos nichos em formato de concha.

Jogo de futebol em Calangute

Atlantis Water Sports
Calangute. ***Tel*** *09890–47272.*

Arredores

Bem menos movimentada, a **Baga Beach** fica ao norte de Calangute, mas a areia branca e fofa também tem sua cota de hospedarias e bares. Aqui se realiza o preguiçoso Saturday Night Ingo's Bazaar, boa alternativa ao mercado de quarta-feira na vizinha Anjuna. O Tito's Bar, que tem a única pista de dança da praia, é o centro da vida noturna de Baga. A **Candolim Beach**, 2,5km ao sul de Calangute, se estende até o Fort Aguada. Procurada por grandes grupos de viagem, as águas, que costumavam ser tranquilas, agora estão ensurdecedoras com o ronco dos barcos de corrida e jet-skis. **Saligao**, 2km a leste de Calangute, tem a linda igreja da Mãe de Deus, em estilo neogótico, e um seminário que prepara rapazes para estudos de teologia no Rachol Seminary *(pág. 504)*.

Anjuna ❹

Distrito de North Goa (Bardez taluka). 18km a NO de Panaji. *Flea Market (qua).*

Anjuna substituiu Calangute como refúgio de mochileiros. É mais famosa pelas festas na lua cheia e pelo amplo mercado de pulgas do que pela praia. O concorrido mercado, realizado às quartas-feiras, fica apinhado de camelôs de toda a Índia, que vendem desde batiques de Bali e jóias de prata até rodas de oração tibetanas, trabalhos com espelhos de Rajasthan e entalhes de madeira de Kerala. Equipamento de luz fluorescente para festas e roupas de praia da moda completam a seleção. Outras atrações: macacos amestrados e touros nandi que lêem a sorte.

Vendedora de sarongues no mercado-de-pulgas de Anjuna

Para hotéis e restaurantes nesta região, ver págs. 709-11 e págs. 737-8

Praias

Goa tem ótimas praias que se estendem por 106km, de Querim, ao norte, até Mobor, ao sul. Cada praia tem suas caracteríticas. Em geral, as praias do sul de Goa são bem menos desenvolvidas que as do norte, e faz pouco tempo que se tornaram destinos turísticos procurados. Para atender o crescente número de visitantes, muitas praias têm quiosques que servem cerveja, lanches e frutos-do-mar, animados mercados-de-pulgas, e vendedores que oferecem desde massagens até passeios para ver golfinhos.

Visitante sob guarda-sol

Querim, perto de Terekhol, é uma bela praia intocada.

Arambol, praia bucólica, tranquila, com barcos de pesca e pitoresca lagoa de água doce alimentada por fontes termais *(pág. 493)*.

Vainguinim *tem recursos para velejar, fazer windsurfe, esqui aquático, parasailing, canoagem e mergulho, além do aluguel de barcos a motor e jet-skis.*

Baga, *continuação de Calangute, praia mais desenvolvida de Goa, tem muitas atividades, diversos bares, resorts e quiosques, e alguns animados locais noturnos.*

Siridao, pequena praia afastada, a curta distância de carro de Panaji, fica coberta de conchas.

Sinquerim estende-se até as defesas do Fort Aguada. Tem três hotéis de luxo à beira-mar. Algumas operadoras sérias oferecem diversos recursos para esportes aquáticos e passeios de barco.

Bogmalo, segura para nadar, é uma praia ideal para famílias, com recursos para esportes aquáticos *(pág. 507)*.

Colva *possui um dos mais longos trechos de areia ininterrupto de Goa, marcado pela sombra de palmeiras. É a praia mais famosa do sul de Goa e tem uma movimentada praça de mercado e muitos bares e cafés de frutos-do-mar* (pág. 507).

Palolém, em forma de U, é a praia mais bonita do sul de Goa. Oferece passeio para observar golfinhos e três casas para alugar. Aqui, o pôr-do-sol é espetacular *(pág. 507)*.

Fachada da St Jerome's Church (Our Lady of Miracles), em Mapusa

Mapusa ❺

Distrito de North Goa (Bardez taluka). 13km ao N de Panaji. *40.150.* *GTDC Hotel, (0832) 226 2794.* *sex.* *Feast of Our Lady of Miracles (abr).*

Maior cidade do norte de Goa, Mapusa tem como atração principal o colorido mercado de sexta-feira, quando o ar se enche de uma mistura de aromas que vão de peixe seco, temperos e pimentas a vinagre, licores e o famoso e apimentado chouriço goense. E há também castanhas-de-caju, muito consumidas. Camelôs vendem roupas de banho, camisetas e vestidos baratos, sob uma marquise de colunas, na frente das lojas. Nas vielas que saem do mercado, bancas vendem artesanato e suvenires de todo o país.

A **St Jerome's Church**, também conhecida como Church of Our Lady of Miracles, foi reconstruída duas vezes: primeiro em 1719 e depois em 1838, após de um incêndio. O altar-mor, com a imagem de Nossa Senhora dos Milagres, possui grandiosas telas ornamentais, recuperadas de uma igreja da Velha Goa.

O interessante é que tanto hindus como católicos comemoram com igual fervor a Feast of Our Lady (16 dias depois da Páscoa). No final, os devotos hindus, acompanhados pelos católicos, levam os santos óleos da St Jerome's Church até o Templo Shanteri, ali perto.

Arredores: O **lago Mayem**, 14km a sudeste de Mapusa, é ótimo para piqueniques. Lá existem barcos, um resort e um bom restaurante.

Vagator ❻

Distrito de North Goa (Bardez taluka). 17km ao N de Panaji. *Vila de Chapora.*

Bonita baía protegida por penhascos dos dois lados, Vagator é formada de diversas praias pequenas orladas por coqueiros. Quase sempre vazia, é o lugar perfeito para descobrir a beleza intocada de Goa.

A angra mais ao sul, **Ozran**, fica sob um rochedo íngreme, de onde um riacho deságua em um poço límpido, ideal para nadar. A **Little Vagator**, ao norte, é uma praia afastada, procurada por visitantes espertos. A **Big Vagator Beach** é dominada pelo **Chapora Fort**, de laterita vermelha, situado no topo de um morro da ponta norte. Agora em ruínas, este forte foi erguido pelos portugueses, em 1717, sobre os restos de uma fortaleza mais velha, construída pelos sultões Adil Shahi. O nome, Chapora, vem de "Shahpura", ou "Cidade do Xá", como era então conhecida. Em 1739, Sambhaji, filho do chefe marata Shivaji *(pág. 471)*, ocupou o forte por algum tempo, até ser devolvido aos portugueses em troca de Bassein, perto de Mumbai. Suas defesas, agora abandonadas, oferecem ampla vista do litoral. A vila de Chapora, abaixo do forte, tem muitos cafés agradáveis.

Redes de pesca de cores vivas

Arredores: Só se pode chegar às diversas vilas de pescadores ao longo do litoral norte por meio de ferryboat, que atravessa o rio Chapora, saindo de Siolim, a 10km da vila de Chapora. A área em volta da vila de **Morgim**, 5km ao norte da vila de Chapora, é ideal para ornitófilos. **Mandrem** é outra vila sossegada, com localização maravilhosa, 12km ao norte da vila de Chapora.

Pernem ❼

Distrito de North Goa (Pernem taluka). 29km ao N de Panaji. *sai de Siolim, a cada meia hora.*

Sede do *taluka* (subdistrito) mais setentrional de Goa, Pernem foi ocupada pelos portugueses em meados do século 18, como uma das últimas conquistas que fizeram de 1764 a 1788, período em que expandiram seu território para incluir Pernem, Bicholim e Satari, no norte, e Ponda *(pág. 502)*, Sanquem, Quepem e Canacona, no sul.

Nesse momento, o fervor de conversões que existia na época das primeiras conquistas havia declinado, e essas áreas continuaram predominantemente hindus.

Situado no bazar, o **Templo de Bhagavati**, de cores vivas, está no mesmo local há 500 anos, embora a estrutura atual

Quiosque na Morgim Beach, local comum em Goa à beira-mar

Pescador joga a rede na arrebentação da Querim Beach

date do século 18. É dedicado a Bhagavati, uma encarnação de Parvati, consorte de Shiva. Seu portal elaborado tem ao lado elefantes de tamanho natural. Perto do bazar fica a suntuosa **Deshprabhu House**, mansão do século 19 da rica família hindu Deshprabhu, que lutou pela liberdade de Goa em 1961. Esta ampla propriedade, erguida ao redor de 16 pátios, possui um templo privativo e um museu, que expõe retratos e antiguidades da família.

Deshaprabhu House
Tel *(0832) 220 1234, para agendar.*

Arambol ❽

Distrito de North Goa (Pernem taluka). 50km ao N de Panaji. *sai de Siolim, a cada meia hora.*

Também conhecida como Harmal, Arambol é a única vila de pescadores no norte de Goa que dispõe de alguns recursos básicos para o visitante. Situada em uma das praias menos comerciais do estado, ainda conserva o encanto de uma vila pesqueira tradicional, exceto pela ocasional venda de lenços e saias. Ao contrário do centro de Goa, aqui se nota a influência hindu. Diversos cafés e hospedarias se chamam Ganesha ou Namaste, em vez de Pete's ou Johnny's.

Na ponta norte, um caminho rochoso leva a uma segunda praia, toda rodeada de rochedos. Esta angra arenosa tem uma lagoa de água doce alimentada por fontes termais e forrada de lama sulfurosa. Um caminho de 5km para o norte leva à **Querim Beach**, faixa de areia branca, imaculada, orlada de casuarinas.

Terekhol Fort ❾

Distrito de North Goa (Pernem taluka). 42km ao N de Panaji. *sai de Querim, a cada meia hora.*

Ao se atravessar o rio Terekhol, saindo de Querim, encontra-se a aldeia de Terekhol, com o Terekhol (Tiracol) Fort, situado em um platô acima dela. Este forte do início do século 18 foi capturado dos Bhonsles, clã marata, pelos portugueses em 1776. Foi palco de um levante em 1954, quando um grupo de *satyagrahis* (partidários da liberdade) içou a bandeira indiana em suas defesas, em um ato de desobediência civil contra o domínio colonial. Os muros altos do forte estão voltados para o mar, de onde se enxergam Fort Aguada, Arambol e Chapora. No pátio, há uma capelinha com a imagem de Cristo que costuma ficar fechada, mas o Terekhol Fort Heritage Hotel *(pág. 711)* oferece vistas excelentes.

Cruzeiro no topo de um outeiro na Arambol Beach

Rei Momo no Carnaval

FESTIVAIS DE GOA

Jatra *(jan)*, em Quepem. Colorido festival *(jatra)* em homenagem às divindades locais do Templo Shantadurga *(pág. 502)*. Outros festivais iguais ocorrem o ano todo em vários templos de Ponda.

Carnaval *(fev)*, em Panaji. Maior festa de Goa, marca o início da Quaresma. O rei Momo, que personifica a alegria e a brincadeira, manda os súditos esquecerem os problemas e encabeça um desfile pelas ruas. Seguem-se três dias e três noites de folia sem parar.

Mascarados no Carnaval

Shigmotsav (Shigmo) *(mar)*. Este alegre festival hindu da primavera é celebrado em todo o estado. Há festas contínuas por cinco dias, com carros alegóricos (nas cidades maiores), teatro popular, danças com espadas e animado lançamento de pós coloridos.

All Saints Procession *(abr)*, em Velha Goa, em Pilar. Grande número de devotos carrega imagens de 26 santos em procissão que sai da St Andrew's Church, perto de Pilar.

Feast of St Francis Xavier *(3 dez)*, em Velha Goa. A festa do padroeiro de Goa ocorre no aniversário de sua morte (1552). Com peregrinos católicos de todo o mundo, a festa é precedida por novenas (nove dias de orações).

Bando de gaivotas aguarda as sobras da pesca na Arambol Beach ▷

Passeio pela Velha Goa ⑩

Retrato de Vasco da Gama

Um magnífico conjunto de catedrais, igrejas e mosteiros, disposto ao longo de uma faixa de 1,5km, marca o local da Velha Goa (Old Goa), capital portuguesa até meados do século 18. O passeio pela área, agora Patrimônio da Humanidade da Unesco, passa por dois dos monumentos religiosos mais importantes do estado, a Basílica de Bom Jesus e a grandiosa Catedral da Sé, e termina em Holy Hill, onde estão algumas das igrejas mais antigas de Goa. A maioria dos prédios, projetados por arquitetos portugueses ou italianos, engloba diversos estilos europeus, do renascentista sóbrio à exuberância do barroco e do manuelino de Portugal *(pág. 501)*.

④ Catedral da Sé
É considerada a maior igreja da Ásia. O altar-mor dourado tem seis painéis que retratam a vida de santa Catarina de Alexandria.

⑬ Our Lady of the Rosary foi erguida no topo de Holy Hill, em 1526, por Alfonso de Albuquerque. Ele assistiu à derrota de Yusuf Adil Shah em 1510 deste local e prometeu construir uma igreja aqui.

⑦ A Chapel of St Catherine, como Our Lady of the Rosary, foi erguida para comemorar a vitória de Albuquerque em 1510 e serviu como catedral de Goa até a construção da Catedral da Sé.

⑫ Royal Chapel of St Anthony
Santo Antônio, padroeiro de Portugal, era considerado também capitão do Exército.

⑩ No **Convent of St Monica**, de meados do século 17, será instalado o primeiro Museum of Christian Art da Ásia, que está sendo transferido de Rachol *(pág. 504)*.

⑨ Church and Convent of St John of God
Este convento foi erguido em 1685 pela Ordem Hospitalar de São João de Deus para receber doentes. Passou por reconstrução em 1953.

⑪ Church and Monastery of St Augustine
O campanário de laterita, com 46m de altura, domina as ruínas da que foi a maior igreja da Índia.

② **Portal do Adil Shah's Palace**
O portal, formado de lintel e pilares de basalto, foi tudo o que restou do palácio de Adil Shah, também usado como residência dos vice-reis de 1554 a 1695.

① **Viceroy's Arch**
Mais de mil navios por ano traziam novos imigrantes para Goa, no século 17. Eles passavam sob este arco de laterita, construído por Francisco da Gama (vice-rei, 1597-1600).

PREPARE-SE

Distrito de North Goa (Tiswadi taluka). 9km a L de Panaji. *Karmali, 9km ao S de Velha Goa.* *ou táxi de Panaji.* *GTDC, Old Goa Tourist Hotel, atrás do posto de polícia, perto da MG Statue, (0832) 228 5327.* *Feast of St Francis Xavier (3 dez). O folheto da Archaeological Survey of India sobre Goa está disponível no Archaeological Museum.*

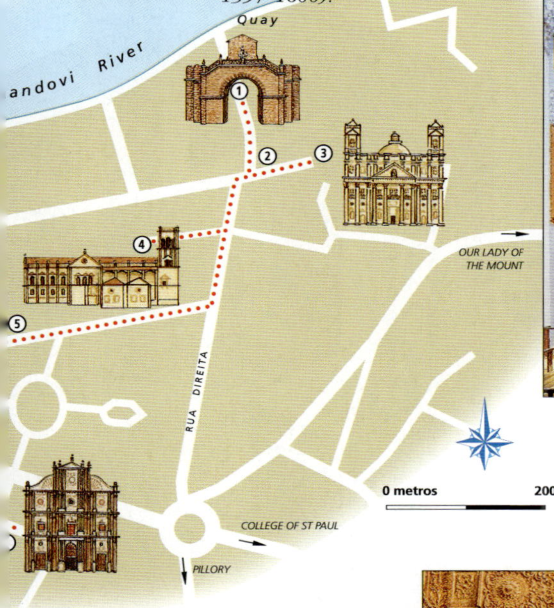

③ **Church of St Cajetan**
Construída por frades italianos em 1651, a Igreja de São Caetano é famosa pelos entalhes de madeira no altar-mor e no púlpito.

⑧ **Basílica de Bom Jesus**
(págs. 498-9).

⑤ **Church of St Francis of Assisi**
Erguida por frades franciscanos em 1521, esta é uma das igrejas mais importantes da Velha Goa. O altar-mor, entalhado e dourado, retrata Jesus crucificado, os quatro evangelistas, são Francisco e Nossa Senhora com o Menino Jesus.

⑥ **Archaeological Museum**
Esta estátua de bronze do poeta Luís Vaz de Camões, segurando seu épico Os lusíadas *(pág. 487), está no museu, agora instalado no ex-convento de St Francis of Assisi, ao lado da igreja.*

Velha Goa: Basílica de Bom Jesus

A Basílica de Bom Jesus é venerada por católicos do mundo todo, pois contém os restos mortais do padroeiro de Goa, são Francisco Xavier. Foi a primeira igreja no sul da Ásia a receber o título de Basílica Menor, do papa Pio XII, em 1946. Construída pelos jesuítas em 1594, esta grandiosa estrutura barroca mistura os estilos coríntio, dórico, jônico e composto em sua magnífica fachada tripartida. Cosimo III, duque da Toscana, doou o elaborado túmulo de são Francisco em troca do travesseiro que ficava sob a cabeça do santo. Levou dez anos para o escultor florentino Giovanni Foggini fazer o túmulo, finalmente montado em 1698. Ao lado, a Casa Professa (1589) serviu de alojamento dos padres até ser danificada em um incêndio, em 1633.

Entrada da Sacristia
Uma porta de madeira com entalhes requintados leva à sacristia.

★ Altar-Mor
O retábulo dourado tem uma imagem de santo Inácio de Loiola e outra do Menino Jesus. Artesões do local, empregados na decoração da igreja, fizeram querubins gorduchos, tipicamente indianos, no altar.

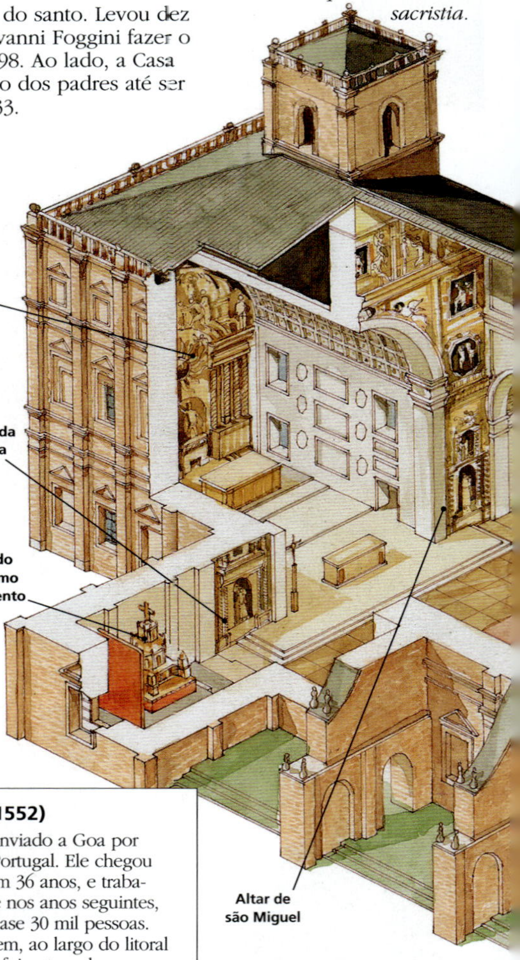

SÃO FRANCISCO XAVIER (1506-1552)

S. Francisco Xavier, na Galeria de Arte

Francisco Xavier foi enviado a Goa por dom João III, rei de Portugal. Ele chegou em maio de 1542, com 36 anos, e trabalhou incansavelmente nos anos seguintes, quando converteu quase 30 mil pessoas. Morreu em uma viagem, ao largo do litoral da China, em 1552, e foi enterrado em uma ilha. Três meses depois, quando seu corpo foi desenterrado para trasladação dos ossos, não havia sinais de decomposição. Um ano mais tarde, quando os restos viraram relíquia na Basílica de Goa, o corpo ainda estava intato, o que se considerou um milagre. Em 1622 ele foi canonizado. A exposição de suas relíquias ocorre a cada dez anos, e a última foi em 2004-2005.

PONTOS ALTOS

- ★ Altar-Mor
- ★ Túmulo de São Francisco Xavier
- ★ Púlpito de Madeira

★ Túmulo de são Francisco Xavier
O túmulo de mármore e jaspe tem quatro placas de bronze com cenas da vida do santo. Feito em uma mistura de estilos italiano e indiano, o relicário de prata, que contém as relíquias sagradas, é coroado por uma cruz com dois anjos.

PREPARE-SE

Distrito de North Goa (Tiswadi taluka). Rua das Naus de Ormuz, Velha Goa. ***Tel*** *(0832) 228 5790.* *diariam.* *durante a missa.* *Cerimônias em Konkani: 7h e 8h, seg-sáb; 8h e 9h15, dom.* **Galeria de Arte** Casa Professa. *diariam.*

★ Púlpito de Madeira
As imagens de Jesus e de diversos evangelistas foram entalhadas com requinte no púlpito.

Placa de Basalto
O lema jesuíta IHS, ou Iesus Hominum Salvator, *significa "Jesus Salvador dos Homens" em latim.*

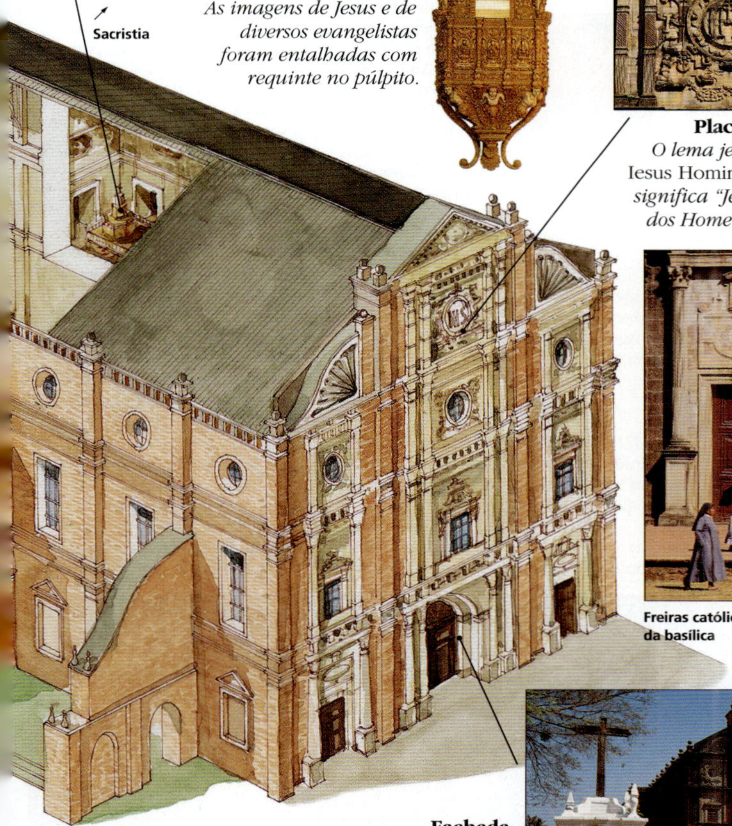

Freiras católicas na entrada da basílica

Fachada
Esta é a única igreja de Goa que não tem reboco. A cobertura original foi removida em 1956, expondo a laterita vermelha e macia por trás. Cada uma das três entradas e seis janelas é ladeada por pilares elegantes e detalhes de basalto.

Como Explorar a Velha Goa

A Goa dourada de Portugal já foi uma grande cidade com mais de 30 mil habitantes. No século 16, atraiu missionários, soldados, comerciantes e negociantes de cavalos. Seus palácios e suas mansões elegantes eram muito elogiados pelos visitantes. No entanto, em meados do século 18, uma série de epidemias e o assoreamento do rio Mandovi forçaram o vice-rei a se mudar para Panaji *(pág. 486)*. Daí em diante, veio o declínio e, no século 19, a cidade foi abandonada e as casas, demolidas. Atualmente, a Velha Goa é uma sombra do que foi, mas algumas igrejas e catedrais que sobraram estão entre os monumentos mais significativos do estado.

Há pilares nos dois lados da nave central da Catedral da Sé

Church of St Cajetan

L do Arco do Vice-Rei. *diariam.*

No século 17, o papa Urbano III enviou padres italianos da Ordem dos Teatinos para Golconda *(págs. 666-7)*. Quando foram proibidos de entrar, estabeleceram-se na Velha Goa. Aqui, em 1651, ergueram uma igreja dedicada ao fundador da Ordem, são Caetano, projetada com o desenho da de São Pedro, em Roma. A cúpula e o interior, com disposição em forma de cruz grega, incorporam a grandiosidade do barroco italiano. Agora, o mosteiro ao lado é escola de teologia.

Detalhe do altar, Churh of St Cajetan

Catedral da Sé

Senate Square. ***Tel** (0832) 228 4710.* *diariam.* *(em concani) 7h30 e 18h, seg-sáb; 7h20 e 16h, dom.*

Quando a Coroa mandou que ele construísse uma igreja digna do poderoso império português, Francisco Coutinho (vice-rei, 1561-4) imaginou uma catedral magnífica que seria a maior da Ásia. O resultado foi a Catedral da Sé, em estilo renascentista, projetada no século 16 por Júlio Simão e Ambrósio Argueiro e contruída durante 80 anos. Sua fachada de 30m de altura, em estilo toscano, era flanqueada por dois campanários quadrados, dos quais só resta um. Nele está o Sino Dourado, famoso pelos tons melódicos, que tocava durante os temidos julgamentos de auto-de-fé, realizados na praça em frente. O interior, com intricados detalhes coríntios, possui uma nave central com 76m de comprimento. E 15 altares embelezam esse interior, mas a grande atração é o altar-mor dourado, dedicado a santa Catarina de Alexandria, com painel que retrata cenas de sua vida. Duas das oito capelas, o Santíssimo Sacramento e a Cruz dos Milagres têm delicados trabalhos de filigrana em suas telas. Perto da entrada fica a pia usada por são Francisco Xavier para batizar os convertidos. As relíquias sagradas de seu corpo, mantidas na Basília de Bom Jesus *(págs. 498-9)*, são trazidas para a catedral durante as exposições, a cada dez anos.

Archaeological Museum

Convent of St Francis of Assisi.

***Tel** (0832) 228 5333.* *sáb-qui.*

O Convento de são Francisco de Assis (de 1517) já foi o maior mosteiro de Goa. Agora, abriga o Archaeological Museum, inaugurado em 1964. Uma enorme estátua de bronze de Alfonso de Albuquerque, trazida de Panaji, domina o salão de entrada. Entre os objetos de interesse estão uma imagem finamente entalhada de Vishnu e uma estátua de Surya, que datam do período Kadamba (séculos 11 e 12), e algumas pedras com

Da direita para a esquerda, Catedral da Sé, Church of St Francis of Assisi e Church of Our Lady of the Rosary

Para hotéis e restaurantes nesta região, ver págs. 709-11 e págs. 737-8

inscrições em marata e persa, relíquias de dinastias anteriores. Há também pedras de *sati* hindus, uma miniatura do *São Gabriel* (navio em que Vasco da Gama navegou até a Índia, em 1498) e a imagem de santa Catarina, no pátio. A Portrait Gallery, no primeiro andar, tem 60 retratos de vice-reis e governadores de Goa.

Detalhe: ruínas de St Augustine

Church of St Francis of Assisi

O da Catedral da Sé . diariam.

Erguida por frades franciscanos em 1521, e refeita em 1661, esta igreja tem belas portas entalhadas (do prédio original). Trata-se de um exemplo raro do estilo manuelino de Portugal, que usa muitos temas náuticos, e foi desenvolvido no reinado de dom Manuel (1469-1521). Duas esferas armilares e uma cruz grega (emblema de todos os navios portugueses) enfeitam a porta. O belo interior barroco possui afrescos florais nas paredes e no teto, e o piso é coberto por lápides esculpidas da nobreza portuguesa. O altar dourado possui imagens de são Francisco de Assis e de Cristo.

Outros pontos notáveis são o púlpito, entalhado com desenhos de flores, e os painéis pintados na capela-mor, com cenas da vida do santo.

Fachada com torres octogonais da Church of St Francis of Assisi

Church and Monastery of St Augustine

Holy Hill.

A igreja de santo Agostinho, que já foi a maior da Índia, com grandiosa fachada de cinco andares, agora está em ruínas. Sua construção se deve à Ordem Agostiniana, em 1512. A igreja de estilo gótico foi abandonada em 1835, e o teto desabou sete anos depois. Escavações iniciadas em 1989 revelaram oito capelas, quatro altares, esculturas e mais de cem esplêndidas lápides de granito. Segundo descrições da época, a igreja também tinha escadarias suntuosas e galerias e uma biblioteca que se igualava à de Oxford (na Inglaterra), no século 17. Agora, tudo que o restou foi o campanário alto *(pág. 496)*.

Church of Our Lady of the Rosary

Holy Hill. diariam.

Com torreões como os de castelos e altar simples pintado com cestos de flores, esta é uma das primeiras igrejas manuelinas de Goa. Aqui está o túmulo de dona Catarina, esposa de Garcia de Sá (vice-rei, 1548-9), primeira portuguesa a chegar a Goa.

Fora do Centro

Há algumas construções interessantes no canto sudeste da Velha Goa. No fim da Rua Direita, a principal da Velha Goa, está um solitário pilar de basalto sobre uma plataforma, resquícios do temido **Pelourinho**. Como punição, criminosos e hereges eram amarrados nele, bem no centro da praça. Perto, no caminho para Ponda, fica o **College of St Paul**. Fundado pelos jesuítas em 1541, teve 3 mil alunos, o que fez dele o maior colégio jesuíta da Ásia. Aqui funcionou a primeira imprensa asiática. São Francisco Xavier morou e pregou aqui; a capela mais acima, na estrada, também foi usada por ele e, mais tarde, dedicada à sua memória.

A **Church of Our Lady of the Mount**, erguida em 1510, está no topo de um morro, aonde se chega por uma ruela que sai da Cumbarjua Road. Construída por Alfonso de Albuquerque após a vitória sobre Yusuf Adil Shah, a igreja foi restaurada recentemente. As vistas de torres e torreões da Velha Goa são magníficas.

A INQUISIÇÃO EM GOA

A pedido de Francisco Xavier (pág. 498), um tribunal de jesuítas chegou em 1560 e se instalou em um palácio menor de Adil Shah (do qual ainda restam alguns traços), ao sul da Catedral da Sé. Sua missão: refrear o comportamento libertino dos colonizadores portugueses e converter "infiéis". Com a Inquisição, a partir de 1567, todas as cerimônias hindus se tornaram proibidas, os templos foram destruídos e os hindus, forçados a se converter. Quem se recusava era preso nos calabouços do "Paládio da Inquisição" (como ficou conhecido o palácio de Adil Shah), à espera do julgamento do auto-de-fé. Os condenados eram queimados vivos diante de um grupo de dignitários. Durante os 200 anos seguintes, ocorreram 16 mil julgamentos e milhares de pessoas morreram. A Inquisição só terminou em 1812.

Mural: padre faz conversão

Altar da Church of Our Lady of the Rosary, em Holy Hill

Santa Cecília (século 17), padroeira dos coros de igreja, em Pilar

Pilar ⑪

Distrito de North Goa (Tiswadi taluka). 12km a SE de Panaji.

No topo de um morro, o **Pilar Seminary** foi erguido pelos capuchinhos (divisão da Ordem dos Franciscanos), em 1613, no local de antigo templo hindu. Abandonado em 1835, quando todas as ordens religiosas se dispersaram, foi reaberto pelos carmelitas em 1858. A Sociedade do Pilar fundou aqui um colégio da missão, em 1890, e ainda há aulas no velho prédio do seminário. Anexa, a **Church of Our Lady of Pilar** tem um portal de pedra com entalhes elaborados e a imagem de são Francisco de Assis acima. Dentro, há uma imagem de Nossa Senhora do Pilar, trazida da Espanha. O túmulo de Agnelo de Souza (diretor do seminário de 1918 a 1927) fica ao lado da igreja. O **New Seminary**, erguido em 1946, fica perto. Seu museu exibe fragmentos do templo original, arte cristã, moedas portuguesas e um leão de pedra, símbolo da dinastia Kadamba.

Museum
Tel (0832) 221 8521. *diariam.*

Arredores
Goa Velha, 2km a sudoeste de Pilar, marca o local de Govapuri, capital e porto dos governantes Kadamba, entre os séculos 11 e 13, da qual restam poucos traços.

Ponda ⑫

Distrito de South Goa (Ponda taluka). 28km a SE de Panaji. 17.700. *Urs of Shah Abdullah (fev).*

Ponda é um centro comercial movimentado, cuja principal atração é a **Mesquita Safa Shahouri**, 2km a oeste. Construída por Ibrahim Adil Shah (sucessor de Yusuf Adil Shah) em 1560, é uma edificação retangular, com janelas em arco e telhado inclinado. Seu tanque ritual tem desenhos iguais aos dos *mihrabs* (nichos em arco).

A cidade empresta seu nome ao *taluka* (subdistrito), famoso pelos templos hindus, espalhados na floresta densa. À medida que os portugueses expandiram seu território no centro de Goa, eles destruíram mais de 550 templos. Os sacerdotes hindus fugiram com seus objetos religiosos para regiões fora do controle português, principalmente a área ao redor de Ponda, onde ergueram novos templos nos séculos 17 e 18.

Mais da metade da população de Goa é hindu, e os templos goenses, ao contrários dos de outros lugares da Índia, constituem uma mistura fascinante de estilos arquitetônicos, como barroco europeu, muçulmano e hindu. O projeto básico é hindu, mas muitas vezes cúpulas muçulmanas substituem as costumeiras *shikharas* (torres espiraladas) sobre o santuário principal, e os salões de oração têm candelabros europeus.

O **Templo Shantadurga**, 3km a sudoeste de Ponda, em Quela, é o santuário mais concorrido de Goa. Erguido por Shahu, neto do chefe marata Shivaji *(pág. 471)*, o templo vermelho e bege possui um telhado incomum, ao estilo de um pagode, dominado por uma torre octogonal de cinco andares, única em Goa. Grandiosos candelabros descem do teto dourado no grande salão central, e placas de prata com relevos protegem o santuário principal que contém a imagem de prata da deusa Shantadurga (encarnação de Parvati, consorte de Shiva), trazida do *taluka* de Mormugão. Também chamam atenção as enormes *rathas* (carruagens) usadas durante o Jatra, em janeiro *(pág. 493)*.

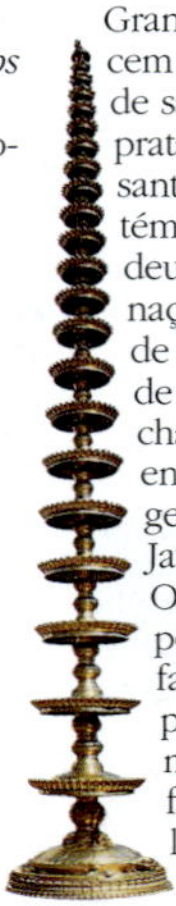

Torre de castiçais no Templo Shri Mahalsa

O **Templo Shri Ramnath**, a pouca distância, ganhou fama pela suntuosa tela de prata com relevo de animais e temas florais na frente do santuário. Seu linga, que veio de Loutolim, é venerado pelos devotos de Shiva e Vishnu.

O **Templo Shri Nagueshi**, 4km a oeste de Ponda, em Bandora, é de 1780, embora talvez seja anterior a essa data. Erguido para a veneração de Nagesh (Shiva, como Senhor das Serpentes), trata-se de um dos mais antigos da região. O salão de

Amplo tanque de água (século 18) no Templo Shri Mangesh

entrada tem frisos de madeira entalhada, que retratam cenas do *Ramayana* e do *Mahabharata (págs. 26-7)*.

Do século 18, o **Templo Shri Lakshmi Narasimha** encontra-se na vila de Velinga, 5km a noroeste de Ponda. Sua majestosa imagem de Narasimha, encarnação de Vishnu como homem-leão *(pág. 679)*, foi trazida de Mormugão na década de 1560. Rodeado pela floresta, é um dos templos mais atraentes de Goa, com tanque sagrado e portal elaborado. Perto, uma torre abriga os músicos do templo no festival de Jatra, em maio.

Feito para Vishnu, o **Templo Shri Mahalsa** fica 7km ao noroeste de Ponda, na vila de Mardol. A divindade principal (a encarnação feminina de Vishnu ou sua consorte Lakshmi) veio de Verna. O traço mais notável do templo é o alto pilar de latão, com 21 camadas, que se ergue da figura de Kurma (encarnação de Vishnu como tartaruga), com Garuda (seu veículo) encarapitado no topo. O pilar simboliza o monte Kailasa que, segundo a mitologia hindu, foi colocado no dorso de Kurma e usado para encrespar o oceano primordial. O santuário original é uma estrutura de madeira com teto inclinado, e os pórticos possuem entalhes de músicos e de guerreiros. O salão principal dispõe de pilares com entalhes intricados. A parte central do teto é levantada e pintada com imagens de deuses colocados em nichos.

Procissão durante o Shigmo Jatra, no Templo Shri Mahalsa

Templo Tambdi Surla, do período Kadamba, à margem de um riacho

Para o noroeste, em Priol, fica o templo mais rico de Goa: o **Templo Shri Mangesh**, do século 18, dedicado a Shiva. O pátio tem um pé de *tulsi* (manjericão) sagrado, plantado em uma urna verde-clara, típica de Goa. Há um grande tanque sagrado e uma torre de sete andares. Aqui são apresentadas danças e peças durante as festas de Jatra. Sobre rodas, um elefante todo colorido fica na entrada do templo branco e amarelo. Dentro, candelabros belgas do século 19 pendem do teto. O santuário principal possui um linga transferido de Mormugão. A casa da infância de Lata Mangeshkar (nascido em 1929), o mais famoso cantor de músicas de filmes, ficava perto do templo.

Cerca de 4km a nordeste da cidade de Ponda, perto do vilarejo de Khandepar, situa-se um grupo de **cavernas hindus escavadas na rocha**, feitas do século 10° ao século 13, com entalhes de flores de lótus no teto, molduras simples nas portas e nichos para lamparinas.

Um interessante passeio de um dia, saindo de Ponda, visita plantações de especiarias, como cardamomo, noz-moscada e canela.

Nesse trajeto, é fácil chegar à Pascoal Plantation, 8km a leste, e à Savoi Spice Garden, em Savoi Verem, 12km ao norte.

Tambdi Surla ⓭

Distrito de South Goa (Sanguem taluka). 73km a L de Panaji. *Melhor opção: táxi de Panaji ou Ponda.*

Escondido pela floresta de Tambdi Surla, encontra-se o templo hindu mais antigo de Goa, que data do período Kadamba (entre os séculos 11 e 13). Construído com basalto preto e dedicado a Shri Mahadeva (Shiva), o santuário provavelmente sobreviveu em razão de sua localização afastada. A estrutura simétrica é feita de placas de pedra encaixadas sem argamassa. Sobre um plinto baixo, o salão de entrada tem dez pilares, e a *shikhara* acima do santuário dispõe de um relevo em miniatura e finos entalhes de Brahma, Vishnu, Shiva e sua consorte Parvati.

Detalhe: Templo Tambdi Surla

Arredores: O **Bhagwan Mahaveer Sanctuary**, 20km a sudeste de Tambdi Surla, cobre uma área de 240km² e abriga leopardos, veados e bisões-indianos.

Sua principal atração é a **Dudhsagar Waterfalls**, de 600m de altura, na divisa de Goa e Karnátaka.

O pequeno **Bondla Sanctuary**, 30km a leste de Tambdi Surla, é conhecido pela variedade de pássaros.

Bhagwan Mahaveer Sanctuary
diariam.

Bondla Sanctuary
set-jun: sex-qua.

Church of St Ignatius Loyola, em Rachol

Rachol ⓮

Distrito de South Goa (Salcete taluka). 52km a SE de Panaji.

A vila de Rachol ocupa o local de uma antiga fortaleza construída pelo sultanato de Bijapur *(pág. 542)*, cedida aos portugueses em 1520. Um portal de laterita e um fosso seco constituem o legado dessa fortificação, que possuía cem canhões e fazia a guarda das fronteiras meridionais dos territórios portugueses. A bonita **Church of Nossa Senhora das Neves** foi construída em 1576.

Atualmente, o **Rachol Seminary**, de 1606, talvez seja o seminário mais importante de Goa. Instalado em Margão em 1574 e conhecido como College of All Saints, esse primeiro seminário contava com hospital, escola para pobres e gráfica. Mudou-se para cá depois que a instituição de Margão foi destruída em um ataque muçulmano, em 1579. Durante gerações, esta foi a instituição educacional de maior prestígio em Goa, tanto para estudos seculares como religiosos, e oferecia um curso de sete anos de teologia e filosofia, a fim de preparar os jovens seminaristas para o sacerdócio. Com localização espetacular no topo de um morro, o prédio possui uma fachada grandiosa, semelhante à de um forte, ladeada por imponentes torres de observação. O amplo salão de entrada do seminário é coberto de murais notáveis e se abre para um pátio central, rodeado por clausuras feitas de teca maciça, cada uma com estúdio apainelado com madeira. A escadaria imponente é adornada com esculturas hindus, escavadas do antigo templo sobre o qual foi construído o seminário. Ela conduz ao primeiro andar e à biblioteca, que tem uma coleção rara de livros em latim e português e retratos dos arcebispos de Goa. Anexa ao seminário está a **Church of St Ignatius Loyola**, dedicada a esse santo. Possui um altar dourado e todo entalhado, com uma pintura de são Constantino, primeiro imperador romano a se converter ao cristianismo. Segundo a lenda, alguns fragmentos de ossos e um frasco com seu sangue foram trazidos para Rachol em 1782, e supõe-se que estejam guardados perto da entrada.

Ostensório de prata: acervo do museu

As cadeiras do coro têm delicados entalhes dos santos que fundaram diversas ordens religiosas. No balcão do primeiro andar há um belo órgão do século 16, vindo de Lisboa. Até meados de 2001, também ficava no Rachol Seminary o Museum of Christian Art, inaugurado em 1991 pelo Indian National Trust for Art and Cultural Heritage (Intach) e pela Fundação Gulbenkian de Portugal. Atualmente, o acervo está sendo transferido para o Convent of St Monica, na Velha Goa *(pág. 496)*, e será disposto na Chapel of the Weeping Cross, adjacente ao convento.

Em meio à impressionante coleção de objetos religiosos dos séculos 17 e 18 há enfeites de prata e marfim, trajes clericais ornamentados, cruzes de procissão e aspersórios de água benta. Chama atenção um altar portátil para missionários viajantes, com castiçais e objetos para a missa.

Margão ⓯

Distrito de South Goa (Salcete taluka). 33km ao S de Panaji.

78.500.

Margão Residency, (0832) 271 5528.

Feast of the Holy Spirit (dez).

Margão (Madgaon), segunda cidade mais importante de Goa, depois de Panaji, é a capital administrativa e comercial do distrito de South Goa. Esta cidade movimentada também serve como principal centro de negócios da área para a pesca e os produtos agrícolas locais.

A **Praça Jorge Barreto** conta com o amplo Municipal Building, em estilo colonial, que abriga a biblioteca no lado sul. Ali perto fica um café concorrido, chamado Longi-

Vista do seminário e da igreja em um morro de Rachol

nhos. Bem atrás do Municipal Building, para o sul, encontram-se os animados bazares de Margão, que vendem peixes pescados no dia e frutas e verduras frescas. O **Covered Market**, próximo, vende quase de tudo, a exemplo de pilhas de sabão em barra, cereais, peixe seco, picles, linguiça apimentada de porco, tamarindo, guirlandas de flores, açúcar mascavo e louça de barro. Mais ao norte, há uma fileira de lojas que vendem vinhos locais, e a ruela na saída do mercado tem diversas lojas de roupa.

A **Rua bbé de Faria** sai da praça e serpenteia para o norte, ladeada por algumas mansões coloniais bem conservadas. Ela vai até o velho Latin Quarter de Margão. O bairro tem no centro o **Largo da Igreja,** também rodeado de casarões coloridos dos século 18 e 19, com cobertura de telha, balcões e balaustradas de ferro forjado. No meio do largo está um grande cruzeiro do século 16, voltado para a alta **Church of the Holy Spirit**, em estilo barroco. Erguida em 1565 no local de um templo hindu destruído, a igreja e o Jesuit College of All Saints, anexo, foram saqueados diversas vezes por atacantes muçulmanos.

O seminário se mudou para Rachol, e a igreja foi reconstruída em 1675. A fachada caiada é ladeada por torres cobertas com cúpulas e enfeitadas com lampiões, apesar de suas paredes laterais terem ficado sem reboco. O interior grandioso possui teto de estuque, púlpito dourado e decorado com entalhes dos apóstolos, altar rococó e elegantes peças de altar barrocas no transepto. Atrás da igreja, a Agostinho Lourenço Street vai para leste, até a imponente mansão chamada **Sat Burnzam Gor**, ou "Sete Empenas" *(pág. 506)*, cujo nome vem das sete empenas ou oitões piramidais no telhado. Este é o único exemplo que restou de casa com telhado piramidal em Goa. Erguida em 1790 por Ignácio da Silva, com seus ganhos como secretário do vice-rei, tem grandes salões cheios de móveis de pau-rosa entalhados e porcelanas inestimáveis, e sua capela particular foi a primeira a ser permitida em Goa. Do cruzamento a leste da igreja, uma estrada sobe até o **Monte Hill**. Embora não se possa entrar na capelinha do topo, são lindas as vistas do litoral sul, enfeitadas pelos telhados de Margão.

Municipal Building, vermelho e branco, na Praça Jorge Barreto, em Margão

Cruzeiro no Largo da Igreja

Sat Burnzam Gor
Só com hora marcada; contate a sra. da Silva.

Arredores

As lindas vilas ao redor de Margão possuem muitas mansões rurais coloniais, que datam de um período próspero nos séculos 18 e 19, quando os latifundiários locais começaram a lucrar com o controle português sobre as rotas de comércio marítimo da África até Malaca (na Malásia). Muitas dessas casas eram também de goenses, que ocupavam altos postos no governo português e conseguiam terras em troca de seus serviços.

Loutolim, 10km a nordeste, foi importante centro administrativo português e possui um grupo de casas suntuosas, situadas bem perto da praça da igreja principal. O Centro de Informação Turística de Goa e o museu Houses of Goa, (0832) 241 0711, localizado em Salvador do Mundo, podem organizar visitas a essas construções. **Chandor**, 13km a leste de Margão, dispõe da casa palaciana de Bragança, maior residência privada de Goa *(pág. 508-9)*. **Chinchinim**, 10km ao sul de Margão, e **Benaulim**, 6km a sudoeste de Margão, também têm belas mansões, dotadas de típicos balcões goenses e telhados de várias águas.

Camarão, sardinha, cavala e salmão, tudo fresco, no bazar de Margão

Mansões Coloniais de Goa

A zona rural de Goa possui mansões coloniais grandiosas, erguidas por ricos latifundiários que prosperaram nos séculos 18 e 19. As casas desses aristocratas locais foram construídas no estilo tradicional da região, com pátios internos, pórticos amplos e venezianas feitas de conchas de ostra. O mobiliário e a decoração, porém, eram mais europeus. Atualmente, candelabros belgas, vidros lapidados e espelhos dourados de Veneza, móveis barrocos de pau-rosa e porcelana chinesa dispostos no interior oferecem uma fascinante amostra das preferências e dos estilos de vida dessa época.

Vaso chinês

Venezianas de concha de ostra *na fachada de Sat Burnzam Gor (Sete Empenas), em Margão. Traço exclusivo da arquitetura goense dos séculos 16 e 17, essas conchas eram usadas no lugar de vidraças e impediam muito bem a entrada de calor e luz.*

***O típico balcão piramidal**, ou pórtico, enfeita a entrada da Figueiredo House, em Loutolim. Costumava-se colocar cadeiras no balcão, pois era comum conversar na porta da frente.*

Este entalhe antigo em pau-rosa *da mansão mais suntuosa de Goa, a Bragança House, em Chandor* (págs. 508-509)*, é um exemplo típico do barroco indo-português.*

Os salões em estilo europeu, *como o pomposo salão de baile na Alvaro Loyola Furtado Mansion, em Chinchinim (de 1833), possuem candelabros de cristal e mobílias elegantes.*

Móveis antigos entalhados na Casa dos Mirandos

ONDE VER CASAS GOENSES

Loutolim possui quatro casas notáveis –Salvador da Costa House, Roque Caetano Miranda House, Figueiredo House e Casa dos Mirandos, que é a mais bonita. **Margão** tem a Sat Burnzam Gor, **Chinchinim** dispõe da Loyola Furtado Mansion e **Chandor** conta com a Bragança House. Veja mais detalhes na página 505.

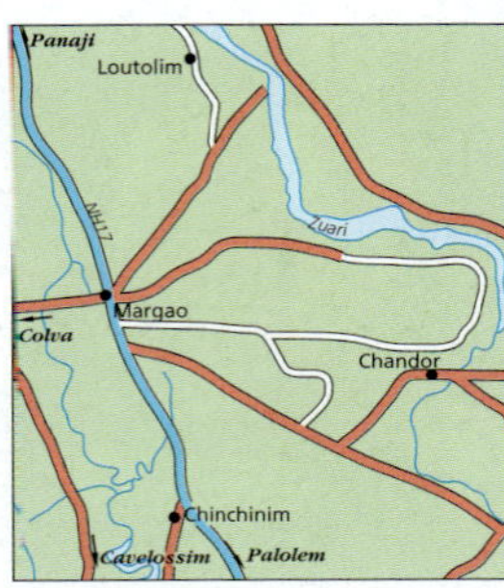

Colva 17

Distrito de South Goa (Salcete taluka). 6km a O de Margão. *GTDC Tourist Cottage, (0832) 278 8047.* *Fama do Menino Jesus (out).*

Colva se tornou um retiro de veraneio ideal para os moradores de Margão, por causa da proximidade. Trata-se do mais antigo e desenvolvido balneário do sul de Goa. Sua praia com 25km de comprimento, desde a península de Mormugão, ao norte, até Mobor, ao sul, é a mais longa do estado.

A cidade atrai grande número de visitantes, que passam o dia se divertindo nos animados quiosques de praia, suspensos por estacas e sombreados por palmeiras. Eles servem deliciosas lagostas grelhadas e outras variedades de frutos-do-mar. Muitos hotéis de luxo e de nível médio ficam na rua da praia principal, enquanto a extremidade sul tem trechos de areia intocados. Pescadores levam o que apanharam para a praia, no mesmo ponto em que ocorrem festas animadas na lua cheia.

Garçom alegre, em Mobor

Perto da praia encontra-se a **Church of Our Lady of Mercy** de Colva, erguida em 1630. Tem um belo interior barroco e abriga a famosa imagem do Menino Jesus segurando o globo e um estandarte, venerada por seus milagrosos poderes de cura.

Arredores

Majorda, 7km ao norte de Colva, possui praia larga, cheia de hotéis de luxo. **Bogmalo Beach**, 20km a noroeste de Colva, é um local muito procurado para a prática de windsurfe. A partir de Colva, o turismo se expandiu até o sossegado vilarejo de pescadores de **Benaulim**, 2km ao sul, cujas ruas estão tomadas por pequenas hospedarias, restaurantes e bares. **Varca Beach,** 5km ao sul, tem muitos hotéis caros e uma igreja paroquial com fachada imponente.

Cavelossim 18

Distrito de South Goa (Salcete taluka). 15km ao S de Margão.

Preferida das celebridades indianas, Cavelossim tem uma praia encantadora de 2km de comprimento. Dispõe também de campo de golfe, resorts luxuosos e excelentes restaurantes de frutos-do-mar, como o Seaways Bar. A **Church of the Holy Cross**, toda ornamentada, fica em uma pracinha.

Arredores

Mobor, 5km ao sul de Colva, é um local bucólico, cercado de morros e com a linda vila pesqueira de **Betul**, encravada perto do rio Sal. Aqui está localizado o Leela Beach Resort. O **Cabo da Rama**, bem ao sul de Betul, recebeu o nome de Rama, herói do *Ramayana*, que, segundo a trama, se escondeu aqui durante seus 14 anos de exílio *(pág. 27)*. Possui as ruínas de uma fortaleza hindu, tomada pelos portugueses em 1763.

Quiosque com telhado de palha, na Palolém Beach

Palolém 19

Distrito de South Goa (Salcete taluka). 37km ao S de Margão.

Famosa pelos pores-do-sol espetaculares, esta baía é protegida por um penhasco, de um lado, e pela ilha Canacona (bom lugar para acampar), do outro. A localização de Palolém, longe das praias apinhadas no centro de Goa, a torna ideal para umas férias tranquilas. Aqui, uma atração especial é o passeio de barco oferecido pelos pescadores, que levam o visitante pelo mar para observar golfinhos.

Arredores

Na maior parte, o sul de Goa é isolado e pouco explorado pelo turismo. **Agonda**, 7km ao norte de Palolém, é ainda mais calma do que a vizinha. **Galgibaga**, 8km ao sul de Palolém, possui um belo trecho de praia deserta, sombreada por eucaliptos em vez de palmeiras. O remoto **Cotigão Wildlife Sanctuary**, 18km a oeste de Palolém, merece uma visita por sua beleza sossegada.

Turistas pedalam nas areias de Colva, a praia mais comprida de Goa

Bragança House 16

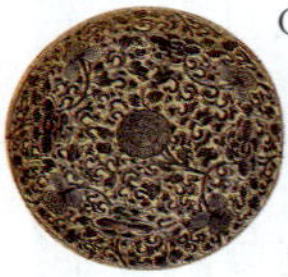

Porcelana azul chinesa

O tamanho impressionante da Bragança House e a suntuosidade de seu interior deram-lhe a qualificação de mansão colonial mais grandiosa de Goa. Esta edificação do século 17 ainda é ocupada por dois ramos da família Bragança. Os descendentes de Antônio Elzário Sant'Anna Pereira ocupam a ala leste, enquanto os parentes de Francisco Xavier de Menezes Bragança moram na ala oeste. Os dois receberam títulos de nobreza e brasão do rei de Portugal, no fim do século 19. O andar acima dos aposentos privativos dispõe de salão de baile, biblioteca e capela, além de bela coleção de móveis do século 18 e porcelanas chinesas.

Salão de Jantar
Há uma mesa comprida no salão de jantar do primeiro andar da mansão.

★ Capela
No altar da capela barroca encontra-se uma unha de são Francisco Xavier incrustada de brilhantes.

Quarto de Hóspedes
Uma grande cama de pau-rosa com dossel domina o quarto. Ao pé da cama há um sofá de dois lugares, também de pau-rosa.

A **Ala Leste** pertence aos Bragança Pereira.

★ Salão de Baile
Uma poltrona de pau-rosa, com o brasão Bragança, e um espelho dourado estão no salão mais suntuoso da mansão. As paredes e o piso são de mármore, e candelabros pendem do teto de zinco com padrões florais.

PONTOS ALTOS

★ Capela

★ Salão de Baile

★ Corredor

Para hotéis e restaurantes nesta região, ver págs. 709-11 e págs. 737-8

Salão Menezes Bragança
Uma coleção de requintada porcelana chinesa está exposta em um dos salões, com um vaso grande em lugar de destaque.

PREPARE-SE

Church Square, Chandor (Salcete taluka). 20km a L de Margão.
Ala Menezes Bragança ***Tel*** *(0832) 278 4201;* **Ala Bragança Pereira** ***Tel*** *(0832) 278 4227. Admissão às duas alas só com hora marcada.* *Aceitam-se doações.*

Retrato de Francisco Xavier de Menezes Bragança
No salão de baile da ala oeste está pendurado o retrato do avô do renomado jornalista Luís de Menezes Bragança (pág. 487).

A **Ala Oeste** é ocupada pelos Menezes Bragança.

A **biblioteca** dispõe do melhor acervo particular de Goa. São mais de 5 mil livros, com encadernação de couro.

★ Corredor
Um longo corredor decorado com elegância fica bem atrás da fachada da casa. Possui 28 janelas em arco e está voltado para um jardim bem cuidado.

Escadaria
A bonita escadaria dupla forma o núcleo da casa, ligando a entrada do térreo ao piso superior.

KARNATÁKA

Chama atenção a diversidade das paisagens de Karnátaka, pois o estado se estende desde o mar da Arábia e da fértil cadeia de montanhas Ghats Ocidentais, com produtivas plantações de café, especiarias e frutas, até a região pedregosa e mais seca do planalto do Decã. Seus monumentos históricos também são variados, e vão de templos hindus do século 6º ao século 8º, em Badami, Pattadakal e Aihole, os mais antigos do Sul da Índia, ao forte da ilha de Srirangapattana (século 18), em estilo europeu, do sultão Tipu, e ao palácio de Mysore, do século 20, com torreões extravagantes. Entre outras atrações estão os magníficos templos em Halebid e Belur, o colossal monólito Gommateshvara em Sravana Belgola e as imponentes ruínas de Hampi, local da grande cidadela de Vijayanagar. No norte de Karnátaka, ficam as cidadelas medievais dos sultões do Decã, em Bijapur, Gulbarga e Bidar, cujos muros protegem mesquitas, salões de audiência e túmulos reais.

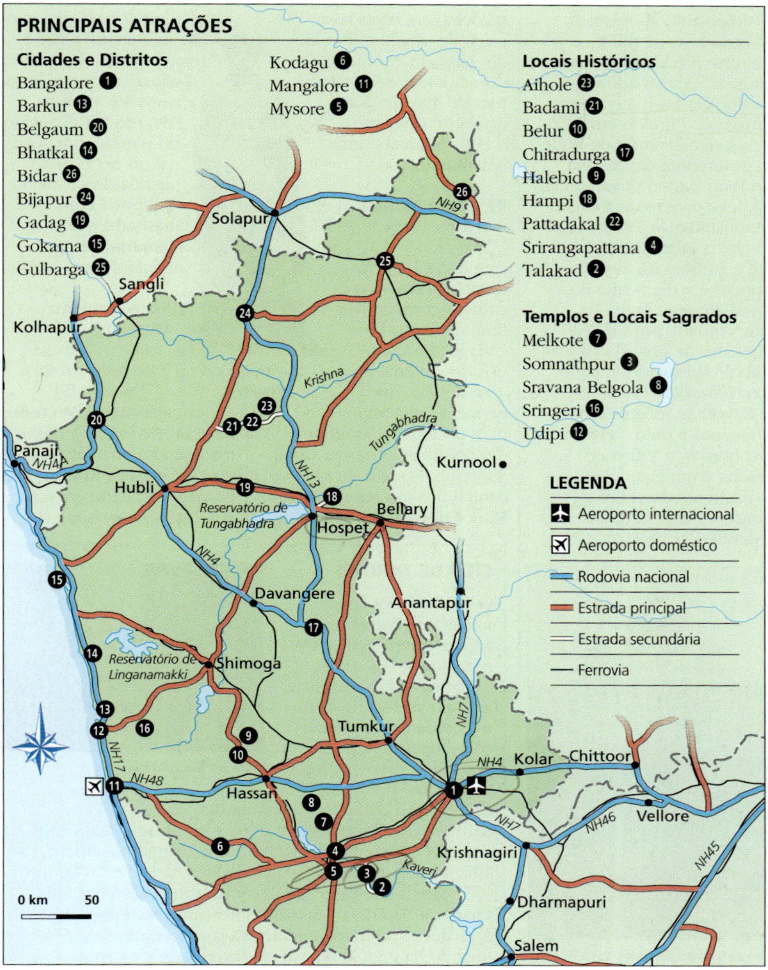

◁ **Pedinte em um santuário ao lado do rio Tungabhadra, em Hampi**

Bangalore ❶

Museu: pedra entalhada

Bangalore é descrita como o Vale do Silício da Ásia em razão da florescente indústria da tecnologia da informação. Trata-se da quinta maior cidade da Índia e a de crescimento mais rápido. Até o fim da década de 1980, quando teve início a arrancada tecnológica, era chamada Cidade Jardim, onde o agradável clima temperado é propício às áreas verdes. Atualmente, com crescente população de jovens profissionais, a cidade se tornou cosmopolita e animada. Foi fundada no século 16 por Kempe Gowda, chefe local, e seu nome deriva da expressão canada *benda kaluru* (feijão cozido), que uma velha senhora ofereceu a um rei hoysala do século 10º, quando ele, faminto, bateu à sua porta.

Vidhana Soudha

Dr. Ambedkar Rd. *ao público.*
Construído com granito e pórfiro, este prédio imponente abriga o Secretariado e a Assembléia Legislativa de Karnátaka. Erguido em 1956, após a transferência de poder do governante da dinastia Wodeyar para o governo central, teve projeto de Kengal Hanumanthaiah, então ministro-chefe, cuja intenção era que a construção "refletisse o poder e a dignidade do povo". Possui cúpula de 20m, coroada por um leão ashokano de quatro cabeças, símbolo do Estado indiano. Com *jharokhas* (sacadas) de Rajasthan, pilares indo-sarracenos e outros elementos decorativos, o Vidhana Soudha é um exemplo do estilo neodravídico de Bangalore depois da independência. Dentro, são notáveis os entalhes de madeira, em especial a porta de sândalo do salão do gabinete e a cadeira do orador, feita de pau-rosa de Mysore. Nas noites de domingo, o edifício recebe uma bela iluminação.

O Secretariado de Karnátaka fica no magnífico Vidhana Soudha

Attara Kacheri

L de Vidhana Vidhi.
seg-sex.
Este imóvel gracioso, de dois andares, com colunas coríntias, foi terminado em 1864 e abrigou escritórios do governo de 1868 a 1956, que depois se mudaram para o Vidhana Soudha, e o prédio se tornou a Corte Suprema. No teto do salão central fica um retrato de sir Mark Cubbon, comissário de Mysore de 1834 a 1861. Atrás da edificação, há uma estátua equestre dele, feita pelo barão Marochetti.

Cubbon Park

Cantonment. *diariam.*
Projetado em 1864 por Richard Sankey, engenheiro-chefe de Mysore, e nomeado em homenagem ao comissário, o Cubbon Park ocupa mais de 135ha. Seu paisagismo parcialmente formal integra de maneira criativa as pedras do local com grupos de árvores e moitas de bambu.

O parque dispõe de muitas estátuas, como a do governante Chamarajendra Wodeyar (reinado: 1868-94), voltada para a lagoa, perto do coreto octogonal de ferro forjado. Há também estátuas de mármore da rainha Vitória e de Eduardo VII. No meio do parque, uma construção neoclássica, pintada de vermelho, conhecida como **Sheshadri Iyer Memorial**, abriga uma biblioteca pública.

Chamarajendra Wodeyar

Government Museum

Kasturba Gandhi Rd.
Tel *(080) 2360 5033.*
ter-dom.
Venkatappa Art Gallery
Tel *(080) 2286 4483.* *ter-dom.*
Inaugurado em 1866, este é um dos museus mais antigos do país. Instalado em uma edificação neoclássica de

CIDADE JARDIM

O Cantonment (posto militar) de Bangalore foi inaugurado em 1809, para acolher as tropas britânicas aquarteladas aqui no século 19. Com ruas ordenadas, casas com beirais típicos e gramados, árvores, flores e arbustos, Bangalore acabou apelidada de "Cidade Jardim da Índia". Dois parques amplos, o Cubbon Park e o Lalbagh, junto com diversos outros menores, como o Kensington Gardens, atuam como pulmões desta cidade verdejante. Os jardins oferecem um refúgio agradável para fugir das ruas apinhadas e dão uma sensação refrescante de espaço. A cidade fica muito atraente em janeiro e agosto, quando há grande florada de dálias, tagetes e rosas.

Vista do Cubbon Park

Para hotéis e restaurantes nesta região, ver págs. 711-2 e págs. 737-8

reboco vermelho, com colunas coríntias, possui 18 seções, com excelente acervo de jóias, pinturas em miniatura, esculturas, objetos de Mohenjodaro e relíquias com 5 mil anos de idade (neolítico).

A **Venkatappa Art Gallery**, que ocupa uma ala do museu, tem o nome em homenagem a um artista do início do século 20, patrocinado pelos marajás Wodeyar de Mysore. Possui aquarelas e pinturas feitas no estilo de Mysore. Tais obras ainda conservam um revestimento esverdeado, conferido pelo acabamento com fricção com jade. A galeria também conta com uma coleção de bonecos feitos com couro de veado ou de cabra *(pág. 535)* e ótimas esculturas dos períodos Satvahana, Hoysala e Vijayanagar.

Pintura de Mysore, na Venkatappa Art Gallery

St Mark's Cathedral

Mahatma Gandhi Rd. *ter-dom.*

Esta catedral neoclássica simples foi terminada em 1812 e consagrada pelo bispo de Calcutá em 1816. Elegante construção bege, possui pórtico imponente e um recinto abobadado na parte de trás. Uma cúpula pouco profunda marca o transepto.

Bangalore Palace

N de Vidhana Soudha. ***Tel*** *(080) 2336 0818 para permissão de visita.*

Construído em 1880, ao exorbitante custo de 1 milhão de rupias, o Bangalore Palace teve como modelo o Castelo de Windsor, completo, com torres fortificadas e parapeito com torreões. Ele se localiza em meio a gramados ondulados, em parte transformados em um jardim formal com caminhos entrecruzados. Com 13.700m² de área, o palácio ficou em mau estado depois de 1949, quando passou a ser disputado pelo governo e pela família Wodeyar. Foi restaurado por essa família e agora é alugado para eventos concorridos, como casamentos, concertos musicais e como cenário para filmagens. Nenhum filme canada é considerado completo, se não tiver uma cena rodada aqui.

PREPARE-SE

Distrito de Bangalore. 1.033km ao S de Mumbai. *4.292.500.* *9km a L do centro, depois ônibus ou táxi.* *Govt of India Tourist Office, 48 Church St, (080) 2558 5417; Karnátaka Tourism, Badami House, NRS Square, (080) 2227 5869.* *Karaga (abr), Kadalekaye Parishe (nov/dez).*

Como Explorar a Velha Bangalore

Apesar do desenvolvimento rápido, vestígios do passado da cidade ainda são encontrados nas ruas da Velha Bangalore, ao sul do centro. Em contraste com a modernização implacável do resto da cidade, esta área contém monumentos desde o período dos Gowdas até os de Haider Ali e do sultão Tipu, e exibe indícios da história do século 16 ao século 19.

Tipu Sultan's Palace

Albert Victor Rd.
Tel *(080) 2670 6836.*
seg-sáb.

Dentro da cidadela original, um forte de tijolos de barro erguido por Kempe Gowda em 1537, encontra-se o Tipu Sultan's Palace, de aproximadamente 1790. Quase toda feita de madeira, com balcões, pilares e arcos finamente decorados, esta edificação de dois andares é uma réplica do Daria Daulat Bagh de Srirangapattana *(pág. 516)*, que servia de refúgio de verão do sultão Tipu. Ele o chamava afetuosamente Rashk-e-Jannat (Inveja do Céu). Mesmo em más condições, ainda é um local impressionante, que conserva elegantes pilares originais de teca. O imóvel abrigou os escritórios da administração pública de 1831 até serem transferidos para Attara Kacheri em 1868 *(pág. 512)*. Hoje conta com um museu que exibe artefatos do regime de Haider Ali-Tipu. Perto, o **Templo Venkataramanaswamy** data do início do século 18 e foi construído pelos reis Wodeyars.

Dália, no Lalbagh

Lalbagh

Lalbagh Fort Rd.
diariam. ***Tel*** *(080) 2657 0181.*
Flower Show (jan e ago).

Considerado um dos jardins botânicos com maior variedade de espécies do sul da Ásia, o Lalbagh, na parte meridional da cidade, foi fundado por Haider Ali em 1740. Ocupa 97ha e dispõe de muitas plantas tropicais e subtropicais trazidas pelo filho de Haider Ali, o sultão Tipu. Depois, John Cameron, superintendente dos jardins na década de 1870, importou espécies raras do Kew Gardens de Londres. Cameron também foi responsável pelo início das obras da famosa estufa de Lalbagh, copiada do Crystal Palace de Londres e concebida como local para exposições de plantas. Cercada de magnólias-amarelas e cedros, a estufa recebeu muitos dignitários em visita. A Annual Flower Show ainda é realizada aqui.

A entrada do parque é marcada por uma estátua equestre de Chamaraja Wodeyar de Mysore. Outra atração famosa é o relógio floral, surrealista, rodeado pela Branca de Neve e os sete anões, que foi presente da Hindustan Machine Tools, líder na produção de relógios na Índia.

Gavi Gangadhareshvara Temple

O de Lalbagh. *diariam.*
Makar Sankranti (jan).

O Templo Gavi Gangadhareshvara, um dos mais antigos de Bangalore, foi feito em uma caverna natural de Gavipuram por Kempe Gowda, no século 16. Diz a lenda que Kempe Gowda encomendou o templo em agradecimento pela liberdade após ter ficado cinco anos prisioneiro de Rama Raya. Destacam-se os pilares de granito, dois dos quais sustentam discos enormes que representam o Sol e a Lua, enquanto os outros são coroados por um Nandi e um tridente. No festival Makar Sankranti os devotos se reúnem para ver os raios de sol da tarde passarem entre os chifres de Nandi e incidirem no linga dentro da caverna.

A espaçosa Glass House de Lalbagh (século 19), com elaborada estrutura de ferro forjado

O Brilho do Ouro

Pingente de ouro *tali*

Os antigos videntes da Índia davam diversos nomes ao ouro, que eram sinônimos de vida, beleza e longevidade. Os indianos consideravam o metal auspicioso e acreditavam que o uso de enfeites de ouro era garantia de vida longa. Tradicionalmente, os ourives buscavam na natureza a inspiração para seus desenhos e temas, e também em templos com belas fachadas ornamentadas. As minas de Kolar e Hatti, em Karnátaka, constituíram os maiores depósitos de ouro na Índia antiga. Por causa do alto preço do metal, os ourives dominaram a técnica de martelar uma pequena quantidade de ouro para fazer lâminas finas e transformá-las em jóias requintadas.

Enfeite de cabelo

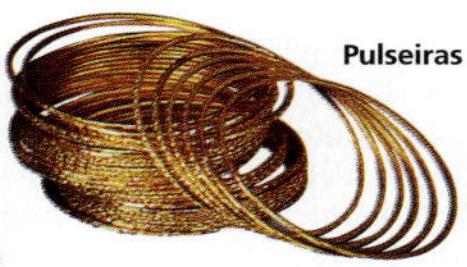

Pulseiras

Brincos

ENFEITES

Os enfeites de ouro eram usados em praticamente qualquer parte do corpo, desde o alto da cabeça à ponta dos dedos do pé, para adornar e proteger o usuário. Plantas, animais e diversos astros inspiravam os formatos.

A *Lady*, tela do fim do século 19, do rajá Ravi Varma, mostra mulher com seus ornatos

A grande cabeça de serpente, *incrustada com rubis, esmeraldas e brilhantes, e orlada por contas de esmeralda, está presa em uma dobra para evitar que se solte. O formato de cobra é um símbolo de fertilidade que aparece em muitos enfeites.*

As divindades de templos *muitas vezes usam ornamentos rituais. Estas peças mostram algumas formas e técnicas usadas por antigos ourives indianos e expõem a evolução de sua arte.*

Pavan Sara, *colar feito de moedas, é uma jóia encontrada por todo o país. Como instrumento de poupança, as moedas voltavam à circulação se houvesse necessidade.*

Devotos se reúnem no Templo Vaidyeshvara, em Talakad

Talakad ❷

Distrito de Mysore. 50km a SE de Mysore. *Panchalinga Darshana (a intervalos de 4 a 12 anos).*

A cidade histórica de Talakad, situada na margem norte do rio Kaveri, agora está parcialmente enterrada por dunas móveis. Do século 5º ao século 10º foi capital da dinastia Ganga *(pág. 522)*; mas, desse período, só dois templos simples sobreviveram. A maior edificação deste local é o **Templo Vaidyeshvara** (século 12), dedicado a Shiva. Próximo, encontra-se o Templo Kirti Narayana, mais modesto, com uma imagem de 3m de altura de Vishnu, ainda venerada. O festival Panchalinga Darshana é celebrado aqui, a intervalos que vão de quatro a 12 anos.

Somnathpur ❸

Distrito de Mysore. 36km a L de Mysore.

Uma das edificações mais representativas da arquitetura hoysala *(pág. 524)*, o **Templo Keshava** é a grande atração deste vilarejo. Construído em 1268 por Somnatha, general do rei Narasimha III, atribui-se seu projeto a Janakacharya, consagrado escultor e arquiteto. Entra-se no templo por um portal no leste, com pórtico aberto, onde uma placa menciona as doações generosas de Somnatha. Ao contrário de outros templos hoysalas em Halebid e Belur *(pág. 523)*, este é bem conservado e suas torres estão inteiras. O templo possui três oratórios em formato de estrela, que levam a um salão de pilares; os oratórios e o salão situam-se em um plinto elevado. O subsolo dos santuários internos e do salão têm muitos entalhes de animais e flores, enquanto imagens de divindades sob dosséis de folhagens ocupam as paredes da parte de cima. O salão se destaca pelas colunas esplêndidas e pelo teto elaborado, que apresentam temas em lóbulos, botões de flores pendentes e faixas entrelaçadas. Os três santuários têm imagens de tamanho real de Krishna tocando flauta (no sul) e de Janardana, uma das formas de Vishnu (no norte). A imagem de Krishna no santuário oeste substituiu recentemente a original.

Em Somnathpur estão também as ruínas do **Templo Panchalinga**, de granito, erguido em 1268 como memorial da família de Somnatha.

Keshava Temple
diariam.

Insígnia de uma charrete, em Srirangapattana

Srirangapattana ❹

Distrito de Mandya. 16km ao N de Mysore. ***Tel** (08232) 238 377. de Mysore. de Mysore. Há carros e bicicletas.*

Conhecida pelos britânicos como Seringapatam, esta fortaleza em uma ilha do rio Kaveri tem grande significado histórico, pois foi cenário de batalhas entre os britânicos e o sultão Tipu, o "Tigre de Mysore". Os britânicos tomaram a cidadela em 1799, mataram Tipu e consolidaram seu poder no sul da Índia. Agora, não resta mais nenhuma das construções de dentro do forte, e ruínas bloqueiam as pontes sobre os dois braços do rio, de onde se podem observar as *ghats* e as defesas.

Para leste e sul, um fosso largo envolve os bastiões poligonais e os parapeitos com torreões, construídos pelos engenheiros franceses contratados por Tipu. A Porta de Mysore e a Porta do Elefante, ao sul, são ladeadas por alojamentos da guarda. Ao norte, fica a Bateria do Sultão, masmorra em que Tipu prendia prisioneiros britânicos. Perto, está a Porta da Água, onde Tipu foi morto.

O **Templo Sri Ranganatha**, que deu nome à ilha, constitui um complexo amplo, restaurado no século 19. O santuário interno conta com uma

Imagens de divindades hindus, no Templo Keshava

Para hotéis e restaurantes nesta região, ver págs. 711-2 e págs. 738-9

Mural retrata batalha em Daria Daulat Bagh, em Srirangapattana

imagem de Vishnu reclinado. Chega-se a ele por salões com pilares e por um pátio aberto, dotado de coluna com lampião dourado.

Na ponta leste do forte, encontra-se a **Jami Masjid**, erguida por Tipu em 1787, que possui câmara de orações elevada.

De 1787, o **Daria Daulat Bagh**, palácio de verão do sultão Tipu, está no meio de um belo jardim perto do rio, a pouca distância do forte. De cada lado há três aberturas em arco no centro, e o palácio todo é cercado por uma varanda com pilares. As paredes leste e oeste da varanda são cobertas de murais, restaurados em 1855. Na parede oeste há cenas de batalhas –uma delas ilustra a vitória de Haidar Ali sobre os britânicos em Pollilur (em 1780)– e a parede leste retrata cenas da corte. Os trabalhos de madeira e as pinturas de flores revelam influência mogul. O palácio, transformado em museu, conta com exposição de pinturas, mapas e relíquias de Tipu. Mais ao sul, depois da Church of the Abbé Dubois (onde o culto padre jesuíta e escritor francês morou entre 1799 e 1823) e do British Cemetery, situam-se os **Gumbaz** –túmulos de Haidar Ali e do sultão Tipu. As paredes das câmaras têm decoração de listras com temas de tigres *(bubri)*, animais apreciados por Tipu. As portas de ébano e marfim foram presente do vice-rei, lorde Dalhousie, em 1855. A *sangam* (confluência) dos dois braços do rio Kaveri fica mais para o sul.

Cobra, em Srirangapattana

Daria Daulat Bagh Museum

Tel *(08326) 252 045.* *sáb-qui.*

SULTÃO TIPU: O "TIGRE DE MYSORE"

Retrato do sultão Tipu (1750-1799)

O sultão Tipu, governante de Mysore, foi bem melhor que muitos soberanos indianos da mesma época. Era diplomata perspicaz, soldado experiente, estudioso excelente e poeta talentoso, e suas habilidades militares e administrativas tinham como complemento o sonho de um estado industrial moderno. Isso se concretizou na busca de contatos europeus e na contratação de engenheiros franceses. Os principais adversários do sultão foram os britânicos, que haviam conquistado parte do território de seu pai, Haider Ali, e riqueza nas primeiras duas Guerras de Mysore (1767-9 e 1780-84). Tipu travou outras duas guerras contra eles, culminando com a queda de Srirangapattana em maio de 1799, quando morreu em combate.

FESTIVAIS EM KARNÁTAKA

Banashankari Temple Fair *(jan/fev)*, em Badami. Festa de 20 dias, une ritos religiosos e a alegria de um parque de diversões. Junto, ocorre a feira anual de gado, especializada em touros brancos.

Hoysala Mahotsava *(mar)*, em Belur e Halebid. Dança e música em um cenário espetacular formado por esses templos históricos.

Royal Dasara *(set/out)*, em Mysore. Grandioso festival de dez dias, chamado Dussehra no Norte da Índia, festeja a vitória da deusa Chamundeshvari (Durga) sobre o búfalo-demônio Mahishasura; ele deve sua origem ao festival Mahanavami *(pág. 531)*. Um elefante real lidera magnífica exibição de bandas militares, esportes e desfiles, enquanto cerimônias religiosas veneram o elefante, o cavalo e armas, como a espada do estado. Fogos de artifício, concertos e partidas de luta livre animam as noites. Um descendente dos ex-governantes Wodeyars assume papel central nas cerimônias, e o famoso trono de ouro, quase nunca exposto, é usado nos rituais.

Hampi Festival *(nov)*, em Hampi. Dançarinos e músicos muito famosos, vindos de todos os cantos do país, participam deste evento animado.

Elefante todo equipado na festa de Dasara, em Mysore

Mysore: Amba Vilas Palace

O magnífico Amba Vilas Palace, uma edificação cheia de entalhes sofisticados e obras de arte do mundo todo, foi erguido pelos governantes Wodeyars. O bloco principal deste prédio indo-sarraceno, com cúpulas, torres, arcos e colunatas, foi projetado por Henry Irving, em 1897. Substituiu o edifício anterior, destruído por um incêndio. Nos fins de semana e em festivais, milhares de lâmpadas dão vida ao exterior austero e cinza do palácio.

Durbar Hall Público
Chama a atenção o esplendor do Durbar Hall, com ricas decorações douradas e turquesa. Na parede posterior há uma série de pinturas feitas pelo rajá Ravi Varma.

Amba Vilas Hall
O Durbar Hall particular é menor, mas tão suntuoso quanto o público. Como cobertura, tem um vitral importado de Glasgow. A parte central do teto é sustentada por colunas e arcos de ferro forjado.

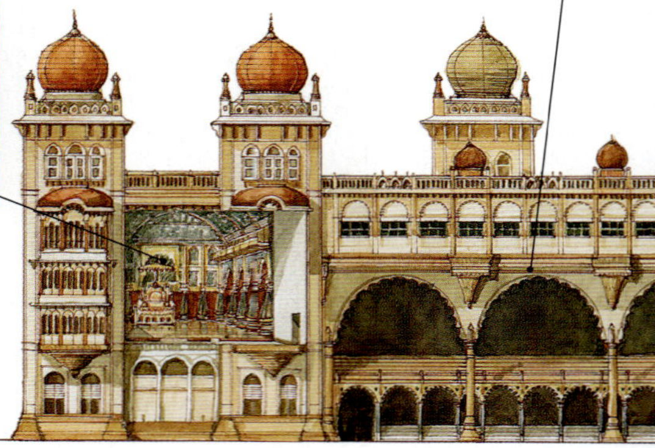

Mysore ❺

Distrito de Mysore. 140km a SO de Bangalore. 742.500. *KSTDC Transport Wing, Hotel Maurya Yatri Niwas, 2 Jhansi Laxmi Bai Rd, (0821) 242 3652. Vairamudi Festival (mar/abr), Feast of St Philomena (ago), Royal Dasara (set/out).*

Situada entre campos férteis e rodeada de morros arborizados, Mysore foi a capital dos soberanos Wodeyars, que governaram o sul de Karnátaka sujeito aos reis Vijayanagars. A dinastia Wodeyar dominou quase sem interrupção de 1399 até a independência, exceto durante os 38 anos do regime do muçulmano Haider Ali e de seu filho, o sultão Tipu, no século 18 *(pág. 517)*. A Mysore moderna é obra do sultão Tipu, que, em 1793, aplainou a cidade velha e construiu a atual. Mysore se tornou centro cultural importante, com a maior universidade de Karnátaka. Também ganhou fama pelos trabalhos de marfim, pelas tecelagens de seda, por incenso de sândalo e peças entalhadas.

Diversos prédios públicos elegantes, erguidos no domínio Wodeyar, destacam-se nas amplas ruas arborizadas. No coração da cidade fica o **Amba Vilas Palace**. A oeste está o **Jaganmohan Palace**, construído em 1902 para celebrar a coroação de Krishnaraja III. Ele obscurece parcialmente uma edificação neoclássica, agora a **Chamarajendra Art Gallery**, que conta com interessante conjunto de objetos, como móveis antigos, instrumentos musicais, peças de cerâmica e de marfim. No andar de cima há uma bela coleção de instrumentos musicais e também pinturas magníficas do rajá Ravi Varma, famoso artista de Kerala (século 19).

A noroeste do Amba Vilas Palace, encontra-se o **Krish-**

Nandi agachado, em Chamundi Hill

Para hotéis e restaurantes nesta região, ver págs. 711-2 e págs. 738-9

Vista do Amba Vilas Palace, em Mysore

PREPARE-SE

Ramvilas Rd. ***Tel*** *((0821) 242 2620.* *10h-17h diariam.* *Royal Dasara (set/out).*

Trono de Ouro

Originalmente feito de figueira recoberta de marfim, este trono adornado com pedras preciosas foi, depois, revestido de ouro e prata. Agora, só é exposto nas celebrações de Dasara.

Galeria para assistir à procissão anual do Dasara de Mysore *(pág. 517).*

naraja Circle, onde há um pavilhão com a estátua de Krishnaraja Wodeyar. A **Sayyaji Rao Road** sai daqui e constitui o principal centro de compras da cidade. Próximo fica a Government House, sede dos funcionários coloniais britânicos a partir de 1805. Nesta área também está a **Cathedral of St Philomena**, com vitral interno, uma recente construção neogótica, terminada em 1959.

Na parte oeste da cidade situa-se **Manasa Gangotri**, o campus neoclássico da Mysore University. Aqui, o **Oriental Research Institute** guarda uma coleção de manuscritos em sânscrito, enquanto o **Folklore Museum** possui um dos mais importantes acervos etnográficos de brinquedos, bonecas e utensílios domésticos do sul da Índia, além de duas carruagens de madeira. A caminho de **Chamundi Hill**, 3km a sudeste de Mysore, situa-se o **Lalitha Mahal Palace**, de 1930. Ex-casa real de hóspedes, agora é hotel *(pág. 712).* Na metade da subida do morro, fica o monólito de Nandi, de 1659. Esculpido em um único bloco de pedra, possui 7,5m de comprimento e 5m de altura. Este touro ricamente decorado está retratado agachado. O **Chamundeshvari Temple**, no topo do morro, foi erguido no século 17 pelos Wodeyars e, mais tarde, recebeu reformas. Abriga uma imagem ornamentada de Chamundeshvari, divindade da família dos soberanos Wodeyars.

Arredores0

O pitoresco **Brindavan Gardens** encontra-se a 16km para o norte da cidade. Este local muito procurado para piqueniques foi criado abaixo da represa Krishnarajasagar, por encomenda de Krishnaraja Wodeyar. As inúmeras fontes são iluminadas por luzes coloridas todas as noites.

Cathedral of St Philomena

Reservas de Vida Selvagem de Karnátaka

Garça

A Nilgiri Biosphere Reserve engloba seis reservas contíguas de vida selvagem e se estende pelos estados de Karnátaka, Kerala e Tamil Nadu. Criada para proteger a biodiversidade extraordinária dos últimos trechos de florestas tropicais perenes e decíduas das Ghats ocidentais, inclui a área antes controlada por Veerappan, famoso bandido e contrabandista de sândalo. Esta reserva, junto com o adjacente Mudumalai Sanctuary *(pág. 604)*, forma um dos corredores migratórios mais importantes para muitos animais, a exemplo do elefante-asiático e do bisão-indiano. Estes parques ficam a pouca distância de Bangalore *(págs. 512-3)* e de Mysore *(págs. 518-9)*.

O **Ranganthittoo Bird Sanctuary** *ocupa 540km² de ilhas fluviais no meio do rio Kaveri e atrai grande número de aves aquáticas durante a época de nidificação, principalmente de junho a novembro.*

O **Bandipur**, *declarado reserva de vida selvagem em 1931 pelo então marajá de Mysore, tem muitos* chausinghas *(antílope-de-quatro-cornos), e também faz parte do Project Tiger Reserve* (pág. 289). *Estende-se por mais de 875km².*

O **BRT Wildlife Sanctuary**, *a leste da Nilgiri Biosphere Reserve, forma um corredor entre as Ghats ocidental e oriental. Cobre uma área de 540km² e abriga grande variedade de pássaros, como estas cegonhas.*

O **Nagarhole Wildlife Sanctuary** *tem muitos rios e pastagens alagadiças que o deixam verdejante o ano todo. Inaugurado em 1903, o parque possui 645km² de vegetação decídua. A fauna conta com macacos da espécie* Macaca radiata.

O **Kabini Reservoir** *separa Bandipur de Nagarhole e oferece lindas vistas. Perto, a Kabini River Lodge é excelente para observar a vida selvagem e bom lugar para ficar* (pág. 712).

LOCALIZE-SE

Reservas de vida selvagem

Cafezal, em Madikeri

Kodagu 6

Distrito de Kodagu. 120km ao S de Mysore. 🚌 ℹ *Department of Tourism, Madikevi, (08272) 228 580.* 🎉 *Keil Poldu (set), Huthri (nov).*

Com localização pitoresca nas montanhas verdejantes das Ghats ocidentais, o distrito de Kodagu (ou Coorg) era um estado independente até ser agregado ao recém-criado estado de Karnátaka em 1956. **Madikeri** (ou Mercara), sede do distrito, situa-se a 1.500m de altitude e é rodeada por plantações de café e laranja. Charmosa cidade de montanha, tornou-se uma base prática para conhecer Kodagu.

Madikeri foi capital dos reis hindus Lingayats, que governaram por mais de 200 anos, desde 1600, exceto por um breve período, quando o sultão Tipu tomou o poder. O **Fort**, no centro da cidade, foi construído pelo terceiro rei Lingayat, em 1812. Suas defesas de pedra protegem o palácio simples e despojado dos soberanos Lingayats e também o templo, a velha igreja, o museu e a prisão.

O famoso **Templo Omkareshvara Shiva**, encaixado em uma depressão a leste do Fort, foi erguido por Linga Raja II em 1820 e dedicado a Vishnu e Shiva. O complexo do templo consiste em prédios de tijolos em estilo indo-sarraceno, com pátios cercados por varandas com pilares. Outros monumentos notáveis de Madikeri são os **Royal Tombs** do rajá Dodda Vira, da esposa e do filho Linga Raja II. Curiosamente, eles apresentam clara influência islâmica, com cúpulas em forma de bulbo, minaretes e treliças.

Kodagu tem um frescor agradável o ano todo, e a vegetação dos morros ganha viço após as pesadas chuvas das monções, quando é muito bom caminhar. A concorrida subida até **Abbey Falls**, a 8km de Madikeri, leva os trekkers por florestas e cafezais, cuja plantação foi introduzida pelos britânicos em meados do século 19.

O povo kodava readquiriu suas terras após a independência, mas muitas propriedades conservam o nome inglês. Kodagu produz algumas das variedades mais finas de café suave. Na realidade, tornou-se o distrito mais rico de Karnátaka, pois realiza a maior parte das exportações de café do estado. Os pés de café são cultivados no meio da sombra de árvores altas, como carvalhos e paus-rosa, e em plantações que misturam o cultivo de laranjais, pimenteiras e cardamomos.

Nisargadhama, a 27km de Madikeri, é um belo refúgio na floresta de uma ilha fluvial do Kaveri. Os chalés de bambu construídos aqui pelo departamento florestal são ideais para observar a vida selvagem.

Em **Talakaveri**, 45km a sudoeste de Madikeri, a uma altitude de 1.276m, fica a nascente do Kaveri, um dos sete rios sagrados da Índia *(pág. 600)*; há um pequeno oratório erguido ao lado da fonte. Em **Bhagamandala**, 36km a sudoeste de Madikeri, o Kaveri se encontra com dois afluentes: o Kanike e o Sujoythi. Diversos santuários marcam essa área, onde também está o fantástico templo Bhandeshvara, ao estilo de Kerala *(pág. 21)*.

Santuário Talakaveri, centro de grande significado religioso

OS KODAVAS

O povo de Kodagu, conhecido como kodava, constitui um grupo étnico distinto e possui sua própria língua: o coorgi. Os kodavas se orgulham de seu passado militar, e as Forças Armadas do país tiveram muitos generais dessa comunidade. Eles não moram mais em enormes casas de quatro alas, chamadas *ain mane*, mas seus festivais tradicionais, celebrados com entusiasmo, ainda os mantêm unidos. Seus casamentos não têm igual, pois não há sacerdotes, e a consagração é feita pelos mais velhos. Os homens vestem *kupyas* tradicionais ou longos casacos pretos presos na cintura por uma faixa dourada e vermelha, com borlas; as mulheres usam sáris no estilo coorgi, com pregas nas costas. Sua culinária conta com curry de porco servido com bolinhos de arroz.

Casal kodava em trajes tradicionais

Melkote 7

Distrito de Mandya. 54km ao N de Mysore. Tourist Office, (08232) 238 377. *Vairamudi (mar/abr).*

Pitoresca cidade de montanha, com santuários e mosteiros, Melkote é um grande centro de peregrinação para devotos de Vishnu, também vinculado a Ramanuja, famoso filósofo hindu e reformador social, que morreu em 1137.

Ramanuja é venerado junto com Vishnu no **Templo Narayana**, na parte sul da cidade. E ao sul do templo fica uma *gopura* solitária. No topo do morro, a nordeste da cidade, encontra-se o pequeno **Santuário Narasimha**, voltado para o amplo Kalyani Tank.

O dia-a-dia de Melkote ainda gira em torno dos rituais do templo, e a forte tradição de aprendizagem religiosa introduzida por Ramanuja sobrevive em muitas instituições, como a famosa Academy of Sanskrit Research.

Santuário Narasimha, voltado para o Kalyani Tank, em Melkote

Sravana Belgola 8

Distrito de Hassan. 145km a O de Bangalore. Tourist Office, (08176) 257 254. *Mahamastakabhisheka (a cada 12 anos; o último foi em 2005).*

Esta cidadezinha situada entre dois morros de granito, o Indragiri e o Chandragiri, é o centro jainista mais importante do sul da Índia. Ela é dominada pela colossal e monolítica **Estátua de Gommateshvara**, com 17,7m de altura, também conhecido como Bahubali, filho do primeiro tirthankara jainista *(pág. 396)*. No topo da Indragiri, a 143m de altitude, a estátua do salvador, despido, tem semblante sereno. Seus braços e pernas estão entrelaçados por trepadeiras, o que indica o tempo em que ele ficou imóvel, em meditação. Uma inscrição na base registra sua consagração em 981 por Chamundaraya, poderoso ministro de Rajamalla IV, um dos reis Gangas.

Cerimônia de unção da cabeça em Sravana Belgola

A cidade fica no sopé do morro e possui um tanque amplo, além de diversos templos jainistas *(bastis)*. Talvez o mais interessante deles seja o *matha*, perto da escada que leva ao monte Indragiri. As paredes do pátio têm uma série de murais expressivos do século 18, que ilustram as encarnações passadas e presente de Parsvanatha, 23º tirthankara, e também cenas da feira anual realizada aqui. Alguns excelentes bronzes jainistas estão dispostos no santuário que sai do pátio. No monte Chandragiri, ao norte da cidade, encontra-se outro grupo de *bastis*, erguidos por reis Gangas e seus ministros poderosos, do século 10º ao século 12. O **Neminatha Basti**, encomendado por Chamundaraya, conserva a imagem de Neminatha, 22º tirthankara. Ao lado, o **Chandragupta Basti** possui painéis em miniatura entalhados em telas de pedras perfuradas, que retratam episódios da vida de Bahubali e de seu discípulo real Chandragupta. Uma estátua de 5m de altura de Parsvanatha, 23º tirthankara, pode ser vista em outro *basti* próximo.

A cada 12 anos, aqui se realiza o espetacular Mahamastakabhisheka (cerimônia de unção da cabeça), festival mais importante do jainismo. O evento comemora a consagração do colossal Bahubali e atrai milhares de monges, sacerdotes e peregrinos. Um andaime especial é montado por trás da estátua, para que os sacerdotes possam executar o ritual de banhar o deus com leite, água dos rios sagrados, *ghee*, açafrão, pasta de sândalo, cinabre e pétalas de flores. Na cerimônia de 1993, um helicóptero contratado pairou acima da cabeça, despejando sobre ela 20kg de folhas de ouro, 200 litros de leite, tagetes e pedras preciosas, para delírio da multidão presente.

Arredores

O vilarejo de **Kambadahalli,** 15km a leste de Sravana Belgola, é outro centro jainista. O Panchakuta Basti, do século 10º, tem um trio de tirthankaras em três oratórios separados.

Vista do monte Chandragiri acima de Sravana Belgola

Para hotéis e restaurantes nesta região, ver págs. 711-2 e págs. 738-9

Pavilhão para Nandi no Templo Hoysaleshvara, em Halebid

Halebid 9

Distrito de Hassan. 213km a O de Bangalore. *Hassan, 27km ao S do centro, depois ônibus ou táxi.* *Há bicicletas para alugar.* *Tourist Office, (08177) 773 224.*

No meio de uma rica região agrícola, rodeada de montanhas distantes, este lugar isolado foi a capital dos soberanos Hoysalas nos séculos 12 e 13. Embora o palácio tenha de ser escavado, as defesas de pedra que circundavam a cidade ainda podem ser vistas. Para leste das defesas está um amplo tanque chamado Dorasamudra, que também foi o nome original da cidade.

Magnífico Nandi sentado, em Halebid

Agora, a principal atração de Halebid é o **Templo Hoysaleshvara,** iniciado em 1121 pelo rei Vishnuvardhana mas nunca terminado. A edificação consta de um par de templos idênticos, cada um com seu próprio santuário com linga, voltado para leste, que se abre para um salão e um pórtico de telas. Cada templo é precedido por um pavilhão com enorme estátua de Nandi, o touro-veículo de Shiva. Como os dois salões se unem para criar um interior espaçoso em colunata, os templos funcionam como um só monumento. As paredes externas são realçadas por frisos com animais da natureza e fantasiosos, entremeados com entalhes de cenas do *Ramayana* e do *Mahabharata* *(págs. 26-7)*. Na face sul do santuário meridional, entre os melhores painéis de parede estão os de Shiva dançando sobre a pele esticada do elefante-demônio que ele matou; de Krishna tocando flauta; e de Krishna sustentando o monte Govardhan. Na face norte do santuário setentrional há um esplêndido Nataraja (Shiva, como Senhor da Dança) e um painel que retrata o rei-demônio Ravana agachado, com muitos braços e muitas cabeças, arrastando-se para cima de Shiva e Parvati sentados no monte Kailasa. Sobre o plinto onde o templo foi erguido há a escultura de um guerreiro cravando a espada em uma besta leonina, com cabeça feroz, considerada símbolo dinástico dos aguerridos governantes Hoysalas. O jardim na frente do Templo Hoysaleshvara serve de **Archaeological Museum**. Entre os painéis expostos está o que mostra um majestoso Ganesha sentado. A pouca distância para o sul fica um grupo de *bastis* jainistas do século 12.

Archaeological Museum
sáb-qui. ***Tel*** *(08177) 263 067.*

Belur 10

Distrito de Hassan. 17km a SO de Halebid. *Hassan, 34km a SE do centro, depois ônibus ou táxi.* *Tourist Office, (08177) 222 209.*

Preciosidade arquitetônica do sul da Índia, o **Templo Chennakeshava** de Belur foi erguido em 1117 por Vishnuvardhan para comemorar o triunfo hoysala sobre os cholas *(págs. 46-7)*. No fim da rua principal, uma *gopura* alta, levantada pelos reis de Vijayanagar *(pág. 530)* no século 16, marca a entrada do templo. Dentro, há um amplo pátio pavimentado, cercado por colunas e santuários menores. No centro está o templo mais importante, um santuário em forma de estrela que se abre para um salão com colunas, que tem na frente um pórtico com telas. Toda a superfície verde-acinzentada da estrutura de xisto é coberta de ricos entalhes. O lintel possui armações que passam pelas bocas abertas de monstros aquáticos *(makaras)*, com caudas exuberantes. As grades de pedra que filtram a luz do pórtico estão sobre frisos de elefantes, hastes de lótus, guirlandas e casais apaixonados. Suportes com formato de dançarinas, instrumentistas e caçadoras, colocados sob delicadas árvores perfuradas, sustentam as abas inclinadas sobre as grades. Muitas têm a assinatura dos artistas, sinal de sua alta posição junto aos governantes. Há suportes com figuras mais sofisticadas dentro do templo. Embora nenhuma figura votiva original tenha sido preservada, imagens de guardiões ladeiam a entrada.

Chennakeshava Temple
diariam. Tel (08177) 222 218
a não-hindus.

Templo Chennakeshava de Belur, no centro de um amplo pátio

Arte e Arquitetura Hoysalas

Os templos dos reis Hoysalas (séculos 12 e 13) e de seus poderosos ministros figuram entre as maravilhas da arte e da arquitetura do Sul da Índia. Eles incorporam uma fusão das torres espiraladas *(shikharas)* do Norte da Índia com os salões *(mandapas)* do sul e dispõem da típica planta em formato de estrela, com superfícies ricamente decoradas. A grande quantidade de imagens nos frisos e painéis de paredes, além das sofisticadas figuras dos suportes, foram elaboradas com xisto verde-acinzentado, material que propicia detalhes intricados e belos.

Friso com cena mitológica

Os deuses *sentados com suas consortes, como a notável versão do casal Lakshmi-Narayana, de Belur, foram esculpidos com todos os detalhes e colocados nas paredes externas dos templos hoysalas.*

Os padrões ondeados de folhagens, *derivados de folhas e hastes de lótus, percorrem toda a base dos templos hoysalas.*

As **figuras dos suportes**, *entalhadas como belas dançarinas, se destacam nos templos hoysalas. Esta escultura de uma percussionista de Belur possui a gravação da assinatura do artista.*

O **interior do mandapa** *dispõe de galerias espaçosas ladeadas por colunas maciças e lustrosas, de contorno torneado e topo mais pronunciado. Bom exemplo é este magnífico pavilhão de Nandi, na frente do santuário principal, em Halebid.*

TEMPLO DE SOMNATHPUR

De 1268, com proporções perfeitas e dotado de três santuários, o Keshava, em Somnathpur *(pág. 516)*, foi o último dos grandes templos hoysalas.

As **torres** sobre os santuários hoysalas têm pequenas espirais dispostas em camadas.

O **contorno desenhado** do plinto acompanha a planta em formato de estrela do santuário.

Santuários em miniatura ladeiam a escada da entrada.

Coberturas de telha, em Mangalore

Mangalore ⓫

Distrito de South Kanara. 357km a O de Bangalore. *399.000.* *20km ao N do centro, depois ônibus ou táxi.* *Karnataka Tourism, Hotel Indraprastha, (0824) 242 1692.*

ESTE PORTO movimentado, na foz dos rios Netavati e Gurpur, é a maior cidade de Dakshina (sul) Kanara, distrito litorâneo famoso pelas plantações de café, caju e pimenta. Suas ricas colheitas desses produtos atraíram comerciantes através dos tempos. Mercadores árabes vieram para cá nos séculos 13 e 14, e mais tarde foi a vez de portugueses e britânicos.

Atualmente, Mangalore mostra uma paisagem de casas cobertas com telhas de barro, igrejas caiadas, templos e mesquitas, em meio a bosques de coqueirais.

Entre seus monumentos históricos está a antiga torre de observação, conhecida como **Sultan's Battery**, construída com laterita em 1763 por Haider Ali, de Mysore *(pág. 518)*.

As igrejas do século 19 de Mangalore incluem a Church of the Most Holy Rosary, com cúpula, e o Jesuit College of St Aloysius. Situado no sopé do monte Kadiri, 3km ao norte da cidade, está o **Templo Manjunath**, com imponentes imagens de bronze de Buda, que datam do século 10º ao século 11, dispostas no pórtico.

Arredores

O agradável balneário litorâneo de **Ullal** fica apenas 12km ao sul da cidade. Diversos templos e mosteiros jainistas marcam as vilas ao redor de Mangalore. O mais notável é o Chandranatha Basti (século 15) em **Mudabidri**, 35km a noroeste. No topo de um monte em **Karkala**, 18km mais ao norte, encontra-se um enorme Gommateshvara com 13m de altura, feito em 1432, uma imitação de outro, maior e mais antigo, em Sravana Belgola *(pág. 522)*.

O Chaturmukha Basti (século 16), no sopé do monte, é um templo de simetria perfeita, cuja câmara central abriga 12 tirthankaras. Cidade de peregrinação 75km a leste, **Dharmasthala** ganhou fama pelo templo de Shiva. Sua estátua de Gommateshvara foi instalada em 1973 por influente família local.

Udipi ⓬

Distrito de Udipi. 58km ao N de Mangalore. *113.100.* *Tourist Office, Krishna Building, Car Street, (0820) 252 9718.* *Pargaya (jan), Chariot Festival (ago).*

Todas as ruas de Udipi levam a uma praça no centro da cidade, onde se localiza o **Templo Krishna**. Aqui é o centro de todas as atividades espirituais e comerciais desta movimentada cidade de peregrinação. Acredita-se que Madhava, famoso mestre vaishnava do século 13, inaugurou este templo com uma imagem de Krishna que salvara de um naufrágio. Estacionadas ao lado do templo estão as carruagens de festival, com torres abobadadas feitas de bambu e cobertas com tecidos coloridos. Após atravessar o portão de entrada, os peregrinos se banham no tanque antes de entrar no santuário, com portas de prata e janela de observação. Em volta da praça há mais templos e os oito *mathas* associados ao Templo Krishna, erguidos no estilo típico de Kanara, com varanda de madeira e telhado inclinado.

Udipi empresta o nome a restaurantes baratos que surgiram aqui. Para atender a uma clientela local, o menu se concentrou na tradicional comida vegetariana do Sul da Índia, como *masala dosa* e *idli* *(págs. 554-5)*. Esses pontos, com preços acessíveis, rotatividade rápida de clientes e comida simples mas boa, agora são encontrados por toda a Índia.

Arredores

A cerca de 5km a oeste de Udipi está **Malpe Beach**, onde se alugam barcos para excursões. **Manipal**, 4km a leste, é um centro educacional e industrial.

A **House of Vijayanath Shennoy** em Manipal, agora museu, é um bom exemplo de moradia tradicional, com ótimo acervo de objetos do dia-a-dia.

House of Vijayanath Shennoy
seg-sáb.

Sacerdotes realizam rituais no Chariot Festival de Udipi

Loja de artigos religiosos variados, em Barkur

Barkur ⓭

Distrito de Udipi. 71km ao N de Mangalore. *Navaratri (set/out).*

A cidade litorânea de Barkur foi porto movimentado nos séculos 15 e 16, até o rio ficar assoreado. Agora, as principais atrações da cidade são os templos, com suas típicas coberturas inclinadas, forradas de telhas de barro. O maior é o **Templo Panchalingeshvara**, situado na ponta sul da cidade. Os devotos se reúnem na escadaria do tanque perto do templo para um banho ritual, antes das cerimônias nos dois santuários com linga voltados para leste. Entre os outros templos há o dedicado a Shiva e Ganesha e os menores Someshvara e Somanatheshvara.

Arredores

O vilarejo de **Mekkekattu**, 8km ao norte de Barkur, se destaca pelo santuário com pinturas de figuras *bhuta* (espíritos do local), cópias dos originais que foram levados para o Crafts Museum de Délhi *(págs. 80-1)* e o Folklore Museum de Mysore *(pág. 519)*, depois da reforma do santuário na década de 1960. A divindade Nandikeshvara (o touro alado), com pintura vívida, fica no santuário inferior, enquanto sua consorte ocupa o superior. Divindades guardiãs ameaçadoras lotam uma câmara lateral.

Bhatkal ⓮

Distrito de North Kanara. 165km ao N de Mangalore. *31.800. Navaratri (set/out).*

Localizada junto a uma rodovia pitoresca que acompanha a linha costeira, esta cidade foi porto importante nos séculos 16 e 17. Os bonitos templos de pedra jainistas e hindus encontrados aqui datam desses dias de prosperidade. Na rua principal de Bhatkal estão os *bastis* Chandranatheshvara e Parsvanath. A 2km para leste, no outro lado da rodovia, fica o **Templo Khetapai Narayan**, erguido em 1540. O santuário e o salão são rodeados de telas de pedra, elaboradas para imitar madeira. Como de costume, excelentes esculturas de guardiões flanqueiam o portal.

Detalhe de painel de pedra, em Bhatkal

Arredores

Afastado, instalado nos montes arborizados de **Kollur**, 35 km a sudeste de Bhatkal, encontra-se um santuário dedicado à deusa Mukambika. Este é o centro de peregrinação mais procurado da área. **Jog Falls**, a queda-d'água mais alta da Índia, fica 60km para nordeste de Bhatkal. Pode ser vista na cabeceira do rio Sharavati, emoldurada por rochedos escarpados.

Gokarna ⓯

Distrito de North Kanara. 200km ao N de Mangalore. *Tourist Office, Main Rd, Karwar, (08382) 221 172. Shivratri (fev/mar).*

Com excelente localização à beira do mar da Arábia, Gokarna se tornou um destino procurado por visitantes que buscam sol e praia. Cidadezinha charmosa, com duas ruas principais e casas tradicionais cobertas com telhas de barro, é também importante centro de ensino de sânscrito. O **Templo Mahabaleshvara**, na ponta oeste da rua principal, foi destruído pelos portugueses em 1714 e reconstruído mais no fim do século 18. No santuário há um linga de pedra revestido de latão, sobre uma serpente espiralada de pedra. O piso do salão em frente tem o entalhe de uma tartaruga gigante. O aniversário de Shiva (fev/mar) é comemorado aqui com grande festa. As duas carruagens do templo puxam a procissão pelas ruas da cidade, enquanto sacerdotes e peregrinos cantam hinos de louvor.

PRAIAS DE GOKARNA

Longos trechos de praias bonitas e intocadas se estendem pela costa ocidental, de Gokarna até Karwar, cidade litorânea 60km ao norte. No sul de Gokarna estão as praias Half Moon e Paradise, e perto de Karwar ficam as lindas praias de Binaga e Araga. A curva suave das baías, orlada com palmeiras, é ocupada por pequenas vilas pesqueiras, onde a vida gira em torno do mar e da pescaria diária. O turismo ainda não chegou por aqui, e só alguns quiosques bem simples oferecem comida básica e abrigo.

Ondas quebram nas pedras de uma praia perto de Karwar

Para hotéis e restaurantes nesta região, ver págs. 711-2 e págs. 738-9

Com dois andares, o Templo Vidyashankara fica em Sringeri

Sringeri 16

Distrito de Chikmagalur. 100km a NE de Mangalore.
Navaratri (set/out).

O povoado de Sringeri, nos montes verdejantes da Ghats Ocidental, agora é importante centro de peregrinação e uma das sedes mais fortes do hinduísmo ortodoxo no Sul da Índia. Foi aqui que Shankaracharya *(pág. 648)*, grande filósofo e reformador social do século 9º, criou o primeiro de seus quatro *mathas*; os outros três estão em Joshimath, no Himalaia *(pág. 187)*, em Puri *(pág. 312)*, a leste, e em Dwarka *(pág. 427)*, a oeste. Atualmente, seus sucessores (conhecidos como shankaracharyas) exercem grande influência em questões religiosas e seculares, enquanto os *mathas* ainda funcionam como centros espirituais de aprendizado. Em uma esplanada pavimentada estão dois templos voltados para o rio Tunga, cheio de peixes sagrados. O templo menor, dedicado a Sharada, uma encarnação popular da deusa Saraswati, é o principal destino dos peregrinos do local. Próximo, fica o **Templo Vidyashankara**, que data do século 16, onde Shankaracharya é venerado em forma de linga. Esta estrutura de pedra surge no alto de uma plataforma e tem uma planta quase circular em formato de estrela. Frisos que retratam as muitas formas de Shiva e Vishnu embelezam as paredes facetadas. O salão que precede o santuário interior possui pilares maciços esculpidos como *yalis* rampantes (feras míticas com aspecto de leão).

Flores: oferenda em templo de Sringeri

Chitradurga 17

Distrito de Chitradurga. 200km ao N de Bangalore. *Kamana Bhavi Extension, 8th Ward Fort Rd; (08194) 234 466.*

Esta cidade, localizada no sopé de uma cadeia de montanhas acidentadas, foi um posto avançado do império Vijayanagar *(págs. 530-1)*. Nos séculos 17 e 18, tornou-se quartel-general de uma linhagem de chefes locais, conhecidos como Bedas, até ser ocupada por Haider Ali *(pág. 517)* em 1799 e, depois, pelos britânicos. O **Fort**, circundado por muros de blocos enormes de granito, se eleva acima da cidade. Três portões em sequência levam até a zona interna irregular, repleta de pedras de granito. Aqui, existem diversos templos pequenos, além de muitos portais cerimoniais erguidos pelos Bedas. Plataformas e pavilhões dentro do complexo do Templo Sampige Siddheshvara marcam o local em que os Bedas eram coroados. Ali perto, podem-se ver os restos das casas e dos celeiros, feitos com cascalho e barro, e de um grande poço circular.

Abaixo, na cidade, o **Government Museum** local exibe objetos dos locais ao redor. Na rua principal fica o Templo Ucchalingamma, do século 17.

Fort
diariam.

Government Museum
Tel (08194) 224 202. seg-sáb.

Forte em Chitradurga, com portais e santuários, em uma paisagem coberta de pedras

Vista de Hampi, com as ruínas da ponte que cruzava o rio Tungabhadra ▷

Hampi ⓲

Escadaria esculpida, em Mahanavami

Patrimônio da Humanidade da Unesco, situada na margem sul do rio Tungabhadra, Hampi se orgulha das ruínas de Vijayanagar (Cidade da Vitória). Capital de três gerações de governantes hindus por mais de 200 anos, a cidade atingiu o auge sob o domínio de Krishnadeva Raya (reinado: 1510-29) e de Achyuta Raya (reinado: 1529-42). O local, que compreende os Sacred e Royal Centres, tem ótima localização, com penhascos e pedras de granito que atuam como defesas naturais. O núcleo urbano foi fortificado e separado do Sacred Centre por um vale irrigado, onde ainda há canais e riachos.

Balança do Rei
Nesta balança, o peso dos soberanos era medido em ouro ou cereais, distribuídos aos pobres.

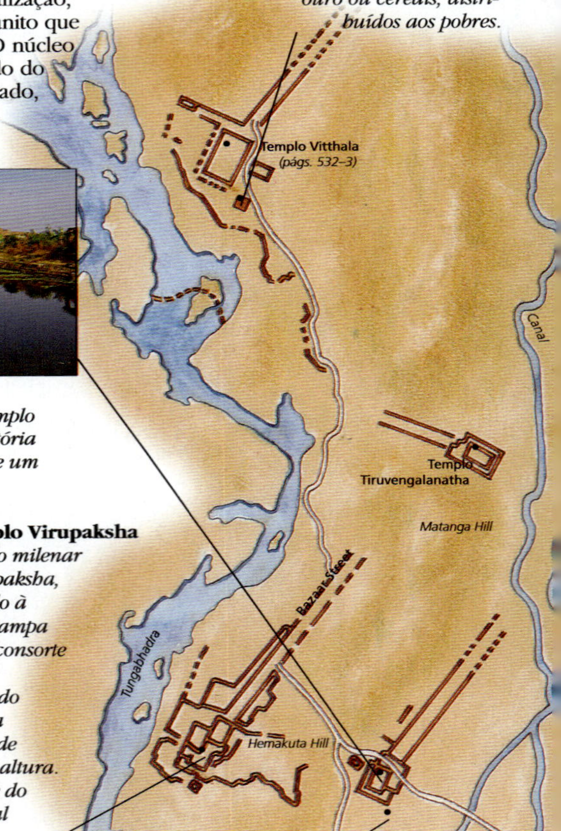

Templo de Krishna
Krishnadeva Raya ergueu este templo em 1516 para comemorar sua vitória sobre Orissa. Não se trata mais de um local de oração.

★ Templo Virupaksha
O templo milenar de Virupaksha, dedicado à deusa Pampa e a seu consorte Shiva, é dominado por uma gopura de 50m de altura. Trata-se do principal local de oração de Hampi.

★ Monólito de Narasimha
Esculpida em um só bloco de pedra, em 1528, esta imagem de Vishnu o mostra em sua encarnação metade homem, metade leão (pág. 679).

PONTOS ALTOS

- ★ Templo Virupaksha
- ★ Monólito de Narasimha
- ★ Lótus Mahal

Para hotéis e restaurantes nesat região, ver págs. 711-2 e págs. 738-9

Chariot Festival
A movimentada Bazaar Street é o principal centro de atividades e palco do colorido Festival da Carruagem. A carruagem do templo transporta a divindade principal pelas ruas, para que seja homenageada publicamente.

PREPARE-SE

Distrito de Bellary. 315km a NO de Bangalore. *Hospet, 13km a O do local.* *Bazaar St, (08394) 228 537.* **Templo Virupaksha** *diariam.* **Lótus Mahal** *também cobre o Templo Vitthala.* *Chariot Festival (fev), Hampi Festival (nov). Estrangeiros têm de se registrar na Virupaksha Temple Police Station.*

Estábulos de Elefantes
Esta edificação imponente, com 11 repartições, abrigava os elefantes reais. Vale a pena observar os telhados poligonais, que se alternam com cúpulas suaves ou estriadas.

★ Lótus Mahal
Hábil mistura de arquitetura hindu e islâmica, este prédio pode ter servido de sala do conselho do rei.

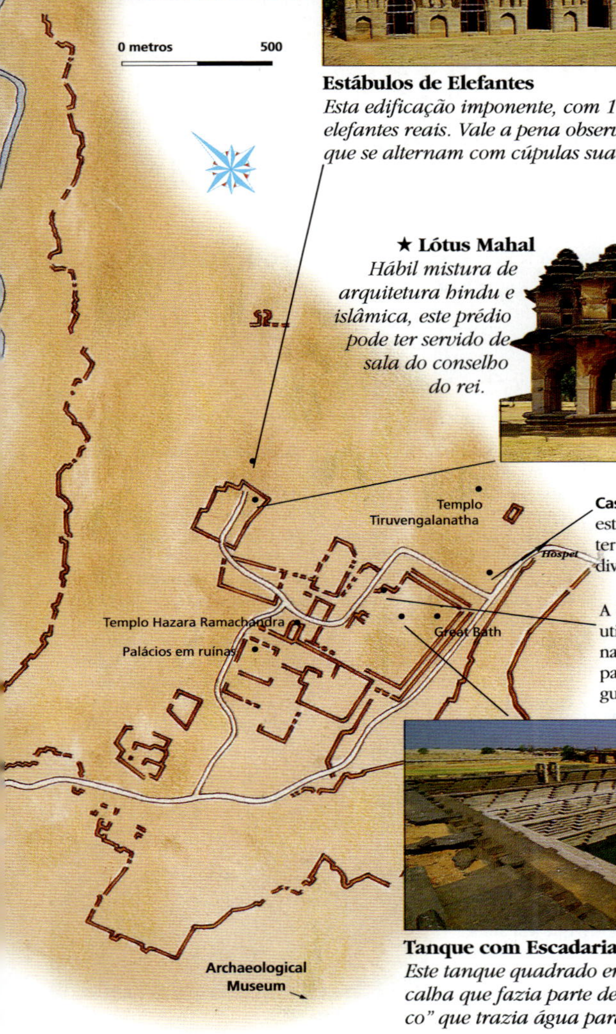

Casa de Banhos da Rainha, estrutura a céu aberto, parece ter sido projetada para diversões reais.

A **Plataforma Mahanavami** era utilizada pelos reis no Mahanavami Festival *(pág. 517)* e para cerimônias antes de guerras.

Tanque com Escadarias
Este tanque quadrado era alimentado por uma calha que fazia parte de amplo "sistema hidráulico" que trazia água para o Royal Centre.

Hampi: Templo Vitthala

Maior monumento do Sacred Centre, o Templo Vitthala representa o auge da arte e da arquitetura de Vijayanagar. Embora seu fundador seja desconhecido, foi ampliado no século 16 por dois dos governantes mais importantes de Vijaganagar: Krishnadeva Raya e Achyuta Raya. Antes de se chegar ao santuário principal, passa-se pelo grande salão aberto, ou *mahamandapa*, construído sobre uma plataforma baixa e sustentado por pilares entalhados. O recinto foi presente de um comandante militar, em 1554, 11 anos antes de a cidade ser saqueada e abandonada.

★ Yalis
Yalis *(feras míticas leoninas) rampantes, com cavaleiro, enfeitam os pilares externos do templo.*

RECONSTRUÇÃO DA TORRE
A ilustração mostra a *vimana* piramidal (torre), sobre o santuário principal do Templo Vitthala, como era ao ser erguida no século 16.

Relevo
Nicho com a representação magnífica de Garuda, a montaria de Vishnu.

PONTOS ALTOS
★ Yalis
★ Chariot

Como Explorar Hampi

A lendária cidade dos reis Vijayanagar *(págs. 530-1)* cobre uma área de 20km² de uma paisagem árida e pedregosa. O **Sacred Centre**, na margem sul do rio Tungabhadra, é dominado pelo solene **Templo Virupaksha**. É consagrado a uma das formas de Shiva (Virupaksha), aqui conhecida como Pampapati (Senhor de Pampa), e comemora seu casamento com Pampa, deusa do rio Tungabhadra. Na frente, fica a **Bazaar Street**, com colunas, que data do século 16 a meados do século 17, época em que se enchia de peregrinos e de viajantes em busca de produtos exóticos.

Um caminho ao lado do rio passa pelo **Templo Kodandarama**, com as figuras de Rama, Sita e Lakshman esculpidas em uma rocha dentro do santuário. Suas *ghats* são consideradas as mais sagradas do local.

Mais adiante fica o Templo de Achyuta Raya, de 1534, um dos complexos hindus mais importantes de Hampi, dedicado a Tiruvengalanatha, forma de Vishnu venerada em Tirupati (pág. 678). Sua planta perfeita tem dois recintos concêntricos, nos quais se entra por uma *gopura* ao norte, visível do topo do Matanga Hill. O caminho à beira-rio continua até o Templo Vitthala, de onde sai uma estrada que vai até a vila de **Kamalapuram**, onde se localiza o **Archaeological Museum**. No trajeto, encontra-se um portal com fachada danificada.

A estrada que sai do vilarejo de Hampi e vai para o sul passa pelo Sacred Centre e chega ao **Hemakuta Hill**, pontilhado com diversos santuários do início do período Vijayanagar ou de antes dele, muitos com pequenas torres piramidais. Uma grande imagem de Ganesha, o deus-elefante, talhada em uma pedra,

Vista de Matanga Hill

Templo Vitthala
Este templo, com seus elaborados mandapas *(salões com colunas), é dedicado a Vitthala, uma encarnação de Vishnu, O Que Preserva, segundo deus da trindade hindu.*

PREPARE-SE

L do Sacred Centre. *diariam.* *grátis às sextas-feiras.*

Colunas Musicais
Pequenas colunas ocas emitem sons diferentes quando percutidas de leve.

Detalhe de Friso
Este painel retrata um trio de ninfas celestiais montadas em papagaios.

★ Carruagem
Dedicado a Garuda, este oratório de pedra na frente do templo tem formato de carruagem.

marca o cume do monte.

Mais ao sul, fica o **Templo de Krishna**, erguido no começo do século 16, no reinado de Krishnadeva Raya. O acesso é por uma *gopura* maciça, parcialmente em ruínas. Agora, a estrada com colunas segue até campos de cana-de-açúcar e o tanque quadrado nas proximidades ainda contém água. Ao rumar para o sul, a estrada passa pelo monólito de pedra de Narasimha, representação da encarnação de Vishnu como homem-leão *(pág. 679)*.

O **Royal Centre** é cercado por muros. No centro fica o imponente **Templo Hazara Rama**, construído por Deva Raya I, rei Vijayanagar no século 15. Suas paredes externas são cobertas de frisos que retratam cerimônias do festival Mahanavami. Aqui se podem apreciar relevos de episódios do *Ramayana*. Ao redor do

Barco transporta pessoas na travessia do rio Tungabhadra

templo foram escavados os restos de palácios, de banhos e de um salão de audiência com cem colunas. Ao norte, encontram-se os estábulos de elefantes e o **Lotus Mahal**.

Archaeological Museum
Kamalapuram, (08394) 241 237. *sáb-qui.*

Arredores

O histórico vilarejo de **Anegondi** fica na margem oposta do rio Tungabhadra. Até que a ponte fique pronta, chega-se lá em barcos que navegam pelo rio há séculos.

Núcleo importante antes da fundação de Vijayanagar, seus palácios, templos e *ghats* de banhos rituais, embora dilapidados, ainda mantêm sinais da antiga glória.

O Kalyan Mahal, prédio semelhante a um palácio, que lembra o Lotus Mahal *(pág. 531)* de Hampi, encontra-se na praça central. Ali perto ficam um templo e um portal do século 14.

Os muros maciços com bastiões redondos da cidadela de Anegondi cercam os morros pedregosos a oeste da cidade principal. Anegondi também atrai pelas casas tradicionais revestidas de barro e pelas belas vistas do rio.

Parede externa do Templo Someshvara de Gadag, com relevo de torres de templo

Gadag ⓳

Distrito de Gadag. 450km a NO de Bangalore. *Hotel Durga, Vihar Complex.* *diariam.*

Importante centro algodoeiro, a pacata cidade de Gadag ganha vida durante a temporada do algodão, em maio e junho. Nesses meses, o mercado de algodão fervilha de atividade e merece uma visita. Na cidade, diversos monumentos do final do período Chalukya (séculos 11 e 12) revelam seu passado histórico. Ao sul, encontra-se o **Templo Trikuteshvara**, notável pelos três santuários voltados para um salão comum, parcialmente aberto. Placas inclinadas, que servem de assentos de balcão, foram adornadas com painéis decorativos e são recobertas por beirais bem inclinados. Dentro do salão, as colunas possuem figuras dispostas em nichos pouco profundos. O santuário a leste tem três lingas, e o do sul é dedicado à deusa Saraswati.

No meio da cidade, localiza-se o **Templo Someshvara**. Embora esteja abandonado e em mau estado, seus entalhes intricados resistiram ao tempo. Os portões do salão possuem grande quantidade de entalhes de figuras e folhagens.

Figuras entalhadas

Arredores

A pequena vila de **Lakkundi**, 11km a SE de Gadag, dispõe de templos que datam dos séculos 11 e 12, construídos de xisto cinza-esverdeado. Rodeados de casas de barro, muitos desses templos estão escondidos em ruas estreitas.

O *basti* jainista, o maior de todos, tem uma torre de cinco andares. As fundações são enfeitadas com frisos de elefantes e pétalas de lótus. Há colunas torneadas na entrada do pórtico. Próximo, o Templo Kashi Vishvanatha conta com um par de santuários ligados por um pórtico comum. Entalhes em relevo de dois *makaras* ou monstros aquáticos, apoiados nas paredes, constituem temas típicos da arte chalukyana tardia.

Belgaum ⓴

Distrito de Belgaum. 502km a NO de Bangalore. *Tourist Office, Ashoka Nagar, (0831) 247 0879.*

Esta cidade agitada, na fronteira com Maharashtra, foi importante posto militar no domínio britânico. Até hoje, o local, com bangalôs e alojamentos, possui presença militar significativa. Entre os séculos 16 e 17, Belgaum foi centro provincial sob comando dos governantes Adil Shahis de Bijapur *(pág. 542)*, dos maratas de Pune *(pág. 471)* e também dos mogüis que ocuparam esta parte de Karnátaka. O **Fort** a leste tem uma planta elíptica incomum e seus muros de pedra reutilizaram muitos blocos de templos. Ali perto, a **Mesquita Safa** foi erguida na primeira metade do século 16 por Asad Khan, governador de Belgaum. A cidade também possui três templos que datam do final do período Chalukya.

Forte elíptico, em Belgaum

Para hotéis e restaurantes nesta região, ver págs. 711-2 e págs. 738-9

Artes Cênicas de Karnátaka

Karnátaka possui uma rica tradição de artes cênicas. A narração de histórias com a ajuda de meios como pinturas e bonecos de couro sempre esteve entre os entretenimentos mais populares no norte e no nordeste do estado e nas vizinhanças de Andhra Pradesh, antes do advento do cinema. Grupos de teatro itinerante levam as platéias rurais ao delírio com narrativas sobre o bem e o mal, baseadas em episódios mitológicos. Diversos danças-dramas, como o Yakshagana, foram criados no sul de Kanara, região de Karnátaka que faz fronteira com Kerala. Como no Kathakali *(pág. 657)*, os atores do Yakshagana usam trajes maravilhosos para apresentar sua dança mimética, enquanto o cantor narra a história com músicos.

Títere articulado

BONECOS DE COURO DE KARNÁTAKA

Figuras grandes, feitas de couro de cabra, ganham orifícios de diversos formatos, o que permite que a luz se filtre por eles, criando uma interação de luz e sombra colorida, fundamental para a dramatização. O titereiro principal narra a história, enquanto seus assistentes fazem o acompanhamento musical.

As **figuras** *são decalcadas com instrumento pontiagudo no couro preparado; depois, recortadas e pintadas.*

O **titereiro principal** *manipula o boneco com a ajuda de uma vareta presa a ele.*

As **apresentações** *são à noite. Coloca-se uma luz atrás de uma tela de algodão fino, para que a platéia, sentada na frente, veja as sombras que se mexem.*

As **perfurações** na figura permitem a passagem de luz.

Cores vivas e contornos se combinam para criar efeitos surpreendentes.

Prende-se **uma vareta** para a manipulação.

Hanuman, o Deus Macaco, personagem importante do *Ramayana*

YAKSHAGANA

Este dança-drama popular surgiu no início do século 16. Um elenco só de homens, formado por cerca de 20 atores e músicos, encena um repertório inspirado principalmente em episódios dos grandes épicos *(págs. 26-7)*, em especial o Mahabharata. O espetáculo dura a noite inteira, organizado sob encomenda de um patrono rico em ocasiões especiais, e ocorre a céu aberto, sem grandes preparativos. Os trajes suntuosos do Yakshagana são realçados por enfeites altos para a cabeça, muitos adereços e maquiagem elaborada.

Homem cria enfeite de cabeça

Personagens em cena do *Mahabharata*

Badami 21

Teto com serpente, Caverna 1

Com localização fantástica dentro de uma ferradura de rochedos de arenito vermelho, voltada para as águas esverdeadas de um grande lago, esta cidade histórica foi capital dos primeiros e poderosos reis Chalukyas, que dominaram o Decã nos séculos 6º e 7º. Esses governantes também controlaram Pattadakal *(págs. 538-9)* e Aihole *(págs. 540-1)*. Entre os monumentos talhados na rocha e os construídos, os mais ornamentados são os templos de cavernas, escavados no rochedo do lado sul. Das cavernas, a 1 é dedicada a Shiva; as cavernas 2 e 3, a Vishnu; e a caverna 4, a santos jainistas.

Colunas na caverna 3

Santuário de linga, entalhado na parede de trás.

CAVERNA 1

Um lance de escadas leva a uma varanda com pilares. Atrás fica um salão quadrado, com colunas e um pequeno santuário entalhado na parede de trás. Os destaques são o painel de Nataraja e os entalhes no teto.

Caverna 2

Esta caverna de Vaishnava tem um magnífico friso de Varaha –Vishnu encarnado como javali – em uma ponta do pórtico. Há uma fileira de anões entalhada abaixo dele.

Caverna 3

A varanda desta caverna possui uma enorme imagem de Vishnu com quatro braços sentado na Adisesha, serpente de cinco cabeças que se espalham como proteção para a coroa dele. A seus pés está o pássaro Garuda, que lhe serve de montaria. Esta é a única caverna com inscrição da data: 578.

Para hotéis e restaurantes nesta região, ver págs. 711-2 e págs. 738-9

Painel de Nataraja
Este Shiva dançarino, com 12 braços, é uma das imagens melhores e mais antigas de Nataraja, em Karnátaka.

Caverna 4
Em pé ou sentados, tirthankaras jainistas cobrem paredes e colunas da caverna 4, no topo de um rochedo. Alguns foram acrescentados nos séculos 11 e 12, quando esta parte de Karnátaka era governada pelas últimas gerações de reis Chalukyas.

Como Explorar Badami

Quase todos os templos de Badami se localizam sobre imponente rochedo ao norte do lago artificial Agastya.

A paisagem pedregosa e o amplo lago atuam como defesas naturais do local. Situado sobre a barragem está o **Templo Yellamma**, do século 11, com torre de muitos andares. Mais adiante, na vila, fica o **Templo Jambulinga**, de 699, com três santuários dedicados a Brahma, Vishnu e Shiva, abertos para um *mandapa* comum. O **Templo Bhutanatha** tem localização panorâmica na extremidade do lago e foi construído em diversas etapas. O santuário central, com torre piramidal, é dos séculos 6º e 7º, enquanto o pórtico, enfeitado com beirais angulosos e voltado para a água, data do século 11. Diversos blocos de pedra em volta do templo têm relevos de Vishnu adormecido e de uma figura jainista sentada. Perto, santuários menores exibem torres piramidais em camadas, típicas do estilo chalukya tardio. O **Archaeological Museum**, no lado norte do lago, conta com magníficos painéis triangulares que retratam Brahma cercado de folhagens elaboradas; esta peça devia estar sobre um portal isolado. Entre outros itens interessantes estão uma divindade feminina agachada, com cabeça de lótus, e dois painéis de Shiva matando um demônio com uma lança e atirando flechas de uma carruagem.

Uma escada sobe por uma garganta acidentada até o **Templo Shivalaya de Cima**, que se ergue ao norte da cidade, no topo do rochedo. Restam apenas as paredes do corredor e a torre de muitos andares, coberta por um telhado quadrado e abobadado; o *mandapa* em frente foi destruído. A moldura simples da base e as pilastras da parede são típicas das primeiras construções do período Chalukya.

Torre do Templo Shivalaya de Cima

Cenas miniaturizadas de Krishna sustentando o monte Govardhana e de Narasimha estripando sua vítima foram entalhadas com minúcias nas paredes.

No topo de um rochedo isolado, perto da rua principal, no norte da cidade, fica o **Templo Mallegitti Shivalaya**, uma edificação bem conservada, do século 7º. Janelas de pedra perfurada ladeiam painéis entalhados com Vishnu e Shiva, coroados com guirlandas e monstros aquáticos.

PREPARE-SE

Distrito de Bagalkot. 480km a NO de Bangalore.
Karnataka Tourism, Hotel Mayura Chalukya, (08357) 220 117.
Cavernas *diariam.*
Archaeological Museum
Tel *(08352) 220 047.*
10h-17h sáb-qui.

Arredores

Um famoso templo de Devi, voltado para amplo tanque do século 18, encontra-se em **Banashankari**, 5km a leste de Badami. Em **Mahakuta**, 10km a leste, um grupo de templos do século 7º, construídos em contraste com os estilos do Norte e do Sul da Índia *(pág. 20)*, rodeia um tanque pequeno.

Templo Bhutanatha, voltado para o tanque

Pattadakal ㉒

O complexo sagrado de Pattadakal tem localização pitoresca às margens do rio Malprabha. Patrimônio da Humanidade da Unesco, seus imponentes templos do século 8º combinam com as realizações artísticas dos reis Chalukyas, como ocorreu com as vizinhas Badami *(págs. 536-7)* e Aihole *(págs. 540-1)*. Embora essas cidades sejam famosos centros antigos, Pattadakal, com pequena população residente, era usada mais para festas reais e cerimônias de coroação.

Como Explorar Pattadakal
O complexo do templo principal fica em jardins tratados, perto de um vilarejo. Em uma mistura de estilos dos templos do Norte e do Sul da Índia *(pág. 20)*, estas edificações notáveis revelam muita coisa sobre a evolução da arquitetura sacra no Sul da Índia.

O modesto Templo Galaganatha, feito de arenito

Templos no Estilo do Norte
Marcados pela torres espiraladas *(shikharas)* sobre o santuário interno, os templos do norte da Índia estão exemplificados nos **Templos Kadasiddeshvara e Jambulinga**, situados perto da entrada. São estruturas despojadas de arenito, com esculturas danificadas nas paredes e torres espiraladas em camadas. Perto, o **Templo Galaganatha** (maior, mas inacabado) possui torre bem conservada, com camadas entalhadas com temas em forma de ferradura e remate de nervuras.

O **Templo Kashi Vishvanatha**, erguido a oeste, data de meados do século 8º e ilustra o desenvolvimento do estilo sacro do norte do país. Sua torre facetada é toda coberta por uma malha de desenhos com temas de ferraduras entrelaçadas. As colunas do pequeno vestíbulo que antecede o santuário são entalhadas com cenas mitológicas.

Templos no Estilo do Sul
As torres *(vimanas)* dos templos do sul da Índia se erguem em forma de pirâmide escalonada, como no **Templo Sangameshvara**, o primeiro do complexo. Foi construído por Vijayaditya, rei Chalukya que morreu em 733, antes do término do prédio. Sua torre de muitos andares culmina com telhado quadrado e abobadado. O salão da frente, inacabado, ganhou restauração.

Shiva saindo de linga flamejante, no Templo Virupaksha

Os dois maiores são os **Templos Virupaksha** e **Mallikarjuna**, ao sul. Ambos são dedicados a Shiva e foram erguidos em 745 por duas irmãs, consortes de Vikramaditya II, poderoso rei Chalukya, para comemorar sua vitória sobre os governantes Pallavas de Tamil Nadu. Esses templos representam o auge da arquitetura inicial chalukya. Consta que foram baseados no Templo Kailasanatha, em Kanchipuram *(pág. 582)*. E serviram de inspiração para o colossal monólito de Kailasanatha, em Ellora *(págs. 476-8)*.

Agora, o Templo Virupaksha é o único santuário em funcionamento neste complexo. Na frente, fica o pavilhão de Nandi, com um magnífico touro

Vista dos Templos Virupaksha e Mallikarjuna, em Pattadakal

Para hotéis e restaurantes nesta região, ver págs. 711-2 e págs. 738-9

Nataraja, em painel de teto, no Templo Papanatha

esculpido, coberto com tecido. O templo consiste em um espaçoso salão com colunas, dotado de três pórticos que levam ao santuário do linga, rodeado por um corredor. Os pilares e tetos entalhados retratam histórias religiosas e mitológicas. Os relevos mais bonitos estão nos dois lados do pórtico leste e incluem um de Shiva como *lingodbhavamurti*, saindo de um linga flamejante, e uma representação de Vishnu como Trivikrama, que atravessa o universo em três passos.

Embora idêntico, o Templo Mallikarjuna é menor e mais compacto. Os entalhes nas colunas do salão interno mostram cenas do *Panchatantra*, conjunto de fábulas com heróis pássaros e animais. Os muros que cercam o templo e o pavilhão de Nandi, em frente, estão inacabados. Um caminho que sai do portal do Templo Virupaksha segue ao longo do rio até o **Templo Papanatha**. Esta construção do início do século 8º foi ampliada muitas vezes, como se vê na disposição incomum dos salões duplos que levam ao santuário, e na ampliação posterior das paredes do corredor, com pórticos de três lados. A parte externa mistura o estilo do Sul, que exibe nichos de parede de pilastras, com o do Norte da Índia, que tem entrelaçamento de padronagens e torres espiraladas. Cenas de batalhas do *Ramayana* *(pág. 27)*, esculpidas na parede leste, terminam com a coroação de Rama, exibida na coluna do pórtico principal. Os dois salões têm galerias centrais, com vasos e folhagens nos capitéis. Vigas e suportes ornamentados sustentam os painéis do teto, e o melhor deles mostra a divindade *naga* (naja) enrodilhada e um Shiva Dançarino (Nataraja), no salão interno.

Batalha entre Arjuna e Shiva, no Templo Virupaksha

PREPARE-SE

Distrito de Bagalkot. 22km a NE de Badami. *Badami, 14km a SO do centro.* *Pattadakal Dance Festival (jan).*

Templo Jainista

A oeste do vilarejo, há um templo jainista do século 9º, erguido pelos governantes Rashtrakutas, que sucederam os Chalukyas no século 8º. Um pórtico aberto e espaçoso, com colunas periféricas torneadas, é protegido por beirais inclinados. Algumas esculturas de troncos de elefantes em tamanho natural foram colocadas ao lado das entradas que levam ao salão interno.

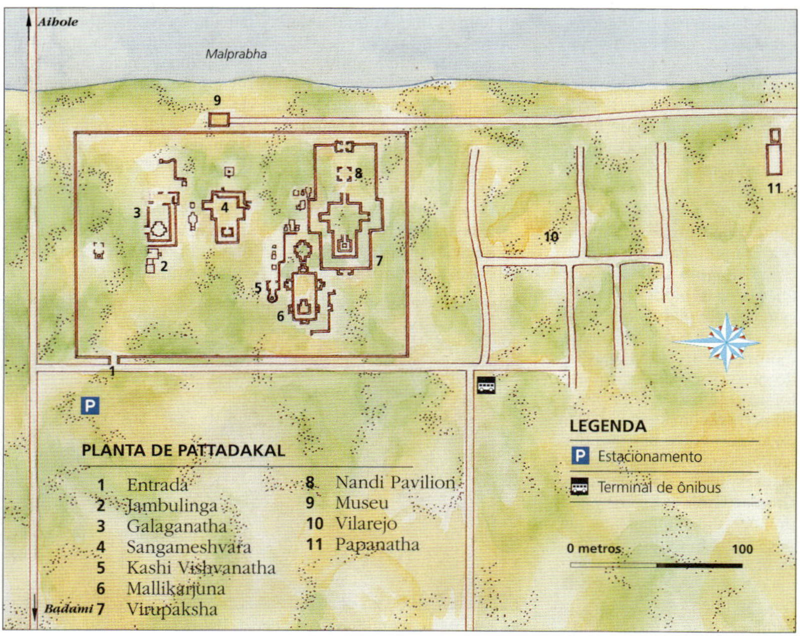

Vista do Gaudar Gudi com o Templo Ladkhan atrás, em Aihole

Aihole ㉓

Distrito de Bagalkote. 44km a NE de Badami. *Badami, 44km a SO da cidade, depois ônibus ou táxi.* *Ramalinga Temple Chariot Festival (fev/mar).*

Parece que o tempo parou nesta cidadezinha poeirenta, às margens do rio Malprabha, a quase 17km a jusante de Pattadakal *(pág. 538-9)*. Fortificações cercam boa parte da cidade. Dentro, ficam antigos templos de arenito de variados tipos, alguns dos quais foram usados como residências e receberam o nome do antigo morador. Os templos estão associados aos primeiros e aos últimos governantes Chalukya de Badami *(págs. 536-7)*, e datam do século 6º ao século 11.

A maioria dos visitantes começa a conhecer Aihole pelo **Templo de Durga**. Ali perto, fica um pequeno complexo com o **Templo Ladkhan**. Identifica-se este prédio pelas camadas de placas inclinadas que cobrem o salão espaçoso e o pórtico ao lado. Deusas do rio e casais apaixonados foram entalhados nas colunas do pórtico e imagens de divindades são vistas nas paredes laterais de uma pequena câmara na altura do telhado. O **Gaudar Gudi**, adjacente, compreende um santuário pequeno, instalado dentro de um *mandapa* aberto, com assentos em balcões nos quatro lados. As ruínas do Chakra Gudi ficam perto do tanque com escadaria. Ao sul, encontra-se o **Kunti Group:** quatro templos concebidos como salões abertos com colunas, dotados de santuários internos. O templo a sudeste, provavelmente o primeiro a ser construído, dispõe de belos painéis entalhados no teto, que retratam a trindade hindu: Brahma, Vishnu e Shiva. Avista-se um trio semelhante de painéis de teto no Hucchapayya Math, situado um pouco mais adiante.

Um caminho com escadas leva ao topo do monte, a sudeste da cidade, e passa por um templo budista de dois andares. No alto do monte está o sereno **Templo Meguti**, erguido em 634, o monumento mais antigo e datado de Karnátaka. As fundações claramente articuladas, as paredes rebocadas e os beirais do templo mostram o estilo do Sul da Índia de arquitetura sacra *(pág. 20)* em sua fase inicial. Chama atenção uma figura jainista, sentada, disposta na parte de trás do templo. O caminho que desce o morro segue as fortificações curvas e passa pelo Jyotirlinga Group, terminando no Templo de Durga. Ao norte, fica o **Chikki Gudi**, com vigas, painéis de teto e colunas cheias de entalhes magníficos. Um caminho à direita leva ao pequeno **Hucchimalli Gudi**, com torre no estilo do Norte da Índia, e uma imagem incomum de Karttikeya, filho de Shiva, esculpida no teto do pórtico.

A pouca distância está a **Caverna Ravala Phadi**, talhada na rocha, que data do fim do século 6º. O interior é realçado por lindas imagens de divindades hindus, a exemplo do Shiva Dançarino em um oratório; Ardhanarishvara, Harihara e Shiva com Ganga, nas paredes do salão principal; e Varaha e Durga na antecâmara do pequeno santuário do linga. Na frente há oratórios minúsculos e uma coluna estriada.

Relevo exuberante do Shiva Dançarino da caverna Ravala Phadi

Aihole: Templo de Durga

Medalhão no pilar do pórtico

Maior e mais bonito monumento de Aihole, o Templo de Durga é também o mais incomum, pois dispõe de um santuário em abside, rodeado por uma colunata aberta. O templo fica sobre um plinto alto, com degraus na extremidade que leva ao pórtico, onde há entalhes elaborados de casais sensuais e guardiões em suas colunas. Outras obras-primas esculturais, de Shiva com Nandi, Narasimha, Vishnu com Garuda, Durga e Harihara, estão nos nichos que acompanham a colunata. Em compensação, o interior do salão é simples, e o plinto circular dentro do santuário está vazio. O nome do templo é um equívoco, já que a imagem que era venerada aqui permanece desconhecida.

PREPARE-SE

N do Archaeological Museum. *diariam.* *cobre todos os templos principais.*

Vista do santuário em semicírculo do Templo de Durga

Teto com Naga
Um painel de teto no mandapa *retrata uma* naga *com o corpo enrodilhado de uma cobra.*

O **pórtico** tem colunas ornamentadas com entalhes intricados.

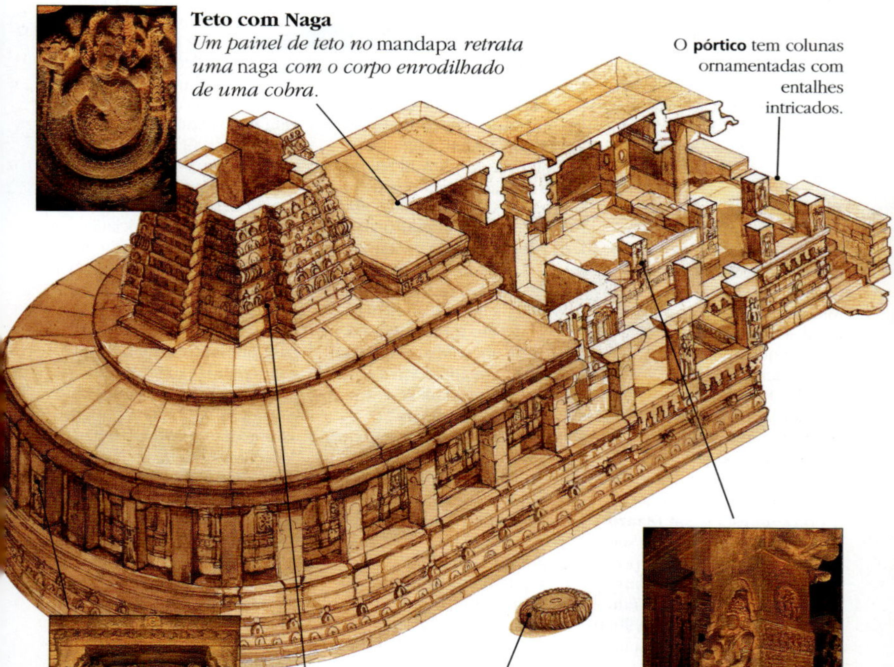

A **cimalha** *(amalaka)*, disco canelado, caiu da torre.

Durga
Neste nicho, Durga, com seus muitos braços, mata o búfalo-demônio.

Shikhara
Pouco resta da torre que antes se elevava do santuário interno.

Entalhe de Coluna
Esta imagem de um casal apaixonado, esculpida em uma das colunas do pórtico, é uma obra-prima da arte chalukyana.

Bijapur 24

Distrito de Bijapur. 570km a NO de Bangalore. *246.000.* *Karnataka Tourism, Station Rd, (08352) 250 359.* *Bijapur Music Festival (jan), Asar Mahal Urs Festival (set).*

Após a queda dos Bahmanis *(pág. 544)*, os reis Adil Shahis surgiram como principais governantes do Decã, nos séculos 16 e 17. Sua capital, a cidade fortificada de Bijapur, era protegida por defesas dotadas de bastiões salientes; muitos canhões originais ainda estão no local. O Malik-i-Maidan (Senhor da Planície), considerado o maior canhão da Índia nesse período, ainda guarda a entrada ocidental. Dentro dos muros do forte existem mesquitas, palácios e túmulos magníficos, erguidos por uma série de soberanos cultos.

Salão de orações com arcos, na Jami Masjid

Na Cidadela

A Cidadela, no coração de Bijapur, é definida por seus muros fortificados e rodeados por amplo fosso. A porta sul, a única que restou, leva ao que antes era o complexo do palácio. Este centro cerimonial da cidade, cercado por arcadas, é conhecido como **Quadrangle**, agora ocupado por escritórios do município. A noroeste está o **Sat Manzil**, palácio de veraneio com sete andares, de cujo topo se podia ver a cidade toda (restaram apenas cinco andares). Tem à frente um pequeno pavilhão com adornos suntuosos, chamado **Jal Mandir**. Ali perto, para o norte, encontram-se o **Gagan Mahal**, salão de audiência de Ali Adil Shah I, cuja fachada em arcos está voltada para um espaço aberto, e o **Anand Mahal** (Palácio da Alegria), onde viviam as mulheres do harém.

Medalhão na Jami Masjid

Entre outras construções excelentes estão a **Meca Masjid**, mesquita pequena e encantadora, a leste da Cidadela, e a **Mesquita de Karimuddin**, próxima da porta sul, construída com material de templos saqueados em 1310 por Alauddin Khilji *(pág. 48)*.

Fora da Cidadela

A cidade murada, fora da Cidadela, está repleta de monumentos feitos pelos sultões Adil Shahis. A leste da Cidadela fica o **Asar Mahal**, de dois andares, erguido em 1646 como salão de justiça e, depois, transformado em relicário sagrado para abrigar dois fios de cabelo de Maomé. As câmaras do andar de cima dispõem de murais com desenhos florais e cenas da corte, e com figuras em estilo europeu. Ali perto, encontra-se o elegante **Mihtar Mahal**, do período de Ibrahim II (1580-1626), cujo portal tem três níveis. Os balcões, que se projetam para a rua, são sustentados por suportes entalhados como se fossem de madeira. O portal leva a uma pequena mesquita.

A sudeste, a **Jami Masjid**, concebida com grandiosidade, teve a construção iniciada por Ali Adil Shah I, em 1576, mas nunca foi terminada. O piso de mármore do amplo salão de orações foi dividido em 2.250 porções retangulares para que se assemelhassem a tapetinhos para preces.

Na atualidade, a mesquita atrai mais de 2 mil fiéis para as orações das sextas-feiras.

Ao norte e a oeste há mais túmulos e mesquitas, a exemplo do Taj Baoli, grande tanque quadrado, rodeado de escadarias.

Ibrahim Rauza

diariam. *taxa extra.*

Este mausoléu requintado, às vezes descrito como a edificação islâmica mais admirável do Decã, foi erguido por Ibrahim II para a esposa. Mas ele morreu antes dela e também está enterrado aqui. O complexo consiste em um túmulo e uma mesquita, dispostos sobre um plinto, em meio a um jardim. Perto, um tanque tem o nome da esposa dele, Taj Sultana. As paredes do túmulo, como se vê pela varanda com arcos, foram adornadas com inscrições e desenhos geométricos magníficos. A câmara mortuária é coberta por uma cúpula achatada, com as laterais curvas.

Ibrahim Rauza, túmulo harmonioso de Ibrahim II

Bijapur: Gol Gumbad

Detalhe de um medalhão

A construção mais famosa de Bijapur é o túmulo monumental de Muhammad Adil Shah (1627-1656), segundo filho e sucessor de Ibrahim II, mais conhecido como Gol Gumbad (Cúpula Redonda). Essa cúpula bulbiforme –a segunda maior do mundo, depois da de são Pedro, em Roma– sai de uma base de pétalas e cria um remate perfeito para o conjunto. Terminado em 1656, o túmulo está no meio de um jardim formal. Do lado oeste fica uma pequena mesquita com cinco arcos, ladeada por minaretes esguios.

PREPARE-SE

Mahatma Gandhi Rd. ***Tel*** (08352) 250 728 ◯ *diariam.* *grátis às sex.* Aluguel de carro e bicicleta.

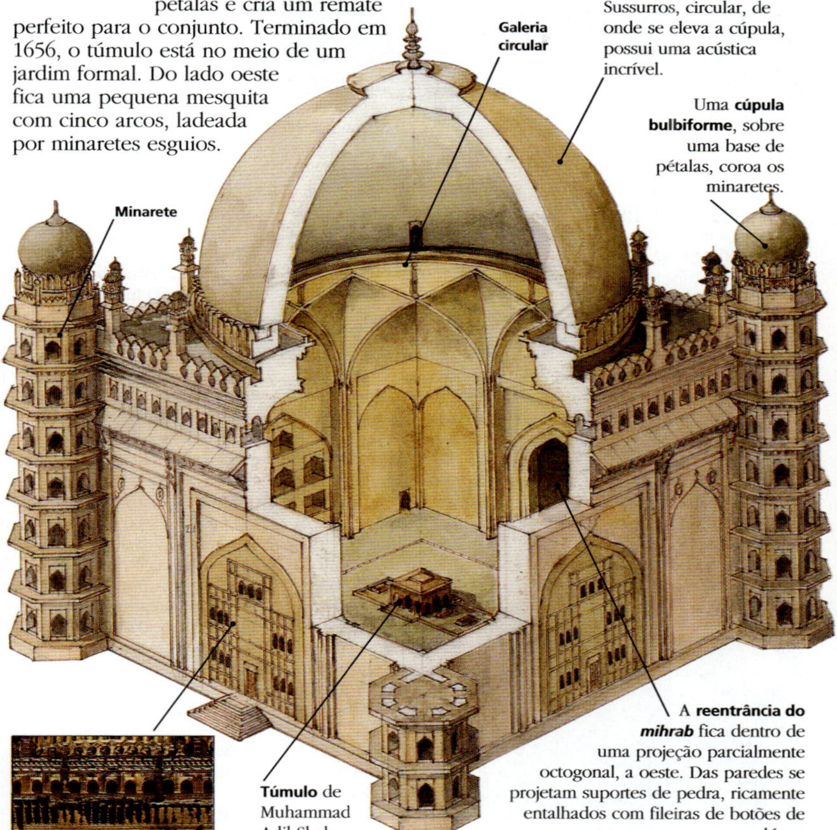

A **cúpula** tem mais de 40m de diâmetro e é sustentada por oito arcos sobrepostos, entremeados de pendentes. A Galeria dos Sussurros, circular, de onde se eleva a cúpula, possui uma acústica incrível.

Uma **cúpula bulbiforme**, sobre uma base de pétalas, coroa os minaretes.

A **reentrância do *mihrab*** fica dentro de uma projeção parcialmente octogonal, a oeste. Das paredes se projetam suportes de pedra, ricamente entalhados com fileiras de botões de lótus.

Túmulo de Muhammad Adil Shah.

Entrada em Arco
A fachada da frente possui no centro um arco alto, com pequenas janelas dos dois lados.

PINTURA DECANI

Durante os séculos 14 e 15, governantes muçulmanos do Decã, principalmente os de Golconda *(págs. 666–7)* e Bijapur, incentivaram as artes e criaram a Escola de Pintura Decani. Ela foi influenciada, primeiro, pelo contato direto com a Ásia Central e a Pérsia e, mais tarde, pelos mogüis. Na corte de Bijapur, elementos das artes persa e européia renascentista foram incorporados pela tradição clássica indiana, o que produziu o característico estilo decani.

***Jogo de Pólo de Chand Bibi*, pintura decani**

Salão com galeria arqueada da Jami Masjid, em Gulbarga

Gulbarga ㉕

Distrito de Gulbarga. 160km a NE de Bijapur. *428.000.* *Gulbarga Tourist Office, (08472) 240 947.* *Urs (mar).*

Esta cidadezinha provinciana dispõe de alguns dos primeiros exemplares de arquitetura islâmica de Karnátaka. Eles datam dos séculos 14 e 15, quando Gulbarga floresceu como capital dos sultões Bahmanis *(pág. 49)*, no primeiro dos grandes reinos que dominaram o Decã.

O **Dargah de Gesu Daraz** (m. 1422), a nordeste da atual cidade, é um dos santuários muçulmanos mais sagrados do sul da Índia. Khwaja Gesu Daraz, ou Bande Nawaz, como era carinhosamente chamado, foi um místico sufi da seita Chishti *(pág. 376)*. Ele fugiu do Norte da Índia e procurou asilo aqui, na corte de Firuz Shah Bahmani, rei piedoso e culto. Seu túmulo simples fica em um complexo amplo, que compreende túmulos menores, mesquitas e *madrasas*, e se tornou importante centro de peregrinação. O Dargah de Shah Kamal Mujarrad, outro homem santo que viveu em Gulbarga, fica mais ao sul.

Um conjunto de sete túmulos reais, conhecido como **Haft Gumbad**, encontra-se a oeste do *dargah*. Firuz Shah Bahmani, que também morreu em 1422, está enterrado aqui, no maior e mais elaborado de todos os mausoléus. A oeste da cidade, ficam as ruínas abandonadas de um forte quase circular, protegido por um fosso largo. Pouco resta dos prédios reais. Perto do portal de entrada, localiza-se a Bala Hisar, sólida prisão que data do século 17, quando os Adil Shahis *(págs. 542-3)* ocupavam a cidade. No entanto, a construção mais interessante é a grande **Jami Masjid**, ali perto. Feita em 1367 para comemorar a nomeação de Gulbarga como capital, trata-se de uma das mesquitas mais antigas do Sul da Índia e a única sem pátio aberto. Atrás dela está a Bazaar Street, do século 14, ladeada de pequenos alojamentos, agora transformados em moradias. Esta rua leva a uma série de portais protegidos por muros, que saem do forte murado. A oeste do forte há túmulos abandonados dos primeiros sultões Bahmani.

Devotas no portal do Dargah de Gesu Daraz, em Gulbarga

Outro monumento do século 14 é a **Mesquita Shah Bazaar**, ao norte do forte. A câmara de entrada possui cúpula e leva a um pátio com salão de orações do outro lado. Daqui sai uma rua que vai para oeste, até um portal com arco, flanqueado por minaretes altos. Atrás desse portal está o *dargah* do xeique Sirajuddin Junaydi, um túmulo simples com reentrâncias em arco e cúpula achatada.

Arredores

As ruínas de **Firuzabad**, a cidade-palácio fundada em 1400 por Firuz Shah Bahmani, na margem leste do rio Bhima, localizam-se 28km ao sul de Gulbarga. Os maciços muros de pedra, com bastiões quadrangulares e portais com arco, definem uma área meio quadrada, com quase mil metros de largura. As construções mais conservadas são a Jami Masjid e o salão de audiências com dois andares. Entre o que sobrou estão os banhos reais *(hamams)*, com abóbadas piramidais e cúpula estriada, considerados os mais antigos do Decã.

Bidar ㉖

Distrito de Bidar. 120km a NE de Gulbarga. *Aluguel de carro e bicicleta.*

Bidar se tornou capital bahmani em 1424, quando Ahmad Shah, irmão e sucessor de Firuz Shah, mudou a corte para cá. Com a queda da dinastia Bahmani, no fim do século 15, a região foi dominada pelos reis Baridis.

O **Fort** de Bidar, erguido em 1428 por Ahmed Shah Bahmani, ocupa um promontório defendido por duas carreiras de muros e um fosso parcialmente cavado no leito de pedra. Três portões em arco, um com azulejos coloridos, outro com cúpula, levam ao que foi o reduto real. À esquerda,

Estrada murada que leva ao portão do forte de Bidar

encontra-se o Rangin Mahal, palácio requintado, erguido por Ali Shah Barid no século 16. Suas grandes atrações são o salão, que tem colunas originais de madeira, com suportes e vigas ornamentados, e a câmara posterior, adornada com magníficos mosaicos de azulejo e incrustações de madrepérola. Próxima, está a singular Mesquita Solah Khamba, com colunas redondas e maciças, construída pelos Tughluqs *(pág. 48)* em 1327. Na frente, fica o Lal Bagh, jardim murado com tanque central de bordas recortadas. Ao sul, encontram-se as ruínas de Diwan-i-Am (Salão de Audiência Pública) e o Takht Mahal, portal monumental com vestígios de azulejos hexagonais, decorados com emblemas de tigre e do Sol nos frontões.

A velha cidade murada se espalha abaixo das defesas do forte. De um lado da principal rua norte-sul está o **Takhti-i-Kirmani**, portal do século 15 adornado com faixas de desenhos de folhas e arabescos. Mais ao sul, situa-se a magnífica ***madrasa* de Mahmud Gawan** (século 15), cujo nome homenageia o culto primeiro-ministro que era o governante virtual do reino Bahmani. Esta era uma famosa escola de teologia, e se orgulhava da biblioteca enorme, com manuscritos preciosos. Exemplar excelente de arquitetura no estilo da Ásia Central, a *madrasa* possui quatro portais em arco, que têm por trás cúpulas voltadas para um pátio central. Dois minaretes ladeiam a fachada. Na parte externa, ainda existem mosaicos de azulejo, que incluem uma faixa com caligrafia primorosa, em branco e azul bem vivo. Mais ao sul, o **Chaubara** marca o cruzamento das duas ruas principais de Bidar. Os **mausoléus dos reis Baridi** estão a oeste de Bidar. O maior é o Túmulo de Ali Shah Barid (1577). Esta câmara alta e abobadada, aberta dos quatro lados, fica no meio de um jardim de quatro quadrados simétricos. Os painéis vazios acima dos arcos continham mosaicos de azulejo, dos quais há exemplares conservados no interior. O sarcófago de basalto polido ainda está no mesmo local.

Azulejo na *madrasa* de Bidar

Bidar também é famosa por um trabalho especial de metal incrustado, muito confundido com damasquinagem, conhecido como *bidri (pág. 665)*. Introduzido em meados do século 17 por artesãos do Irã, ganhou o incentivo da corte. O estilo, caracterizado por desenhos florais e geométricos sofisticados, incrustados com ouro, prata ou latão em uma superfície preta e opaca, era usado para embelezar objetos, como travessas, caixas, bases de *huqqa* (narguilé) e bandejas. Agora, as peças mais bonitas estão em museus e apenas algumas famílias de artesãos ainda executam esse trabalho na cidade onde ele se originou.

Arredores

A necrópole Bahmani localiza-se no campo, perto de **Ashtur**, vilarejo 3km a nordeste de Bidar. O túmulo maior e mais antigo é o de Ahmad Shah, do século 15. Murais magníficos embelezam as paredes internas e também a cúpula imensa. Ao lado está o túmulo de Alauddin Ahmad II, seu sucessor. Esta obra tem mosaicos de azulejos coloridos. Logo na saída, encontra-se o Chaukhandi, túmulo modesto do homem santo Khalil Allah (m. 1460), que possui esplêndidos painéis com inscrições acima dos portais.

Fachada da *madrasa* de Mahmud Gawan, em Bidar

SUL DA ÍNDIA

Introdução ao Sul da Índia

Ao sul das Cordilheiras Vindhya, o coração da Índia dravidiana tem tudo o que um visitante procura. Belos litorais, tanto para o mar da Arábia como para a baía de Bengala, localizam-se em Kanniyakumari, no oceano Índico. Praias isoladas, densas florestas e reservas de caça são algumas de suas maravilhas naturais. Tamil Nadu tem magníficos templos antigos, que ainda são ativos centros de prática religiosa. Uma cultura diferente predomina em Pondicherry, de forte influência francesa. Kerala é rica em belíssimos cenários e na herança cultural, e Andhra Pradesh tem alguns dos mais fascinantes sítios históricos da região.

Pescador em uma porta de eclusa no rio Kaveri

Aula em uma escola védica tradicional, em Tamil Nadu

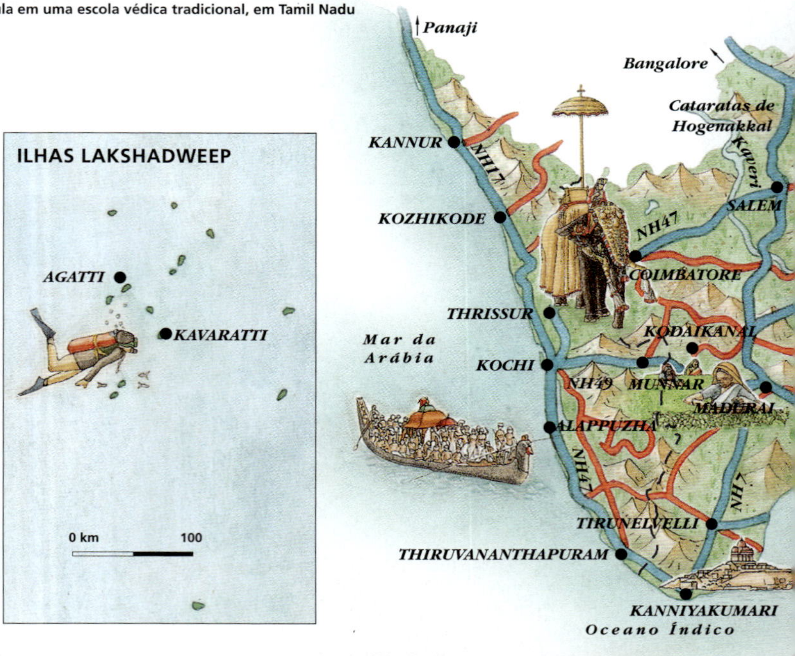

As espetaculares cataratas de Hogenakkal, no rio Kaveri *(pág. 600)*

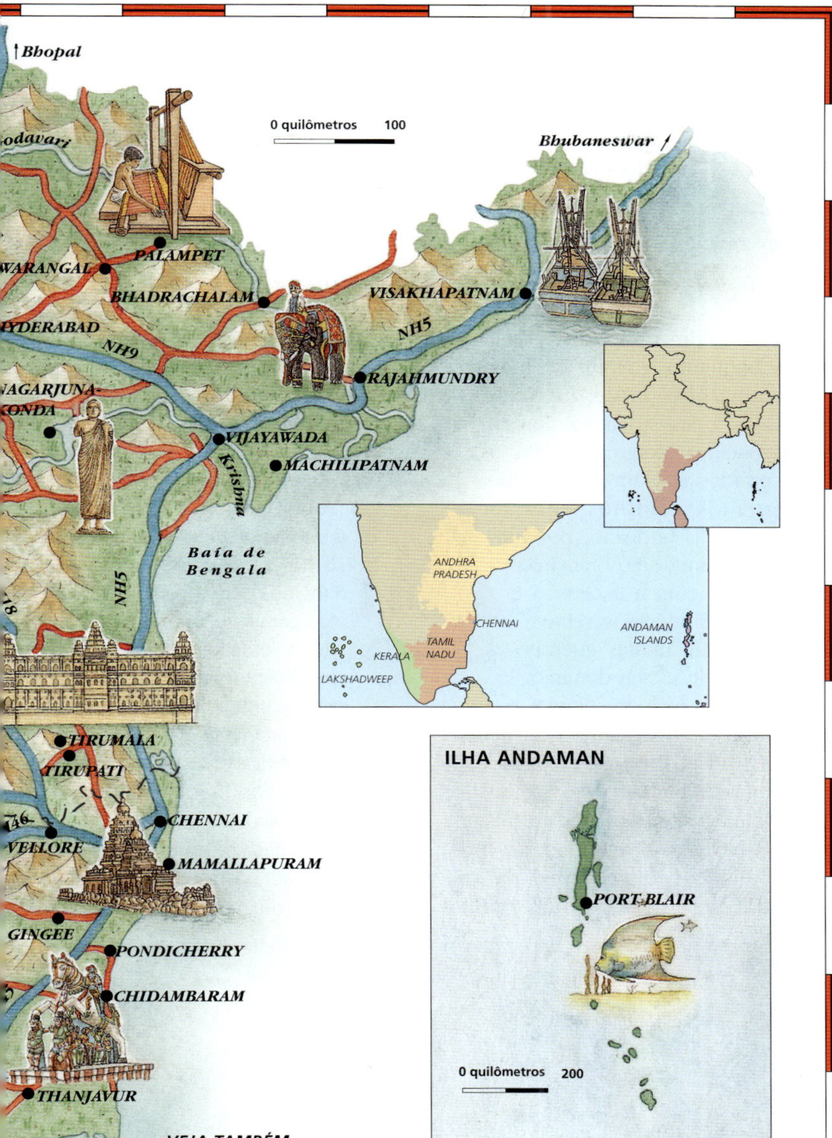

VEJA TAMBÉM

- ***Onde Ficar*** págs. 712-7
- ***Onde Comer*** págs. 739-43

LEGENDA

- Estrada nacional
- Estrada principal
- Rio
- Fronteira estadual

COMO CIRCULAR

As três capitais, Chennai, Thiruvananthapuram e Hyderabad, são servidas por linhas aéreas domésticas e internacionais. Uma extensa rede de estradas e ferrovias liga as cidades menores. Para uma viagem de trem especial, pegue o Blue Mountain Train de Coimbatore a Ooty *(págs. 604-5)*. Há vôos regulares de Kolkata e Chennai para as Ilhas Andaman, e de Kochi (Kerala) para Agatti (Lakshadweep). Partem cruzeiros para Lakshadweep em Kochi, e para as Andamans de Chennai, Kolkata e Visakhapatnam.

RETRATO DO SUL DA ÍNDIA

O termo "sul da Índia", *indica uma unidade geográfica, mas a região apresenta também múltiplas diferenças. Embora os três estados –Tamil Nadu, Kerala e Andhra Pradesh– compartilhem, em certa medida, uma herança antiga, eles têm língua própria e diferentes tradições artísticas, culturais e políticas.*

Efígie de madeira, Thiruvananthapuram

Uma concepção popular sustenta que, enquanto o Norte da Índia tem uma história de guerras e invasões, o Sul se encapsulou em uma pacífica estagnação. Mas os três estados viveram, na verdade, sangrentos conflitos entre o jainismo e o budismo, por um lado, e o hinduísmo bramânico, por outro, com a ascensão e queda de poderosos reinos, que travaram muitas guerras para estabelecer seu domínio. No início do período colonial, o Sul da Índia foi também campo de batalha entre os europeus e os reinos regionais. Todos esses conflitos deixaram sua marca na região.

Tamil Nadu, o coração da Índia dravidiana, foi, por mais de três décadas, governada por dois partidos regionais. Embora sejam arquirrivais, eles têm uma plataforma comum, baseada em uma forte defesa da cultura e da língua tamil. O tamil é uma das mais antigas línguas dravidianas sobreviventes, e sua literatura remonta ao ano 300. Esse período, conhecido como era Sangam, deriva seu nome dos Sangams de Tamil, reuniões de poetas e escritores que produziram inúmeros poemas, de natureza acentuadamente profana, dos quais sobrevivem mais de 2 mil. Outra duradoura expressão da cultura tamil é visível nos 30 mil templos hindus de Tamil Nadu.

Uma face mais moderna de Tamil Nadu pode ser vista na sua capital, Chennai, um dinâmico centro político

Igreja católica do século 16 junto da pequena vila pesqueira.

Retrato de Jayalalitha, político e ex-ator de cinema

e comercial que ainda preserva seus valores tradicionais. Aqui, concertos de música carnática clássica atraem multidões tão entusiásticas como as que se enfrentam nas disputas políticas. Muitas áreas costeiras de Tamil Nadu foram devastadas pelo tsunami de dezembro de 2004, que tirou a vida de 10 mil pessoas. Kerala e Andhra Pradesh também foram afetadas, mas em menor escala.

Caminhão carregado de feno

Em Kerala, separada de Tamil Nadu pelas majestosas montanhas Ghats Ocidentais, a principal atração não são templos (embora também presentes), mas a beleza natural. É fácil entender por que esta estreita faixa de terra entre o mar da Arábia e as Ghats Ocidentais, com sua verdejante paisagem de palmeiras, arrozais e plantações de café, cortados por encantadores cursos de água, ganhou o apelido de "Terra de Deus".

A Kerala dos dias de hoje, com uma forte tradição política de esquerda, ostenta índices de desenvolvimento excepcionais entre os estados indianos – maior índice de alfabetização do país (a língua falada é o malaiala), baixo crescimento populacional, menor índice de mortalidade infantil, e um nível quase perfeito de harmonia comunitária. Culturalmente, Kerala exibe espetaculares formas de dança, como a Kathakali *(pág. 657)* e a marcial *kalaripayattu (pág. 626)*. Hoje, seus renomados centros de medicina ayurvédica *(pág. 629)* são também uma atração para quem visita o país.

Andhra Pradesh, de fala telugu, é o maior estado do sul da Índia, com a capital, Hyderabad, situada no centro do planalto do Decã. A cidade já foi sede dos poderosos nizams *(págs 660)*, de riqueza legendária. Seu legado deu a Hyderabad um leque de expressões de cultura islâmica – na arquitetura, na cozinha e no uso do urdu.

Andhra Pradesh, assim como Tamil Nadu, tem muitos artistas de cinema que viraram políticos. Por muitos anos foi governada pelo mais admirado ator de cinema télugo, N. T. Rama Rao, que se especializou em representar heróis da mitologia. Seu genro Chandrababu Naidu, como ministro-chefe, escolheu um meio mais concreto de ganhar apoio popular, com seus planos de modernizar a cidade. Com isso, hoje Hyderabad disputa com Bangalore o título de capital indiana da informática.

Meninos brâmanes de Tamil em ritual religioso

Cidades-Templos

Símbolo religioso

Srirangam *(pág. 601)* é um tipo de cidade comum no Sul da Índia, em especial em Tamil Nadu, cheia de santuários dedicados a divindades hindus que protegem a cidade e sua população. Concebida como um vasto complexo religioso, é fechada por altos muros, como os de uma fortaleza, e o acesso a ela é feito por portões elevados *(gopuras)*. O templo consiste de vários recintos murados, muitas vezes em arranjos concêntricos, rodeados por ruas que repetem o desenho do templo. Srirangam é a maior delas, mas há outras belas cidades deste tipo, como Chidambaram *(pág. 590)* e Madurai *(págs. 608-11)*.

Itens puja vendidos fora do recinto do templo

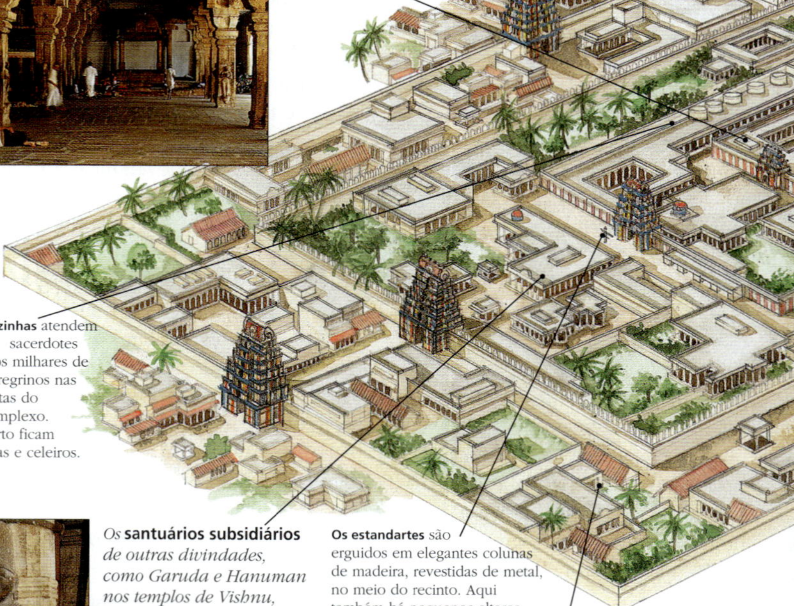

As **Kalyana Mandapas** *(salas de casamento) têm em seu centro plataformas elevadas. Imagens portáteis das divindades são colocadas aqui durante os rituais de casamento e as festas celebradas anualmente, com a presença de milhares de devotos.*

Cozinhas atendem os sacerdotes e os milhares de peregrinos nas festas do complexo. Perto ficam lojas e celeiros.

Os **santuários subsidiários** *de outras divindades, como Garuda e Hanuman nos templos de Vishnu, e Ganesha, Nandi e Subrahmanya ou Murugan nos templos de Shiva, também são venerados no complexo.*

Os estandartes são erguidos em elegantes colunas de madeira, revestidas de metal, no meio do recinto. Aqui também há pequenos altares.

Os **recintos ao ar livre** *dos complexos do templo têm muitas casas para abrigar a comunidade sacerdotal, que preside a vida religiosa nas cidades-templos.*

O **santuário principal,** *onde se cultua a divindade mais importante, forma o núcleo do complexo. Aqui vemos a* garbhagriha, *ou câmara uterina. Só na hora da oração é que se abre a grande entrada do santuário, para que os fiéis levem oferendas à divindade.*

As carruagens de madeira cobertas com painéis entalhados são estacionadas fora dos portões principais. Nas festas, são puxadas por devotos pelas ruas da cidade.

Tanques e poços *garantem água para os banhos rituais, para a cozinha e outros fins. Os tanques do templo têm degraus nos quatro lados para que os fiéis possam descer. Pequenos pavilhões no centro são usados em eventos especiais.*

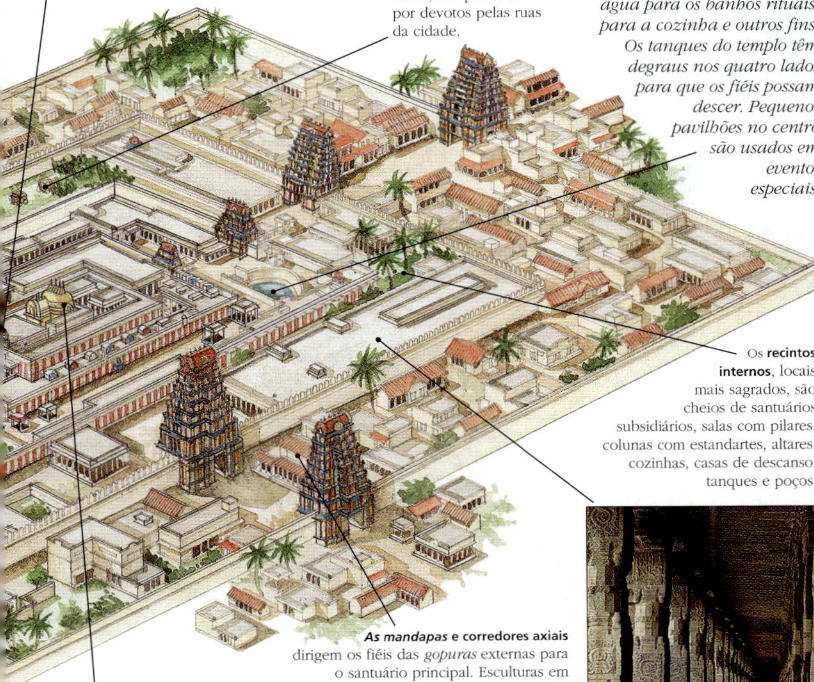

Os **recintos internos**, locais mais sagrados, são cheios de santuários subsidiários, salas com pilares, colunas com estandartes, altares, cozinhas, casas de descanso, tanques e poços.

***As mandapas* e corredores axiais** dirigem os fiéis das *gopuras* externas para o santuário principal. Esculturas em colunas enfeitam essas passagens, onde também há estátuas de bronze.

Os Gopuras, *os portões cerimoniais, com altas torres piramidais, são dispostos nos quatro lados de cada conjunto concêntrico de muros que define o complexo sagrado. Suas torres ocas de tijolos são cobertas com esculturas de gesso em cores vivas. Telhados em abóbada cilíndrica no topo das torres são coroados por remates dourados, visíveis de toda a cidade.*

As Mandapas *são salas com colunas, que às vezes assumem grandes proporções, como nas chamadas salas dos mil pilares. Estas podem abrigar inúmeros visitantes que vêm ouvir os sermões ou apreciar as apresentações de música clássica e dança.*

Os Sabores do Sul da Índia

Os preparos de arroz predominam na culinária do Sul da Índia, dos quais os mais comuns são *dosas* (panquecas de arroz com batatas apimentadas), *idli* (bolinhos cozidos no vapor), *vada* (rosquinhas fritas de lentilha) e *uttapam* (panqueca apimentada). Todos acompanham o *sambhar* (caldo de lentilha) e os chutneys de coco, alho e pimentas. Esses são os *"tiffin"*, ou pratos servidos no café-da-manhã. Apesar das similaridades, as cozinhas do estado têm sabores ditados pelo gosto regional e ingredientes locais, como se vê na culinária muçulmana de Hyderabad.

Ramo de folhas de caril

A água do coco verde é uma bebida refrescante para os dias quentes

KERALA

Kerala, a terra das pimentas, principalmente o pimentão, chamou a atenção dos europeus para o Leste. Os aromas do cravo, da noz-moscada, do cardamomo e da canela impregnaram suas cozinhas. Some-se a isso o coco, que é usado em praticamente tudo. Cada comunidade tem uma culinária própria. Os hindus preferem a comida vegetariana, ao passo que muçulmanos e cristãos abusam dos carneiros e das aves domésticas. As influências estrangeiras são nítidas, e o clássico *moilee*, termo usado para os peixes e legumes ao curry, é uma corruptela da palavra portuguesa molho. O alimento básico é o arroz, cujo preparo mais conhecido é a *appam*, a panqueca cozida no vapor. Uma refeição típica da classe média compreende arroz cozido favas, legumes ao curry, legumes secos, picles, *poppadams* e um prato de carne ou de peixe para os não vegetarianos. A *sadya* é uma refeição festiva de Onam, sempre servida em folha de bananeira.

TAMIL NADU

Seis sabores –doce, azedo, salgado, amargo, apimentado e adstringente– definem a cozinha tamiliana. Toda refei-

Diferentes preparos de arroz no Sul da Índia e outros acompanhamentos

PRATOS E ESPECIALIDADES LOCAIS

Coco

A herança culinária comum compreende arroz, lentilhas, coco e condimentos. Os legumes são preparados de várias maneiras, desde o *poriyal* no vapor ou frito, com pimentas e folhas de caril, ao *avial* (legumes em espesso molho de coco) e *mirchi ka salan* (pimentas verdes ao curry). É interessante notar que a palavra "curry" deriva de *kari*, um prato condimentado de Kerala e Tamil Nadu, enquanto *rasam*, presente em todas as refeições como aperitivo e digestivo, era a base da sopa anglo-indiana mulligatawny. Galinha, cordeiro e peixe também entram no cardápio, particularmente os frutos-do-mar ao curry de Kerala e Andhra Pradesh, bem como os deliciosos *biryanis* e a grande variedade de *kebabs* de Hyderabad.

Appams and stew, *bolinhos de arroz fermentados, servidos com cozido de legumes ou galinha.*

Redes de pesca chinesas, um símbolo de Fort Cochin, em Kerala

ção deve incluí-los para uma nutrição, saciedade e digestão equilibrados. O sabor especial vem da combinação de folhas de caril, gengibre, coco, alho, coentro, assa-fétida, tamarindo, pimentão, pimentas, cravos, cominho, canela e cardamomo.

As refeições consistem de arroz cozido servido com legumes, *sambhar*, *rasam* (água de pimenta) e *chutneys*. Crocantes *poppadams* completam a refeição. As sobremesas incluem o arroz ao leite *payasam* ou o arroz doce *pongal*.

As comunidades não brâmanes, como os chettiars de Chettinad, são carnívoras. Sua culinária forte e condimentada tem pratos interessantes de peixe, carneiro e galinha, dos quais a galinha na pimenta é considerada o melhor

ANDHRA PRADESH

A pimenta vermelha e o tamarindo fazem da comida de Andhra uma das mais condimentadas do país. Arroz e legumes são a base da alimentação. Os pratos mais

Vista de um mercado de rua na rural Tamil Nadu

comuns são *pulihora* (*pulao* de legumes), *dhapalam* (legumes ao curry) e *pachidi* (à base de coalhada).

Do outro lado está a cozinha de Hyderabad com claras influências muçulmanas. Os saborosos *biryanis* de carneiro ou de galinha vêm acompanhados de *kebabs*, cordeiro galinha ou legumes ao curry *(salans)*, legumes e pães. As especialidades são *pathar gosh* (cordeiro cozido na pedra), *haleem* (trigo pilado e cordeiro, prato consumido nos meses de jejum do Ramzan ou Ramadan) e doces como *shahi tukra* e *kubani ka meetha*, feitos com damasco seco e creme.

NO CARDÁPIO

Aadu olathiayathu Cubos fritos de cordeiro guarnecidos com coco e folhas de caril.

Meen varuval *Masala* de peixe frito com cebolas fatiadas e limão, de Chettinad.

Sambhar Caldo de lentilhas apimentado com legumes, obrigatório em todas as refeições.

Tahari *Pulao* de arroz e carne moída, especialidade de Hyderabad.

Tamatar pappu Tomate e lentilha ao curry apimentado.

Thengai saadham Arroz feito no coco, com pimentas vermelhas e folhas de caril.

Upma Saboroso prato de café-da-manhã feito com semolina.

Bagharey baingan, *berinjelas inteiras recheadas com pimentas, um apreciado prato vegetariano de Hyderabad.*

Meen moilee, *especialidade da comunidade cristã de Kerala, é peixe com coco ao curry.*

Pasayam, *doce cremoso feito com leite e arroz e guarnecido com castanhas de caju e passas.*

CHENNAI

Chennai, antiga Madras, é a capital de Tamil Nadu e a porta de entrada para a rica e variada cultura da península do Sul da Índia. Originalmente uma reunião de cabanas de pescadores ao longo da costa de Coromandel, a cidade desenvolveu suas características sob o domínio britânico. Hoje é a capital comercial e cultural do Sul da Índia e a quarta maior metrópole do país.

Moderna capital, repleta de graciosos jardins, Chennai já foi um grupo de vilas dispostas entre arrozais ladeados por palmeiras, até que Francis Day e Andrew Cogan, comerciantes ingleses da Companhia das Índias Orientais, fundaram aqui uma fábrica e entreposto. Concluída no dia de são Jorge, 23 de abril, em 1640, esta fortificação acabou ficando conhecida como Forte St George. Fora de seus muros ficava George Town, a chamada "cidade nativa", cujas alamedas cheias de gente devotada a comércios variados servia os colonizadores ingleses. O governo colonial uniu as diversas vilas, incluindo o assentamento fundado no século 16 pelos portugueses em São Tomé, o local sagrado associado ao santo apóstolo. Vários séculos antes da chegada dos europeus, o grande porto do século 7º, Pallava, ficava em Mylapore; seu Templo Kapalesvara e o Templo Parthasarathi em Triplicane são testemunho das antigas tradições da cidade.

O período colonial marca o início do crescimento da cidade como grande centro comercial. Hoje, a maioria das principais empresas tem escritório em George Town, enquanto o Forte St George é a sede do governo estadual de Tamil Nadu. Com seus 172km², Chennai é hoje uma dinâmica fusão entre o velho e o novo, com suas majestosas construções coloniais misturadas a modernos edifícios. Sua rica herança cultural de literatura, música e dança tamil é preservada nas universidades e nos centros de artes. Chennai tem também intensa vida política, como atestam os grandiosos memoriais de políticos ao longo da Marina Beach.

Imenso painel retratando Jayalalitha, líder político de Tamil Nadu, no calçadão da Marina Beach

◁ **Vendedora de flores e guirlandas perfumadas perto do Templo Kapalesvara, em Mylapore**

Como Explorar Chennai

Conglomerado de diversas vilas que cresceram muito, Chennai não tem um centro, mas sim vários distritos urbanos, ligados por quatro estradas principais. George Town fica a nordeste da Periyar EVR High Road (rodovia Poonamallee), enquanto Egmore, Triplicane e Mylapore ficam ao sul. A principal artéria da cidade, Anna Salai (estrada do Monte), liga o Forte St George ao monte de São Tomé, ao sul. As outras estradas principais de Chennai, Rajaji Salai (North Beach Road) e Kamarajar Salai (South Beach Road), correm pelo litoral, ao longo do popular passeio da Marina em direção a Kalakshetra.

LOCALIZE-SE

Cena de manhã cedo na floricultura da Parry's Corner

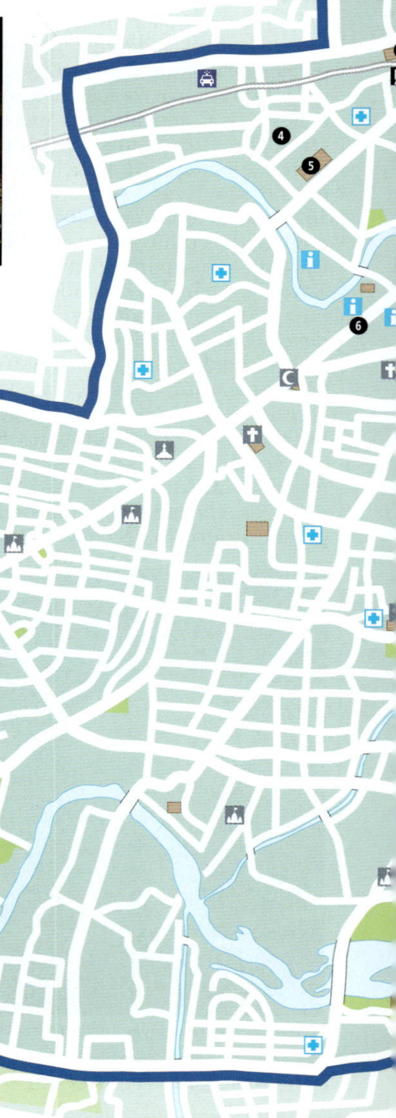

PRINCIPAIS ATRAÇÕES

Edifícios Históricos, Áreas e Arredores
Adyar 10
Anna Salai 6
Egmore 4
Forte St George 1
George Town 2
Triplicane 8

Igrejas e Locais Sagrados
Little Mount e Monte de São Tomé 14
Mylapore e São Tomé 9
Igreja de St Andrew págs. 562–3 3

Passeio
Um passeio pela Marina págs. 568–9 7

Museus
O Pantheon Complex 5

Parques e Jardins
Parque Nacional de Guindy 13

Diversões
Kalakshetra 11
MGR Film City 12

Legenda dos símbolos no final do guia

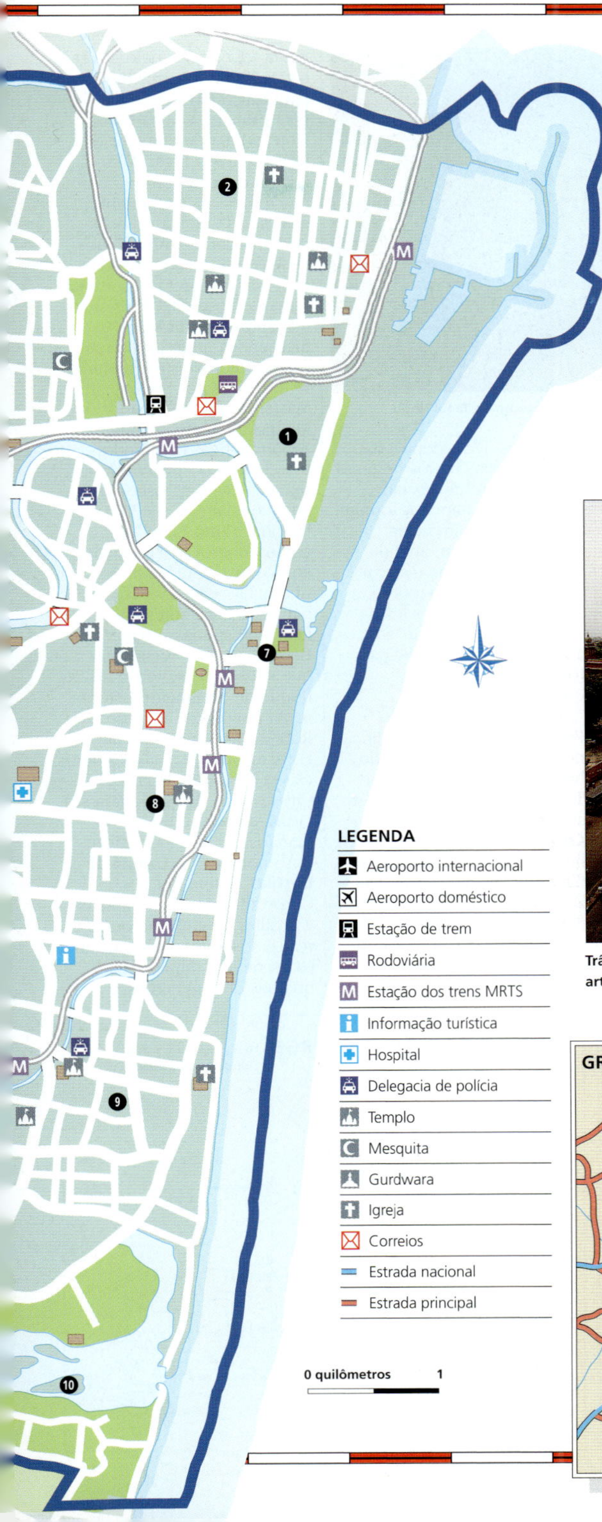

COMO CIRCULAR

Ônibus públicos e carros particulares ou táxis são os meios mais práticos de circular pela cidade. Os trens locais do Sistema de Transporte de Massa Rápido de Chennai (MRTS) e a ferrovia suburbana cobrem juntos grande parte da cidade e arredores. Operadores particulares organizam passeios turísticos para os principais locais de interesse.

VEJA TAMBÉM

- ***Onde Ficar*** págs. 712-3
- ***Onde Comer*** págs. 739-41

Trânsito na Anna Salai, principal artéria de Chennai

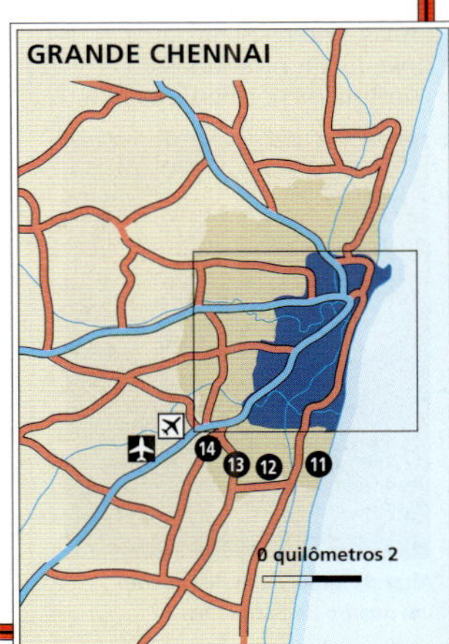

O Secretariado do Forte St George, sede do governo de Tamil Nadu

Forte St George ❶

Limitado pelas ruas Sir Muthuswamy Iyer, Flag Staff e Kamarajar Salai (South Beach Road). **Museu do Forte** ***Tel*** *(044) 2538 4510.* *sáb-qui.* *feriados.*

Primeiro bastião inglês na Índia, núcleo a partir do qual se formou o império, este forte foi erguido em uma plantação de bananas de um fazendeiro chamado Madrasan. Mas a escritura da terra foi passada por Venkatadri Nayak, representante do rajá de Chandragiri *(pág. 680)*. A primeira feitoria no recinto fortificado foi terminada em 23 de abril de 1640, dia de são Jorge, e chamada de Forte St George. Foi o núcleo principal da Companhia das Índias Orientais até 1774, quando Calcutá, atual Kolkata, foi declarada sede do governo.

Os parapeitos inclinados, com ameias para posicionar armas, que resistem ainda hoje, foram projetados e construídos por Bartholomew Robins em 1750, depois da destruição dos muros originais pelo Exército francês em 1749. Esses parapeitos formam um pentágono irregular, reforçado por um anel de muros de terra que desce até um fosso cercando todo o complexo. As pontes levadiças que antes conduziam aos cinco portões principais foram substituídas por estradas.

Ao entrar no forte pelo Portão do Mar vê-se o edifício neoclássico do **Secretariado**, hoje sede do governo de Tamil Nadu. Atrás dele ficam as **Legislative Council Chambers**. Com suas belas linhas clássicas e fachada ornada por pilares negros reluzentes, este edifício, erguido entre 1694 e 1732, é uma das mais antigas construções britânicas que sobrevivem na Índia. O mastro de 45m de altura foi erguido pelo governador Elihu Yale em 1687 para içar o pavilhão inglês pela primeira vez na Índia. Hoje, a bandeira tricolor da Índia ocupa o lugar. Yale iniciou carreira como funcionário da Companhia das Índias Orientais e mais tarde fundou a Universidade de Yale nos Estados Unidos com sua considerável fortuna.

Ao sul do prédio legislativo fica a **Igreja de St Mary**, a mais antiga igreja anglicana da Ásia. Foi construída entre 1678 e 1680 por Streynsham Master, então governador de Madras. Memoriais, pinturas, *Bíblias* antigas (incluindo uma impressa em 1660) e prataria estão expostas na igreja e falam de sua vibrante história. Tanto Elihu Yale como Robert Clive casaram-se aqui, e as três filhas de Job Charnock *(pág. 267)* foram batizadas aqui antes que a família se mudasse para Bengala. Arthur Wellesley, que mais tarde se tornou o duque de Wellington, vitorioso na Batalha de Waterloo, e Robert Clive, moraram no Forte St George. Suas residências, a Wellesley House e a Clive House, ainda podem ser vistas, embora um pouco degradadas, perto da igreja.

Ao norte fica o **Campo de Desfiles**, antiga praça Cornwallis, de 1715. Paradas e desfiles magníficos foram realizados aqui. À leste ficam os escritórios ministeriais e quartéis de regimentos.

Altar da Igreja de St. Mary, com um quadro da Santa Ceia

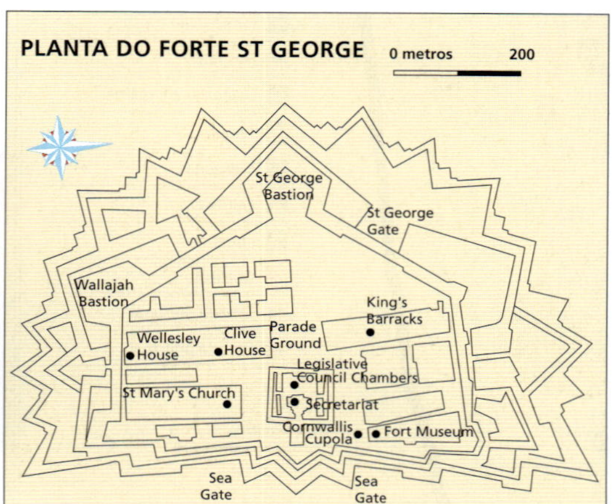

Perto do canto sudeste do Campo de Desfiles fica o **Museu do Forte**, construído na década de 1780. Com seu tesouro de relíquias coloniais, o museu está alojado no prédio construído para ser o Public Exchange. Tem pinturas da realeza inglesa, armamento do século 18, emblemas e outros objetos do período britânico. Entre os seus valiosos objetos está um modelo em escala do forte e um quadro do rei Jorge III e da rainha Charlotte. Há litografias no segundo e terceiro andares que mostram fascinantes vistas da velha Madras e outras partes do sul da Índia. Perto da extremidade sul do museu, com vistas para o canhão, está a **Cúpula Cornwallis**, que ficava originalmente no Campo de Desfiles. A estátua do governador-geral, lorde Cornwallis, esculpida em 1800, mostra-o aceitando os dois jovens filhos do sultão Tipu *(pág. 517)* como reféns.

George Town ❷

Limitada por Rajaji Salai (North Beach Road) e Estrada NSC Bose.

O Correio Geral, em George Town

Na década de 1640, tecelões e tingidores de Andhra Pradesh instalaram-se neste enclave e forneciam tecidos para o comércio têxtil da Companhia das Índias Orientais. Os ingleses chamavam-no de "Cidade Negra" e seus habitantes, de Chennapatnam, de onde veio o nome Chennai. Depois da reconstrução da área cem anos mais tarde, passou a se chamar George Town. Neste período, o comércio da cidade ficava nesta área de 5km². Ela ainda é um pólo ativo, com instituições públicas no sul, instalações comerciais no centro e bairros residenciais ao norte.

Vendedoras de frutas nas calçadas de George Town

O primeiro ponto de interesse é o **Farol** de Rajaji Salai, de 38m, cujo facho é visível no mar a 25km. O prédio ao lado, de tijolos vermelhos, a **Alta Corte**, projeto de Chisholm no estilo indo-islâmico, com vitrais e móveis entalhados, foi inaugurado em 1892, enquanto o **Correio Geral**, com seus arcos e torres quadradas, perto dali, é outro belo prédio de estilo indo-sarraceno. O **Parry's Corner**, no encontro da NSC Bose Road com Rajaji Salai, deriva seu nome da Parry and Company. Fundada por Thomas Parry em 1790, é a mais antiga companhia mercantil inglesa ainda em operação em Chennai. A **Dare House**, atual sede desta empresa de 200 anos de idade, fica hoje no local.

A rua mais longa da área, a **Mint Street**, deve seu nome à casa da moeda erguida aqui em 1841 para produzir moedas de ouro para os ingleses e para governantes locais. Seus edifícios são hoje parte da imprensa do estado.

As casas do século 17 de George Town foram antes residências e lojas de indianos, e também de portugueses, armênios e outros comerciantes estrangeiros. A **Armenian Street** deve o nome aos muitos armênios que aqui viveram, ao passo que a **Coral Merchant Street** abrigava uma pequena comunidade judaica que comerciava corais. Hoje, cada rua de George Town tem um tipo de comércio. A Anderson Street especializou-se em papel, vendedores de grãos operam na Audiappa Naicken Street e os atacadistas de tecidos estão na Govindappa Naicken Street e na Godown Street. Ruas como a Kasi Chetty Street e a Narayanamudali Street têm lojas de artigos da moda e produtos importados diversos.

ROBERT CLIVE (1725–74)

Retrato de Robert Clive por Nathaniel Dance (1773)

Um dos personagens de maior destaque da história inglesa na Índia, Robert Clive começou a carreira aos 19 anos no Forte St. George como funcionário da Companhia das Índias Orientais. Entediado com a burocracia, virou soldado e lutou em batalhas vitoriosas *(pág. 52)*, incluindo as Guerras Carnáticas, que estabeleceram o controle da companhia sobre o sul da Índia. Clive passou a comandar o Forte St George e depois virou governador de Bengala. A riqueza que juntou na Índia levou-o a julgamento por corrupção na Inglaterra. Clive suicidou-se em 1774.

Igreja de St Andrew ❸

Placa memorial

Magnífico exemplo de arquitetura neoclássica, a Igreja de St Andrew data de 1821. Inspirada na Igreja de St Martin-in-the-Fields de Londres, foi projetada e executada pelo major Thomas de Havilland e pelo coronel James Caldwell, da Madras Engineers, a um custo de 20 mil libras. O corpo da igreja é circular, com alas retangulares para leste e oeste. A parte circular, com 24,5m de diâmetro, é coroada por um domo achatado azul-profundo de alvenaria, pintado com estrelas de ouro e apoiado sobre 16 pilares acanalados com capitéis coríntios.

Vista da Igreja de St Andrew com sua agulha proeminente

★ Domo
Maravilha arquitetural, o domo tem estrutura de tijolos apoiada em arco anelar e preenchida por cones de cerâmica. Seu interior azul é de conchas do mar picadas misturadas com lápis-lazúli.

Vitrais
Os vitrais acima do altar, em cores vivas e quentes, estão entre as maravilhas desta igreja.

Bancos de igreja
Belos bancos em mogno e o púlpito mobiliam o interior. A partir de 1839, os bancos foram reservados a cidadãos destacados; as placas de metal com seus nomes ainda podem ser vistas.

Dezesseis colunas coríntias acanaladas sustentam o domo, conferindo beleza e equilíbrio ao projeto.

Para hotéis e restaurantes nesta região, ver págs. 712-3 e págs. 739-40

A **agulha** tem 50m de altura, 4m mais alta que a da igreja que a inspirou, a St Martin-in-the-Fields de Londres. No topo da fina espira piramidal fica um cata-vento.

Entrada

A **dupla colunata** de 12 colunas iônicas lisas é encimada por um frontão triangular.

PREPARE-SE

Egmore. ***Tel*** *(044) 2561 2608.* *diariam.* *dom, 9h e 18h.* *St Andrew's Day (nov).*

OS POÇOS DA IGREJA DE ST ANDREW

Por causa do solo arenoso e do local propenso a inundar durante as monções, os alicerces da igreja são na verdade uma série de poços em profundidades de até 15m abaixo do nível do chão. Este exemplo de engenharia ingênua é baseado em uma prática estrutural empregada nos edifícios nativos da área. Os poços são construídos com tijolos curvos especiais ou com cilindros de cerâmica. Eles são dispostos de modo a assegurar a máxima compactação do solo, permitindo à água subir dentro deles e proteger a estrutura principal. Os 150 poços foram cavados por um grupo de poceiros itinerantes, chamados *mumvutties.*

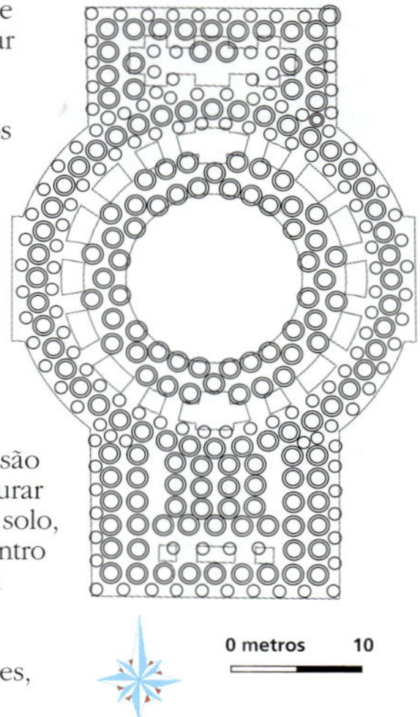

★ Órgão de tubos
Dominando o altar fica o órgão de tubos, em verde-escuro com verniz dourado. Instalado em 1883, foi construído em Yorkshire, na Inglaterra.

PRINCIPAIS ATRAÇÕES

- ★ Domo
- ★ Órgão de tubos

Vista da Egmore Railway Station, um dos principais marcos da cidade

Egmore ❹

Limitada por Periyar EVR High Rd e Pantheon Rd. *Egmore Railway Station, (044) 2819 4579.*

Toda a área ao sul da Periyar EVR High Road (antiga Poonamallee High Road) e a curva do rio Cooum são conhecidas como Egmore. Era uma pequena vila que a Companhia das Índias Orientais comprou no fim do século 17, quando começou a expandir seus territórios. Egmore foi um dos primeiros bairros residenciais, onde ricos comerciantes da Companhia erguiam mansões –as "casas ajardinadas", muito populares na Chennai colonial.

O **Government College of Arts and Crafts**, fundado em 1850, fica na EVK Sampath Salai. Este impressionante edifício gótico e sua galeria de arte foram construídos por Robert Fellowes Chisholm *(pág. 569)*, indicado seu superintendente (principal) em 1877. O primeiro diretor indiano, Debi Prasad Roy Chowdhary, era um famoso pintor e escultor na década de 1950. A vila dos artistas em Cholamandal *(pág. 578)* foi estabelecida por seu sucessor, K. C. S. Panicker. Hoje o prestigioso Government College é uma das mais destacadas escolas de arte da Índia. Sua galeria promove exposições regulares de pintura e escultura contemporâneas de artistas e estudantes.

A oeste dele fica a **Egmore Railway Station**, outra jóia arquitetural de Chisholm. É um belo edifício, construído em estilo indo-islâmico, com domos achatados pouco convencionais e arcos em ponta. A estação, que opera desde o início do século 20, liga Chennai ao resto de Tamil Nadu e ao sul.

Hoje Egmore é centro do comércio de luxo de Chennai, um selva de prédios de concreto, lojas de departamentos, butiques e hotéis. Na Pantheon Road ficam os maiores showrooms da Co-optex *(pág. 574)*, uma unidade da Tamil Nadu Handloom Textiles Cooperative, que vende seda e sáris de algodão feitos a mão e tecidos de todo o estado.

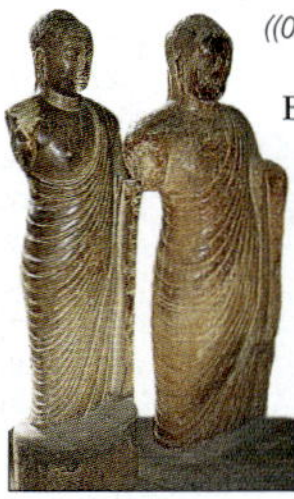

Budas em pé, de Amravati

O Pantheon Complex ❺

Pantheon Rd. ***Tel*** *(044) 2819 3778.* *sáb-qui.* *feriados.*
Connemara Public Library *Tel* *((044) 2819 1842.* *diariam.*

Este complexo de instituições culturais deriva do The Pantheon, sede das salas da Public Assembly no século 18. Na época, seus espaçosos jardins arborizados eram o local de todas as diversões públicas da cidade.

O indo-islâmico **Government Museum**, com seus muros de vermelho desbotado e seus labirintos de

Fachada da National Art Gallery, construída em estilo neomogul

escadarias e galerias interligadas, espalha-se por cinco seções de um grande complexo, cada um com uma coleção específica de objetos. Os 30 mil objetos inusitados aqui expostos vão de pedras e fósseis a livros e esculturas.

A Seção de Arqueologia, no prédio principal, destaca-se por sua rica coleção de antiguidades do Sul da Índia. Os itens incluem esculturas de pedra e metal, entalhes em madeira e manuscritos. Sua rara coleção de antiguidades budistas tem mais de 1.500 peças. Uma grande seção abriga artefatos de Amravati *(pág. 675)*, trazidos para cá no início do século 19 pelo intrépido coronel inglês Colin Mackenzie. Estão expostas esculturas em relevo, painéis e estátuas. Entre os objetos de destaque estão uma laje votiva do século 2º com uma representação de uma stupa, e numerosos painéis de pedra com cenas da vida de Buda em baixo-relevo.

Parvati, século 9º, período Chola

A Seção de Numismática tem uma grande coleção de moedas, particularmente do sul da Índia e mogüis. Há também algumas moedas de ouro gupta com inscrições em sânscrito.

O Government Museum foi uma das primeiras instituições da Índia em que a etnologia e a arqueologia pré-histórica foram assuntos de museu. A Seção de Antropologia, no edifício frontal, tem uma boa coleção de antiguidades pré-históricas, que incluem utensílios de cozinha e ferramentas de caça, entre eles o primeiro paleolito da Índia, descoberto em 1863 por Bruce Foote. A Seção de Zoologia, no prédio principal, é uma das maiores do museu. Embora seu escopo se restrinja à fauna do Sul da Índia, foram acrescentados alguns animais e pássaros, como a arara, o pato-mandarim e o faisão-dourado, para enriquecer a coleção. Está exposto também um esqueleto de baleia de 18,5m de comprimento. Em um anexo fica o Museum Theatre, do século 19, uma estrutura semicircular também em estilo indo-islâmico, que era usada no início como sala de conferências. Hoje é local para espetáculos.

Alguns dos melhores exemplos de bronzes fundidos do Sul da Índia estão na **Bronze Gallery**. Sua rica coleção de quase 700 bronzes, especificamente dos períodos Pallava e Chola (entre os séculos 9º e 13) provém de templos e sítios da região. Há muitas impressionantes esculturas do Nataraja –a representação de Shiva em sua dança cósmica da criação *(pág. 566)*. Outra peça de destaque é um Chola Ardhanarisvara, do século 11, uma figura composta onde Shiva e sua consorte, Parvati, são unidos para formar uma só entidade. Bronzes de outros deuses e deusas do panteão hindu, incluindo Rama, Sita e Ganesha, também podem ser vistos. As imagens incluem ainda bronzes budistas de Amravati, um Chola Tara e um Maitreya Avalokitesvara, e imagens do século 11 de vários tirthankaras jainistas.

Em frente fica a imponente **Connemara Public Library**, inaugurada em 1896. Esta estrutura, com sua profusa decoração de gesso, entalhes em madeira e vitrais, leva o nome de um dissoluto irmão do vice-rei, lorde Mayo. É uma das quatro bibliotecas nacionais da Índia e contém um exemplar de todos os livros publicados no país. Seu livro mais antigo e valioso é uma *Bíblia* de 1608.

A **National Art Gallery**, antigo Victoria Memorial Hall and Technical Institute, é talvez o mais belo edifício do complexo. Projetado por Henry Irwin, um dos arquitetos mais celebrados da cidade, foi construído em 1909 em estilo neomogul com acabamento de arenito rosa. Sua imensa porta lembra os monumentais portões de Fatehpur Sikri *(págs. 180-3)*. Estão à mostra mais bronzes Cholas, incluindo duas belas imagens de Rama e Sita e um soberbo Nataraja do século 11. Perto daqui fica a **Contemporary Art Gallery**, com sua bela coleção de arte indiana contemporânea, com foco nos trabalhos de artistas sul-indianos, como Raja Ravi Varma *(pág. 626)*.

Painel stupa do século 2º, de Amravati

Shiva, o Dançarino Cósmico

Esculturas de bronze que representam deuses e deusas são a glória da arte do Sul da Índia. Estritos preceitos iconográficos determinam as proporções de cada imagem e o simbolismo de cada postura, gesto de mão, arma e adorno. Mestres escultores, mesmo trabalhando dentro desses limites, criaram imagens de extraordinária individualidade, poder e graça. Entre as mais destacadas esculturas de bronze estão as de Shiva como Nataraja, o Dançarino Cósmico, e sua esposa, Parvati. Ricamente simbólicas em sua iconografia, elas foram feitas no período chola, entre os séculos 9º e 13.

Esguia imagem de bronze de Parvati

NATARAJA

Nataraja, ou seja, Shiva como Dançarino Cósmico, simboliza o ciclo de evolução e transmutação da natureza e mostra a maestria dos artistas cholas na forma e expressão.

O casamento de Shiva e Parvati *é um belo exemplo de arte chola. Mostra Shiva, em pé, régio e alto, suavemente segurando a mão de sua tímida noiva Parvati. Vishnu, como irmão de Parvati, assiste à cena.*

As imagens de bronze *representando a principal divindade do templo são levadas em procissão nas festas. As imagens são cobertas de seda e guarnecidas com pasta de sândalo e guirlandas de flores.*

Veja outras imagens em Mitologia Hindu *(págs. 24-5)*, Ganesha *(pág. 467)* e Vishnu *(pág. 679)*.

Os vários arcos da fachada da Thousand Lights Mosque

Anna Salai ❻

De Cooum Island a Little Mount.
Rajaji Hall ***Tel*** *(044) 2536 5635.*
◯ *diariam.*

Uma longa artéria que leva do norte de Chennai a Little Mount, no seu extremo sul *(pág. 573),* a Anna Salai (ou Mount Road) é a maior via de trânsito da cidade. As "mansões ajardinadas" que pertenciam à elite de Chennai resistiram de ambos os lados até os primeiros anos do século 20. Hoje, ela é uma moderna rua comercial, cheia de cartazes de artistas de cinema, e as espaçosas casas do passado deram lugar a edifícios de vários andares.

A Anna Salai começa em uma ilha em Cooum Creek, logo ao sul do Forte St George. No local fica a estátua de sir Thomas Munro, governador de Madras de 1819 a 1826. Perto daqui, em uma área verde, fica o prestigioso **Gymkhana Club**. Situado junto ao quartel do exército, era exclusivo dos oficiais militares. Até 1920, só admitia oficiais do forte, e até hoje o terreno do clube é das forças armadas.

O Old Government Estate, a sudoeste do Gymkhana Club, abriga a mansão na qual os governadores de Madras viviam antigamente em seu esplendor. Embora o prédio principal esteja caindo aos pedaços, a sala de banquetes, construída em 1802 pelo segundo lorde Clive, filho mais velho de Robert Clive, preserva sua grandeza. Foi denominado **Rajaji Hall** em homenagem ao primeiro governador-geral indiano, C. Rajagopalachari, conhecido popularmente como Rajaji. No interior deste elegante prédio neoclássico, uma belíssima escadaria leva até o amplo salão de banquetes, com seus lindos painéis e lustres.

Anna Salai entra então em seu trecho comercial, onde ficam alguns dos mais antigos marcos comerciais da cidade, como a **Higginbotham's** *(pág. 574)*, uma das maiores livrarias do país, a **Spencer's**, loja de departamentos, e o **Taj Connemara**, um dos mais finos hotéis da cidade *(pág. 713)*.

Junto à rua fica o **Old Madras Club**, hoje um pouco degradado. Criado em 1832, era conhecido no seu auge como o "Ace of Clubs". Uma mesquita do século 19, a **Thousand Lights Mosque**, mais adiante, deriva seu nome da tradição de acender mil lamparinas de óleo para iluminar o Assembly Hall, que antes ocupava o lugar. Mais ao sul fica a **Catedral de St George**, planejada por James Lillyman Caldwell e construída por Thomas de Havilland em 1814. Sua agulha de 42m de altura é um dos principais marcos de Chennai.

Altar principal da Catedral de St George, do início do século 19

ARTISTAS DE CINEMA E POLÍTICA

Cartazes de heróis populares no Sul da Índia

A indústria de cinema do Sul da Índia, em especial as de Tamil e Telugu, tornou-se o celeiro de vários políticos. O primeiro ministro-chefe do Partido Dravídico (então chamado DMK), o falecido C. N. Annadurai, bem como seu sucessor imediato, M. Karunanidhi, eram roteiristas famosos. No entanto, o caso mais destacado de ator que virou político é o de Marudur Gopalamenon Ramachandran, cujo papel de herói espadachim fez dele o emblema da integridade. Popularmente conhecido como M. G. R., ele ganhou um status cult na região e foi ministro-chefe de Tamil Nadu de 1977 a 1987. Seu coadjuvante e protegido, Jayalalitha, outro carismático ministro-chefe, foi afastado sob acusação de corrupção em 2001 e reempossado naquele mesmo ano. Os heróis atuais, como Rajnikant e Chiranjeevi, têm imagens que dependem muito de dublês temerários. Eles também têm muitos fãs em todo o Sul da Índia.

Um Passeio pela Marina ❼

O litoral de Chennai tem uma das maiores praias urbanas da Índia, que se estende 13km ao longo do lado leste da cidade. A Marina, que liga o Forte St George à Basílica de São Tomé, distante quase 5km, foi construída por Mounstuart Elphinstone Grant-Duff, governador entre 1881 e 1886. Descrito pelo historiador de arquitetura Philip Davies como "um dos passeios marítimos mais belos do mundo", é o local preferido pelos habitantes de Chennai para fugir do calor úmido da cidade e curtir a brisa do mar. O passeio ao longo da Kamarajar Salai (antes conhecida como South Beach Road) passa por parques, ruas de pedra arborizadas e espetaculares edifícios coloniais e indo-islâmicos.

O indo-islâmico Presidency College, núcleo da Universidade de Madras

Anna Park

O passeio começa no Victory War Memorial ①, que marca o extremo norte da Kamarajar Salai. Este memorial celebrava originalmente a vitória dos exércitos aliados na Primeira Guerra Mundial e foi mais tarde dedicado à memória dos soldados de Madras que perderam a vida na Segunda Guerra. Ao sul dele, no Anna Park, fica o Anna Samadhi ②, memorial que homenageia C. N. Annadurai, antigo ministro-chefe de Tamil Nadu, que fez grandes reformas políticas e sociais no estado. Mais ao sul fica o M. G. R. Samadhi ③, jardim comemorativo com portais e caminhos, construído em homenagem ao popular ícone do cinema e ministro-chefe M. G. Ramachandran *(pág. 567)*. Uma fileira de lojas de suvenires e locais para comer pode ser encontrada neste trecho de praia, atraindo turistas do resto do estado. É muito interessante o mercado dominical, com sua curiosa mistura de produtos.

Victory War Memorial, Kamarajar Salai

Norte da Marina

Ao longo da Kamarajar Salai fica uma série de imponentes edifícios de tijolos vermelhos, combinando vários estilos de arquitetura, com aspectos indianos e mouriscos. A indo-islâmica Universidade de Madras ④ foi fundada em 1857 e é uma das mais antigas da Índia. Maravilha da arquitetura, a Senate House ⑤ foi projetada por Robert Chisholm em estilo bizantino e islâmico. Ela se tornou sede da Universidade de Madras em 1879. Esses edifícios ficam agora no que era a espaçosa propriedade do Chepauk Palace ⑥. Este esplêndido edifício indo-islâmico, na Wallajah Road, já foi a residência do nababo de Arcot. Embora o palácio tenha sido erguido em 1768, Chisholm acrescentou as extensões, incluindo a torre que antes ligava as duas alas. Hoje abriga escritórios do governo. O Chepauk Stadium, famoso campo de críquete de Chennai, fica atrás do palácio. Mais adiante fica o Presidency College ⑦, primeira instituição do Sul da Índia de educação superior, fundada em 1840. Este prédio austero tem um domo com nervuras e quatro relógios na superfície. Entre seus ex-alunos famosos estão o primeiro governador-geral indiano, C. Rajagopalachari, e os físicos ganhadores do Nobel C. V. Raman e seu sobrinho S. Chandrasekhar.

Sul da Marina

Mais ao sul, um marco impressionante da Kamarajar Salai é a estátua *Triunfo do Trabalho* ⑧. Esta escultura foi criada

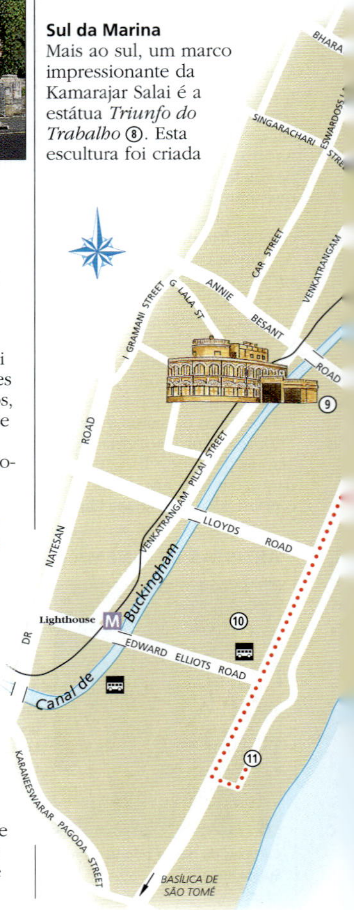

DICAS

Ponto de partida: *Victory War Memorial.*
Extensão: *5km.*
Como chegar: *estação de trem MRTS (Fort), ônibus ou táxi.*
Paradas: *Há uma série de locais para comer e cafés ao longo da praia.*

LEGENDA

- Percurso sugerido
- Ônibus
- Estação de trem MRTS

Triunfo do Trabalho **de Debi Prasad Roy Chowdhary, 1959**

O agitado ambiente da Marina Beach ao entardecer

por Debi Prasad Roy Chowdhary *(pág. 564)*, que se tornou o primeiro indiano diretor da Madras School of Arts and Crafts, em 1929.

A oeste da estrada principal, saindo da Annie Besant Road, fica a Ice House ⑨, até recentemente um abrigo de mulheres conhecido como Vivekananda House. Na década de 1840, este prédio circular, com um pináculo de pedra espetado em seu telhado, era um depósito de gelo, que foi todo importado da Nova Inglaterra (EUA). Foi também o local onde Swami Vivekananda *(pág. 615)* dava suas palestras quando em visita à cidade. Hoje está emprestado à Ramakrishna Mission, que tem planos de restaurá-lo. Mais ao sul fica o Queen Mary's College ⑩, hoje o Madras College for Women. Inaugurado em julho de 1914, foi o primeiro colégio de moças de Chennai. Um busto da rainha ainda enfeita a sua entrada. Um imponente farol ⑪ marca o extremo sul da Marina.

O LEGADO DE ROBERT CHISHOLM

Robert Fellowes Chisholm (1845-84) foi um dos mais talentosos arquitetos da Índia em meados do século 19. Em 1864, os projetos de Chisholm para o Presidency College e a Senate House venceram um concurso e ele foi nomeado arquiteto consultor do governo de Madras. Os 15 anos seguintes foram de muita atividade de construção ao longo da Marina, onde muitos prédios inovadores foram erguidos. Os projetos de Chisholm combinavam aspectos italianos e islâmicos para que as novas estruturas se harmonizassem com o Chepauk Palace existente. Por muitos anos foi o chefe da School of Industrial Art, fundada em 1855 e atualmente o Government College of Fine Arts.

A Senate House, edifício mais conhecido de Robert Chisholm, concluído em 1873

Frutas à venda no Triplicane Market

Triplicane 8

Fora de Kamarajar Salai (South Beach Rd). **Parthasarathi Temple** *diariam.* *Neeratu Utsavam (dez).*

O populoso subúrbio de Triplicane foi uma das primeiras vilas compradas pela Companhia das Índias Orientais, em 1670. Seu nome deriva do tanque de lírios sagrado *(tiru-alli-keni)* que havia ali. Um dos mais velhos templos da cidade, o histórico **Parthasarathi Temple**, fica em Triplicane. Construído no século 9º, é dedicado a Krishna (ou Partha) em seu papel de guia divino da carruagem de Arjuna *(sarathi)* no épico *Mahabharata (pág. 26)*. A festa no templo em dezembro atrai milhares de devotos. Houve época em que as casas da casta sacerdotal brâmane espremiam-se nas estreitas alamedas em volta do templo. Entre elas, as casas do gênio matemático Srinivasa Ramanujan (1887-1920), e do poeta nacionalista do início do século 20 Subramania Bharati.

Triplicane já pertenceu ao reino de Golconda *(págs. 666-7)*, por isso este bairro tem a maior concentração de muçulmanos da cidade. O nababo de Arcot, Muhammad Ali Wallajah (1749-95), aliado dos ingleses em sua luta pelo poder contra os franceses, contribuiu de modo generoso para a construção de uma grande mesquita aqui em 1795. A **Wallajah (Grande) Mosque**, bela estrutura de granito com esguios minaretes, fica na Triplicane High Road. O cemitério ao lado contém os túmulos de vários santos muçulmanos. Os descendentes do nababo ainda vivem em Triplicane, em uma suntuosa mansão conhecida como **Amir Mahal**. Construída em 1798, ela se tornou sua residência depois que o Chepauk Palace *(pág. 568)* foi tomado pelos ingleses.

A graciosa fachada da Wallajah Mosque, ladeada por seus minaretes

Mylapore e São Tomé 9

S de Triplicane. **Templo Kapaleshvara** *diariam.* **Basílica de São Tomé** *diariam.* **Igreja Luz** *diariam.*

Local de um grande porto Pallava nos séculos 7º e 8º, Mylapore é hoje uma das partes mais agitadas da cidade. Este tradicional bairro, com suas organizações religiosas, pequenas casas e movimentados bazares, tem seu foco no **Templo Kapaleshvara**, o maior de Chennai. Shiva, a principal divindade, é representado por um pavão *(mayil)*, o que deu à área seu nome original, Mayilapura, ou "Cidade dos Pavões". Segundo a lenda, a parceira de Shiva, Parvati, assumiu a forma de uma pavoa para poder adorar Shiva, representado aqui por seu linga. Um painel esculpido em um pequeno santuário no pátio retrata a lenda. O templo atual foi construído depois que o original foi destruído pelos portugueses no século 16. Os elos de Mylapore com a cristandade vêm do século 1º, época de são Tomé *(pág. 573)*. No século 10º, um grupo de cristãos nestorianos da Pérsia (Irã) descobriu o local em que foi enterrado o santo e construiu uma igreja e um túmulo. Os portugueses, seguindo a trilha do santo, fundaram o assentamento de são Tomé no início do século 16. A atual **Basílica de São Tomé**, sobre o túmulo do santo, é uma impressionante estrutura gótica construída em 1898. Tem um interior decorado com magníficos vitrais e uma alta agulha. Dizem que a cripta contém um pequeno osso da mão do santo e a arma que o matou.

Basílica de São Tomé, em estilo gótico

Perto fica a **Igreja Luz**, erguida em 1516 por monges franciscanos, a mais antiga igreja católica de Chennai.

Adyar ⑩

S de São Tomé, cruzando o rio Adyar. **Sociedade Teosófica** *Tel (044) 2491 2474.* ☐ *seg-sex e (sáb. manhã).* **Castelo Brodie** ☐ *diariam.*

Poucos lugares de Chennai são mais serenos do que os espaçosos jardins da **Sociedade Teosófica**, situada nas vizinhanças da cidade de Adyar, às margens do rio de mesmo nome. Fundada em Nova York em 1875, a sociedade mudou-se para cá sete anos mais tarde quando comprou os Huddlestone Gardens. Erguida em 1776 por John Huddlestone, um rico cidadão, esta grande mansão é hoje sede mundial da sociedade. Sua área de 108ha compreende várias construções do século 19, uma das quais é a antiga casa de seu fundador, o coronel Henry S. Olcott.

A construção principal abriga o Great Hall, de simplicidade quase espartana, onde as reuniões de oração são realizadas. Baixos-relevos representando os diversos credos e entalhes de trechos dos livros sagrados de todas as religiões do mundo podem ser vistos aqui. Também há estátuas de mármore dos fundadores, coronel Olcott e Helena Petrovna Blavatsky, assim como uma de Annie Besant, que se tornou presidente em 1907.

A Biblioteca e Centro de Pesquisa Adyar, fundada por Olcott em 1886, é uma das melhores bibliotecas da Índia. Seu acervo de 165 mil livros e 20 mil manuscritos em pergaminho e folha de palmeira fez dela um valioso repositório para pesquisa indológica. Os calmos jardins em volta têm santuários dedicados a vários credos. Mas a principal atração daqui é uma figueira de 400 anos de idade, cujos galhos se espalham por uma imensa área de 4.180m². Durante décadas, muitas das reuniões e palestras da sociedade foram realizadas embaixo dela. Infelizmente, uma terrível tempestade em 1989 destruiu seu tronco principal.

A figueira de 400 anos, nos jardins da Sociedade Teosófica

Os pilares na entrada do Castelo Brodie, em Adyar

O **Castelo Brodie**, ao norte da Sociedade Teosófica, é uma imponente construção branca às margens do Adyar. Conhecida como Thenral, abriga o prestigioso Colégio de Música Carnática, erguido em 1796 por James Brodie, funcionário da Companhia das Índias Orientais, e tido como uma das primeiras "casas ajardinadas" da cidade. Essas casas espaçosas e arejadas com varandas de pilares eram típicas da Chennai colonial. Esta tornou-se mais tarde a casa do primeiro juiz da Suprema Corte de Madras.

Ao norte do Castelo Brodie fica o **Madras Club**, construído por George Moubray, um contador que chegou à Índia em 1771. Ele comprou 42ha às margens do Adyar e ergueu uma casa com uma cúpula central, cercada por um belo jardim. Conhecida como Cúpula de Moubray, era clube exclusivo de europeus. Os indianos só puderam se tornar sócios a partir de 1964, quando ele se fundiu com o Adyar Club.

A SOCIEDADE TEOSÓFICA

Na década de 1870, o coronel Henry S. Olcott, veterano da Guerra de Secessão americana, conheceu a aristocrata e vidente russa madame Helena Petrovna Blavatsky em Vermont (EUA), na fazenda de Mary Baker Eddy, cientista cristã. Eles lançaram um movimento para incentivar o espírito de irmandade universal, com o intuito de criar uma sociedade utópica onde pessoas de todas as castas, credos e cores vivessem em harmonia. O movimento atraiu grandes pensadores e intelectuais, como a doutora Annie Besant, presidente do Congresso Nacional Indiano em 1917. A idéia de formar um partido político nacional foi, de fato, lançada primeiro na década de 1890 na sede da Sociedade, em Adyar, sob a figueira, pelo inglês A. O. Hume. O famoso filósofo Jiddu Krishnamurti também era membro da Sociedade.

A Sociedade Teosófica

Uma aula de dança Bharat Natyam em andamento em Kalakshetra

Kalakshetra ⓫

Thiruvanmiyur, East Coast Rd. 🚌 *ou táxi.* ***Tel*** *(044) 2452 1844.* ◯ *diariam.* *Kalakshetra Arts Festival (dez/jan).*

Esta instituição pioneira de dança clássica, música e artes, fundada em 1936, foi concebida por Rukmini Devi. Protegida de Annie Besant, ela foi muito influenciada pela visão progressista da Sociedade Teosófica *(pág. 571)*. Ao 16 anos de idade, ela encandalizou a sociedade conservadora ao se casar com George Sydney Arundale, o australiano de 40 anos, diretor da escola da Sociedade. As viagens do casal pelo mundo puseram Rukmini em contato com a cultura ocidental, em especial com a dança, e ela decidiu estudar balé com a grande bailarina russa Anna Pavlova. De volta a Chennai, de novo desafiou a tradição aprendendo a dança clássica *dasi attam*, até então privilégio das *devadasis* (dançarinas do templo). O International Centre for the Arts, que ela criou para reviver essa forma de dança, atualmente chamada Bharat Natyam *(pág. 29)*, é hoje Kalakshetra, o "Templo da Arte".

A escola fica em um campus de 40ha, onde música e dança clássica são ensinadas pelos métodos tradicionais, em que um guru transmite conhecimento a um pequeno grupo de alunos. Algumas das mais famosas dançarinas da Índia, entre elas Yamini Krishnamurti, Leela Samson e Alarmel Valli, foram treinadas aqui. No fim de cada ano, realiza-se uma festa com espetáculos em um auditório projetado como um *koottambulam*, o tradicional teatro dos templos de Kerala *(pág. 639)*.

MGR Film City ⓬

Perto de Indira Nagar. 🚌 ***Tel*** *(044) 2254 2424.* ◯ *diariam.* 📷 *cobra-se à parte.*

Uma das novas atrações de Chennai é sua cidade cinematográfica, dedicada à memória do popular ídolo das telas M. G. Ramachandran *(pág. 567)*. Ela é hoje o centro da florescente indústria de cinema tâmil em Chennai, atrás apenas de Mumbai *(págs. 32-3)* em produção de filmes. Um mundo da fantasia de sets extravagantes e equipamento hi-tech, a Film City atrai fãs de toda Tamil Nadu, que vêm aqui dar uma olhada em seus ídolos.

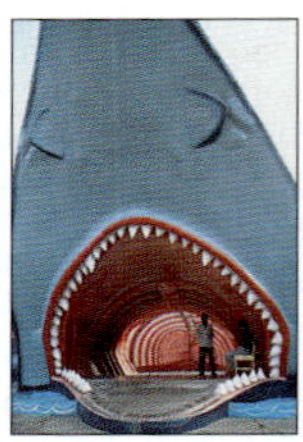

Set de filmagem na MGR Film City

Parque Nacional de Guindy ⓭

S de Chennai. Sardar Vallabhbhai Patel Rd. 🚉 *Estação Guindy.* 🚌 ◯ *qua-seg.* **Raj Bhavan** ● *para o público.*

Antes um subúrbio afastado com quase o dobro do seu tamanho atual, Guindy foi anexada pela metrópole da Grande Chennai. Uma parte que originalmente pertencia à floresta particular em volta de Guindy Lodge foi oficialmente declarada Parque Nacional de Guindy em 1977. Floresta seca com predomínio de acácias, ela é entremeada por árvores maiores, como sândalo *(Santalam album)*, bânia *(Ficus bengalensis)* e *jamun (Syzygium cumini)*. Em sua fauna contam-se bandos de espécies em risco de extinção, como o gamo-preto *(Antelope cervicapra)*, introduzido em 1924. Entre as 130 espécies de aves estão algumas de rapina, como o busardo-do-mel e a águia-marinha-de-ventre-branco. O inverno é a melhor época para observação de pássaros, pois as aves migrantes vêm ao parque. Dentro dele fica o **Madras Snake Park**, criado nos anos 1970 por Romulus Whitaker, zoólogo americano que também montou a Crocodile Bank fora de Chennai *(pág. 578)*. Hoje, o bem mantido Snake Park tem muitas espécies de cobras, como najas, cascavéis e jibóias. Há também outros répteis, como crocodilos,

Sequência de número musical sendo rodada na rua para um filme tâmil

tartarugas e lagartos. Grandes painéis em locais estratégicos dão detalhes interessantes do comportamento e do hábitat das diversas espécies. São feitas demonstrações ao vivo de extração de veneno, que é usado como antídoto para picadas de cobra.

O histórico Guindy Lodge, de 300 anos, a oeste do parque, é hoje o **Raj Bhavan**, residência do governador de Tamil Nadu. Construído como retiro de fim de semana para os governantes ingleses, este belo edifício branco foi reformado e ampliado em meados do século 19 pelo então governador Grant-Duff.

Hoje, Guindy tem algumas das instituições de maior prestígio da cidade. Na área há ainda muitos memoriais a líderes modernos da Índia, como Gandhi, K. Kamaraj e C. Rajagopalachari.

Fachada da Church of Our Lady of Expectations, monte de São Tomé

Cruz Maçônica, gravada na pedra de uma caverna em Little Mount

Little Mount e Monte de São Tomé ⓮

SO de Chennai, junto à Marmalog Bridge. *Estação St. Thomas Mount.*

Uma caverna na pedra em Little Mount é tida como o local em que, em 72, são Tomé, mortalmente ferido, buscou refúgio. Perto da atual **Church of Our Lady of Good Health** fica a velha **Blessed Sacrament Chapel** construída pelos portugueses sobre a caverna. Dentro dela fica a abertura por onde o santo passou buscando refúgio, deixando uma marca visível de sua mão perto da entrada. Na parte de trás da caverna fica a cruz maçônica diante da qual se diz que são Tomé rezou. Junto à **Church of the Resurrection** há uma nascente perene com poderes curativos. Diz a lenda que esta nascente se originou quando são Tomé bateu na pedra com seu cajado para prover água para sua congregação sedenta.

Cerca de 3km a sudoeste de Little Mount fica o monte de São Tomé (95m de altura), ou Great Mount. Uma escada de 132 degraus leva ao pico e à **Church of Our Lady of Expectations**, construída pelos portugueses no século 16. A relíquia mais importante aqui é a antiga cruz de pedra incrustada na parede do altar. Gravada, segundo a tradição, pelo próprio santo, trata-se da legendária "cruz sangrante" que milagrosamente verteu sangue entre 1558 e 1704.

Abaixo do flanco leste do monte fica a área chamada **Cantonment**, com suas ruas sombreadas ladeadas por vários chalés neoclássicos do século 18.

SÃO TOMÉ NA ÍNDIA

Segundo a lenda, são Tomé, um dos 12 apóstolos de Cristo, veio para a Índia logo após a morte de Jesus Cristo. Dizem que chegou em Cranganore *(pág. 649)* em 52 e viveu os 12 anos seguintes ao longo da costa de Malabar, difundindo o Evangelho e convertendo a população local. Aos poucos foi indo para leste e finalmente se instalou em Mylapore *(pág. 570)*. Ele passou os últimos anos de sua vida em uma caverna em Little Mount, de onde andava todos os dias até a praia, descansando um tempo e pregando pelos bosques. Conta-se que um dia em 72, enquanto rezava no monte de São Tomé, foi mortalmente ferido por uma lança e correu para Little Mount, onde morreu. Seu corpo foi carregado por seus fiéis para São Tomé, onde foi enterrado na cripta da pequena capela que havia construído. Ela é hoje a Basílica de São Tomé, e o grande vitral dentro dela narra sua história. Os portugueses colonizaram Mylapore no início do século 16, atraídos pelos relatos do viajante veneziano do século 13 Marco Polo, que havia visitado a antiga capela nestoriana daqui. O santo tem lugar especial no coração dos indianos e foi nomeado Apóstolo da Índia em 1972.

Retrato de são Tomé

Compras e Diversão em Chennai

Como capital de Tamil Nadu, Chennai oferece uma excelente variedade de peças de artesanato e de tecidos feitos a mão, provenientes de todo o estado, desde reluzentes sedas em cores vivas e finos tecidos de algodão até jóias e réplicas de bronzes Chola. As opções de compras da cidade incluem boas lojas de departamentos, shoppings e butiques de grife, além de animados bazares locais que vendem ampla gama de mercadorias. Chennai é também a capital cultural do Sul da Índia, com espetáculos de música e dança clássicas o ano todo. O auge da estação cultural é de meados de dezembro a meados de janeiro, quando a cidade sedia o prestigioso Chennai Festival.

LOJAS E MERCADOS

Os melhores locais de compras em Chennai são as áreas mais tradicionais, como Panagal Park, os bazares de Pondy e Burma e as ruas em volta do templo em Mylapore. Estas eram pequenas ruas de mercado que viraram pequenos shoppings, onde se compra de tudo a preços mais baixos. A Spencer's, a mais antiga loja de departamentos de Chennai, quase sumiu em um incêndio na década de 1980, mas hoje está reformada e é um moderno shopping. Suas lojas vendem itens variados, de alimentos a relógios suíços. Ao lado dele fica o marco mais antigo da cidade, o **VTI** (Victoria Technical Institute), que vende artesanato e roupas de cama e mesa de qualidade. Esta organização de caridade apóia missões cristãs do Sul da Índia, especializadas em bordados a mão sofisticados.

A maioria das lojas abre de segunda a sexta, das 9h30 às 19h. Os bazares têm horários mais flexíveis.

JÓIAS E ANTIGUIDADES

O melhor local do Sul da Índia para jóias tradicionais de ouro de alta qualidade é a **Vummidi Bangaru Jewellers**, que tem também ótimas reproduções das jóias com incrustações de pedras preciosas usadas pelas dançarinas clássicas. A **Prince Jewellery**, em Panagal Park, tem jóias de Kerala e também é especialista em enfeites de ouro de baixo peso. Peças de prata modernas e tradicionais podem ser adquiridas na **Sukhra** e na **Amethyst.**

É difícil achar antiguidades genuínas, mas a **Rani Arts & Crafts** tem cópias de peças antigas, como imagens e objetos de metal, pinturas de Tanjore (Thanjavur) *(pág. 597)* e peças de laca.

TECIDOS E SÁRIS

Tamil Nadu é famosa pela riqueza e variedade de suas sedas e tecidos de algodão, boa parte dos quais é de Chennai. **Radha Silks, Kumaran Silks** e **Sundari Silks** são lojas famosas na Índia por sua maravilhosa variedade de tecidos e sáris de seda de Kanchipuram *(pág. 583)*. A **Nalli's**, imensa loja de vários andares, tem o maior estoque de sáris de Kanchipuram e vive cheia de compradores locais, em especial nas épocas de festas e casamentos. Outros pontos de venda são **Man Mandir** e **Shilpi**, pequena butique que vende sáris e objetos para casa. A **Fabindia** também tem objetos e roupa pronta. Há boa variedade de tecidos também na **Co-optex**, o grande showroom da Cooperativa de Tecidos de Tamil Nadu. Esta empresa pioneira vem incentivando o resgate dos teares manuais.

ARTESANATO E PRESENTES

Uma boa seleção de artesanato pode ser encontrada na **Poompuhar**, o armazém estatal de Tamil Nadu. O VTI também tem artesanato e é especializado em roupa de cama e mesa e roupa de dormir bordada a mão. **A Cane and Bamboo** é outra pequena loja interessante com artigos para presente e suvenires.

A **Apparao Galleries** tem não só pinturas de artistas indianos contemporâneos como uma loja de presentes e artigos para casa. Sua butique vende roupa de grife.

A **Naturally Auroville** é especializada em produtos naturais feitos no Pondicherry Ashram e em Auroville *(págs. 586-8)*. Entre as mercadorias há cerâmica, papel artesanal, velas perfumadas, incenso e óleos e loções aromáticos.

Chennai é também bom lugar para comprar instrumentos musicais artesanais, como o violino, o *mridangam* e a *veena*. Estes podem ser encontrados em vários pontos da cidade, mas os melhores estão no **Musee Musicals** e na **Sapthaswara Music Store**. A **Music World** tem grande variedade de CDs e fitas de artistas carnáticos famosos. A cidade também tem um bom número de excelentes livrarias. Destas, a mais antiga e de melhor estoque é a **Higginbotham's**, fundada em 1844.

GUIAS DE ESPETÁCULOS, INGRESSOS E LOCAIS

Anúncios de espetáculos de música carnática *(pág. 595)* e de dança clássica como a Bharat Natyam *(pág. 28)* aparecem regularmente na seção de variedades dos jornais locais. Os guias da cidade, como *Hallo! Madras* e *Chennai This Fortnight*, trazem listas dos locais de espetáculos e informações sobre ingressos.

Há espetáculos de música e dança o ano inteiro. Mas a alta estação é de 15 de dezembro a 15 de janeiro, quando ocorre o Chennai Festival, organizado pelas *sabhas* (entidades culturais) da cidade. Nessa época são realizados mais de 500 concertos. O centro cultural de maior prestígio é a **Music Academy**. Outros locais são **Narada Gana Sabha**,

Sri Krishna Gana Sabha e **Karthik Fine Arts**. Shows de dança e música clássica também são realizados no **Museum Theatre**, no Pantheon Complex *(pág. 564)* e no auditório de **Kalakshetra** *(pág. 572)*.

MÚSICA E DANÇA

Desde a década de 1920, Chennai é o centro da música carnática e da dança clássica. O primeiro festival de música data de dezembro de 1927, na sessão de Madras do Congresso Nacional Indiano. Um ano depois, foi fundada a Music Academy para promover a música carnática e, em 1936, Rukmini Devi fundou a Kalakshetra para difundir a Bharat Natyam, uma dança antes exclusiva dos templos. Hoje, essas duas instituições, junto com as muitas *sabhas,* são as grandes patrocinadoras da música e da dança na cidade.

Na alta estação, os amantes da música vão a Chennai ouvir os maiores intérpretes da Índia e também os novos talentos. Concertos de música carnática instrumental e vocal começam de manhã e podem ir até meia-noite. Também há recitais de dança. Alguns dançarinos vêm usando o repertório tradicional para criar uma forma de dança contemporânea que funde elementos do folclore indiano e formas clássicas com temática ocidental.

CINEMA

Os filmes exibidos nos cinemas de Chennai, como **Devi, Ega, Gaiety** (fundado em 1919) e o **Sathyam Cineplex**, vão desde sucessos de bilheteria de Bollywood e Tamil aos últimos lançamentos de Hollywood. Os filmes de Tamil são muito parecidos com os produzidos na Bollywood de Mumbai, com números musicais e muito melodrama. Mas seu papel vai além da diversão, pois abordam temáticas sociais e têm atores com ligações políticas *(pág. 567)*, o que faz deles poderosos meios de comunicação, em especial junto ao público rural.

AGENDA

JÓIAS E ANTIGUIDADES

Amethyst
14 Padmavathi Rd, Jeyapore Colony, Gopalapuram.
Tel *(044) 2835 1627.*

Prince Jewellery
13 Nagaeswara Rao Rd, Panagal Park.
Tel *(044) 2436 3137.*
769 Spencer Plaza, Anna Salai.
Tel *(044) 2849 5817.*

Rani Arts & Crafts
8 Nowrojee Rd, Chetpet.
Tel *(044) 2642 2948.*
73 Gangadareswar Koil St.
Tel *(044) 2642 2948.*

Sukhra
42 North Mada St, Mylapore.
Tel *(044) 2461 0193.*

Vummidi Bangaru Jewellers
Rani Seethai Hall, 603 Anna Salai.
Tel *(044) 2849 3056.*

TECIDOS E SÁRIS

Co-optex
Pantheon Rd, Egmore.
Tel *(044) 2819 2394.*

Fabindia
Illford House, 3 Woods Rd, junto a Anna Salai.
Tel *(044) 2851 0395.*

Kumaran Silks
12 Nageswaran Rd, T Nagar.
Tel *(044) 2434 3544.*

Man Mandir
15 Khader Nawaz Khan Rd, Nungamabakkam.
Tel *(044) 2823 9474.*

Nalli's
9 Nageswaran Rd, T Nagar.
Tel *(044) 2434 4115.*

Radha Silks
Sannathi St, Mylapore.
Tel *(044) 2494 1906.*

Shilpi
1 GG Minar, 23 College Rd, Nungambakkam.
Tel *(044) 2828 2603.*
29, CP Ramaswamy Rd.
Tel *(044) 2499 7526.*

Sundari Silks
54–55 North Usman Rd, T Nagar.
Tel *(044) 2814 3093.*

ARTESANATO E PRESENTES

Apparao Galleries
7 Wallace Garden, 3rd St.
Tel *(044) 2833 4955.*

Cane and Bamboo
20 C-in-C Rd, Ethiraj Lane.
Tel *(044) 2827 5180.*

Higginbotham's
116 Anna Salai.
Tel *(044) 2841 3146.*

Musee Musicals
67 Anna Salai.
Tel *(044) 2852 2780.*

Music World
Spencer's Plaza.
Tel *(044) 2849 3232.*

Naturally Auroville
30 Khader Nawaz Khan Rd, Nungambakkam.
Tel *(044) 2821 7517.*

Poompuhar
818 Anna Salai.
Tel *(044) 2852 0624.*

Sapthaswara Music Store
165 Royapetta H Rd, Mylapore.
Tel *(044) 2499 3294.*

VTI
New 180, Anna Salai.
Tel *(044) 2858 6779.*

LOCAIS DE ESPETÁCULOS

Kalakshetra
Kalakshetra Foundation, Thiruvanmiyur.
Tel *(044) 2491 1844.*

Karthik Fine Arts
New 39, Bhimanna Garden St, Alwarpet.
Tel *(044) 2499 7788.*

Museum Theatre
Pantheon Rd, Egmore.
Tel *(044) 2819 3778.*

Music Academy
306 TTK Rd, Alwarpet.
Tel *(044) 2811 5162.*

Narada Gana Sabha
314 TTK Rd, Alwarpet.
Tel *(044) 2499 3201.*

Sri Krishna Gana Sabha
8 Maharajapuram Santhanam Salai, T Nagar.
Tel *(044) 2814 0806.*

CINEMA

Devi
47 Anna Salai.
Tel *(044) 2855 5660.*

Ega
435 Poonamallee High Rd.
Tel *(044) 2641 1666.*

Gaiety
Anna Salai.
Tel *(044) 2841 5154.*

Sathyam Cineplex
Sathyam Theatre Complex, 8, Thiru Vi Ka Rd.
Tel *(044) 2852 3813.*

TAMIL NADU

Berço da cultura dravídica, Tamil Nadu estende-se da costa Coromandel, a leste, até as florestas dos Ghats Ocidentais. No centro fica o fértil vale Kaveri, terra de plantações de arroz e templos espetaculares. É este o local do antigo Cholamandalam, onde os reis Cholas construíram magníficos templos em Thanjavur e em outros locais, como Madurai e Chidambaram, que testemunharam o florescimento da dança, da música e da literatura sob seus governantes esclarecidos. Mamallapuram, cidade portuária do século 7°, com espetaculares templos cavados na rocha, é hoje Patrimônio da Humanidade, e o ex-enclave francês de Pondicherry, bem como os fortes e igrejas ingleses, reflete a herança colonial do estado. Muitas cidades de Tamil Nadu têm o prefixo "Tiru", que significa sagrado e indica a existência no local de um grande centro religioso.

PRINCIPAIS ATRAÇÕES

Cidades e Bairros
Chettinad 23
Coimbatore 19
Pondicherry 7
Ramanathapuram 24
Tiruchirapalli 14
Tuticorin 26
Vellore 4

Locais Históricos
Dakshina Chitra 1
Gingee Fort 6
Mamallapuram 2

Templos e Cidades-Templos
Chidambaram 8
Gangaikondacholapuram 10
Kanchipuram 3
Kanniyakumari 30
Kumbakonam 11
Madurai 22
Palani 20
Rameshvaram 25
Srirangam 15
Suchindram 29
Thanjavur 13
Tiruchendur 27
Tirunelveli 28
Tiruvaiyaru 12
Tiruvannamalai 5

Passeios
Coromandel Driving Tour 9
Tour of the Nilgiris 18

Parques Nacionais
Mudumalai Wildlife Sanctuary 17

Estâncias Montanhosas
Kodaikanal 21
Yercaud 16

◁ **Detalhe de templo *gopura* com vivas figuras de gesso, Templo Sarangapani, Kumbakonam**

Dakshina Chitra ❶

Bairro Chingleput. 26km ao S de Chennai. **Tel** *(04114) 272 603.* *qua-sáb.*

Este vilarejo histórico, na costa Coromandel, permite uma visão fascinante das casas e estilos de vida dos povos do Sul da Índia. O vilarejo contém reconstruções de casas tradicionais e inclui até agora seis de Tamil Nadu, três de Kerala e uma de Karnátaka. A bela mansão Chettiar *(pág. 612)*, com sua porta entalhada em madeira, reflete a riqueza da comunidade mercantil Chettiar, e as casas de sacerdotes, fazendeiros, tecelões e ceramistas são construções simples, utilitárias, mas elegantes. Dentro do complexo existem um santuário Ayyanar *(pág. 605)* e um pátio aberto, onde são realizados espetáculos folclóricos e de dança clássica, além de demonstrações de artesanato.

Arredores

Cholamandal Village, 12km ao norte de Dakshina Chitra, é uma vila de artistas fundada em 1966, primeira do tipo na Índia. Para quem gosta da natureza, o **Crocodile Bank**, fundado pelo zoólogo americano Romulus Whitaker, fica 15km ao sul da vila. Tem um viveiro de cobras e uma cooperativa dos irulas, um povo de caçadores de ratos.

Cholamandal Village
Tel *(044) 2449 0092.* *diariam.*

Crocodile Bank
qua-seg. *pago à parte.*

Colorida placa indicativa da entrada do Crocodile Bank

Relevo esculpido em Mamallapuram, sobre a penitência de Bhagiratha

Mamallapuram ❷

Bairro Kanchipuram. 58km ao S de Chennai. *Covelong Rd, (04114) 242 232.* *diariam.* *Festival de Dança (jan/fev).*

Patrimônio da Humanidade da Unesco, o sítio de Mamallapuram (ou Mahabalipuram) já foi uma grande cidade portuária, construída no século 7º pelo rei Pallava Narasimha Varman I, conhecido como Mamalla, o "Grande Lutador". Este sítio espetacular, na baía de Bengala, situa-se em uma paisagem rochosa cheia de cavernas e santuários monolíticos *(págs. 580-1)*, templos e imensos baixos-relevos, maiores exemplos da arte pallava. A tradição de entalhes na pedra que criou estas maravilhas ainda sobrevive nas muitas oficinas que existem na cidade.

O espetacular **Shore Temple**, em um promontório junto ao mar, sobreviveu aos efeitos da erosão. Foi construído por Mamalla para Vishnu. Os dois santuários de Shiva foram acrescentados pelo sucessor de Mamalla, Narasimha Varman II. O templo é cercado por um muro baixo, com fileiras de Nandis sentados. Dentro há um Vishnu, um linga polido de 16 faces e relevos de Somaskanda –uma forma composta de Shiva com sua esposa, Parvati, e os filhos Skanda e Ganesha.

Indo para o interior a partir do Shore Temple, no centro da vila, fica o celebrado baixo-relevo **Penitência de Bhagiratha**, conhecido também como Penitência de Arjuna ou Descida do Ganges. Esculpido em uma imensa rocha com uma fenda vertical natural, simbolizando o Ganges, o painel detalha a história da sagrada descida do rio do céu *(pág. 163)*. Este ato divino, tornado possível pela penitência do sábio Bhagiratha, é testemunhado no painel por seres celestiais e semi-celestiais, ascetas e animais. Durante as monções fica mais claro o simbolismo, pois a água da chuva flui pela fenda e se acumula no tanque embaixo. Perto daqui ficam o ainda o não concluído **Panch Pandava Cave Temple** e o **Krishna's Butter Ball**, uma rocha natural precariamente encravada em uma encosta.

Krishna's Butter Ball, uma rocha natural

Ao sul da Penitência de Bhagiratha fica o **Krishna Mandapa**, um imenso baixo-relevo mostrando o deus elevando-se do monte Govardhan para proteger o povo das chuvas torrenciais e cumprindo sua tarefa de vaqueiro. O **Olakkanatha Temple**, acima da *mandapa*, já foi utilizado como farol.

Na crista sudoeste da Penitência de Bhagiratha há três templos em cavernas. O **Mahishasuramardini Cave Temple** tem um gracioso retrato da deusa Durga sobre um leão, dominando o demônio com cabeça de búfalo Mahisha, na parede norte. Este painel cheio de vida contrasta com o da parede sul, onde Vishnu medita antes de criar a Terra.

Perto daqui, o **Adivaraha Cave Temple** tem painéis interessantes de governantes Pallavas com suas esposas. O Trono do Leão, no alto de uma montanha mais a oeste, é uma plataforma elevada com um leão sentado, descoberta perto de pilhas de entulho de tijolos que eram tidas como os restos do palácio dos Pallavas.

O **Trimurti Cave Temple**, a noroeste da Penitência de Bhagiratha, é dedicado a três deuses –Shiva, Vishnu e Somaskanda. Os santuários são guardados por estátuas de graciosos guardiões. Há uma escultura de Durga sobre a cabeça de Mahisha em uma parede externa. Ao sul desta, o **Varaha Cave Temple** tem pilares de leões belamente moldados e esculturas em relevo de Lakshmi, Durga e Varaha, a encarnação javali de Vishnu, que são obras-primas da arte pallava. O retangular **Ganesha Ratha**, com dois andares, mais ao sul, é obra de Parameshvara Varman I (669-90). O templo, originalmente dedicado a Shiva, tem belos entalhes listando os títulos reais de Parameshvara Varman. A leste fica o **Museu Arqueológico**, com esculturas e fragmentos escavados do sítio.

Museu Arqueológico
West Raja St. diariam. **Shore Temple** *cobre também a visita a Panch Rathas.*

Arredores: A **Tiger's Cave**, 4km ao norte, é uma caverna rasa emoldurada por uma grande pedra, com cabeças de *yalis* (míticas bestas leoninas). Era provavelmente um palco para espetáculos ao ar livre.

O Templo Vedagirisvara, dedicado a Shiva, no alto de uma montanha na vila de **Thirukkazhukunran**, 17 km a oeste, é famoso pelas duas águias que descem ao meio-dia para ser alimentadas pelos monges do templo. Segundo a lenda, são santos que voam de Varanasi *(págs. 202-8)* para Rameshvaram, parando aqui para descansar.

Pescador com seus barcos na praia de Mamallapuram

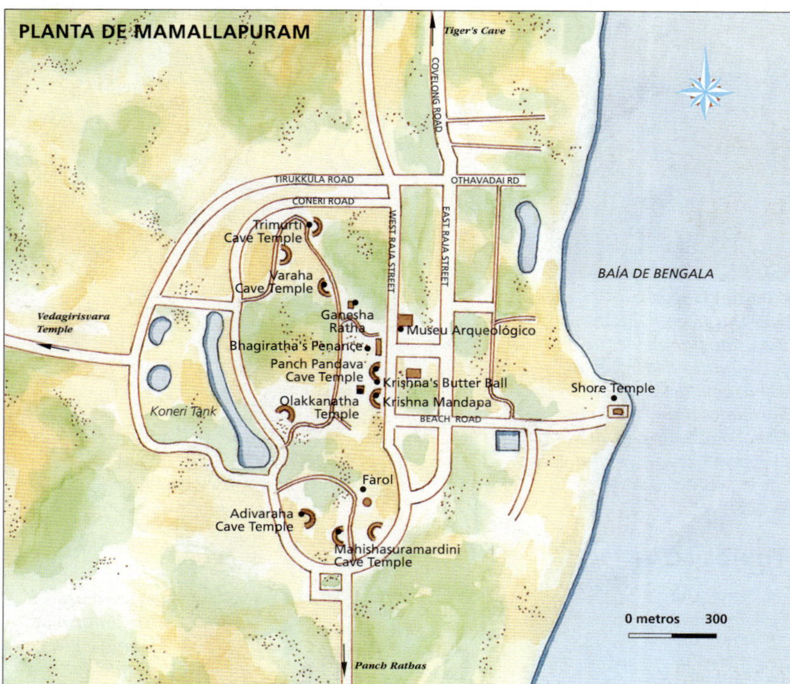

Mamallapuram: Panch Rathas

Escultura de Subramanya

Este complexo do século 7°, com seus santuários monolíticos cavados na pedra e chamados Panch (cinco) Rathas (carruagens-templo), deriva seu nome dos cinco irmãos Pandava, heróis do épico *Mahabharata (pág. 26)* e de sua rainha Draupadi. Embora inacabados, estes impressionantes templos são um tributo à genialidade dos cortadores de pedras que entalharam essas grandes rochas *in situ*. Os estilos e técnicas da arquitetura em madeira foram ousadamente imitados na pedra, criando uma variedade de formas que mais tarde influenciaram o projeto dos templos do Sul da Índia.

Arjuna Ratha, Draupadi Ratha e Nandi

Arjuna Ratha
Este templo de dois andares tem um gracioso retrato de Shiva sobre sua montaria, o touro Nandi. Casais reais e outras figuras elegantemente entalhadas nos nichos enfeitam as paredes externas.

★ Painel Durga
Uma Durga com quatro braços na parede de trás do santuário de Draupadi Ratha, com devotos ajoelhados diante dela. Um deles é mostrado cortando a própria cabeça, em um supremo ato de sacrifício.

Nandi, feito de uma única pedra, enfrenta o Arjuna Ratha.

Draupadi Ratha, réplica de pedra de santuário tribal, é a menor *ratha* do grupo e é dedicada à deusa Durga.

★ Leão em Pé
A montaria de Durga é colocada diante do Draupadi Ratha.

PONTOS ALTOS

- ★ Painel Durga
- ★ Leão em Pé
- ★ Harihara

Para hotéis e restaurantes nesta região, ver págs. 713-4 e págs. 740-1

Rei Narasimha
O rei Pallava Narasimha Varman I, padroeiro deste complexo e cujo título, Mamalla, dá nome a este sítio, é mostrado com coroa, roupa de seda e jóias.

PREPARE-SE

1,5km ao S do vilarejo de Mamallapuram. *diariam.* *Tamil Nadu Tourism, Covelong Rd, (04114) 242 232.*

Dharmaraja Ratha é uma imponente *ratha* de três andares, coroada por um domo octogonal. Tem painéis esculpidos nos andares de cima.

Bhima Ratha, uma *ratha* retangular gigante com teto curvo em barril e nível inferior inacabado, deriva seu nome do irmão Pandava famoso pela sua força.

★ Harihara
As figuras nos nichos do nível inferior incluem belas esculturas de Harihara, uma forma composta de Vishnu e Shiva (pág. 47). *O lado direito do corpo, com tufos de cabelo, é Shiva, e o esquerdo é Vishnu, com uma coroa cilíndrica terminando em ponta.*

Nakul Sahdeva Ratha
Com o nome dos gêmeos Pandava, esta ratha *é única pela sua forma apsidal, conhecida em termos arquiteturais como* gajaprishta *(costas do elefante). Como para destacar isso, um elefante bem esculpido a partir de uma única pedra foi disposto perto dela.*

Monges Vaishnavite, Templo Varadaraja

Kanchipuram ❸

Bairro Kanchipuram. 76km a SO de Chennai. *153.000.* *Hotel Tamil Nadu, 78, Kamakshi Amman Sannathi St, (04112) 222 552.* *Shivratri (fev/mar), Panguni Uthiram Festival (mar/abr), Brahmotsava (mai/jun).*

A pequena cidade-templo de Kanchipuram, ou Kanchi, como é conhecida popularmente, é uma das sete cidades sagradas dos hindus. Dos séculos 6° ao 8° foi a capital dos Pallavas *(pág. 578)*, que construíram muitos templos aqui e fundaram universidades. O patrocínio real dado pelas dinastias posteriores dos Cholas, Pandyas e Vijayanagars consolidou a reputação da cidade como centro comercial e religioso.

Kanchipuram é sagrada para os shaivitas (devotos de Shiva) e também para os vaishnavitas (adoradores de Vishnu). Assim, a cidade é dividida em duas zonas, com os templos shaivitas ao norte e os vaishnavitas a sudeste.

Ela tem ainda o **Kamakshi Temple**, templo de Devi (deusa), a nordeste da parada de ônibus. O templo é dedicado a Kamakshi, ou Parvati dos "olhos amorosos", e foi reconstruído no século 14, no período Vijayanagar. Ele tem quatro belas *gopuras* e o santuário principal possui um teto dourado.

O **Kailasanatha Temple**, a oeste da parada de ônibus, é a maior e mais antiga construção da cidade. Erguida no século 8° por Rajasimha, último grande rei Pallava, este templo de Shiva é rodeado por 58 santuários menores, todos com entalhes das diversas representações de Shiva. Seus afrescos recém-descobertos são os mais antigos do Sul da Índia. O santuário tem uma passagem em volta com grande teor simbólico –sete degraus (que indicam sete nascimentos) levam a uma passagem escura (indicando a jornada da vida) e uma saída estreita (indicando a morte).

O grande **Ekambareshvara Temple** na Car Street, construído pelos Pallavas, tem uma *mandapa* de 16 pilares diante dele, acrescentada posteriormente pelos reis Vijayanagars. Este é um dos cinco santuários *panchalinga (pág. 584)* e abriga um linga feito de terra *(prithvi)*. Diz a lenda que a deusa Kamakshi, como parte de sua penitência por perturbar a meditação de Shiva, criou este linga com terra tirada de baixo de uma mangueira. Há muitos lingas nos corredores do templo, e no lado oeste do santuário fica a sagrada mangueira, que dizem ter 3 mil anos de idade.

O **Vaikuntha Perumal Temple**, próximo da estação de trem, é um dos 18 templos dedicados a Vishnu. Erguido pelo rei Pallava Nandi Varman II (governou entre 731-96), tem três santuários principais, um em cima do outro. Cada um abriga uma imagem de Vishnu em uma forma diferente –em pé, sentado e reclinado. A sala no santuário mais baixo tem painéis sobre a genealogia, coroações e conquistas marciais dos reis Pallavas.

O **Varadaraja Temple**, na Gandhi Road, é o principal templo de Vishnu da cidade. A sua divindade maior é uma forma de Vishnu conhecida como Varadaraja ("rei que distribui bênçãos"). Conta-se que o templo foi erguido no local em que Brahma realizou um *yagna* (sacrifício) para invocar a presença de Vishnu.

Entre as jóias do templo está um valioso colar de ouro, provavelmente presenteado por Robert Clive *(pág. 561)*.

Kanchipuram, famosa por sua seda, é a sede de um dos quatro shankaracharyas. Eles integram a longa linhagem de grandes sacerdotes dos *matha* (centros religiosos) fundados pelo santo-filósofo do século 9° Adi Shankaracharya *(pág. 648)*.

Arredores

O santuário de pássaros de **Vedanthangal**, localizado 30km a sudeste, atrai mais de 30 mil aves migratórias. Espécies como cormorão, garça-real, íbis-branca e lavandisca-cinza podem ser vistas entre outubro e fevereiro. O santuário tem sido cuidado pelos habitantes locais por mais de 250 anos.

Vista de Kailasanatha, templo mais antigo de Kanchipuram

A Seda de Kanchipuram

No início, Kanchipuram era um centro de tecelagem e comércio de tecidos de algodão. Do século 19 em diante, com o aumento na produção de seda de amoreira da vizinha Karnátaka, os artesãos se voltaram para os tecidos da seda. Hoje, as sedas e os sáris dos tecelões e tingidores daqui são oferecidos ritualmente aos deuses antes de ser vendidos. As sedas de Kanchipuram, item essencial do enxoval de toda noiva indiana, são famosas por seu brilho e por sua elegante combinação de cores vivas nas bordas e barras *(pallavs)*.

Padrões de sári de Kanchipuram

Os casulos *do bicho-da-seda* (Bombyx mori) *são apoiados em estruturas de bambu e vão para a água fervente para manter o comprimento da fibra.*

Escolha dos fios antes do tingimento

O **tingimento** *é feito por uma comunidade especial que domina esta técnica. O tingidor mergulha o fio em um caldeirão de tinta e então seca os montes de fios ao sol.*

Os fios de urdir e tramar *são preparados por diversos membros da família. Mais de 5 mil famílias estão envolvidas neste lucrativo setor de tecelagem manual.*

Os sáris Kanchipuram *são tecidos com fios retorcidos, o que os torna muito duráveis. Eles são ornados com motivos como agulhas do templo, contas* rudraksha *sagradas, flores de lótus e pavões, muitas vezes tecidos com fios de ouro.*

Os **espaços dos tecelões** *são construções simples em volta de um pátio e servem como local de trabalho e como residência. O tear é a peça principal e ocupa uma grande parte da área de convivência. A habilidade de tecer é passada de geração a geração dentro das famílias.*

Vellore 4

Bairro Vellore. 145km a O de Chennai. 177.500. Katpadi, 5km ao N do centro da cidade, depois ônibus ou carro. diariam.

Cercado por um fosso artificial, o **Vellore Fort**, do século 16, é a principal atração desta cidade. Um exemplo impressionante de arquitetura militar, o forte tem um história turbulenta. Esta formidável estrutura resistiu a muitas batalhas, incluindo um motim fracassado liderado pelo filho do sultão de Tipu *(pág. 517)* em 1806 contra os ingleses da Companhia das Índias Orientais. Hoje, parte do forte abriga alguns escritórios do governo, como o Archaeological Survey of India (ASI), tribunais e uma prisão. Um museu dentro dele tem uma pequena mas boa coleção de objetos históricos coletados na área.

A única grande estrutura que sobrevive no forte é o **Jalakanteshvara Temple**, construído pelos Nayakas, governantes da região na época dos reis Vijayanagars, no século 16. Este templo a Shiva, perto da parede norte do forte, é cercado por um muro baixo e contém um tanque e santuários menores. No início do século 20 foi usado como guarnição e teve o linga removido do santuário. Ele foi trazido de volta em 1981, quando se reinstalou o culto. No pátio externo fica a decorada Kalyana Mandapa. Seus pilares são entalhados com magníficos cavalos e montadores de *yali*.

O amplo fosso que circunda a estrutura quadrangular do Vellore Fort

Vellore é famosa por seu prestigioso Christian Medical College, fundado em 1900 pela norte-americana Ida Scudder, especializado em pesquisar doenças tropicais.

Vellore Fort
diariam. **Museu** sáb-qui. 2º sáb de cada mês.
Jalakanteshvara Temple diariam. dentro do santuário.

Arredores

Arcot, 27km a leste de Vellore, é mais conhecida pelos seus extravagantes nababos *(pág. 570)* e sua resistência às forças inglesas e francesas no fim do século 18. Alguns túmulos abandonados e um Jami Masjid são tudo o que resta desse período.

Tiruvannamalai 5

Bairro Tiruvannamalai. 85km ao S de Vellore. *Karthigai Deepam (nov/dez).*

Uma das mais sagradas de Tamil Nadu, esta cidade de peregrinação é o local onde se acredita que Shiva apareceu como uma coluna de fogo (linga *sthavara)* a fim de afirmar sua supremacia sobre Brahma e Vishnu. Arunachala Hill (a "Montanha Vermelha"), que forma o pano de fundo da cidade, é tida como o lugar em que o fogo se manifestou, e considerada como a própria luz do deus. No dia do Karthigai Deepam festival *(pág. 589)*, uma enorme *deepa* (lâmpada), que usa 2 mil litros de *ghee* e um pavio de 30m de largura, é acesa na montanha e queima durante dias. Em uma noite de lua cheia, os peregrinos

OS CINCO LINGAS ELEMENTAIS

Os hindus acreditam que cinco elementos essenciais –ar, água, fogo, terra e éter– criaram o homem e o universo. Shiva, um dos deuses da trindade hindu, é representado como a corporificação desses cinco elementos em cinco distintos lugares. Em Sri Kalahasti, Andhra Pradesh *(pág. 680)*, ele é representado como ar; em Tiruvanaikka *(pág. 603)*, assume a forma da água, e por isso parte do linga (símbolo fálico) no principal santuário fica imersa na água. Em Tiruvannamalai, Shiva representa o fogo, e no Templo Ekambareshvara, em Kanchipuram *(pág. 582)*, o linga é de terra. Em Chidambaram, por fim *(pág. 590)*, Shiva é o éter, o mais sagrado dos cinco elementos.

Nataraja Temple, Chidambaram, que abriga o linga de éter

O Arunachaleshvara Temple, do século 16, em Tiruvannamalai

fazem uma circunvolução de 14km em volta da montanha.

O **Arunachaleshvara Temple**, a estrutura mais importante da cidade, é um dos cinco santuários elementais de Shiva, onde o linga, revestido de ouro, representa o fogo. Cobrindo uma área de 10ha, este é também um dos maiores templos da Índia, e algumas partes datam de século 11. Ele tem nove imponentes torres, imensos *prakaras* (recintos murados com claustros), o grande tanque Shivaganga e um salão de mil pilares.

Tiruvannamalai é também onde Sri Ramana Maharishi, famoso santo do século 20, passou 23 anos meditando. O **Sri Ramana Maharishi Ashram**, perto da Arunachala Hill, é um centro espiritual famoso internacionalmente que atrai devotos de toda parte.

Arunachaleshvara Temple
diariam. *para não hindus.* *dentro do santuário.*

Kalyana Mahal com a montanha Rajagiri ao fundo, Gingee

Gingee Fort 6

Bairro Viluppuram. 37km a E de Tiruvannamalai. *diariam.*

O Gingee (Senji para os locais) Fort, é um belo exemplo de engenharia militar. Suas três cidadelas, encravadas no alto de três montanhas –Krishnagiri ao norte, Rajagiri a oeste e Chandrayandurg a sudeste– são circundadas por muros de pedra sólida e formam uma vasta área triangular que mede mais de 1,5km de norte a sul.

Templo Krishna e o Durbar Hall na montanha Krishnagiri, Gingee Fort

Erguido nos séculos 15 e 16 pelos governantes Nayakas locais, feudatários dos reis Vijayanagars, o forte foi ocupado pelos sultões Adil Shahi de Bijapur *(pág. 542)*, pelos Marathas *(pág. 471)*, franceses e ingleses.

Esta cidade-fortaleza, que já foi grande, é cheia de construções degradadas, como mesquitas, *mandapas*, pequenos santuários, tanques e celeiros. Muitos templos, em geral dedicados a Vishnu, ainda sobrevivem. Entre eles o templo deserto na cidadela principal, na montanha Rajagiri, de 242m. Mas o mais destacado é o grande **Venkataramana Temple**, ao pé do forte externo, perto do Pondicherry Gate. Este foi construído por Muthialu Nayaka no século 17. Seus pilares originais foram removidos pelos franceses e usados na Government Square em Pondicherry *(pág. 586)*. Próximo ao portão há painéis que retratam cenas do *Ramayana (pág. 27)* e do *Vishnu Purana*.

Um templo Ranganatha e um templo Krishna, menores que o Venkataramana Temple, ficam na montanha Krishnagiri, assim como o **Durbar Hall**. Este tem sacadas que vão até as bordas da montanha e oferecem boas vistas da área rural em volta.

O melhor monumento do forte é o **Kalyana Mahal**, uma praça quadrada construída para as damas da corte. O edifício tem uma torre piramidal central de oito andares com uma única sala em cada andar.

Há também vestígios de uma rede de nascentes e tanques naturais que oferecia bom suprimento de água para a cidadela. Um dos tanques, o Chettikulam, tem uma plataforma na qual Raja Thej Singh, um corajoso chefe Rajput do século 18 e vassalo do imperador mogul, foi cremado. Canções folclóricas de Tamil glorificam Gingee e Raja Thej Singh, que foi morto em uma heróica batalha contra o nababo de Arcot.

O Gingee Fort, que se estende por três montanhas

Rua a Rua: Pondicherry ❼

Estátua de Joana d'Arc

Antiga capital dos territórios franceses na Índia, Pondicherry foi fundada em 1674 por François Martin, primeiro diretor da Companhia Francesa das Índias Orientais. A cidade segue um padrão de grade, com ruas paralelas se cruzando em ângulos retos. Seu passeio principal, a longa Goubert Salai, de 3km, que corre pela baía de Bengala, fazia parte do bairro francês, com suas elegantes mansões coloniais, alamedas arborizadas, parques e cafés. Além dela ficava o canal, hoje seco, que demarcava Tamil Town, onde a população local vivia antigamente.

Government Square
Um pavilhão se ergue no centro desta praça arborizada.

Uma estátua de Mahatma Gandhi, com 4m de altura ergue-se em um pedestal cercado por oito pilares de pedra.

★ Church of Our Lady of the Angels
Construída em 1865, esta belíssima igreja ostenta uma rara pintura de Nossa Senhora da Assunção, presente do imperador francês Napoleão III.

Le Café, um popular restaurante na Goubert Salai.

JOSEPH FRANÇOIS DUPLEIX

O passado colonial de Pondicherry está intricadamente ligado à vida do temível marquês Joseph François Dupleix, governador entre 1742 e 1754. Esse enérgico estadista tentou valentemente evitar a supremacia inglesa formando alianças com príncipes locais. Essa luta pelo poder foi agravada pela guerra da sucessão austríaca na Europa, entre Inglaterra e França. Com a derrota final dos franceses na Segunda Guerra Carnática, Dupleix renunciou ao seu governo e voltou em desonra a Paris. Sua estátua memorial fica na Goubert Salai.

Dupleix (1697-1764)

PONTOS ALTOS

- ★ Church of Our Lady of the Angels
- ★ Aurobindo Ashram
- ★ Vista do litoral

Raj Nivas
Harmoniosa fusão de estilos francês e indiano de arquitetura, a mansão de Dupleix é hoje residência oficial do vice-governador.

PREPARE-SE

Union Territory of Pondicherry. 160km ao S de Chennai. 220.800. *Pondicherry Tourism, Goubert Salai, (0413) 315 9497.* seg-sáb. Masimagam (fev/mar), Ganesha Chaturthi (ago/set).

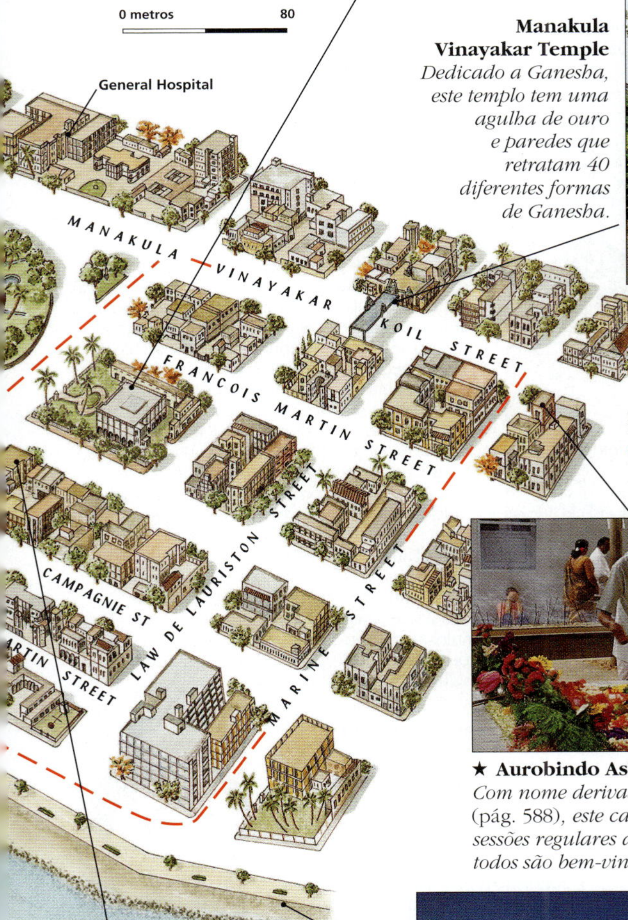

Manakula Vinayakar Temple
Dedicado a Ganesha, este templo tem uma agulha de ouro e paredes que retratam 40 diferentes formas de Ganesha.

LEGENDA

- - - - Percurso sugerido

★ Aurobindo Ashram
Com nome derivado de Sri Aurobindo (pág. 588), este calmo ashram organiza sessões regulares de meditação às quais todos são bem-vindos.

O **Pondicherry Museum** tem um acervo que vai de artefatos da Roma antiga e bronzes Chola a belas conchas de caracóis.

★ Vista do Litoral
A Goubert Salai, o passeio ao longo da baía de Bengala, é cheia de grandes construções coloniais.

Como Explorar Pondicherry

Um policial vestindo quepe

Descrita com frequência como uma sonolenta cidade francesa provinciana, Pondicherry preserva um sabor francês. Os velhos residentes continuam falando o idioma, e há majestosas mansões coloniais em suas ruas arborizadas, conhecidas ainda pelos seus nomes coloniais. Até os policiais continuam usando quepes em estilo militar. Hoje Pondicherry mudou seu nome para Puduchcheri. Situada na costa leste de Tamil Nadu, é a capital administrativa de um território da União que inclui os antigos enclaves franceses de Mahe, em Kerala *(pág. 655)*, Yanam, em Andhra Pradesh, e Karaikkal, em Tamil Nadu.

Pondicherry Museum

49, Rue St Louis. ***Tel*** *Director Art & Culture (0413) 233 6236.* ☐ *ter-dom.*

Situada no belo e antigo Law Building, perto do Government Park, o Pondicherry Museum tem uma destacada coleção de artefatos do período colonial francês. Algumas salas têm mobília francesa, estátuas de mármore, pinturas, espelhos e relógios. Entre as peças estão a cama que Dupleix usava quando era governador e um *pousse-pousse*, versão antiga do riquixá.

O museu também exibe bronzes raros e esculturas dos períodos pallava e chola. Entre os artefatos escavados da vizinha Arikamedu, antigo porto que tinha laços comerciais com a Roma imperial, estão contas, ânforas, moedas, lamparinas ornamentadas, urnas funerárias e fragmentos de cerâmica e porcelana.

No mesmo complexo fica a **Romain Rolland Library**. Fundada em 1872, a biblioteca tem hoje uma rica coleção de mais de 300 mil volumes, incluindo várias edições raras em francês e inglês. Seu serviço ambulante leva mais de 8 mil volumes em um ônibus até vilas próximas. A seção de consulta, no segundo andar, fica aberta ao público.

Romain Rolland Library

Tel *(0413) 233 6426.* ☐ *seg-sáb.*

Church of the Sacred Heart of Jesus

South Boulevard. ☐ *diariam.*

Uma serena atmosfera preenche esta igreja neogótica marrom e branca, do século 18. Seus aspectos mais interessantes são os grandes vitrais retratando incidentes da vida de Jesus Cristo e os belos arcos que se estendem pela nave.

Mais adiante, na alameda sul, fica o cemitério, que tem alguns interessantes túmulos com decorações de mármore trabalhado.

Vitral, Church of the Sacred Heart

Botanical Gardens

S do City Bus Stand.

Situados na extremidade oeste da antiga Tamil Town, os Botanical Gardens, criados em 1826, foram projetados no formal estilo francês, com árvores aparadas, canteiros de flores, caminhos de cascalho e fontes. Os franceses introduziram muitas árvores exóticas e arbustos de todas as partes da Índia e do mundo, muitos dos quais ainda se encontram aqui. Com suas 1.500 espécies de plantas, ele é um dos melhores jardins botânicos do Sul da Índia. Um pequeno e interessante aquário mostra algumas espetaculares espécies marinhas da costa Coromandel.

House of Ananda Rangapillai

Ananda Rangapillai St. ***Tel*** *(0413) 233 5756 para autorização de visitas.*

Esta casa ricamente mobiliada, que já foi residência de um nobre indiano do século 18, oferece fascinantes vislumbres de um estilo de vida já extinto. Hoje museu, a casa já foi de Ananda Rangapillai, o mediador favorito de Dupleix e seu *dubash* (agente comercial). Sagaz observador e comentador, ele manteve uma série de diários entre 1736 e 1760, registrando sua visão das oscilantes fortunas dos franceses na Índia. Mas caiu no desagrado de madame Dupleix, que acabou demitindo-o do posto.

SRI AUROBINDO GHOSE

Sri Aurobindo (1872-1950)

O inflamado poeta-filósofo bengali Aurobindo Ghose, que lutou pela liberdade no início do século 20, ficou conhecido pelas suas visões extremistas. Para fugir dos ingleses, seguiu para o território francês de Pondicherry, onde foi atraído para a espiritualidade. Aqui ele estudou, escreveu e popularizou os princípios da ioga. Sua discípula Mirra Alfassa, mais tarde conhecida como "A Mãe", era uma mística, pintora e musicista parisiense que chegou a Pondicherry com o marido durante a Primeira Guerra Mundial. Ela se sentiu tão inspirada pela filosofia de Sri Aurobindo que acabou ficando, e foi mais tarde muito importante na fundação do Aurobindo Ashram.

Para hotéis e restaurantes nesta região, ver págs. 713-4 e págs. 740-1

O verdejante pátio da École Française d'Extrême Orient

École Française d'Extrême-Orient

16 & 19, Rue Dumas.
Tel *(0413) 233 2504.*

Instituto de pesquisa de renome internacional, a École Française de l'Extrême Orient, do século 19, destaca-se por sua pesquisa em arqueologia, história e sociologia.

French Institute of Indology

11, St Louis St. **Tel** *(0413) 233 4539.*

O prestigioso French Institute of Indology foi fundado na década de 1950 por um grande indologista francês, Jean Fillozet. Originalmente destinado ao estudo da língua e da cultura locais, o instituto tem hoje vínculos com muitas universidades francesas e organizações de pesquisa.

Aurobindo Ashram

Rue de la Marine. **Tel** *(0413) 233 3604.* *diariam.*

Marco mais conhecido de Pondicherry, o Aurobindo Ashram polariza a vida nesta cidade. Fundado por Sri Aurobindo em 1926, o ashram é um tranquilo retiro com pátios arborizados. O *samadhi* (memorial) de Sri Aurobindo e da "Mãe", enfeitado com flores, fica sob o jasmineiro do pátio principal. Este memorial, com duas câmaras, uma sobre a outra, é o ponto focal de todos os discípulos e seguidores.

Arredores

Auroville, ou a "Cidade da Aurora", 8km a noroeste de Pondicherry, foi projetada pelo arquiteto francês Roger Anger em 1968. Concebida como um utópico paraíso pela "Mãe", Mirra Alfassa, foi planejada como uma cidade internacional futurista, onde pessoas de boa vontade pudessem viver em paz. A International Commune, com 40 colônias de nomes como Graça, Serenidade e Certeza, e 550 residências fixas, teve o propósito de juntar pessoas de castas, religiões e nações diferentes no mesmo teto para viver em harmonia. Duas colônias importantes, Harmonia e Fraternidade, vendem artesanato feito por artesãos locais. O Matri Mandir, um centro de meditação que se estende por uma área de 25ha, reflete as crenças espirituais da "Mãe". Esta câmara de mármore esférica tem um cristal dentro dela, que reflete os raios de sol. A luz concentrada age como ponto focal para auxiliar a meditação.

Matri Mandir, o centro espiritual e físico de Auroville

FESTIVAIS DE TAMIL NADU

Pongal *(meados jan).* Uma festa para agradecer ao sol, à terra e ao gado, Pongal é celebrada em toda Tamil Nadu. Um pudim de arroz-doce *(pongal)* é a oferenda principal. Os bairros do sul organizam uma tourada, evento marcial popular conhecido como *manju virattal.*

Chitirai *(meados abr).* O Ano-Novo de Tamil é celebrado em todo o estado com oferendas de comida aos deuses. Em Madurai, o casamento de Minakshi (Parvati) com Sundareshvara (Shiva) é celebrado com pompa.

Adi Perukku *(jul/ago).* Doces e diversos tipos de pratos de arroz são ofertados aos rios de Tamil Nadu para marcar o início das monções.

Navaratri Gollu *(set/out).* Exclusiva de mulheres, esta festa de nove dias marca a vitória da deusa Durga sobre o demônio-búfalo Mahisha. As casas são decoradas com gollu, bonecas representando deuses e deusas, e com imagens seculares atuais.

Karthigai *(nov/dez),* Tiruvannamalai. O povo decora as casas com luzes, celebrando o nascimento de Murugan, filho de Shiva *(pág. 584).*

Mulheres tâmiles preparando-se para o Pongal

Teto de ouro do santuário principal do Nataraja Temple, Chidambaram

Chidambaram 8

Bairro Thanjavur. 60km ao S de Pondicherry. 59.000. *Hotel Tamil Nadu, Railway Feeder Rd, (04144) 238 739.* *Festival de Dança (fev/mar), Arudhra (dez/jan).*

A sagrada Chidambaram, lugar em que se acredita que Shiva realizou sua dança cósmica, a *tandava nritya*, é uma cidade-templo tradicional onde a história se funde à mitologia e cria um ambiente densamente religioso. Todas as antigas crenças e práticas hindus são aqui zelosamente observadas, em um infindável ciclo de rituais.

O ponto focal da cidade é o assombroso **Nataraja Temple**, construído pelos cholas *(págs. 46-7)* no século 9º para a sua divindade, Shiva, em sua forma Nataraja, de "Senhor da Dança" *(pág. 566)*. O templo tem um santuário incomum em forma de cabana com um teto de placas de ouro, o imenso Shivaganga Tank, cheio de colunas, e quatro coloridas *gopuras*. A mais interessante é a *gopura* do leste, com esculturas dos 108 movimentos de pés e mãos de Bharat Natyam *(pág. 29)*, que se considera uma verdadeira enciclopédia desta dança clássica dos templos.

Dentro dos três enormes recintos do templo há cinco salas principais *(sabhas)*, cada uma com uma missão especial. No recinto externo, perto do Shivaganga Tank, fica a Raja Sabha ("Sala Real"), um belo salão com mil pilares, construído como local para rituais e festas do templo. Muitos reis cholas foram coroados aqui na presença da divindade. No recinto central fica a Deva Sabha ("Sala Divina"), onde estão os bronzes do templo e as funções administrativas são realizadas. A adjacente Nritya Sabha ("Sala de Dança") tem uma soberba coleção de esculturas, com destaque para as **Urdhava Tandava**.

O recinto mais interno, que é a parte mais sagrada do complexo, contém a Chit Sabha, ou Chitambalam ("Sala da Bem-aventurança"), da qual a cidade deriva seu nome. É o santuário principal, que abriga um dos lingas elementais de Shiva *(pág. 584)*, o *akasha*, que representa o éter, elemento que permeia tudo e é central para a existência humana. O santuário interno que abriga o linga fica oculto atrás de uma cortina preta, símbolo da ignorância, removida apenas nas orações. Há uma aura de mistério neste santuário velado, chamado com frequência de Sagrado Segredo de Chidambaram (Chidambara Rahasyam). Por fim, a quinta sala, diante da Chit Sabha, é a Kanaka Sabha ("Sala Dourada"), onde Shiva fez sua dança cósmica.

Outras áreas de interesse são o **Govindarajaswamy Shrine**, que abriga um Vishnu reclinado, o **Shivakamasundari Shrine**, dedicado à esposa de Shiva, Parvati, e o **Subramanyam Shrine**, para o culto de Murugan.

As tradições religiosas do templo são preservadas por sacerdotes hereditários cujos ancestrais chegaram a Chidambaram há 3 mil anos. São os *dikshitars*, e é fácil reconhecê-los por seus penachos. Outra atração de Chidambaram é a moderna **Annamalai University**, a leste. Fundada por um filantropo há mais de 50 anos, é a primeira universidade de Tamil Nadu, especializada em estudos sobre o Sul da Índia.

Urdhava Tandava, Nataraja Temple

Nataraja Temple

Perto da parada de ônibus. *diariam.*

Arredores

Situada 16km a leste de Chidambaram, **Pichavaram**, com seus remansos, florestas de manguezais e 1.700 ilhas em 4 mil canais, pode ser explorada em barcos a remo.

Passeio de Carro em Coromandel ❾

Derivando seu nome de Cholamandalam ("o Reino dos Cholas"), a costa de Coromandel estende-se do delta do Godavari em Andhra Pradesh, ao norte, até Point Calimere, ao sul. Esta faixa de terra de beleza espetacular teve um papel importante na história marítima da Índia. Seus grandes portos atraíram, ao longo dos séculos, comerciantes à procura de tecidos e especiarias.

Dansborg Fort em Tarangambadi

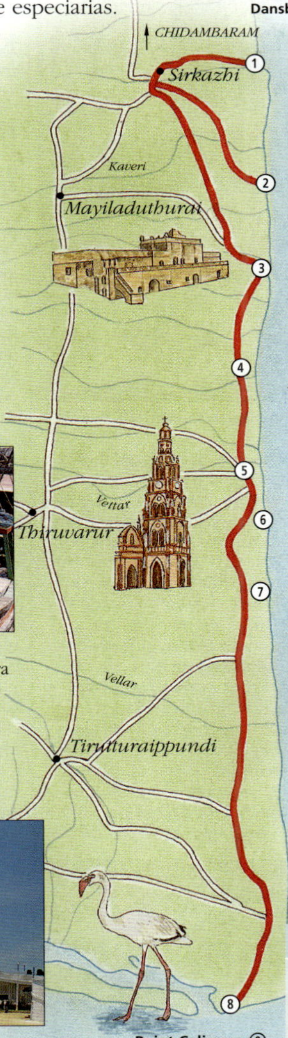

Tirumullaivasal ①
O magnífico santuário de Shiva domina esta pequena cidade costeira.

0 quilômetros 10

Poompuhar ②
Esta antiga cidade portuária já manteve laços comerciais com Grécia e Roma antigas. Um interessante museu recria histórias de suas glórias em baixos-relevos.

Tarangambadi ③
Conhecida popularmente como Tranquebar, esta pequena cidade era uma colônia dinamarquesa no século 17. Tem um forte, igrejas e um belo portal de pedra, o Town Gate.

LEGENDA
- Percurso do passeio
- Outras estradas

Karaikal ④
Esta antiga cidade francesa tem muitas mansões do século 19 e uma igreja neogótica.

Nagapattinam ⑥
Antigo porto chola, este era também um grande centro budista até o século 13. Mais tarde foi ocupado pelos portugueses, holandeses e ingleses.

Nagore ⑤
O túmulo do século 16 de Hazrat Sayyid Shahul, santo muçulmano que morreu em Nagore, atrai devotos de todas as religiões, castas e credos.

Velanganni ⑦
Pessoas de todos os credos vêm procurar cura na basílica neogótica de Our Lady of Good Health.

Point Calimere ⑧
Este santuário natural ocupa mais de 20.000ha de pântanos salinos e é um paraíso para aves migratórias.

DICAS

Extensão: *90km.*
Paradas: *O Hotel Tamil Nadu, tanto em Poompuhar como em Nagapattinam, é um bom ponto de parada. O percurso é bem ligado por ônibus estatais e particulares.*

Soberba escultura do Nataraja em Gangaikondacholapuram

Gangaikondachola-puram ⑩

Bairro Tiruchirapalli. 40km a SO de Chidambaram. *de Chidambaram ou de Kumbakonam.*

Com o extenso nome de Gangaikondacholapuram, "Cidade dos cholas que tomaram o Ganges", esta cidade hoje modesta era a capital da poderosa dinastia chola *(págs. 46-7)* no reinado de Rajendra I (1012-44). Grande chefe militar, como seu pai Rajaraja I, Rajendra I foi o primeiro governante tâmil a se aventurar para o norte. Ele construiu a cidade para celebrar a vitoriosa campanha através do Ganges. Segundo uma inscrição, mandou então os vencidos carregar potes da sagrada água do Ganges na cabeça para encher o tanque Chola-Ganga, memorial da vitória.

Exceto o magnífico **Brihadishvara Temple**, pouco resta da capital. Erguida como réplica do Brihadishvara Temple *(págs. 598-9)*, de Thanjavur, a torre do santuário deste templo Shiva de granito é mais curta que a de Thanjavur. Os muros baixos, colunas e nichos têm belos frisos com esculturas. Destaca-se o painel de Shiva abençoando Chandesha, um piedoso devoto esculpido de modo a lembrar o próprio Rajendra I. As esculturas dos *dikpalas* (guardiães das oito direções), *ekadasas* (as 11 formas de Shiva), Saraswati, Kalyanasundara e Nataraja *(pág. 566)* também são belos exemplos de arte chola. Os degraus perto do pequeno santuário de Durga no pátio levam a uma escultura de um leão sentado e ao poço que a lenda diz ter sido preenchido de água do Ganges para rituais diários.

O pequeno **Archaeological Museum**, perto do templo, exibe artefatos chola de sítios vizinhos.

Brihadishvara Temple *diariam.* **Museum** *sáb-qui.*

Kumbakonam ⑪

Bairro Thanjavur. 74km a SO de Chidambaram. *140.100.* *Thanjavur Tourist Office, (04362) 231 325.* *Nageshvara Temple Festival (abr/mai), Mahamaham Festival (a cada doze anos).*

Assim como Kanchipuram *(pág. 582)*, Kumbakonam é uma das cidades mais sagradas de Tamil Nadu. Situada na margem sul do rio Kaveri, é uma cidade antiga onde, diz a lenda, a seta de Shiva estilhaçou o vaso cósmico *(kumbh)* contendo o divino néctar da criação *(amrit)*. Este mito deu a Kumbakonam seu nome e sua santidade. Hoje, a cidade representa os valores culturais tâmiles mais tradicionais. É também o principal centro comercial e de artesãos da região e é famosa por seus tecidos, jóias, fundição de bronze e pela qualidade superior das folhas de bétele cultivadas aqui.

Acredita-se que quando o néctar divino emergiu do vaso preencheu o imenso **Mahamaham Tank**. Este é o centro sagrado de Kumbakonam e o local do grande Mahamaham Festival, realizado a cada 12 anos (o

Adikumbheshvara Temple, do século 17, em Kumbakonam

Para hotéis e restaurantes nesta região, ver págs. 713-4 e págs. 740-1

último foi em 2004). Nesta época auspiciosa, milhares de devotos fazem seu mergulho santo no tanque. É quando o poder purificador da água alcança seu auge. O devoto acredita que os nove rios sagrados da Índia (Ganges, Yamuna, Saraswati, Sarayu, Godavari, Narmada, Kaveri, Payokshini e Kanniyakumari) também se banham no tanque para limpar suas águas dos pecados da humanidade acumulados em suas águas.

O tanque, renovado pelos Nayakas no século 17, tem degraus nos quatro pontos cardeais e 16 pavilhões decorados em honra aos 16 *mahadanas* (presentes ofertados por um governante em um centro espiritual). Um exemplo de arte nayaka é o relevo que mostra um rei sendo pesado em uma balança com ouro no outro prato (rito *tulapurushadeva*), esculpido no teto de uma *mandapa* de 16 pilares no canto noroeste do tanque. Ao norte fica o **Kashivishvanatha Temple**, que tem um pequeno santuário de frente para a água, dedicado aos nove rios sagrados, personificados por deusas. O santuário para o rio Kaveri fica no centro.

A leste do tanque fica o **Adikumbheshvara Temple**, do século 17, construído no local legendário onde Shiva estilhaçou o vaso. Um aspecto singular é o retrato de 27 estrelas e 12 signos zodiacais esculpidos em um grande bloco de pedra na Navaratri Mandapa. Ele tem ainda uma soberba coleção de *vahanas* (veículos) de prata, usados nas festas para carregar as divindades do templo. O **Sarangapani Temple**, de 12 andares, a leste, é o mais importante santuário vaishnavita da cidade.

Próximo fica o **Nageshvara Temple**, do século 9º, belo exemplo da arquitetura chola antiga. O mais velho templo da cidade, ele fica no local de um festival anual que celebra o culto do linga pelo Sol. Nas paredes do santuário, nichos com figuras esculpidas retratam as formas de Shiva e cenas do *Ramayana*.

Carruagens do templo no Adikumbheshvara Temple, em Kumbakonam

Arredores

O espetacular Airavateshvara Temple em **Darasuram**, 4km a oeste de Kumbakonam, foi erguido pelo rei chola Rajaraja II (1146-73). Este templo é dedicado a Shiva, aqui conhecido como Airavateshvara, o "Senhor de Airavata". Diz a lenda que depois que Airavata, o elefante branco de Indra, Deus dos Céus, readquiriu a cor perdida ele adorou Shiva neste local.

Procissão para as núpcias de Shiva, Darasuram

O templo de quatro fileiras tem um santuário e três salas, destacando-se a Rajagambira Mandapa, concebida como uma carruagem de pedra guiada por cavalos ornados, com Brahma como condutor. As paredes externas têm belos frisos e entalhes de dançarinos, acrobatas e músicos, e partes do *Periya Puranam*, tratado tâmil sobre os 63 santos-poetas shaivitas, os nayannars *(pág. 45)*.

O último templo chola em **Tirubhuvanam**, 8km a nordeste de Kumbakonam, é dedicado a Kumbheshvara, o "Deus que Remove o Medo". É também um velho centro de tecelagem de seda. Cerca de 8km a oeste de Kumbakonam fica **Swamimalai**, um dos seis santuários em honra ao Senhor Murugan *(pág. 25)*, que, reza a lenda propôs o "Om", o mantra sagrado, ao seu pai, Shiva, e por isso é chamado de Swaminatha ("Senhor dos Senhores"). O templo, em uma montanha, tem uma impressionante estátua de Murugan no santuário; o interessante é que ele tem um elefante como seu veículo, em vez do típico pavão. Esta pequena cidade é também um importante centro de fundição de bronze, onde os artesãos ainda usam métodos tradicionais para criar belas imagens para os templos *(pág. 594)*.

Pequenos santuários votivos fora do Airavateshvara Temple, Darasuram

O College of Music em Tiruvaiyaru, no rio Kaveri

Tiruvaiyaru ⓬

Bairro Thanjavur. 13km ao N de Thanjavur. 14.500. *Thyagaraja Music Festival (jan).*

A fértil região banhada pelo rio Kaveri e seus quatro afluentes é conhecida como Tiruvaiyaru, a sagrada *(tiru)* terra dos cinco *(i)* rios *(aru)*. Há 2 mil anos, o Kaveri é para os tâmiles a sagrada força da vida, religião e cultura. Por isso, muitos estudiosos, artistas, poetas e músicos se instalaram nesta região, sob o patronato esclarecido dos governantes de Thanjavur *(págs. 596-7)*. Entre eles estava Thyagaraja (1767-1847), o maior santo-compositor de música carnática. A história desta pequena cidade está portanto muito ligada ao desenvolvimento da música clássica do Sul da Índia.

O pequeno **Thyagaraja Temple**, na cidade, celebra o último lugar de descanso do venerado santo-compositor. Todo ano é realizado aqui um festival de música no aniversário de sua morte, que pelo calendário tâmil cai em janeiro. Centenas de músicos e estudantes de música carnática se reúnem na cidade e entoam canções de Thyagaraja de manhã à meia-noite por uma semana inteira.

Quando a aurora nasce sobre o rio, uma procissão de músicos faz o curto trajeto da casa de Thyagaraja até o templo, cantando o tempo todo. Amantes da música esperam no santuário, sentados no chão barrento do auditório com teto de sapé. Ao som do canto sagrado dos sacerdotes, a imagem de pedra de Thyagaraja é ritualmente banhada com leite, água de rosas, sândalo e mel. As cinco canções conhecidas como *pancha ratna* ("cinco jóias") de Thyagaraja, obras-primas inigualáveis de música carnática, são cantadas pelo grande coro dos músicos reunidos. Esta cerimônia é uma reafirmação anual de devoção ao compositor e a uma grande tradição musical, e uma experência mágica para os amantes da música.

A cidade abriga também o **Panchanandishvara Temple** ("Senhor dos Cinco Rios"), construído no século 9º pelos cholas. Dedicados a Shiva, os santuários de Uttara (norte) Kailasha e Dakshina (sul) Kailasha, de ambos os lados do templo principal, foram erguidos pelas viúvas de Rajaraja I e Rajendra I *(págs. 46-7)*. Os imensos muros *prakara* (fronteira) do templo, as *mandapas* com pilares e a Mukti Mandapa estão imortalizados nas canções dos nayannars, uma seita de santos-poetas do século 7º *(pág. 45)*.

Arredores

Pullamangai, uma vila 12km a nordeste de Tiruvaiyaru, é conhecida pelo **Brahmapurishvara Temple**, do século 10. O templo possui elegantes representações de vários deuses e deusas.

Crianças de divertem nas águas do Kaveri, em Tiruvaiyaru

BRONZES THANJAVUR

Artesão elaborando imagens de bronze

Parte da rica tradição artística da região de Thanjavur é a criação de sofisticadas imagens de bronze usando a técnica chamada de *cire perdue*, ou "cera perdida". Primeiro, faz-se um modelo da imagem em cera, que é revestido depois por camadas de gesso para criar um molde. Este é aquecido para permitir que a cera derretida escorra por um orifício na base. Uma liga líquida de cinco metais *(panch loha)* é então despejada nesse vão. Quando esta esfria, o molde é quebrado e a imagem é finalizada e polida. Por fim, os olhos da imagem são selados com uma mistura de mel e *ghee* e depois ritualmente "abertos" por um sacerdote, com uma agulha de ouro. Artesãos tradicionais, os sthapathis, criam até hoje essas imagens seguindo regras e orientações definidas no *Shilpa Shastra*, um antigo tratado de arte. O principal centro de fundição de bronze em Tamil Nadu é Swamimalai *(pág. 593)*.

Música Carnática

A música clássica do Sul da Índia é conhecida como música carnática. Embora se baseie no mesmo conceito geral de raga (melodia) e *tala* (ritmo) da música hindustani *(págs. 28-9)*, a música carnática difere em vários aspectos. Ela é quase exclusivamente devocional, usa instrumentos musicais diferentes e desenvolve a melodia de uma maneira mais estruturada. Ela também coloca maior ênfase no ritmo. Boa parte da melhor música carnática foi composta entre 1750 e 1850 pela trindade musical de Thyagaraja, Syama Sastri e Muthuswami Dikshitar, que escreveram mais de 2.500 canções em sânscrito e telugu, modificando e refinando aspectos que são hoje essenciais ao gênero.

Thyagaraja, pai da música carnática

INSTRUMENTOS DE ACOMPANHAMENTO

Instrumentos tradicionais do Sul da Índia, como a *veena*, o *nadasvaram*, a flauta e o *thavil*, são usados para o acompanhamento, ao lado de outros instrumentos ocidentais, como o violino e o saxofone.

O **violino***, com arco e de origem ocidental, é tocado na posição sentada.*

O **ghatam***, um simples vaso de barro, produz ritmos fabulosos nas mãos de um músico habilidoso.*

***Mridangam* (tambor de duas peles)**

Saraswati *veena*

Flauta

M. S. Subbulakshmi é um destacado cantor.

Tanpura

Ghatam

Violino

Mridangam

Os festivais de música *são realizados em grandes cidades, com concertos em pequenos auditórios chamados* sabhas. *Em geral, o acompanhamento é feito por um violinista e dois percussionistas. Um concerto típico dura três horas, com canções geralmente em telugu. As letras são tão importantes quanto as melodias e muitas delas têm caráter devocional.*

O **nadasvaram***, um instrumento de sopro, é obrigatório nas festas dos templos, casamentos e ocasiões especiais. O tocador de* thavil *(tambor) realiza complexas improvisações rítmicas para acompanhar a melodia.*

A **veena***, que se parece com a cítara, mais conhecida no Ocidente, é um instrumento de cordas de rara beleza, feito a mão.*

Thanjavur ⓭

A cidade de Thanjavur, ou Tanjore, fica no fértil delta do Kaveri, uma região chamada com frequência de "tigela de arroz de Tamil Nadu". Por cerca de mil anos, esta grande cidade dominou a história política da região como a capital de três poderosas dinastias –os Cholas (séculos 9° a 13), os Nayakas (1535-1676) e os Marathas (1676-1855). O magnífico Brihadishvara Temple *(págs. 598-9)* é o mais importante monumento chola, enquanto o Royal Palace data dos períodos Nayaka e Marata. Hoje, a cultura de Thanjavur estende-se além dos templos e palácios, abrangendo a música e a dança clássicas. A cidade é também um centro de florescimento da escultura em bronze e da pintura.

Torre de observação de sete andares do Royal Palace, Thanjavur

Shivaganga Fort

Transversal à Hospital Rd. ◯ *diariam.*

O Shivaganga Fort, quadrangular, a sudoeste da cidade, foi construído pelo governante Sevappa Nayaka, em meados do século 16. Seus muros de pedra ameados, que delimitam uma área de 14ha, são cercados por um fosso, parte dele cortada na pedra. Seu **Shivaganga Tank**, quadrado, foi escavado por Rajaraja I e depois reformado para oferecer água potável à cidade. O forte contém ainda o grande Brihadishvara Temple, a Schwartz Church e um parque público de diversões.

Brihadishvara Temple

Págs. 598-9.

Schwartz Church

Perto da West Main Rd. ◯ *diariam.*

A igreja cristã do século 18 Schwartz Church, herança do passado colonial de Thanjavur, fica a leste do Shivaganga Tank. Foi fundada pelo missionário dinamarquês reverendo Frederik Christian Schwartz, em 1779. Quando ele morreu, em 1798, um governante Marata esclarecido, Serfoji II, doou um painel de mármore à igreja. Feito por John Flaxman, e colocado no lado oeste da igreja, ele retrata o missionário ao morrer dando a bênção ao seu real patrono, cercado por ministros e alunos da escola que fundou.

Royal Palace

East Main Rd. ◯ *diariam.*
pago à parte.

Com formato que lembra uma águia em vôo, este palácio foi construído pelos governantes Nayaka como sua residência real e depois reformado pelos Maratas. Um grande pátio quadrangular leva ao complexo do palácio, que tem em uma de suas extremidades uma torre piramidal, como um templo. Fora do complexo do palácio fica a torre de vigia de sete andares, com arcadas, hoje seu pavilhão superior.

O governante Marata Serfoji II (r. 1798-1832)

O esplêndido Maratha Durbar Hall, construído por Shahji II em 1684, tem pilares, paredes e teto decorados. Um dossel de madeira ornado com peças de vidro brilhante e apoiado sobre quatro pilares de madeira paira acima de uma laje de granito verde em que ficava antigamente o trono real Marata. Os outros edifícios incluem o Sadir Mahal, outrora a residência da família real, e o Puja Mahal.

O **Rajaraja Museum and Art Gallery**, no Nayaka Durbar Hall, foi fundado em 1951 e tem um belo acervo de ídolos de bronze e pedra que datam dos séculos 7° ao 20. Destacam-se particularmente as imagens de Shiva, como a Kalyanasundaramurti, que retrata o casamento de Shiva e Parvati *(pág. 566)*, e a Bhikshatanamurti, que mostra Shiva como um mendigo, carregando uma tigela e acompanhado por um cão.

Próximo ao Rajaraja Museum fica a **Saraswati Mahal Library**, construída pelos governantes Maratas. Ela é uma das mais importantes bibliotecas de consulta da Índia, com uma excelente coleção de manuscritos raros em folha de palmeira e livros recolhidos pelo versátil e culto Serfoji II.

Mural na entrada do Saraswati Mahal, Royal Palace, Thanjavur

Um **Museum** anexo mostra algumas dessas valiosas obras.

O **Royal Museum** ocupa parte dos aposentos privados do Maratha Palace e exibe a coleção pessoal de objetos de Serfoji II.

Perto daqui fica a Sangeeta Mahal (Sala de Música), construída pelos Nayakas e especialmente projetada com condições acústicas propícias para reuniões musicais.

Afresco vithoba no Art Gallery, Royal Palace, em Thanjavur

Rajaraja Museum and Art Gallery
diariam. *feriados.*

Saraswati Mahal Library
ao público. **Museum** *qui-ter.*

Royal Museum
diariam.

Arredores

Situado 55km a leste de Thanjavur, **Thiruvarur** é famosa por seu Thyagaraja Temple, dedicado à forma Somaskanda de Shiva *(pág. 578)*. O templo tem quatro *gopuras* e seu teto é coberto por pinturas do século 17 que retratam cenas da lenda de Shiva.

PREPARE-SE

Bairro Thanjavur. 350km a SO de Chennai. *215.800.* *Jawan Bhavan, (04362) 231 325.* *seg-sáb.* *Rajaraja Chola's Birth Anniversary (out).*

PINTURAS THANJAVUR

Uma escola de pintura emergiu no período Marata, sob o patrocínio de Serfoji II. Seu estilo muito ornamental caracterizava-se por cores vibrantes e pela decoração com folhas de ouro e pedras preciosas e semipreciosas. A maioria tinha temas religiosos, e a paleta simbólica das cores vermelho, preto, azul e branco retrata cada divindade em uma cor específica. As pessoas costumam ter corpos arredondados e olhos amendoados. Uma das imagens prediletas é a de Krishna pintado como uma criança rechonchuda.

Krishna bebê com sua mãe, Yashodhara

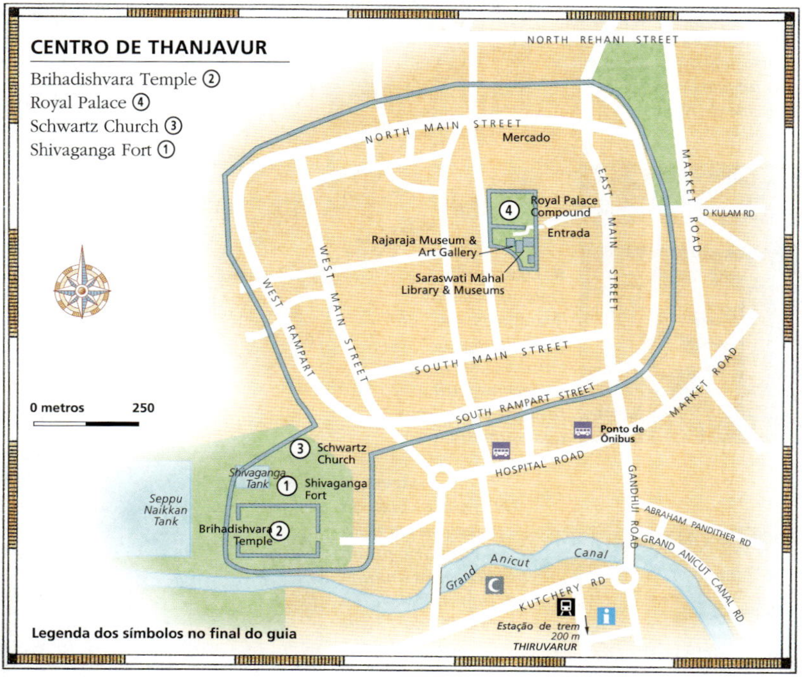

Thanjavur: Brihadishvara Temple

Escultura de Shiva

Este monumental templo de granito, melhor exemplo da arquitetura chola, é hoje Patrimônio da Humanidade da Unesco. Concluído em 1010 e dedicado a Shiva, foi construído por Rajaraja Chola I *(págs. 46-7)* como símbolo do inigualável poder dos cholas. O chão do templo é coberto de inscrições que dão detalhes sobre a administração e os proventos do templo, além de valiosas informações históricas sobre a sociedade e o governo dos cholas.

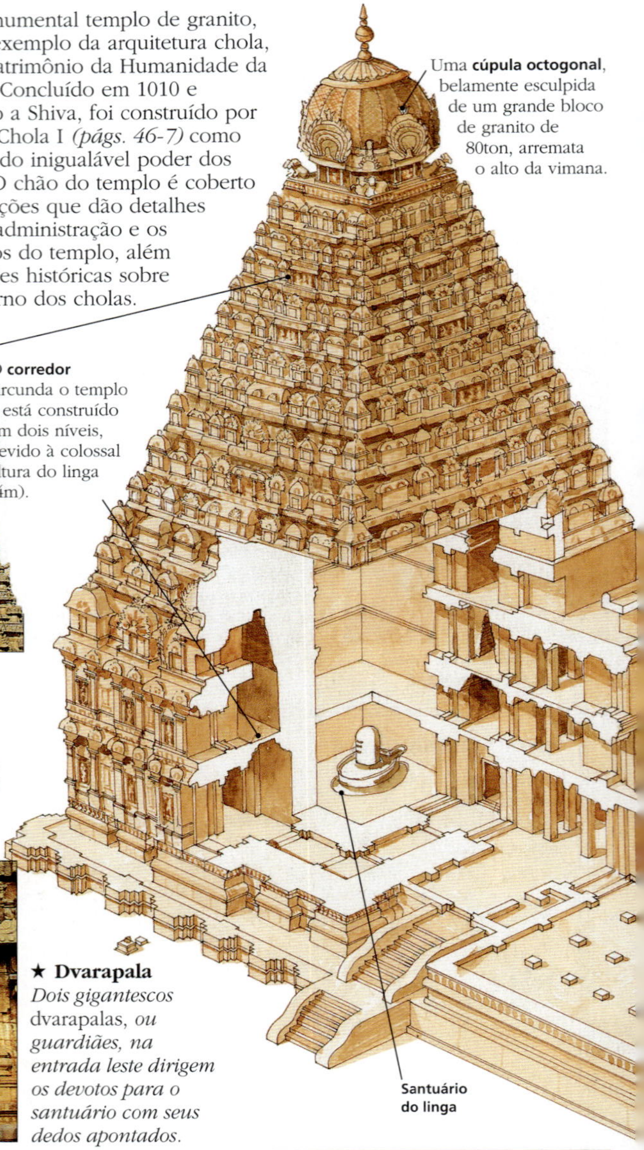

Uma **cúpula octogonal**, belamente esculpida de um grande bloco de granito de 80ton, arremata o alto da vimana.

O **corredor** circunda o templo e está construído em dois níveis, devido à colossal altura do linga (4m).

Santuário do linga

★ Vimana

O vimana *de 66m de altura em forma de pirâmide, sobre o santuário, tem 13 andares. Seu remate dourado foi presente do rei.*

★ Dvarapala

Dois gigantescos dvarapalas, *ou guardiães, na entrada leste dirigem os devotos para o santuário com seus dedos apontados.*

Afrescos

Os afrescos chola da passagem em volta do santuário foram descobertos quando as pinturas Maratha do século 17 que os cobriam se desintegraram.

PONTOS ALTOS

- ★ Vimana
- ★ Dvarapala
- ★ Nandi Mandapa

Para hotéis e restaurantes nesta região, ver págs. 713-4 e págs. 740-1

Vista geral do templo
O Brihadishvara Temple fica no meio de um pátio retangular, cercado por santuários anexos. No lado sul do pátio há um museu arqueológico que exibe, entre outras peças, fotografias do templo antes da restauração.

PREPARE-SE

Thanjavur. O da parada de ônibus. *diariam. Para permissão de visitar as câmaras internas do santuário e dos andares de cima, contate o templo, (04362) 230 826, ou o Thanjavur Tourist Office.* **Archaeological Museum** *diariam.*

★ Nandi Mandapa
Esculpida a partir de um único bloco de granito de 25ton, esta figura Nandi tem 6m de comprimento e fica de frente para o santuário interno.

Sacerdotes fora do templo
Embora ainda sob a jurisdição da Archaeological Survey of India, o templo foi recentemente aberto para o culto.

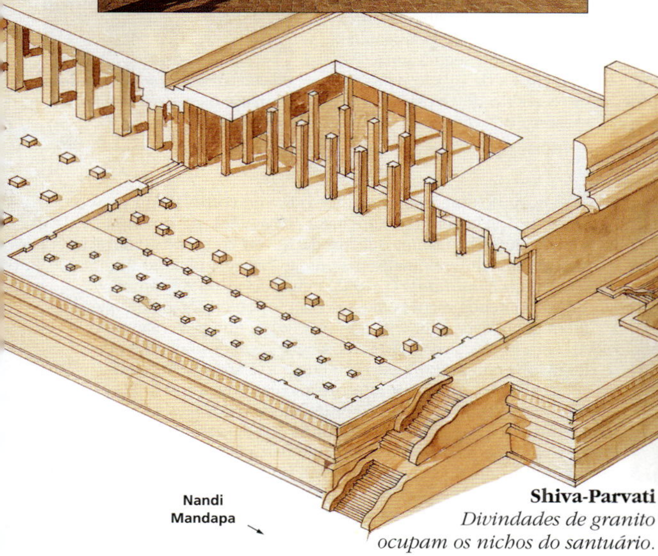

Shiva-Parvati
Divindades de granito ocupam os nichos do santuário.

O Rock Fort de Tiruchirapalli elevando-se acima da cidade

Tiruchirapalli ⓮

Bairro Tiruchirapalli. 60km a O de Thanjavur. 746.100. 7km ao S do centro da cidade, depois ônibus ou táxi. Hotel Tamil Nadu, 1 Williams Rd, (0431) 241 4346. Teppakulam Float Festival (mar).

Situado no extremo do fértil delta do Kaveri, esta cidade deriva seu nome do feroz demônio de três cabeças *(tirusira)* que obteve a salvação depois de ter sido morto por Shiva. A história da cidade está muito ligada aos destinos políticos dos Pallavas, Cholas, Nayakas e finalmente dos ingleses, que abreviaram seu nome para Trichy. Hoje, Tiruchirapalli é a segunda maior cidade de Tamil Nadu.

Dominando a cidade fica o portentoso **Rock Fort**, encravado numa formação rochosa que se eleva 83m acima das planícies. Esta inexpugnável fortaleza foi construída pelos Nayakas da vizinha Madurai, que fizeram de Tiruchirapalli sua segunda capital nos séculos 16 e17. Eles também ampliaram o templo de Shiva, onde ele é cultuado como Thayumanavar (o "Deus que se Tornou Mãe"). Diz a lenda que, quando uma inundação repentina impediu uma mãe de auxiliar sua filha grávida, Shiva assumiu a forma dela e ajudou no parto. Mais acima, no cume, há um pequeno templo Ganesha de onde se tem uma vista espetacular dos verdes campos de arroz e da ilha sagrada de Srirangam.

Na base da face sul da rocha fica o primeiro dos dois templos nas cavernas. O inferior é do século 8º e o superior, do reino do grande governante Pallava, Mahendra Varman (600-630). Este tem uma das maravilhas da arte pallava, o Painel Gangadhara, onde Shiva segura uma madeixa de cabelo para receber o rio Ganges, que desce dos céus *(pág. 163).*

Boa parte da cidade atual data dos séculos 18 e 19, quando os ingleses ergueram o acantonamento e inúmeros edifícios civis e igrejas. Muitos destes edifícios ficam em torno do grande Teppakulam Tank na base do forte –uma área agitada, cercada por mercados de frutas, legumes, verduras e flores.

Entre as igrejas mais antigas da cidade estão a Christ Church (1766), fundada pelo reverendo Frederick Christian Schwartz *(pág. 596)*, ao norte do tanque; a neogótica **Cathedral of Our Lady of Lourdes** (1840), a oeste do tanque; e a jesuítica St Joseph's College, também a oeste do tanque. No acantonamento, a sudoeste do forte, fica a Igreja de St John (1816).

Rock Fort
diariam. pago à parte.

A catedral Our Lady of Lourdes, em Tiruchirapalli

O RIO KAVERI

Santuário retratando a lenda da deusa Kaveri

Um dos nove rios sagrados da Índia, o Kaveri corre 785km da sua nascente de Talakaveri, em Karnátaka *(pág. 521)*, até Poompuhar, na baía de Bengala. Os mitos falam do Kaveri como personificação de uma divindade feminina (em algumas versões, filha de Brahma), que surgiu do *kamandala* (vaso de água) do sábio Agasthya. Desde os primeiros séculos da era cristã, o Kaveri foi central para a cultura tâmil, especialmente sob os Cholas, que governaram a região entre os séculos 9º e 13. As grandes cidades-templos que se desenvolveram ao longo do seu curso tornaram-se centros de religião, dança, música e artes. Esquemas engenhosos de administração da água no delta, estimulados pelos chola, transformaram a região de Thanjavur na "tigela de arroz" de Tamil Nadu, e até hoje os devotos oferecem arroz para a deusa do rio no décimo oitavo dia do mês tâmil de Adi (julho/agosto). Infelizmente, o rio tornou-se hoje o foco de uma acirrada disputa a respeito de distribuição de água entre os governos de Tamil Nadu e Karnátaka.

Arredores

Em **Kallanai**, 24km a nordeste de Tiruchirapalli, fica uma longa represa (300m) sobre o rio Kaveri, a Grand Anicut. Ela fazia parte do imenso sistema hidráulico criado pelos cholas *(págs. 46-7)* para desviar água do rio para uma vasta rede de canais de irrigação. O sistema original não existe mais e a represa em operação hoje foi reconstruída por engenheiros ingleses no século 19.

Outros locais de interesse são o tempo Shiva do século 7º em **Narthamalai**, 17km ao sul, e as cavernas-templos Jain do século 9º em **Sittanavasal**, 58km a sudeste. Neste local, pinturas esmaecidas retratam garotas dançarinas e um tanque de lótus com cisnes e peixes.

Srirangam ⓯

Bairro Tiruchirapalli. 9km ao N de Tiruchirapalli. Vaikuntha Ekadashi (dez/jan), Chariot Festival (jan).

A ilha sagrada de Srirangam, com 3km de extensão, formada pelos rios Kaveri e Kollidam, é um dos principais locais de peregrinação do Sul da Índia. No seu centro fica o majestoso **Ranganatha Temple** *(págs. 552-3)*. Dedicado a Vishnu, é um dos maiores complexos de templos de Tamil Nadu e cobre uma área de 60ha.

O complexo, como existe hoje, resulta de quatro séculos de evolução. Uma reconstrução extensiva começou em 1371, depois que o templo original do século 10º foi destruído pelo sultão de Délhi Alauddin Khilji *(pág. 48)*. Sua forma atual, no entanto, inclui extensões acrescentadas no século 17 pelos governantes Nayakas, cuja segunda capital era a vizinha Tiruchirapalli. Curiosamente, o último acréscimo foi feito recentemente, em 1987, quando o portão sul inacabado foi concluído.

Dominando 21 impressionantes *gopuras* (portais), o complexo tem sete muros *prakara* (limites) que definem seus sete recintos. Os três exteriores são residências de sacerdotes, quartos para peregrinos e pequenos restaurantes e lojas de livros religiosos, imagens e oferendas ao templo. A área sagrada começa a partir do quarto recinto, além do qual não se permite a entrada de não-hindus. É aí que ficam os santuários mais importantes do templo. Entre eles, o espaçoso mandapa de mil colunas, onde imagens de Ranganatha e sua esposa são entronizadas e cultuadas durante uma das muitas festas do templo, e o magnífico **Seshagirirayar Mandapa**, com seus cavalos empinados de pedra com guerreiros montados que atacam animais ferozes e *yalis* (bestas leoninas míticas). Um pequeno museu próximo tem uma boa coleção de esculturas de pedra e bronze.

Passeio de barco no Kaveri, Srirangam

Cavalo, Seshagirirayar Mandapa

O coração do complexo é o santuário, com sua *vimana* folheada a ouro, onde uma imagem de Vishnu como Ranganatha, reclinado sobre a serpente cósmica, Adisesha, ocupa o trono. Este templo é também o local onde o grande filósofo do século 11, Ramanuja *(pág. 522)* desenvolveu o culto *bhakti* de devoção pessoal em uma forma de adoração formal. Hoje, um ciclo constante de festas em honra a Vishnu é celebrado ao longo do ano.

A leste do Ranganatha Temple fica o **Jambukeshvara Temple**, de meados do século 17, na vila de Tiruvanaikka. O santuário principal contém um dos cinco lingas elementais *(pág. 584)*, representando Shiva como a manifestação da água. Diz a lenda que o linga foi criado pela esposa de Shiva, Parvati, e em homenagem a ela o sacerdote usa um sári ao realizar o ritual da *puja*. Não-hindus podem ver os santuários externos, mas não o santuário principal.

Um dos impressionantes portais no Ranganatha Temple, Srirangam

Sri Ranganatha Temple
diariam. para ir até o topo. pago à parte. **Museum** *diariam.*

Jambukeshvara Temple
diariam. pago à parte.

O lago Yerikadu, do qual Yercaud deriva seu nome

Yercaud ⓰

Bairro Salem. 32km a NE de Salem. Salem, depois ônibus. Hotel Tamil Nadu, Yercaud Ghat Rd, (04281) 223 334. *Shevaroyan Temple Festival (mai).*

Esta atraente estância, nas montanhas Shevaroy, foi fundada no início do século 19 pelos ingleses, que aqui introduziram o cultivo do café. Hoje, esta é uma das áreas mais produtivas do estado, e as suas vertentes estão totalmente cobertas por plantações de café, chá, jaca e banana.

O **Yerikadu Lake**, um lago artificial, e as **Killiyur Falls** são dois dos pontos mais bonitos da área, enquanto o **Lady's Seat**, perto do lago, oferece belíssimas vistas da área rural em volta. A cidade e seus arredores têm vários apiários que produzem um mel delicioso. A **Horticultural Research Station** tem uma interessante coleção de plantas raras.

Mudumalai Wildlife Sanctuary ⓱

Bairro Nilgiris. 64 km a O de Udhagamandalam. *Theppakadu, principal ponto de acesso.* *Tourist Office, Theppakadu, (0423) 244 4098. Para agendar contate Wildlife Warden's Office, Ooty, (0423) 244 3977.* *diariam (pode estar fechado em fev-mar).* *jipes disponíveis.*

Mudumalai, ou "Cadeia de Montanhas Antiga", situada na base das montanhas Nilgiri, fica separada do Bandipur National Park de Karnátaka *(pág. 520)* pelo rio Moyar.

Este santuário é uma parte importante dos 5.500km² da Nilgiri Biosphere Reserve das Ghats Ocidentais. Junto com as adjacentes Bandipur e Nagarhole, ele é um dos mais importantes refúgios para o elefante e o bisão da Índia. O parque abrange 322km² de terreno ondulado, e eleva-se a 1.250m em Moyar Betta. O ponto mais baixo do

Passeio nas Nilgiris ⓲

As pitorescas *nila giri*, ou "Montanhas Azuis", na junção entre as Ghats Orientais e Ocidentais, têm esse nome porque o arbusto *kurunji (Strobilanthes kunthianus)* deixa as montanhas azuis a cada 12 anos com suas flores. Cobertas com pastos de alta altitude e *sholas* (florestas de montanha), elas atraem botânicos e entomologistas. Este passeio oferece visões encantadoras de vales verdejantes, estâncias de montanha e cabanas de povos tribais.

Jacarandá florido nas montanhas Nilgiris

DICAS

Extensão: *90km.*
Como circular: *Avalanche e Pykara só podem ser acessadas por Ooty, pois não há estradas para lá a partir de Coonoor. Há bom serviço de ônibus públicos e particulares. Uma alternativa é o* ***Nilgiri Blue Mountain Train****, de Mettupalayam a Ooty, via Coonoor (pág. 777).*

Pykara ⑥
Represas, *sholas* cercadas, campinas verdes e casas cônicas dos todas podem ser vistas aqui.

Avalanche ⑤
Este paraíso natural tem densas florestas e um belo lago.

santuário fica nas pitorescas **Moyar Waterfalls**. Sua topografia é tão variada como a vegetação, que vai de densa floresta decídua de teca, louro e pau-rosa a oeste, a floresta de cerrado em direção ao leste, entremeada por pastos, pântanos e bambuzais. O santuário oferece um hábitat para uma diversidade de vida selvagem, que inclui o thahr-de-nilgiri *(pág. 19)*, o sambur, o tigre, o leopardo, o veado-manchado, o esquilo-voador, a civeta-malabar e o langur-de-nilgiri. Também há mais de 120 espécies de aves, residentes e migratórias, como o mocho-de-orelhas e a águia-falcão-com-crista.

DIVINDADES GUARDIÃS

Imensas figuras feitas de argila queimada, vistas na periferia de vilarejos do sul de Tamil Nadu, são adoradas como guardiãs desses vilarejos. A mais destacada dessas divindades populares é Ayyanar, filho de Shiva e Vishnu. É um deus de bigode, olhos saltados e calças curtas, que carrega um sabre. Seu cavalo anda a seu lado, e por isso ele pode cavalgar à noite e manter os maus espíritos a distância. Outras divindades são Munisami, que segura um tridente e um escudo, montado em um leão, e Karuppusami, de tons escuros, vingador noturno que pune os ladrões.

Divindades guardiãs fora de um santuário de um vilarejo

Coimbatore ⓳

Bairro Coimbatore. 96km NE de Chennai. *924.000.* *10km a NE do centro da cidade, depois ônibus.* *Tamil Nadu Tourism, Railway Station, (0422) 230 2176.* *seg-sáb.* *Thaipoosam (han/fev), Karthigai (nov/dez).*

Terceira maior cidade de Tamil Nadu, Coimbatore é um grande centro industrial e a capital comercial do estado, com imensas tecelagens e unidades de engenharia. É também uma boa base para quem vai visitar as estâncias montanhosas de Nilgiri. A cidade tem uma prestigiosa Agricultural College e dois templos famosos. O **Perur Temple**, no rio Noyyal, em honra a Shiva, e o popular **Muruga Maruthamalai Temple**, no alto de um outeiro, dedicado a seu filho Murugan.

As **Siruvani Waterfalls** são lindas, e a água Siruvani é famosa por seu gosto e pela sua pureza.

Ooty ①
Oficialmente conhecida como Udhagamandalam, esta Rainha das Estâncias de Montanha era habitada antigamente pelos todas *(pág. 607)*. O secular Blue Mountain Train termina aqui.

Dodda Betta ②
Pico mais elevado dos Nilgiris (2.623m), tem vistas fantásticas das montanhas, vales e planaltos.

Kotagiri ③
Conhecida pelo seu clima saudável, esta estação de montanha fica à sombra do Dodda Betta Peak.

Coonoor ④
Linda cidade cercada de montanhas e plantações de chá e café, Coonoor abriga uma feira anual de hortifrutas em maio, no Sim's Park.

Avenida arborizada em Kodaikanal

Palani ⑳

Bairro Madurai. 100km a NO de Madurai. ✈ *Madurai, 119 km a SE do centro da cidade, depois ônibus ou táxi.* 🚉 🚌 *Thaipoosam (jan/fev), Karthigai (nov/dez).*

Grande centro de peregrinação, Palani fica à beira do grande Vyapuri Tank. Seu **Subrahmanyam Temple** no alto de uma montanha é a mais famosa das seis moradas de Murugan, filho de Shiva, que teria vindo aqui disfarçado de mendigo depois de uma discussão com o irmão Ganesha por causa de uma fruta. Popularmente conhecido como Dandayutha Pani ("Portador do Cajado"), Murugan é mostrado com a cabeça raspada, segurando um bastão. Sua imagem é feita com uma cera à base de ervas medicinais. Na festa do Thaipoosam, o templo atrai milhares de peregrinos, muitos de cabeça raspada em sinal de adoração. Um bonde elétrico poupa os devotos dos 600 degraus até o santuário.

Palani é também um ponto de partida para passeios pelas montanhas da região.

Kodaikanal ㉑

Bairro Madurai. 120km a NO de Madurai. 🚉 *Palani, 65km ao N do centro da cidade, depois ônibus ou táxi.* 🚌 ℹ *Tamil Nadu Tourism, (04542) 241 675.* *seg-sáb.* *Festival de Verão (mai), Mostra de Flores (mai), Festival de Inverno (dez).*

Vales verdejantes, cultivos em terraços e um clima agradável tornam Kodaikanal uma estância de montanha das mais populares de Tamil Nadu. Kodaikanal, ou Kodai, como costuma ser chamada, foi "descoberta" primeiro por missionários americanos em 1840. Atraídos por seu clima ameno e arredores intactos, eles criaram um hospital e retiro aqui. Também fundaram a Escola Internacional de Kodai em 1901.

Esta cidade pitoresca hoje circunda o **Kodai Lake**, lago artificial criado pela represa construída por sir Vere Henry Levinge em 1863. A trilha de 3km em volta do lago propicia um agradável passeio a pé. Na praia há uma Boat House, de 1910. A leste do lago fica o **Bryant Park**, famoso por suas plantas e sua mostra anual de flores, realizada em maio.

Depois do centro da cidade há muitas áreas bonitas, como Pillar Rocks, Silver Cascade e Green Valley View (ex-Ponto do Suicídio), que são locais encantadores para um piquenique com belas vistas do vale profundo. Kodai também é boa para andar de bicicleta, a cavalo e para longos passeios a pé. Uma trilha seguindo o contorno da montanha, a **Coaker's Walk**, oferece uma vista panorâmica da estância. A caminhada termina na Igreja de St Peter, de 1884, que tem belos vitrais. Perto daqui fica a pequena **Telescope House**.

Cerca de 3km a nordeste do lago fica o **Kurunji Andavar Temple**, dedicado a Murugan. Seu nome vem das flores *kurunji (pág. 649)*, associadas ao deus. O Chettiar Park vizinho, junto à encosta da montanha, é onde as *kurunji* florescem a cada 12 anos.

Oferendas religiosas à venda em Palani

TRILHAS NAS NILGIRIS

Excursões curtas em volta de Ooty oferecem muitas oportunidades de explorar as Nilgiris *(págs. 604-5)* a pé. Há lindas trilhas nas terras verdejantes em volta de Mukurthi, um extinto vulcão conhecido entre os todas como o "Portal para a Morte" e, na região de Avalanche, de intensos ventos, com vertentes gramadas, árvores *shola* e samambaias. A parte oeste desta região adentra as densas florestas tropicais de Kerala. A metade leste da serra, em grande parte privada das monções de sudoeste, é dominada por vegetação seca e rochas vulcânicas.

Cachoeira nas Nilgiris

Para hotéis e restaurantes nesta região, ver págs. 713-4 e págs. 740-1

Os Todas

As Nilgiris são o lar de 18 grupos tribais, entre os quais se destacam os todas. Comunidade de pastores, os todas têm pele clara e cabelo cacheado, e são vegetarianos. Sua língua, de origem dravídica, não tem escrita. Segundo seu mito de criação, a deusa Teikirshy e seu irmão On criaram primeiro o búfalo com uma varinha mágica, e depois o homem toda.

Tradicional jóia de prata

A primeira mulher toda foi criada da costela direita do homem. Os primeiros contatos dos todas com a civilização se deram quando a Companhia das Índias Orientais anexou as Nilgiris, em 1799.

Em 1823, John Sullivan, então coletor de Coimbatore, ergueu a primeira casa de pedra em Ooty em terra comprada dos todas. Hoje, restam apenas cerca de 1.100 todas.

Os **búfalos**, *de cor marrom-clara com longos chifres, são venerados pelos todas. Em um funeral, eles sacrificam um búfalo para que acompanhe a alma na outra vida.*

Os xales de algodão feitos à mão *chamados* puthikuzhi *têm motivos bordados em preto e vermelho. São usados por homens e mulheres, amarrados pela cintura, com uma ponta sobre o ombro, quase como uma toga.*

O **templo de laticínios**, *cônico, é decorado com motivos do Sol, Lua, serpente e cabeça de búfalo. Só os homens podem entrar.*

Os **mais velhos** *são muito respeitados. Para receber sua bênção, os todas erguem seu pé direito e o põem sobre a cabeça.*

As cerimônias dos laticínios *são festas, geralmente celebradas com dança e música. As canções consistem de estrofes simples, que descrevem eventos importantes do passado dos todas.*

As **cabanas em forma de barril**, *feitas de bambu e grama, têm um só aposento. A entrada é por uma porta de madeira entalhada, tão pequena que a pessoa tem de engatinhar para entrar. Várias dessas cabanas sem janelas compõem uma vila toda, chamada de* mund.

Madurai ㉒

Imagem esculpida

Uma das maiores cidades-templos do Sul da Índia, Madurai tem como foco o famoso Minakshi Temple *(págs. 610-1)*. Esta cidade antiga às margens do rio Vaigai tem sido, ao longo dos séculos, um rico repositório de cultura tâmil. Há cerca de 2 mil anos, ela abrigou os célebres Sangams (reuniões de escritores e poetas), que deram à literatura tâmil algumas de suas maiores obras. Dos séculos 7º ao 13, como capital dos Pandyas, ela viu florescer o comércio com Roma e com a China. Mais tarde, tornou-se parte do Império Vijayanagar, e foi a capital dos nayakas nos séculos 16 e 17. Atualmente, a religião e a cultura continuam sendo um aspecto vibrante do cotidiano da cidade.

A grande sala com pilares do Thirumalai Nayaka Palace

Minakshi Sundareshvara Temple

Págs. 610-11.

Thirumalai Nayaka Palace

1,5km a SE do Minakshi Temple. ◻ *diariam.* **Son et Lumière** *(em inglês): 18h45, diariam.*

O poder e a riqueza dos Nayakas fica evidente nos restos deste outrora grande palácio, construído por Thirumalai Nayaka em 1636. O edifício, com interessantes influências islâmicas, foi parcialmente restaurado no século 19 por lorde Napier, governador de Madras entre 1866 e 1872. Hoje, apenas o espaçoso pátio retangular chamado Swarga Vilasam ("Pavilhão Celestial") e uns poucos edifícios anexos sobrevivem, e sua escala assombrosa evoca a grandeza de uma era extinta. O pátio mede 3.900m² e é cercado por grossos pilares circulares. A oeste fica a Câmara do Trono, uma vasta sala com um domo octogonal elevado. Esta sala leva à Sala de Dança, que hoje abriga uma mostra de objetos arqueológicos.

Theppakulam

L do Minakshi Temple. ◻ *diariam.*

O grande tanque de Madurai, outra maravilha atribuída a Thirumalai Nayaka, é um tanque quadrado com balaustradas em forma de animais e aves e com degraus que descem até a água. Aqui se realiza a festa do Theppam (Flutuar), que celebra todo ano o casamento de Shiva e Minakshi, que têm suas imagens levadas em barcos iluminados até o pequeno pavilhão no centro do tanque.

Kadal Alagar Temple

1km a SO do Minakshi Temple. ◻ *diariam.* ● *para não hindus.*

Um dos 108 santuários vaishnavitas sagrados, este glorioso templo tem três santuários sobrepostos, de tamanho decrescente, que alojam o Senhor Vishnu. De baixo para cima, as imagens mostram Vishnu sentado, em pé e reclinado. A parede externa tem belas esculturas e painéis de pedra.

Anglican Cathedral

Junto a O de Masi St. ◻ *diariam.*

Belo exemplo de arquitetura neogótica, esta igreja foi projetada por Robert Fellowes Chisholm *(pág. 569)* e consagrada em 1881.

Tombs of the Madurai Sultans

N do rio Vaigai. ◻ *diariam.*

Os sultões de Madurai governaram a cidade após a invasão em 1310 por Malik Kafur, um general de Alauddin Khilji *(pág. 48)*. Eles estão enterrados ao norte da cidade. O complexo inclui a mesquita de Alauddin, com sua sala de orações de teto plano e torres octogonais, e o túmulo de um santo sufi local, Bara Mastan Sada (século 16).

Entrada da Anglican Cathedral em Madurai

Para hotéis e restaurantes nesta região, ver págs. 713-4 e págs. 740-1

Mural retratando uma cena do *Ramayana*, templo Alagarkoil

PREPARE-SE

Bairro Madurai. 498km a SO de Chennai. *923.000. 12km ao S do centro da cidade. 180, West Veli St, (0452) 273 3757. seg-sáb. Theppam Festival (jan/fev), Navaratri (set/out), Avanimoolam (ago/set).*

Arredores

Thiruparankunram, 6km a sudoeste de Madurai, é uma cidadezinha conhecida por sua colina de granito sagrada. Tida como uma das seis moradas sagradas de Murugan, filho de Shiva, a colina foi o local de suas núpcias com Devayani, filha de Indra. Há uma caverna-templo aqui, construída pelos Pandyas no século 8º. Pode-se chegar ao templo por uma série de *mandapas* dos séculos 17 e 18 em níveis ascendentes, ligadas por degraus de pedra. A que fica na entrada tem pilares típicos do período nayaka, com cavalos e *yali* montados, e nas colunas há entalhes de chefes Nayakas. O templo contém cinco santuários.

O festival de 14 dias entre março e abril celebra a vitória de Murugan sobre o demônio Suran, sua coroação e o casamento posterior com Devayani.

O templo em **Alagarkoil**, 12km ao norte de Madurai, é dedicado a Kallalagar, uma forma de Vishnu que é tida como irmão de Minakshi. Diz a lenda que quando Kallalagar foi dar sua irmã em casamento a Sundareshvara, ele ficou nas margens do rio Vaigai durante a cerimônia. O evento é celebrado todo ano, em abril/maio. No alto da colina fica Palamudircholai, última das seis moradas de Murugan, com outro santuário, e mais adiante Nupura Ganga, uma fonte perene, usada em todos os rituais do templo –segundo a lenda, teria nascido do tornozelo de Vishnu.

CENTRO DE MADURAI

Anglican Cathedral ④
Kadal Alagar Temple ③
Minakshi Sundareshvara Temple ①
Thirumalai Nayaka Palace ②

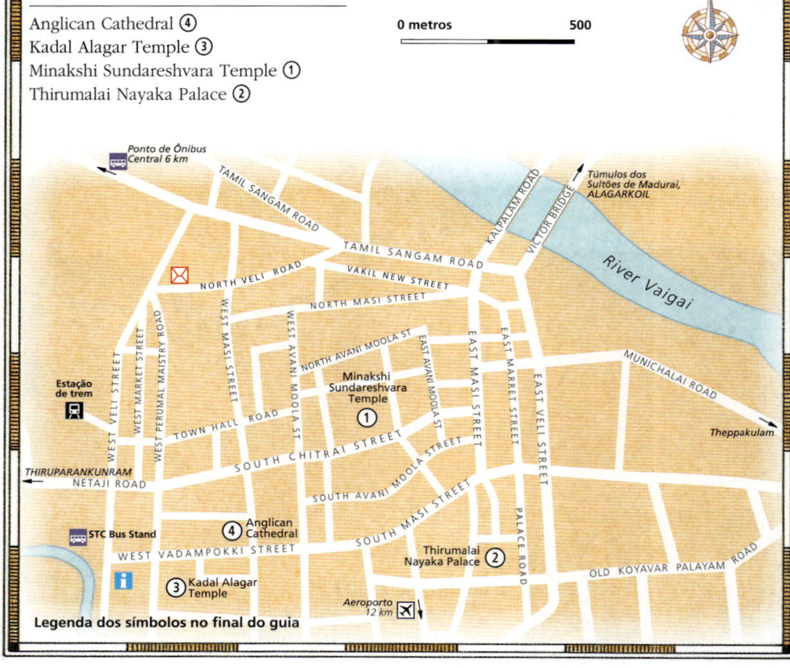

Legenda dos símbolos no final do guia

Madurai: Minakshi Sundareshvara Temple

Este enorme complexo é dedicado a Shiva, aqui conhecido como Sundareshvara ("Belo Deus"), e sua esposa, Parvati ou Minakshi ("Deusa dos Olhos de Peixe"). Originalmente construído pelos antigos Pandyas (séculos 7º a 10º), ganhou acréscimos das dinastias seguintes, em especial entre os séculos 14 e 18. O complexo do templo fica em um recinto com altos muros, em cujo centro estão dois santuários para Minakshi e Sundareshvara, cercados por santuários menores e por grandes salas com pilares. As doze *gopuras* produzem um impacto especial. Suas altas torres elevam-se de sólidas bases de granito e são cobertas com figuras de argila de divindades, animais mitológicos e monstros, em cores vivas.

Divindades guardiãs
Há imagens de monstros ferozes, com chifres e olhos saltados, nas pontas arqueadas dos tetos, que servem como divindades guardiãs.

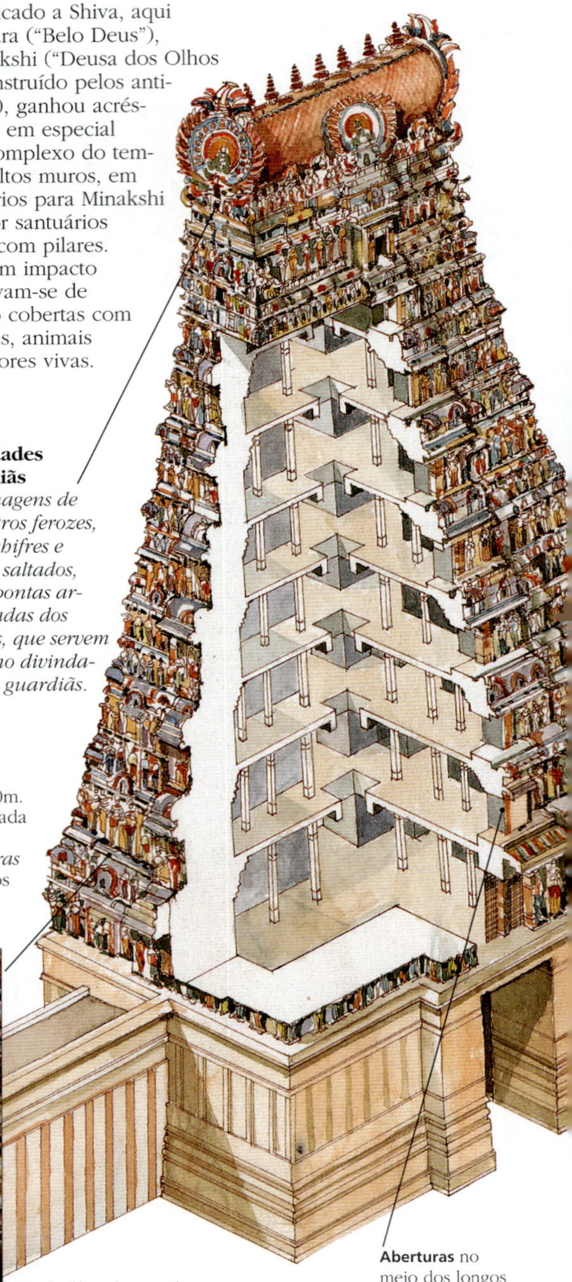

GOPURA

Portões piramidais *(gopuras)* elevam-se a alturas de mais de 50m. Esses altos portais indicam a entrada para o complexo do templo nos quatro pontos cardeais. Há *gopuras* menores que levam aos santuários das principais divindades.

Trabalho de argila
As figuras das divindades na torre são reparadas, repintadas e reconsagradas a cada 12 anos.

Aberturas no meio dos longos lados permitem que entre luz nas câmaras ocas de cada andar.

Para hotéis e restaurantes nesta região, ver págs. 713-4 e págs. 740-1

Pilares profusamente esculpidos na Thousand-Pillared Hall

PREPARE-SE

Chitrai Street. ***Tel*** *(0452) 234 4360.* *diariam. Probida a entrada de não-hindus no santuário.* *pago à parte.* *Chitirai Festival (abr), Avanimoolam (ago/set).* **Museum** *diariam.* *pago à parte.*

Como explorar o Minakshi Temple

Entra-se no templo pelo lado leste, através da **Ashta Shakti Mandapa**, ou "Sala das Oito Deusas", com pilares esculpidos que mostram as várias facetas da deusa Shakti. Junto a esta sala fica a **Minakshi Nayaka Mandapa**, espaçosa sala com colunas ocupada por algumas lojas. Esta sala tem um lustre de velas votivas com 1.008 velas, que são acesas nas festas e oferecem uma visão espetacular.

O adjacente **Chitra Gopura**, de sete andares, é a torre mais alta do complexo. Perto dela fica o tanque **Potramarai Kulam**, ou "Lótus de Ouro", com degraus que descem até a água e cercado por corredores com pilares que antes ostentavam pinturas do período Vijayanagar.

***Kalyana Sundara*, Vishnu entrega Minakshi a Shiva**

A oeste deste tanque fica o **Minakshi Shrine**, um dos dois santuários principais, com dois corredores concêntricos e muitas salas e galerias. Aqui fica a cama para onde o "esposo" de Minakshi, na forma da imagem de Sundareshvara, é trazido toda noite do seu santuário, o **Sundareshvara Shrine**, que fica ao norte. O deus mora neste, o segundo santuário principal, entre colunas que têm os motivos emblemáticos de sua esposa.

A "Sala do Mastro" ou **Kambattadi Mandapa**, do século 16, diante do santuário, tem um pavilhão com uma Nandi sentada, um mastro dourado e pilares esculpidos com as 24 formas de Shiva. A leste daqui, encontra-se a **Thousand-Pillared Hall** com 985 colunas belamente decoradas. Esta sala, do século 16, é hoje um museu, com imagens de bronze e pedra. Um conjunto de pilares, uma maravilha de pedra, produz as sete notas da música carnática. A **Kalyana Mandapa**, ao sul da sala com pilares, é onde se celebra todo ano o casamento de Shiva e Parvati durante o Chitirai Festival, em abril.

Pudumandapa, a "Nova Sala", com esculturas de governantes nayaka, fica fora do templo principal. Obra de Tirumalai Nayaka em 1635, tem hoje bancas de venda de sáris, jóias e especiarias.

MINAKSHI SUNDARESHVARA TEMPLE

1 Ashta Shakti Mandapa
2 Minakshi Nayaka Mandapa
3 Chitra Gopura
4 Potramarai Kulam
5 Minakshi Shrine
6 Sundareshvara Shrine
7 Kambattadi Mandapa
8 Thousand-Pillared Hall
9 Kalyana Mandapa

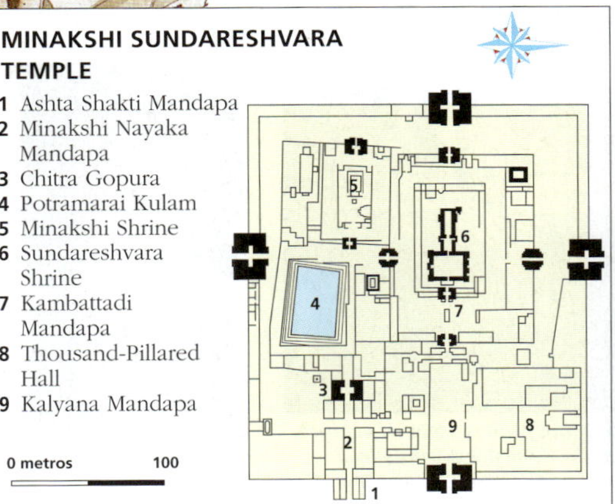

O Potramarai Kulam, cercado por um conjunto de colunas

Mansões dos Chettiars

A região árida que engloba as cidades de Karaikudi, Devakottai e vilas vizinhas, conhecida como Chettinad, caracteriza-se por grandes mansões ornamentadas que são as antigas casas dos Chettiars, comunidade de ricos comerciantes de Tamil Nadu. Como os Marwaris de Shekhavati *(págs. 372-3)*, os Chettiars eram astutos homens de negócios que viajavam muito para fazer sua fortuna. A riqueza que juntaram em Mianmá, Sri Lanka, Malásia e Vietnã foi usada para construir estas mansões. Hoje, os Chettiars são banqueiros e industriais baseados em Chennai e Bangalore.

Uma passagem em arco

CASAS CHETTIARS

Do início do século 20, estas casas refletem as necessidades sociais e rituais da comunidade, assim como status econômico. Embora ocupadas hoje na maior parte do ano, ainda são usadas para celebrações familiares.

O esplêndido Chettinad Palace, em Karaikudi

Uma **longa varanda** *com pilares de madeira leva a uma série de pátios abertos, cercados por quartos destinados a acomodar a família em expansão.*

A **primeira sala com pilares**, *na qual cada pilar foi feito de um tronco inteiro de teca-da-birmânia, é reservada aos homens da casa, para receber visitas e realizar negócios.*

A **sala de visitas** *tem chão de mármore, janelas com vitrais, cornijas pintadas, mobília de teca e pau-rosa e lustres decorados.*

Os pisos de mármore trabalhado, *portas polidas, vigas de madeira entalhada, pilares de granito e outros elementos decorativos de uma casa Chettiar comprovam o talento dos artesãos de Tamil.*

Porta de madeira com intricados entalhes

Chettinad 23

Distrito de Chettinad. 82km a NE de Madurai. *diariam.* *Corridas de novilhos (jan/fev).*

Karaikudi, no centro da área de Chettinad, possui templos como o **Pillaiyarpati Temple**, do século 7º, dedicado a Ganesha. Também tem mansões Chettiar e lojas de antiguidades cheias de tesouros dessas mansões. Chettinad é famosa por sua culinária de fortes temperos, não vegetariana –o frango apimentado é um de seus destaques. A comida é feita em panelas de cobre e servida em folhas de bananeira.

Ramanathapuram 24

Distrito de Ramanathapuram. 117km a SE de Madurai. *62.000.* *diariam.* *Urs at Erwadi Dargah (dez).*

Esta cidade antiga está associada aos Setupatis, governantes locais que ganharam destaque no fim de século 17 sob os Nayakas de Madurai. Eles obtiveram prestígio e dinheiro ao controlar o istmo que leva à ilha de Rameshvaram. Um século mais tarde, renderam-se à Companhia das Índias Orientais, em 1792.

A oeste da atual cidade fica o palácio dos Setupatis. Hoje resta pouco dele, mas o **Ramalinga Vilas**, do século 17, ao norte do complexo do palácio, ainda tem pinturas murais bem preservadas. Elas reproduzem cenas épicas e de batalhas, transações de negócios e cerimônias reais. As câmaras superiores retratam cenas mais íntimas da vida real, como reuniões familiares, recitais de música e dança e expedições de caça. Um pequeno santuário, voltado para o norte, é dedicado à deusa familiar dos Setupatis, Rajarajeshvari. Ela fica imediatamente ao sul do Ramalinga Vilas.

Na periferia da cidade fica o **Erwadi Dargah**, de 800 anos de idade, que abriga o túmulo de Ibrahim Syed Aulia, um santo muçulmano. Ele atrai devotos de toda a Índia, bem como de Sri Lanka, Malásia e Cingapura, durante sua festa anual em dezembro.

Pilares esculpidos no corredor mais longo do Ramanathaswamy Temple

Rameshvaram 25

Distrito de Ramanathapuram. 163km a SE de Madurai. *38.050.* *Tourist office, East Car Street, (04573) 221 064.* *Ramalinga (jun/jul).*

Importante centro de peregrinação, a ilha sagrada de Rameshvaram projeta-se do golfo de Mannar, estreita faixa de água que separa Tamil Nadu do Sri Lanka.

O **Ramanathaswamy Temple**, no meio da ilha, é dedicado a Shiva. Ele abriga o linga que o Senhor Rama, o herói do épico *Ramayana* *(pág. 27)*, instalou e passou a adorar após sua vitória sobre Ravana em Lanka. Fundado pelos governantes cholas, mas ampliado durante o período Nayaka, nos séculos 16 a 18, este grande templo é cercado por um alto muro com cinco *gopuras*. O aspecto mais destacado deste templo é a **Sokkattan Mandapa**, assim chamada por lembrar um *sokkattan* (dado) na forma. Ele cerca o coração do templo pelos quatro lados em um corredor contínuo, e é a maior e mais elaborada do seu gênero, com 1.212 pilares que se estendem 197m de leste a oeste e 133m de norte a sul. O complexo tem também 22 *tirthas* (tanques) para abluções rituais; acredita-se que um mergulho no Agni Tirtha, à frente do templo, remova todos os pecados. A cerimônia de instalação do linga por Rama e Sita é celebrada todo ano.

Devotos mergulham nas águas sagradas do Agni Tirtha

Situada na **Gandamadana Hill**, o ponto mais alto da ilha, 3km a noroeste do Ramanathaswamy Temple, fica a *mandapa* de dois andares, onde se acredita estarem as pegadas de Rama.

Dhanushkodi ("Arco de Rama"), a ponta mais ao sul de Rameshvaram, a cerca de 18km do templo principal, tem uma praia espetacular. Daqui, uma série de pedras grandes, conhecidas como Ponte de Adão, podem ser vistas estendendo-se no horizonte. Segundo a lenda, elas foram usadas por Hanuman quando ele cruzou o oceano à procura de Sita. O Templo Kodandarama, na praia, é considerado pelos devotos o local onde o irmão de Ravana se rendeu a Rama. Milagrosamente, o templo sobreviveu a um devastador ciclone em 1964.

Para hotéis e restaurantes nesta região, ver págs. 713-4 e págs. 740-1

Tuticorin 26

Distrito de Tuticorin. 135km ao S de Madurai. *216.100.* *Golden Chariot Festival (ago).*

Este é o segundo maior porto natural de Tamil Nadu e a principal escala para navios do sudeste da Ásia, Austrália e Nova Zelândia. Tuticorin é também um centro industrial com termelétricas, tecelagens e usinas de extração de sal.

Outra importante atividade comercial da cidade é a pesca de pérolas. Desde os primórdios da era cristã, as pérolas da região são apreciadas em todo o mundo. A literatura tâmil antiga menciona um próspero comércio com os romanos, que trocavam as pérolas de Tuticorin por ouro e vinho.

Hoje, o governo tem uma empresa de mergulhadores e regulamenta a pesca de pérolas, a fim de proteger os leitos de ostras –às vezes, a extração é permitida apenas uma vez a cada dez anos. Os pescadores de pérolas ainda usam métodos tradicionais, descendo a profundidades de até 70m sem oxigênio. A maioria dos mergulhadores é capaz de ficar embaixo d'água por mais de um minuto; sua única proteção contra acidentes ou perigos naturais é descer aos pares.

Tuticorin foi ocupada pelos portugueses no século 17 e mais tarde pelos holandeses e ingleses. Seu passado colonial é visível em duas igrejas, a holandesa **Sacred Heart Cathedral**, do século 18, e a bela **Church of the Lady of the Snows**, erguida por portugueses, do século 17.

Corredor do Kanthimathi Nellaiyappar Temple, em Tirunelvelli

Tiruchendur 27

Distrito de Tuticorin. 223km ao S de Madurai. *de Madurai, Tirunelvelli, Tuticorin e Nagercoil.* *Festa anual do templo (jun/jul).*

Esta bonita cidade costeira, uma das seis moradas do filho de Shiva, Murugan *(pág. 606)*, abriga o impressionante **Subramanyam Temple**. Erguido no século 9º, foi reformado no século 20. O templo, que tem entrada pela alta *gopura* Mela, fica sobre um promontório rochoso com belas vistas para o golfo de Mannar. Na praia ficam algumas cavernas e esculturas na rocha.

Arredores

Manapad, 18km ao sul, tem uma das igrejas mais antigas da Índia, a Church of the Holy Cross. Construída em 1581, preserva um fragmento da "Verdadeira Cruz", trazido de Jerusalém. Uma festa anual realizada em setembro atrai peregrinos de toda a região. São Francisco Xavier visitou esta vila costeira em 1542.

Tirunelvelli 28

Distrito de Tirunelvelli. 154km a SO de Madurai. *Tamil Nadu Tourism, Tirunelvelli Junction (0462) 250 0104.* *Chariot Festival (jun/jul).*

Situada em um trecho fértil banhado pelo rio Tamaraparani, Tirunelvelli tem como ponto focal o **Kanthimathi Nellaiyappar Temple**, partes do qual datam do século 13. Este complexo de templos gêmeos, dedicados a Shiva e Parvati, tem dois imensos recintos retangulares ligados por um longo corredor. O tempo de Shiva fica ao norte, e o de Parvati ao sul. As elaboradas *mandapas* daqui incluem a Somavara Mandapa, que contém dois pilares esculpidos como *gopuras*; a Rishaba Mandapa, com esculturas entalhadas de Manmatha, o Deus de Amor, e sua esposa, Rathi; e a Mani Mandapa, com um conjunto de pilares de pedra que produzem as notas musicais da música carnática *(pág. 595)* ao ser percutidas.

Todo verão, as carruagens de madeira do templo são levadas em procisssão pela cidade durante a Festa Anual das Carruagens, que atrai milhares de devotos.

Arredores

As **Courtallam (Kuttalam) Falls**, com uma queda de 170m, ficam 59km a noroeste de Tirunelvelli. Este local pitoresco é famoso por sua flora exótica e pelas propriedades medicinais de suas águas.

Church of the Holy Cross, em Manapad

Para hotéis e restaurantes nesta região, ver págs. 713-4 e págs. 740-1

O Sthanumalaya Temple em Suchindram, tendo à frente o seu tanque

Suchindram 29

Distrito de Kanniyakumari. 247km ao S de Madurai. *Nagarcoil, 5km a NO do centro, depois ônibus.* *Arudhra Festival (dez/jan).*

Esta pequena cidade-templo é estreitamente associada à lenda de Kumari, a Deusa Virgem (uma encarnação de Parvati). Diz a lenda que Shiva descansou neste local calmo às margens do Pelayar enquanto a deusa Kumari realizava sua penitência em Kanniyakumari.

O **Sthanumalaya Temple** de Suchindram é dedicado à trindade hindu de Brahma, Vishnu e Shiva. O complexo triangular tem *gopuras* enormes, em cores vivas, que datam dos séculos 17-18 e retratam histórias dos grandes épicos *(págs. 26-7)*. Um dos dois santuários principais, do século 13, contém o linga Sthanumalaya, que simboliza Brahma, Vishnu e Shiva. O outro é dedicado a Vishnu, cuja imagem é feita de mostarda e um tipo especial de açúcar.

O templo ostenta ainda um conjunto de pilares musicais feitos de blocos de granito. Ao se bater neles, cada pilar produz uma nota musical diferente. Outros destaques são uma alta estátua (5m) de Hanuman, situada à frente do santuário de Rama, e as estranhas esculturas na Vasantha Mandapa. Toda sexta-feira à noite realiza-se aqui uma *puja* especial, com música e procissão. No complexo há uma velha figueira e uma escultura do touro de Shiva, Nandi, que os locais acreditam que continua a crescer.

Kanniyakumari 30

Distrito de Kanniyakumari. 235km ao S de Madurai. *19.700.* *Tamil Nadu Tourism, Beach Rd, (04652) 246 257.* *Chaitra Purnima (abr), Navaratri (set/out).*

Extremidade sul do subcontinente indiano, onde se juntam o oceano Índico, o mar da Arábia e a baía de Bengala, Kanniyakumari encanta os visitantes com suas vistas espetaculares, especialmente ao nascer e ao pôr-do-sol. O espetáculo mais bonito é o Chaitra Purnima (noite de lua cheia em abril), quando o pôr-do-sol e o nascer da lua ocorrem ao mesmo tempo.

Kanniyakumari segundo a lenda é a morada de Kumari, a Deusa Virgem, que teria feito penitência aqui a fim de poder se casar com Shiva. O casamento, no entanto, não se realizou, pois se julgava que ela devia permanecer virgem para salvar o mundo. Seu templo, o **Kumari Amman**, um popular centro de peregrinação na praia, foi construído pelos reis Pandya no século 8º e foi muitas vezes reformado pelos Cholas, Vijayanagars e Nayakas.

De estrutura magnífica, o templo tem uma Navaratri Mandapa com um lindo painel do Mahishasuramardini (Durga matando o demônio Mahisha). No templo há um santuário do século 18 com as pegadas *(sripadaparai)* da deusa Kumari, que realizou sua penitência neste local.

O **Gandhi Memorial**, perto do templo, é onde ficaram as cinzas do Mahatma Gandhi antes de ser imersas. O edifício é projetado de modo que todo ano, no dia 2 de outubro (nascimento de Gandhi), ao meio-dia, os raios do sul caem no exato ponto onde suas cinzas estiveram.

Perto da costa, em uma ilha rochosa, o **Vivekananda Memorial** assinala o ponto onde o grande filósofo indiano Swami Vivekananda *(pág. 286)* meditou antes de participar da Conferência Religiosa Mundial em Chicago, em 1893. Perto do memorial fica a imponente estátua de 40m de altura de Tiruvalluvar, poeta tâmil do século 1º a.C., autor do épico *Tirukural*, um dos maiores clássicos da literatura tamil.

A **Church of Our Lady of Joy**, que foi fundada por são Francisco Xavier na década de 1540, fica localizada no lado sul da cidade. Outras atrações de Kanniyakumari são as praias arenosas e as suas rochas de granito multicoloridas.

Kumari Amman Temple
diariam. *O santuário fica fechado para não-hindus.*

Vivekananda Memorial
qua-seg. *a cada 30 min.*

Uma estátua do poeta Tiruvalluvar, na praia de Kanniyakumari

ILHAS ANDAMAN

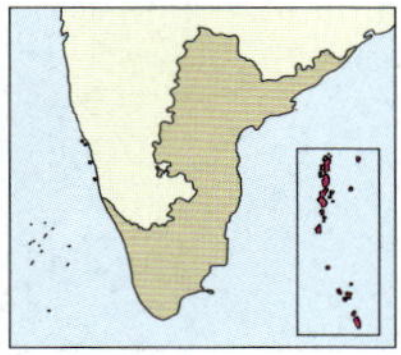

Um arquipélago de 572 ilhas idílicas na baía de Bengala, a cerca de 1.000km do continente, as ilhas Andaman e as vizinhas ilhas Nicobar são na verdade os picos de uma cordilheira submersa que se estende de Mianmá até a Indonésia. Elas abrangem três ecossistemas diferentes –floresta tropical, mangue e recifes de coral, que abrigam uma grande variedade de flora e fauna. Visitantes estrangeiros precisam de autorização *(pág. 758)* e não podem entrar nas ilhas Nicobar. Muitas partes das ilhas Andaman são também restritas, para resguardar sua rara biodiversidade e proteger seus grupos tribais, alguns dos quais preservam com muito zelo sua independência. Sua hostilidade provavelmente foi a razão pela qual Marco Polo descreveu as ilhas como habitadas por canibais. As Andaman ganharam o sinistro apelido de Kala Pani ("Águas Negras") no século 19, quando os ingleses fundaram uma colônia penal aqui. Em dezembro de 2004 as ilhas foram severamente atingidas pelo tsunami. Sua população permanente inclui migrantes da Índia, Bangladesh, Sri Lanka e karens de Mianmá. Os recifes em volta dela são ideais para praticar esportes aquáticos.

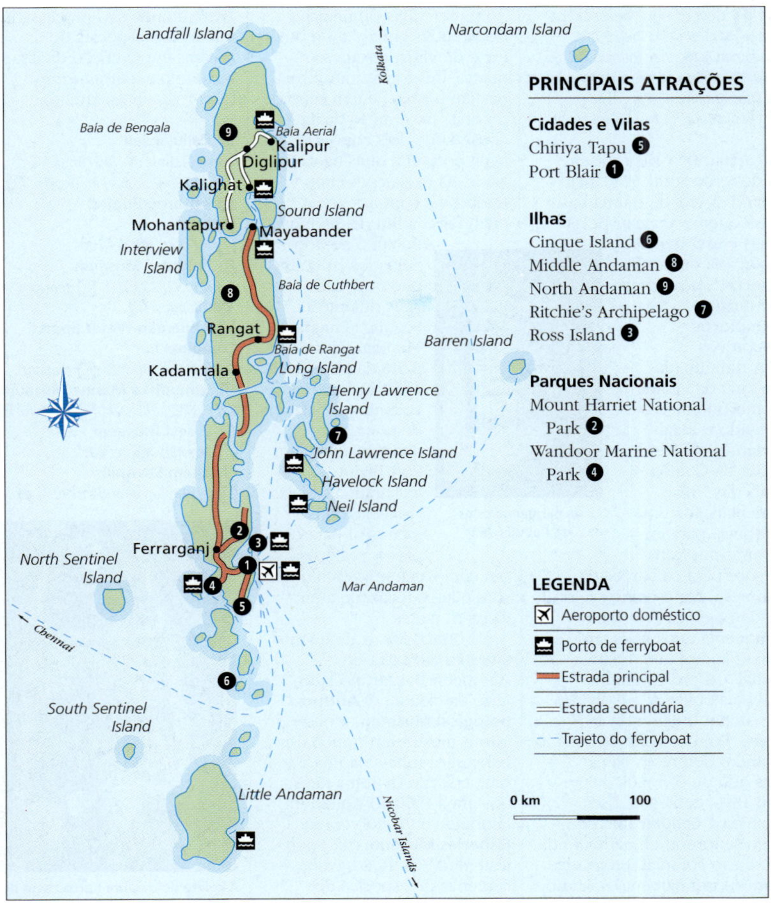

◁ **Uma das ilhas Andaman coberta por densa vegetação e cercada de água cristalina**

Vista aérea da capital, Port Blair

Port Blair ❶

South Andaman Island. 1.190km a L de Chennai. 100.200. 3km ao S do centro, depois ônibus ou táxi. *Govt of India Tourist Office, Junglighat Rd, (03192) 233 006; Andaman & Nicobar Tourism (03192) 230 933.* **Exige-se permissão** *para as ilhas Andaman* (*pág. 758*). *Island Tourism Festival (dez/jan).*

A capital, Port Blair, fica a sudeste da South Andaman Island. A cidade é uma base para quem vai viajar pelas ilhas e está bem equipada de hotéis, bancos, operadoras de turismo e complexos esportivos.

A tumultuada história da cidade começou em 1789, quando o lugar-tenente Archibald Blair, da Companhia das Índias Orientais, fez uma pesquisa para encontrar um porto seguro para os barcos da empresa. Ele escolheu o local onde hoje fica Port Blair. Cinquenta anos mais tarde as ilhas viraram uma colônia penal. Os presos eram ativistas políticos envolvidos no Motim Indiano de 1857 *(pág. 53)*; por volta de 1864, o número de presos havia passado de 773 para 3.000. Em 1896, começou a ser erguida a **Cellular Jail**, que logo se tornou um símbolo da opressão colonial. Projetada para o confinamento solitário, ela originou o sombrio apelido de Kala Pani, ou "Águas Negras", devido às atrocidades cometidas contra os presos. Ela ainda é o principal marco de Port Blair.

Das sete alas originais distribuídas em volta de uma torre de vigia, restam só quatro; três foram transformadas em hospital e têm celas de 3 por 3,5m. A ração diária consistia de dois copos de água potável e duas tigelas de arroz. As execuções eram frequentes e muitas vezes eram feitas a fim de diminuir o trabalho pesado. Soldados japoneses que ocuparam as ilhas durante a Segunda Guerra Mundial destruíram parte da prisão. Em 1945, os ingleses voltaram, montaram de novo seu quartel-general em Port Blair e fecharam a cadeia. Hoje ela é um memorial para os presos políticos; um comovente espetáculo de som e luz é realizado aqui todas as noites.

As pequenas celas da Cellular Jail

Os outros locais de interesse estão em volta do Aberdeen Bazaar, no lado leste da cidade. O **Anthropological Museum**, a oeste do bazar, mostra um pouco dos habitantes tribais da ilha e tem uma coleção de fotos raras dos anos 1960. O Aquarium, também conhecido como **Fisheries Museum**, na ponta leste da M. G. Road, exibe centenas de espécies de peixes raros, corais e conchas. Vizinho dele, o **Andaman Water Sports Complex** oferece várias atividades, incluindo windsurf e parasailing, e também aluga barcos a remo e *dinghies* de borracha. O **Samudrika Marine Museum**, gerido pela Marinha da Índia, tem cinco galerias dedicadas à história, geografia e antropologia das ilhas, e uma soberba mostra sobre vida marinha. O pequeno zôo em Haddo conseguiu reproduzir crocodilos de água salgada e devolvê-los ao seu ambiente. No **Forest Museum**, perto daqui, são expostas diferentes variedades de madeiras locais.

Chatham Sawmills, na Chatham Island, 5km ao norte, é uma das mais antigas e maiores serrarias da Ásia. Fundada pelos ingleses em 1836, é onde são processadas muitas das espécies de árvores em extinção da ilha, incluindo a alta *padauk* (pau-rosa de Andaman).

Cellular Jail
Son et Lumière *18h-19h diariam (hindi) 19h-20h diariam (inglês).*

Anthropological Museum
ter-dom. feriados.

Fisheries Museum
***Tel** (03192) 232 291. ter-dom. feriados.*

Andaman Water Sports Complex
***Tel** (03192) 230 799. diariam.*

Samudrika Marine Museum
***Tel** (03192) 232 871. ter-dom.*

Forest Museum
ter-dom. feriados.

Chatham Sawmills
seg-sáb, melhor de manhã.

A coleta do dia, um barco cheio de camarão fresco

Para hotéis e restaurantes nesta região, ver pág. 714 e pág. 741

Arredores

A praia mais próxima de Port Blair é a **Corbyn's Cove**, em forma de meia-lua, 7km ao sul da capital. **Viper Island**, cujo nome deriva de um cargueiro inglês do século 19 que naufragou próximo, pode ser alcançada por um cruzeiro que sai de Port Blair. Sua sinistra história envolve a prisão local, de 1867, cujos macabros patíbulos e postes de tortura ainda podem ser vistos. A ilha só pode ser visitada de dia porque é inabitada. A 15km de Port Blair fica a **Sippyghat Farm**, onde se cultivam variedades melhoradas de especiarias junto com plantas e arbustos nativos.

Orquídea

Mount Harriet National Park ❷

South Andaman Island. 10km ao N de Port Blair. *Do Chatham Wharf oi Phoenix Bay Jetty (Fisheries Jetty) em Port Blair até Bamboo Flats Jetty, depois táxi até a entrada do parque. Os ingressos são vendidos na entrada, para visitas diurnas.*

Alguns dos picos mais altos das Andaman ficam no Mount Harriet National Park, junto à enseada do Phoenix Jetty, em Port Blair. O Mount Harriet, de 365m, é rodeado de florestas de grande biodiversidade, com predomínio de aves como o grande pica-pau-preto e o pombo-imperial verde. Há várias trilhas para caminhadas, bem sinalizadas, como a de 2km até Kalapathar, e outra de 16km até Madhuban Beach, onde elefantes são treinados para trabalho em serrarias. Cuidado com as sanguessugas durante as monções.

A **Forest Guest House**, no alto do Mount Harriet, oferece belas vistas de Port Blair e da Ross Island. É possível visitar ou passar a noite com uma autorização da Wildlife Warden *(pág. 621)*.

Ross Island ❸

2km a L de Port Blair. *de Phoenix Jetty.* **Exige-se permissão** *para as Andaman* (pág. 758). *Só se permitem viagens diurnas.*

Uma curta viagem de barco saindo de Port Blair leva até a Ross Island, que foi capital administrativa da maioria das Andaman de 1858 a 1941. Mas a história da Ross Island é mais antiga, pois ela foi também o lar dos nativos grande-adamaneses *(pág. 623)*. Em 20 anos de ocupação inglesa, doenças como a sífilis e o sarampo praticamente dizimaram a tribo, que passou de 5 mil para apenas 28 indivíduos. A Ross Island também serviu como base dos administradores ingleses da colônia penal de Port Blair, e estava equipada com piscinas e chalés. Em 1941, o local foi transformado pelos japoneses em um campo de prisioneiros, e ainda há vestígios das instalações de guerra deixadas por eles. Hoje ela está deserta, e os poucos sinais de sua glória colonial, como a casa do comissário chefe e a igreja anglicana, estão dilapidados. A área está hoje sob controle da Marinha da Índia, cujo museu, o Smritika, registra a vida dos prisioneiros políticos.

O raro calau de Narcondam

SNORKEL E MERGULHO

Snorkel, um bom jeito de explorar a vida marinha

Snorkel

Podem-se alugar snorkels por cerca de 70 rupias por dia, em várias operadoras de turismo, como a Andaman Water Sports Complex em Port Blair. Os locais mais procurados são Corbyn's Cove, Wandoor, Chiriya Tapu, Neil e Havelock Islands.

Mergulho

Existem dois centros de mergulho registrados em Port Blair. O Samudra (03192) 227 824, no Hotel Sinclair Bay View, é bem montado e cobra 2.500 rupias por um par de mergulhos perto de Port Blair, e 3.500 rupias para áreas além de Wandoor. Ela dá cursos de mergulho. A Port Blair Underwater, (03192) 229 312, no Peerless Resort, em Corbyn's Cove também oferece cursos de mergulho. O recém-inaugurado Andaman Scuba Club, na Havelock Island, é um lindo resort junto à praia. www.andamanscubaclub.com

Mergulho ecológico

Os recifes de coral são sensíveis –o mais leve toque pode matá-los. Por isso, evite tocar ou pisar neles. Ensaie a descida no mar antes do mergulho, pois descer muito rápido pode fazer você colidir nos recifes. Nunca use âncoras quando estiver perto dos recifes.

Wandoor Marine National Park ❹

Criado em 1983 para preservar os ecossistemas tropicais de 15 ilhas desabitadas das Andaman, o Mahatma Gandhi Marine National Park em Wandoor estende-se por mais de 280km². Ele abrange centenas de baías, recifes de coral, lagoas, florestas e mangues. Barcos da vila de Wandoor visitam lagoas com leitos marinhos caleidoscópicos, muitas vezes seguidos por bandos de golfinhos brincalhões.
A maioria das ilhas é protegida e portanto inacessível; no entanto, suas costas revelam uma fascinante transição de altas coberturas tropicais a mangues rasos. As únicas ilhas onde as visitas são permitidas são a Jolly Buoy, ideal para mergulhar, e a Redskin, com uma trilha natural bem sinalizada. Infelizmente, o tsunami de dezembro de 2004 causou muita destruição nos recifes de coral de Jolly Buoy.

Tipos de Coral
Corais podem ser de dois grandes tipos – duros ou moles. O colorido coral mole não tem esqueleto externo.

Anjo-do-mar
O anjo-do-mar é um dos peixes de coral de cores mais vivas. Com elas, ele consegue se camuflar, além de demarcar seu território.

Peixe-escorpião
Medindo até 40cm, este peixe tem em seus tentáculos um veneno que pode ser fatal para os humanos.

Caranguejo-gigante
Um dos maiores e mais raros caranguejos do mundo, suas poderosas garras o ajudam a subir em árvores como o coqueiro e a quebrar a dura casca de seus frutos.

Garoupa
Entre as espécies mais comuns, as garoupas podem mudar de cor para camuflar-se nas rochas e recifes próximos.

O RECIFE DE CORAIS

Chamados de florestas do mar, os multicoloridos recifes são delicados ecossistemas com uma espantosa variedade de vida marinha *(pág. 647)* e mais de 200 espécies de corais.

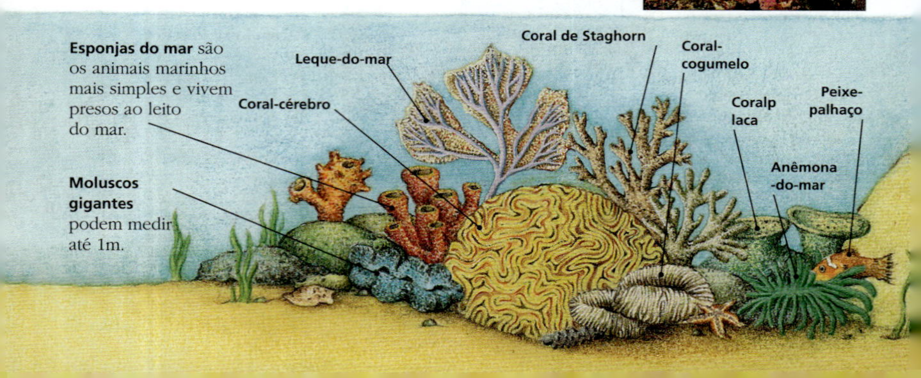

Cobra-da-Árvore-Verde
Uma das 40 espécies raras daqui, esta cobra inofensiva não tem presas e come répteis e sapos.

PREPARE-SE

South Andaman Island. 29km a SO de Port Blair. da vila de Wandoor. *Chief Wildlife Warden, Haddo, Port Blair, (03192) 233 549. Permite-se a entrada apenas nas ilhas Jolly Buoy e Redskin.* *diariam, conforme o tempo. Melhor época: dez-mar.* *O Alojamento Florestal tem quatro suítes.* *Mergulho.*

FLORESTA TROPICAL
A floresta tropical tem várias camadas, e inclui árvores gigantes como a *gurjan* e a *padauk*, uma rica camada baixa de epífitas e trepadeiras, e mais de 120 espécies de samambaias.

Mangues
Densas florestas de mangue crescem junto aos alagados das ilhas Wandoor e abrigam uma variedade de fauna, como cobras, caranguejos, crocodilos e aves aquáticas.

Barco desliza pela água transparente de uma lagoa, ilhas Andaman

Chiriya Tapu ❺

South Andaman Island. 28km ao S de Port Blair. *de Port Blair. Táxis disponíveis em Port Blair.*

A vila pesqueira de Chiriya Tapu ("Ilha das Aves"), no extremo sul da South Andaman Island, fica a uma hora de carro de Port Blair. Com suas praias brancas em uma grande baía, é uma ótima opção para um passeio de um dia.

Trilhas na floresta em volta dela são uma maravilha para observadores de pássaros, pois estão cheias de espécies variadas e raras, como nectarínia, martim-pescador, pica-paus e águias. Suas praias, como a pitoresca **Munde Pahar Beach**, são ótimas para mergulho, e há também boas instalações para acampar. Está sendo montado um parque biológico, para abrigar os animais do zôo de Port Blair *(pág. 618).*

Cinque Island ❻

39km ao S de Port Blair. *barcos a motor de Port Blair e Wandoor, ferryboats de Chiriya Tapu.* **Exige-se permissão** *para as Andaman* (pág. 758). *Só são permitidas visitas diurnas.*

A vulcânica Cinque Island é talvez a mais bonita de todas as ilhas Andaman, pois houve pouca interferência humana ao longo dos anos e é praticamente desabitada. Compreende duas ilhas, a North e a South Cinque, ligadas por uma faixa de areia, e foi declarada santuário em 1987. Em volta dela os recifes de raro coral e a variada vida marinha são excelentes para quem quer mergulhar nas Andaman. As praias de areia branca estão também entre os últimos refúgios de tartarugas-do-mar que vêm todo ano às centenas para procriar.

Arredores
Pequenos grupos de ilhas, as **Sisters** e **Brothers**, respectivamente a 12km e a 32km ao sul de Cinque, só podem ser visitadas junto com um grupo de mergulhadores profissionais. Grandes trechos da remota ilha ao sul de **Little Andaman**, 70km e oito horas de barco de Port Blair, são uma reserva para os cem membros sobreviventes da tribo Onge. Não se deve tentar contato com eles. Um trecho da parte norte da Little Andaman é aberto a visitação.

Caranguejo cavando uma casa temporária

Little Andaman
duas vezes por semana de Port Blair.

Ritchie's Archipelago ❼

Grupo de ilhas situado entre 20 e 40km a L da South Andaman. *de Port Blair e Rangat Bay (Middle Andaman).* **Exige-se permissão** *para as Andaman* (pág. 758).

Este grupo de pequenas ilhas conhecidas como Ritchie's Archipelago são em sua maioria protegidas como parques nacionais, para preservar sua biodiversidade. Apenas três ilhas são abertas a visitação e estão ligadas a Port Blair por ferryboat em determinados dias da semana.

A **Neil Island**, 36km a nordeste, é a mais próxima da capital e é habitada por colonos de Bengala. O interior é luxuriante, com arrozais e plantações; a ilha é a principal produtora de frutas e legumes frescos da região. As praias quase intactas são ideais para mergulho. A **Havelock Island**, 54km a nordeste de Port Blair, é a mais popular entre os visitantes por ser bem equipada, com pousadas do governo e particulares e um bazar principal com estoque variado. Vale a pena tentar as acomodações em tendas na Radhanagar Beach, no ponto oeste da ilha, onde se podem ver golfinhos e tartarugas nas longas extensões de areia branca. Os elefantes da ilha foram originalmente trazidos para trabalhar no setor madeireiro. Bicicletas e motos

Um colorido leque-do-mar e uma garoupa

Elefantes, indispensáveis para o comércio madeireiro das ilhas

podem ser alugados e são a melhor maneira de explorar o local.

A ilha mais ao norte do arquipélago é a **Long Island**, a 82km de Port Blair, e atrai poucos visitantes, talvez por exigir uma viagem de oito horas até lá. Mesmo assim, tem praias muito atraentes. Há apenas uma casa para descanso e quase não existe transporte público, embora se possam alugar bicicletas. A North Passage Island, 55km ao sul de Port Blair, tem uma belíssima praia de areia branca na Merk Bay.

Arredores: A **Barren Island**, 132km a nordeste de Port Blair, tem o único vulcão ativo da Índia. Ele teve duas erupções recentemente, uma em 1991, outra em 1994, depois de estar adormecido durante quase dois séculos. Erguendo-se do mar, sua enorme cratera continua a expelir fumaça. A ilha é hoje um santuário. Não há serviço público de ferryboats e só barcos fretados fazem o percurso de 20 horas desde Port Blair. Como é proibido aportar na ilha, os únicos visitantes são os mergulhadores, atraídos pela riqueza da vida marinha.

Abacaxi local, de cores exuberantes

TRIBOS NATIVAS

Até o século 18, as ilhas Andaman e Nicobar eram habitadas por 12 grupos de tribos nativas. Hoje, com a pressão das populações imigrantes e ameaçadas por doenças e pela perda da terra, seu número caiu de 5 mil para apenas 400. Os nicobareses mongolóides e as tribos shompens de Nicobar provavelmente migraram de Mianmá, mas as origens dos quatro grupos negritos –jarawas, grande-andamaneses, onges e sentineleses– continuam a desafiar os antropólogos. Destes, apenas o grupo maior dos nicobareses se integrou em parte, enquanto os onges e os grande-andamaneses dependem cada vez mais de subsídios e vivem em "reservas" tribais. Os sentineleses da North Sentinel Island, ainda são hostis, ameaçando estrangeiros com chuvas de flechas. Os shompens da Great Nicobar também são hostis com estranhos. A maioria dos grupos tribais sobreviveu ao tsunami de dezembro de 2004, seguindo seus próprios sistemas de alerta. Como últimos representantes de povos nativos verdadeiramente independentes, talvez sua única chance de sobreviver seja o isolamento auto-imposto.

Um nativo jarawa

Middle Andaman ❽

170km ao N de Port Blair a Rangat. *de Port Blair.* **Exige-se permissão** *para as Andaman* (pág. 758).

Esta é literalmente a ilha do meio das três Andaman. Longos trechos de seu interior são parte da bem protegida Jarawa Tribal Reserve. Os jarawas, caçadores-coletores, são provavelmente a última tribo de raça pura que resta na Índia. A Andaman Trunk Road corre ao longo da ilha, de Port Blair, passando pela Bharatrang Island, até a Middle Andaman. Mas, tendo em mente o bem-estar dos jarawas, só se estimula transporte público de forma limitada. A área em volta de **Rangat** é pródiga em florestas tropicas; a cidade tem poucas lojas. De **Rangat Bay** partem ferryboats para Port Blair e para a Havelock Island e a Long Island. A apenas 15km daqui fica a **Cuthbert Bay**, santuário para centenas de tartarugas-do-mar, que vêm todo ano procriar. **Mayabander**, no extremo norte, a 71km de Rangat, é um local belíssimo.

Algumas de suas praias, como **Karmatang**, são famosas pelo espetáculo de seu nascer do sol, e também são locais procurados pelas tartarugas-do-mar para procriar.

North Andaman ❾

290km ao N de Port Blair indo para Diglipur. *de Port Blair.* **Exige-se permissão** *para as Andaman* (pág. 758).

North Andaman é a menos povoada das três grandes ilhas. **Diglipur**, a nordeste, é um dos poucos locais com acomodações. É conhecida pelas suas praias –em especial Ram Nagar e Kalipur– e abriga o pico mais alto das ilhas, **Saddle Peak** (737m), que recentemente foi declarado parque nacional. Uma trilha de lindas paisagens leva ao pico.

A partir de **Aerial Bay**, 9km a nordeste de Diglipur, podem-se visitar as ilhas Smith e Ross *(pág. 619)*.

KERALA

Encravada entre as Ghats Ocidentais e o mar da Arábia, Kerala é um belo mosaico de coqueiros e arrozais, extensas praias e labirínticos remansos, montanhas verdejantes e florestas. Sua cultura diversificada é enriquecida pelas três grandes religiões que têm antigas raízes aqui. O hinduísmo é a religião da maioria, praticado com raro rigor, proibindo-se a não-hindus a entrada nos templos. O cristianismo, seguido por um quarto da população, foi trazido pelo apóstolo são Tomé e o islamismo, por comerciantes árabes no século 7°. Os tesouros arquiteturais do estado incluem o lindo palácio de madeira em Padmanabhapuram, majestosos edifícios coloniais e uma sinagoga do século 16 em Kochi. Este estado, de forte conscientização política, onde o poder se alterna entre partidos de centro e de esquerda, tem o maior índice de alfabetização da Índia. Muitos trabalham no Oriente Médio, e o dinheiro que enviam para casa contribui bastante para a prosperidade de Kerala.

PRINCIPAIS ATRAÇÕES

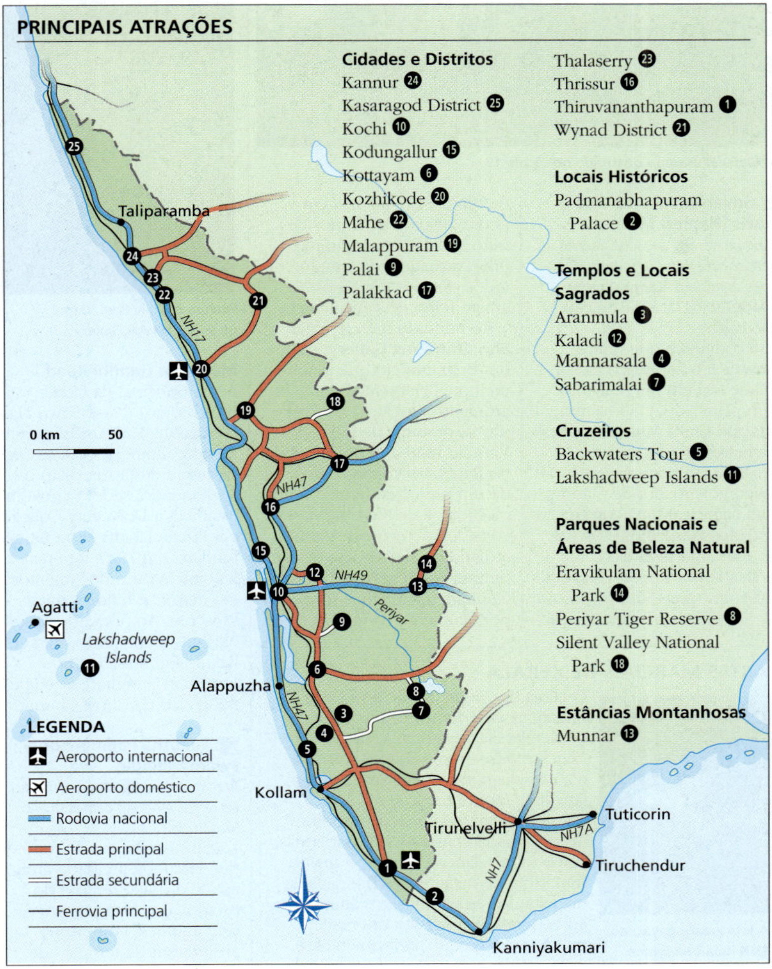

Cidades e Distritos
Kannur 24
Kasaragod District 25
Kochi 10
Kodungallur 15
Kottayam 6
Kozhikode 20
Mahe 22
Malappuram 19
Palai 9
Palakkad 17
Thalaserry 23
Thrissur 16
Thiruvananthapuram 1
Wynad District 21

Locais Históricos
Padmanabhapuram Palace 2

Templos e Locais Sagrados
Aranmula 3
Kaladi 12
Mannarsala 4
Sabarimalai 7

Cruzeiros
Backwaters Tour 5
Lakshadweep Islands 11

Parques Nacionais e Áreas de Beleza Natural
Eravikulam National Park 14
Periyar Tiger Reserve 8
Silent Valley National Park 18

Estâncias Montanhosas
Munnar 13

◁ **Canoas de madeira descansam nos remansos perto de Alleppey (Alappuzha)**

Thiruvananthapuram ❶

Vishnu de madeira

A capital de Kerala, até recentemente chamada de Trivandrum, foi sede da antiga família real Travancore de 1750 a 1956. O magnífico Anantha Padmanabhaswamy Temple deu à cidade o seu nome, Thiruvananthapuram –"Cidade Sagrada de Anantha", que é a sagrada serpente de mil cabeças na qual Vishnu está deitado. Estendendo-se sobre sete montanhas, a cidade tem seu bairro antigo em volta do templo, e na agitada Mahatma Gandhi Road abriga suas mansões coloniais, igrejas e modernos arranha-céus.

O Napier Museum, construído no século 19

Government Arts and Crafts (Napier) Museum

Museum Rd. seg (qua, manhã) e feriados para todos os museus. *todos os museus.* **Kanakakunnu Palace** ***Tel*** *(0471) 231 8294 para autorização.*

Este complexo que reúne museus e o zoológico da cidade fica em um conjunto bem planejado. O Government Arts and Crafts Museum, antes conhecido como Napier Museum em homenagem a um antigo governador de Madras, John Napier, é uma construção de tijolos vermelhos e pretos em estilo indo-islâmico, projetada por Robert Fellowes Chisholm *(pág. 569)* no século 19. Ela exibe uma rara coleção de bronzes, esculturas em pedra, belos ornamentos de ouro, entalhes em marfim e uma carruagem de templo, todos eles dos territórios do antigo reino de Travancore.

Ao norte do museu fica a **Shri Chitra Art Gallery**, em um belo edifício que junta os melhores elementos da arquitetura local. O destaque são as pinturas de Raja Ravi Varma (1848-1906) e de seu tio Raja Raja Varma, pioneiros de um estilo acadêmico único na Índia. Raja Ravi Varma foi considerado o melhor artista indiano de sua época, e suas pinturas de temas mitológicos inspiram as imagens religiosas populares que vemos em muitas casas indianas. O **Natural History Museum**, a leste, tem uma boa réplica de uma típica casa de madeira Kerala Nair, *naluketu*, com detalhes de sua construção.

O **Kanakakunnu Palace**, onde a realeza Travancore costumava entreter seus hóspedes, fica em uma colina junto ao complexo.

Um curto trajeto descendo a estrada a partir do complexo leva a Kowdiar Junction, uma rotatória de muros e grades de frente para o Kowdiar Palace, antiga residência oficial do marajá.

Pintura de Raja Ravi Varma na Sri Chitra Art Gallery

Mahatma Gandhi Road

A rua principal da cidade vai do Victoria Jubilee Town Hall ao Anantha Padmanabhaswamy Temple. Entre os edifícios de destaque desta rua estão o Secretariado, sede do governo estadual, a University College e a Public Library. Esta última, fundada em 1829, tem mais de 250 mil livros e documentos em malaiala, hindi, tamil e sânscrito. Ao norte, depois do elegante Connemara Market, ficam Jami Masjid, a St Joseph's Cathedral e o edifício neogótico da Christ Church.

Anantha Padmanabhaswamy Temple

Área do forte. *para não-hindus. Há regras especiais para vestuário (pág.762).*

Localizado dentro do forte que circunda a cidade antiga, este é o único templo do estado com uma *gopura* de sete andares, comum na arquitetura de templos de Tamil Nadu. A ornamentação

ARTES MARCIAIS DE KERALA

A luta kalarippayat, no CVN Kalari Sangham

O clima de guerra do século 11 deu origem às *kalaripayattu*, artes marciais de Kerala. Elas têm duas vertentes –a *chavverpada*, de esquadrões suicidas, e a *chekavan*, de guerreiros que duelam até a morte, a fim de resolver questões entre membros da nobreza. Os novatos são ensinados a usar armas como sabres, lanças, adagas, o *urumi*, (um sabre de metal flexível) e paus de madeira. No estágio final, os alunos aprendem a derrotar seu oponente pressionando certos pontos nervosos.

Para hotéis e restaurantes nesta região, ver págs. 714-7 e págs. 742-3

A imponente *gopura* do Anantha Padmanabhaswamy Temple

PREPARE-SE

Distrito de Thiruvananthapuram. 708km a SO de Chennai. *3.234.700.* *6km a O do centro, depois ônibus ou táxi.* *Tourist Facilitation Centre, Museum Rd, (0471) 232 1132; TRC, opp Chaitram Hotel, (0471) 233 0031.* *seg-sáb.* *Chandanakuda (mar/abr), Navaratri (set/out), Soorya Dance Festival (out), Nishangandhi Dance Festival (nov).*

mais sóbria, no entanto, é típica de Kerala. Há um mastro folheado a ouro no imenso pátio. O corredor principal, que corre em volta dos quatro lados do pátio, tem 324 colunas e duas fileiras de pilares de granito, cada uma embelezada com uma mulher segurando uma lamparina (*deepalakshmi*). A sala tem ainda animais mitológicos, esculpidos, com bolas de pedra que giram em seus maxilares. Ricos murais enfeitam as paredes externas do santuário interior, onde fica o Vishnu deitado de 6m, com sua cabeça voltada para o sul e os pés voltados para o norte.

Kuthiramalika Palace Museum

Área do forte. *ter-dom.* *pago à parte.* *Carnatic Music Festival (jan/fev).*

Este interessante museu (também conhecido como Puthen Malika) fica em um palácio do século 18 erguido por Raja Swathi Thirunal Balarama Varma, político, poeta, músico e reformador social. Exemplo da arquitetura de Kerala, este palácio de madeira tem pisos polidos e um telhado de cerâmica. Os entalhes em madeira são um destaque, especialmente os 122 cavalos enfileirados no beiral do edifício. Estão expostos vários artefatos da coleção real, um trono de cristal sólido dado pelos holandeses e outro esculpido a partir das presas de 50 elefantes.

CVN Kalari Sangham

Área L do forte. *seg-sáb.*

Este centro de treinamento de *kalaripayattu* foi fundado em 1956 para resgatar a tradição de artes marciais de Kerala. Toda manhã, alunos se reúnem no ginásio *(kalari)* para exercitar-se no combate. O centro tem também um santuário para a divindade das artes marciais, Kalari Paradevata, e uma clínica ayurvédica onde os alunos recebem massagens com óleo.

CENTRO DE THIRUVANANTHAPURAM

Anantha Padmanabhaswamy Temple ③
CVN Kalari Sangham ⑤
Government Arts and Crafts (Napier) Museum ①
Kuthiramalika Palace Museum ④
Mahatma Gandhi Road ②

0 metros 500

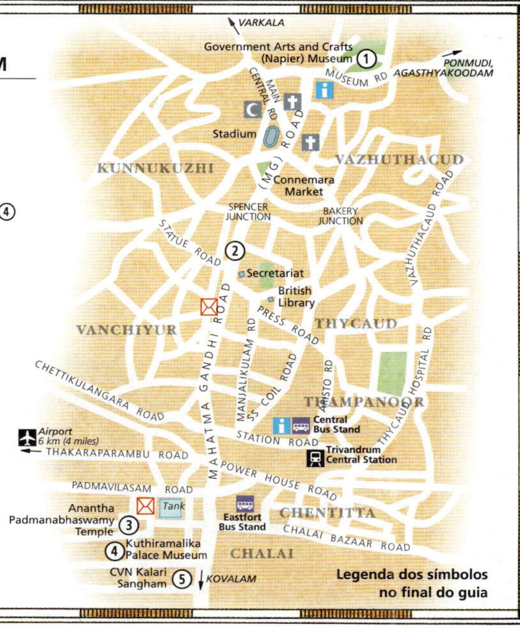

Arredores de Thiruvananthapuram

Thiruvananthapuram é o portal para o extremo Sul da Índia. Ao sul da cidade, ao longo do mar de Lakshadweep, há muitos resorts de praia, como o famoso Kovalam. O Padmanabhapuram Palace *(págs. 630-1)*, antiga residência dos reis Travancore, fica a sudeste, e ao norte e leste dela há tranquilas estâncias em locais pitorescos das montanhas Cardamom (Ponmudi), de densas florestas. Thiruvananthapuram tem muitas instituições importantes, como a estação meteorológica que tem a missão de mapear a chegada da Monção de Sudoeste. A cidade também é um dos principais centros de medicina ayurvédica de Kerala.

Lighthouse Beach, uma das muitas praias idílicas de Kovalam

Kovalam

Distrito de Thiruvananthapuram. 16km ao S de Thiruvananthapuram. *Tourism Office, (0471) 248 0085.*

Até 1960, Kovalam era apenas uma sonolenta vila pesqueira de ruas estreitas e moradias com teto de sapé e amplos pátios para secar peixes. Mas, depois que sua espetacular praia e suas águas rasas e cristalinas foram descobertas, virou refúgio de mochileiros e hippies e com o tempo ganhou reputação de ser um resort de segunda linha. Hoje, no entanto, ela atrai também os ricos e famosos, que chegam aqui de avião particular. Com isso, as praias ficaram pontuadas tanto de resorts de luxo como de pousadas, além de barzinhos e vários centros de ayurveda aprovados pelo governo, que oferecem desde uma simples massagem a tratamento de três semanas. Ambulantes também instalaram bancas de artesanato e roupa de praia barata. Apesar das levas de turismo, Kovalam preserva o charme que faz dela um dos melhores e mais populares balneários da Índia.

A baía de Kovalam é naturalmente protegida por dois promontórios. Suas quatro praias –Samudra Beach, Ashok Beach, Eve's Beach e Lighthouse Beach, todas a uma distância uma da outra fácil de percorrer a pé– oferecem muito sol, mar e areia. As praias ao sul do promontório são mais cheias, mas as do norte oferecem amplo espaço recolhido para se bronzear ao sol, nado seguro nas suas calmas águas azuis, passeios de catamarã e esportes aquáticos.

Vendedor de banana e outras frutas, em Varkala

Jovem exibe sua pesca, Kovalam Beach

Varkala

Distrito de Thiruvananthapuram. 40km ao N de Thiruvananthapuram. *Tourist Information Centre, perto do heliporto.*

Esta pequena e linda cidade de praia é tida pelos locais mais como um grande centro de peregrinação. Diz a lenda que o sábio Narada atirou no ar um tecido feito da casca de uma árvore e ele foi parar no ponto em que fica hoje Varkala. Narada então exortou seus discípulos a rezar por sua salvação na recém-criada praia, que passou a se chamar Papanasham Beach, ou "Praia da Redenção". Desde então, esta praia tem sido associada ao culto aos ancestrais e os hindus mergulham as cinzas de seus mortos aqui.

No centro da cidade fica o sagrado **Janardhana Swamy Temple**, que se julga ter mais de 2 mil anos. Dedicado a Krishna, o templo atrai muitos peregrinos. Diz-se que um dos sinos do templo foi dado pelo capitão de um veleiro holandês do século 17, como agradecimento por suas preces terem sido atendidas.

Outro local de peregrinação de Varkala é o **Memorial of Sree Narayana Guru** (1855-1928) no alto de uma colina em Sivagiri, 3km a leste do templo. Todo dia, inúmeros devotos vão até o memorial deste grande santo e reformador social que pregava "uma casta, uma religião e um só deus para todos".

Com seu pano de fundo de rochas vermelhas de laterita elevando-se acima da praia, Varkala hoje emergiu como um resort e spa muito popular. A cidade

Vista da ampla praia arenosa de Varkala

é famosa por suas fontes naturais com propriedades terapêuticas e é também um centro de ayurveda e de ioga. Ao sul fica o desolado Anjengo Fort, principal guarnição da Companhia Holandesa das Índias Orientais nos séculos 17 e 18.

Ponmudi

Distrito de Thiruvananthapuram.
61km a NE de Thiruvananthapuram.
Government Guest House, (0472) 280 230.

Ponmudi, literalmente "Coroa Dourada", eleva-se a 915m da sua base em uma densa floresta tropical. Cercado por campos de chá e montanhas verdes, esta estância é ainda pouco explorada, com ar fresco e névoa na maior parte do ano. Seus caminhos estreitos e sinuosos e arredores sempre verdes oferecem agradáveis passeios. Flores silvestres crescem às margens de regatos, o que dá um charme a mais a este tranquilo lugar.

Agasthyarkoodam

Distrito de Thiruvananthapuram.
60km a NE de Thiruvananthapuram.
Exige-se permissão pata trekking
Contate o Office of the Wildlife Warden, Thiruvananthapuram, (0471) 232 9925.

Com 1.890 m de altitude, Agasthyakoodam é o pico mais alto do sul de Kerala. Ele faz parte das Ghats Ocidentais e da floresta de Agasthyavanam, declarada santuário em 1992.

A montanha é cultuada por budistas e hinduístas, que acreditam ser a morada do Bodhisattva Avalokitesvara *(pág. 141)* e de Agastya, sábio discípulo de Shiva. Não se permite mulheres aqui. As montanhas são ricas em ervas medicinais e orquídeas e abrigam muitas espécies de pássaros e plantas. Trilhas até o pico (28km) levam dois dias e são permitidas somente entre dezembro e abril. O pico oferece belas vistas do grande lago criado pela represa de Neyyar.

MEDICINA AYURVÉDICA

Tratamento ayurvédico

Um texto clássico sobre medicina, o *Ashtangahridaya*, marca o início da ayurveda em Kerala. Vagbhata, seu autor, discípulo de um médico budista, teve pouco reconhecimento no resto da Índia. Os membros de poucas famílias nampoothiri (brâmanes) foram os primeiros médicos ayurvédicos e os seus descendentes ainda têm o título honorífico de *ashtavaidyan*. Hoje, esta ciência holística de cura é praticada em toda a Índia. Mas o método de Kerala é famoso por seu tratamento em cinco frentes, *panchakarma*, que usa óleos medicinais, ervas, leite, massagens e dieta especial para curar todo tipo de doença.

FESTIVAIS DE KERALA

Vishu *(abr)*. O primeiro dia do Ano-Novo Malaiala é celebrado em todo o estado. Acredita-se que olhar um grupo de objetos auspiciosos ao amanhecer garante um ano de paz e prosperidade.

Thrissur Pooram *(abr/mai)*, Thrissur. O destaque desta festa é a procissão de duas *devis* (deusas) em elefantes paramentados até o Vadakunnathan Temple. Os pára-sóis erguidos sobre os elefantes são trocados, em um estimulante ritual, acompanhado pela *chendamelam*, uma orquestra de instrumentos de percussão. Um show de fogos marca o clímax.

Onam *(ago/set)*. Festa mais popular de Kerala, homenageia Mahabali, governante generoso cujos súditos estavam tão contentes que os deuses ciumentos o fizeram perder sua vida e seu reino. Seu último desejo foi visitar seu povo uma vez por ano para ter certeza de que estavam bem. No Onam, cria-se uma aura de fartura para alegrar o coração de Mahabali. Há grandes festas, as pessoas vestem roupa nova e os pátios são enfeitados com padrões florais *(athapookkalam)*. A Nehru Trophy Boat Race *(pág. 36)* é realizada nesta época.

Elefantes enfeitados e músicos, em Thrissur Pooram

Padmanabhapuram Palace ❷

Situado em meio a montanhas, arrozais verdejantes e rios perenes, o Padmanabhapuram Palace é o melhor exemplo da característica arquitetura de madeira de Kerala. Disposto em uma sequência de quatro construções muradas contíguas, com áreas públicas e privadas, o palácio tem tetos de madeira ricamente entalhados, pilares esculpidos, janelas ripadas e telhados do tipo pagode. De 1590 a 1790, Padmanabhapuram foi sede do antigo principado de Travancore, que abrangia partes do atual Tamil Nadu e de Kerala. Por capricho do destino, este palácio muito bem preservado hoje pertence a Tamil Nadu, embora seja mantido pelo governo de Kerala.

Detalhe de uma porta entalhada de pau-rosa

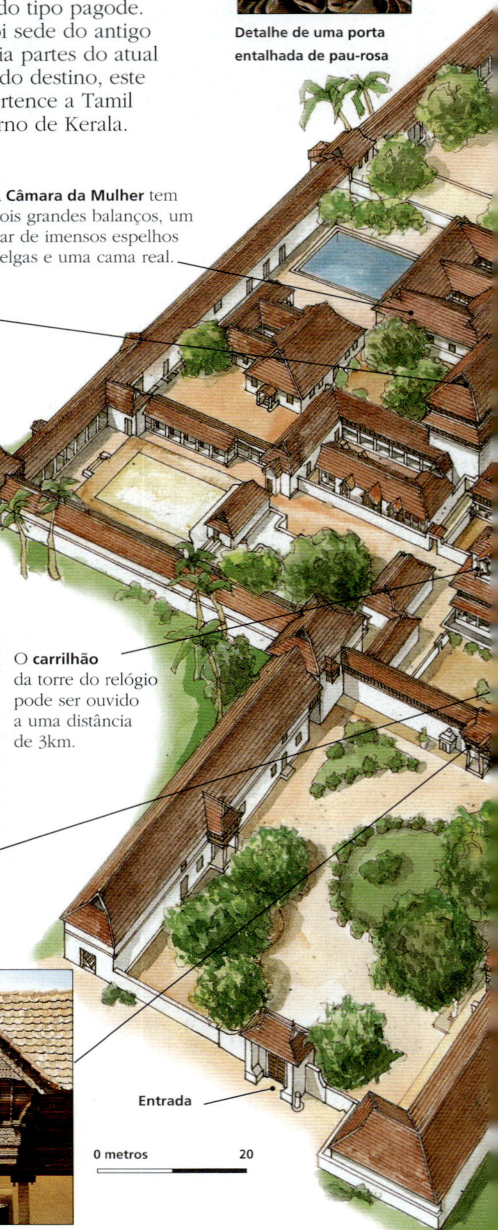

A **Câmara da Mulher** tem dois grandes balanços, um par de imensos espelhos belgas e uma cama real.

★ Sala de Orações
A sala de orações, no terceiro andar do King's Palace, tem belos murais nas paredes. Aqui, a cama medicinal, feita de 64 tipos de madeira, foi presente dos holandeses.

O **carrilhão** da torre do relógio pode ser ouvido a uma distância de 3km.

Hall de Entrada
O hall de entrada tem um teto de madeira todo entalhado com 90 flores invertidas, uma cama de granito polido e um trono chinês decorado.

Portão Principal
A entrada principal ao complexo do palácio é alcançada depois de se cruzar um grande pátio. Este portão tem um teto decorado de duas águas.

Para hotéis e restaurantes nesta região, ver págs. 714-7 e págs. 742-3

Janela saliente entalhada para observar procissões

Casa de hóspedes

A **Casa de Banhos** é um pequeno quarto arejado, onde os homens da família recebiam uma massagem antes de descer, por degraus cobertos, até um tanque particular, onde se banhavam.

PREPARE-SE

Estado de Tamil Nadu. Distrito de Kanniyakumari. 52km a SE de Thiruvananthapuram. ***Tel*** *(04651) 250 255. (04651) 250 255. ter-dom. pago à parte.*

★ Palácio da Mãe
Construído em 1550, é o edifício mais velho do complexo. Tem pilares com intrincados entalhes, feitos de madeira da jaqueira. O piso é polido com flores de hibisco, o que lhe dá o brilho vermelho.

Lustre
Um lustre em forma de cavalo (que simboliza coragem) no hall pende de uma corrente especial que o deixa em equilíbrio perfeito.

A **sala de jantar,** em dois andares, pode acomodar até 2 mil convidados.

O **museu do palácio** abriga artefatos de mobília, estátuas de madeira e granito, moedas, armas e utensílios.

★ Câmara do Conselho
A câmara do conselho do rei tem persianas de madeira que deixam entrar luz e ar. O brilho do piso foi obtido com uma mistura de cal, areia, clara de ovo, água-de-coco, carvão e açúcar.

PONTOS ALTOS

- ★ Sala de Orações
- ★ Palácio da Mãe
- ★ Câmara do Conselho

Elefante conduzido pelos degraus do Parthasarthy Temple, em Aranmula

Aranmula ❸

Distrito de Pathanamthitta. 125km a NO de Thiruvananthapuram. *de Alappuzha.* *Onam Boat Regatta (ago/set).*

A pitoresca vila de Aranmula, às margens do rio Pampa, é famosa como local da grande corrida de barcos-cobra de Kerala. A festa da corrida de barcos tem suas origens na lenda de um devoto que uma vez deu comida a um brâmane, que segundo a lenda era Vishnu disfarçado. Mas o brâmane, antes de desaparecer, aconselhou-o a enviar sua oferenda a Aranmula. Desde então, durante a festa, um barco cerimonial, esculpido a partir de um único bloco de madeira, carrega alimentos de uma vila próxima até o templo em Aranmula. No último dia de Onam *(pág. 629)*, este barco cerimonial lidera uma procissão de 30 barcos-cobra até o templo. Nesse dia, não há corrida e todos os barcos chegam juntos, pois se diz que Krishna está presente em todos eles ao mesmo tempo.

O **Parthasarathy Temple**, um dos cinco templos mais importantes do estado, é dedicado a Krishna e tem uma imagem do deus como Parthasarathy, o Divino Cocheiro no grande épico *Mahabharata*. A imagem foi trazida até aqui em uma balsa feita com seis bambus, e é isso o que o nome da cidade significa –em malaiala, *aaru* quer dizer seis e *mula*, bambu. Aranmula é conhecida também por seus espelhos de metal, feitos de liga de prata, bronze, cobre e chumbo, e tradicionalmente usados como parte do arranjo de objetos auspiciosos durante o Vishu, o Ano-Novo Malaiala, em abril *(pág. 629)*.

Arredores

Perto de Chengannur, 7km a oeste de Aranmula, o **Thiruvamundur Temple**, do século 14, é dedicado a Krishna e atribuído a Nakul, um dos cinco irmãos pandava *(pág. 26)*. Perto de Chenganacherry, 27km a noroeste de Aranmula, fica o **Tirukkotdittanam Temple**, do século 11, dedicado a Sahadev, irmão gêmeo de Nakul, que tem belíssimos murais ornando suas paredes.

Espelho de metal, Aranmula

Mannarsala ❹

Distrito de Alappuzha. 132km a NO de Thiruvananthapuram. ***Tel*** *(0479) 241 3214.* *Thulam (out/nov).*

O costume de adorar cobras em Kerala tem seu auge em Mannarsala, o mais famoso dos quatro principais templos Naga do estado. Diz a lenda que uma mulher da família de devotos de Naga deu à luz dois filhos, um deles uma serpente-criança que pediu à sua família que o adorasse e desapareceu. Os templos de Mannarsala, dedicados ao Rei das Cobras, Nagaraja, e sua esposa, Sarpayakshini, ficam em um denso bosque de altas árvores, cercado por milhares de serpentes de pedra de vários estilos e tamanhos.

Em Kerala, a casa ancestral *(tharavad)* dos membros ricos das famílias Namboothiri e Nair deve ter um *sarpakavu*, ou bosque para cobra, com um *nagakal*, ou serpente de pedra. Se um *tharavad* não tem condições de manter seu próprio santuário, as serpentes de pedra são oferecidas a este templo.

Os ritos sagrados de Mannarasala são conduzidos por uma sacerdotisa *(amma)*, uma virgem vestal que mora no local e tem apoio da família para seus deveres religiosos.

Casais sem filhos oferecem às divindades um vaso de bronze *(uruli)* virado para baixo, para obter sua bênção.

OS SAGRADOS SANTUÁRIOS DE SERPENTES

Em Kerala, a serpente sagrada tem papel significativo nas crenças e rituais. O folclore malaiala fala de bosques habitados quase só por *nagas* (serpentes) –as Senhoras do Mundo Subterrâneo–, destronadas pelos colonos brâmanes trazidos por Parasurama *(pág. 679)*, sexta encarnação de Vishnu. Tal incidente mitológico está na origem da adoração da serpente em Kerala, pois após a sua derrota Parasurama ordenou que se desse status divino às cobras. A maioria dos templos tem um nicho para um deus-serpente, entre bosques sagrados. As casas ancestrais *(tharavads)* têm também templos ou bosques para uma divindade-serpente.

Bosque sagrado com imagens de serpente (naga), Mannarsala Temple

Barcos de Kerala

A antiga indústria de barcos de Kerala é um dos aspectos de sua rica tradição de trabalhos em madeira, além da arquitetura *(pág. 638)*. Os barcos feitos em Beypore *(pág. 653)* eram apreciados e usados pelos mercadores árabes. A construção de um barco é sempre iniciada em um dia auspicioso do calendário malaiala, e marcado por uma invocação dos deuses. A madeira mais procurada é a *anjili (Artocarpus hirsuta)*, mas também se usa a teca. Barcos de corrida de vários tamanhos e formas participam da regata anual de Onam em Aranmula. O esguio *chundanvallam*, o barco-serpente, é o mais magnífico deles.

Canoa com popa esculpida

CONSTRUÇÃO DE BARCOS

Um mestre-artesão e sua equipe, com gente de diferentes religiões, constroem o barco, sem pregos nem peças de metal; só cavilhas de madeira mantêm as partes unidas.

REGATAS DE BARCO-SERPENTE

Barcos-serpente *(chundanvallam)*, que transportavam guerreiros, participam de regatas com enormes equipes. A Nehru Trophy Boat Race *(pág. 36)* existe desde 1952 e é a mais famosa.

O remo *perfeitamente sincronizado segue o ritmo das* vanchipattu *(canções do barqueiro). Temas devocionais, mitológicos ou da vida rural são os mais comuns.*

A proa em geral é manejada por quatro barqueiros

Remadores

Cantores

Amaram, a popa, é decorada com cravos de metal e incrustações.

Muitos **kettuvallams** *hoje viraram casas.* Kettu *quer dizer fardo e* vallam, *barco grande. Eles eram usados originalmente no transporte de pessoas ou de arroz.*

As canoas, *feitas em geral de um só tronco, podem carregar no máximo uma ou duas pessoas. Costumam ser usadas para cargas leves, como fibras de coco.*

Passeio pelos Remansos ❺

Um cruzeiro pelos remansos é uma das experiências mais encantadoras que Kerala pode oferecer. Explorar esse labirinto de cursos d'água, percorrendo vilas situadas no meio de vegetação exuberante, dá um vislumbre do singular estilo de vida rural de Kerala, onde terra e água são inseparáveis. O passeio mais popular pelos remansos parte de Kollam (Quilon), entre o lago Ashtamudi e o mar da Arábia, e vai até Alappuzha (Alleppey) à beira do lago Vembanad. Podem-se escolher como transporte os ferryboats e lanchas ou os *kettuvallams (pág. 633).*

LOCALIZE-SE

As flores silvestres *são um grave problema ecológico. Ao crescer sem controle, entopem os cursos d'água de Kuttanad, maior produtor de arroz de Kerala.*

As crianças indo para a escola *de barco são uma visão comum. Vários tipos de barcos são usados como transporte nos remansos, ligando as pequenas vilas ao continente.*

Os coqueiros margeiam os remansos. Além de coco, cultiva-se também arroz extensivamente em Kuttanad, área entre Kottayam e Alappuzha.

As **casas ao longo do canal** *têm um píer com barco ancorado. Geralmente o chão e a água ficam no mesmo nível, o que constitui um problema durante as monções.*

O **Coconut Lagoon** (pág. 715) *é um maravilhoso resort no lago Vembanad, junto à reserva de aves de Kumarakom.*

Os garotos *são especialistas em escalar coqueiros. A bebida local, de seiva de coqueiro fermentada, é vendida em barracas ao longo dos cursos d'água. A primeira fermentação é leve e deliciosa – mas a bebida fica bem mais forte nas fermentações subsequentes.*

DICAS

Trajeto 1: Kollam a Alappuzha
Saída: 10h30. Duração máxima: 8h. *District Tourism Promotion Council (DTPC), Kollam, (0474) 274 5625.*
Trajeto 2: Alappuzha a Kollam
Saída: 10h30. Duração máxima: 8h. *DTPC, Alappuzha, (0477) 225 3308.*
Mais detalhes: pág. 781.

As redes de pesca chinesas *são dispostas ao longo dos remansos. Um peixe popular em Kerala, o* karimeen *(mancha de pérola), é comum nestas águas.*

Crianças na água com tronco de bananeira

REMANSOS

Segundo a lenda, Parasurama, a sexta encarnação de Vishnu, criou Kerala ao jogar seu machado de batalha no mar. A abundância de canais e lagoas no estado parece reforçar essa lenda de uma terra nascida do mar.

Nesta vila produtora de fibra de coco, *as mulheres limpam e tecem a fibra para fazer cordas ou tapetes, às vezes com fibra tingida em cores vivas e desenhos geométricos.*

Cascas de coco *nas águas rasas perto das margens. Esse procedimento amolece as cascas antes de serem batidas para produzir as finas fibras. A polpa do coco é transformada em óleo ou usada na culinária.*

Plantações de chá em volta do Mattupetty Reservoir, em Munnar ***(pág. 648)*** ▷

Kottayam 6

Distrito de Kottayam. 160km ao N de Thiruvananthapuram. 60.750. *District Tourist Promotion Council, (0481) 256 0479. Festival de Teatro (jan).*

Tendo as águas azuis do lago Vembanad e os arrozais de Kuttanad a oeste, e as exuberantes montanhas das Ghats Ocidentais a leste, Kottayam é um dos distritos mais bonitos de Kerala. Seu clima e sua paisagem tornam a região muito próspera. O centro de Kottayam é rodeado por extensas plantações de borracha e outras lucrativas culturas, como chá, café, cardamomo e pimenta. Primeira cidade da Índia com 100% de alfabetização, é também o centro do setor editorial de Kerala e sede de muitos jornais e revistas malaialas. Uma cooperativa de escritores, a Sahitya Pravarthaka Sahakarana Sangham, fundada aqui há mais de 50 anos, teve papel crucial no estímulo à literatura malaiala.

Kottayam tem também uma antiga tradição cristã que foi preservada pela sua grande população síria. Foi uma das primeiras cidades a ser protegidas por são Tomé *(pág. 573)* no primeiro século. Das muitas belas igrejas e seminários que pontuam a paisagem, as mais conhecidas são as duas igrejas sírias ortodoxas, **Valia Palli** e **Cheria Palli**, ambas de meados do século 16. As igrejas ficam em um monte, cerca de 2km ao norte do centro da cidade, e têm coloridos afrescos nas paredes. Diz-se que a cruz nestoriana em Valia Palli veio da primeira igreja de Kerala, fundada por são Tomé em Kodungallur *(pág. 649)*. Cheria Palli tem painéis pintados atrás de seu altar principal, com cenas da vida da Virgem Maria.

Mural do majestoso templo Shiva de Ettumanur

Cruz nestoriana na igreja de Valia Palli, em Kottayam

Arredores

Mannanam, 8km ao norte de Kottayam, é um centro de peregrinação para cristãos sírios, que aqui promovem um dos maiores encontros religiosos da Ásia.

Kumarakom, uma reserva de aves às margens do lago Vembanad, fica 12km a oeste de Kottayam. Uma grande variedade de aves pode ser observada de pontos privilegiados que há na praia.

Um grande templo dedicado a Shiva em **Ettumanur**, 12km ao norte de Kottayam, tem belos murais, similares aos encontrados no Mattancherry Palace em Kochi *(pág. 642)*. O templo Mahadeva do século 11 em **Vaikom**, 40km a noroeste de Kottayam, é famoso por seus grandes cortejos de elefantes e espetáculos de danças tradicionais, que ocorrem todo ano entre novembro e dezembro. É também o local onde Gandhi conduziu um importante *satyagraha* (movimento de desobediência civil) para tornar templos acessíveis a todas as castas.

ARQUITETURA EM MADEIRA DE KERALA

A importância da arquitetura em madeira de Kerala é evidente em lendas em honra ao mestre-carpinteiro Perunthachhan. Palácios, templos e casas têm os característicos telhados inclinados para dar vazão às pesadas chuvas das monções, muitas vezes com cumeeiras decoradas com remates de metal. Às vezes são divididos em dois ou três andares sobrepostos com perfis piramidais. Não se usam pregos nas junções.

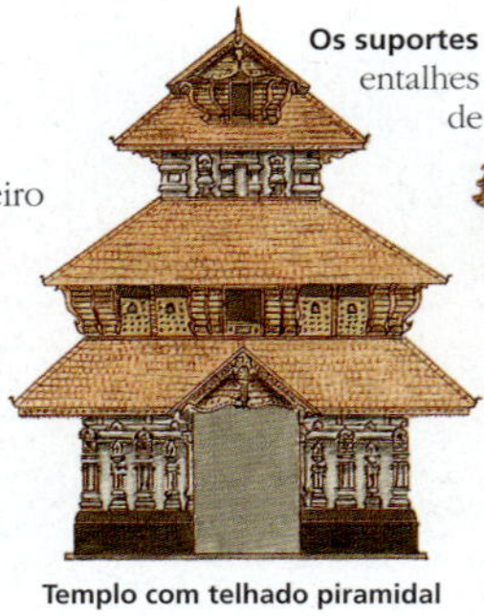

Templo com telhado piramidal

Os suportes costumam ter entalhes de *yalis*, figuras de deuses e deusas.

Os pilares de madeira são decorativos e funcionais, já que dão suporte ao teto.

A fachada barroca da igreja de St Thomas, em Palai

Sabarimalai 7

Distrito de Pattanamthitta. 191km ao N de Thiruvananthapuram. *para Pamba, depois a pé.* *Mandalam (dez/jan), Makaravilakku (meados-jan).*

Um dos mais famosos centros de peregrinação da Índia, Sabarimalai fica nas Ghats Ocidentais a 914m de altitude. Os últimos 14km a partir de Pamba, por densa floresta, são feitos a pé.

O foco da devoção aqui é o templo dedicado à popular divindade Ayyappa. O templo abre de novembro a meados de janeiro, em abril e nos cinco primeiros dias de cada mês do calendário malaiala. Pessoas de todos os credos podem rezar aqui, exceto mulheres entre 10 e 50 anos. Os últimos 18 degraus sagrados (cada um deles representando um pecado ao qual o devoto renuncia ao colocar o pé sobre ele) são revestidos de *panchaloha*, uma liga de cinco metais, e levam ao santuário. Somente aqueles que observaram 41 dias de penitência (celibato, vestir preto e não se barbear) são autorizado a empreender a peregrinação.

Periyar Tiger Reserve 8

Págs. 640-1.

Palai 9

Distrito de Kottayam. 175km ao N de Thiruvananthapuram. *Epifania (6 jan).* **St Thomas Church** *(malaiala) 6h, diariam.*

A próspera Palai é cercada por plantações de borracha. A pequena igreja do século 16, **St Thomas Church**, é a sua principal atração. Construída no estilo tradicional das primeiras igrejas cristãs de Kerala, tem um belo púlpito de madeira com uma base imitando um peixe, um altar principal entalhado e dois altares laterais mais simples. Há uma laje de pedra com inscrições em sírio. Atraentes candelabros de vidro ficam suspensos de todos os suportes e um lustre pende do teto. Ao fundo há um balcão de madeira. Ainda se reza missa aqui. Junto ao edifício há uma igreja moderna também dedicada a são Tomé.

CULTO A AYYAPPA

Devotos de Ayyappa, Sabarimalai

Divindade dravídica cultuada em toda Kerala, Ayyappa (ou Sastha), nasceu da união entre Shiva e Vishnu (que havia se transformado em uma mulher, Mohini). O bebê, encontrado às margens do rio Pamba, foi adotado pelo rei de Pandalam, que não tinha filhos. Ayyappa mais tarde revelou sua condição divina quando destruiu um demônio. Antes de voltar à sua morada celeste, no entanto, o deus lançou uma flecha no ar que caiu perto do *ashram* do sábio Sabari, onde um templo foi construído. Vavar, um guerreiro amigo de Ayyappa, é um santo muçulmano cujo *dargah* próximo é visitado por muçulmanos e hindus.

Os tetos dividem-se em painéis com entalhes de lótus ou de divindades hindus, como Brahma, rodeados de *dikpalas* (figuras de guardiães).

Koottambulams, tradicionais teatros, geralmente ficam junto a grandes templos e palácios. Eles servem como local para espetáculos de Koodiyattam (de dança e teatro).

Dentro dos *koottambulams* há altos pilares de madeira e *jalis* nos três lados para ventilação. O teto é projetado especialmente para oferecer excelente acústica.

Periyar Tiger Reserve ❽

Martim-pescador

A construção, em 1895, da represa de Mullaperiyar no rio Periyar, em Thekkady, submergiu grandes trechos de terra e criou um imenso lago de 26km². Anos mais tarde, em 1935, o então marajá de Travancore declarou que 600km² de florestas em torno do lago deveriam ser considerados um santuário ecológico. O lago Periyar hoje forma o núcleo do ecossistema do santuário, que, ao longo dos anos, foi sendo expandido para abranger atualmente 777km². Declarado uma Tiger Reserve em 1978, o santuário é um raro exemplo de interferência humana que resultou em uma melhora do ecossistema, e não na sua deterioração.

Visitantes apreciam a reserva de um barco no lago Periyar

Lake Palace

A antiga casa de caça do marajá de Travancore é hoje um agradável hotel dentro da reserva (pág. 716).

Pássaros

Os troncos petrificados que pontuam o lago servem como poleiros para pássaros que procuram peixes.

Wildlife

As florestas decíduas, pastos e interiores tropicais de Periyar são o hábitat do macaco-rabo-de-leão (esquerda), *em extinção, assim como do bisão-indiano* (gaur), *da preguiça e do lóris.*

Manadas de elefantes
O lago, fonte de água o ano inteiro, e os pastos abundantes fazem do santuário um hábitat ideal para elefantes, que hoje são em número de aproximadamente 800.

PREPARE-SE

Distrito de Idukki. 190km ao N de Kochi. *Forest Divisional Office, Kumily (04869) 22 2028, Tourist Information Centre, Kumily (04869) 22 2620.*

Esquilo Indiano Gigante
Este ágil esquilo pode dar saltos impressionantes de até 6m. É encontrado nas florestas decíduas e perenes de Periyar.

O **Mangaladevi Temple**, 15km a leste de Thekkady, fica a 1.337m de altitude e oferece excelentes vistas panorâmicas das montanhas verdejantes das Ghats.

Lago Periyar
Cruzeiros de barco de duas horas no enevoado lago oferecem excelente oportunidade para apreciar a vida selvagem, especialmente manadas de elefantes.

LEGENDA

- Rodovia nacional
- Estrada principal
- Estrada secundária
- Cais
- Informação turística
- Mirante
- Templo
- Acomodações

Orquídeas
Periyar é conhecida por suas muitas espécies de plantas ornamentais, incluindo perto de 150 espécies de orquídeas. A rara orquídea Habeneria periyarancis, *que leva o nome da região, só é encontrada aqui.*

Kochi ⑩

Máscara antiga

Kochi, mais conhecida como Cochin, é a mais cosmopolita cidade de Kerala, e também seu principal centro de comércio de especiarias e frutos-do-mar. Construída em torno de uma lagoa de água salgada do mar da Arábia, Kochi é na verdade uma coleção de estreitas ilhas e penínsulas. Ernakulam, no continente, ostenta seus shoppings de concreto e prédios de apartamentos, mas Mattancherry e Fort Kochi têm um charme antigo, com sua mistura de chalés holandeses, portugueses e ingleses, e graciosas ruas estreitas *(págs. 644-5)*. A linda localização do porto natural de Kochi, cercado de palmeiras, campos, lagos e remansos, vem encantando visitantes do mundo todo há séculos.

Brahma sai do umbigo de Vishnu, mural, Mattancherry Palace

Mattancherry Palace

Jew Town. ***Tel*** *(0484) 222 6085.*
sáb-qui.

O Mattancherry Palace, erguido pelos portugueses por volta de 1550, foi presenteado ao governador de Cochin em troca de direitos comerciais. Mais tarde reformado pelos holandeses, ficou também conhecido como Dutch Palace. O edifício de dois andares, em torno de um pátio com um pequeno santuário para a deusa Bhagavati, é hoje um museu com uma rara coleção de murais e objetos reais.

No Durbar Hall, onde eram realizadas cerimônias de coroação, está a galeria de retratos dos governantes Kochi, além de palanquins e tecidos. Os quartos anexos são famosos por seus belos murais do século 17, típicos da arte de templos de Kerala. Pintados em ricos tons de vermelho, amarelo, preto e branco, retratam temas religiosos e mitológicos, além de episódios do *Ramayana*.

Paradesi Synagogue

Jew Town. *dom-sex.*

Em um beco sem saída no final de uma ruela, no coração do bairro judeu da cidade, esta é a mais antiga sinagoga da Índia. Os primeiros judeus parecem ter chegado a Kodungallur *(pág. 649)* no século 1º. Seu núcleo, conhecido então como Shingly, prosperou ao longo dos séculos.

Mas a perseguição pelos portugueses no início do século 16 forçou-os a migrar para Cochin, onde ocuparam uma terra dada pelo rajá, erguendo uma sinagoga em 1568. A comunidade judaica de Cochin dividia-se em dois grupos –os judeus negros, ou malabares, que diziam ser descendentes dos primeiros judeus, e os judeus brancos, ou Paradesim, que vieram do Oriente Médio, e dos quais a

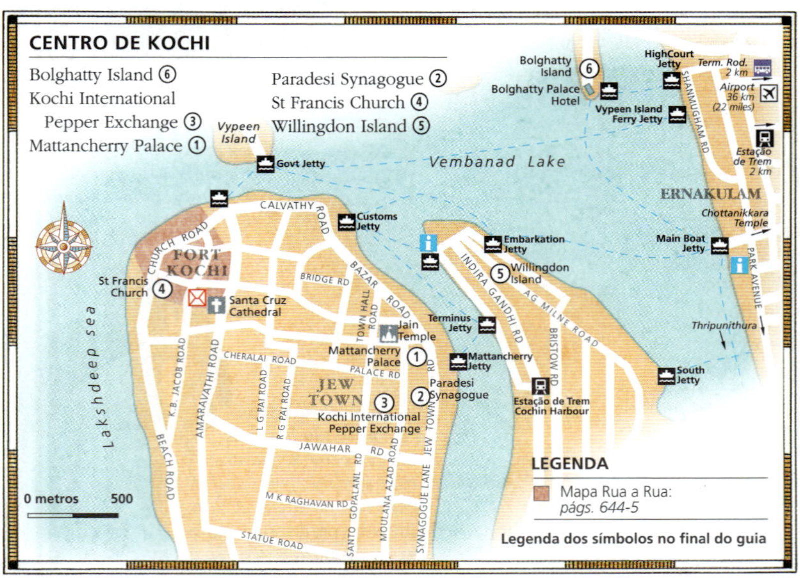

A sala principal com púlpito de metal e lajotas, Paradesi Synagogue

sinagoga leva o nome. Um terceiro grupo menor eram os judeus marrons, ou Meshuhurarum, descendentes de escravos convertidos, muitos dos quais dedicados ao comércio de especiarias. Em 1940, havia 2.500 judeus em Kerala; hoje resta apenas uma dúzia de famílias (as demais migraram para Israel).

A sinagoga atual, com seu telhado de cerâmica e torre com relógio, foi reconstruída em 1664 com ajuda dos holandeses, depois que os portugueses a destruíram em 1662. Entre seus tesouros estão pergaminhos de *Torá* de prata e ouro, lamparinas suspensas a óleo, lustres de cristal e um soberbo púlpito de metal. O piso é coberto por lajotas pintadas a mão com motivos de salgueiros, trazidas de Cantão no século 18 por um poderoso mercador, Ezekiel Rahabi. As ruelas em volta da sinagoga são cheias de casas em estilo holandês. Hoje, são na maioria lojas de antiguidades.

Kochi International Pepper Exchange

Jew Town. ***Tel*** *0484) 222 4263. Exige-se passe para entrar no hall.* *seg-sáb.*

Ao entrar aqui ouvimos vozes, conforme subimos as escadas. Mas nada indica ao visitante o que encontrará dentro –a pequena sala é cheia de cubículos, cada um com um homem falando animadamente ao telefone. Gestos teatrais acompanhados por uma cacofonia sonora marcam o leilão de pimenta, diário.

St Francis Church

Fort Kochi. *seg-sáb.* *(inglês) 8h, diariam.*

Fundada em cerca de 1500 pelos portugueses (que a chamavam de Santo Antônio), esta é uma das mais antigas igrejas européias da Índia, com uma fachada simples que virou modelo para igrejas posteriores. Tomada pelos holandeses e depois pelos ingleses, é hoje filiada à Igreja do Sul da Índia. Dentro há túmulos de pedra com inscrições, a mais antiga delas um epitáfio de 1562. Vasco da Gama *(pág. 653)* foi enterrado aqui em 1524 e seu corpo levado a Portugal 14 anos depois.

Ilha Willingdon

Esta ilha, que leva o nome do vice-rei, lorde Willingdon, foi criada na década de 1920 com os sedimentos dragados do aprofundamento do porto de Kochi. Situada entre Fort Kochi, Mattancherry e Ernakulam, tem bons hotéis, além do porto principal, o edifício Port Trust, a alfândega e uma importante base naval.

Lojas de antiguidades nas estreitas ruas da Jew Town

PREPARE-SE

Distrito de Ernakulam. 222km ao N de Thiruvananthapuram. *596.500.* *36km a L do centro, depois ônibus ou táxi.* *Tourist Information Centre, (0484) 236 0502; TRC, perto do cais de Ernakulam (0484) 235 3234.* *Onam (ago/set), Utsavam (nov/dez).*

A graciosa fachada do Bolghatty Palace, hoje um hotel

Ilha Bolghatty

Bolghatty Palace Hotel ***Tel*** *(0484) 275 0500.* *aberto apenas a não-residentes.*

Uma estreita faixa de terra, esta bela ilha com paisagens espetaculares da baía é o local do Bolghatty Palace. Em 6ha de gramados, esta estrutura palaciana foi erguida originalmente pelos holandeses em 1744 e mais tarde virou a casa do residente britânico. Hoje foi convertida em um hotel gerido pela Kerala Tourism Development Corporation *(pág. 714).*

Arredores

O dinâmico centro de negócios de Kochi, **Ernakulam**, fica 10km a leste de Fort Kochi. O Hill Palace, em **Thripunithura**,10km a sudeste de Ernakulam, é de 1895 e foi residência oficial dos antigos governantes de Cochin. O palácio, em um terreno muito espaçoso, é hoje um museu, com uma boa coleção de pinturas, manuscritos e objetos reais. As lajotas diferem de quarto para quarto, e as escadarias têm uma majestade própria. O **Chottanikkara Temple**, do século 10º, dedicado à deusa-mãe Bhagavati, uma das divindades mais populares de Kerala, fica 16km a nordeste de Ernakulam.

Thripunithura Museum

Tel *(0484) 278 1113. (0484) 278 1113.* *ter-dom.*

Rua a Rua: Fort Kochi

O porto natural de Kochi, criado por uma grande inundação em 1341, atraiu nações imperialistas e mercadores do mundo todo. No século 16, os portugueses construíram um forte aqui, mais tarde ocupado pelos holandeses e depois pelos ingleses. Com sua mescla de estilos arquitetônicos, o bairro conta a tumultuada história do Fort Kochi. O edifício mais importante é a St Francis Church, erguida pelos portugueses em 1502 e uma das mais antigas igrejas construídas por europeus na Índia. A área foi tombada para preservar seus muitos edifícios históricos.

★ Santa Cruz Cathedral
De 1887, esta catedral tem impressionantes pinturas no teto.

Kashi Art Café
Lindo restaurante em uma casa holandesa antiga, com uma galeria de arte.

Koder House
Residência de Satu Koder, patriarca dos judeus de Kochi, erguida por seus ancestrais em 1808. Foi transformada em um hotel-butique.

★ Redes de Pesca Chinesas
Erguidas pela primeira vez entre 1350 e 1450, estas redes suspensas indicam laços comerciais com a China.

Para hotéis e restaurantes nesta região, ver págs. 714-7 e págs. 742-3

Peter Celli Street
Muitos hotéis e lojas ficam nesta rua.

Bishop's House
Antiga casa do governador português no século 16, ela é hoje a casa do bispo de Kochi.

United Club, antigo clube inglês, hoje abriga uma escola.

Malabar House Residency
Esta casa histórica é hoje um maravilhoso hotel (pág. 715).

LEGENDA

--- Trajeto sugerido

★ St Francis Church
Vasco da Gama foi enterrado aqui em 1524, antes de seu corpo ser levado para Portugal.

PONTOS ALTOS

★ Santa Cruz Cathedral

★ Redes de Pesca Chinesa

★ St Francis Church

Ilhas Lakshadweep ⓫

Ave-do-paraíso

Antigas Lacadivas, as Lakshadweep são um arquipélago de 36 ilhas de coral, com praias virgens cheias de coqueiros, espalhadas pela costa de Kerala no mar da Arábia. Com uma área de apenas 32km², Lakshadweep (que significa cem mil ilhas) é a menor unidade territorial da Índia. Os atóis abrigam lagoas rasas que contêm a mais rica diversidade de corais da Índia e inúmeros peixes coloridos de recifes. Apenas duas ilhas, Bangaram e Kadmat, estão abertas a visitação de estrangeiros, enquanto os indianos têm seis ilhas à disposição; todas elas oferecem excelente oportunidade para a prática do mergulho.

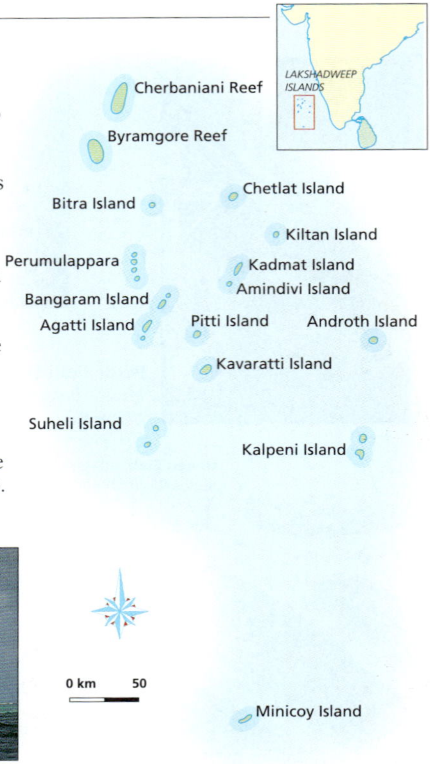

Windsurf na ilhas Lakshadweep

Kavaratti Island

450km a O de Kochi.
só para quem tem passaporte indiano.

Sede administrativa de Lakshadweep, Kavaratti é a ilha mais agitada, com muitas pessoas do continente, na maioria trabalhando para o governo. Tem belas praias e sua lagoa de água cristalina é popular entre os fãs de esportes aquáticos.

Há 52 mesquitas na ilha que servem sua população de maioria muçulmana. A **Ujra Mosque** tem um teto enfeitado, com entalhes em madeira flutuante. A ilha tem ainda um **Marine Aquarium**, que exibe uma variedade de corais e peixes tropicais.

Cabanas, Bangaram Island Resort

Agatti Island

55km a NO da ilha Kavaratti.
só para quem tem passaporte indiano.

O único aeroporto de Lakshadweep fica na ilha Agatti. Ela tem uma bonita lagoa e oferece fácil acesso a visitas diurnas aos habitantes das ilhas Bangaram, Tinnakara e Parali I e II. Embora todos os visitantes que chegam de avião tenham de passar por Agatti, a ilha não está aberta a visitantes estrangeiros.

Bangaram Island

58km a NO de Kavaratti.

A desabitada ilha Bangaram é coberta por coqueirais e tem lindas praias de areia branca.

O **Bangaram Island Resort** *(pág.715)*, gerida pelos Hotéis Cassinos de Kochi, tem cerca de 30 quartos, além de restaurante e bar. Sua lagoa, rica de corais e peixes tropicais, é excelente para mergulho. Os visitantes podem também escolher outros esportes aquáticos, inclusive vela. Para mergulhar exige-se atestado médico.

Kadmat Island

70km N da ilha Kavaratti.

Coberta de palmeiras, a ilha Kadmat tem duas ótimas lagoas, a leste e a oeste. O **Water Sports Institute** oferece canoagem, caiaque e passeios de barco com piso de vidro. A **Lacadives Dive**

Mergulho nas águas cristalinas das ilhas Lakshadweep

Para hotéis e restaurantes nesta região, ver págs. 714-7 e págs. 742-3

Pescadores catando moluscos entre os recifes nas águas rasas

School, nas mesmas instalações, oferece mergulho e tem instrutores qualificados.

Water Sports Institute
SPORTS Office, Kochi.
Tel (0484) 266 8387.

Lacadives Dive School
Tel Mumbai, (022) 5662 7381; Kochi, (0484) 236 7752.
www.lacadives.com

Kalpeni Island

125km a SE de Kavaratti Island. *só para quem tem passaporte indiano.*

A rasa e transparente lagoa da ilha Kalpeni é a maior de Lakshadweep. Com ótimos recifes, é ideal para mergulho. Resíduos de corais, depositados por uma tempestade em 1847, formam margens elevadas nas praias leste e sul. Os ilhéus de Kalpeni foram os primeiros a enviar meninas para a escola, sendo seguidos por outros que costumavam manter filhas e mulheres confinadas em casa.

Caranguejo saindo de uma concha

Minicoy Island

250km ao S de Kavaratti Island. *só para quem tem passaporte indiano.*

A ilha mais ao sul das Lakshadweep, Minicoy tem uma cultura singular, com influência das vizinhas Maldivas. O mahl, falado aqui, é um dialeto do dhivehi maldiviano, aparentado às línguas indo-persas, com uma escrita que corre da direita para a esquerda. Minicoy é chamada às vezes de "Ilha das Mulheres", pois suas dez vilas são matrilineares. Ela é também rica em artes cênicas; a tradicional dança Lava é apresentada em ocasiões festivas. A pesca do atum virou uma atividade importante com a abertura de uma fábrica para enlatar atum.

Minicoy tem uma grande lagoa e é a única ilha do arquipélago com uma extensão de mangues ao longo de suas praias. Um grande farol erguido pelos ingleses em 1885 enfeita uma esplêndida vista do mar.

PREPARE-SE

Union Territory of Lakshadweep. 200-450km a O de Kochi. *10.150 (Kavaratti).* *de Kochi a Agatti.* *de Kochi (30 horas).* *Há barcos para viajar entre as ilhas.* *A viagem para Lakshadweep só é possível como parte de um pacote turístico; não se permitem agendamentos individuais. Para agendar, contate a Lakshadweep Tourism's Society for Nature Tourism & Sports (SPORTS), escritório de Kochi, (0484) 266 8387. Informações no escritório de Délhi (011) 2338 6807.* **Exige-se permissão** *Que demoram dois meses no mínimo para sair* (pág. 758). *Contate o Kochi SPORTS Office. Muitas agências oferecem viagens entre outubro e março.*

VIDA MARINHA NOS RECIFES DE CORAL

As ilhas Lakshadweep são um conjunto de atóis –recifes corais em forma de anel–, os mais ricos da Índia. Formados ao longo de milhares de anos, são constituídos por bilhões de minúsculos organismos chamados pólipos. Parentes das anêmonas-do-mar, os pólipos constroem seus esqueletos fora do corpo. Ao crescer, seus esqueletos de calcário viram elaboradas formações de corais, com novas colônias espalhando-se sobre as mortas, em imensos recifes. O complexo e frágil ecossistema dos recifes reúne uma rica vida marinha. Mais de 600 espécies de peixes de recife, como o peixe-palhaço e o peixe-papagaio em uma imensa variedade de cores, moluscos gigantes com lábios roxos, delicados leques-marinhos e anêmonas-do-mar, estrelas-do-mar, golfinhos, tubarões inofensivos e tartarugas-do-mar compõem uma espetacular diversidade. (Dicas para mergulho ecológico, *pág. 619.*)

Parali Island, um dos atóis de Lakshadweep

Os **corais** *incluem mais de cem variedades raras, como os poritos, e aquele, em forma de cérebro* (direita) *e de chifre de cervo. As milhares de cores são produzidas pelas variedades de algas que crescem sobre eles.*

A torre de nove andares dedicada a Shankaracharya, em Kaladi

Kaladi ⓬

Distrito de Ernakulam. 35km a NE de Kochi.

Esta calma cidade à beira do rio Periyar é celebrada como o local onde nasceu o filósofo Shankaracharya. Há dois santuários (erguidos em 1910) em homenagem ao grande filósofo, às margens do rio. Um dedicado a ele e o outro à deusa Sharada, ambos mantidos pelo Sringeri Matha *(pág. 527)*.

Perto há um local, chamado Brindavan, onde Aryamba, a mãe de Shankaracharya, foi cremada. O velho Shri Krishna Temple, perto do Sharada Temple, tem uma imagem da divindade, que dizem ter sido instalada pelo próprio Shankaracharya. Na estrada para o Krishna Temple há uma torre octogonal de nove andares, com 46m de altura, a Shri Adi Shankaracharya Kirti Stambha Mandapa. Cada andar comemora a vida e as obras de Shankaracharya.

Arredores

A **Malayattor Church**, 8km a leste de Kaladi, é o local onde são Tomé ergueu uma cruz.

O **Kalill Temple**, 22km a sudeste de Kaladi, escavado na pedra e com mil anos, era originalmente um templo jainista. Agora é dedicado à deusa-mãe. Diferentemente de outros templos, aqui um elefante fêmea é usado em todas as cerimônias rituais.

Munnar ⓭

Distrito de Idukki. 130km ao N de Kochi. *Tourist Information Centre, Munnar, (04865) 23 1516.* *diariam.*

Pequena e pitoresca, Munnar fica a uma altitude de 1.800m, em uma parte das Ghats Ocidentais conhecida como High Ranges. O nome Munnar ("Três Rios" em tâmil) deriva de sua localização na junção de três riachos de montanha –Kundala, Mudrapuzha e Nallathanni.

Situada em 24.000ha de extensas plantações de chá, criadas pelos ingleses em 1878, Munnar já foi estância de verão do governo britânico no Sul da Índia. Hoje, a mais importante plantação das High Ranges pertence à Tata Tea, que supervisiona quase todas as propriedades públicas na vizinhança. O gracioso High Range Club, feito de vime, ainda é o centro social dos plantadores de Munnar, e preserva uma atmosfera antiga no concorrido "gentlemen's bar".

Munnar ainda é um destino popular para visitantes que vêm de Tamil Nadu e Kerala. Por isso, a cidade e seus arredores vêm ganhando muitos hotéis, restaurantes e shopping centers. Mas as áreas mais distantes do centro continuam relativamente calmas, e os suaves montes oferecem excelentes passeios de bicicleta e caminhadas.

Arredores

O **Mattupetty Lake**, 13km ao norte de Munnar, é cercado por um agradável cenário montanhoso. Próximo daqui, há um centro especializado em criação de animais.

Vista das plantações de chá em volta de Munnar

ADI SHANKARACHARYA (788-820)

Adi Shankaracharya, que morreu aos 32 anos, viajou pelos quatro cantos da Índia, escreveu muitos comentários às escrituras hindus e compôs poemas devocionais e orações. O cerne de sua filosofia monista é que existe apenas uma realidade e esta é Brahma, a força cósmica que tudo penetra e da qual a alma humana é parte, enquanto todos os objetos materiais são meras ilusões *(maya)*. Os elementos budistas de sua filosofia valeram-lhe a acusação por parte dos bramânicos ortodoxos de que ele era um "Buda disfarçado". Sua importância histórica está no fato de ter proporcionado uma base intelectual ao hinduísmo.

O filósofo Adi Shankaracharya

Para hotéis e restaurantes nesta região, ver págs. 714-7 e págs. 742-3

A deslumbrante paisagem do Eravikulam National Park

Eravikulam National Park ⓮

Distrito de Idukki. 16km a NE de Munnar. *ou auto-riquixá de Munnar a Rajamalai, ponto de entrada.* *Para informações, contate o Divisional Forest Officer, Munnar, (04865) 23 1587.* *ago-mai.*

Os campos ondulantes de elevada altitude, em contraste com as densas *sholas,* ou florestas tropicais dos vales, são típicos da paisagem das Ghats Ocidentais. O trecho mais preservado desta bela paisagem é o Eravikulam National Park, que se estende por 97km² na base da **Anaimudi Mountain**. Com uma altitude de 2.695m, ela é a montanha mais alta ao sul do Himalaia. E a Anaimudi, que significa "Cabeça de Elefante", de fato tem esse formato. O pico e seus arredores são excelentes para trilhas.

O parque, no limite entre Kerala e Tamil Nadu, foi criado em 1978 com o objetivo de preservar a tahr Nilgiri, um tipo raro de cabra montanhesa em risco de extinção *(pág. 19)*. Hoje, o parque abriga cerca de 3 mil tahrs, maior população do mundo desta cabra cinza-azulado. Muito ágil, ela habita as vertentes rochosas e pode ser observada bem de perto. O parque também é o lar de macacos, leopardos e bandos de *dhole,* o raro cachorro selvagem indiano. Suas corredeiras têm trutas e há também mais de 90 espécies de pássaros, incluindo canoros como o tordo-risonho.

Eravikulam é considerado um dos parques nacionais mais bem administrados do país. Membros da tribo muduvan, que vivem na periferia do parque, são empregados para ajudar na conservação. Seu método tradicional de queimar seletivamente partes dos campos previne grandes incêndios florestais e também ajuda a regenerar a tenra grama da qual os filhotes de tahr se alimentam. Eravikulam é famoso também pelas *kurunji (Strobilanthes kunthianus),* flores azuis que de repente florescem em massa a cada doze anos e transformam a paisagem rochosa em um verdadeiro mar de azul. A última florada de *kurunji* ocorreu no ano de 2006.

Flor *kurunji*

Kodungallur ⓯

Distrito de Thrissur. 32km ao N de Kochi. *Id (fev/mar), Bharani Festival (mar/abr).*

Conhecida como Muziris pelos gregos e como Cranganore pelos europeus, Kodungallur era a capital histórica dos Perumals, monarcas do império Chera *(pág. 43)*. Situado na foz do rio Periyar, este era o principal porto da costa de Malabar até que uma inundação em 1341 destruiu o cais. Depois dessa catástrofe, Kochi *(pág. 642)* passou a ser o porto principal.

Hoje a cidade é um destino importante para hindus, cristãos e muçulmanos. O **Bhagavati Temple**, no centro da cidade, é o local de uma festa de três dias de música e dança erótica. Este templo era originalmente o santuário de uma deusa dravídica. Depois foi tomado pelos budistas e mais tarde pelos jainistas. A festa marca a retomada do local pela deusa.

Diz-se que são Tomé *(pág. 573)* chegou aqui em 52 d.C. O **Mar Thoma Pontifical Shrine** abriga uma relíquia sagrada trazida do Vaticano em 1953 para celebrar a chegada do santo há 1.900 anos.

A **Cheraman Mosque**, a 2km do centro, foi construída em 629 d.C. por Malik Bin Dinar, introdutor do islamismo em Kerala. Talvez seja a primeira mesquita da Índia, e parece um templo hindu.

SISTEMA FAMILIAR MATRILINEAR DE KERALA

Chamado de *marumakkathayam* em Kerala, o sistema familiar matrilinear, pelo qual a herança é determinada pela linhagem feminina, evoluiu no fim do século 10º. Era um período de guerras mortíferas, e ao colocar as mulheres no centro da herança os homens podiam partir para a batalha sabendo que o bem-estar de suas crianças estaria protegido. Assim, as crianças levavam o nome familiar de suas mães, e eram identificadas como membros da família dela, tendo os irmãos no papel de figura paterna. Os nairs são conhecidos por este sistema, pois os guerreiros tradicionalmente provinham desta comunidade. Mas os antropólogos atribuem sua origem ao culto da deusa-mãe, muito predominante em Kerala.

Uma matriarca nair, de Kerala

O Elefante Asiático

A literatura, a arte e a cultura da Índia celebram o elefante. Ganesha, o filho de Shiva e Parvati com cabeça de elefante, é o Removedor de Obstáculos, e sempre se invoca seu nome antes de uma tarefa importante *(pág. 467)*. Ao contrário do resto da Índia, Kerala considera Ganesha uma divindade menor. Mesmo assim, os elefantes têm um papel central na vida diária e nas festas do povo de Kerala, que tem uma relação muito afetuosa com eles. Embora usados principalmente como animais de tração, os elefantes também participam de rituais nos templos, carregando divindades nas procissões, quando são paramentados de ouro. Os templos mais ricos têm seus próprios elefantes.

Ganesha, o deus-elefante

ELEFANTE ASIÁTICO
Habitante das florestas e planícies alagadas dos contrafortes do Himalaia, da Índia Central e das terras altas do Sul, o elefante asiático *(Elephas maximus)* não é tão alto quanto o africano, e suas orelhas são menores.

O **adulto** *(macho com presas) está em risco de extinção, apesar da proibição do comércio de marfim.*

Esta **gravura do século 19** *mostra como elefantes treinados eram usados para capturar os selvagens, conduzindo-os para as* khedas *(currais).*

Os elefantes de templo *são comprados, em geral, em Sonepur Mela, Bihar* (pág. 216). *Todo dia o condutor passa horas preparando o animal para as festas do templo. Os comandos são dados em malaiala.*

Em Kerala, *elefantes carregam a própria comida. As pessoas deixam os condutores de elefantes cortar quanto de palmeira o animal precisar – até 200kg por dia.*

Os ícones e motivos *que retratam elefantes são comuns na arte indiana, pois são parte da mitologia e da pompa hindu.*

Vista da católica Lourdes Cathedral, em Thrissur

Thrissur ⓰

Distrito de Thrissur. 80km ao N de Kochi. 317.500. *Tourist Office, Govt Guest House, (0487) 232 0800. Thrissur Pooram (abr/mai), Corridas de barcos de Kamdassamkadavu (ago/set).*

Esta cidade, construída em torno de uma área elevada chamada The Round, foi planejada no reinado de Raja Rama Varma, governador de Cochin (Kochi) no século 18. No centro de The Round fica o **Vadakkunnathan Temple**, com seus múltiplos telhados. Este grande templo a Shiva foi erguido no século 9º e tem belíssimos entalhes em madeira e ricos murais. A esplêndida festa da Pooram é realizada aqui todo ano, e as principais atividades têm lugar fora dos muros do templo (não se permite a entrada de não-hindus no santuário).

A nordeste do templo fica o State Museum, com uma boa coleção de murais, entalhes em madeira, esculturas e enfeites antigos. O Archaeological Museum fica perto daqui e atualmente está em reforma.

Entrada, Shri Krishna Temple

Thrissur é às vezes chamada de capital cultural de Kerala, pois abriga duas prestigiosas instituições culturais geridas pelo estado. São a Kerala Sangeetha Nataka Academy (para música e teatro) e a Kerala Sahitya Academy (para literatura).

A cidade foi durante séculos palco de levantes políticos, sendo governada pelos zamorins de Kozhikode *(pág. 653)*, por Tipu Sultan de Mysore e por governantes de Kochi. Holandeses e ingleses também marcaram presença na história deste distrito, o que fica evidente nas muitas igrejas em volta da cidade, como a **Lourdes Cathedral**, do século 19.

Vadakkunnathan Temple em Thrissur

Arredores

Guruvayur, 29km ao norte de Thrissur, tem o templo mais popular de Kerala. Diz a lenda que o Shri Krishna Templo, do século 16, foi criado por Guru ("Instrutor dos Deuses") e Vayu ("Deus dos Ventos"). O santuário ao elefante deste templo fica em um outro palácio. Ele abriga mais de 40 elefantes que pertencem à divindade –é habitual um elefante constituir oferenda.

Renomado centro de artes cênicas e ensino, o **Kerala Kala Mandalam**, fica 32km a nordeste de Thrissur. Fundado em 1930 pelo poeta malaiala Vallathol Narayan Menon, em Cheruthuruthy, ele oferece treinamento nas danças Kathakali, Mohiniattam e Koodiyattam. Formas de música instrumental e vocal também são ensinadas aqui. Faz parte do complexo também um grande *natyagriha* (salão de dança).

Kerala Kala Mandalam
Tel (04884) 26 2305 para autorizações. seg-sex. feriados, abr/mai.

A FESTA DA POORAM

A *pooram* (reunião) é uma festa do templo marcada pela cerimoniosa congregação, em um templo em particular, de divindades de vários outros templos. Há muitas *poorams* em Kerala, mas a de Thrissur é a mais espetacular. Realizada entre abril e maio, ela celebra a chegada em procissão de duas deusas diante de Shiva, que dá nome à cidade. Através de um mar de devotos e da hipnótica batida de instrumentos de percussão, duas fileiras de elefantes, com os centrais carregando as divindades, movem-se majestosamente uma em direção à outra. Fogos de artifício encerram as celebrações.

Elefantes na festa da Pooram

Palakkad ⓱

Distrito de Palakkad. 99km ao N de Kochi. *130.750.* *Tourist Information Centre, perto do Children's Park, (0491) 253 8996.* *Chariot Festival (out/nov).*

Situado na base das Ghats Ocidentais, Palakkad (Palghat) deriva seu nome das densas *(kadu)* árvores de *pala (Alsteria scholaris)* que antes cobriam a região, hoje ocupada por arrozais e plantações de tabaco.

O **Tipu's Fort**, no centro da cidade, foi erguido por Haider Ali de Mysore em 1766 e tomado pelos ingleses quando estes derrotaram seu filho e sucessor, Tipu Sultan *(pág. 517)*, 30 anos mais tarde. Esta sombria estrutura de granito hoje abriga vários escritórios do governo.

O grande **Vishwanatha Temple**, às margens do rio Kalpathy, é famoso por sua procissão de carruagens.

Na periferia da cidade ficam os amplos **Malampuzha Gardens**, que se estendem sobre uma imensa represa para irrigação construída no rio Malampuzha. Podem ser feitos agradáveis cruzeiros de barco em um grande lago que se aninha ao pé das montanhas.

Arredores
A cidade de **Kollengode** fica 19km ao sul de Palakkad e tem belíssimos arredores pastorais. O Vishnu Temple e o Kollengode Palace merecem a visita. **Thirthala**, 75km a oeste de Palakkad, tem um templo a Shiva e as ruínas de um forte. Sua atração mais importante, o Kattilmadam Temple, é um monumento budista de granito que data dos séculos 9º a 10º.

As desoladas ruínas do Tipu's Fort, em Palakkad

Silent Valley, um paraíso de plantas e ervas raras

Silent Valley National Park ⓲

Distrito de Palakkad. 88km a NO de Kochi. *Mannarkkad, ponto de entrada. Há jipes em Mukkali.* *Para autorizações contate o Wildlife Warden, Mannarkkad, (04924) 25 3225.*

O Silent Valley National Park, que se estende por 90km², preserva o que talvez seja o último trecho substancial de floresta tropical virgem. Parte importante da Nilgiri Biosphere Reserve *(pág. 520)*, ela é um exemplo da espetacular biodiversidade das Ghats Ocidentais. O parque é famoso por suas plantas e ervas raras, incluindo mais de cem espécies de orquídeas. Vivem na reserva tigres, elefantes, o langur de Nilgiri, o urso-preguiça, o tímido e noturno lóris-esbelto, e o macaco-rabo-de-leão, em risco de extinção. Uma variedade de pássaros, além de cem espécies de borboletas e 400 de mariposas, é encontrada aqui. Os visitantes podem fazer trilhas até a nascente do rio Kunthipuzha, que corre por este vale. Há acomodações no alojamento florestal em Mukkali, saindo do parque.

Lóris-esbelto

Malappuram ⓳

Distrito de Malappuram. 153km ao N de Kochi. *(0493) 2733 1504.* *diariam.* *Valiya Nercha (fev/mar), Shivratri (fev/mar).*

Esta cidade nas montanhas, na entrada da região de Malabar, é cortada por três grandes rios –Chaliyar, Kadalundi e Bharatapuzha. Centro militar dos zamorins de Calicute, foi palco de acirradas lutas entre ingleses e mopplahs (camponeses muçulmanos), conhecidas como Rebelião Mopplah.
O levante mais sério ocorreu em 1921, após o qual muitos rebeldes foram exilados para as Andaman *(págs. 618-9)*. O velho quartel inglês, em um monte junto ao rio Kadalundi, hoje abriga a administração distrital. Malappuram também é um importante centro de ensino hindu e islâmico.

Arredores
A instituição ayurvédica pioneira de Kerala *(pág. 629)* fica em **Kottakkal**, 12km a sudoeste de Malappuram. Criada em 1902, a Kottakkal Arya Vaidyasala está instalada em um esplêndido edifício e tem um centro de pesquisa

Arya Vaidyasala, em Kottakkal

e hospital. **Tirur**, 32km a sudoeste de Malappuram, é o local em que nasceu, no século 16, o pai da literatura malaiala, Tunchat Ramanuja Ezhuthachan, que também ensinou o alfabeto malaiala às crianças, prática que prossegue até hoje em um santuário dedicado a ele.

Um dos assentamentos pioneiros dos portugueses na costa de Malabar era em **Tanur**, 34km a sudoeste de Malappuram. Diz-se que são Francisco Xavier *(pág. 498)* chegou aqui em 1546.

Kozhikode ⓴

Distrito de Kozhikode. 254km ao N de Kochi. *436.600.* *Karipur, 25km ao S do centro.* *District Tourism Promotion Council, (0495) 273 4355.* *Shivratri Utsavam (fev/mar).*

Esta agitada cidade comercial, mais conhecida no mundo todo como Calicute, era a capital do reino dos poderosos zamorins (uma corruptela em português de seu título, Samoothiri). Sob seu governo a cidade prosperou como grande centro de comércio malabar de especiarias e tecidos, e é de Calicute que vem o termo calicó, sinônimo de algodão branco, cru. Foi em Calicute também que Vasco da Gama, o intrépido explorador português que descobriu o caminho marítimo para as Índias, foi recebido pela primeira vez pelos zamorins em seu palácio, em maio de 1498.

Dominando o centro da cidade fica o grande Manamchira Tank, tendo ao lado o Town Hall e a Biblioteca Pública, ambos belos exemplos de arquitetura tradicional. Uma impressionante catedral católica ergue-se perto do Manamchira Tank.

A herança muçulmana da cidade mostra-se nas diversas mesquitas, notáveis por seus entalhes elaborados e por suas grandes dimensões. A Mishqal Palli, perto do porto, é a mais impactante, com um telhado de cinco águas.

O **Pazhassirajah Museum** exibe esculturas de madeira e metal, modelos de templos e reconstruções de monumentos megalíticos. A Galeria de Arte vizinha tem pinturas de Raja Ravi Varma, pintor do século 19 que pertencia a uma rica família de Travancore *(pág. 626)*. A agitada área de compras de Kozhikode, chamada de **Sweetmeats Street**, era antes cheia de lojas que vendiam o famoso *halwa* de Calicute, um doce de cores vivas feito de farinha e açúcar. Hoje, a SM Street, como é popularmente conhecida, tem poucas lojas de *halwa*. A Court Road, que sai da SM Street, abriga o agitado Spice Market. Kozhikode é hoje o centro de armazenamento e negócios para a produção de Wynad *(pág. 654)*; especiarias como cravo, cardamomo, pimenta, cúrcuma e café são triadas e embaladas nos antigos armazéns à beira-mar.

Pazhassirajah Museum
East Hill. ***Tel*** *(0495) 238 1253.*
ter-dom.

Arredores

Um curto trajeto de carro de 16km para o norte da cidade leva à vila de **Kappad**, onde uma solitária placa de pedra na praia celebra o local em que Vasco da Gama aportou em 1498.

A vila histórica de **Beypore**, 10km ao sul de Kozhikode, é tida como a lendária Ophir, citada em textos da Grécia e da Roma antigas. Artesãos ainda seguem os métodos de seus ancestrais neste antigo centro de construção de barcos *(pág. 633)*. O tipo de barco que era construído aqui para os mercadores árabes há mais de 1.500 anos ainda encontra demanda na Ásia ocidental. Barcos antigos também vêm aqui para ser reparados.

Thusharagiri, a 50km de Kozhikode, é uma cidade rural que produz borracha, pimenta, gengibre e especiarias. Também é um destino procurado pelos adeptos de *trekking* e escaladas. As montanhas nos arredores oferecem trilhas emocionantes. A mais popular tem 12km e passa por três cachoeiras –uma delas tem uma queda de 75m– e sobe por uma floresta densa onde pode-se ver uma grande variedade de animais. O aeroporto mais perto fica em Karipur, a 23km de Kozhikode.

Fishermen with colorful nets in the harbor of Beypore.

A Casa na Árvore em Wynad, fundindo-se à paisagem silvestre

Distrito de Wynad ㉑

280km a NE de Kochi a Kalpetta. *Tourism Promotion Council (04994) 256 450.*

Região remota de florestas virgens e serras com neblina, Wynad oferece as condições climáticas ideais para as extensivas plantações de cardamomo, pimenta, café e borracha de Kerala. Relativamente preservada da modernização, a região é o lar de grandes grupos de tribos indígenas, como os cholanaikens, moradores de cavernas, e os oprimidos paniyas, que até 50 anos atrás eram vendidos como mão-de-obra a proprietários de plantações. Também é o hábitat de animais como o langur de Nilgiri, elefantes selvagens e o esquilo gigante de Malabar.

A porta de entrada para Wynad é **Lakkidi**, no seu extremo sul. Uma velha árvore na rodovia principal, enrolada em uma pesada corrente de ferro, é uma visão singular. A lenda local diz que ela prende o espírito furioso de um nativo paniya que indicou a um grupo de supervisores ingleses o caminho pela densa floresta. Em vez de ser recompensado, foi morto aqui e seu espírito assombrou a estrada até ser exorcizado.

Kalpetta, sede do distrito, fica 15km ao norte. Antes um grande centro jainista *(pág. 396)* tem agora dois templos jainistas próximos. O Anantanathaswami Temple fica em Puliyarmala, a 6km, enquanto o Templo de Vidro de Koottamunda, dedicado ao terceiro tirthankara jainista, Parsvanatha, fica na encosta da montanha Vallarimal, 20km ao sul. O pico mais alto desta área, o Chembara (2.100m) fica 14km a sudoeste de Kalpetta e é excelente para trilhas e observação de aves.

Sulthan's Bathery (Sultan's Battery), 10km a leste de Kalpetta, deriva seu nome de Tipu Sultan, de Mysore *(pág. 517)*, que ergueu um forte aqui no século 18. As **Edakkal Caves** ficam a 12km daqui. Suas inscrições e entalhes de figuras humanas e animais parecem provir de tempos pré-históricos; para alguns, estas cavernas eram refúgio de monges jainistas. Os arredores das cavernas são cheios de megálitos. O **Wynad (Muthanga) Wildlife Sanctuary**, 16km a leste de Sulthan's Bathery, foi fundado em 1973 e faz parte da Nilgiri Biosphere Reserve *(pág. 520)*.

Mananthavady, 35km ao norte de Kalpetta, foi palco de uma longa guerrilha entre o rei local, Pazhassi Raja, e soldados ingleses liderados por Lorde Arthur Wellesley, o futuro duque de Wellington, que derrotou Napoleão em Waterloo. E 32km ao norte fica o templo Vishnu de Thirunelli, erguido junto ao rio Paapanassini. É um importante local de peregrinação, onde os hindus realizam seus ritos funerários.

Floração de café em plantação de Wynad

Edakkal Caves
daily.

Wynad Sanctuary
taxa adicional. Autorização para o Wildlife Warden, Sulthan Bathery, (04936) 22 0454.

Ruínas do forte de Tipu, em Sulthan's Battery

Mahe ㉒

Território de Pondicherry. Distrito de Mahe. 48km ao N de Kozhikode. *Govt Tourist Home, (0495) 270 2304. Festa de Santa Teresa (out).*

Situado no rio Mayyazhi, este antigo enclave francês tem o nome do almirante francês Mahe de La Bourdonnais, que aqui aportou em novembro de 1741. Colônia francesa até 1954, é hoje parte do território de Pondicherry *(pág. 586)*. Restam apenas alguns vestígios da herança colonial de Mahe, entre eles a bela residência do administrador francês, na foz do rio. Ela é hoje o escritório-residência do administrador do governo indiano. A principal igreja de Mahe, a caiada St Theresa's Church, barroca, fica na rodovia. A "indústria" mais importante da cidade centra-se em torno do fornecimento de álcool barato, atraindo motoristas, principalmente de caminhão, que vêm de áreas próximas para se abastecer.

Peixeiros aguardando a captura do dia em Thalaserry

Thalaserry ㉓

Distrito de Kannur. 255km ao N de Kochi.

A pesca é a principal ocupação em Thalaserry (antiga Tellicherry), e observar a negociação da captura do dia pode ser uma experiência interessante. A Companhia Inglesa das Índias Orientais fundou um de seus primeiros postos comerciais em Thalaserry no fim do século 17. Em 1708, ela construiu um imenso forte de laterita na costa. Um velho farol ainda se ergue nos parapeitos, e há ainda dois túneis secretos, um dos quais leva até o mar.

O Thalaserry Cricket Club, fundado em 1860, é um dos mais antigos da Índia, onde o críquete foi introduzido no fim do século 18.

A região é um dos principais centros de *kalaripayattu (pág. 626)*, o que fez dela um centro de treinamento para artistas de circo. É comum ver rapazes no *kalari* (ginásio) exercitando seus músculos e praticando com armas de madeira. Muitas imagens de divindades enfeitam o *kalari*, dando-lhe um toque sagrado.

Fachada do forte em Thalassery

Kannur ㉔

Distrito de Kannur. 66km ao N de Kochi. *District Tourism Promotion Council, Taluk Office Campus, (0497) 270 6336. diariam.*

Esta bela cidade costeira, chamada de Cannanore pelos europeus, era um importante centro marítimo nos séculos 14 e15. Os portugueses ergueram o **St Angelo Fort**, 5km ao sul da cidade, em 1505. Esta enorme estrutura de laterita fica acima do cais de pesca e é protegida pelo mar em três lados. Foi depois ocupada pelos ingleses, que montaram uma grande guarnição militar aqui. A **Muzhapilangad Beach**, 15km ao sul de Kannur, é um local calmo com uma praia de 4km, segura para nadar.

O THEYYAM, A ESPETACULAR DANÇA RITUAL DE KERALA

Dançarino de Theyyam em seu traje colorido

Esta dança ritual, específica da região norte de Malabar, originalmente destinava-se a apaziguar antigas divindades da cidade, como a deusa-mãe, heróis folclóricos, ancestrais e espíritos. Com o advento do bramanismo, as divindades hindus ocuparam o lugar de muitas das antigas, e o panteão de Theyyam reduziu-se de 300 para cerca de 40 divindades. A apresentação do Theyyam começa com o *thottam* (canção), em louvor da divindade daquele ritual particular. Segue-se então a dança, cujos passos e posturas mostram a forte influência da tradicional arte marcial de Kerala, a *kalaripayattu*. O acompanhamento é feito com tambores, sopros e pratos. Os artistas são todos homens e usam máscaras, corpo pintado, roupas coloridas e imponentes cocares *(mudi)*, que muitas vezes alcançam altura de até 2 metros. Tenras folhas de coqueiro são cortadas em vários desenhos e formatos para compor o elaborado traje do dançarino. Os theyyams, em geral rituais anuais, ocorrem entre dezembro e maio. Mas no Parassinikadavu Temple, 20km ao norte de Kannur, o Theyyam é apresentado todos os dias.

Os parapeitos de laterita do Bekal Fort, na periferia de Kasaragod

Kasaragod District ㉕

400km ao S, de Kochi a Kasaragod. *Tourist Office, Bekal Fort, (04997) 27 2007.*

O distrito mais ao norte de Kerala, tendo as Ghats Ocidentais a leste e o mar da Arábia a oeste, é uma fértil região de montanhas com densas florestas e rios sinuosos. O distrito leva o nome de sua cidade principal, Kasaragod, um dinâmico centro dos setores de tear manual e fibra de coco. Cerca de 8km ao norte de Kasaragod fica o **Madhur Temple**. Este belo templo, com seu telhado de placas de cobre, tem uma privilegiada localização acima do rio Madhuvahini.

Situado 16km ao sul de Kasaragod, o **Bekal Fort** é o maior e mais bem preservado forte de Kerala. Esta estrutura imensa, circular, foi construída com grandes blocos de laterita e seu muro externo ergue-se majestosament mar a uma altura de 39m. Dentro há um túnel habilmente dissimulado que leva diretamente ao mar. As origens do forte estão envoltas em mistério, mas acredita-se que deve ter sido construído em meados do século 17 por um líder local, Shivappa Nayak, cujo feudo ficava na vizinha Karnátaka. Palco de muitos conflitos, o forte foi depois ocupado pelos ingleses após a derrota de Tipu Sultan *(pág. 517)*.

Há muitas belas praias ao norte e ao sul do forte. A mais próxima, **Pallikere Beach**, oferece uma espetacular vista do forte. O governo de Kerala, junto com a Bekal Resorts Development Corporation, tem planos de transformar a área em um grande complexo turístico. Cerca de 6km ao norte de Bekal, **Kappil Beach** é uma área protegida, ideal para nadar. O Kodi Cliff, em uma ponta desta praia, permite ver um belíssimo pôr-do-sol no mar da Arábia.

Luminária de templo

O **Chandragiri Fort**, às margens do rio Chandragiri, fica 10km ao norte de Bekal. Este forte do século 17 é também atribuído a Shivappa Nayak, que o construiu para defender seu reino contra os governantes Vijayanagar que a imponente Malik Dinar Mosque, perto daqui, foi fundada por Malik Ibn Dinar, discípulo de Maomé, que introduziu o islamismo em Kerala em 664 O túmulo de Malik Ibn Muhammed, um descendente de Malik Ibn Dinar, fica aqui.

O **Ananthapura Temple**, do século 9º, 30km ao norte de Bekal, é o único templo de Kerala no centro de um lago. Dizem ser a morada de Ananthapadmanabha, principal divindade do Anantha Padmanabhaswamy Temple em Thiruvananthapuram, a capital do estado *(pág. 627)*.

A pequena estância de montanha de **Ranipuram** fica 85km a leste de Kasaragod, entre extensas plantações de borracha e especiarias, e com boas opções de trilhas.

Esta região é também um centro para diversas artes cênicas, como o Theyyam *(pág. 655)* e a Yakshagana, a refinada arte popular de Karnátaka *(pág. 535)*.

O Ananthapura Temple, construído no meio de um lago

Para hotéis e restaurantes nesta região, ver págs. 714-7 e págs. 742-3

Kathakali: O Teatro-Dança Clássico de Kerala

O Kathakali é uma forma clássica muito evoluída de dança, teatro e música (tanto vocal como instrumental), com quase 400 anos de idade. Atores-dançarinos homens, em grandes saias rodadas, sofisticados penteados e jóias, encenam histórias dos Puranas e épicos, como o *Mahabharata* (*pág. 26*). De início, a história corre com simplicidade, depois atinge um clímax dramático. Os tambores frenéticos, o canto emocionado e os movimentos rítmicos dos dançarinos vão num crescendo, e as cenas de amor e coragem culminam no triunfo do bem sobre o mal. Tradicionalmente são espetáculos que duram a noite inteira, encenados nos pátios dos templos durante as festas religiosas. As apresentações modernas costumam ser mais curtas.

Um personagem *paccha*

Movimentos faciais *são usados para expressar emoções nos diálogoss.*

A maquiagem *leva até quatro horas e ajuda a definir os personagens. Pigmentos minerais e fuligem de lâmpadas são os ingredientes principais. Um babado de papel delineia o queixo.*

Tadi são personagens com barbas vermelhas, brancas ou pretas.

Pássaro mítico

Personagem *paccha*

Coroas com jóias são usadas pelos personagens *kathi*.

As unhas são compridas e prateadas.

O personagem feminino *(minukku)*

Saias rodadas

PERSONAGENS DO KATHAKALI

As roupas e maquiagem de rosto usam cores simbólicas. O verde *(paccha)* é para personagens divinos e heróicos, como Krishna e Arjuna, enquanto personagens reais mais arrogantes, como Ravana, são indicadas pelo recorte vermelho *(kathi)* aplicado sobre o nariz contra fundo verde. O preto *(kari)* é usado para os demônios.

Atores-dançarinos, *todos homens, não falam: usam* mudras *(gestos de mão) simbólicos e expressões faciais.*

Na percussão, *os dois tambores são o* chenda *e o* madalam. *O cantor marca o tempo com a* chengila *(gongo) e seu assistente toca pratos.*

ANDHRA PRADESH

Das intocadas praias de Visakhapatnam, na costa de Coromandel, aos verdes arrozais do distrito de Nellore, grande parte de Andhra Pradesh é ocupada pelo rochoso planalto Decã que se eleva 1.000m acima das férteis planícies costeiras. Este é o maior estado do Sul da Índia, com 275.000km². A língua mais falada pelos seus 78 milhões de habitantes é o telugu, mas também se usa o urdu em Hyderabad, capital do estado. Esta vibrante cidade foi até 1947 a sede da riquíssima família real dos Asaf Jahi Nizams. A variada herança cultural de Andhra Pradesh é visível em seus monumentos. Entre eles, o antigo sítio budista de Nagarjunakonda, o grande forte islâmico de Golconda e o templo hindu de Tirupati, na montanha, que atrai mais peregrinos que qualquer outro templo da Índia. O característico artesanato deste estado inclui tecidos ikat de trama soberba, jóias feitas com pérolas e o *bidri,* trabalho de incrustações em metal.

PRINCIPAIS ATRAÇÕES

Cidades e Distritos
- East Godavari District 10
- Hyderabad 1
- Kondapalli 13
- Machilipatnam 11
- Pochampalli 3
- Srikakulam District 9
- Vijayawada 12
- Visakhapatnam 6
- Warangal 4

Locais Históricos
- Amravati 14
- Chandragiri 19
- Golconda 2
- Nagarjunakonda 15
- Penukonda 22
- Ramatirtham 8

Templos e Locais Sagrados
- Alampur 17
- Lepakshi 23
- Palampet 5
- Puttaparthi 21
- Sri Kalahasti 20
- Srisailam & Krishna Gorge 16
- Tirupati 18

Áreas de Beleza Natual
- Borra Caves 7

Girassóis, dos quais se extrai o óleo, num campo perto de Alampur, na parte oeste de Andhra Pradesh

Hyderabad ❶

Mosaicos esmaltados, Badshahi Ashurkhana

Sexta maior cidade da Índia, Hyderabad foi fundada em 1591 e planejada em forma de grade, com Charminar *(págs. 662-3)* no seu centro. Hoje foi bem além dos limites da cidade murada, incluindo uma nova cidade ao norte do rio Musi, o quartel de Secunderabad e uma agitada localidade high-tech, apelidada de "Cyberabad". As atrações da cidade incluem os grandes palácios dos antigos governantes, os Nizams, e os agitados bazares e mesquitas da cidade antiga.

Retratos de Salarjung III e seu filho, pintados sobre marfim

A fachada neoclássica do Purani Haveli, do século 19

Purani Haveli (Nizam's Museum)

Perto de Mir Alam Mandi Rd. ***Tel*** *(040) 2452 1029.* *sáb-qui.*

Este amplo complexo de edifícios neoclássicos de meados do século 19 era a residência principal do sexto nizam, Mahbub Ali Pasha. Pode-se ter um vislumbre de seu luxuoso estilo de vida na ala leste do prédio principal, no Massarat Mahal. Ele abriga o imenso guarda-roupa nizam de madeira, um quarto de 73m² com closets em dois níveis e um elevador mecânico que dá acesso ao nível superior. Ele já guardou 75 ternos de tweed idênticos –o nizam gostava tanto deste padrão que comprou todo o estoque da fábrica escocesa.

Purani Haveli também abriga o Nizam's Museum, que expõe porcelana chinesa, objetos de arte de prata e fascinantes fotos mostrando a legendária opulência do nizam e sua corte.

Salarjung Museum

Near Naya Pul. ***Tel*** *(040) 2452 3211.* *sáb-qui.* *feriados.*

Sua eclética coleção de mais de 40 mil objetos pertenceu a Salarjung III, primeiro-ministro de Hyderabad entre 1899 e 1949. O gosto altamente individual de Salarjung ia de objetos de sublime beleza a outros que beiravam o kitsch, o que torna este museu tão fascinante.

O destaque do museu é a belíssima coleção de jade mogul, incluindo uma rara taça translúcida em forma de folha. Também há pinturas em miniatura, incluindo as da Deccani School local *(pág. 543)*, assim como esculturas indianas de pedra e bronze, objetos de marfim com entalhes e manuscritos islâmicos medievais. Um valioso *Corão* do século 13 tem as assinaturas de três imperadores mogul.

O gosto de Salarjung pela arte européia mostra-se em algumas peças de estatuária do século 19 e na coleção de pinturas a óleo, que tem Canaletto, Guardi e Landseer.

Osmania General Hospital

Afzalganj. ***Tel*** *(040) 2460 0121.* *diariam*

Espetacular edifício de pedra com altos domos, o Osmania General Hospital data de 1925 e era parte do sétimo plano nizam de modernização após a catastrófica inundação de 1908. Em frente, cruzando o rio, ficam a **Boys' High School** e a **High Court,** de granito rosa e arenito vermelho. Uma mistura de detalhe decorativo islâmico e interiores ocidentais, estes

OS NIZAMS DE HYDERABAD

Hyderabad era o maior e mais rico principado da Índia, do tamanho de Inglaterra e Escócia juntas. Seus governantes, os nizams, eram da dinastia Asaf Jahi, fundada em 1724 por Nizam-ul-Mulk, que veio a Hyderabad como governador mogul do Decã e depois proclamou sua independência quando o poder mogul decaiu em Délhi. A fabulosa riqueza dos nizams vinha de sua provisão de esmeraldas e das minas de diamante perto de Golconda, e contam-se muitas histórias sobre suas excentricidades. O sétimo e último nizam, Osman Ali Khan, o homem mais rico da Índia, ao contrário de seus ancestrais, era um notório avarento, que fumava pontas de cigarro e usava a mesma roupa remendada semanas a fio. Após a Independência, em 1947, os nizams relutaram em aderir à União Indiana. No entanto, eclodiram distúrbios e a ação do Exército indiano para restabelecer a ordem levou finalmente à adesão do estado.

Retrato do último Nizam (g. 1911-48)

Para hotéis e restaurantes nesta região, ver pág. 717 e págs. 743

três edifícios, assim como a estação de trem da cidade, foram erguidos entre 1914 e 1936 e são projeto do arquiteto inglês Vincent Esch.

Badshahi Ashurkhana

Patthergatti Rd. *diariam, com autorização do zelador*

O edifício histórico Ashurkhana, ou "Casa Real do Pesar", foi construído em 1595 por Muhammad Quli Qutb Shah, quinto governante Qutb Shahi *(pág. 667)*, como sala de reunião para os xiitas durante o mês do Muharram. Ele abriga belos *alams* (estandartes cerimoniais) de ouro, prata e pedras preciosas, levados em procissão no Muharram *(pág. 669)* e expostos aqui todas as quintas-feiras.

Requintados mosaicos esmaltados enfeitam o nicho central e a parede oeste, em amarelo brilhante, laranja e turquesa. A sala exterior com colunas de madeira foi acrescentada mais tarde.

Charminar
Págs. 662-3.

Mecca Masjid
Págs. 662-3.

Esplêndido mosaico cerâmico do século 17 no Badshahi Ashurkhana

PREPARE-SE

Distrito de Ranga Reddy. 688km ao N de Chennai. *3.449.900.* *16km ao N do centro, depois ônibus ou táxi.* *AP Tourism, (040) 2329 8456.* *diariam.* *Muharram (mar/abr), Mrigasira (jun).*

Falaknuma Palace

Perto de Naya Pul. *em reforma; checar data de reabertura.*

O mais luxuoso de todos os palácios nizams, o Falaknuma Palace foi construído em 1872. A fachada é em estilo paladiano, e a parte de trás é uma miscelânea de domos e cúpulas indo-islâmicos, que abrigam a zenana. Uma imensa quantia de dinheiro foi esbanjada nos interiores, com tetos de couro trabalhado por artistas florentinos, mobília e tapeçaria francesas e mármore importado da Itália.

Os nizams traziam seus hóspedes mais importantes, como o rei Jorge V, para Falaknuma, mas após a morte do sexto nizam aqui, em 1911 (após uma pesada bebedeira), ele raramente foi usado. O palácio está sendo agora convertido em hotel de luxo.

Hyderabad Rua a Rua: Charminar

Detalhe de arco, Charminar

No coração da Cidade Velha, Charminar ("Quatro Torres") é o marco de Hyderabad. Foi construída em 1591 pelo rei Muhammad Quli Qutb Shah, da dinastia Qutb Shahi *(pág. 666)*, e, segundo a lenda, assinala o ponto onde ele viu pela primeira vez sua amada, a bela dançarina hindu Bhagmati. Outra história diz que ele a construiu como agradecimento pelo fim de uma epidemia mortal. Hoje, Charminar é o eixo de uma área comercial, onde as grandes mesquitas e palácios dos antigos governantes são rodeados por agitados bazares que vendem de pérolas e perfumes a repolhos e computadores.

Bonés à venda na calçada fora da Mecca Masjid

★ Mecca Masjid
Construída entre 1617 e 1694, esta imensa mesquita tem tijolos de Meca no seu arco central. Vários nizams estão enterrados aqui.

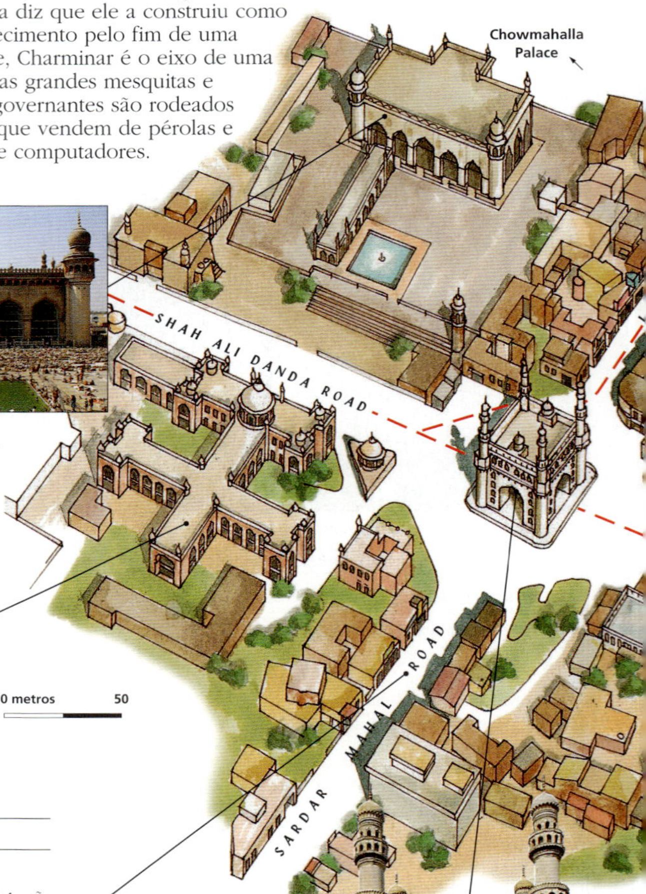

O Unani Hospital foi construído pelo último nizam por volta de 1920 para a prática da medicina tradicional greco-árabe.

LEGENDA

- - - - Percurso sugerido

Folhas de prata são batidas para virar finas lâminas nas lojas desta rua e usadas para decorar doces.

PONTOS ALTOS

★ Mecca Masjid

★ Charminar

★ Lad Bazaar

★ Charminar
Grandes arcos emolduram os quatro lados de Charminar e, no andar superior, fica a mais antiga mesquita da cidade. Os minaretes alcançam 54m.

Para hotéis e restaurantes nesta região, ver pág. 717 e pág. 743

★ Lad Bazaar
Braceletes, lantejoulas, bordados, turbantes de brocado, henna, poções de ervas e outros itens necessários para um enxoval de noiva são vendidos neste colorido bazar.

Attar Shop
Óleos aromáticos, em frasquinhos, incluem uma especialidade local, o gil, com a fragrância de terra molhada após a primeira chuva de verão.

Charminar Kamaan serviu de entrada para a mesquita real dentro de Charminar. Perto daqui há lojas que vendem pérolas.

Sher-e-dil Kamaan tem lojas que vendem lindos brocados e sáris de seda antigos.

Machhli Kamaan
Um dos quatro arcos cerimoniais, construídos em 1594 em um espaço aberto onde se realizavam desfiles. O auspicioso símbolo do peixe, entalhado, denota prosperidade.

Jami Masjid
Esta mesquita simples, caiada, de 1597, é a segunda mais antiga de Hyderabad.

Explorando Hyderabad e Secunderabad

No século 19, Hyderabad começou a se expandir além dos limites do bairro antigo, cada vez mais saturado em ambas as margens do rio Musi. Novos palácios e a instalação militar inglesa de Secunderabad foram então construídos na periferia da cidade.

Birla Archaeological Museum

na frente do Ravindra Bharathi, Saifabad. **Tel** *((040) 2323 5081.* *seg-sáb.* *feriados.*

Localizado no alojamento de caça do século 19 do sexto nizam, o Asmangarh Palace é hoje o Birla Archaeological Museum. Entre suas peças estão esculturas e artefatos de metal escavados de sítios de Andhra Pradesh, como alguns belos bronzes de Shiva e Vishnu.

A curta distância para o sul fica um obelisco que assinala o túmulo de Michel Raymond. Este mercenário francês, que lutou no exército do nizam de 1785 até sua morte em 1798, virou herói local, cultuado por muçulmanos e hindus.

The Residency

Koti. *seg-sáb.*

Esta fina mansão paladiana, hoje a University College for Women, foi erguida em 1805 pelo terceiro nizam como um presente para o residente britânico de sua corte, James Kirkpatrick. Era bem decorada, com teto pintado e espelhos e lustres do Brighton Pavilion da Inglaterra. O frontão acima do pórtico ainda traz o escudo de armas da Companhia das Índias Orientais, com o leão e o unicórnio.

No terreno há uma pequena réplica do prédio principal, que Kirkpatrick construiu para a sua aristocrática esposa de Hyderabadi, Khairunissa Begum –uma relação que causou grande escândalo na época. Há um pequeno cemitério inglês no terreno.

State Archaeological Museum

Assembly Rd, ao N da estação de trem. **Tel** *(040) 2323 2267.* *sáb-qui.* *sex e feriados.*

Dois grandes portais em estilo normando marcam a entrada aos Nampally Public Gardens, onde fica o State Archaeological Museum. Ele possui uma grande coleção de arte budista, alguns belos bronzes chola, moedas romanas e até uma múmia egípcia. Há também réplicas de murais e esculturas das cavernas Ajanta e Ellora *(págs. 476-81)*. Perto daqui fica a State Legislative Assembly (construída em 1913), um complexo com abóbada modelado em um palácio de Rajasthan.

O lago Hussain Sagar, com uma estátua gigante do Buda

Hussain Sagar

Este imenso lago, criado no século 17, fica junto à Mahatma Gandhi Road, que divide Hyderabad de Secunderabad. O trecho de 3km de estrada ao longo de seu limite sul é o passeio mais popular de Hyderabad, cheio de estátuas de figuras eminentes da história de Andhra Pradesh. No centro do lago há uma rocha, sobre a qual foi erguida uma estátua monolítica do Buda, de 17m e 350 toneladas. Concluída em 1986, ela afundou no lago quando o barco que a carregava virou. Foi finalmente salva (intacta) sete anos mais tarde e instalada na rocha em 1994.

Secunderabad

A nordeste de Hussain Sagar ao longo da Tank Bund Road, Secunderabad foi fundada em 1806 como acantonamento para soldados ingleses. Desde então cresceu e virou uma dinâmica cidade que é uma extensão de Hyderabad. No seu centro fica o **Parade Ground**, e mais acima a **St Andrew's Church** e o **Secunderabad Club**, em imponente estilo colonial. A neogótica **Holy Trinity Church** (de 1848) fica 6km ao norte do Parade Ground, e tem belos vitrais, elegantes agulhas em sua torre quadrada e um cemitério inglês.

O complexo murado dos **Paigah Palaces**, onde residia a aristocracia de Hyderabad, fica 2km a oeste do Parade Ground, em frente ao Begumpet Airport. O palácio mais imponente é o Vicar Manzil, erguido pelo principal nobre da corte do sexto nizam, sir Vicar-ul-Umra; ele havia construído o magnífico Falaknuma Palace *(pág. 661)* para si, mas teve de se mudar quando o nizam decidiu adquiri-lo. Na entrada fica a **Spanish Mosque** (de 1906), com arcos mouriscos e agulhas octogonais.

A Spanish Mosque, na entrada do Vicar Manzil, Secunderabad

Para hotéis e restaurantes nesta região, ver pág. 717 e pág. 743

A Cultura de Hyderabad

O sultão muhammad Quli Qutb Shah, que fundou Hyderabad em 1591, era um governante esclarecido, além de poeta, erudito e patrono das artes. Seu reino era também um florescente centro de comércio, em especial de pérolas, diamantes e cavalos. Na corte e nos bazares, as pessoas de Hyderabad viviam lado a lado com comerciantes, eruditos e artesãos de vários países. Esta tradição cosmopolita e a elegância e etiqueta da corte continuaram na dinastia seguinte –a dos Asaf Jahi Nizams, que governaram de 1724 a 1947. Como resultado, Hyderabad tem uma cultura rica e única, unindo costumes muçulmanos e hindus, com influências árabes, persas e turcas, evidentes na língua, na culinária, nos modos e na arte.

Caixa de alimentos de ouro

O bidriware *usa uma técnica introduzida pelos persas no século 16, na qual uma liga escura de cobre e bronze recebe incrustações de prata, em padrões florais e geométricos.*

A cozinha típica de Hyderabad *inclui pratos de origem persa e turca, como o* haleem *(carne moída cozida com trigo) e o* lukmi *(pastéis quadrados recheados de carne).*

O Falaknuma Palace, *aqui em uma fotografia do fim do século 19, feita pelo fotógrafo da corte Lala Deen Dayal, mostra bem a opulência do estilo de vida dos nizams de Hyderabad.*

As jóias dos nizams *eram legendárias, incluindo peças fabulosas como este enfeite de turbante do século 19, ornado com rubis da Birmânia e diamantes de suas minas de Golconda* (pág. 666).

O muharram (pág. 669) *é observado por procissões de muçulmanos shias carregando* tazias *decoradas pela cidade. A população shia de Hyderabad descende principalmente de persas que se instalaram aqui há várias gerações.*

Miniaturas de Golconda *retratam a sofisticada e cosmopolita cultura da cidade. Nesta pintura do século 18 mercadores de várias terras fazem pedidos a uma dama.*

Golconda ❷

Entalhe em parede, Bala Hisar Gate

Espalhada por um planalto rochoso, Golconda ("Montanha do Pastor") Fort era a cidadela da dinastia Qutb Shahi, que governou a região de Hyderabad de 1507 a 1687. O forte anterior de barro, do século 12, que existia no local foi transformado entre 1518 e 1580 em uma esplêndida cidade fortificada de grandes palácios, mesquitas e jardins pelos sucessivos governantes Qutb Shahi. O Golconda Fort era famoso também por sua grande provisão de diamantes, de minas próximas, entre eles o celebrado Kohinoor, hoje parte das jóias da Coroa inglesa. As colossais ruínas de Golconda cobrem 40km².

Bala Hisar Gate, entrada para o complexo real do Golconda Fort

Golconda Fort

Esta grande fortaleza é protegida por três formidáveis linhas de defesa. A primeira, uma fortificação externa de imensos blocos de granito, circunda a cidadela. O muro intermediário cerca a base da montanha e o mais interior segue o contorno da encosta mais alta. Os visitantes entram pela **Fateh Darwaza** ("Portal da Vitória"), no lado leste, que tem uma divindade hindu esculpida acima de seu arco. Imensas agulhas de ferro forram o portão para evitar que seja atacado por hordas de elefantes. A partir da Fateh Darwaza, a estrada passa pelo **Archaeological Museum** (o antigo Tesouro) e pelo bazar, que já foi um famoso centro de lapidação e polimento de diamantes. Depois há os dois enormes arcos do **Habshi Kaman Gate**, com quartos no alto. Eles costumavam abrigar a galeria dos tocadores de tambor e a guarda abissínia dos sultões. Este portão leva ao muro intermediário.

Ao norte deste fica o austero e abobadado **Jami Masjid**, erguido em 1518 pelo sultão Quli Qutb Shah, o fundador da dinastia; ele foi morto aqui enquanto rezava pelo seu filho Jamshed em 1543. Depois vem o arco cerimonial, **Bala Hisar Gate**, decorado com vários motivos hindus, como os *yalis* (bestas leoninas fantásticas). Esta é a entrada para a cidadela interior, conhecida como **Bala Hisar Complex**, onde ficam os palácios reais, salas de reunião, oficinas e uma casa de armas. Ao norte de Bala Hisar fica um recinto murado, iniciado em 1652 e planejado como uma extensão do forte interno. Dentro dele fica o **Hathion ka Jhaad** ("Árvore do Elefante"), um incrível baobá *(Adansonia digitata)*, de 700

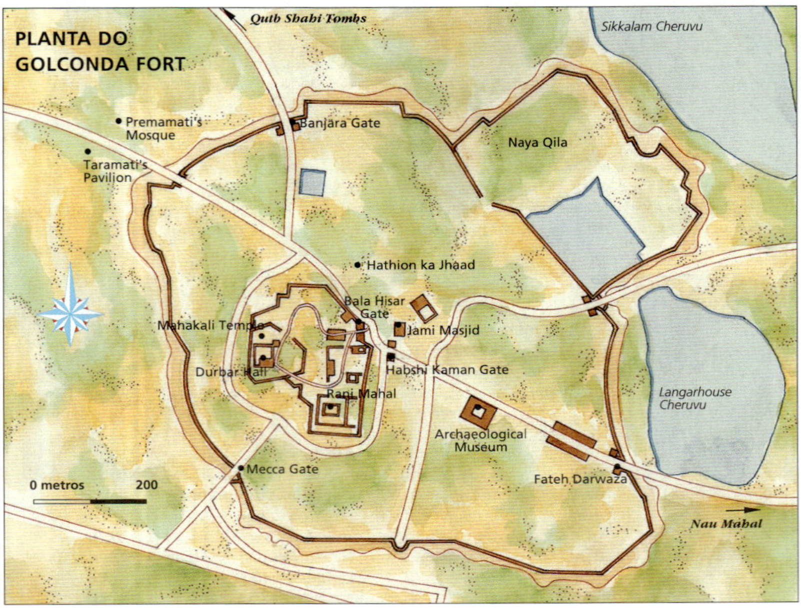

Para hotéis e restaurantes nesta região, ver pág. 717 e pág. 743

Os banheiros reais perto do Rani Mahal

anos, que dizem ter sido trazido a Golconda pelos guardas abissínios dos sultões.

O **Grand Portico**, com seu amplo domo, atrás do Bala Hisar Gate, é um bom local para testar a incrível acústica, importante aspecto das defesas do forte. Uma leve palmada aqui pode ser ouvida nas câmaras do rei, no alto da montanha.

A oeste do Grand Portico estão as ruínas dos palácios Qutb Shahi. O que mais impressiona é o **Rani Mahal**, uma sala em arco sobre um terraço elevado, decorada com belos arabescos florais. Os espaços desses entalhes já foram preenchidos com os famosos diamantes de Golconda e outras pedras preciosas. A oeste do Rani Mahal, um íngreme lance de 200 degraus passa por banheiros reais, silos de grãos, tanques de água e restos de jardins, até o topo da montanha. Vestígios do elaborado sistema que carregava água até o topo da cidadela são visíveis.

Pouco antes do topo há uma bela mesquita construída pelo sultão Ibrahim Qutb Shah, terceiro sultão, e o antigo **Mahakali Temple**, hindu, dentro de uma caverna.

No topo da montanha fica o Durbar Hall ("Sala do Trono"), de três andares, com um pavilhão no alto. Daqui se têm belas vistas de todo o forte e seus arredores, que incluem duas lindas estruturas em colinas –o **Taramati's Baradari** e a **Premamati's Mosque**. Elas têm o nome de duas dançarinas que eram favoritas reais, e conta-se que tinham tal leveza nos pés que podiam dançar o caminho todo do pavilhão até Bala Hisar em uma corda esticada.

Do lado de fora do forte, a leste da Fateh Darwaza, fica o **Nau Mahal** ("Nove Palácios"), onde os nizams de Hyderabad tinham sua corte quando vieram a Golconda.

Qutb Shahi Tombs

1km a NO do Golconda Fort.

Esta necrópole real, onde sete dos nove governantes Qutb Shahi estão enterrados, estende-se por jardins com canais, tanques e alamedas arborizadas. Os túmulos, que cada rei construiu em sua vida, mostram um estilo de arquitetura diferente e eclético –eles têm grandes domos em formato de cebola, arcos persas, colunas turcas e suportes e motivos hindus. Construídos em granito cinza e estuque, cada domo se assenta em uma base de pétalas, com uma galeria enfeitada e pequenos minaretes em volta.

Teto decorado, Bala Hisar Gate

A **Tomb of Muhammad Quli Qutb Shah**, fundador da cidade de Hyderabad, é a mais impressionante. Ela tem em volta um amplo terraço, onde são promovidas festas de poesia, música e de culinária de Hyderabad. Ainda restam vestígios da cerâmica brilhante verde e turquesa que antes cobria as fachadas de todos os túmulos. Outros monumentos são a **Tomb of Queen Hayat Baksh Begum**, esposa de Muhammad Quli Qutb Shah, e a mesquita atrás dele (ambos de meados do século 17), decorados com refinados desenhos florais e caligrafia.

No centro do complexo fica o **Royal Mortuary Bath**, simples mas de belas proporções. Os corpos dos reis falecidos eram banhados ritualmente na plataforma de 12 lados; os 12 tanques de água em volta simbolizam os 12 imames xiitas.

PREPARE-SE

Distrito de Hyderabad. 9km a O de Hyderabad. *diariam.* **Son et Lumière** *(inglês) mar-out: 19h diariam, nov-fev: 18h30 diariam.* **Archaeological Museum** e **Qutb Shahi Tombs** *sáb-qui.*

O elegante túmulo de Muhammad Quli Qutb Shah, em Golconda

Vista panorâmica do Golconda Fort

Pochampalli ❸

Distrito de Nalgonda. 50km a L de Hyderabad. *diariam.*

O cinturão de ikat de Andhra Pradesh, que produz intricados tecidos tie-and-dye *(pág. 317)* circunda Hyderabad. Pochampalli, o nome pelo qual a maioria dos tecidos ikat do estado são conhecidos, é o maior centro produtor. A técnica, na sua forma atual, foi introduzida no século 19 em Chirala, distrito de Guntur, de onde o tecido foi exportado para a África.

Em Pochampalli, a rua principal é cheia de agitadas oficinas onde se realizam os vários estágios da produção. Os tecedores de ikat primeiro amarram os fios de acordo com o padrão e depois os tingem em grandes tinas. Uma técnica à base de óleo é usada para restringir a tintura àquelas partes que precisam ser coloridas. O fio tinto é então secado ao sol e depois tecido em grandes teares manuais, para produzir um pano chamado *telia rumal (pág. 413)*. As cooperativas atacadistas estaduais, assim como várias lojas, vendem uma variedade de belos sáris e tecidos de seda.

Arredores: As vilas de **Koyalgudem e Choutuppal** produzem principalmente tecidos ikat de algodão. **Narayanpur**, outro grande centro têxtil, fica a 20km pela Vijaywada Highway.

Khush Mahal, a sala de reuniões do Warangal Fort

Warangal ❹

Distrito de Warangal. 140km a SO de Hyderabad. *APTDC, Kazipet, (0870) 244 6606.*

Hoje um grande centro têxtil de *dhurrie*, Warangal foi descrita por Marco Polo, viajante veneziano do século 13, como uma das principais cidades do Sul da Índia. Ela era a capital dos reis hindus Kakatiya, que dominaram esta região até o século 14.

Um antigo forte ao lado da cidade moderna é tudo o que resta desta que já foi uma grande cidade. Construído no reinado de Rudramadevi (r. 1262-89), rainha Kakatiya, sua insólita planta circular, com três anéis concêntricos de muros, está ainda intacta. Os dois anéis externos, ambos de terra, definem um círculo de 1,2km de diâmetro. O anel mais interno é de pedra, com quatro grandes portais nos pontos cardeais. No seu centro geométrico, quatro *toranas* (portais) ornamentadas, que marcam o recinto sagrado, são o que resta do grande templo a Shiva que havia aqui. As próprias *toranas* impressionam por seu tamanho e beleza.

A curta distância para oeste fica a **Khush Mahal**, uma sala de audiência construída pelos invasores muçulmanos no século 14. Grandes muros em ângulo com aberturas definem um interior amplo com arcos abobadados (o teto está bem danificado). É muito parecido com o Hindola Mahal de Mandu *(pág. 247)*.

Arredores
Hanamkonda, local da primeira capital kakatiya antes da mudança para Warangal, fica 3km a noroeste de Warangal. Aqui foi erigido em 1163 um magnífico templo de mil pilares, para Shiva, por Rudradeva (r. 1158-95), primeiro grande rei Kakatiya.

Este templo de basalto cinza-esverdeado, conhecido como *trikuta*, consiste de três santuários dedicados a Shiva, Vishnu e Surya. Eles são ligados a uma *mandapa,* hoje sem teto, por uma plataforma com um touro Nandi muito bem polido. As colunas têm canais de corte agudo, torneados. Um painel no teto esculpido com a imagem do Nataraja *(pág. 566)* cobre a nave central. Os tranquilos jardins do templo contêm vários pequenos santuários linga e um velho poço.

O magnífico templo de mil pilares de Hanamkonda, perto de Warangal

Para hotéis e restaurantes nesta região, ver pág. 717 e pág. 743

O Ramappa Temple, do século 13, em Palampet

Palampet ❺

Distrito de Palampet. 70km a SO de Hyderabad. 🚌

Esta vila tem como destaque o **Ramappa Temple**, o exemplo mais preservado de arquitetura kakatiya. Dedicado a Shiva, foi construído em 1234 por Recherla Rudra, general de um governante Ganapatideva (g. 1199-1262). Como o templo em Hanamkonda, este também tem uma espaçosa *mandapa* com colunas de basalto preto belamente esculpidas. Esta *mandapa*, de planta em cruz, tem também pórticos com varandas nos três lados. Os beirais em volta das colunas periféricas são apoiados por tirantes em ângulo, muitos deles em forma de mulheres tridimensionais com graciosos corpos e posturas de dança. Outras figuras em relevo, similares mas menores, além de cenas dos épicos, podem ser vistas no painel central do teto dentro da *mandapa.*

O exterior do santuário, em contraste, não tem nada esculpido. Essa ornamentação restrita e a modelagem simples são típicas da elegância da arte kakatiya. Um pavilhão de pedra abrigando um Nandi, menor do que o de Hanamkonda, mas também de entalhe refinado, fica em frente ao templo.

Ao sul do Ramappa Temple fica o **Ramappa Cheruvu**, um vasto lago artificial criado por Recherla Rudra, e rodeado de lindas montanhas.

Escultura, Ghanpur

Arredores

Mais templos kakatiyas podem ser vistos em **Ghanpur**, pequena cidade 13km a noroeste de Palampet. O maior é formado por dois santuários a Shiva, ambos com *mandapas* e assentos em sacadas. O santuário principal tem bonitas *dvarapalas* (guardiãs), dançarinas e suportes esculpidos. Há outros santuários menores no recinto.

OS DHURRIES TRADICIONAIS DE ANDHRA

Embora as sedas lustrosas e os tapetes de lã da Pérsia e da Turquia enfeitem os palácios dos nizams de Hyderabad, Andhra Pradesh tem uma longa tradição local de tapetes em Warangal e Eluru. Conhecidos como *dhurries*, estes tapetes são feitos de algodão e lã, em uma variedade de desenhos e cores. Os *dhurries* de algodão de Warangal costumam ser tecidos em padrões geométricos, enquanto os tapetes de lã de Eluru (314km a sudeste de Warangal) mostram desenhos florais que indicam uma influência ocidental. Os *shatranjis*, mais caros (com padrão em tabuleiro de xadrez) são feitos de algodão e produzidos em teares horizontais. Os artesãos *kalamkari* de Sri Kalahasti *(pág. 680)* fazem tapetes em desenhos tradicionais em uma base de juta, usando tinturas vegetais.

Dhurrie com padrões geométricos

FESTIVAIS DE ANDHRA PRADESH

Ugadi *(mar).* Em todo o Estado, as casas são muito bem limpas e prepara-se comida para a festa do Ano-Novo Telugu.

Mrigasira *(jun)*, Hyderabad. Dia em que uma cura singular para asma é administrada a pacientes de toda a Índia, que engolem vivo um pequeno peixe de rio chamado *maral.* Muitos atestam curas milagrosas.

Festa de Batkamma, Warangal

Batkamma *(set/out)*, Warangal. Esta festa em homenagem à deusa da riqueza, Lakshmi, começa logo antes da Dussehra e dura nove dias. Fazem-se arranjos de flores sobre uma imagem em cúrcuma da deusa, levada em um estrado de bambu até um lago ou rio, onde as mulheres dançam em volta da oferenda floral antes de mergulhá-la na água.

Festa de Andhra Pradesh *(nov)*, Hyderabad. Evento cultural de dez dias, no aniversário de Andhra Pradesh, com shows dos melhores músicos e dançarinos.

Muharram *(fev/mar)*, Hyderabad. O martírio de Hussein, neto de Maomé, na batalha de Karbala é celebrado pela comunidade muçulmana xiita com 40 dias de luto. No último dia, alams com pedras preciosas e coloridas *tazias* (réplicas de seu túmulo) são carregados em procissão pela Cidade Velha.

Vista do porto de Visakhapatnam, na baía de Bengala

Visakhapatnam ❻

Distrito de Visakhapatnam. 350km ao N de Vijayawada. *969.600.* *12km a O do centro, depois ônibus ou táxi.* *APTDC, RTC Complex, (0891) 278 8820.* *diariam.*

Segundo porto mais movimentado da Índia depois de Mumbai, Visakhapatnam, também conhecida como Vizag, está rapidamente se tornando o maior estaleiro do país. É uma importante cidade industrial, além de base naval. É também um bom ponto de partida para quem vai visitar as belas praias da baía de Bengala e as pitorescas cidades-templos da costa norte de Andhra Pradesh.

Com nome derivado de Visakha, o deus hindu da coragem, Visakhapatnam já foi parte do vasto domínio do imperador mauria Ashoka *(pág. 42)*. Mais tarde, foi governada pelos reis Vengi de Andhra e por outras dinastias do Sul da Índia, incluindo os pallavas, cholas e gangas. No século 15, tornou-se parte do império Vijayanagar *(págs. 530-1)*. Finalmente, caiu nas mãos dos ingleses no século 17, crescendo então até se tornar um grande porto.

Acima do porto fica uma serra com três elevações, cada uma com um santuário. Mais ao Sul, o **Venkateshvara Konda** é um templo a Balaji (Krishna); no meio fica o **Ross Hill**, com uma igreja do século 19; o terceiro, **Dargah Konda**, tem um santuário dedicado ao santo muçulmano Ishaque Madina.

Ao longo da costa sul fica **Dolphin's Nose**, formação rochosa de 358m de extensão que se eleva 175m sobre o mar. Ela abriga um farol que pode ser visto a 64km da costa. Vestígios do passado colonial da cidade podem ser vistos aqui na velha igreja protestante, no forte, no quartel e no arsenal, todos do século 18.

Brasão holandês, Bheemunipatnam

Praias idílicas, situadas ao pé das Ghats Orientais e junto a montanhas verdejantes e rochedos, incluem a **Ramakrishna Mission Beach**, que vem sendo transformada por Andhra Pradesh em uma estância turística, a **Rishikonda Beach e a Lawson's Bay**.

Ao norte, passando a baía de Lawson, fica **Kailasagiri**, uma montanha com floresta que oferece vários mirantes para uma vista panorâmica da cidade e do porto. A cidade gêmea de **Waltair**, que já foi estância de recuperação para oficiais britânicos, fica ao norte da baía. A Andhra University, um dos maiores campi do estado, também fica aqui, com várias lindas igrejas do século 19.

Arredores

Simhachalam, templo da "Montanha do Leão", dedicado a Varaha Narasimha, uma encarnação de Vishnu *(pág. 679)*, fica no topo da Ratnagiri Hill, de rica floresta, 16km a noroeste de Visakhapatnam. Uma escadaria leva ao portal norte, uma decorada *gopura* que constitui a entrada principal ao templo. Dentro do complexo há um alto *dvajasthambha* (mastro de bandeira). Similar em estilo ao Konark's Sun Temple *(págs. 310-1)*, o templo foi construído no século 9º ou 10º e sofreu muitas reformas no século 13. Acredita-se que a divindade principal era originalmente Shiva e que foi substituída por esta encarnação de Vishnu quando o santo reformador Ramanuja *(pág. 522)* visitou o local, no século 11.

Bheemunipatnam fica 24km ao norte de Visakhapatnam, junto a um dos maiores trechos de estrada de praia do país. Esta calma vila pesqueira, situada na foz do rio Gosthani, era uma possessão holandesa no início do século 17. Bimlipatam, como era então chamada (Bhimli

Lápide holandesa em forma de obelisco, Bheemunipatnam

Para hotéis e restaurantes nesta região, ver pág. 717 e pág. 743

para os locais), foi o local em que ocorreram os ataques dos maratas e as guerras anglo-holandesas dos séculos 17 e 18. Sua herança holandesa pode ser vista em algumas das velhas casas com colunas, nas ruínas do forte e no cemitério holandês, com suas singulares lápides em forma de obelisco.

Uma fascinante estalactite dentro das Borra Caves

Borra Caves ❼

Distrito de Visakhapatnam. 100km ao N de Visakhapatnam. 🚌
◯ diariam. 🖾

Junto à fronteira norte do distrito de Visakhapatnam situam-se estas belas cavernas de calcário, descobertas em 1807 por William King, da Geological Survey da Índia. As amplas câmaras subterrâneas, com estalactites e estalagmites, estão agora sendo equipadas pelo departamento de turismo do estado para se tornar uma grande atração. Algumas estalagmites menores são cultuadas como lingas, com touros Nandi colocados diante delas. Os locais acreditam que a água que pinga do teto das cavernas vem de uma fonte da montanha que é a nascente do rio Gosthani.

Arredores
Cerca de 22km a nordeste de Borra situa-se o **Araku Valley**, lar de várias comunidades tribais, habitantes originais do estado. A estrada para Araku passa por florestas e cafezais. O vale, com bosques, cachoeiras e clima revigorante, oferece passeios agradáveis.

Ramatirtham ❽

Distrito de Visakhapatnam. 72km a NE de Visakhapatnam. 🚌

Ruínas do período Ikshvaku (séculos 3° a 4°, que viu o budismo florescer na área, podem ser encontradas em Ramatirtham. Logo ao sair da cidade há várias estruturas conhecidas como Gurubhaktakonda ("Montanha do Discípulo Devotado"). Em uma estreita saliência rochosa, 165m acima das planícies em volta, ficam as ruínas de uma stupa, de mosteiros e salas de oração, incluindo stupas menores. Perto, na montanha Durgakonda, há ruínas similares, com entalhes de tirthankaras *(pág. 396)* jainistas, dos séculos 8° e 9°.

Distrito de Srikakulam ❾

108km ao N de Visakhapatnam a Srikakulam. 🚌

Sede do distrito mais ao norte de Andhra Pradesh, Srikakulam fica às margens do Swarnamukhi. Saindo da cidade, em **Arasavalli**, há um templo ao Sol, construído engenhosamente em um ângulo tal que os raios do sol caem diretamente nos pés da divindade duas vezes por ano.

Mulheres de tribo do vale Araku

O **Srikurmanatha Temple** em Srikurman, 13km a leste de Srikakulam, é dedicado a Kurma, encarnação tartaruga de Vishnu. Foi erguido pelos reis Chalukya no século 10 e bastante modificado pelos cholas nos séculos 12 e 13. As colunas em volta do santuário principal têm murais do século 19 de Krishna e Vishnu.

Mukhalingam, 46km ao norte de Srikakulam, foi a primeira capital dos reis Ganga orientais antes de se mudarem para Orissa *(pág. 44)*. Os templos aqui datam do seu reinado, entre os séculos 9° e 13. O mais bem preservado é o Madhukeshvara Temple, do século 9°, com suas magníficas esculturas de Shiva e frisos com cenas da lenda de Krishna. O Someshvara Temple, do século 10°, na entrada da cidade, tem belas estátuas de deusas do rio e de outras divindades de cada lado do portão principal.

Mural mostrando Krishna cercado por *gopis*, no Srikurmanatha Temple, distrito de Srikakulam

Arrozais na época da colheita, com as Ghats Orientais ao fundo, perto de Rajahmundry

Distrito de East Godavari ⑩

380km a E, de Hyderabad a Rajahmundry. *Rajahmundry.*

O Godavari, um dos rios mais sagrados do Sul da Índia, torna-se uma ampla torrente (em alguns pontos chega a 6km de largura) logo ao norte da cidade de **Rajahmundry**. Arrozais e plantações de cana-de-açúcar são a marca da sua área rural.

Rajahmundry, a maior cidade do distrito de East Godavari, é conhecida por seus vários templos chalukya dos arredores e pela longa ponte (2.743m) que cruza o rio. Os mirantes na **Dowleshvaram Dam** (construída em 1848-52), 10km corrente abaixo, oferecem vistas espetaculares do rio. A cada 12 anos, ocorre aqui a festa do Dakshina Pushkaram –a Kumbh Mela *(pág. 211)* do sul.

Peddapuram, famosa por sua fina seda e algodão feitos a mão, fica 30km a nordeste de Rajahmundry, na estrada para Visakhapatnam.

Annavaram, 70km a nordeste de Rajahmundry, é o local do Satyanarayana Temple, na montanha Ratnagiri, famosa por sua alta estátua (4m de altura) da trindade hindi e seu velho relógio de sol.

A **Godavari Gorge** começa 80km ao norte de Rajahmundry. Um passeio de carro ou de barco pela garganta, que atravessa as Ghats Orientais, oferece vistas espetaculares, com uma série de esplêndidos lagos que muitos visitantes dizem lembrar os da Itália e da Escócia.

Ryali, 24km ao sul de Rajahmundry, tem um templo chalukya dedicado a Vishnu. Ele abriga uma imagem de pedra da deusa Ganga *(pág. 163)*, da qual flui um jorro contínuo de água.

Draksharamam, 40km a sudeste de Rajahmundry, é famosa pelo seu Bhimesvara Temple do século 10º, que combina os estilos de arquitetura chalukya e chola, e abriga um linga de 5m. Conta-se que o rio Godavari foi dividido em sete correntes pelos Saptarishis (sete grandes sábios) da mitologia hindu, e que três dessas correntes submergiram neste local. Perto da cidade fica um antigo cemitério holandês, aqui conhecido como Ollandu Dibba ("Monte Holandês"), com lápides que datam de 1675 a 1728, algumas com desenhos muito elaborados.

Antarvedi, às margens do rio Vashishta, afluente do Godavari, fica 112km ao sul de Rajahmundry. É mais fácil chegar de barco saindo de Narsapur, na margem sul. O Lakshminarayana Temple (construído em 1823), com sua torre em cores vivas, ergue-se junto à margem do rio e costuma estar cheia de peregrinos que vêm mergulhar no rio sagrado.

Machilipatnam ⑪

Distrito de Krishna. 340km a L de Hyderabad. *diariam.*

Um dos primeiros assentamentos europeus na costa oriental da Índia, Machilipatnam ("Cidade do Peixe") era um movimentado porto e centro têxtil nos séculos 17 e 18. Era também a sede da Companhia Inglesa das Índias Orientais na costa de Coromandel. Os franceses e os holandeses também se instalaram aqui por breve período. O cemitério holandês, com suas lápides enfeitadas, é tudo o que resta do período.

Machilipatnam foi atingida por uma onda gigantesca em 1864 que matou mais de 30 mil pessoas. Foi causada por uma erupção vulcânica do monte Krakatoa, distante 5.000km. Depois disso perdeu importância como porto, mas ainda é famosa por seus tecidos *kalamkari (pág. 680)*.

Impressor *kalamkari* fazendo seu trabalho em Machilipatnam

Para hotéis e restaurantes nesta região, ver pág. 717 e pág. 743

Tecidos de Troca: A Árvore-da-Vida

Entre os séculos 17 e 18, a costa de Coromandel, tendo Machilipatnam como centro comercial e porto, era um dos principais produtores e exportadores de tecidos de algodão para a Europa ocidental. De início apenas itens de troca, eles logo se tornaram moda na Europa, aumentando a demanda pelo algodão tingido da região, o *kalamkari (pág. 680)*, conhecido na Europa como *chintz*. Desenhos especiais foram encomendados, como o da árvore-da-vida, que incluíam técnicas e estética da Índia, Pérsia, China e Europa. Apreciados pela riqueza de cores e desenhos, era comum vê-los dependurados nas residências européias.

Detalhe de flores e folhagem

ÁRVORE-DA-VIDA

A Árvore-da-Vida era um motivo muito popular em tecidos da costa de Coromandel. Baseado em mitos antigos que endeusavam plantas e árvores, e inspirado em miniaturas persas, tem uma florescente árvore central, que nasce de um monte rochoso, ligando a terra ao céu e simbolizando a criação.

Os pássaros, *reais e míticos, habitam a parte superior da árvore, de densa folhagem. Sobre o monte há dois pavões estilizados, com serpentes em seus bicos.*

As criaturas aquáticas, *como peixes e tartarugas, são retratadas para mostrar a vida marinha nas águas santas abaixo do Monte Sagrado. Tons de índigo são usados para criar o efeito de ondas e água corrente.*

Um **bambuzal**, *composto como uma única árvore-da-vida, ergue-se do Monte Sagrado. As flores pintadas e impressas e as folhas com penugem sugerem a exuberância da natureza.*

Vista da Prakasam Barrage, construída sobre o rio Krishna em Vijayawada

Vijayawada ⓬

Distrito de Krishna. 267km a SE de Hyderabad. *825.400.* *APTDC, (0866) 257 1393.* *diariam.*

Terceira maior cidade do estado, Vijayawada é um agitado centro comercial com um dos maiores troncos ferroviários do país. Situado em local pitoresco na margem norte do rio Krishna, é limitada em três lados pelas montanhas Indrakiladri. A área junto às margens do rio faz um agradável contraste com o ambiente urbano barulhento e cheio de gente.

Dentro dos limites da cidade, em uma montanha baixa a leste, fica o **Kanakadurga Temple**, dedicado à deusa Lakshmi. O **Victoria Jubilee Museum**, na Bunder Road, abriga uma bela coleção de relíquias budistas e hindus dos séculos 2º e 3º. Destaques são o Buda em Pé de calcário branco do sítio budista próximo de Alluru (séculos 3º ou 4º) e a representação de Durga matando o búfalo-demônio Mahisa (século 2º).

Na periferia da cidade fica a **Prakasam Barrage**, de 1km de extensão, construída em 1855 e reconstruída em 1955. Ela irriga cerca de 1,2 milhão de ha de terra, o que faz do delta do Krishna o repositório de cereais mais rico de Andhra Pradesh. **Bhavani Island**, um bonito local para piqueniques, fica logo acima e é alcançado por lanchas que saem da margem do rio.

Victoria Jubilee Museum
sáb-qui. *pago à parte.*

Arredores

Mogalrajapuram, 3km a leste de Vijayawada,e **Undavalli**, 4km ao sul, do outro lado do rio, são famosas por seus templos escavados na rocha (dos séculos 5º a 7º).

Mangalgiri, 12km ao sul de Vijayawada, é uma vila têxtil, especializada em finos sáris de algodão e tecidos listrados e xadrez. Tem ainda o impressionante complexo do Lakshmi Narasimha Temple, do século 14, com um pequeno santuário Garuda em frente.

Kondapalli ⓭

Distrito de Krishna. 14km a O de Vijayawada.

Esta vila famosa por seus brinquedos de madeira gira em torno de seu Hill Fort, do século 8º, erguido pela dinastia Chalukya oriental. Rodeado de parapeitos e torres, o complexo foi uma importante fortaleza no vale Krishna sob os Qutb Shahis de Hyderabad *(pág. 666)*, no século 16. No topo da montanha fica o degradado palácio Tanisha Mahal.

O caminho desce e passa por um tanque, pelo celeiro e pela casa de armas, até o Golconda Gate, voltado para Hyderabad a noroeste.

BRINQUEDOS DE KONDAPALLI

Krishna

O artesanato de brinquedos vem passando de geração a geração em Kondapalli. Nas mãos de artesãos surdos, a madeira *poniki*, leve porém forte e flexível, é trabalhada nas características figuras de deuses e deusas, frutas e vegetais, que enfeitam muitas casas de Andhra durante as festas. Dá-se forma a cada uma das partes do brinquedo, e estas são depois unidas com cola de semente de tamarindo. A peça então é coberta com cola de lima, que lhe dá um fino acabamento. Depois é posta a secar antes de ser pintada com as cores azul, verde, vermelho e amarelo, com toques de preto

Brinquedo sendo pintado em cores vivas

Para hotéis e restaurantes nesta região, ver pág. 717 e pág. 743

O Maha Chaitya em Amravati, hoje apenas um pequeno monte de terra

Amravati ⓮

Distrito de Guntur. 30km a O de Vijayawada. *de Guntur.* *do Hotel Krishnaveni, Vijayawada.* *gerido pela AP Tourism, Vijayawada.* *Haritha Hotel, (08645) 25 5332.*

Famosa por seu **Maha Chaitya**, ou "Grande Stupa", Amravati já foi o mais importante assentamento religioso budista do vale do Krishna. Hoje, nada mais resta desta stupa a não ser um monte de terra, mas no seu auge era a maior e mais elaborada stupa do Sul da Índia. Foi construída pelos Satavahanas, a grande dinastia de Andhra, nos séculos 3º e 2º a.C. *(pág. 43)*.

O Maha Chaitya foi ampliada várias vezes pelos reis Ikshvaku, sucessores dos Satavahanas, alcançando sua forma final entre os séculos 3º e 4º Revestido com o calcário branco da região, o Maha Chaitya era um monte hemisférico de terra com cerca de 45m de diâmetro e mais de 30m de altura, incluindo seu tímpano de apoio e o remate. Era cercada por altas vigas de 6m com pontões e peças cruzadas, e amplos portais de entrada nos pontos cardeais, todos profusamente esculpidos.

No século 5º, época de revitalização do hinduísmo no Sul da Índia, a stupa foi abandonada, e assim ficou até que um oficial inglês, o coronel Colin Mackenzie, começou a escavar o local em 1796. Infelizmente, quando uma ampla investigação das ruínas foi iniciada em meados do século 19, a maior parte das porções de calcário foi pilhada e muitas peças foram embarcadas para a Inglaterra.

Mesmo assim, ainda restam muitas belas esculturas no local, que estão expostas no **Archaeological Museum**, perto do Maha Chaitya. Ao contrário da stupa de Sanchi *(págs. 244-5)*, onde Buda é representado por símbolos como a Árvore da Iluminação ou pegadas, as esculturas de Amravati mostram-no em forma humana. As peças do museu incluem grandes imagens do Buda em Pé, algumas com mais de 2m de altura, cujas posturas naturais e elegantes drapeados sugerem influência da arte clássica romana. A segunda galeria tem um touro cerimonial em tamanho natural, reconstruído a partir de fragmentos descobertos em 1980. Uma parte das vigas da stupa, decoradas com cenas da vida de Buda, foi reconstruída no pátio. Entre as outras peças expostas há instrutivos modelos do monumento original e soberbas esculturas da Árvore da Iluminação, sob a qual se diz que Buda meditou.

Archaeological Museum
sáb-qui. *pago à parte.*

Escultura de calcário de Amravati com uma cena dos Contos de Jataka

Arredores

De frente para o rio Krishna, logo ao norte do museu, fica o **Amareshvara Temple**. Construído nos séculos 10º e 11, foi reformado no século 18 por um chefe local cuja estátua está na sala externa. O santuário e a sala com colunas estão em um complexo murado. Um porão, com acesso por um lance de escadas, é o local onde se acredita que estão escondidos os restos de uma stupa, o que é sugerido pelo linga em forma de pilar no santuário, que provavelmente era parte da abóbada da stupa.

Touro cerimonial, Amravati Museum

AS ESCULTURAS DE AMRAVATI

As esculturas em calcário que restaram do Maha Chaitya estão hoje divididas entre o Archaeological Museum de Amravati, o Government Museum de Chennai *(pág. 565)* e o British Museum de Londres. Esses relevos atestam a vitalidade das antigas tradições da arte budista no Sul da Índia. Pilares e vigas mostram medalhões de lótus ornados, frisos e grinaldas carregados por anões e *Contos de Jataka (pág. 480)* ilustrados com cenas de multidões, cavaleiros e cortesãos. Os tímpanos têm potes cheios de lótus, stupas com serpentes enroladas nos tímpanos e seres celestiais voando nos remates em forma de guarda-chuva.

Esculturas de calcário no Amravati Museum

Nagarjunakonda ⓯

Distrito de Guntur. 175km a O de Vijayawada. *Macherla, 22km a SE do local, depois ônibus para Vijayapuri.* *diariam de Vijayapuri, exceto sex.* *Vijay Vihar, (08680) 277 362.* *de Hyderabad.*

Vista da stupa hemisférica na Bodhishri Chaitya, em Nagarjunakonda

Nagarjunakonda, ou "Montanha de Nagarjuna", às margens do rio Krishna, deriva seu nome de Nagarjuna Acharya, o teólogo budista do século 2º fundador de uma influente escola filosófica. Este antigo e sofisticado núcleo budista, com grandes mosteiros e stupas, amplas ruas e banhos públicos, data dos séculos 3º e 4º, quando a região floresceu sob os poderosos reis Ikshvaku.

Em seguida, a cidade foi governada por uma sucessão de dinastias, culminando com os Vijayanagar, que ergueram um forte em torno das ruínas budistas. Com o declínio do império Vijayanagar, a área foi abandonada, sendo redescoberta entre 1954 e 1961.

Na década de 1960, quando a imensa represa de Nagarjuna Sagar estava sendo construída no rio Krishna, vários destes antigos núcleos budistas redescobertos ficaram ameaçados de submersão. Mas a Archaeological Survey da Índia resgatou e reconstruiu vários deles, pedra por pedra, no alto da montanha onde a cidadela ficava antigamente.

Hoje, a maior parte da montanha e o vale retirado no qual ficavam estes núcleos foram submergidos pelas águas do lago Nagarjuna Sagar. Apenas o alto da montanha, onde ficam os restos salvos que foram remontados, sobressai do lago como uma ilha. Esta é acessível por lanchas, que saem regularmente da pequena vila de Vijayapuri, às margens do lago.

Na ilha, o caminho que sai do píer leva primeiro ao **Simha Vihara 4**, que compreende uma stupa construída sobre uma alta plataforma com um par de *chaitya grihas* (salas de oração) anexas. Um dos *chaitya grihas* abriga uma segunda stupa e o outro, uma monumental escultura de um Buda em Pé. O **Bodhishri Chaitya**, em frente, tem uma stupa elevada encerrada em uma estrutura semicircular de pedras. A oeste fica a stupa do **Maha Chaitya**, com diâmetro de 27,5m, que era uma das maiores de Nagarjunakonda. Suas paredes internas de pedregulho irradiavam-se para fora, e estão preenchidas de terra. Logo à frente fica o **Swastika Chaitya**, cujo nome deriva do emblema indiano da suástica formado por seus muros.

Detalhe de escultura, Nagarjunakonda

Perto dos muros da cidadela há um megálito de 2 mil anos de idade. Ele esconde uma simples câmara mortuária antes ocupada por quatro crânios.

A leste daqui fica o **Archaeological Museum**, que abriga soberbas esculturas budistas das ruínas de Nagarjunakonda. Entre elas há relevos e painéis de calcário esculpidos com Budas sentados, seres celestiais voadores e réplicas de stupas em miniatura. Frisos dos vigamentos que cercavam as stupas retratam cenas da vida do Buda. Entre as esculturas individuais há figuras de Buda em elegantes vestimentas.

Archaeological Museum
sáb-qui.

Estátua gigante de um Buda em Pé, em Nagarjunakonda

Arredores

Mais estruturas do período Ikshvaku foram remontadas em um local 15km ao sul de Vijayapuri. Estas incluem um estádio, com galerias sobrepostas em volta de uma arena central, talvez usado para apresentações de música e dança e eventos esportivos. O complexo monástico adjacente tem santuários e *chaitya grihas,* além de um refeitório, um armazém e banheiros.

Para hotéis e restaurantes nesta região, ver pág. 717 e pág. 743

Srisailam e Krishna Gorge ⓰

Kurnool district. 225km a S de Hyderabad. *diariam a partir de Hyderabad.* *Haritha Hotel, APTDC, (08524) 287 411; Punnami Hotel, Srisailam, (08524) 288 311.* *Shivaratri (fev/mar).*

A bela cidade-templo de Srisailam, nas montanhas Nallamalai, de densas florestas, acima da profunda Krishna Gorge, é um ponto de peregrinação popular. A vida da cidade é dominada pelo **Mallikarjunaswamy Temple**, cujas brancas *gopuras*, no alto de muros similares aos de fortaleza, são visíveis a grande distância. O templo, onde está um dos doze *jyotirlingas* (lingas formados naturalmente, que segundo se acredita contêm a luz de Shiva), data de período pré-védico, embora a estrutura atual tenha sido construído no século 15. As esculturas nas paredes representam Shiva em suas várias formas. Um corredor com pilares leva ao santuário interior, guardado por um monolítico touro Nandi.

Subindo a montanha fica o **Hatakesvaram Temple**, que dizem ser o ponto onde o santo filósofo Shankaracharya *(pág. 648)* escreveu um de seus celebrados tratados. Um pequeno templo a Shiva no topo, **Sikharam**, oferece vistas esplêndidas do vale.

As águas represadas do Krishna alimentam uma imensa hidrelétrica em Srisailam. Quando as águas sobem, uma luxuosa lancha, a *Zaria*, leva os visitantes do reservatório em Nagarjuna Sagar até a represa de Srisailam. Por quase metade da distância entre reservatório e represa, o rio atravessa uma densa reserva florestal, hábitat de tigres, panteras e hienas. O rio, que é bem profundo em Srisailam, é conhecido aqui como Patal Ganga ("Ganges Subterrâneo") –segundo a lenda, ele nasce de um afluente subterrâneo do Ganges. Nas cidades muradas perto da represa, barqueiros oferecem belos passeios em suas balsas de junco.

O Sangameshvara Temple, na periferia da vila de Alampur

Alampur ⓱

Distrito de Mahboobnagar. 200km a L de Vijayawada.

Esta vila, na margem norte do rio Tungabhadra, abriga os mais antigos templos hindus de Andhra Pradesh. Construído pelos Chalukya de Badami *(págs. 536-7)* nos séculos 7º e 8º, este conjunto de nove santuários de arenito vermelho é conhecido como os **Nava Brahma Temples** e é dedicado a Shiva. O layout segue um esquema-padrão –todos os templos são voltados para leste, têm um santuário interior, uma *mandapa* com pilares e são rodeados por uma passagem. A torre sobre o santuário interior, encimada por uma *amalaka* (pedra circular estriada), mostra clara influência da arquitetura de templos do Norte da Índia *(pág. 20)*.

Os templos mais recentes do conjunto têm pórticos com painéis de pedra perfurados nos três lados das passagens, como no **Svarga Brahma Temple**, de 689. Este belo templo tem excepcionais esculturas, como um jogo completo de *dikpalas* (figuras guardiãs) em nichos nos cantos e ícones de Shiva em várias formas. Dentro, algumas colunas têm ricos entalhes, como no **Padma Brahma Temple**. Aqui os pilares têm leões sentados na base, corpos acanalados e capitéis estriados em forma de pote. O **Bala Brahma Temple** é o único ainda em uso.

Detalhe do Padma Brahma Temple

O **Archaeological Museum**, perto daqui, tem uma bela coleção de esculturas chalukyas antigas. Saindo da vila, há o **Sangameshvara Temple**, remontado após sua remoção, para evitar que fosse submergido pelo represamento do rio Krishna, 15km ao norte. Situado em um alto terraço, é similar aos do grupo Nava Brahma, mas os detalhes de suas esculturas estão erodidos.

A sudoeste do complexo do Nava Brahma Temple ficam os **Papanashanam Temples** (séculos 9º-10º), com telhados piramidais sobrepostos, mas pouca decoração exterior, embora as colunas internas tenham entalhes ornamentais. em um dos templos há um belo painel no teto mostrando as encarnações de Vishnu *(pág. 679)*, e em outro, uma poderosa imagem de Durga.

Naga (divindade-serpente), do Archaeological Museum, Alampur

Archaeological Museum
sáb-qui.

Vista de Tirupati, com a *vimana* dourada do templo

Tirupati ⑱

Distrito de Chittoor. 585km ao S de Hyderabad. 227.700. 12km ao S do centro, depois táxi. Andhra Pradesh Tourism, Sridevi Complex, (0877) 228 1920. Brahmotsavam (set/out).

Destino mais popular para peregrinos hindus na Índia, Tirupati é a sede do **Shri Venkateshvara Temple**, nas montanhas Tirumala, 700m acima da cidade. Acredita-se que as sete "montanhas sagradas" de Tirumala simbolizam o deus-serpente de sete cabeças Adisesha, sobre o qual Vishnu dorme. O templo data do século 9º, embora tenha sido muitas vezes ampliado e reformado a partir do século 15.

A aura que cerca o Senhor Venkateshvara (uma forma do Senhor Vishnu, que também é conhecida como Balaji), como "Provedor de Dávidas", tornou este templo o mais rico e visitado da Índia. Ele supera Jerusalém e Roma em número de peregrinos –cerca de 25 mil por dia e até 100 mil em dias de festas. A *vimana* e o mastro dourados, e o pórtico folheado a ouro que leva ao santuário interior atestam a riqueza do templo. A imagem de pedra negra, com 2m de altura, fica sobre um lótus e é enfeitada de rubis, diamantes e ouro. A divindade também usa uma coroa de diamantes, tida como o ornamento solitário mais precioso do mundo. Ela está ladeada por suas consortes, Sridevi e Bhudevi. O pórtico de entrada tem soberbas imagens em tamanho natural do rei Vijayanagara e suas rainhas *(págs. 530-3)*, que cultuavam Venkateshvara como divindade protetora.

O complexo foi construído para acomodar o imenso fluxo de peregrinos, que vêm procurar os favores do Senhor Venkateshvara. Este é um dos poucos templos do Sul da Índia onde não-hindus são admitidos no santuário interior. Os devotos têm de esperar pacientemente em longas filas por uma *darshan* especial e fazem oferendas em dinheiro, ouro e jóias que rendem ao templo 1,5 bilhão de rupias ao ano. A Tirumala Tirupati Devasthanam (TTD), que administra o templo, emprega 6 mil pessoas para atender às necessidades dos peregrinos e manter as instalações do templo em ordem.

Venkateshvara, a divindade de Tirupati

O complexo do templo inclui um tanque para banhos rituais e um pequeno **Art Museum**, com imagens de divindades, instrumentos musicais e objetos votivos. Em volta dele há verdes vales e a cachoeira Akash Ganga, a fonte de água sagrada usada para banhar a divindade.

Um aspecto único de Tirupati é que muitos devotos oferecem seus cabelos à divindade, e há recintos especiais para esse fim. Acredita-se que, como o cabelo realça a aparência de uma pessoa, raspá-los remove também a vaidade. Esta oferenda costuma ser feita após a obtenção de alguma graça. As oferendas de cabelo são depois exportadas para os Estados Unidos e o Japão e usadas em perucas.

A maioria dos peregrinos pára no pequeno santuário Ganesha ao pé da montanha e no **Govindarajaswamy Temple**, no centro de Tirupati, antes de subir de carro a montanha até o santuário Tirumala. Este templo, dos séculos 16-17, é dedicado a Krishna e Vishnu. Construído pelos Nayaka, sucessores dos governantes Vijayanagar, é alcançado ao cruzar uma imensa e cinzenta *gopura* externa, que sobressai na paisagem de Tirupati e é esculpida com cenas do *Ramayana (pág. 27)*. Um sofisticado pavilhão no pátio interno tem pilares de granito esculpidos e um telhado de madeira ornamentado, além de impressionantes esculturas de leões agachados. O templo tem uma magnífica imagem de Vishnu deitado, chamada Ranganatha, com armadura de bronze. A curta distância ao norte do templo fica o **Venkateshvara Museum of Temple Arts**, com modelos de templos, fotografias e objetos.

Shri Venkateshvara Temple

diariam. Darshan: 6-11. Há taxa adicional para pegar a fila mais curta, para darshans especiais da divindade.

Entrada principal para o Govindarajaswamy Temple

Para hotéis e restaurantes nesta região, ver pág. 717 e pág. 743

Avatars de Vishnu

Krishna, oitavo avatar de Vishnu

Vishnu, segundo deus da trindade hindu, personifica o poder de preservação da natureza. Tido como o mais "humano" dos deuses e o redentor da humanidade, diz-se ter aparecido na Terra como diversos avatares ou encarnações, sempre que a ordem cósmica foi perturbada. A partir do século 2º, um novo culto da encarnação de Vishnu como Krishna surgiu no Sul da Índia, e no ano 1000 o vaishnavismo havia se difundido. No seu templo mais famoso, em Tirupati, Vishnu é cultuado como Venkateshvara, o Deus que Atende Desejos. Lakshmi, Deusa da Riqueza, é a sua esposa.

AS DEZ ENCARNAÇÕES

Vishnu desce à Terra periodicamente a fim de restituir o equilíbrio entre o bem e o mal. Diz-se que ele tem dez avatares principais, dos quais nove já apareceram; o décimo ainda está por vir.

Principal imagem de Vishnu

Krishna, que veio libertar o mundo da opressão.

Kavad *é um santuário portátil de madeira, que mostra Vishnu em seu avatar Krishna, protegido pela serpente Adisesha, e com seu irmão Balrama.*

Matsya, o peixe e primeiro avatar, salvou Manu (o primeiro homem) e os *Vedas* de uma inundação.

Rama, o sétimo avatar, é a corporificação da bondade.

Buda é o nono avatar *(pág. 221)*.

Kurma, a tartaruga e segundo avatar, agitou o oceano para produzir *amrita*, o néctar divino.

Krishna

Vamana, o sacerdote anão e quinto avatar, salvou o mundo de um demônio.

Parasurama, o sexto avatar, veio para subjugar os kshatriyas, que sobrepujavam os brâmanes.

Varaha, *o javali e terceiro avatar, salvou a Terra de se afogar no oceano erguendo-a em suas presas.*

Narasimha, *meio homem, meio leão e quarto avatar, matou o demônio Hiranyakshipu e libertou a Terra dos seus malefícios.*

Kalki, *décimo avatar, ainda está para vir. Vishnu então surgirá para a destruição final e recriará o mundo em perfeita pureza.*

Veja outros aspectos sobre Mitologia Hindu *(págs. 24-5)*, Ganesha *(pág. 467)* e Shiva *(pág. 566)*.

Rani Mahal, com teto de torres piramidais escalonadas, em Chandragiri

Chandragiri 19

Distrito de Tirupati. 12km a O de Tirupati. *de Tirupati.*

Esta vila já foi um importante posto avançado dos reis Vijayanagar. Depois, tornou-se capital do governante aravidu Venkatapatideva (g. 1586-1614), que assistiu ao declínio do império Vijayanagar.

O passado glorioso de Chandragiri reflete-se nos grandes muros de sua fortaleza do fim do século 16 e em alguns palácios abandonados. O mais importante destes é o **Raja Mahal**, que tem um Durbar Hall com arcadas e um pavilhão de lazer com abóbada. Foi aqui que sir Francis Day, da Companhia das Índias Orientais, recebeu terras em 1639, a fim de instalar uma fábrica no local que ficaria conhecido como Madras *(pág. 557)*. Perto fica **Rani Mahal**, com suas torres piramidais e sua fachada decorada com motivos geométricos e de folhagens.

Templo próximo dos palácios em ruínas de Chandragiri

Sri Kalahasti 20

Distrito de Chittoor. 36km a L de Tirupati. *de Tirupati.* *Temple Festival (set/out).*

Localizada entre duas montanhas de encostas íngremes, na margem sul do rio Svarnamukhi, esta cidade é um dos mais importantes centros de peregrinação de Andhra Pradesh. Dominando um dos extremos de uma agitada rua central, ergue-se uma *gopura de* 36,5m, construída em 1516 pelo imperador Krishnadeva Raya de Vijayanagar *(págs. 530-3)*. Os emblemas reais da dinastia, que retratam o javali e o sabre junto com o Sol e a Lua, estão esculpidos nas paredes deste portal de sete andares.

Perto, *gopuras* similares mas menores permitem acesso ao **Kalahastishvara Temple**, a principal atração da cidade, cercado por um complexo retangular pavimentado. Uma passagem para o sul leva a um recinto cheio de salas com colunas, pavilhões, postes de luminárias e altares, ligados por um labirinto de colunatas e corredores. Algumas das colunas são esculpidas com figuras de animais empinados. No corredor norte há um grupo de bronzes dos 63 santos shaivistas chamados nayannares *(pág. 45)*. O santuário interior, aberto a ocidentais, guarda o linga *vayu* (ar), um dos cinco lingas elementais de Shiva *(pág. 586)* no Sul da Índia. É um linga curiosamente alongado protegido por um capuz de cobra, feito de metal. Segundo a lenda local, uma aranha, uma cobra e um elefante adoravam o linga a seu modo. Primeiro a aranha teceu uma teia em torno dela para protegê-la dos raios de sol. A cobra, ao

Vendedor de flores em Sri Kalahasti

TECIDOS KALAMKARI

O nome destes tecidos de algodão em cores vivas vem de *kalam* (caneta) e *kari* (trabalho). Eles são produzidos em Machilipatnam *(pág. 672)* e Sri Kalahasti. Combinando técnicas de tingimento e de pintura, desenham-se primeiro sobre o tecido figuras de deuses, deusas, árvores e pássaros, que depois são pintadas com uma "caneta" feita de haste de bambu forrada na ponta com um tecido de algodão. Cores naturais tradicionais como ocre, rosa-claro, índigo, vermelho-garança e preto-ferro são características destes tecidos. *Kalamkaris* de Sri Kalahasti faziam parte do ritual do templo, retratando temas mitológicos, com deuses, deusas e outros seres celestiais. Os de Machilipatnam têm influência persa *(pág. 673)* e já foram alvo de um lucrativo comércio com a Europa no século 17.

Kalamkari retratando Shiva e Parvati

Para hotéis e restaurantes nesta região, ver pág. 717 e pág. 743

Vista de Sri Kalahasti, com suas altas *gopuras* e o Kannappa Temple em uma colina

entrar no santuário, ficou tão brava ao ver o linga coberto com teias de aranha sujas que limpou tudo e cobriu com seixos. Por último, o elefante removeu as pedras e decorou o linga com flores. Isso continuou por algum tempo, até que os três devotos, cada um convencido de que sua maneira de cultuar era a mais pura e que os outros haviam cometido sacrilégio, decidiram confrontar-se. Na luta que se seguiu eles morreram, e Shiva, satisfeito com a devoção deles, abençoou-os e deu ao santuário seu nome –sri (aranha), kala (cobra) e hasti (elefante).

Sri Kalahasti é associada ainda à lenda de Kannappa, o caçador, por meio do seu **Kannappa Temple**. Um dos 63 nayannares, Kannappa arrancou um olho em um frenesi devocional e o ofereceu a Shiva. Há um santuário em sua homenagem no topo de um monte que se ergue a leste.

Há muitas gerações os devotos vêm a este templo procurando alívio para os "efeitos maléficos" de Saturno. Alguns peregrinos vêm aqui também trazendo suas filhas solteiras na esperança de que uma *puja* especial no templo as ajude a encontrar um bom marido.

Puttaparthi ㉑

Distrito de Ananthapur. 437km ao S de Hyderabad. *6km ao S do ashram, depois táxi. Dharmavaram, 40km ao N de Puttaparthi, depois ônibus. APTDC, (08555) 289 565. Aniversário de Baba (23 nov).*

Como terra natal de Sri Satya Sai Baba, "homem santo" que prega tolerância religiosa, amor universal e servir ao próximo, Puttaparthi tem um significado especial para o grande número de seus devotos em todo o mundo. A capacidade de Sai Baba de produzir *vibhuti* (cinzas sagradas), de modo aparentemente milagroso a partir do ar, é vista por seus devotos como um indicador de sua santidade e poderes. Desde muito cedo, Sai Baba, nascido Satyanarayana Raju nesta vila em 23 de novembro de 1926, demonstrou poderes divinos. Aos 14 anos, declarou ser a reencarnação de um santo celebrado, Sai Baba, de Shirdi, Maharashtra, que falecera em 1918. Acredita-se que ele irá voltar após sua morte como outro santo chamado Prem Sai Baba.

Sri Satya Sai Baba, líder religioso

Em 1950, Satya Sai Baba fundou um ashram para seus devotos, que hoje são em número gigantesco. Conhecido como **Prasanthi Nilayam**, ou a "Morada da Paz Suprema", é hoje um grande complexo com salas, alojamentos, cozinha e refeitório. Ao longo dos anos, vários edifícios apareceram em volta do ashram –escolas, complexos residenciais, hospitais, um planetário, um museu e centros de recreação–, transformando esta pequena vila em uma cidade cosmopolita. Fora do ashram, na parte mais baixa da vila, a vida rural prossegue, parecendo não ser afetada pelas atividades do ashram. A zona rural em volta dela é bastante fértil, com extensões de cultivos muito bem irrigadas.

Mulheres trabalhando no campo, Puttaparthi

O ornamentado *mihrab* da Sher Shah Mosque, em Penukonda

Penukonda ㉒

Distrito de Anantapur. 425km ao S de Hyderabad. *Babayya Fair (dez).*

Uma montanha rochosa domina a paisagem de Penukonda, ou "Grande Montanha", que tem muros elevando-se de suas encostas íngremes formando um forte quase triangular. Cidadela estratégica dos Vijayanagar do século 14 ao 16, Penukonda era a capital dos governantes aravidu que os sucederam até ser capturada, primeiro pelos Qutb Shahis, depois pelos mogüis e pelos maratas. Hoje, portais, torres de vigia, salas e santuários degradados ocupam o caminho até o topo.

Ao pé da montanha fica a cidade murada, com seus portais principais nos lados norte e leste. Ao sul há um grande tanque. Os principais monumentos ficam ao longo da rua norte-sul da cidade. O **Parsvanatha Jain Temple** daqui contém uma destacada escultura, do período Hoysala (séculos 12-13), do santo jainista Parsvanatha *(pág. 396)*, em pé diante de uma serpente ondulante. A **Sher Shah Mosque**, do século 16, perto daqui, tem uma fachada com arcos e um domo de bulbo.

Mais ao sul, próximos um do outro, há dois templos de granito dedicados a Rama e a Shiva. Os muros com pilastras da fachada do **Rama Temple** ganham vida com esculturas que retratam episódios do *Ramayana (pág. 27)* e da lenda de Krishna, e há cenas da mitologia de Shiva nas paredes do **Shiva Temple.**

A **Gagan Mahal** adjacente é uma estrutura palaciana do período Vijayanagar. Uma varanda com arcadas leva à sala abobadada com câmaras na parte de trás. O pavilhão abobadado termina com uma torre piramidal octogonal. Uma torre menor, similar, fica no alto da escadaria anexa. A leste dela há um pavilhão quadrado com beirais curvos, um parapeito vazado e uma torre piramidal octogonal. O interior tem restos de um intricado trabalho em estuque. Perto daqui há um poço com entrada em formato de leão.

A curta distância na direção norte da cidade murada fica a **Dargah of Babayya**, santuário de um santo muçulmano do século 16. Popular centro de peregrinação que foi muito protegido por Tipu Sultan *(pág. 517)*, ele sedia uma grande feira em dezembro.

Lepakshi ㉓

Distrito de Anantapur. 460km ao S de Hyderabad. *diariam.* *Shivratri (fev/mar).*

Um imenso monólito de Nandi, o touro de Shiva, está 1km a leste de Lepakshi, dando as boas-vindas a este importante centro de peregrinação.

A principal atração de Lepakshi é o **Virabhadra Temple**, que se ergue sobre uma formação rochosa. Ele foi construído em meados do século 16, patrocinado por dois irmãos, Virupanna e Viranna, governadores de Penukonda durante o império Vijayanagar.

O templo é um importante repositório de estilos de escultura e pintura do período. Dedicado a Virabhadra (Shiva em sua forma feroz), o templo fica entre dois recintos concêntricos, construído em três níveis. Entra-se nele por uma *gopura* no lado norte. De cada lado da entrada interna há figuras das deusas do rio Ganga e Yamuna, com folhagens ao fundo. Entre as outras esculturas notáveis há entalhes nos grandes pilares que definem o espaço central na sala aberta; as divindades, guardiões e sábios esculpidos nos pilares da Kalyana Mandapa, inacabada; e a imponente e monolítica *naga* (serpente) de sete cabeças que protege um linga de granito, a sudeste do santuário principal. Pinturas em cores vibrantes, vegetais e minerais cobrem os tetos das duas *mandapas* anexas (uma aberta, a outra murada), as paredes da Ardha Mandapa e alguns santuários acessórios. Deuses e deusas, grupos de patronos e fiéis e cenas de mitos e lendas mostram bem a exuberante arte pictórica do império Vijayanagar.

Naga monolítica, Virabhadra Temple

Uma sangrenta lenda associada ao Virabhadra Temple diz que Virupanna fez mau uso de fundos públicos ao construir este santuário e se antecipou à punição real cegando-se. Diz a lenda que os dois pontos escuros avermelhados sobre a parede oeste do recinto interno são as marcas deixadas por seus olhos.

Pilares esculpidos, no Virabhadra Temple

Para hotéis e restaurantes nesta região, ver pág. 717 e pág. 743

Pinturas Lepakshi

Shiva retratado como um mendigo

O motivo de orgulho de Lepakshi são os magníficos afrescos no teto do Virabhadra Temple, onde uma série de belas pinturas ilustra de maneira viva episódios dos épicos e dos *Puranas*. As figuras são mostradas de perfil, com olhos proeminentes e narizes e queixos afilados. Estes afrescos se caracterizam por elegantes traços em preto contra um fundo vermelho-alaranjado. Causam impacto especial os belíssimos trajes e o detalhamento dos penteados, padrões de tecidos e jóias. A paleta de cores limita-se ao branco, verde, preto e a várias tonalidades de ocre e marrom, aplicadas a uma superfície de gesso especialmente tratada com estuque e cal. Algumas das pinturas mais bonitas estão no teto da *mandapa* aberta, dispostas em longas faixas ao longo das reentrâncias circundantes.

O CASAMENTO DE SHIVA E PARVATI

É o afresco mais espetacular de Lepakshi e lembra os murais de Ajanta *(págs. 480-1)* pelas cores, pelo detalhamento dos trajes e das jóias e pelas graciosas figuras femininas.

Dakshinamurti *(Shiva como Divino Mestre) é mostrado sentado em uma rocha, falando sobre misticismo e filosofia a sábios reunidos a seus pés.*

Parvati, *com suas servas, aprontando-se para o casamento. Figuras planas em poses estilizadas, com frequência em fila, são típicas destas pinturas.*

A Caça ao Javali *mostra o animal selvagem atacando Arjuna e Shiva, que se preparam para acertá-lo.*

INDICAÇÕES AO TURISTA

ONDE FICAR

O grande número de visitantes que chegam à Índia dispõe de ampla variedade de acomodações, que vão de grandiosos palácio antigos e hotéis modernos e luxuosos ao estilo ocidental até hotéis econômicos e bangalôs para turistas. Os preços variam conforme a qualidade dos serviços e a localização. Hotéis de luxo e especializados, spas e hotéis tradicionais são caros, mas os recursos que oferecem justificam as altas diárias. Os hotéis econômicos, quase sempre administrados por departamentos estaduais de turismo, talvez não tenham o charme de um cinco-estrelas, mas são limpos, com excelente relação custo-benefício. Hospedarias, albergues e moradias simples para peregrinos, como *dharamshalas* e *ashrams*, dispõem de acomodações baratas. As tarifas flutuam com as estações e costumam baratear na baixa temporada (abril a setembro). A lista de hotéis nas páginas 690-717 oferece uma seleção de alguns dos melhores hotéis do país, para atender a todos os gostos e bolsos.

RAJVILĀS

Logo de hotel de luxo em Oberoi

CLASSIFICAÇÃO E RECURSOS

No alto da escala estão os hotéis de luxo, cinco-estrelas. A maioria pertence a redes de hotéis indianos e internacionais, como **Welcomgroup, Oberoi, Taj** e do **Ashok Group**, nacionais, da India Tourism Development Corporation (ITDC). Porém, muitas propriedades do Ashok Group estão em processo de venda para particulares. Em seguida vêm os hotéis de três e quatro estrelas, em boa parte geridos por governos estaduais, e, depois, as hospedarias econômicas. Os hotéis tradicionais oferecem ao visitante a oportunidade de ficar em fortes, palácios e mansões de época, muito bem restaurados.

DIÁRIAS E RESERVAS

Os mais caros são os hotéis cinco-estrelas e de luxo, assim como os exclusivos hotéis tradicionais, embora, destes últimos, as propriedades menores sejam mais econômicas. A hospedagem em cidades grandes costuma ser mais cara. As diárias variam entre os hotéis geridos pelo estado que tenham uma boa rede nacional. Os preços diferem nas hospedarias, e descontos sazonais significam que as tarifas podem cair quase 50%.

As diárias usam o sistema europeu, que cobre apenas o uso do quarto; mas em alguns lugares o café-da-manhã está incluído. Preços flexíveis dominam o mercado na baixa temporada, e vale a pena negociar um bom desconto.

Estrangeiros têm de pagar a diária em dólar em alguns hotéis que praticam tarifa dupla (para indianos e estrangeiros), mais alguma taxa adicional sobre o preço. Isso pode ser pago em rupias ou moeda estrangeira. Em geral, as diárias sofrem revisão em outubro, no início da alta estação. Contudo, muitos hotéis mantêm as tarifas do ano anterior. Reserve com boa antecedência, durante o auge da estação turística (out-mar). Como a classificação dos hotéis pode ser confusa, convém conseguir uma descrição completa do que esperar em termos da qualidade do quarto e dos serviços. Solicitar a confirmação da reserva por escrito é uma boa precaução. Ao fazer reservas, principalmente em hotéis de diárias médias ou econômicas, verifique quais cartões de crédito são aceitos. Lembre-se: alguns hotéis pedem pagamento adiantado e reembolsam apenas parte dele se a reserva for cancelada. O check-out costuma ser feito ao meio-dia, mas há hotéis mais flexíveis, que permitem a saída à meia-noite, ou aceitam uma pequena taxa por mais algumas horas. Às vezes, alguns hotéis menores permitem o check-out mais tarde sem cobrar nada. Quando pagar, examine a conta detalhadamente e peça recibo de tudo.

O charmoso Fernhill Palace Hotel, no estilo Raj, em Ooty

IMPOSTOS

A conta do hotel inclui impostos dos governos estadual e federal. O federal cobra 10% sobre as despesas (apenas pela diária do quarto), que são debitados aos hotéis com diária de 3 mil rupias ou mais. Os estados também cobram uma taxa de luxo sobre a diária dos quartos, o que varia de 5 a 25%. Também podem haver impostos munici-

◁ Feira livre semanal de Srirangapattana, em Karnátaka *(págs. 516-7)*

O suntuoso Lake Palace Hotel, de Udaipur, no meio do lago Pichola

pais, como os de vendas e serviços, e taxas especiais sobre álcool, que variam conforme o local. Há hotéis que cobram taxa de serviço.

DESPESAS EXTRAS

Prepare-se para pagar a mais por café-da-manhã, frigobar, água mineral, chamadas telefônicas, lavanderia, serviço de quarto (se não for um recurso regular), cama extra, uso do centro de negócios, e-mails e faxes, serviços de recepção e até por TV a cabo. Os traslados para entrar e sair do hotel são gratuitos apenas nos pacotes turísticos caros. Para chamadas interurbanas e internacionais, verifique se há recursos de ISD/STD, porém fica mais barato usar uma cabine STD *(pág. 770)* fora do hotel. Hotéis pequenos, sem água quente encanada, costumam cobrar por baldes de água quente.

HOTÉIS DE LUXO

Na Índia, os hotéis de luxo estão no mesmo nível dos melhores do mundo. Oferecem suítes e quartos espaçosos, serviço excelente e diversos recursos. Estes incluem equipamento de escritório, modernas instalações para conferências, galeria de lojas, piscinas, academias de ginástica e restaurantes variados. A equipe é muito educada e atenta, e pode ajudar a compor itinerários e a agendar atividades, como tênis, golfe ou cavalgada. Reserve com antecipação, em especial para a alta temporada.

HOTÉIS TRADICIONAIS

Muitos palácios, fortes e *havelis*, principalmente em Rajasthan, Madhya Pradesh, Himachal Pradesh e Gujarat, foram restaurados, modernizados e transformados em finos hotéis de luxo. Eles têm o charme das coisas antigas, e diversos são geridos por antigas famílias nobres, que tratam o visitante como hóspede de honra.

Classificados como Grandiosos, Clássicos e Comuns, dentro do item **Indian Heritage Hotels Association**, alguns podem ser reservados por agentes particulares, como o **HRH Group of Hotels**, os **Neemrana Hotels** e o **Welcom-Heritage**. Também se podem reservar com agências de viagem conhecidas.

HOTÉIS MÉDIOS

Os hotéis de quatro e três estrelas oferecem uma versão mais modesta dos cinco-estrelas. No entanto, são altos os níveis de conforto, limpeza e serviços profissionais. Os quartos têm ar-condicionado e banheiro. Além disso, existem restaurantes, lojas de presentes, centros de negócios e, às vezes, amplos jardins para jantar a céu aberto.

HOTÉIS ECONÔMICOS E ALOJAMENTOS DE TURISTAS

Costuma-se encontrar hotéis econômicos perto de terminais de ônibus e estações de trem. Têm decoração simples, com banheiros indianos ou ocidentais, ventiladores de teto e opções básicas de comida no salão de jantar. Às vezes oferecem serviço de e-mail de graça. As diárias nas cidades grandes são mais caras do que nas pequenas. Opção excelente, principalmente em destinos menos conhecidos, é a rede rural de bangalôs e alojamentos geridos pelos departamentos estaduais de turismo ou pelo Ashok Group. De preços moderados, oferecem quartos com banheiro ou acomodações em dormitórios comuns.

BANGALÔS DAK

Geridos pelo governo, os bangalôs dak (hospedarias com recursos básicos) são baratos, limpos e bem localizados. Embora nem sempre estejam disponíveis para o público, podem-se contatar as autoridades locais para ajudar a procurar. Reserve com antecipação, pois a prioridade é para funcionários em viagem.

Cidade de Goa Beach Resort, com projeto do arquiteto Charles Correa

HOSPEDARIAS E QUARTOS EM CASA DE FAMÍLIA

Há estados, como Goa, Tamil Nadu, Rajasthan e Madhya Pradesh, em que chalés de família e velhas mansões foram transformados (às vezes parcialmente) em hospedarias. Em geral, elas caem na categoria de acomodações médias ou econômicas, e a quantidade de recursos, a qualidade de serviços e o preço podem variar. Peça para ver os quartos antes de se registrar, pois a diferença entre quartos de mesmo preço pode ser substancial. Os melhores possuem ar-condicionado e banheiro e vasos sanitários de estilo ocidental.

A hospedagem em casas de família está se tornando uma opção popular, principalmente em Kerala. Convém checar com os centros de informação turística estaduais *(pág. 761)* a lista de estabelecimentos em seu Paying Guest Scheme. O Rajasthan Tourism dispõe de longa lista, assim como o Madhya Pradesh Tourism. Em Kerala, a **Sundale Vacations** é especializada em casas de família.

DHARAMSHALAS E ASHRAMS

Centros religiosos, a exemplo de *dharamshalas*, ashrams e mosteiros, oferecem acomodações simples e asseadas por todo o país. Em geral, não é preciso fazer reserva e a estada costuma ser grátis, embora qualquer donativo seja bem-vindo. Recomenda-se seguir as regras da casa e não melindrar nenhum sentimento. Alguns ashrams nas partes mais antigas de cidades talvez ofereçam somente um colchão no chão, o que deve bastar se você apenas pernoitar. Mas prepare-se para dividir quartos e banheiros com outras pessoas.

Ashrams concorridos, como o **Sri Aurobindo Ashram, a Ramakrishna Mission** e o **Sivananda Ashram**, têm filiais espalhadas pelo país, e é preciso fazer reserva. Sua sede pode ser contatada para mais detalhes.

Em Ladakh, muitos mosteiros administram hotéis bem próximos. Um dos melhores é o **Lamayuru Monastery Hotel**, com bela localização *(pág. 138)*.

Camping de luxo em Pushkar, durante a feira anual de gado

PARQUES NACIONAIS E CAMPINGS

A maioria dos parques nacionais e das reservas de vida selvagem dispõe de alojamentos florestais, com recursos básicos. Já que boa parte das acomodações costuma ser reservada para funcionários florestais, agora muitos parques maiores têm finos resorts, localizados nas redondezas. Os mais concorridos ficam em Ranthambhore (Sher Bagh), Corbett (Infinity Resorts), Kaziranga (Wildgrass) e Nagarhole (Kabini River Lodge). Pode-se fazer reserva com a **Wild World India** ou pelas agências de viagens. Não se permitem acampamentos nas reservas de vida selvagem e, como regra, não é seguro se desgarrar das caminhadas com guias. Acampamentos com barracas são instalados por operadoras que organizam passeios de aventura, como rafting pelo Ganges *(pág. 185)*, ou que se especializaram em acampamentos de férias *(pág. 752)*. Verifique todos os detalhes, pois algumas talvez não forneçam mosquiteiro ou água mineral. Em Rajasthan, há hotéis que dão ao hóspede a opção de ficar em tendas de luxo, em jardins amplos. Nas *melas* (feiras) de Pushkar e Kumbh, os governos estaduais fornecem acomodações em barracas.

Barco de arroz, ou kettuvallam, em Kerala

HOTÉIS ESPECIAIS

O crescente interesse em saúde e bem-estar holísticos espalhou-se por diversos spas com clínicas e resorts exclusivos. Os mais procurados oferecem ioga e fitoterapia, como o ayurveda. Entre outros serviços, há massagens terapêuticas, como a aromaterapia e a reflexologia, e meditação. Em geral, uma dieta rigorosa faz parte da disciplina espartana, embora nos resorts de luxo as regras sejam flexíveis. Os spas Raj Vilas e Amar Vilas, do **Oberoi Group**, e o **Ananda** têm nível excelente. Os *kettuvallams* (barcos de arroz transformados) de Kerala são luxuosos e dispõem de bons serviços; e a **Tourindia** organiza as viagens.

ALBERGUES DA JUVENTUDE

A Índia possui excelente rede de albergues da juventude. Por cobrarem diárias muito baratas, costumam ficar lotados. Os membros da **Youth Hostel Association of India** e da Youth Hostel International têm prioridade nas reservas; mas quem não é associado pode conseguir um quarto por uma taxa mais alta. A rede dispõe de quartos e dormitórios coletivos.

A **YMCA** conta com recursos melhores, porém é mais cara e existe em menos cidades.

ATRAVESSADORES

Visitantes sem reserva em hotel devem procurar os balcões de turismo em aeroportos, estações de trem ou de ônibus para evitar o assédio de atravessadores, que funcionam como motoristas de táxi e de riquixá a motor. Muitos são bem convincentes e oferecem descontos incríveis, mediante comissão. Alguns, porém, são de fato prestativos. Se não houver outra opção, peça ao motorista que espere até ver as acomodações. Chame um policial se eles ficarem inconvenientes.

CRIANÇAS E DEFICIENTES FÍSICOS

Embora existam poucos recursos para deficientes físicos, os funcionários costumam ser atenciosos. O governo fez uma campanha para a criação de rampas para cadeiras de rodas, elevadores e banheiros especiais, mas prédios antigos, mesmo os de hotéis cinco-estrelas, encontram dificuldade para acomodá-los. A maioria dos hotéis tem equipamentos especiais para crianças. E os funcionários costumam acolher bem as crianças. Podem-se conseguir camas extras. Poucos hotéis têm baby-sitters.

Impressionante saguão na entrada do Cecil Hotel, em Shimla

GORJETAS

Apesar da inclusão de taxas de serviço na conta, na maioria dos lugares espera-se gorjeta. O valor é arbitrário. Gorjetas de 10 rupias são boas para manobristas, serviços de quarto e carregadores, mas os garçons esperam 10% da conta. Não é preciso dar gorjeta a taxistas. Mas uma gorjeta sempre facilita a agilidade das coisas.

AGENDA

REDE DE HOTÉIS

Ashok Group
ITDC, 7 Lodhi Rd, Délhi.
Tel *(011) 2436 0303.*
www.theashokgroup.com

Oberoi Group
Oberoi Maidens, Délhi.
Tel *(011) 2392 5464.*
www.oberoihotels.com

Taj Group
Taj Intercontinental, Mumbai.
Tel *(022) 2202 5515.*
www.tajhotels.com

Welcomgroup
Maurya Sheraton, Délhi.
Tel *(011) 2611 2233.*
www.welcomgroup.com

H. TRADICIONAIS

Indian Heritage Hotels Association
Sansar Chandra Rd, Jaipur.
Tel *(0141) 237 1194.*
www.indianheritagehotels.com

HRH Group of Hotels
City Palace, Udaipur.
Tel *(0294) 252 8016.*
www.hrhhotels.com

Neemrana Hotels
A-58, Nizammudin East, Délhi.
Tel *(011) 2435 8348.*
www.neemranahotels.com

WelcomHeritage
31, Siri Fort Rd, Nova Délhi.
Tel *(011) 2626 6650.*
www.welcomheritagehotels.com

HOSPEDARIAS E QUARTOS EM CASA DE FAMÍLIA

Munjeeta Travels
12 Cavendish Rd, Woking, Surrey, GU22 OEP, UK.
Tel *(01483) 773 331.*

Sundale Vacations
39/5955–A, Atlantis Junction, MG Rd, Kochi.
Tel *(0484) 235 9127.*
www.sundale.com

DHARAMSHALAS E ASHRAMS

Lamayuru Monastery Hotel
Lamayuru Monastery, Ladakh district, Jammu e Caxemira.
Tel Sem telefone.

Ramakrishna Mission
Belur Math, Howrah district, West Bengal.
Tel *(033) 2654 1144.*
www.sriramakrishna.org

Sivananda Ashram
Divine Life Society, PO Shivanandanagar, 249192, Tehri Garhwal District Uttaranchal.
Tel *(0135) 243 0040.*
www.divinelifesociety.org

Sri Aurobindo Ashram
1 Goubert Salai (Beach Road), Pondicherry.
Tel *(0413) 233 4836.*
www.sriaurobindoashram.org

PARQUES NACIONAIS E CAMPINGS

Wild World India
21, Kailash Hills, Nova Délhi 110 065.
Tel *(011) 2691 4417.*
www.wildworldindia.com

HOTÉIS ESPECIAIS

Tourindia
PO Box 163, Thiruvananthapuram.
Tel *(0471) 233 1507.*
www.tourindiakerala.com

A. DA JUVENTUDE

YMCA
YMCA Hostel, 1 Jaisingh Rd, PO Box 612, Délhi.
Tel *(011) 2336 1915.*
www.ymca.int

Youth Hostels Association of India
Vishwa Yuvak Kendra, 5, Nyaya Marg, Délhi.
Tel *(011) 2687 1969.*
www.yhaindia.org

Como Escolher um Hotel

Os hotéis foram selecionados em uma ampla gama de preços por suas instalações, tarifa compatível e localização. A maioria tem acesso à Internet e, em alguns casos, equipamentos de ginástica podem ficar em outro local. Os preços citados são os cobrados pelos hotéis, embora possa haver descontos através de agências. As listas são por região.

CATEGORIAS DE PREÇO
Para diária de quarto duplo standard, incluindo impostos e serviço, mas sem café-da-manhã.

Rs menos de 550 rupias
RsRs 550–1.200 rupias
RsRsRs 1.200–3.000 rupias
RsRsRsRs 3.000–6.000 rupias
RsRsRsRsRs mais de 6.000 rupias

DÉLHI

DÉLHI Hotel Broadway RsRsRs

4/15A Asaf Ali Rd (Near Delhi Gate), 110 002 ***Tel*** *(011) 2327 3821* ***Fax*** *(011) 2327 9966* ***Quartos*** *26*

Construído há 50 anos, este é um dos hotéis econômicos mais antigos da cidade e o primeiro arranha-céu local. Os quartos confortáveis são voltados para a agitada Asaf Ali Road e têm vista para a espetacular área mogul da Antiga Délhi. A equipe cordial e dois restaurantes bons são outras vantagens. **www.oldworldhospitality.com**

DÉLHI Jor Bagh '27' Guesthouse RsRsRs

27 Jor Bagh, 110 003 ***Tel*** *(011) 2469 4430* ***Fax*** *(011) 2469 8647* ***Quartos*** *18*

Este hotel modesto proporciona o tipo de conforto e instalações que não se encontra em outros estabelecimentos econômicos. Estrategicamente localizado e ligado ao centro da cidade, é surpreendentemente calmo e silencioso, e tem quartos arrumados e aconchegantes. A equipe presta serviços com cordialidade. **www.jorbagh27.com**

DÉLHI YWCA International Guest House RsRsRs

10 Parliament Street (Sansad Marg), 110 001 ***Tel*** *(011) 2336 1662* ***Fax*** *(011) 2334 1763* ***Quartos*** *24*

Popular entre garotas estudantes e mulheres viajando sozinhas ou com crianças, o YWCA oferece bons serviços a baixo custo. Perto da principal área de negócios e lojas de Délhi, tem quartos simples e confortáveis. Café-da-manhã grátis servido das 8h às 10h. Há bebidas disponíveis o tempo todo. **www.ywcaindia.org**

DÉLHI Hotel Centre Point RsRsRsRs

13 Kasturba Gandhi Marg, 110 001 ***Tel*** *(011) 2335 4304* ***Fax*** *(011) 2332 9138* ***Quartos*** *55*

Nesta antiga residência colonial que foi transformada em hotel os serviços são excelentes em vista da faixa de preço. Os quartos mantêm o ar de luxo dos tempos passados. Fica perto de importantes centros de negócios, consumo e mídia. Uma das melhores opções econômicas para executivos e turistas.

DÉLHI Oberoi Maiden's RsRsRsRs

7 Sham Nath Marg, 110 054 ***Tel*** *(011) 2397 5464* ***Fax*** *(011) 2398 0771* ***Quartos*** *53*

Um dos hotéis mais antigos da cidade, este edifício de arquitetura clássica pode ter sido a inspiração de Lutyens, que ficou aqui em sua primeira visita à Índia há mais de um século. Com vistas espetaculares da verdejante cordilheira Délhi, este hotel tradicional exala serenidade e beleza. **www.maidenshotel.com**

DÉLHI The Ashok RsRsRsRsRs

50-B Chanakyapuri, 110 021 ***Tel*** *(011) 2611 0101* ***Fax*** *(011) 2687 3216* ***Quartos*** *550*

A palaciana arquitetura mogul, as vistas panorâmicas e a equipe impecável do Ashok garantem uma estada excelente. Os quartos são espaçosos e luxuosos. Os hóspedes podem passar o dia tomando sol ao lado da piscina ou no spa Amatra City. O bar interno Soho tem eventos musicais regulares. **www.theashok.com**

DÉLHI Claridges RsRsRsRsRs

12 Aurangzeb Rd, 110 011 ***Tel*** *(011) 4133 5133* ***Fax*** *(011) 2301 0625* ***Quartos*** *138*

Em avenidas arborizadas no centro de Délhi, este hotel elegante é uma mistura perfeita do clássico com o contemporâneo. Os quartos são mobiliados com luxo e bom gosto e, em sua maioria, têm vistas encantadoras da piscina ou dos gramados. Boas instalações asseguram uma estada relaxante. **www.claridges-hotels.com**

DÉLHI Hyatt Regency RsRsRsRsRs

Bhikaji Cama Place, 110 029 ***Tel*** *(011) 2679 1234* ***Fax*** *(011) 2679 1122* ***Quartos*** *508*

Os majestosos quartos daqui exalam puro luxo. Móveis modernos, pisos de madeira e vitrais refinados criam um visual chique e vanguardista. Há dois restaurantes: La Piazza, com a melhor cozinha italiana da cidade, e o TK's Oriental Grill, que proporciona uma experiência gastronômica interativa. **www.delhi.regency.hyatt.com**

DÉLHI The Imperial RsRsRsRsRs

Janpath, 110 001 ***Tel*** *(011) 2334 1234* ***Fax*** *(011) 2334 225* ***Quartos*** *263*

Considerado um dos melhores hotéis da Ásia, o Imperial proporciona uma experiência colonial singular. Os quartos luxuosos têm um clima de época, mas são equipados com todos os confortos modernos. Ao lado da rua Janpath, é ideal para explorar a cidade. **www.theimperialindia.com**

Legenda dos símbolos *no final do guia*

DÉLHI InterContinental Eros ®®®®®

Nehru Place, 110 019 ***Tel*** *(011) 4122 3344* ***Fax*** *(011) 2622 4288* ***Quartos*** *224*

Luxuoso em todos os aspectos, desde os quartos elegantes ao belo spa, fica ao lado do Nehru Place e a poucos minutos de vários restaurantes e lojas conhecidos. O restaurante interno Empress of China serve autêntica cozinha oriental. **www.ichotelsgroup.com**

DÉLHI Intercontinental The Grand ®®®®®

Barakhamba Avenue, Connaught Place ***Tel*** *(011) 2341 1001* ***Fax*** *(011) 2341 2233* ***Quartos*** *444*

Muito requisitado por executivos, este hotel tem um misto de sofisticação, conforto e estilo. Os quartos são imponentes, espaçosos e têm decoração contemporânea. O Law Club, o primeiro do gênero, é ponto de encontro da elite jurídica da cidade. Os restaurantes e bares internos são excelentes. **www.thegrandhotels.net**

DÉLHI Le Meridien ®®®®®

Windsor Place, 110 001 ***Tel*** *(011) 2371 0101* ***Fax*** *(011) 2371 4545* ***Quartos*** *355*

Bem no centro de Délhi, este hotel encantador com átrio tem o clube noturno mais alto da cidade, bares animados e restaurantes especializados. Os quartos luxuosos são bem equipados assegurando muito conforto. **www.lemeridien-newdelhi.com**

DÉLHI The Manor ®®®®®

77 Friends Colony (West), 110 065 ***Tel*** *(011) 2692 5151* ***Fax*** *(011) 2692 7510* ***Quartos*** *10*

Construído no final da década de 1950, o Manor tem um encantador pano de fundo residencial. Os quartos têm camas queen-size e outros confortos que tornam a estada agradável. Para relaxar, vá ao terraço no topo, com vista para um belo jardim. **www.themanordelhi.com**

DÉLHI The Metropolitan Hotel Nikko ®®®®®

Bangla Sahib Rd, 110 001 ***Tel*** *(011) 4250 0200* ***Fax*** *(011) 4250 0300* ***Quartos*** *176*

Este hotel com instalações de padrão internacional é uma mistura perfeita do Oriente e do Ocidente. Os quartos espaçosos têm elegante decoração clássica. A loja de artesanato é ótima para suvenires e o Zen Health Club oferece spa e massagens terapêuticas. **www.hotelnikkodelhi.com**

DÉLHI Maurya Sheraton ®®®®®

Diplomatic Enclave, Sardar Patel Marg, 110 001 ***Tel*** *(011) 2611 2233* ***Fax*** *(011) 2611 3333* ***Quartos*** *484*

Este hotel exclusivo oferece luxo, privacidade, estilo e estrutura de padrão internacional. A parte de lazer abrange leitura de tarô e golfe em um campo de 27 buracos projetado por Jack Nicklaus. Tem também dois dos melhores restaurantes da cidade, o Bukhara e o Dum Pukht. **www.itcwelcomgroup.in**

DÉLHI The Oberoi ®®®®®

Dr Zakir Hussain Marg, 110 003 ***Tel*** *(011) 2436 3030* ***Fax*** *(011) 2436 0484* ***Quartos*** *300*

Premiado recentemente como o "Melhor 5-Estrelas da Índia, o Oberoi assegura uma estada confortável, luxuosa e vibrante. Os quartos repletos de glamour são os melhores da cidade. Opção certa para quem preza qualidade e excelência, o hotel também tem o ótimo restaurante italiano Travertino. **www.oberoidelhi.com**

DÉLHI The Park ®®®®®

15 Parliament Street, 110 001 ***Tel*** *(011) 237 43000* ***Fax*** *(011) 2374 4000* ***Quartos*** *224*

Este hotel é sinônimo de luxo e privacidade total. Os quartos de visual vanguardista têm os mais avançados confortos. Na galeria de lojas, a loja de presentes The Box tem artesanatos e acessórios de bom gosto. Os restaurantes servem cozinha internacional. **www.theparkhotels.com**

DÉLHI Radisson Hotel ®®®®®

Sikandarpur, National Highway No 8, 110 037 ***Tel*** *(011) 2677 9191* ***Fax*** *(011) 2677 9090* ***Quartos*** *256*

Parte da rede mundial de 350 hotéis, o Radisson fica próximo ao aeroporto. Empenhado em superar as expectativas dos hóspedes, oferece quartos de classe internacional e puro luxo. Tem vários restaurantes e bares ótimos, porém bem caros. **www.radisson.com**

DÉLHI Shangri-La ®®®®®

19 Ashok Rd, Connaught Place, 110 001 ***Tel*** *(011) 4119 1919* ***Fax*** *(011) 4119 1988* ***Quartos*** *323*

O saguão deste hotel de luxo recém-construído exibe pinturas do famoso pintor M. F. Husain. Os quartos luxuosos têm vistas espetaculares da cidade. A conhecida rua de comércio Janpath fica a uma curta caminhada. O hotel é muito procurado por executivos e turistas. **www.shangri-la.com**

DÉLHI The Taj Ambassador ®®®®®

Sujan Singh Park, Cornwallis Rd., 110 003 ***Tel*** *(011) 2463 2600* ***Fax*** *(011) 2463 2252* ***Quartos*** *88*

Ideal para *connoisseurs* de arte, este hotel com colunatas exala um certo charme do Velho Mundo. Caso você queira ter uma estada tranquila, seus quartos simples e elegantes são a escolha certa. Caminhe nos Jardins Lodi e faça compras no Mercado Khan, um ótimo aglomerado de butiques e restaurantes. **www.tajhotels.com**

DÉLHI The Taj Mahal Hotel ®®®®®

1 Mansingh Rd, 110 011 ***Tel*** *(011) 2302 6162* ***Fax*** *(011) 2302 6070* ***Quartos*** *296*

O Taj oferece quartos luxuosos, ideais para o turista exigente que aprecia qualidade e sofisticação. A decoração mogul e o serviço hospitaleiro são suntuosos. O hotel abriga a conhecida cafeteria Machan, o animado lounge bar Ricks e a House of Ming que serve cozinha clássica chinesa. **www.tajhotels.com**

HARYANA E PUNJAB

AMRITSAR Hotel Mohan International ₨₨₨₨

Albert Rd, 143 001 ***Tel*** *(0183) 222 7802* ***Fax*** *(0183) 222 6520* ***Quartos*** *76*

Este hotel 4 estrelas fica perto da divisa com Wagah nos arredores de Amritsar. Com instalações excelentes, é uma opção muito conveniente, pois fica a apenas km da estação ferroviária, a 3km da estação rodoviária e a 15km do aeroporto. **www.nivalink.com/mohan/index.html**

CHANDIGARH Shivalik View ₨₨₨

Sec 17, 160 017 ***Tel*** *(0172) 464 4450* ***Fax*** *(0172) 270 1094* ***Quartos*** *108*

Seja a negócios ou a lazer, usufrua as excelentes instalações e serviços deste hotel moderno no centro da cidade. Segundo maior hotel de Chandigarh, é conhecido por seus padrões de luxo impecáveis. **www.citcochandigarh.com/shivalikview/index.php**

CHANDIGARH Hotel Mountview ₨₨₨₨

Sector 10, 160 011 ***Tel*** *(0172) 274 0544* ***Fax*** *(0172) 274 2220* ***Quartos*** *145*

Um dos poucos 5 estrelas da região norte de Délhi, este hotel é cercado por gramados verdejantes e tem as colinas Shivalik ao fundo. O ambiente é agradável e seu sereno Jardim de Pedras é afamado. **www.citcochandigarh.com/mountview/index.php**

CHANDIGARH Taj Chandigarh ₨₨₨₨₨

Block 9a, Sector 17, 160 017 ***Tel*** *(0172) 551 3000* ***Fax*** *(0172) 551 4000* ***Quartos*** *152*

Este hotel recém-construído na área de negócios e lojas da cidade fica a 30 minutos de carro do aeroporto e a 15 minutos da estação feroviária. Os quartos são equipados com a tecnologia mais avançada, móveis ergonômicos e confortos modernos. **www.tajhotels.com**

GURGAON Tikli Bottom ₨₨₨₨₨

Manender Farm, Gairatpur Bas, PO Tikli, 122 001 ***Tel*** *(0124) 2766556* ***Quartos*** *4*

A beleza e as tradições da Índia colonial estão presentes no Tikli Bottom. Este edifício encantador em estilo Lutyens oferece quatro quartos luxuosos com vistas estupendas das colinas Aravalli. As tarifas incluem todas as refeições e drinks. Nesta mansão você atinge um relaxamento sublime. **www.tiklibottom.com**

GURGAON Trident-Hilton ₨₨₨₨₨

443 Udyog Vihar, Phase V ***Tel*** *(0124) 245 0505* ***Fax*** *(0124) 245 0606* ***Quartos*** *136*

Premiado hotel executivo, o Trident-Hilton é o mais recente entre os hotéis chiques que vêm surgindo ao redor de Délhi. Os quartos luxuosos são equipados com o que há de mais moderno em termos de conforto para os hóspedes. O restaurante Cilantro de cozinha variada é bem conhecido. **www.trident-hilton.com**

HIMACHAL PRADESH

CHAIL Palace Hotel ₨₨₨₨

Palace Hotel, Chail, 173 217 ***Tel*** *(01792) 248 141* ***Fax*** *(01792) 248 334* ***Quartos*** *54*

Outrora o palácio de verão da família real de Patiala, esta bela propriedade com 30ha de jardins e bosques de cedro oferece vários tipos de acomodação, incluindo nove chalés. Tem também um agradável café ao ar livre e uma sala de bilhar. **palace@hptc.in**

DALHOUSIE Grand View Hotel ₨₨₨

Dalhousie, 176 304 ***Tel*** *(01899) 240 760* ***Fax*** *(01899) 240 609* ***Quartos*** *26*

À altura de seu nome, este hotel limpo e confortável tem vistas espetaculares da cordilheira Pir Panjal a partir de seu gramado bem-cuidado. Os hóspedes contam com todos os confortos básicos, como serviço de quarto 24 horas, TV e atividades para crianças. O restaurante serve comida deliciosa. **grandview@rediffmail.com**

DHARAMSALA Chonor House ₨₨₨

Thekchen Choeling Rd, McLeodganj, 176 219 ***Tel*** *(01892) 221 006* ***Fax*** *(01892) 221 077* ***Quartos*** *11*

Traditionais murais tibetanos, móveis de teca e pau-rosa, e tapetes tecidos a mão adornam os quartos elegantes da Chonor House, que foi decorada pelos artistas do Norbulingka Institute. Centralmente localizado, tem vista para o Tsuglagkhang, principal templo budista. Um oásis de tranquilidade. **www.norbulingka.org**

DHARAMSALA Glenmoor Cottages ₨₨₨

McLeodganj, 176 219 ***Tel*** *(01892) 221 010* ***Fax*** *(01892) 221 021* ***Quartos*** *7*

Cinco chalés agradáveis em um cenário idílico e sereno oferecem acomodações limpas e confortáveis. Todos têm banheiro, quitinete e uma pequena varanda envidraçada. Organiza idas a atrações, caminhadas e passeios de pônei. Há refeições simples e substanciosas. **www.glenmoorcottages.com**

Legenda dos preços *ver pág. 690* **Legenda dos símbolos** *no final do guia*

KALPA Kinner Villa ₨₨₨

Village & PO Kalpa Distt, Kinnaur, 172 108 **Tel** *(01786) 226 006* **Quartos** *11*

Construído com pedra e madeira, este hotel isolado tem quartos confortáveis cujas sacadas descortinam vistas esplêndidas dos picos nevados de Kinner Kailash. As crianças podem brincar no jardim bem cuidado ou na sala de recreação.

KEYLONG Hotel Dekyid ₨₨

Town End Upper Keylong, Lahaul & Spiti District, 175 114 **Tel** *(01900) 222 217* **Quartos** *23*

Há quartos espaçosos neste hotel econômico, que tem uma equipe simpática e um restaurante decente. Com os picos nevados ao fundo, o Hotel Dekyid oferece uma suíte familiar com três quartos e 22 quartos duplos abastecidos com água quente. Uma boa base para visitar Kardang.

KULLU Span Resorts ₨₨₨₨₨

Kullu-Manali Highway, Kullu District, 175 101 **Tel** *(01902) 240 138* **Fax** *(01902) 240 140* **Quartos** *30*

O rio Beas passa por este resort de ótima localização e com belos chalés espalhados por um vasto jardim. Cada chalé tem um pátio com vistas esplêndidas do rio e das montanhas. A equipe cordial pode organizar atividades como rafting, vela, passeios a cavalo e pesca. **www.spanresorts.com**

MANALI John Banon's Hotel ₨₨₨

Near Circuit House, 175 131 **Tel** *(01902) 252 335* **Fax** *(01902) 252 392* **Quartos** *14*

Este charmoso hotel da era Raj fica em um belo pomar de macieiras e cerejeiras. Com serviço 24 horas e TV em todos os quartos, tem um ambiente moderno e é uma boa base para caminhadas em trilhas e, caso o tempo permita, também para esqui no inverno.

MANALI Snowcrest Manor ₨₨₨₨

Beyond Log Huts area, 175 131 **Tel** *(01902) 253 351* **Fax** *(01902) 253 188* **Quartos** *32*

Próximo do mercado e em uma encosta de colina, o moderno Snowcrest Manor esbanja luxo. Todos os quartos têm janelões com vistas esplêndidas que vão do vale até a Rohtang Pass. É uma boa base para esportes radicais. **snowcrest@hotmail.com**

NALAGARH The Nalagarh Fort Resort ₨₨₨₨

The Fort, Nalagarh, 174 101 **Tel** *(01795) 223 009* **Fax** *(01795) 223 021* **Quartos** *31*

Em uma fortaleza construída pelo rajá Ajai Chand no ano 1100, este hotel reformado tem um clima medieval. Há uma loja de presentes, acesso para cadeira de rodas e estacionamento. Sua vasta área abriga pomares e florestas. **fortresort@satyam.net.in**

PRAGPUR Judge's Court ₨₨₨₨

Jai Bhawan, Tehsil Dehra, Kangra District, 177 107 **Tel** *(01970) 245 035* **Quartos** *12*

Construído no início do século 20 pelo influente juiz Jai Lal, esta casa de campo imponente em estilo indo-europeu é cercada por pomares e foi restaurada com bom gosto. As adições mais recentes são a piscina, o salão de conferências, a loja de presentes e o campo de golfe. **www.judgescourt.com**

SARAHAN Shrikhand ₨₨₨

Village & PO Sarahan, Rampur District, 172 102 **Tel** *(01782) 274 234* **Quartos** *31*

No alto de uma colina, este hotel de luxo tem lindas vistas dos picos das montanhas Shrikhand que dividem os vales do Satluj e do Beas. É uma excelente parada para visitas às atrações, lazer e peregrinação. As acomodações incluem dormitórios coletivos, quartos standard e de luxo, e chalés. **booking@himachalhotels.in**

SHIMLA Hotel Combermere ₨₨₨₨

The Mall, 171 001 **Tel** *(0177) 265 1246* **Fax** *(0177) 265 2251* **Quartos** *41*

Centralmente localizado, este hotel oferece quartos bem mobiliados com todos os confortos básicos como frigobar, TV a cores, jacuzzi, cofre e serviço 24 horas. Tem também o restaurante The Seventh Heaven que serve cozinhas variadas. **www.hotelcombermere.com**

SHIMLA Oberoi Cecil ₨₨₨₨

Chaura Maidan, 171 001 **Tel** *(0177) 280 4848* **Fax** *(0177) 281 1024* **Quartos** *79*

Parte do Oberoi Group, este hotel elegante fica na ponta do Shimla's Mall. Um aconchegante bar no átrio, lareira, pisos de parquê e piscina aquecida reforçam a sensação de conforto luxuoso. Há também avançados equipamentos de áudio e vídeo. **www.oberoicecil.com**

SHIMLA Woodville Palace Hotel ₨₨₨₨

Raj Bhawan Rd, 171 001 **Tel** *(0177) 262 3919* **Fax** *(0177) 262 2156* **Quartos** *28*

Construído em 1938 pelo rajá de Jubbal, este palácio transformado em hotel tem uma floresta privada ideal para caminhadas. Oferece todos os luxos modernos, mas mantém o charme do passado com camas de ferro batido e imensas cortinas decorando os quartos. **www.woodvillepalacehotel.com**

SHIMLA Radisson Jass Hotel ₨₨₨₨₨

Good Wood Estate, Lower Bharari Rd, 171 001 **Tel** *(0177) 265 9012* **Fax** *(0177) 280 6902* **Quartos** *59*

Com os padrões internacionais mais acurados, este hotel alia o charme e a beleza da área com confortos modernos. Os quartos bem arrumados são voltados para as montanhas e densos pinheirais. A estrutura inclui o Pulse Terrasse Bar and Deck e o restaurante Café Valley Vue com cozinha variada. **www.radisson.com**

SHIMLA Wildflower Hall ⓇⓈⓇⓈⓇⓈⓇⓈⓇⓈ

Chharabra, Dhalli PO, Mashobra, 171 012 ***Tel*** *(0177) 264 8585* ***Fax*** *(0177) 264 8686* ***Quartos*** *87*

Antiga residência do lorde Kitchener, este imponente edifício de pedra e ardósia fica em meio a florestas de cedros e pinheiros. Além de vistas esplêndidas das montanhas, tem restaurantes, hidromassagem externa e piscina aquecida. Os quartos contam com serviço personalizado e espaçosos banheiros com closets. **www.oberoiwildflowerhall.com**

LADAKH, JAMMU E CAXEMIRA

ALCHI Alchi Resort ⓇⓈⓇⓈⓇⓈ

Alchi ***Tel*** *(01982) 25 2631, 9419 218636* ***Fax*** *(01982) 25 2520* ***Quartos*** *15*

Estas cabanas limpas e confortáveis em um cenário tranquilo ficam a um pulinho do histórico Mosteiro Alchi, com o rio Indos passando por perto. A arquitetura e a decoração são tradicionais. Organiza excursões para outros mosteiros na vizinhança. **alchi_resort@hotmail.com**

KARGIL Hotel D'zoji-La ⓇⓈⓇⓈ

Baru ***Tel*** *(01985) 23 2227* ***Quartos*** *41*

A 2km da cidade e nas margens do rio Suru, este conhecido hotel econômico tem serviço de quarto, telefone com discagem direta e fax. Um belo jardim contribui para a estética do local. Os hóspedes podem saborear as refeições no jardim ou no terraço, sendo ambas as opções boas.

LEH Dragon ⓇⓈⓇⓈⓇⓈ

Old Rd, 194 101 ***Tel*** *(01982) 25 2139* ***Fax*** *(01982) 25 2720* ***Quartos*** *30*

Este hotel é um belo exemplo da arquitetura tradicional de Ladakh. Fica a uma curta caminhada do mercado principal e oferece instalações bem modernas. O restaurante serve comida simples, saudável e saborosa, e tem uma boa adega para noites frias. Prove a culinária tibetana local e os diferentes tipos de chá. **advnorth@sancharnet.in**

LEH Hotel Shambhala ⓇⓈⓇⓈⓇⓈ

Skara, 194 101 ***Tel*** *(01982) 25 1100, 941917 7900* ***Fax*** *(01982) 25 2607* ***Quartos*** *24*

Em um bosque de choupos cercado por um grande prado, este hotel tem quartos limpos e agradáveis, e murais coloridos. Organiza excursões e caminhadas por Ladakh mediante pedido. O hotel funciona de 1° de maio até o fim de outubro. **www.hotelshambhala.com**

LEH Oriental Guest House ⓇⓈⓇⓈⓇⓈ

Changspa, 194 101 ***Tel*** *(01982) 25 3153* ***Fax*** *(01982) 25 0516* ***Quartos*** *25*

Muito escolhido por quem tem orçamento limitado, este hotel familiar na estrada para o Shanti Stupa exala hospitalidade. O aquecimento e a água são obtidos com energia solar para que os hóspedes causem mínimo impacto sobre o frágil ecossistema de Leh. **www.oriental-ladakh.com**

LEH Yak Tail ⓇⓈⓇⓈⓇⓈ

Fort Rd, 194 101 ***Tel*** *(01982) 25 2118* ***Fax*** *(01982) 25 2735* ***Quartos*** *23*

Centralmente localizado em Leh, este hotel com sacadas e um agradável restaurante em um jardim funciona durante o inverno. Fica bem próximo à praça principal, a ótimos restaurantes, padarias e cibercafés, e a um quarteirão do mercado tibetano.

LEH Omasila ⓇⓈⓇⓈⓇⓈⓇⓈ

Changspa, 194 101 ***Tel*** *(01982) 25 2119* ***Quartos*** *35*

Perto dos campos de cevada nos arredores de Leh, este sossegado hotel familiar serve comida preparada com muito asseio, à base de legumes de sua própria horta. Fica a apenas 15 minutos do aeroporto de Leh e a poucos minutos do mercado. Oferece também uma vista panorâmica das montanhas do Himalaia. **info@omasila.com**

NUBRA Hotel Yarab Tso ⓇⓈⓇⓈⓇⓈ

Tegar Village, PO Sumur ***Tel*** *(01982) 220 008, 25 2480* ***Quartos*** *16*

Este hotel oferece um charmoso ambiente rural no estilo de uma casa de fazenda. Tem quartos grandes e limpos com todos os confortos básicos, incluindo banheiros bem equipados. O serviço de quarto também é surpreendentemente bom em vista do preço. A tarifa inclui refeições. Amplo estacionamento disponível.

PADUM Hotel Ibex ⓇⓈⓇⓈ

Padum ***Tel*** *(01903) 24 5012* ***Quartos*** *15*

Este é o melhor hotel do pouco povoado vale do Padum. Oferece quartos limpos com banheiros anexos e serviço de lavanderia. Tem também um restaurante que serve comida saborosa. Um agradável jardim com mesas e um deque solar contribuem para a beleza do lugar. Aqui você conta com uma estada tranquila.

SRINAGAR Grand Palace Intercontinental ⓇⓈⓇⓈⓇⓈⓇⓈ

Gupkar Rd, 190 001 ***Tel*** *(0194) 247 0101* ***Fax*** *(0194) 245 3794* ***Quartos*** *125*

Construído em 1910 como palácio do marajá da Caxemira, este hotel tem suntuosos interiores de nogueira e um jardim encantador à sombra de árvores *chinar* e voltado para o lago Dal. Fica a 15km do aeroporto e a poucos minutos das atrações históricas da cidade. **www.thegrandhotels.net**

Legenda dos preços *ver pág. 690* **Legenda dos símbolos** *no final do guia*

ULEY-TOKPOI Ule Ethnic Resort Rs Rs Rs

PO Box 268 ***Tel*** *(01982) 25 3640* ***Fax*** *(01982) 25 3144* ***Quartos*** *43*

Próximo ao Alchi e em meio a pomares de damascos nas margens do Indo, este resort encantador oferece cabanas cobertas e tendas limpas. Não há lojas e vendedores ambulantes são proibidos de entrar para que nada atrapalha sua estada neste local tranquilo perto das montanhas do Himalaia. **ulecamp@sancharnet.in**

UTTAR PRADESH E UTTARANCHAL

AGRA Hotel Agra Deluxe Rs Rs

Fatehabad Rd, 282 001 ***Tel*** *(0562) 33 0110, 33 0384* ***Fax*** *(0562) 33 1330* ***Quartos*** *30*

Este hotel econômico limpo e bem básico tem quartos simples com banheiros anexos e um restaurante de cozinha variada. Você pode tomar seu drink favorito no bar bem sortido. Serviço de quarto 24 horas e estrutura para negócios são outros atrativos que explicam sua popularidade. **hotelad@agr.dot.net.in**

AGRA Taj View Hotel Rs Rs Rs Rs

Taj Ganj, Fatehabad Rd, 282 001 ***Tel*** *(0562) 2232 400/418* ***Fax*** *(0562) 2232 420* ***Quartos*** *100*

Há vistas distantes do Taj neste hotel com vários andares, belos jardins e interiores em estilo mogul. A localização também é conveniente, pois fica a apenas 6km da estação ferroviária Agra Cantonment. Os hóspedes contam com serviço personalizado e a garantia de uma estada memorável. **www.tajhotels.com**

AGRA The Trident Rs Rs Rs Rs

Taj Nagari Scheme, Fatehabad Rd, 282 001 ***Tel*** *(0562) 233 1818* ***Fax*** *(0562) 233 1827* ***Quartos*** *140*

Este hotel fica em meio a belos jardins e a poucos minutos de caminhada do Taj Mahal. Construído com pedra vermelha remanescente da era Mogul, fica em torno de um pátio central com paisagismo, piscina e fontes. **www.trident-hilton.com**

AGRA Amar Vilas Rs Rs Rs Rs Rs

Taj East Gate Rd, Taj Nagri Scheme, 282 001 ***Tel*** *(0562) 223 1515* ***Fax*** *(0562) 223 1516* ***Quartos*** *102*

Em elegantes jardins em estilo mogul com pavilhões e lagos, todos os quartos deste luxuoso spa e hotel do Oberoi Group têm vistas para o Taj Mahal, que fica a curta distância. O hotel também providencia carrinhos de golfe para idas ao monumento. **www.oberoihotels.com**

AGRA Welcomgroup Maurya Sheraton Rs Rs Rs Rs Rs

Fatehbad Rd, Taj Ganj, 282 001 ***Tel*** *(0562) 33 1701* ***Fax*** *(0562) 33* ***Quartos*** *285*

Ganhador do prêmio de arquitetura Agha Khan, este luxuoso hotel executivo de design arrojado tem fachada moderna, decoração em estilo mogul e quartos imaculados. Oferece uma gama de instalações impressionante, incluindo dois bares, três restaurantes (um deles 24 horas) e até mordomo privado para algumas suítes. **www.itcwelcomgroup.in**

ALMORA Kalmatia Sangam Himalaya Resort Rs Rs Rs Rs

Kalimat Estate, PO 002, 263 601 ***Tel*** *(05962) 23 1572* ***Fax*** *(05962) 23 1572* ***Quartos*** *9*

Este resort oferece nove chalés na encosta de uma bela colina. Em estilo colonial com toques Kumaoni, os chalés esbanjam conforto e bom gosto. A tarifa inclui refeições. No inverno o restaurante e os chalés são bem aquecidos. Há cursos de ioga e meditação. **www.kalmatia-sangam.com**

ALLAHABAD Hotel Kanha Shyam Rs Rs Rs

Civil Lines, 211 001 ***Tel*** *(0532) 560 123* ***Fax*** *(0532) 560 123* ***Quartos*** *85*

Localizado na área de Linhas Civis da era Raj com amplas avenidas, este hotel moderno é o melhor de Allahabad. Construído em 1997 pelo governo da Índia, tem luxo refinado nos quartos reformados e diferenciados para agradar gostos exigentes. Uma estada no Kanha Shyam é sempre memorável. **www.kanhashyam.com**

DEHRA DUN Best Western Hotel Madhuban Rs Rs

97 Rajpur Rd, 248 001 ***Tel*** *(0135) 274 9990* ***Fax*** *(0135) 274 6496* ***Quartos*** *60*

Um dos melhores de Dehra Dun, este hotel com ar-condicionado tem quartos bem arrumados e espaçosos com confortos modernos, um minicampo de golfe e um belo jardim. Fica perto do mercado e tem um bom estacionamento. O restaurante é muito conhecido. **www.hotelmadhuban.com**

KANPUR The Landmark Rs Rs Rs Rs

10 Somdatt Plaza, The Mall, 208 002 ***Tel*** *(0512) 230 5305* ***Fax*** *(0512) 230 6291* ***Quartos*** *125*

O Hotel Landmark é um exemplo de elegância moderna e tem tetos especialmente belos. As vistas do sagrado rio Ganges são estupendas. A atmosfera é cálida e descontraída refletindo a singularidade da cultura local. **www.thehotellandmark.com**

LUCKNOW Clarks Avadh Rs Rs Rs Rs

8 MG Marg, 226001 ***Tel*** *(0522) 262 0131* ***Fax*** *(0522) 261 6507* ***Quartos*** *98*

Em meio à grandiosidade da antiga cidade dos nababos, este hotel oferece bem mais do que quartos. A cozinha real é especializada em cozinha avadhi, o que lhe dá chance de conhecer as delícias da cultura dos nababos. Os quartos têm vistas espetaculares da cidade. **www.hotelclarks.com**

LUCKNOW Piccadily Rs Rs Rs Rs Rs

Alambagh, Kanpur Rd, 226 001 ***Tel*** *(0522) 409 6000* ***Fax*** *(0522) 409 6029* ***Quartos*** *110*

Um dos maiores hotéis 5 estrelas da cidade, fica perto do aeroporto e a 8km de Hazratganj, o coração da cidade. Sete espaços para reuniões que comportam até mil pessoas tornam o Piccadily perfeito para conferências e eventos. **www.piccadilylucknow.com**

LUCKNOW Taj Residency Rs Rs Rs Rs Rs

Vipin Khand, Gomti Nagar, 226 010 ***Tel*** *(0522) 239 3939* ***Fax*** *(0522) 239 2282* ***Quartos*** *110*

O melhor hotel de Lucknow fica em um gracioso edifício colonial encimado por um grande domo. Tem quartos luxuosos, gramados amplos e um restaurante que serve a excelente cozinha avadhi. O bar Mehfil, com apresentações de ghazal ao vivo à noite, é ótimo para relaxar com amigos. **www.tajhotels.com**

MUSSOORIE Kasmanda Palace Hotel Rs Rs Rs Rs

The Mall Rd, 248 179 ***Tel*** *(0135) 263 2424* ***Fax*** *(0135) 263 0007* ***Quartos*** *24*

Construído em 1836 como retiro de verão da família real de Kasmanda, este grande bangalô branco tem interiores aconchegantes decorados com fotos de família e curiosidades. Móveis antigos nos quartos grandes evocam o passado régio do hotel. **www.welcomeheritagehotel.com**

NAINITAL The Palace Belvedere Rs Rs

Awagarh Estate, Mallital, 263 001 ***Tel*** *(05942) 23 5082* ***Fax*** *(05942) 23 7434* ***Quartos*** *22*

Antigo palácio do rajá de Awagarh, este hotel resplandecente tem quartos e suítes espaçosos com um charme do Velho Mundo. Os hóspedes também usufruem vistas panorâmicas do famoso lago Naini, muito procurado para meditação. Bom serviço. **www.welcomheritage.com**

NAUKUCHIATAL The Lake Resort Rs Rs Rs

Naukuchiatal, 263 601 ***Tel*** *(05942) 24 7415* ***Quartos*** *24*

Este resort isolado fica ao lado de um lago e tem vastos gramados. Os quartos são limpos, confortáveis e decorados com bom gosto. Ótimo para observação de aves, dispõe de barcos que os hóspedes podem usar para pescarias e de cavalos para passeios. **lakeresort@sancharnet.in**

RISHIKESH High Banks Peasant Cottage Rs Rs

Tapovan, 249 201 ***Tel*** *(0135) 243 3478* ***Fax*** *(0135) 43 1654* ***Quartos*** *3*

Nos arredores de Rishikesh, esta é a opção mais econômica para turistas. Tem quartos limpos com banheiros e água quente. Todos têm sacada voltada para os jardins, a floresta, o Ganges e a cidade. Caminhadas nos campos são um bom programa. **himalayas@vsnl.com**

RISHIKESH Hotel Ganga Kinare Rs Rs Rs

16 Veerbhadra Rd, 249 201 ***Tel*** *(0135) 243 1658* ***Quartos*** *38*

Ao lado do rio, o moderno Hotel Ganga Kinare permite que os hóspedes vejam o *aarti* (culto) noturno e mergulhem no sagrado Ganges. Com vários andares, o hotel tem lindas vistas do rio. A cafeteria 24 horas tem várias marcas e variedades de café que são servidas com estilo. **hotelgangakinare@hotmail.com**

TEHRI GARHWAL The Glass House on the Ganges Rs Rs Rs

23rd Milestone, Rishikesh-Badrinath Rd, 249 303 ***Tel*** *(01378) 26 9224, 26 9218* ***Quartos*** *12*

Ao lado de uma praia isolada nas margens do Ganges, este hotel encantador tem vistas espetaculares, lareiras e churrascos junto ao rio. Em um pomar de lichias e mangueiras, com um jardim repleto de plantas tropicais, aves raras e borboletas, é um dos hotéis mais idílicos da região. **www.nemranahotels.com**

TEHRI GARHWAL Ananda – in the Himalayas Rs Rs Rs Rs Rs

Narendra Nagar, 249 175 ***Tel*** *(01378) 22 7500* ***Fax*** *(01378) 22 7550* ***Quartos*** *75*

Este luxuoso spa-resort fica em uma propriedade tranquila de 40ha que pertenceu ao marajá de Tehri Garhwal. Oferece meditação, ioga, tratamentos ayurvédicos e outras formas de cura holística. Seu restaurante serve cozinha orgânica indiana, asiática e ocidental moderna. **www.anandaspa.com**

VARANASI Scindia Guest House Rs

Scindia Ghat, Chowk, 221 001 ***Tel*** *(0542) 242 0319* ***Quartos*** *21*

Bem defronte ao rio, este hotel tem quartos pequenos e simples, porém limpos, equipe solícita e cordial, e lindas vistas a partir de seu terraço e das sacadas. A comida caseira é excelente. Aqui você conta com uma estada confortável a preço razoável. **www.scindiahouse.com**

VARANASI Hotel Ganges View Rs Rs Rs

Asi Ghat, 221 005 ***Tel*** *(0542) 231 3218* ***Quartos*** *11*

Os hóspedes devem tirar os sapatos ao entrar neste encantador hotel colonial na beira do Ganges e com um grande terraço. Há quartos mobiliados de forma atrativa, com toques charmosos como esteiras de palha e coloridas colchas indianas. Os melhores são os do último andar. A comida vegetariana é excelente.

VARANASI Clarks Varanasi Rs Rs Rs Rs

The Mall, Cantonment, 221 002 ***Tel*** *(0542) 250 1011* ***Fax*** *(0542) 250 2736* ***Quartos*** *113*

Hotel mais antigo de Varanasi, tem quartos espaçosos, varandas convidativas e uma piscina à sombra de árvores. Organiza shows culturais e aulas de ioga na Amrit Rao Haveli junto ao rio. Todos os quartos têm ar-condicionado, banheiro, TV por satélite e filmes gratuitos do circuito interno de TV. **www.clarkshotels.com**

Legenda dos preços *ver pág. 690* **Legenda dos símbolos** *no final do guia*

VARANASI Taj Ganges Rs Rs Rs Rs

Nadesar Palace Ground, 221 002 **Tel** *(0542) 250 3001* **Fax** *(0542) 250 1343* **Quartos** *130*

Este hotel de luxo tem todas as comodidades modernas como quadras de tênis, aulas de ioga e massagem. O restaurante indiano apresenta música e dança clássicas à noite. É frequentado por turistas que vêm conhecer o centro de peregrinação budista e os famosos templos de Varanasi. **www.tajhotels.com**

BIHAR E JHARKHAND

BODH GAYA Mahayana Guest House Rs Rs

PO Box 04, 824 231 **Tel** *(0631) 220 0756* **Fax** *(0631) 220 0676* **Quartos** *73*

Dirigido por um mosteiro tibetano, este hotel tem quartos agradáveis, pátios arejados e um espaçoso saguão onde monges dão palestras com frequência. O Dalai Lama hospedou-se aqui em 1998. Há instalações como uma sala para não-fumantes, um quarto para mulheres, cafeteria, loja de presentes, restaurante e salas de reunião. **mahayanag@yahoo.com**

BODH GAYA Hotel Lotus Nikko Rs Rs Rs

Próximo ao Archeological Museum, 824 231 **Tel** *(0631) 220 0700* **Fax** *(0631) 220 0788* **Quartos** *32*

A uma curta caminhada do Templo Mahabodhi, este hotel agradável tem quartos confortáveis e um jardim atrativo. Oferece também todos os confortos e instalações esperados em um hotel desta categoria, o que o torna requisitado por estrangeiros. **lotus.nikk.hotels@vsnl.net**

PATNA Republic Rs Rs

Lauriya Bagh, Exhibition Rd, 800 001 **Tel** *(0612) 232 0021* **Fax** *(0612) 232 1024* **Quartos** *35*

As atrações deste hotel modesto incluem um restaurante de cozinha variada, serviço cordial, sala de conferências e um jardim no topo. A comida vegetariana é excelente. Há um desconto especial para reserva de grupos e um posto autorizado de câmbio. **www.biharonline.com**

PATNA Hotel Chanakya & Towers Rs Rs Rs

R-Block, Beerchand Patel Marg, 800 001 **Tel** *(0612) 222 3141* **Fax** *(0612) 222 0598* **Quartos** *90*

Este hotel tem quartos e suítes decorados com bom gosto, um restaurante de cozinha variada e sala de conferências. No centro da cidade, a 1km da estação ferroviária e a apenas dez minutos do aeroporto de Patna, é um lugar conveniente para se hospedar. **www.hotelchanakyapatna.com**

PATNA Maurya Patna Rs Rs Rs Rs

South Gandhi Maidan, 800 001 **Tel** *(0612) 220 3040* **Fax** *(0612) 220 3060* **Quartos** *75*

Melhor hotel da cidade, oferece todas as instalações modernas standard e tem um balcão de informações muito útil. Fica em uma bela propriedade no coração da área comercial de Patna, o que é uma grande vantagem sobre a concorrência. **maurya@maurya.com**

RAJGIR Indo Hokke Hotel Rs Rs Rs Rs

Nalanda Distt, 803 116 **Tel** *(06119) 255 245* **Fax** *(06119) 255 231* **Quartos** *26*

Construído para atrair ricos peregrinos budistas, este hotel tem características especiais como salas de orações japonesas e ocidentais, uma casa de banhos, um salão de prece, um restaurante de comida japonesa e uma torre imponente remanescente de antigos stupas budistas. **www.theroyalresidency.com**

RANCHI Hotel Yuvraj Palace Rs Rs

Doranda, 834 002 **Tel** *(0651) 248 0326* **Fax** *(0651) 248 0328* **Quartos** *35*

Este hotel confortável, com equipe eficiente e cordial, fica no arborizado bairro de Doranda nesta cidade industrial. Tem um restaurante de cozinha variada e sala de conferências. O saguão elegante tem piso de mármore, sofás confortáveis e paredes adornadas com belas pinturas de Jaisalmer. **www.hotelyuvrajpalace.com**

MADHYA PRADESH E CHHATTISGARH

BANDHAVGARH NATIONAL PARK White Tiger Forest Lodge Rs Rs Rs Rs

Village Tala, Distt Umaria, 484 661 **Tel** *(07627) 265 308* **Fax** *(07627) 265 366* **Quartos** *38*

Vizinho ao mundialmente famoso Parque Nacional Bandhavgarh, este hotel-lodge é um sonho para entusiastas da natureza oferecendo safáris em busca de tigres e passeios de elefante. Aventureiros exaustos podem jantar no restaurante de cozinha variada e usufruir as bebidas do bar bem sortido. **www.mptourism.com**

BANDHAVGARH NATIONAL PARK Mahua Kothi Rs Rs Rs Rs Rs

Village Tala, Distt Umaria, 484 661 **Tel** *(07627) 265 402* **Quartos** *12*

Pertencente ao Taj Hotels e CC Africa, este hotel de safári é construído no estilo típico do centro da Índia. As suítes nos 12 chalés luxuosos têm piso de pedra, revestimentos têxteis locais e telhas artesanais. O serviço é impecável. A culinária e os costumes ancestrais dão mais charme à experiência. **www.tajhotels.com**

BHOPAL Jehan Numa Palace Rs Rs Rs

157 Shamla Hills, 462 013 **Tel** *(0755) 266 1100* **Fax** *(0755) 266 1720* **Quartos** *98*

Nas encostas das colinas Shamla, este hotel tradicional é uma fusão de arquitetura colonial e européia clássica. O serviço é discreto e excelente, com direito a muitas mordomias. Há atrações como churrasco no jardim e massagem tradicional. **www.hoteljehanumapalace.com**

BHOPAL Welcomheritage Noor-us-Sabah Palace Rs Rs Rs Rs

VIP Rd, Koh-e-Fiza, 462 001 **Tel** *(0755) 422 3333* **Fax** *(0755) 422 7777* **Quartos** *67*

Literalmente, "A Luz do Dia", este palácio elegante agora é um hotel com modernas instalações. Tem suítes e quartos elegantes, com sacadas separadas que têm vistas majestosas do famoso lago Bhopal. O restaurante chinês Dynasty é uma atração à parte. **www.noorussabahpalace.com**

GWALIOR Taj Usha Kiran Palace Rs Rs Rs

Jayendraganj, Lashkar, 474 009 **Tel** *(0751) 244 4000* **Fax** *(0751) 244 4018* **Quartos** *28*

Sítio tombado pelo governo, este palácio dos antigos governantes de Scindia foi transformado em um dos melhores hotéis da cidade. Esta jóia arquitetônica tem ambiente encantador, intricados entalhes em pedra e amplos gramados. **www.tajhotels.com**

INDORE Sayaji Hotel Rs Rs Rs

H-1 Scheme 54, Vijay Nagar, 452 010 **Tel** *(0731) 400 6666* **Fax** *(0731) 400 3131* **Quartos** *194*

O Sayaji Hotel reflete o espírito da cidade com uma harmoniosa mistura de tradição e sofisticação contemporânea. Com interiores refinados e ótima cozinha, o que o distingue da concorrência é o serviço cálido, o esmero nos detalhes e a habilidade de atender a todas as necessidades dos executivos. **www.sayajihotels.com**

KHAJURAHO Taj Chandela Rs Rs Rs Rs

Khajuraho, District Chatarpur, 471606 **Tel** *(07686) 272 355* **Fax** *(07686) 272 365* **Quartos** *94*

Um oásis de tranquilidade, o Taj Chandela oferece fácil acesso aos famosos templos Khajuraho, ao Parque Nacional Panna e à Reserva de Tigres. Com uma área de 4ha dotada de paisagismo, este hotel dispõe de uma série de confortos modernos. **www.tajhotels.com**

MAHESHWAR Ahilya Rs Rs Rs Rs Rs

Ahilya Fort, Maheshwar, 451 224 **Tel** *(07283) 27 3329* **Fax** *(07283) 27 3203* **Quartos** *14*

Desde o século 18 hospedar-se aqui é uma experiência singular. Perto das margens do rio sagrado Narmada, o Forte Ahilya foi a capital de uma das governantes mais famosas da Índia, Ahilya Bai Holkar. Sua fortaleza praticamente inalterada foi transformada em hotel. **www.ahilyafort.com**

ORCHHA Betwa Cottages Rs Rs Rs

Kanchanghat, Tikamgarh, 470 046 **Tel** *(07680) 252 618* **Quartos** *18*

Aprovados pelo governo, estes charmosos chalés nas margens do rio Betwa ficam defronte a alguns dos mais belos monumentos de Orchha. Cada chalé tem seu jardim próprio. O restaurante oferece boa cozinha indiana, continental e chinesa. Há também um bar bem sortido. **mpstdc@vsnl.com**.

ORCHHA Sheesh Mahal Rs Rs Rs

Orchha, Tikamgarh Distt, 472 246 **Tel** *(07680) 25 2624* **Fax** *(07680) 25 2624* **Quartos** *8*

Um dos palácios mais belos de Orchha, o Sheesh Mahal tem quartos espaçosos com lindas vistas. Fica ao lado do Jahangiri Mahal e do Raj Mahal, o qual é famoso por suas pinturas. A MP State Tourism Development Corporation (MPSTDC) reformou o resort recentemente para atrair mais turistas. **www.mptourism.com**

PACHMARHI Glen View Rs Rs Rs

Próximo ao Raj Bhavan, 461 881 **Tel** *(07578) 252 533* **Fax** *(07578) 252 434* **Quartos** *21*

Esta é a principal propriedade da MP State Tourism Development Corporation (MPSTDC) em Pachmarhi. A 2km do mercado, é sem dúvida o hotel mais belo desta estação montanhosa, com interiores clássicos e gramados verdejantes. **www.mptourism.com**

PARQUE NACIONAL Kanha Baghira Log Huts Rs Rs Rs Rs

Kisli, Kanha, 481661 **Tel** *(07649) 277 227* **Quartos** *16*

Hotel de selva na orla do Parque Nacional Kanha, é composto por chalés, um bar e um restaurante anexo. Perfeito para escapadas de fim de semana, é uma verdadeira atração turística para quem visita o Parque. **www.mptourism.com**

PARQUE NACIONAL Kanha Kipling Camp Rs Rs Rs Rs

Mocha Village, Mandla, 481768 **Tel** *(07649) 277 218* **Fax** *(07649) 277 219* **Quartos** *20*

Integrados ao santuário no entorno, os chalés de telhas do Kipling Camp têm de dois a quatro quartos, paredes caiadas de branco e varandas. As atrações incluem uma boa biblioteca, excelente comida caseira e passeios guiados no parque. **www.kiplingcamp.com**

RAIPUR Babylon International Rs Rs Rs Rs

VIP Rd, Rajiv Gandhi Marg., 492 006 **Tel** *(0771) 409 3101* **Fax** *(0771) 409 3100* **Quartos** *80*

O pródigo hotel Babylon International fica nos arredores de Raipur. Logo na entrada vê-se um mundo de luxo, estilo e conforto no qual a hospitalidade tradicional se funde a uma sofisticação moderna. Fica a apenas dez minutos do aeroporto de Raipur. **www.hotelbabylon.com**

Legenda dos preços *ver pág. 690* **Legenda dos símbolos** *no final do guia*

UJJAIN Surana Palace ₨₨

23 GDC Rd, Dussehra Maidan, 456 001 ***Tel*** *(0734) 253 0045* ***Quartos*** *22*

Este hotel bem administrado oferece quartos grandes e confortáveis, assim como suítes de luxo. Em meio a um belo jardim, tem todas as comodidades modernas, de forma a agradar executivos e turistas. É facilmente acessível para quem chega na estação ferroviária. **suranaujn@satyam.net.in**

KOLKATA (CALCUTÁ)

KOLKATA Fairlawn Hotel Pvt Ltd ₨₨₨

13/A Sudder Street, 700 016 ***Tel*** *(033) 2252 1510* ***Fax*** *(033) 2252 1835* ***Quartos*** *20*

Localizado na parte mais cosmopolita e vibrante da cidade, o Fairlawn é uma mansão colonial que foi transformada pelos donos em um hotel charmoso. Embora careça de muitas comodidades modernas, esbanja um clima relaxado do Velho Mundo e hospitalidade calorosa. Serve café-da-manhã inglês. **www.fairlawnhotel.com**

KOLKATA Hotel Victerrace International ₨₨₨

1B Gorky Terrace, 700 017 ***Tel*** *(033) 2280 0713* ***Fax*** *(033) 2283 2753* ***Quartos*** *53*

Em um edifício impressionante de quatro andares, o hotel tem uma zona livre de ruídos embora fique bem no centro de negócios e cultural da cidade. Dispõe de um amplo estacionamento. Atualmente está em reforma. **www.hotelvicterrace.com**

KOLKATA The Astor Hotel ₨₨₨₨

15 Shakespeare Sarani, 700 071 ***Tel*** *(033) 2282 9957* ***Fax*** *(033) 2282 7430* ***Quartos*** *32*

No centro da cidade, este hotel fica em um edifício centenário. Sua fachada de tijolos vermelhos e brancos é típica da arquitetura vitoriana de Kolkata. A atmosfera colonial se estende aos quartos. É conhecido por sua cálida hospitalidade. **www.astorkolkata.com**

KOLKATA Lytton Hotel ₨₨₨₨

14 Sudder Street, 700 016 ***Tel*** *(033) 2249 1875* ***Fax*** *(033) 2249 1747* ***Quartos*** *80*

No centro da cidade, este hotel belamente decorado tem quartos confortáveis e estrutura para negócios. Outra atração é sua proximidade com o bairro empresarial e com destaques turísticos como o Victoria Memorial, o Museu Indiano e o Novo Mercado. **www.lyttonhotelindia.com**

KOLKATA Tollygunge Club ₨₨₨₨

120 Deshapran Sasmal Rd, 700 033 ***Tel*** *(033) 2473 4539* ***Fax*** *(033) 2473 1903* ***Quartos*** *66*

Com 40ha nos arredores de Kolkata, o clube tem um campo de golfe de 18 buracos, quartos espaçosos e chalés com serviço cortês, embora um tanto lento. Atualmente em reforma, muitos quartos já estão repaginados. **www.tollygungeclub.org**

KOLKATA Hyatt Regency ₨₨₨₨₨

JA-1 Sector 3, Salt Lake City, 700 098 ***Tel*** *(033) 2335 1234* ***Fax*** *(033) 2335 1235* ***Quartos*** *235*

Hotel executivo premium de design contemporâneo, segue conceitos inovadores de hospitalidade e padrões clássicos de serviço e excelência. Tem 235 quartos equipados com muita tecnologia e as suítes estão entre as maiores de Kolkata. Os banheiros são luxuosos. **www.kolkata.regency.hyatt.com**

KOLKATA The Kenilworth ₨₨₨₨₨

1 & 2 Little Russell Street, 700 021 ***Tel*** *(033) 2282 3939* ***Fax*** *(033) 2282 5136* ***Quartos*** *105*

Este hotel tranqüilo tem charme elegante e quartos confortáveis. Serve excelentes bufês de café-da-manhã e almoço e dispõe de um aconchegante pub em estilo inglês que exibe uma cabine telefônica vermelha de Londres. Rico em história, o Kenilworth mantém seus padrões coloniais de bom serviço e equipe cordial. **www.kenilworthhotels.com**

KOLKATA Oberoi Grand ₨₨₨₨₨

15 Jawaharlal Nehru Rd, 700 013 ***Tel*** *(033) 2249 2323* ***Fax*** *(033) 2249 9427* ***Quartos*** *213*

Com 125 anos, esta *Grande Dame* é uma instituição na cidade. Em um elegante edifício vitoriano, o Oberoi Grand esbanja classe com seus charmosos interiores, camas de dossel nos quartos, um convidativo salão de chá e restaurantes formidáveis. **www.oberoihotels.com**

KOLKATA The Park ₨₨₨₨₨

17 Park Street, 700 016 ***Tel*** *(033) 2249 9000* ***Fax*** *(033) 2249 4000* ***Quartos*** *174*

O Park tem 150 quartos luxuosos e 24 quartos e suítes mobiliados com requinte absoluto. O serviço eficiente segue padrões globais. O animado clube noturno Tantra é frequentado pela juventude local. Outras atrações são a ampla academia e o spa luxuoso. **www.parkhotels.com**

KOLKATA Sonar Bangla Sheraton ₨₨₨₨₨

1 JBS Halden Avenue, 700 046 ***Tel*** *(033) 2345 4545* ***Fax*** *(033) 2345 4455* ***Quartos*** *238*

Embora tenha design moderno e elegante, este hotel 5 estrelas mantém valores culturais tradicionais. Destaca-se por seu ambiente sereno, o que é uma raridade em hotéis urbanos. Engajado no ecoturismo, mantém gramados verdejantes com mais de 1.200 árvores. **www.itcwelcomgroup.in**

KOLKATA Taj Bengal ®®®®®

34-B Belvedere Rd, Alipore, 700 027 **Tel** *(033) 2223 3939* **Fax** *(033) 2223 1766* **Quartos** *229*

Ganhador do Prêmio Nacional de Melhor Hotel de Luxo do Oriente em 1998, o Taj Bengal é decorado com móveis locais e contemporâneos. Um imponente saguão com átrio em estilo palaciano e um jardim vertical fazem deste o mais belo hotel nesta parte do mundo. **www.tajhotels.com**

BENGALA OCIDENTAL E SIQUIM

DARJEELING Glenburn Tea Estate ®®®

Glenburn Tea Estate, 734 101 **Tel** *(033) 2288 5630* **Fax** *(033) 2288 3581* **Quartos** *4*

Caminhadas nos campos e passeios em plantações de chá são alguns programas aqui disponíveis. A tarifa inclui alimentação e passeios. Com hectares de belas florestas para explorar e diversas atividades internas, uma estada de uma semana no Glenburn Tea State é uma experiência revigorante. **www.glenburnteaestate.com**

DARJEELING Cedar Inn ®®®®

Jalapahar Rd, 734 101 **Tel** *(0354) 225 4446* **Fax** *(0354) 225 6764* **Quartos** *29*

Este hotel em estilo gótico vitoriano tem lindas vistas do Monte Kanchendzonga. Os aconchegantes interiores com painéis de madeira refletem o compromisso com um nível de serviço remanescente de uma época mais leve e calma do que a atual. Tem uma ótima biblioteca sobre a rica cultura desta região. **www.cedarinnindia.com**

DARJEELING Windamere Hotel ®®®®®

Observatory Hill, 734 101 **Tel** *(0354) 225 4041* **Fax** *(0354) 225 4043* **Quartos** *38*

Relíquia da era Raj datada do século 19, este encantador hotel de gestão familiar é decorado em elegante estilo colonial, com braseiros e garrafas de água quente nos quartos. Serve comida saudável e um quarteto de cordas se apresenta no jantar. **www.windamerehotel.com**

GANGTOK Hotel Tashi Delek ®®®

MG Marg, 737 101 **Tel** *(03592) 20 2991* **Fax** *(03592) 20 2362* **Quartos** *46*

Perto do Monte Kanchendzonga em Gangtok, este hotel tem um cenário grandioso com espetaculares alvoradas e poentes. Oferece quartos limpos, confortáveis, belamente decorados e com confortos modernos. Dispõe de um restaurante de cozinha variada, um café e um bar. **www.hoteltashidelek.com**

GANGTOK Hotel Tibet ®®®

Paljor Stadium Rd, 737 101 **Tel** *(03592) 20 2523* **Fax** *(03592) 22 6233* **Quartos** *40*

Com sua colorida decoração tibetana, excelente restaurante e bar e clima cordial, este hotel é merecidamente popular. A equipe solícita planeja itinerários para os hóspedes e há um balcão de câmbio. Os banheiros anexos têm água corrente quente e fria. **www.sikkiminfo.net/hoteltibet**

GANGTOK Netuk House ®®®

Tibet Rd, 737 101 **Tel** *(03592) 22 6778* **Fax** *(03592) 22 6778* **Quartos** *12*

Bandeiras de oração budistas tremulam acima deste hotel de gestão familiar otimamente situado e dotado de um genuíno ar local. Os quartos são simples e agradáveis. Refeições regionais com quatro pratos são servidas na sala de jantar. Há também um bom bar. **slg_netuk@sancharnet.in**

GANGTOK The Chumbi Residency ®®®

Tibet Rd, 737 101 **Tel** *(03592) 22 6618* **Fax** *(03592) 22 6620* **Quartos** *26*

No coração de Gangtok, este hotel moderno de quatro andares fica na histórica Rota da Seda para o Tibete e oferece acomodações muito confortáveis. Os altos padrões da tradicional hospitalidade regional se refletem no cuidado e atenção dados aos hóspedes. **www.chumbiresidency.com**

GANGTOK Nor-Khill Hotel ®®®®®

Palijor Stadium Rd, 737 101 **Tel** *(03592) 20 5637* **Fax** *(03592) 20 5639* **Quartos** *32*

Esta "Mansão da Jóia" (*Nor*: jóia, *Khill*: mansão) era a casa de hóspedes da dinastia Chogyal que governou Siquim. O hotel fica em um jardim encantador e seus quartos espaçosos têm vistas para o Monte Kanchendzonga. A equipe acolhedora contibui para a atmosfera agradável. **www.elginhotels.com**

KALIMPONG Himalayan Hotel ®®®®

Upper Cart Rd, 734 301 **Tel** *(03552) 25 5248* **Fax** *(03552) 25 5122* **Quartos** *16*

Este hotel tradicional é repleto de fotos fascinantes de arte tibetana e butanesa e tem um jardim com flora do Himalaia. Conta também com excelentes vistas do Kanchendzonga. É a base ideal para caminhadas no leste do Himalaia e para férias relaxantes nesta bela região. **www.himalayanhotel.biz**

SHANTINIKETAN Mark & Meadows ®®®

Sriniketan Rd, Distt Birbhum, 731 204 **Tel** *(03463) 26 4870* **Fax** *(03463) 26 4870* **Quartos** *32*

Em uma área ampla com paisagismo, os pequenos chalés de telhados vermelhos são bem-arrumados e têm ar-condicionado. O restaurante oferece ótimas opções de pratos de Bengala, do Norte da Índia, deliciosos tandooris e refinada cozinha chinesa e continental. **www.markandmeadows.com**

Legenda dos preços *ver pág. 690* **Legenda dos símbolos** *no final do guia*

SILIGURI Hotel Cindrella Rs Rs Rs Rs

Sevoke Rd, 3rd Mile, 734 401 ***Tel*** *(0353) 254 7136* ***Fax*** *(0353) 243 0615* ***Quartos*** *42*

Quartos confortáveis, serviço eficiente e acesso à Internet fazem deste o melhor hotel de Siliguri. O restaurante interno serve apenas comida vegetariana e embrulha almoço para viagem para os hóspedes. Outras atrações são a sala de bilhar e o health club. **www.cindrellahotels.com**

SUNDERBANS Sajnekhali Tourist Lodge Rs Rs

PO Pakhiralay, PS Gosaba, 743 379 ***Tel*** *(03218) 236560* ***Quartos*** *30*

Dotado de energia solar, este hotel tem acomodações básicas e serve refeições em uma sala apropriada. Dispõe também de uma torre de vigia e de um lago com crocodilos. Os quartos standard não têm ar-condicionado. Os hóspedes podem andar nas florestas densas e campos verdejantes apreciando os animais.

ORISSA

BHUBANESWAR Mayfair Lagoon Rs Rs Rs Rs

8-B Jayadev Vihar, 751 013 ***Tel*** *(0674) 236 0101* ***Fax*** *(0674) 236 0236* ***Quartos*** *70*

Este hotel elegante tem um jardim encantador, um lago e chalés limpos cobertos de telhas. Dispõe de excelentes restaurantes, piscina e uma galeria de lojas. No coração de Bhubaneswar, fica a uma curta caminhada dos pólos de entretenimento da cidade. **www.mayfairhotels.com**

BHUBANESWAR The Oberoi Rs Rs Rs Rs

CB-1 Nayapalli, 751 013 ***Tel*** *(0674) 30 1010* ***Fax*** *(0674) 30 1302* ***Quartos*** *70*

Parte do internacionalmente conhecido Oberoi Group, este hotel recria o ambiente clássico da rica cultura de Orissa. Aqui tudo tem um toque de classe, desde a arquitetura inspirada em templos aos restaurantes. Dispõe também de quadras de tênis e piscina. **www.oberoihotels.com**

GOPALPUR-ON-SEA The Oberoi Palm Beach Rs Rs Rs Rs

Gopalpur-on-Sea, Ganjam, 761 002 ***Tel*** *(0680) 28 2021, 28 2023* ***Fax*** *(0680) 28 2300* ***Quartos*** *18*

Em uma das melhores praias da Índia, a maioria dos quartos deste hotel é voltada para a baía de Bengala. Fica a apenas 17km da estação ferroviária e do centro da cidade, e um pouco mais distante do aeroporto. Tem belos jardins e um minizôo para crianças. **www.oberoihotels.com**

KONARK Yatri Nivas Rs Rs

AT/PO Konark, 752 111 ***Tel*** *(06758) 23 6820* ***Fax*** *(06758) 23 6821* ***Quartos*** *18*

Dirigido pelo órgão de turismo estatal, esta é a melhor opção de hospedagem para uma estada curta em Konark, pois é um lugar limpo, seguro e a preço moderado. Fica ao lado do Templo do Sol e aluga chalés espalhados por um belo jardim. Há quartos com ar-condicionado e outros sem que são mais baratos.

LAGO CHILIKA Barkul Panthnivas Rs Rs

Barkul, Balugaon, 752 030 ***Tel*** *(06756) 20 488* ***Quartos*** *25*

Nas margens do lago Chilika, este hotel modesto oferece frutos-do-mar frescos, iatismo, passeios em barco a motor e outros guiados. Apesar de seus quartos bem básicos, atrai muitos viajantes estrangeiros. **www.orissa-tourism.com**

PURI Toshali Sands Rs Rs Rs

Ethnic Village Resort, Konark Marin Drive, 752 002 ***Tel*** *(06752) 23 571* ***Fax*** *(06752) 23 899* ***Quartos*** *104*

Com uma área de 12ha voltada para a reserva florestal Balukhanda, este hotel oferece chalés com confortos modernos e uma atmosfera relaxante. Desfrute uma massagem rejuvenescedora no salão interno. Há também diversas atividades internas e externas. **tsands@sancharnet.in**

PURI Mayfair Beach Resort Rs Rs Rs Rs

Chakratirtha Rd, 752 002 ***Tel*** *(06752) 22 7800* ***Fax*** *(06752) 22 4242* ***Quartos*** *33*

Este resort de design imaginativo tem quartos confortáveis, cada qual com seu pátio e muitos com vista para o mar. Outras atrações são uma boa piscina e os frutos-do-mar frescos servidos no restaurante. Um lugar relaxante para apreciar a beleza da praia por perto. **www.mayfairhotels.com**

ASSAM E O NORDESTE

AGARTALA Hotel Rajarshi Rs

Governor's House, near Circuit House, 799 006 ***Tel*** *(0381) 220 1034* ***Fax*** *(0381) 220 7050* ***Quartos*** *17*

Com localização ideal, perto do mercado principal e do parque florestal, este hotel espaçoso também é bem seguro. Seu gramado é muito convidativo à noite. Os quartos de design refinado têm confortos modernos, embora apenas alguns ofereçam ar-condicionado. **http://tripura.nic.in/accommo.htm**

AGARTALA Royal Guest House

Palace Compound, West Gate,799 001 ***Tel*** *(0381) 22 5652* ***Fax*** *(0381) 22 4958* ***Quartos*** *34*

Em uma das ruas que levam ao palácio do antigo marajá, este hotel tem quartos grandes e serve boa comida indiana e chinesa. O aeroporto mais próximo fica a apenas 8km. O entorno natural verdejante é uma atração à parte. **http://westtripura.gov.in/tripuratourism.htm**

AIZAWL Tourist Lodge

Chaltlang, Aizawl, 796 017 ***Tel*** *(0389) 234 1083* ***Quartos*** *41*

Dirigido pelo órgão de turismo estatal, este hotel limpo e de preço razoável tem vistas agradáveis e um bom restaurante. Oferece comodidades básicas como TV, telefone e serviço de quarto e fica próximo aos mercados. Situado em uma cordilheira alta cercada de vales profundos, é um bom retiro para quem busca ar puro e tranquilidade.

GUWAHATI Hotel Brahmaputra Ashok

MG Rd, 781 001 ***Tel*** *(0361) 260 2281* ***Fax*** *(0361) 260 2289* ***Quartos*** *31*

Nas margens do rio Brahmaputra e voltado para a ilha fluvial Umananda, este hotel tem um ambiente tranquilo. Construído no estilo tradicional da região com bambu e cana, oferece todos os confortos modernos. O restaurante e a cafeteria são bons. **www.hoteldynastyindia.com**

GUWAHATI Hotel Dynasty

Lakhotia, Guwahati-1, 781 001 ***Tel*** *(0361) 251 6021* ***Fax*** *(0361) 251 4112* ***Quartos*** *76*

Perto do mercado da cidade, este hotel tem quartos limpos e confortáveis, com decoração agradável e ótima atmosfera. O destaque é o cenário verdejante dentro de sua área e no entorno. É muito requisitado para hospedar dignatários e pessoas importantes que vêm à cidade. **www.hoteldynastyindia.com**

IMPHAL Hotel Anand Continental

Khoyathong Rd, Imphal ***Tel*** *(0385) 244 9422* ***Fax*** *(0385) 224 0107* ***Quartos*** *30*

Este hotel no centro da cidade tem fácil acesso para os meios de transporte público e áreas com mercado. Fica em um edifício moderno e dispõe de quartos confortáveis. O restaurante de cozinha variada serve suntuosa comida manipuri sob pedido. **http://manipur.nic.in/tourism.htm**

ITANAGAR Hotel Donyi Polo Ashok

C- Sector, 791 111 ***Tel*** *(0360) 221 2626* ***Fax*** *(0360) 221 2611* ***Quartos*** *20*

Apesar da proximidade com o centro da cidade, este hotel na encosta de uma colina é bem tranquilo. Alguns de seus quartos confortáveis têm ar-condicionado. Disponibiliza guias para passeios e organiza apresentações de dança foclórica sob pedido. **www.ashokgroup.com**

KOHIMA Hotel Japhu

PR Hills, 797 001 ***Tel*** *(0370) 224 0211* ***Fax*** *0370) 224 3439* ***Quartos*** *26*

No alto de uma colina, este hotel tem lindas vistas das colinas em torno de Kohima. Os quartos são espaçosos e contam com aquecedores no inverno. O edifício tem painéis de madeira e artefatos Naga. Fica próximo a butiques e lojas de artesanato. **www.northeastindiatravel.com**

PARQUE NACIONAL Kaziranga Wild Grass Resort

Bochagaon, 785 109 ***Tel*** *(03776) 262 085* ***Quartos*** *19*

Este resort atrativo na orla do Parque Nacional Kaziranga propicia safáris com elefantes, observação de aves, caminhadas na floresta e visitas a aldeias tribais na região, com guias locais especialmente treinados. Grupos locais também organizam programas culturais. **www.oldassam.com**

SHILLONG Hotel Pinewood

Rits Rd, European ward, 793 001 ***Tel*** *(0364) 222 3116* ***Fax*** *(0364) 222 4176* ***Quartos*** *40*

Este hotel encantador da era Raj, com empenas em estilo Tudor e lareiras nos quartos, fica perto do centro da cidade e do lago Ward. Os quartos e chalés são espaçosos e confortáveis. O jardim convidativo é ótimo para apreciar o entorno verdejante. **www.meghalayatourism.in**

SHILLONG Hotel Polo Towers

Polo Grounds, 793 001 ***Tel*** *(0364) 222 2341* ***Fax*** *(0364) 222 0090* ***Quartos*** *50*

A 5 minutos de caminhada do pitoresco Golf Course, este hotel também é próximo ao mercado principal. Moderno e eficiente, abre a discoteca Platinum nos fins de semana. Durante a semana, os hóspedes se entretêm no bar e no restaurante Ginger de cozinha variada. **www.hotelpolotowers.com**

RAJASTHAN

ALWAR Amanbagh

Village Ajabgarh, Thanagaji, 301 027 ***Tel*** *(065) 223 3001* ***Fax*** *(065) 22 3335* ***Quartos*** *40*

Antiga reserva de caça dos reis de Alwar em uma área murada, limitada pelo terreno montanhoso da Aravallis, o Amanbagh agora é um resort altamente luxuoso. Oferece fácil acesso a palácios locais e a vários outros lugares interessantes. **www.amanresorts.com**

Legenda dos preços *ver pág. 690* **Legenda dos símbolos** *no final do guia*

AJMER Mansingh Palace Rs Rs Rs Rs

Vaishali Nagar, 305 001 ***Tel*** *(0145) 242 5956* ***Fax*** *(0145) 24 5858* ***Quartos*** *54*

O ambiente daqui é altamente influenciado pelo clima sagrado e festivo da fascinante cidade de Ajmer. O restaurante Shesh Mahal é voltado para o lago Ana Sagar. Os quartos são decorados com artefatos tradicionais, mas são bem modernos. **www.mansinghhotels.com**

BHARATPUR Laxmi Vilas Place Rs Rs Rs Rs

Kakaji Ki Kothi, Old Agra-Jaipur Rd, 321 001 ***Tel*** *(05644) 22 3523* ***Fax*** *(05644) 22 5259* ***Quartos*** *38*

Este palácio foi construído em 1887 e transformado em hotel em 1994. Aqui você revive a história de Bharatpur e conhece a cálida hospitalidade da atual geração da realeza que mora no palácio. Sua localização propicia várias excursões de um dia que podem ser organizadas pela equipe. **www.laxmivilas.com**

BIKANER Lallgarh Palace Rs Rs Rs Rs

Lallgarh Complex, 334 001 ***Tel*** *(0151) 254 0201* ***Quartos*** *38*

O Lallgarh Palace é um genuíno exemplo da arquitetura indo-sarracena. Há 40 quartos elegantes com todos os confortos e instalações modernas. Os hóspedes ficam cercados por refinados móveis de época, lustres magníficos e peças com intricadas filigranas. **www.lallgarh.com**

BIKANER Gajner Palace Hotel Rs Rs Rs Rs

PO Gajner, Tehsil Kolayat, 334 001 ***Tel*** *(01534) 25 5064* ***Quartos*** *44*

Este hotel encantador em um lindo cenário ao lado de um lago era o abrigo de caça do marajá de Bikaner. Cercado por uma floresta, oferece quartos confortáveis com clima de época, chances de observar aves, safáris de jipe e serviço cordial. **www.gajkesri.com**

BUNDI Royal Retreat Rs Rs Rs

Garh Palace, 323 001 ***Tel*** *(0747) 244 4426* ***Fax*** *(0747) 244 3263* ***Quartos*** *5*

Na área do forte de Bundi, este resort oferece lindas vistas da Aravallis. O ambiente é calmo e o restaurante no topo serve boa comida vegetariana. Como o nome sugere, garante acomodações e comida ótimas. **royalretreatbundi@yahoo.com**

CHITTORGARH Hotel Castle Bijaipur Rs Rs Rs Rs

Village Post Bijaipur, 311 001 ***Tel*** *(01472) 24 0099* ***Quartos*** *23*

Este charmoso castelo feudal fica na pitoresca área rural de Mewar. Organiza safáris de jipe a aldeias e fortes próximos, pescarias e shows folclóricos à noite. O castelo tem vistas estupendas do lago e da aldeia no entorno. **www.castlebijaipur.com**

DEOGARH Deogarh Mahal Rs Rs

PO Deogarh, Rajsamand Distt, 313 331 ***Tel*** *(02904) 25 2777* ***Fax*** *(02904) 25 2555* ***Quartos*** *46*

Referência em hospitalidade tradicional, aqui os confortos do passado e do presente são oferecidos com tanto charme que os hóspedes sempre acabam voltando. As frutas e legumes cultivados no local e usados no preparo da comida são outro destaque. **www.deogarhmahal.com**

DUNGARPUR Udai Bilas Palace Rs Rs Rs Rs

Udai Bilas Palace, 314 001 ***Tel*** *(02964) 23 0808* ***Fax*** *(02964) 23 1008* ***Quartos*** *20*

Dirigido por uma família de antigos governantes, este hotel fica perto de um lago e de uma floresta privada. Os móveis Art Déco se misturam harmoniosamente com os murais tradicionais e peças marchetadas decorativas. Os quartos e suítes espaçosos contam com confortos modernos. **www.udaibilaspalace.com**

JAIPUR Raj Vilas Rs Rs Rs Rs Rs

Babaji Mod, Goner Rd, 302 016 ***Tel*** *(0141) 268 0101* ***Fax*** *(0141) 268 0202* ***Quartos*** *71*

Luxuoso spa e resort do Oberoi Group, tem jardins encantadores com lagos e pavilhões, decoração de bom gosto, excelente cozinha e serviço impecável. As tendas de luxo com ar-condicionado e jardim privado são intimistas e românticas. Há serviço de mordomo 24 horas. **www.oberoihotels.com**

JAIPUR Rambagh Palace Rs Rs Rs Rs Rs

Bhawani Singh Place, 302 005 ***Tel*** *(0141) 221 1919* ***Fax*** *(0141) 238 1098* ***Quartos*** *95*

Chamado de a "Jóia de Jaipur", o Rambagh Palace tem quartos e suítes restaurados que eram aposentos pessoais do antigo marajá. Fica em meio a belos jardins e alia a principesca decoração Rajput com confortos modernos. Há um campo de pólo e passeios a cavalo. **www.tajhotels.com**

JAIPUR Samode Haveli Rs Rs Rs Rs Rs

Ganga Pole, 302 002 ***Tel*** *(0141) 263 2370* ***Fax*** *(0141) 263 1397* ***Quartos*** *42*

Construída há mais de 200 anos, esta graciosa mansão tem alguns quartos estupendos com pinturas e espelhos originais nas paredes. Jacqueline Kennedy Onassis foi a primeira celebridade mundial a visitar este hotel, seguida de muitas outras. **www.samode.com**

JAISALMER Killa Bhawan Rs Rs Rs Rs

Jaisalmer Fort, 445 Katari Para, 354 001 ***Tel*** *(02992) 25 1204* ***Fax*** *(02992) 25 4518* ***Quartos*** *7*

Este hotel pequeno e bem administrado é o supra-sumo da hospitalidade do Rajasthan. Oferece safáris de jipe e camelo nos campos ao redor. Os quartos são decorados com tons vivos de carmim e laranja. O terraço tem lindas vistas da cidade. **www.killabhawan.com**

JAISALMER Narayan Niwas Palace ₨₨₨₨

Malka Prol, 345 001 **Tel** *(02992) 25 2408* **Fax** *(02992) 25 2101* **Quartos** *43*

Este hotel fica em uma mansão de pedra entalhada, toda decorada à moda tradicional do Rajasthan. O restaurante no topo tem lindas vistas do Forte Jaisalmer e do deserto ao redor. Dispõe de salão de beleza e promove apresentações de música folclórica. **www.narayanniwas.com**

JAISALMER Gorbandh Palace ₨₨₨₨

1 Tourist Complex, Sam Rd, 345 001 **Tel** *(02992) 25 3801* **Fax** *(02992) 25 3811* **Quartos** *67*

Hotel novo com todos os confortos modernos, sua construção empregou a pedra Jaisalmer dourada, entalhada à moda tradicional. Tem um convidativo pátio central e uma boa loja de artesanatos e livros. O restaurante interno serve cozinha tradicional do Rajasthan e européia. **www.hrhindia.com**

JODHPUR Devi Bhawan ₨₨₨

1 Defence Lab Rd, Ratanada Circle, 342 001 **Tel** *(0291) 251 1067* **Fax** *(0291) 251 2215* **Quartos** *14*

Um dos hotéis de preço mais moderado em Jodhpur, é dirigido por um jovem casal simpático. Fica em um agradável jardim e tem quartos acolhedores, limpos e decorados com bom gosto. O pequeno restaurante serve *thali*s aos hóspedes. **www.devibhawan.com**

JODHPUR Ajit Bhawan Palace ₨₨₨₨₨

Próximo ao Circuit House, 342 001 **Tel** *(0291) 251 0674* **Fax** *(0291) 261 4451* **Quartos** *60*

Este hotel palaciano de ar antigo é decorado com fotos em tom sépia e antiguidades. Outra opção é hospedar-se nos chalés rústicos dentro do terreno. Há vários restaurantes que servem as melhores especialidades tradicionais do Rajasthan ou pratos indianos e europeus. **www.ajitbhawan.com**

JODHPUR Taj Hari Mahal ₨₨₨₨₨

5 Residency Rd, 342 001 **Tel** *(0291) 243 9700* **Fax** *(0291) 261 4451* **Quartos** *93*

Oásis romântico, o Taj Hari Mahal se harmoniza com a grandiosidade do Rajasthan. Habilmente projetado e decorado, o hotel une tradição com elegância atual. Prepara jantares sob pedido nas dunas de areia, com direito a vinhos e músicos rajasthanis. **www.tajhotels.com**

KOTA Brijraj Bhawan Place ₨₨₨₨

Civil Lines, 324 001 **Tel** *(0744) 245 0529* **Fax** *(0744) 245 0057* **Quartos** *7*

O erudito ex-governante de Kota ainda mora em uma parte desta mansão que abrigou a Residência Britânica. A comida é excelente e o ambiente suntuoso, porém cordial. Peças ligadas à realeza, suvenires de família e troféus de caça decoram os quartos. **brijraj@datainfosys.net**

KUMBHALGARH Aodhi Hotel ₨₨₨₨₨

PO. Kelwara, Rajsamand Distt, 313 301 **Tel** *(02954) 24 2341* **Fax** *(02945) 24 2349* **Quartos** *26*

Logo abaixo do grande forte, este hotel confortável, com lindas vistas dos campos montanhosos, organiza safáris a cavalo para avistar os animais da região e visitar aldeias tribais. Os quartos com paredes de pedra dão um ar rústico ao local. **crs@udaipur.hrhindia.com**

MOUNT ABU Palace Hotel ₨₨₨₨

Bikaner House, Dilwara Rd, 307 501 **Tel** *(02974) 23 8673* **Fax** *(02974) 23 8674* **Quartos** *33*

Construído como palácio de verão do governante de Bikaner em 1894, este edifício imponente e confortavelmente repaginado tem um grande jardim, um salão para banquete, um restaurante de cozinha variada e uma atmosfera de época. Há serviço de quarto 24 horas, um balcão de viagem, jogos ao ar livre e caminhadas nas matas. **www.rajasthaninfo.org**

NEEMRANA Neemrana Fort Palace ₨₨₨₨

Jaipur-Delhi Highway, Alwar Distt, 301 705 **Tel** *(01494) 24 6006* **Fax** *(01494) 24 6005* **Quartos** *44*

Este forte Rajput do século 15 dispõe de uma série de pátios charmosos, uma piscina no último andar e uma boa loja. Um dos resorts mais antigos da Índia, foi restaurado com muita sensibilidade. A aldeia abaixo tem um impressionante poço escalonado. **www.neemranahotels.com**

PUSHKAR Pushkar Palace ₨₨₨₨₨

Chhoti Basti, Pushkar Lake, 305 022 **Tel** *(0145) 277 3001* **Fax** *(0145) 277 3001* **Quartos** *36*

Decorada com antiguidades de família, esta propriedade fica ao lado de um lago. Seus luxuosos quartos e suítes são voltados para as águas. Serve comida vegetariana. Aprecie o poente e o cenário ao fundo da cordilheira Aravallis. **www.pushkarpalace.com**

PUSHKAR Pushkar Resorts ₨₨₨₨

Village Ganhera, Motisar Rd, 305 022 **Tel** *(0145) 277 2944* **Fax** *(0145) 277 2946* **Quartos** *44*

Com luxuosos chalés em meio a pomares, este resort oferece campo de golfe e safáris de jipe e camelo. Os quartos têm frigobar, TV por satélite e telefone com discagem direta. De gestão familiar, proporciona uma cálida acolhida que torna sua estada memorável. **www.pushkarresorts.com**

ROHET Rohet Garh ₨₨₨₨

Pali Distt, 346 421 **Tel** *(02936) 26 8231* **Fax** *(02936) 264 9368* **Quartos** *30*

Este tranquilo hotel em um forte já hospedou os escritores Bruce Chatwin e William Dalrymple. Os donos encantadores ajudam os hóspedes a conhecer as aldeias vizinhas e seus artefatos. Fica ao redor de um pátio ajardinado onde é servido o chá da tarde. **www.rohetgarh.com**

Legenda dos preços *ver pág. 690* **Legenda dos símbolos** *no final do guia*

SAMODE Samode Palace Rs Rs Rs Rs Rs

Village Samode, 303 806 ***Tel*** *(01423) 24 0023* ***Fax*** *(01423) 24 0013* ***Quartos*** *42*

Este reluzente palácio, onde foram rodadas cenas do filme *Índia, mistério, amor e guerra* em 1984, exibe um cenário e interiores espetaculares. Tem também um acampamento com tendas a curta distância da sede. A hospitalidade, as acomodações, os serviços e a cozinha são de alto padrão. **www.samode.com**

SARISKA Hotel Sariska Palace Rs Rs

Sariska, 301 022 ***Tel*** *(0144) 284 1322* ***Fax*** *(0144) 284 1323* ***Quartos*** *101*

Antigo abrigo de caça real, este hotel confortável tem um centro ayurvédico e de ioga. Os quartos são em estilo vitoriano e têm piso de madeira. O jardim imenso é voltado para as colinas ao redor. Comida decente, especialmente o café-da-manhã. **www.sariska.com**

SAWAI MADHOPUR Aman-I-Khas Resort Rs Rs Rs Rs Rs

Sherpur Khilji Village, 322 001 ***Tel*** *(07462) 25 2052* ***Fax*** *(07462) 25 2178* ***Quartos*** *12*

Este resort de selva superluxuoso integra a conhecida rede Aman Resorts e só funciona quando o Parque Nacional Ranthambore abre. As tendas têm ar-condicionado. Oferece safáris de jipe na reserva ecológica. **www.amanresorts.com**

SAWAI MADHOPUR Sher Bagh Rs Rs Rs Rs Rs

Sherpur Khilji Village, 322 001 ***Tel*** *(07462) 25 2120* ***Fax*** *(07462) 25 2119* ***Quartos*** *12*

As 12 tendas deste acampamento exclusivo têm decoração elegante e banheiros com água corrente quente e fria. Com comida e serviço excelentes, o acampamento funciona de outubro a março e organiza excursões no vizinho Parque Nacional Ranthambore. A butique Pugmark tem artigos exclusivos. **www.sherbagh.com**

SHEKHAVATI Hotel Castle Mandawa Rs Rs Rs Rs

Jhunjhunu Distt, 333 704 ***Tel*** *(01592) 22 3124* ***Fax*** *(01592) 22 3171* ***Quartos*** *70*

Todos os quartos são diferentes neste agradável hotel em um forte do século 18. Seus prazeres simples, como o café-da-manhã no terraço ou as vistas dos templos distantes, deixam uma impressão duradoura. O jantar à luz de velas conta com música e danças folclóricas. **www.castlemandawa.com**

UDAIPUR Jagat Niwas Palace Rs Rs Rs Rs

24/25 Lal Ghat, City Place, 313 001 ***Tel*** *(0294) 242 2860* ***Fax*** *(0294) 241 8512* ***Quartos*** *29*

Famoso por suas lindas vistas do lago Pichola, esta encantadora *haveli* do século 17 tem confortáveis quartos palacianos e um ambiente convidativo. Organiza passeios a cavalo. O restaurante interno serve pratos deliciosos. **www.jagatniwaspalace.com**

UDAIPUR Shiv Niwas Palace Rs Rs Rs Rs Rs

City Palace, Haridas Ji Ki Magri, 313 001 ***Tel*** *(0294) 252 8016* ***Fax*** *(0294) 252 8006* ***Quartos*** *36*

Ao lado do City Palace, este elegante hotel em forma de crescente pertenceu à realeza. Decorado com belos móveis e peças de arte antigas, é considerado um dos mais belos hotéis do mundo. Tem também um centro de cura holística e serviu de locação para o filme *007 contra Octopussy* em 1983. **crs@udaipur.hrhindia.com**

UDAIPUR Udai Vilas Rs Rs Rs Rs Rs

Haridasji Ki Nagri, 313 001 ***Tel*** *(0294) 243 3300* ***Fax*** *(0294) 243 3200* ***Quartos*** *90*

Este hotel novo e luxuoso perto do lago Pichola tem jardins com paisagismo, fontes, pavilhões e decoração inspirada nas tradicionais artes decorativas locais. Há um restaurante aberto o dia todo e outro indiano que serve comida tradicional do Rajasthan. **www.oberoihotels.com**

UDAIPUR Devi Garh Rs Rs Rs Rs Rs

Village Delwara, Rajsamand Distt, 313 001 ***Tel*** *(02953) 28 9211* ***Fax*** *(02953) 28 9357* ***Quartos*** *30*

Interiores chiques e minimalistas combinam com a magnífica arquitetura deste forte montanhês belamente restaurado. A comida servida utiliza ingredientes frescos e tem um sabor caseiro autêntico. Oferece diversas terapias ayurvédicas. **www.deviresorts.com**

UDAIPUR Taj Lake Palace Hotel Rs Rs Rs Rs Rs

PO No 144 Lake Pichola, 313 001 ***Tel*** *(0294) 25 2880* ***Fax*** *(0294) 28 9357* ***Quartos*** *85*

Este encantador palácio ilhéu é um dos hotéis mais românticos da Índia. Vale a pena hospedar-se aqui, caso você possa arcar com o preço alto. Há quartos magníficos e banheiros em estilo rajasthani com mármore e ricos revestimentos. Os mordomos, descendentes dos criados originais do palácio, tratam os hóspedes como reis. **www.tajhotels.com**

GUJARAT

AHMEDABAD Cama Hotel Rs Rs Rs

Khanpur, 380 001 ***Tel*** *(079) 2560 1234* ***Fax*** *(079) 2560 2000* ***Quartos*** *50*

Recentemente reformado, este hotel elegante e confortável tem belos jardins, piscina, cafeteria e uma boa butique de artesanato. Voltado para o rio Sabarmati, é o primeiro hotel-butique de Ahmedabad. **www.camahotelsindia.com**

AHMEDABAD The House of Mangaladas Girdhardas

Opp Siddi Sayyed Mosque, Lal Darwaza, 380 001 **Tel** *(079) 2550 6946* **Fax** *(079) 2550 6535* **Quartos** *12*

Este hotel de classe internacional fica em um cenário contemporâneo no meio da cidade. Oferece passeios a atrações turísticas, comida suntuosa e projeções de filmes. É um paraíso para interessados em cultura. **www.houseofmg.com**

AHMEDABAD Taj Residency Ummed

International Airport Circle, Hansol, 382 475 **Tel** *(079) 6666 1234* **Fax** *(079) 6666 4444* **Quartos** *91*

Perto do aeroporto, o hotel é um retiro sereno da agitação da cidade. Construído em torno de um pátio central, é decorado com artefatos e antiguidades de Gujarat. Oferece refeições finas, serviço de babás e ajuda a organizar passeios em Ahmedabad. **www.tajhotels.com**

BHAVNAGAR Nilambagh Palace Hotel

Nilambagh, 364 002 **Tel** *(0278) 242 4241* **Fax** *(0278) 242 8072* **Quartos** *28*

Este grandioso palácio do século 19 tem pilares ricamente entalhados, saguões reluzentes, móveis de teca antigos e um imenso jardim. Esta bela estrutura de pedra de cor cáqui é cercada por gramados verdejantes que criam um ambiente isolado. Organiza excursões a atrações nos arredores.**www.heritagehotelsofindia.com**

DIU Hotel Radhika Beach Resort

Nagoa, 362 520 **Tel** *(02875) 25 2553* **Fax** *(02875) 252 552* **Quartos** *42*

Perto de uma praia tranquila, este resort limpo e bem cuidado tem quartos confortáveis, serviço excelente e boa comida. Os quartos têm vista para o mar ou para a área verde com paisagismo. **www.gujaratholiday.com**

JAMNAGAR Orbit Park Inn International

PO Baid, 361 006 **Tel** *(0288) 234 4484* **Fax** *(0288) 234 4486* **Quartos** *60*

Quartos bem arrumados e excelente serviço caracterizam este hotel tranquilo, que também é ideal para executivos. Há vários equipamentos audiovisuais e uma equipe bem treinada à disposição para conferências, workshops e festas. Aprecie as vistas relaxantes da laguna a partir do salão de chá.

SASAN GIR The Gir Lodge

Sasangir, Junagarh Distt, 362 135 **Tel** *(02877) 285 521* **Fax** *(02877) 285 528* **Quartos** *29*

Voltado para o rio e as colinas, este lodge tem quartos confortáveis e equipe cordial. Há livros e vídeos sobre animais selvagens, e aluguel de jipes. Tem fácil acesso ao Parque Nacional Sasan Gir, hábitat do leão asiático e de várias espécies de aves. **www.tajhotels.com**

VADODARA WelcomHotel Vadodara

RC Dutt Rd, Alkapuri, 390 007 **Tel** *(0265) 233 0033* **Fax** *(0265) 2330050* **Quartos** *134*

No pólo comercial de Alkapuri, este hotel tem uma grande clientela executiva. Corredores servem como galerias de arte e o ambiente é relaxante. Oferece golfe, piscina para crianças e o conhecido restaurante Peshawari. **www.itcwelcomgroup.in**

WANKANER Royal Oasis & Residency

The Wankaner Palace, 363 621 **Tel** *(02828) 22 0000* **Fax** *(02828) 22 0002* **Quartos** *12*

O excelente hotel reformado no Palácio Wankaner fica nas margens do rio Machhu, em meio a pomares. Uma atração à parte é seu refinado poço escalonado, com três andares subterrâneos. Fica a 53km de Rajkot. **www.colorsofgujarat.com**

MUMBAI (BOMBAIM)

MUMBAI YMCA International House

18, YMCA Rd, near Mumbai Central, 400 008 **Tel** *(022) 2309 1191* **Fax** *(022) 2309 1101* **Quartos** *71*

Este hotel é muito requisitado por quem viaja com orçamento apertado, devido à sua segurança, serviço confiável e clima descontraído. Os quartos são limpos e espaçosos e a equipe gentil. É essencial reservar com boa antecedência. **www.ymcabombay.org**

MUMBAI Chateau Windsor Guest House

86 Vir Nariman Rd, 400 001 **Tel** *(022) 2204 3376* **Fax** *(022) 2202 6459* **Quartos** *60*

Um dos principais hotéis econômicos do sul de Mombai, fica a uma curta caminhada do bairro comercial da cidade. O serviço é cordial e os 60 quartos confortáveis são decorados com azulejos italianos e espanhóis e têm cofres eletrônicos. **www.chateauwindsor.com**

MUMBAI Garden Hotel

42 Garden Rd, Colaba, 400 039 **Tel** *(022) 2283 4823* **Fax** *(022) 2204 4290* **Quartos** *33*

Perto da Electric House e da animada área de lojas de Colaba Causeway, este hotel tem 33 quartos limpos e bem mobiliados. O serviço 24 horas e a equipe eficiente e educada tornam sua estada ainda mais memorável. Os hóspedes podem relaxar no terraço. **www.gardenhotel.com**

Legenda dos preços *ver pág. 690* **Legenda dos símbolos** *no final do guia*

MUMBAI Hotel Harbour View

25 PJ Ramchandani Marg, 400 001 ***Tel*** *(022) 2282 1089* ***Fax*** *(022) 2284 3020* ***Quartos*** *21*

A uma curta caminhada do Portão da Índia, este hotel tem uma linda vista do Mar da Arábia. Os quartos imaculados são bem mobiliados e têm frigobar, TV, ar-condicionado e bastante espaço aberto. Há camas de campanha para crianças por uma taxa extra. **www.viewhotelsinc.com**

MUMBAI Hotel Suba Palace

Próximo de Gateway of India, Apollo Bunder, 400 039 ***Tel*** *(022) 2288 5444* ***Fax*** *(022) 2202 0812* ***Quartos*** *51*

Perto do mar e do marco mais famoso da cidade, o Portão da Índia, este hotel confortável é ideal para quem vem a negócios ou a lazer. O serviço de quarto é excelente. A cafeteria Café Lounge é exclusiva para os hóspedes. **www.hotelsubapalace.com**

MUMBAI Sea Green Hotel

145 A, Marine Drive, 400 020 ***Tel*** *(022) 2282 2294* ***Fax*** *(022) 6633 6530* ***Quartos*** *34*

Localização conveniente, quartos espaçosos e limpos, equipe cordial e atenciosa, e tarifas razoáveis garantem a popularidade deste hotel há mais de 50 anos. Muitos quartos têm vistas da Marine Drive e outros são voltados para um estádio. **www.seagreenhotel.com**

MUMBAI West End Hotel

45 New Marine Lines, 400 020 ***Tel*** *(022) 2203 9121* ***Fax*** *(022) 2205 7506* ***Quartos*** *85*

Bom hotel econômico datado de 1948, é muito conhecido. Fica a um pulinho das áreas de lojas e entretenimento da cidade. Suas suítes grandes são adequadas para famílias. O ambiente tem um charme à moda antiga. **www.westendhotelmumbai.com**

MUMBAI The Fariyas Hotel

Off Arthur Bunder Rd, Colaba, 400 005 ***Tel*** *(022) 2204 2911* ***Fax*** *(022) 2283 4992* ***Quartos*** *87*

Na saída da Colaba Causeway e perto do Portão da Índia, este hotel tem quartos confortáveis e um jardim no topo com vistas espetaculares do porto. Fica a apenas 10 minutos dos bairros de Nariman Point, Ballard Estate e do World Trade Centre. **www.fariyas.com**

MUMBAI Gordon House

5 Battery Street, Apollo Bunder, Colaba, 400 039 ***Tel*** *(022) 2287 1122* ***Fax*** *(022) 2287 2026* ***Quartos*** *29*

Este charmoso hotel pequeno atrás do Regal Cinema é perfeito para quem aprecia estilo. Cada andar tem um tema diferente –Mediterrâneo, Campestre e Escandinavo. O bufê de café-da-manhã americano é ótimo e o serviço cordial e eficiente. **www.ghotel.com**

MUMBAI Grand Hyatt Mumbai

Santa Cruz (East), 400 055 ***Tel*** *(022) 6676 1234* ***Fax*** *(022) 6676 1235* ***Quartos*** *547*

Na saída da rodovia Western Express e ao lado do complexo empresarial Bandra-Kurla, este hotel 5 estrelas impressiona por sua decoração contemporânea e coleção de arte por encomenda –a maior do país. Seu novo restaurante China House é um dos mais populares da cidade. **www.mumbai.grandhyatt.com**

MUMBAI The Hilton Towers

Nariman Point, 400 021 ***Tel*** *(022) 5632 4343* ***Fax*** *(022) 2204 3133* ***Quartos*** *547*

Este enorme hotel de luxo domina a costa de Mumbai. Há andares para não-fumantes e quartos adaptados para deficientes físicos. Os quartos têm acesso sem fio à Internet e os banheiros de granito contam com produtos de higiene pessoal à base de ervas. Fica a apenas 27km do aeroporto. **www.tridenthotels.com**

MUMBAI Hotel Grand Maratha Sheraton

Sahar, 400 099 ***Tel*** *(022) 2830 3030* ***Fax*** *(022) 2830 3131* ***Quartos*** *386*

Perto do aeroporto, este é um dos principais hotéis 5 estrelas de Mumbai e o único com típico visual indiano, remanescente de um antigo palácio. Seus premiados restaurantes servem cozinha indiana e internacional. **www.itcwelcomgroup.in**

MUMBAI InterContinental Marine Drive

135 Marine Drive, 400 020 ***Tel*** *(022) 5639 9999* ***Fax*** *(022) 5639 9600* ***Quartos*** *58*

Lindas vistas do Mar da Arábia e da Marine Drive dão mais charme a este hotel-butique. Os quartos têm janelas com isolamento acústico. Os hóspedes têm várias cozinhas à disposição. **www.mumbai.intercontinental.com**

MUMBAI The Oberoi

Nariman Point, 400 021 ***Tel*** *(022) 5632 5757* ***Fax*** *(022) 5632 4142* ***Quartos*** *331*

Michael Jackson hospedou-se neste hotel luxuoso voltado para o mar da Arábia. Há andares separados para não-fumantes e mulheres. Serviço de mordomo 24 horas e transfers de limusine são outras regalias. Os quartos têm 2 linhas telefônicas, fax, frigobar, secador de cabelo, TV e Internet. **www.oberoihotels.com**

MUMBAI The Orchid

79-C Nehru Rd, Near Domestic Airport, 400 099 ***Tel*** *(022) 2616 4040* ***Fax*** *(022) 2616 4141* ***Quartos*** *245*

Primeiro hotel 5 estrelas da Ásia certificado como ecologicamente correto, fica perto do aeroporto doméstico. Uma cascata interna de 21m com orquídeas contribui para o clima relaxante. Os hóspedes contam com os restaurantes Vindhyas e Boulevard. As noites de karaokê no Merlins são famosas. **www.orchidhotel.com**

MUMBAI Ramada Hotel Palmgrove

Juhu Beach, 400 049 **Tel** *((022) 2611 2323* **Fax** *(022) 2611 3682* **Quartos** *114*

Este hotel próximo à praia Juhu têm confortos 5 estrelas, incluindo piscina, academia bem equipada, livraria e salão de beleza. Os restaurantes Oriental Bowl e Tangerine Café são ótimos, e o Shooters Bar merece uma visita. **www.ramada.com**

MUMBAI Ramee Guestline

462, A B Nair Rd, Juhu, 400 049 **Tel** *(022) 6570 5555* **Fax** *(022) 2670 3344* **Quartos** *84*

Parte do grupo Ramee, este hotel fica a curta distância da praia Juhu. Simples e moderno, tem uma piscina no topo e excelente estrutura para exercícios. Os hóspedes podem jantar no restaurante indiano interno It's Mirchi ou comer algo na cafeteria. O clube noturno abre de quinta a sábado. **www.ramee-group.com**

MUMBAI Taj Lands End

Band Stand, Bandra (West), 400 050 **Tel** *(022) 6668 1234* **Fax** *(022) 6699 4488* **Quartos** *368*

Este atrativo hotel no animado subúrbio de Bandra tem um impressionante saguão de mármore de três andares, paisagismo tropical e uma piscina separada para mulheres. Todos os quartos têm vista para o mar. Pela localização, decoração, equipe atenciosa e excelentes restaurantes é uma opção excelente. **www.tajhotels.com**

MUMBAI The Taj Mahal Palace & Tower

Apollo Bunder, 400 001 **Tel** *(022) 6665 3366* **Fax** *(022) 6665 0323* **Quartos** *565*

Este hotel certamente é o mais grandioso e belo de Mumbai. Construído em 1903, sua arquitetura mescla traços clássicos e contemporâneos. Não por acaso, hospeda presidentes, reis e atores, a exemplo de Pierce Brosnan e Bill Clinton. Tem vários restaurantes premiados. **www.tajhotels.com**

MUMBAI The Taj President

90 Cuffe Parade, 400 005 **Tel** *(022) 6665 0808* **Fax** *(022) 6665 0303* **Quartos** *292*

Conveniente para executivos, este hotel recentemente reformado tem vistas panorâmicas do porto e da cidade. O Konkan Café serve deliciosa comida regional. A última novidade é o bar Wink com um DJ britânico que faz muito sucesso. **www.tajhotels.com**

MAHARASHTRA

AURANGABAD Welcomgroup Rama International

R-3 Chikalthana, 431 210 **Tel** *(0240) 663 4141* **Fax** *(0240) 662 8720* **Quartos** *90*

Verdejantes jardins cobrindo 5ha cercam este luxuoso hotel, com atrações epeciais como ioga, massoterapia, minigolfe e churrasco ao lado da piscina. Os quartos decorados com bom gosto são voltados para os amplos gramados e a piscina. **www.itcwelcomgroup.in/hotels**

AURANGABAD Taj Residency

8-N-12 CIDCO, Rauza Bagh, 431 003 **Tel** *(0240) 238 1106* **Fax** *(0240) 238 1053* **Quartos** *66*

Em meio a jardins encantadores, este hotel elegante tem quartos espaçosos com varandas privadas. Inspirado em um palácio indiano, fica perto dos sítios de Ellora e Ajanta tombados como Patrimônio da Humanidade. Os jardins com paisagismo são relaxantes e o serviço excelente. **www.tajhotels.com**

CHIPLUN Quality Resort, The Riverview

Dhamandivi Taluka Khed, Distt Ratnagiri, 415 707 **Tel** *(02355) 39 5081* **Fax** *(02356) 72 059* **Quartos** *37*

No topo de uma colina no Portão Ocidental voltada para o rio Vashishti, este lugar é ideal para passar férias. Sua localização conveniente na rodovia Mumbai-Goa faz com que seja uma ótima parada na longa viagem para Goa. Os quartos são limpos e confortáveis. **www.chiplunhotels.com**

GANAPATIPULE MTDC Holiday Resort

Beach, Distt Ratnagiri, 415 622 **Tel** *(02357) 23 5248* **Fax** *(02357) 235328* **Quartos** *80*

Este resort praiano oferece acomodações que variam de suítes a tendas. Alguns quartos têm vistas para o mar. Os chalés em estilo konkani contam com pequenas sacadas. Há esportes aquáticos e outras atividades. As tendas não ficam disponíveis durante as monções. **www.beachresortsindia.com**

LONAVLA Fariyas Holidays Resort

PO 8, Frichley Hill, Tungarli, 410 401 **Tel** *(02114) 73 852* **Fax** *(02114) 72 080* **Quartos** *90*

Luxuoso resort 5 estrelas nas colinas de Lonavla e Khandala garante uma acolhida cálida e bom serviço. Outra vantagem é o ágil check-in e check-out. O hotel também tem piscina aquecida com energia solar, um health club e uma discoteca. **www.fariyas.com**

MAHABALESHWAR Brightland Holiday Village

Kates Point Rd, Distt Satara, 412 806 **Tel** *(02168) 26 0700* **Fax** *(02168) 26 0707* **Quartos** *60*

Com lindas vistas do rio Krishna, este resort no alto de um penhasco tem chalés e apartamentos limpos. Suas instalações incluem um centro de cura ayurvédica, um parque infantil e uma discoteca. Os quartos têm vistas panorâmicas do Sahyadris. Com portas de vidro, os banheiros se comunicam com a área externa. **www.brightlandholiday.com**

Legenda dos preços *ver pág. 690* **Legenda dos símbolos** *no final do guia*

MATHERAN The Rugby ₨₨₨₨

Vithal Rao, Katwal Rd, 410 102 ***Tel*** *(02148) 30 291* ***Fax*** *(02148) 30 259* ***Quartos*** *60*

Este hotel de ambiente sereno tem um belo jardim de pedras. Os quartos imaculados têm sacadas com lindas vistas. Outras atrações são um teatro ao ar livre e uma discoteca. Há vários programas de entretenimento, incluindo fogueiras, caça ao tesouro e shows de magia. **www.tajhotels.com**

NAGPUR The Pride Hotel ₨₨₨

Wardha Rd, Opp Airport, 422 010 ***Tel*** *(0253) 660 4499* ***Fax*** *(0253) 660 3366* ***Quartos*** *102*

Convenientemente localizado, este hotel tem quartos bem equipados, confortos modernos e equipe gentil. Jardins com paisagismo, piscina, academia moderna e luxuosos restaurantes de cozinha variada são outros toques de charme. **www.pridegroup.com**

NASIK Taj Residency ₨₨₨₨

P-17 MIDC Ambad, 422 010 ***Tel*** *(0253) 660 4499* ***Fax*** *(0253) 660 3366* ***Quartos*** *68*

Em um pequeno outeiro em uma vasta área verde, a decoração do Taj Residency se inspira nos palácios de Maratha. Alguns quartos têm vistas para as colinas Satpura. A equipe é muito eficiente e a clientela do hotel é sobretudo de executivos. **www.tajhotels.com**

PUNE Sun N Sand ₨₨₨₨₨

Bund Garden Rd, 411 001 ***Tel*** *(020) 2613 7777* ***Fax*** *(020) 2613 4747* ***Quartos*** *137*

As principais atrações deste luxuoso hotel incluem café-da-manhã americano, piscina com deque solar e uma galeria de lojas. Arranja partidas de golfe e tênis sob pedido. A decoração contemporânea do saguão com átrio dá idéia do que há nos quartos e suítes: móveis de bom gosto e internet sem fio, por exemplo. **www.sunnsandpune.com**

PUNE Taj Blue Diamond ₨₨₨₨₨

11 Koregaon Rd, 411 001 ***Tel*** *(020) 6602 5555* ***Fax*** *(020) 6602 7755* ***Quartos*** *109*

No verde parque residencial Koregaon, o Taj Blue Diamond fica a um pulinho do Ashram de Osho e já hospedou celebridades como Brad Pitt e Angelina Jolie. Decoração elegante, campo de golfe bem projetado, restaurante ao lado da piscina e serviço hospitaleiro caracterizam este hotel. **www.tajhotels.com**

SEVAGRAM Ashram Yatri Niwas ₨

Sevagram Ashram, 442 001 ***Tel*** *(07512) 28 4753* ***Quartos*** *12*

Com capacidade para 70 pessoas, este hotel limpo e espartano tem uma livraria com obras de Mahatma Gandhi. Não permite o consumo de cigarros, álcool e comida não-vegetariana.
http://wardha.nic.in/htmldocs/sevagram.asp

GOA

ANJUNA BEACH Laguna Anjuna ₨₨₨₨₨

Sorantto Vaddo, 403 509 ***Tel*** *(0832) 227 4305* ***Fax*** *(0832) 227 4305* ***Quartos*** *30*

Chalés praianos simples, porém de bom gosto, excelente serviço, um jardim agradável e piscina garantem a popularidade deste resort junto a estrangeiros. Projetado pelo famoso arquiteto Dean D'Cruz, os chalés espaçosos ficam em volta de um intimista pátio central. **www.lagunaanjuna.com**

ARPORA Sun Village Resort ₨₨₨₨₨

Baga Beach, 403 518 ***Tel*** *(0832) 227 9409* ***Fax*** *(0832) 227 9409* ***Quartos*** *135*

Uma imponente estátua de Hélios, o Deus do Sol, dá as boas-vindas aos hóspedes deste resort. Os quartos bem equipados têm confortos modernos. Outras atrações são uma grande piscina e diversas cozinhas nos restaurantes internos e externos. Há traslado de hora em hora para a praia Baga. **www.desouzahotels.com**

BAGA Captain Lobo's Beach Hideaway ₨₨₨

Calangute, 403 516 ***Tel*** *(0832) 227 6103* ***Fax*** *(0832) 227 6917* ***Quartos*** *21*

Este resort de gestão familiar tem confortáveis suítes em villas brancas, que contam com varandas e quitinetes. A localização na praia Baga é ideal e a equipe muito solícita. A piscina é uma alternativa para quem cansou de ir à praia. **www.captloboshideawaygoa.com**

BAGA Hotel Baia Do Sol ₨₨₨

Baga Beach, 403 516 ***Tel*** *(0832) 227 6084* ***Fax*** *(0832) 227 6085* ***Quartos*** *23*

Uma localização idílica com lindas vistas do mar e um bar animado com janelões são as principais atrações daqui. À noite há música e churrasco. O serviço de quarto é excelente e a equipe trata os hóspedes com simpatia. **www.ndnaik.com**

BAGA Ronil Beach Resort ₨₨₨

Baga Bardez, Calangute Beach, 403 516 ***Tel*** *(0832) 227 6101* ***Fax*** *(0832) 227 6068* ***Quartos*** *126*

Em um recorte da vida tradicional em Goa, este resort tem excelente cozinha local, quartos com lindas vistas e adornados com artefatos locais e massoterapia ayurvédica. Fica a uma curta caminhada da praia. O serviço é cordial e os confortos de primeira classe. **www.alcongoa.com**

BARDEZ Nilaya Hermitage

House No 60, Bhatti Arporo Bardez, 403 518 ***Tel*** *(0832) 227 6793* ***Fax*** *(0832) 227 6792* ***Quartos*** *11*

No alto de uma colina e cercado por hectares com bananeiras, mamoeiros e palmeiras, este hotel-butique é encantador. Luxo discreto e comida deliciosa são os destaques daqui. A equipe eficiente pode organizar piqueniques noturnos na praia e apresentações de dança clássica. **www.nilaya.com**

BARDEZ The Taj Holiday Village

Sinquerim, 403 519 ***Tel*** *(0832) 664 5858* ***Fax*** *(0832) 664 5868* ***Quartos*** *142*

O Taj Holiday Village foi descrito como "uma aldeia de cartão-postal na orla da praia". Charmosos chalés coloridos com telhados terracota no estilo típico de Goa se espalham pelo jardim com paisagismo. Os quartos são luxuosos e o ambiente acolhedor. **www.tajhotels.com**

BARDEZ Whispering Palms Beach Resort

Fort Aguada Rd, Candolim, 403 515 ***Tel*** *(0832) 247 9140* ***Fax*** *(0832) 247 9142* ***Quartos*** *106*

Este resort-butique praiano fica entre o sopé das colinas de Aguada e Candolim. Seu ponto focal é a área da piscina, com coloridas trepadeiras de buganvília banhadas pelo sol. Quase toda noite o jantar é acompanhado de música ao vivo. **www.whisperingpalms.com**

BENAULIM Taj Exotica

Calwaddo, Benaulim Salcette, 403 716 ***Tel*** *(0832) 668 3333* ***Fax*** *(0832) 277 1515* ***Quartos*** *140*

Este resort 5 estrelas é um dos melhores de Goa. Em uma vasta área ajardinada, fica voltado para o mar da Arábia. Todos os quartos têm vista para o mar e alguns contam com piscinas privadas. Excelentes restaurantes, estrutura para esportes aquáticos e a réplica de uma aldeia pesqueira são outras atrações. **www.tajhotels.com**

CALANGUTE Paradise Village Beach Resort

Tivai Vado, 403 516 ***Tel*** *(0832) 227 6351* ***Fax*** *(0832) 227 6155* ***Quartos*** *81*

Caminhos sinuosos saem deste belo resort para a praia. Há apartamentos bem equipados e suítes com um quarto. O restaurante oferece cozinha vegetariana e com carne. O hotel também organiza noites culturais com danças folclóricas de Goa. **www.paradisevillage.org**

CALANGUTE Vila Goesa Beach Resort

Cobrawaddo, Calangute Beach, Bardez, 403 516 ***Tel*** *(0832) 227 7535* ***Fax*** *(0832) 227 6182* ***Quartos*** *79*

A um pulinho da praia Calangute, este resort atrativo e bem cuidado tem quartos limpos e confortáveis cercados por amplos jardins. O restaurante serve bons frutos-do-mar de Goa. Há hidromassagem e espreguiçadeiras. **www.vilagoesa.com**

CALANGUTE Pousada Tauma

Porba Vaddo, Calangute, 403 516 ***Tel*** *(0832) 227 9061* ***Fax*** *(0832) 227 9064* ***Quartos*** *13*

Lugar com charmosa simplicidade, a Pousada Tauma tem arquitetura bem original. É o único hotel-butique de Goa com alvenaria exposta à moda tradicional, criando assim quartos ecologicamente corretos. A principal atração daqui é o centro ayurvédico. **www.pousada-tauma.com**

MAJORDA Majorda Beach Resort

Salcette, 403 713 ***Tel*** *(0832) 668 1111* ***Fax*** *(0832) 288 1124* ***Quartos*** *120*

Este resort grande e luxuoso tem quartos e suítes espaçosos e bem equipados, uma piscina enorme e uma rua coberta que evoca uma aldeia mediterrânea. Em meio a gramados e junto à piscina, o Garden Café serve bufê de café-da-manhã e jantares sazonais sob o luar. **www.majordabeachresort.com**

PANAJI Panjim Inn

31st January Rd, Fontainhas, 403 001 ***Tel*** *(0832) 222 6523* ***Fax*** *(0832) 243 5220* ***Quartos*** *37*

Este hotel de 150 anos foi reformado e restaurado para captar o antigo ar romântico de Goa. Os quartos diferenciados contam com vigas maciças de teca birmanesa, camas de dossel, *almirahs* de pau-rosa entalhado, móveis de época e pinturas. Um favorito de muitos estrangeiros que vêm a Goa. **www.panjiminn.com**

PANAJI Hotel Mandovi

PO Box 164, Panjim, 403 501 ***Tel*** *(0832) 222 4405* ***Fax*** *(0832) 222 5451* ***Quartos*** *65*

Nas margens do Mandovi, este hotel 3 estrelas tem vistas do rio sinuoso e das colinas verdejantes ao fundo. Os quartos espaçosos, limpos e luxuosos são voltados para o calçadão que leva à praia. Seus restaurantes oferecem comida autêntica de Goa e portuguesa. **www.hotelmandovigoa.com**

SALCETTE Dona Sylvia Beach Resort

Cavelossim Beach, Mobor Salcette, 403 731 ***Tel*** *(0832) 287 1888* ***Fax*** *(0832) 287 1320* ***Quartos*** *181*

Buganvílias rosadas, villas brancas com telhados típicos e caminhos sinuosos distinguem este resort encantador, perfeito para casais em busca de privacidade. Atrai também famílias e executivos que querem relaxar. **www.donasylvia.com**

SINQUERIM The Aguada Hermitage

Bardez, 403 519 ***Tel*** *(0832) 564 5858* ***Fax*** *(0832) 247 9300* ***Quartos*** *15*

Em um outeiro verdejante, estas villas isoladas e luxuosas do renomado Taj Group contam com encantadores jardins. Para comer e usar a piscina os hóspedes vão ao Fort Aguada Beach Resort, que fica no sopé do outeiro. **www.tajhotels.com**

Legenda dos preços *ver pág. 690* **Legenda dos símbolos** *no final do guia*

SIOLIM Siolim House

Opp Vaddi Chapel, Siolim Bardez, 403 517 ***Tel*** *(0832) 227 2138* ***Quartos*** *14*

Este magnífico solar de 300 anos em estilo português, que pertenceu ao governador de Macau, foi belamente restaurado e transformado em um hotel-butique. Tem dois andares amplos com apenas sete suítes, todas com camas de dossel, banheiros enormes e pátios sombreados. **www.siolimhouse.com**

TEREKHOL Hotel Tiracol Fort Heritage

Querim, Pernem, 403 705 ***Tel*** *(02366) 227 631* ***Fax*** *(0832) 227 6792* ***Quartos*** *7*

Na foz do rio Tiracol, este hotel em um velho forte tem vistas maravilhosas do estuário e dos campos ao redor. Os quartos neste local romântico foram restaurados e mobiliados com charme. O *chef* alemão prepara pratos europeus e é especializado em cozinha de Goa e portuguesa.

VAINGUINIM BEACH Cidade de Goa Beach Resort

Vainguinim Beach, South District, 403 004 ***Tel*** *(0832) 245 4545* ***Fax*** *(0832) 245 4543* ***Quartos*** *210*

Na praia Vainguinim, este resort tem arquitetura contemporânea em laranja e branco assinada pelo famoso arquiteto indiano Charles Correa. Móveis brancos e o design minimalista criam uma atmosfera tranquila. Os hóspedes podem assistir a danças folclóricas ao vivo e jantar à luz de velas. **www.cidadegoa.com**

VARCA Club Mahindra Varca Beach Resort

Varca Beach, Salcete Taluka, 403 721 ***Tel*** *(0832) 274 4555* ***Fax*** *(0832) 274 4666* ***Quartos*** *206*

Na praia Varca, este resort tem um imenso saguão de mármore no autêntico estilo arquitetônico de Goa. Os quartos são bem equipados com confortos modernos, incluindo uma quitinete. Há opções de lazer como uma piscina com três níveis, health club e academia. **www.clubmahindra.com**

VARCA Ramada Caravela Beach Resort

Varca Beach Fatrade, 403 721 ***Tel*** *(0832) 274 5200* ***Fax*** *(0832) 274 5200* ***Quartos*** *202*

Quartos voltados para o mar e com sacadas privadas, arquitetura atrativa, uma praia limpa, estrutura para esportes aquáticos e serviço impecável tornam este resort verdadeiramente luxuoso e um dos melhores de nível internacional de Goa. A pisicina em forma de laguna é extraordinária. **www.caravelabeachresort.com**

KARNÁTAKA

BADAMI Hotel Badami Court

Station Rd, 587 201 ***Tel*** *(08357) 22 0230* ***Fax*** *(08357) 22 0207* ***Quartos*** *27*

Com localização panorâmica, o Hotel Badami Court tem vista para os penhascos de arenito e fica próximo às principais atrações turísticas. Suas acomodações modernas têm todos os confortos básicos. Dispõe de piscina, academia e serviço cordial. **www.hotelbadamicourt.com**

BANGALORE The Capitol Hotel

3 Raj Bhavan Rd, 560 001 ***Tel*** *(080) 2228 1925* ***Fax*** *(080) 2225 9922* ***Quartos*** *140*

O lugar perfeito para hospedar-se se você não pensa só em negócios. Premiado como o Melhor Hotel Executivo da Índia por seu serviço excelente, oferece até receptivo no aeroporto. Um balcão de atendimento em cada andar assegura atenção personalizada. **www.thecapitolhotel.com**

BANGALORE Le Meridien

28 Sankey Rd, PO 174, 560 052 ***Tel*** *(080) 2228 6197* ***Fax*** *(080) 2226 7676* ***Quartos*** *196*

Luxuoso e elegante, o Le Meridien oferece vistas panorâmicas da cidade. A um pulinho das áreas de lojas, este hotel fica acima de um campo de golfe e oferece o máximo em conforto e recreação para quem vem a lazer ou negócios. **www.starwoodhotels.com/lemeridien/index.html**

BANGALORE The Oberoi

37 MG Rd, 560 001 ***Tel*** *(080) 2558 5858* ***Fax*** *(080) 2558 5960* ***Quartos*** *160*

Este hotel de luxo tem uma profusão de áreas verdes, característica da Cidade-Jardim. Os quartos, com decoração elegante e piso de madeira, são voltados para a piscina e os jardins. Aqui há luxo discreto, serviço eficiente, cozinha fina e instalações ultramodernas. **www.oberoihotels.com**

BANGALORE The Park

14/7 MG Rd, 560 001 ***Tel*** *(080) 2559 4666* ***Fax*** *(080) 2559 4029* ***Quartos*** *109*

Primeiro hotel-butique indiano contemporâneo da cidade, o Park foi projetado pela empresa inglesa Conran and Partners como um perfeito retiro urbano. Pequenos, luxuosos e intimistas, os quartos propiciam relaxamento total. Primeiro lounge bar de Bangalore, o I-bar está em alta na cidade. **www.theparkhotels.com**

BANGALORE Royal Orchid Hotel

1 Gold Avenue, Airport Rd, 560 008 ***Tel*** *(080) 2520 5566* ***Fax*** *(080) 2520 3566* ***Quartos*** *195*

Ao entrar no Royal Orchid Hotel, os hóspedes têm a certeza de estar em companhia da elite. Os quartos de decoração diferenciada têm bela iluminação e móveis de madeira. O serviço é impecável. Fica a apenas 3km do pólo comercial da cidade. **www.royalorchidhotels.com**

BIJAPUR Hotel Madhuvan International Rs Rs Rs

Station Rd, 586 101 ***Tel*** *(08352) 25 5571* ***Fax*** *(08352) 25 6201* ***Quartos*** *36*

Este hotel confortável tem vistas do monumental Gol Gumbaz e um agradável restaurante ajardinado que serve especialidades regionais. Organiza excursões para sítios de interesse por perto. Uma boa opção de hospedagem em Bijapur. **www.hotelmadhuvan.com**

CHIKMAGALUR Taj Garden Retreat Rs Rs Rs Rs

Opp Pavitravana, KM Rd, 577 102 ***Tel*** *(08262) 22 0202* ***Fax*** *(08262) 22 0222* ***Quartos*** *29*

Nas encostas suaves da cordilheira Sahayadri, o Taj Garden Retreat tem pequenos chalés com quartos espaçosos e bem projetados. O restaurante serve excelente cozinha regional. O hotel organiza excursões para os templos Hoysala por perto. Ótimo para férias relaxantes. **www.tajhotels.com**

COORG Orange County Resort Rs Rs Rs Rs Rs

Karadigodu Post, Siddapur, 571 253 ***Tel*** *(08274) 45 8481* ***Fax*** *(08274) 45 8485* ***Quartos*** *48*

Em meio a cafezais e cultivos de especiarias, este hotel tem 48 chalés cobertos de palha imitando o estilo Tudor. Excursões para as florestas no entorno, pescaria no Kaveri e massagens com ervas são algumas atividades disponíveis neste lugar exclusivo e tranquilo. **www.trailsindia.com**

HOSPET Malligi Tourist Home Rs Rs Rs Rs Rs

6/143 Jambunath Rd, 571 253 ***Tel*** *(08274) 45 8481* ***Fax*** *(08274) 45 8485* ***Quartos*** *48*

Perto de Hampi, este hotel também tem uma boa agência de viagem. Seu detaque é a piscina inspirada no lago real Pushkarni em Hampi. Toda a estrutura do hotel visa proporcionar uma estada relaxante e confortável aos hóspedes. **malligi@hotmail.com**

KARAPUR Kabini River Lodge Rs Rs Rs Rs

Nagarhole National Park, 571 114 ***Tel*** *(08228) 26 4402* ***Fax*** *(08228) 26 4405* ***Quartos*** *30*

Na orla sul do Parque Nacional Nagarhole, o Kabini River Lodge é um retiro perfeito para amantes da natureza. Antigo abrigo de caça do marajá de Mysore, hoje é classificado como um dos cinco melhores resorts ecológicos do mundo. **www.junglelodges.com**

MANGALORE Taj Manjarun Hotel Rs Rs Rs Rs

Próximo ao DC Office, Old Port Rd, 567 001 ***Tel*** *(0824) 666 0420* ***Fax*** *(0824) 666 0585* ***Quartos*** *88*

Com uma vista pitoresca do mar de um lado e de rios tranquilos do outro, este hotel impressiona de imediato. O serviço hospitaleiro engloba toques pessoais. Tem boa estrutura para executivos e um restaurante decente. **www.tajhotels.com**

MYSORE The Green Hotel Rs Rs Rs

Chittaranjan Palace, 2270 VA Rd, 570 012 ***Tel*** *(0821) 425 5000* ***Fax*** *(0821) 251 6139* ***Quartos*** *31*

Construído para as princesas de Mysore, este palácio virou hotel, tem jardins e decoração elegante. Modelo de turismo sustentável criado por uma entidade beneficente britânica, os lucros são revertidos para projetos sociais locais. O Portão Ocidental, uma reserva de animais e Ooty ficam a poucas horas de carro. **thegreenhotel@airtelbroadband.in**

CHENNAI

CHENNAI Breeze Hotel Rs Rs Rs

850 Poonamallee High Rd, 600 010 ***Tel*** *(044) 2641 3334* ***Fax*** *(044) 2641 3301* ***Quartos*** *90*

Este hotel é conhecido pelo serviço de boa qualidade e pelo menu variado servido em seu ótimo restaurante. Fica próximo à estação ferroviária e à maioria das áreas de lojas da cidade. Oferece salão de beleza e vários jogos internos. **www.breezehotel.com**

CHENNAI New Woodlands Hotel Rs Rs Rs

72-75 Dr Radhakrishnan Rd, 600 004 ***Tel*** *(044) 2811 3111* ***Fax*** *(044) 2811 0460* ***Quartos*** *175*

O New Woodlands Hotel é um estabelecimento vegetariano dirigido por uma família ortodoxa do Sul da Índia. Quartos limpos com ou sem ar-condicionado e serviço hospitaleiro são suas marcas registradas. Fica bem no centro da cidade. **www.newwoodlands.com**

CHENNAI Hotel Residency Rs Rs Rs Rs

49 GN Chetty Rd, 600 017 ***Tel*** *(044) 2825 3434* ***Fax*** *(044) 2825 0085* ***Quartos*** *110*

Os quartos confortáveis nos andares superiores têm lindas vistas da cidade. As instalações incluem um bar de temática mexicana e um telão que exibe eventos esportivos. Fica bem no coração do centro de negócios. **www.theresidency.com**

CHENNAI MGM Beach Resort Rs Rs Rs Rs

1/74 East Coast Rd, Muttukadu, 603 112 ***Tel*** *(044) 2747 2435* ***Fax*** *(044) 27472408* ***Quartos*** *52*

Esta propriedade praiana tem lindas vistas do nascer do sol e chalés bem projetados com quartos espaçosos. Há atividades como observação de tartarugas, camping, fogueiras e massagens ayurvédicas. Tem também uma academia. **www.mgm-hotels.com**

Legenda dos preços *ver pág. 690* **Legenda dos símbolos** *no final do guia*

CHENNAI ITC Park Sheraton & Towers

132, TTK Rd, 600 018 ***Tel*** *(044) 2499 4101* ***Fax*** *(044) 2499 7101* ***Quartos*** *283*

Quartos elegantes, fontes no saguão, uma plaza com lojas e health club dão um toque de luxo a este hotel em um bairro exclusivo. As suítes na torre em anexo têm lindas vistas. As salas de conferências e de banquetes são espaçosas e belamente acarpetadas. **www.welcomgroup.com**

CHENNAI Le Royal Meridien

1 GST Rd, St Thomas Mount, 600 016 ***Tel*** *(044) 2231 4343* ***Fax*** *(044) 2231 4344* ***Quartos*** *240*

Em jardins com paisagismo, o Royal Meridien atrai executivos e turistas. Seus interiores elegantes enfatizam tradições locais. Os seis restaurantes servem diversas cozinhas. Massagens e terapias de relaxamento também são disponíveis. **www.leroyalmeridien-chennai.com**

CHENNAI The Park

61 Anna Salai, 600 002 ***Tel*** *(044) 4214 4000* ***Fax*** *(044) 4214 4100* ***Quartos*** *214*

Elegante hotel executivo ocupa a antiga área dos famosos estúdios cinematográficos Gemini. Uma entrada imponente leva a um átrio de simplicidade cativante. Fica centralmente localizado e é muito requisitado por executivos. **www.theparkhotels.com**

CHENNAI Radisson

531 GST Rd, St Thomas Mount, 600 016 ***Tel*** *(044) 2231 0101* ***Fax*** *(044) 2231 0202* ***Quartos*** *101*

A apenas 3km do aeroporto de Chennai, este hotel executivo de luxo oferece internet de banda larga sem fio, acesso 24 horas à piscina, à academia e outras comodidades modernas. Tem restaurantes especializados e um bar. **www.radisson.com**

CHENNAI Taj Connemara

2 Binny Rd, 600 002 ***Tel*** *(044) 6600 0000* ***Fax*** *(044) 6600 0550* ***Quartos*** *150*

Charmoso hotel antigo com interior Art Déco, um pátio sereno e uma bela piscina. O jantar com autêntica cozinha de Chettinad é servido no restaurante ao ar livre, acompanhado de um show cultural. Um local que reflete as tradições do Sul da Índia. **www.tajhotels.com**

CHENNAI Trident Hilton

1/24 GST Rd, 600 027 ***Tel*** *(044) 2234 4747* ***Fax*** *(044) 2234 6699* ***Quartos*** *167*

Este hotel elegante próximo ao aeroporto é cercado de jardins com luxuriantes plantas tropicais. Tem uma academia bem equipada, sala de conferências, um excelente restaurante e uma piscina ao ar livre. Com a praia Marina a curta distância de carro, os hóspedes que gostam de sol se regalam. **www.trident-hilton.com**

TAMIL NADU

COVELONG Fisherman's Cove

Covelong Beach, Kanchipuram Distt, 603 112 ***Tel*** *(044) 67413 333* ***Fax*** *(044) 6741 3332* ***Quartos*** *88*

Este resort praiano no local de um antigo forte holandês tem quartos e chalés charmosos, muitos deles voltados para o mar, e excelentes frutos-do-mar. Arranja esportes aquáticos sob pedido e dispõe de uma jacuzzi para os hóspedes relaxarem. As instalações são de padrão internacional. **www.tajhotels.com**

KARAIKUDI The Bangala

Devakottai Rd, Senjai, 630 001 ***Tel*** *(04565) 220 221 (reservations)* ***Quartos*** *12*

Este hotel antigo é formado por um complexo de bangalôs reformados que exibem arquitetura e decoração distintivas de Chettinad, com acabamentos em teca, varandas com colunatas e quartos arejados. Prepara comida de Chettinad sob pedido. **www.thebangala.com**

KODAIKANAL The Carlton

Lake Rd, 624 101 ***Tel*** *(04542) 240 056* ***Fax*** *(04542) 241 170* ***Quartos*** *91*

Uma mistura de estilo Raj e confortos modernos, este hotel excelente fica em uma vasta área com paisagismo voltada para o lago Kodai. Marca pontos pelo ambiente, a comida e o serviço, e é um dos resorts montanheses mais pitorescos e idílicos da Índia. **www.krahejahospitality.com/carlton**

MADURAI Taj Garden Retreat

40 TPK Rd, Pasumalai Hill, 643 001 ***Tel*** *(0452) 237 1601* ***Fax*** *(0452) 237 1636* ***Quartos*** *63*

Em um outeiro voltado para o Templo Meenakshi, este retiro tem belos jardins em terraços. Alguns quartos ficam em uma casa colonial do século 19 e outros em chalés com terraços privados. Há uma ampla gama de atividades de lazer como tênis e badminton, além de uma piscina. **www.tajhotels.com**

OOTACAMUND Fernhills Palace Nilgiris

Fernhill Rd, 643004 ***Tel*** *(0423) 244 3910* ***Fax*** *(0423) 244 3318*

Bem no centro da cidade e perto dos santuários ecológicos de Mudumulai e Bandipur, o Fernhills Palace fica em meio a amplos gramados voltados para florestas densas e jardins com arbustos de chá. Atrai executivos e turistas que contam com lareiras em todos os quartos e apetrechos para acendê-las. As atrações incluem golfe e passeios a cavalo.

OOTACAMUND Savoy Hotel Rs Rs Rs Rs

77 Sylks Rd, 643001 ***Tel*** *(0423) 244 4142* ***Fax*** *(0423) 244 3318* ***Quartos*** *40*

Aninhado nas colinas Nilgiri e em meio a jardins encantadores, o Savoy Hotel tem quartos aconchegantes com lareiras. Este gracioso edifício de 150 anos era uma escola. As vigas de madeira maciça que sustentam o teto foram trazidas do palácio do sultão Tipu em Srirangapattanam. **www.tajhotels.com**

PONDICHERRY Anandha Inn Rs Rs Rs

154 SV Patel Rd, 605 001 ***Tel*** *(0413) 233 0711* ***Fax*** *(0413) 233 1241* ***Quartos*** *70*

Com fácil acesso para o pitoresco boulevar praiano, templos e igrejas da cidade, este hotel tem quartos limpos e bem equipados com ar-condicionado central acionado por controle remoto, serviço 24 horas e TV. Há um business center, um bar e uma butique. Mantém um médico de plantão. **www.anandhainn.com**

PONDICHERRY Hotel De L'Orient Rs Rs Rs

17 Rue Romain Rolland, 605 001 ***Tel*** *(0413) 234 3067* ***Fax*** *(0413) 222 7829* ***Quartos*** *14*

Este hotel encantador é repleto de finos móveis coloniais, mapas e gravuras antigas e peças coloniais francesas do século 18. Os quartos têm comodidades modernas que asseguram uma estada confortável. O restaurante serve excelente cozinha fusion indo-francesa. **www.neemrana.com**

SANTUÁRIO ECOLÓGICO Mudumulai Jungle Hut Rs Rs Rs

Próximo de Bokkapuram ***Tel*** *(0423) 252 6240* ***Fax*** *(0423) 252 6240* ***Quartos*** *12*

Os quartos deste resort atrativo ficam em três chalés de pedra em uma ampla área. Os 30 elefantes residentes são uma atração à parte e participam toda noite de um ritual encantador, quando fazem um *puja* (oração) a Ganesh, o deus com cabeça de elefante.

THANJAVUR Hotel Parisutham Rs Rs Rs

55 GA Canal Rd, 613 001 ***Tel*** *(04362) 231 801* ***Fax*** *(04362) 230 318* ***Quartos*** *52*

Equipe cordial e solícita, uma bela piscina, quartos confortáveis e comida saudável e saborosa fazem deste hotel pequeno e moderno uma boa opção. Organiza programas culturais noturnos junto à piscina e excursões a coqueirais por perto sob pedido. **www.hotelparisutham.com**

TIRUCHIRAPALLI Jenneys Residency Rs Rs Rs

3/14 McDonald's Rd, 246 1301 ***Tel*** *(0431) 241 4414* ***Fax*** *(0431) 246 1451* ***Quartos*** *93*

Este espaçoso hotel tem quartos charmosos, lojas e um health club. Sua calorosa hospitalidade e serviço impecável o tornam um favorito de executivos e turistas. Os gramados e a piscina servem de antídoto contra a agitação da cidade. **jennys@satyam.net.in**

TIRUCHIRAPALLI Femina Hotel Rs Rs Rs

14-C Williams Rd, Cantonment, 246 1301 ***Tel*** *(0431) 241 4501* ***Fax*** *(0431) 246 1451* ***Quartos*** *178*

Um dos melhores hotéis da cidade, fica a 15 minutos de carro do aeroporto e a 5 minutos do entroncamento ferroviário e rodoviário. Oferece uma avançada estrutura para banquetes e seu lounge bar é bem sortido de bebidas indianas e estrangeiras. **femina@tr.dot.net.in**

ILHAS ANDAMAN

PORT BLAIR Hotel Sinclairs Bay View Rs Rs Rs

South Point, 744 106 ***Tel*** *(03192) 22 7824/ 227937* ***Quartos*** *30*

Localizado na baía de Bengala e voltado para a Ilha Ross, este hotel tem quartos com vistas espetaculares do mar, TV por satélite, banheiro, telefones e room service. Seu centro de mergulho programa scuba diving, mergulho com snorkel e esportes aquáticos. **www.sinclairshotels.com**

PORT BLAIR Fortune Resort Bay Island Rs Rs Rs Rs

Marine Hill, 744 101 ***Tel*** *(03192) 23 4101* ***Fax*** *(03192) 23 1555* ***Quartos*** *45*

Construído quase que inteiramente com a fabulosa madeira local *padauk*, este resort tem quartos encantadores na encosta de uma colina. A piscina tem água do mar. Fica em um dos últimos trechos do mundo de floresta tropical virgem, com vista para a baía de Bengala. **www.fortunehotels.in**

KERALA

ALAPPUZHA Kayaloram Lake Resort Rs Rs Rs Rs

Punnamada, 688 006 ***Tel*** *(0477) 223 2040* ***Fax*** *(0477) 225 2918* ***Quartos*** *12*

Construído no estilo de uma *tharavad* (casa antiga) tradicional, este lugar tem quartos com pátios tranquilos e banheiros a céu aberto. Cozinha de Kerala, tratamentos ayurvédicos e passeios de barco são disponíveis. O resort fica a 15 minutos da cidade de Alleppey e é acessível por estrada e pelas águas. **www.kayaloram.com**

Legenda dos preços *ver pág. 690* **Legenda dos símbolos** *no final do guia*

ALAPPUZHA Lake Palace Resort ₨₨₨₨

Thirumala, Chungam, 688 011 ***Tel*** *(0477) 223 9701* ***Fax*** *(0477) 223 9705* ***Quartos*** *38*

O luxo moderno se funde com a tradicional arquitetura de Kerala neste resort nas margens do lago Vembanad. O lugar é ideal para apreciar a beleza dos remansos e oferece esportes aquáticos e passeios de barco. Há também uma minipiscina para crianças. **www.lakepalaceresort.com**

ALAPPUZHA Raheem Residency ₨₨₨₨₨

Beach Rd, Alleppey, 688 012 ***Tel*** *(0477) 223 9767* ***Fax*** *(0477) 223 0767* ***Quartos*** *10*

Villa colonial de 1868, esta residência privada foi transformada em hotel-butique há dois anos. Um pátio espaçoso com uma macieira dá um toque especial. O restaurante tem uma vista espetacular das águas ao redor. Um bônus inesperado é a biblioteca bem sortida. **www.raheemresidency.com**

ERNAKULAM Taj Residency ₨₨₨₨

Marine Drive, 682 011 ***Tel*** *(0484) 237 1471* ***Fax*** *(0484) 237 1481* ***Quartos*** *108*

Bem no centro da cidade, este hotel tem todas as comodidades modernas associadas ao grupo hoteleiro Taj. Ótimo serviço aliado a vistas estupendas do mar, do poente e do porto de Cochin. Há lojas por perto que oferecem desde calçados a especiarias. Não deixe de ir ao Bubble Café. **www.tajhotels.com**

KOCHI Bolgatty Palace ₨₨₨₨

Mulavukadu, 682 504 ***Tel*** *(0484) 275 0003* ***Fax*** *(0484) 275 0457* ***Quartos*** *26*

A localização espetacular na ponta da Ilha Bolgatty é um destaque deste hotel, que fica em um palácio holandês do século 18 belamente restaurado no qual funcionou a Residência Britânica. Os hóspedes podem jogar golfe e relaxar na agradável cervejaria. Há chalés disponíveis perto do lago. **www.ktdc.com**

KOCHI Koder House ₨₨₨₨₨

Tower Road, 682 001 ***Tel*** *(0484) 221 8485* ***Fax*** *(0484) 221 7988* ***Quartos*** *6*

Hotel-butique de três andares fica defronte à praia de Fort Kochi e tem seis suítes de luxo. Com cozinha variada, seu restaurante Menorah é o único do país a oferece pratos indo-judaicos. Outras atrações são a piscina, o spa e a biblioteca. **www.koderhouse.com**

KOCHI The Malabar House Residency ₨₨₨₨₨

1/269 Parade Rd, Fort Kochi, 682 001 ***Tel*** *(0484) 221 6666* ***Fax*** *(0484) 221 7777* ***Quartos*** *17*

Parte do tecido histórico de Fort Kochi, este hotel-butique era originalmente uma mansão holandesa construída em 1755. Tem quartos elegantes, comida excelente, piscina e um palco para eventos culturais. Exala charme e personalidade. **www.malabarhouse.com**

VKOCHI Taj Malabar ₨₨₨₨₨

Willingdon Island, 682 009 ***Tel*** *(0484) 266 811* ***Fax*** *(0484) 266 8297* ***Quartos*** *96*

Construído em 1935, o Taj Malabar tem uma ala tradicional com interiores vitorianos. Recém reformadas, as suítes na ala da torre são modernas e tem um toque de elegância clássica. Um destaque é o spa instalado em uma villa cuja piscina se funde com o mar. Os três restaurantes servem comida exótica. **www.tajhotels.com**

KOCHI Trident Hilton ₨₨₨₨₨

Bristow Rd, Willingdon Island, 682 003 ***Tel*** *(0484) 266 9595* ***Fax*** *(0484) 266 9393* ***Quartos*** *85*

Quartos confortáveis, modernos e luxuosos e bom serviço são os pontos fortes do Trident Hilton. Um favorito de turistas, tem ótima localização a poucos minutos de carro da cidade. Embora isolado do trânsito e das buzinas estridentes, fica próximo aos lugares urbanos de interesse. **www.trident-hilton.com**

KOLLAM Aquaserene ₨₨₨₨₨

South Paravoor, 691 301 ***Tel*** *(0474) 251 2410* ***Fax*** *(0474) 251 2104* ***Quartos*** *28*

O Aquaserene oferece chalés elegantes cercados pelas águas. Este resort de luxo tem todas as comodidades modernas requeridas para uma estada confortável, mas suas principais atrações são as vistas encantadoras e a privacidade total. Tem uma praia privada a apenas 15 minutos de barco. **www.aquasereneindia.com**

KOTTAYAM Chamundi Hill Palace Ayurvedic Resort ₨₨₨₨

Rajkumar Estate, Nadukani, Edakkunnam PO, 686 512 ***Tel*** *(04828) 251 246* ***Quartos*** *13*

Uma residência de 60 anos foi transformada neste resort que mantém o caráter original intacto. Em uma colina envolta pela neblina, o cenário é belo e tranquilo. As acomodações espaçosas incluem em uma casa numa árvore e quartos suntuosos e confortáveis. **www.chamundihillpalace.org**

KOTTAYAM Taj Garden Retreat ₨₨₨₨

1/104 Kumarakom, 686 563 ***Tel*** *(0481) 2524377* ***Fax*** *(0481) 2524371* ***Quartos*** *22*

Nas margens do lago Vembanad, este hotel tem quartos em um charmoso bangalô colonial e em chalés. Organiza demonstrações de artes marciais, observação de aves e passeios de barco. Outras atrações são a piscina, barcos a motor e a remo e esqui aquático. **www.tajhotels.org**

KOVALAM Surya Samudra ₨₨₨₨₨

Surya Samudra Beach Garden, Pulinkudi, 695 521 ***Tel*** *(0471) 226 7333* ***Quartos*** *21*

Tradicional arquitetura de madeira, coqueirais, banheiros a céu aberto e uma bela praia são os destaques deste resort. Há também dois poços com água potável. A piscina fica em uma rocha.
suryasamudra@kovalamhotels.com

KOZHIKODE The Renaissance Cochin Kappad Beach Resort Rs Rs Rs

Thuvapara, Chemanchery, 673 304 ***Tel*** *(0496) 268 8777* ***Fax*** *(0496) 268 9194* ***Quartos*** *16*

Este resort fica perto da aldeia de Kappad, onde Vasco da Gama desembarcou em 1498. Os quartos e chalés limpos e agradáveis ficam junto à praia. O restaurante de frutos-do-mar e tratamentos ayurvédicos são outros destaques. O resort organiza churrascos e acampamentos com fogueiras na praia. **www.renaissancekappadbeach.com**

KUMARAKOM Coconut Lagoon Rs Rs Rs Rs Rs

Kumarakom, 686 563 ***Tel*** *(0481) 252 4373* ***Fax*** *(0481) 242 4495* ***Quartos*** *50*

O Coconut Lagoon fica escondido entre as palmeiras da margem leste do lago Vembanad. Com chalés tradicionais e banheiros a céu aberto, só é acessível de barco. Um ferryboat sai de vários pontos de embarque, dos quais o mais próximo é Kumarakom, em horários fixos o dia inteiro. **www.cghearth.com**

LAKSHADWEEP Bangaram Island Resort Rs Rs Rs Rs Rs

Lakshadweep ***Tel*** *(0484) 266 8221* ***Fax*** *(0484) 266 8001* ***Quartos*** *29*

Um intocado paraíso ilhéu, este resort de design imaginativo é composto de cabanas e bangalôs limpos e atrativamente mobiliados. Há um restaurante de cozinha variada e um bar bem sortido. Organiza mergulhos e pescarias. **www.somatheeram.in**

MUNNAR Tea County Hill Resort Rs Rs Rs Rs

KTDC Hill Resort, Munnar, 685 612 ***Tel*** *(04865) 230 460* ***Fax*** *(04865) 230 970* ***Quartos*** *43*

Estes chalés em estilo de bangalô têm todas as comodidades modernas, incluindo uma pista de dança no restaurante e um centro Ayurveda. Café-da-manhã e jantar para duas pessoas estão inclusos na diária. Paragliding é uma das atividades disponíveis. **www.ktdc.com**

MUNNAR Windermere Estate Rs Rs Rs Rs

Pothamedu, PO.Box 21, Munnar, 685 612 ***Tel*** *(04865) 230 512* ***Fax*** *(04865) 230 978* ***Quartos*** *15*

Construído em estilo colonial, o Windermere Estate tem um charme especial que torna a estada memorável. Em meio a plantações de chá e cardamomo, oferece conforto, serviço cordial e cenário e vistas encantadores. Fica a apenas 5km da cidade de Munnar. **www.windermeremunnar.com**

POOVAR Poovar Island Resort Rs Rs Rs Rs Rs

KP VII/911, Pozhiyoor, 695 513 ***Tel*** *(0471) 212 070* ***Fax*** *(04869) 222 282* ***Quartos*** *28*

Perto de Thiruvananthapuram, este resort ilhéu oferece a opção de hospedar-se em chalés flutuantes. Massagens ayurvédicas estão disponíveis. O restaurante de cozinha variada oferece pratos ocidentais, asiáticos e indianos. **www.hotelskerala.com**

THEKKADY Lake Palace Rs Rs Rs Rs Rs

Thekkady, Idukki, 685 536 ***Tel*** *(04869) 222 023* ***Fax*** *(04869) 222 282* ***Quartos*** *6*

Sinta-se como um rei neste antigo palácio de verão em uma península que se projeta no lago Periyar. As florestas ao redor dão chance de avistar animais. Como só há seis quartos, faça reserva com antecedência para desfrutar as maravilhas da natureza. **www.ktdc.com**

THIRUVANANTHAPURAM The South Park Rs Rs Rs

MG Rd, 695 034 ***Tel*** *(0471) 233 3333* ***Fax*** *(0471) 233 1861* ***Quartos*** *83*

No coração de Thiruvananthapuram, este hotel confortável e recém-reformado dispõe de uma banda ao vivo e de um jardim verdejante onde são feitos churrascos e massoterapia ayurvédica. O restaurante de cozinha variada oferece bufês fartos e bem elaborados de almoço e jantar. **www.thesouthpark.com**

THIRUVANANTHAPURAM The Muthoot Plaza Rs Rs Rs Rs

Punnen Rd, 695 039 ***Tel*** *(0471) 233 7733* ***Fax*** *(0471) 233 7734* ***Quartos*** *57*

No pólo comercial da cidade, este hotel de padrão internacional tem quartos confortáveis, boa estrutura para negócios e serviço eficiente. Os quartos sofisticados têm até laptops à disposição dos hóspedes. Fica a 20 minutos de carro do aeroporto. **www.themuthootplaza.com**

THIRUVANANTHAPURAM The Leela Kempinski Kovalam Beach Rs Rs Rs Rs Rs

Kovalam, 695 527 ***Tel*** *(0471) 248 0101* ***Fax*** *(0471) 248 1522* ***Quartos*** *182*

Este hotel é o supra-sumo do luxo. Na face de um rochedo com vistas panorâmicas da praia Kovalam, suas instalações modernas incluem uma praia exclusiva e um spa. Os quartos são bem equipados com todos os confortos esperados. Equipe eficiente. **www.theleela.com**

VARKALA Taj Garden Retreat Rs Rs Rs Rs

Janardana Puram, 695 141 ***Tel*** *(0470) 260 3000* ***Fax*** *(0470) 260 2296* ***Quartos*** *30*

Cercado por arrozais e voltado para o mar, o Taj Garden Retreat tem vistas espetaculares e 30 quartos espaçosos com sacadas privadas. Outras atrações são a biblioteca, a quadra de tênis, a piscina de água doce e uma longa praia limpíssima. O restaurante serve comida excelente. **www.tourindiakerala.com**

WAYANAD Green Magic Nature Resort Rs Rs Rs Rs Rs

Meppadi, 673 577 ***Tel*** *(0471) 232 8070* ***Fax*** *(0471) 233 1407* ***Quartos*** *6*

Bem no meio de uma floresta tropical, este resort ecológico tem comodidades básicas e não dispõe de TV nem de ar-condicionado. Os ecolodges e casas étnicas construídos em árvores 26m acima do solo são singulares. Serve comida orgânica. **www.tourindiakerala.com**

Legenda dos preços *ver pág. 690* **Legenda dos símbolos** *no final do guia*

WAYANAD Tranquil Resort ®®®®®

Kuppamudi Estate, Kolagappara PO., 673 591 **Tel** *(04936) 220 244* **Fax** *(04936) 222 358* **Quartos** *8*

O lugar perfeito para esquecer de tudo e mergulhar na beleza do cenário. Outras vantagens são as vistas encantadoras, a comida excelente e a relaxante atmosfera tradicional. Suba nas villas em árvores, que propiciam um mundo de beleza e conforto. **www.tranquilresort.com**

ANDHRA PRADESH

HYDERABAD Green Park ®®®

Begumpet, 500 016 **Tel** *(040) 2375 7570* **Fax** *(040) 2404 2242* **Quartos** *148*

Hotel mais central de Hyderabad, tem instalações extremamente modernas de classe internacional a preços ótimos, sendo a opção favorita de executivos exigentes. Os quartos confortáveis são equipados com banheiros e telefone com discagem direta. **www.hotelgreenpark.com**

HYDERABAD ITC Kakatiya Sheraton Towers ®®®®®

6-3-1187 Begumpet, 500 016 **Tel** *(040) 2340 0132* **Fax** *(040) 2340 1045* **Quartos** *188*

Este hotel elegante se destaca pela piscina singular construída em uma formação rochosa. É afamado por seu serviço excelente e pela comida dos três restaurantes especializados. Outro bônus são os transfers de limusine para o aeroporto, que fica a apenas 3 km. **www.welcomgroup.com**

HYDERABAD Quality Inn Residency ®®®®®

Public Garden Rd, Nampally, 500 001 **Tel** *(040) 3061 6161* **Fax** *(040) 2320 4040*

A localização central torna este hotel uma boa opção. Os quartos são limpos e confortáveis, assim como o pub. O jardim público em frente é um dos pulmões verdes da cidade e ideal para caminhadas ou uma corrida matinal. **www.theresidency-hyd.com**

HYDERABAD Taj Banjara ®®®®®

Rd No 1, Banjara Hills, 500 034 **Tel** *(040) 6666 9999* **Fax** *(040) 6666 1919* **Quartos** *118*

Nas colinas Banjara, o Taj Banjara é voltado para seu lago privado e fica a 10 minutos de carro do bairro de empresas e lojas. Oferece cinco salas de reunião e de banquete com capacidade para 15 a 400 pessoas. Dispõe de piscina e fitness center. **www.tajhotels.com**

HYDERABAD Taj Deccan ®®®®®

Rd No 1, Banjara Hills, 500 034 **Tel** *(040) 6666 3939* **Fax** *(040) 6666 4848* **Quartos** *140*

Hotel executivo 5 estrelas, o Taj Deccan tem vistas excelentes do lago Hussain Sagar e fica a apenas 20 minutos de carro do aeroporto e a 15 minutos de todos os pólos de negócios e comércio. Os quartos bem arrumados têm camas grandes, controle de temperatura individual, telefone com discagem direta e frigobar. **www.tajhotels.com**

TIRUPATI Hotel Guestline Days ®®®

14-37,Karakambadi Rd, 517 507 **Tel** *(0877) 228 0800* **Fax** *(0877) 228 1774* **Quartos** *140*

Voltado para as pitorescas colinas Tirumala, este hotel confortável tem boa comida. Peregrinos apressados podem usar (mediante pagamento) o serviço especial do hotel e escapar das longas filas para entrar no principal santuário do Templo Sri Venkateshvara. **guestlinetirupati@rediffmail.com**

VIJAYAWADA Quality Inn D V Manor ®®®

40-47 MG Rd, 520 010 **Tel** *(0866) 247 4455* **Fax** *(0866) 248 3170* **Quartos** *94*

Centralmente localizado, este hotel moderno e confortável tem um átrio central com elevadores panorâmicos, um restaurante de cozinha variada e um bar. Fica a poucos minutos de locais de interesse como a Colina Indrakila, as Grutas Undavalli, o Templo Kanaka Durga e Gandhi Hill, o primeiro memorial de Gandhi na Índia. **www.dvmanno.com**

VISAKHAPATNAM The Park ®®®

Beach Rd, 530 023 **Tel** *(0891) 275 4488* **Fax** *(0891) 275 4181* **Quartos** *61*

Convenientemente localizado perto da praia, este hotel moderno tem uma livraria e um pátio no qual se pode ver artesãos trabalhando. Os quartos com ar-condicionado têm vistas para o mar. Os restaurantes Bamboo Bay e View descortinam estupendos poentes tropicais. **www.theparkhotels.com**

VISAKHAPATNAM Taj Residency ®®®

Beach Rd, 530 002 **Tel** *(0891) 256 7756* **Fax** *(0891) 256 4370* **Quartos** *93*

Com os padrões usuais de conforto e serviço associados ao Taj Group, este hotel também tem vistas panorâmicas da baía de Bengala. Dispõe também de um business center totalmente equipado, com serviço de secretariado e uma sala de reuniões que comporta 12 pessoas. **www.tajhotels.com**

WARANGAL Ashoka Hotel ®®

6-1-242 Main Rd,Hanamkonda, 506 314 **Tel** *(08712) 57 8491* **Fax** *(08712) 57 9260* **Quartos** *57*

Muito requisitado, o Ashoka Hotel fica em uma grande área e oferece quartos limpos e espaçosos. A equipe é simpática e eficiente. O restaurante interno serve comida excelente e também há um bar bem sortido. **www.dvmanno.com**

ONDE COMER

A variedade da cozinha indiana é muito rica. Os sabores delicados da culinária clássica, criada nas cortes imperiais de Délhi, Kashmir, Hyderabad e Lucknow, foram complementados por diversas especialidades regionais, à base de ingredientes exóticos. Da região desértica de Rajasthan vêm curries encorpados e apimentados, enquanto os peixes dominam a cozinha do litoral de Bengala Ocidental, Goa e boa parte de Kerala. Gujarat e Tamil Nadu são mais vegetarianos. Os hábitos alimentares da Índia urbana passaram por muitas alterações nos últimos anos, em razão da rápida mudança nos estilos de vida e da introdução de redes de fast-food ocidentais. Apesar de a maioria dos indianos apreciar a comida feita em casa, comer fora está se tornando um hábito nas cidades maiores. Agora, os restaurantes oferecem de tudo, de pizzas a sofisticadas refeições de muitos pratos, além de vinhos locais e importados. Os restaurantes das páginas 720-43 foram selecionados pela qualidade, variedade, serviço e nível de preço.

Pimenta-vermelha

Clientes em um dos muitos restaurantes de Mumbai

ETIQUETA

Os indianos são muito hospitaleiros, e tratam um hóspede como se fosse a divindade de sua devoção. Para manter essa tradição, muitos hotéis e restaurantes se esforçam para seguir tal comportamento. Apesar do hábito de se comer com a mão, os restaurantes fornecem talheres. Em geral, há uma pia para lavar as mãos, antes e após a refeição, e os restaurantes costumam oferecer tigelinha para lavar os dedos, com limão e água quente. Comer carne de vaca é tabu para os hindus, do mesmo modo que a carne de porco para os muçulmanos.

RESTAURANTES

Em grande parte, a mudança de hábitos foi responsável pela proliferação de restaurantes não só nas grandes cidades, mas também nas pequenas. Eles vão de estabelecimentos gourmets luxuosos até pequenos cafés e quiosques de beira de estrada, que oferecem opções ecléticas, de comida indiana a italiana e japonesa. Na cidade, a maioria tem ar-condicionado e os mais caros dispõem de decoração e serviço de padrão internacional. Os lugares tradicionais, principalmente os que atendem a clientela local, têm salão grande, barulhento, com salas especiais para famílias. Servem-se refeições simples, saudáveis, quase sempre vegetarianas.

Habilidade do cozinheiro ao fazer *rumali roti*, fino como papel

Agora, redes internacionais, como Pizza Hut e McDonald's, têm lojas na maioria das grandes cidades, que estão ficando muito concorridas entre os jovens. Menus especiais foram introduzidos para se adequar ao gosto local.

Grande parte dos restaurantes abre por volta das 11h e fecha ao redor das 24h. Nas cidades maiores, convém reservar mesa nos fins de semana e feriados, em especial nos restaurantes mais procurados.

ESPECIALIDADES

Acrescente valorização da cozinha internacional deu origem ao aumento de caros restaurantes de especialidades nas grandes cidades. Pratos autênticos tailandeses, chineses, mexicanos, japoneses e italianos, preparados por *chefs* que usam ingredientes importados, são pedidos por clientes conhecedores.

As especialidades regionais indianas também têm muita saída. Restaurantes especializados em espetinhos e pães feitos em tandoor e os que servem a cozinha de Goa, Kerala, Tamil Nadu, Caxemira, Lucknow, Hyderabad, Bengala Ocidental, Gujarat e Rajasthan agora oferecem ampla variedade de pratos baseados em tradicionais receitas de família. Alguns restaurantes seletos oferecem uma comida mista e atraem uma clientela

Restaurante improvisado no deserto de Thar, em Rajasthan

que busca sabores diferentes. Aqui, *chefs* inventam pratos com receitas e ingredientes da Índia e do exterior, criando menus excelentes.

COFFEE SHOPS

Hotéis de luxo têm coffee shops 24 horas, para um jantar tardio ou um café-da-manhã bem cedo. E muitos cafés e restaurantes locais, que oferecem bebidas e lanches, também possuem horários flexíveis. Uma novidade é o estabelecimento pequeno como um bistrô, em shoppings e locais turísticos, onde se pode descansar e observar as pessoas, comendo um sanduíche e tomando chá.

EM BEIRA DE ESTRADAS E MERCADOS

Para se ter uma noção da genuína fast-food indiana, nada melhor que uma passada pelas bancas e quiosques de beira de estrada e dos mercados. Em barracas, peruas ou carrinhos adaptados, dotados de fogões e outros utensílios de cozinha, são preparadas refeições saborosas com rapidez e eficiência. As opções vão de lanches vegetarianos, como *samosas*, *dosas* e *idlis*, apimentados e fritos, a frango tandoori, espetinhos, peixe frito e macarrão e rolinho primavera chineses, na versão indiana. Se provar essas comidas, peça pouca pimenta. Também se oferecem doces indianos, frutas, sorvetes e diversas bebidas, como água mineral, refrigerantes e sucos. Restaurantes despojados também servem boa comida com rapidez. Entre eles há os *dhabas* do Norte da Índia (que servem comida vegetariana ou mista), os quiosques de praia em Goa (especializados em curries de peixe com arroz) e os restaurantes de Udipi, no Sul da Índia (apenas vegetarianos). Para cuidados com a saúde, veja as páginas 764-67.

PRATOS VEGETARIANOS

A excelente comida vegetariana da Índia provém de uma população que, quase na totalidade, só se alimenta de vegetais. Em qualquer lugar, podem-se comer deliciosas refeições de produtos sazonais, *dal* (curry de lentilha) e ampla variedade de *rotis* e pratos com arroz. À vezes, serve-se tudo em uma *thali* (travessa), com ótimo custo-benefício. A qualidade da comida é endossada por dizeres: "Feito com pura ghee" ou "Feito com ghee de leite de vaca".

ÁLCOOL

O consumo de álcool é restrito e em alguns estados, como Gujarat, ele está proibido. Bebidas alcoólicas são vendidas em lojas autorizadas pelo governo e restaurantes licenciados e os preços variam, em razão da diferença de impostos entre os estados. Hotéis de luxo têm permissão de importar vinhos e bebidas alcoólicas, embora também sirvam Indian Made Foreign Liquor (IMFL), como rum, cerveja, uísque e vodca.

A qualidade de vinhos e champanhes indianos tem melhorado e algumas marcas são até exportadas. Não é permitido levar álcool para tomar em restaurantes nem em locais públicos. Em feriados e dias de eleições, o consumo de álcool é proibido, mesmo em hotéis, bares e restaurantes.

PRECOS E GORJETAS

Em qualquer lugar, os preços são fixos, tanto em um hotel de luxo como em uma banca de mercado. Os hotéis de luxo cobram uma taxa sobre alimentos e bebidas (de valor estadual variável), que pode elevar muito o que se paga. Mas confira a conta. Apesar de, em geral, se incluir a taxa de serviço, os garçons esperam receber gorjeta (10% da conta é razoável). Restaurantes de beira de estrada e bancas de rua são muito baratos.

COMO PAGAR

Costuma-se aceitar cartões de crédito em restaurantes e bares caros, especialmente em hotéis de luxo. Mas sempre tenha a mão dinheiro vivo (rupias indianas) para pagar a comida em estabelecimentos de cidades pequenas, cafés ou quiosques e bancas.

Chá da tarde saboreado em um resort de Kerala

Como Escolher um Restaurante

Os restaurantes neste guia foram selecionados em uma ampla gama de preços por sua boa comida, preço compatível e localização conveniente ou interessante. Muitos ficam em hotéis recomendados (listas de hotéis, *págs. 690–717*). Eles são citados alfabeticamente por região e faixa de preço.

CATEGORIAS DE PREÇO
Para uma refeição individual sem álcool, mas incluindo impostos e taxa de serviço.

Rs menos de 100 rupias
RsRs 100–200 rupias
RsRsRs 200–400 rupias
RsRsRsRs 400–700 rupias
RsRsRsRsRs mais de 700 rupias

DÉLHI

DÉLHI Sagar Ratna — Rs

The Ashok, 50-B Chanakyapuri, 110 021 **Tel** *(011) 2687 8885*

Seu nome é sinônimo da melhor comida do Sul da Índia servida na cidade. A farta travessa *thali* rende uma refeição econômica e substanciosa. A *rava masala dosa* de cebola e o *idli (págs. 554–5)* também são altamente recomendados. A filial do Sagar Ratna na Defence Colony em Nova Délhi tem preços mais baratos.

DÉLHI Triveni Tea Terrace — Rs

Triveni Kala Sangam, 205 Tansen Marg, 110 001 **Tel** *(011) 2371 8833*

Em um canto tranquilo da famosa galeria de arte, este salão é discreto e acolhedor. Oferece um prato principal simples de *shami kebabs*, *pulao* (prato vegetariano com arroz) e *aloo parathas (pág. 67)* com um refrescante *chai* (chá). Próximo aos tribunais, o restaurante é frequentado por advogados e artistas.

DÉLHI Karim's — RsRs

16 Jami Masjid, 110 006 **Tel** *(011) 2326 9880*

Perto da bela Jami Masjid, maior mesquita da Índia, o Karim's tem fama nacional por sua maravilhosa cozinha mogul. Um paraíso para carnívoros, sua galinha Jehangiri, o cordeiro *burra* (marinado) e o tandoori de *raan* (pernil de cordeiro) são muito requisitados. Peça *phirni* (pudim de arroz) de sobremesa.

DÉLHI Basil and Thyme — RsRsRs

Santusthi Shopping Complex, New Wellington Camp, 110 003 **Tel** *(011) 2467 4933*

Pequeno restaurante tranquilo, é perfeito para relaxar após um dia de compras no popular complexo Santusthi. Serve cozinha italiana e outras opções européias. Prove o patê de fígado de galinha, a quiche Lorraine e a massa à bolonhesa.

DÉLHI Chor Bizzare — RsRsRs

Hotel Broadway, 4/15 Asaf Ali Rd, 110 002 **Tel** *(011) 2327 3821*

Conhecido por sua cozinha da Caxemira, o Chor Bizarre tem decoração criativa inspirada no conceito de um mercado de ladrões. Prove o *yakhni (pág. 67)* ou o *gushtaba* (almôndegas com iogurte). O *thali*, um combinado de vários pratos, é especialmente bom. Vegetarianos apreciam o *dam aloo* (batatas fritas condimentadas).

DÉLHI Kwality — RsRsRs

67 Regal Building, Connaught Place, 110 001 **Tel** *(011) 2374 2310*

A primeira sorveteria da cidade tornou-se um conhecido restaurante. O *chhola bhaturas* (grão-de-bico apimentado acompanhado de pão frito) é uma das melhores pedidas entre outros pratos de Punjab disponíveis. Prove também os *kebabs*, especialmente o *gilafi* de cordeiro com pimenta, e reserve espaço para os sorvetes.

DÉLHI Swagath — RsRsRs

14 Defence Colony Market, 110 024 **Tel** *(011) 2433 0930*

A atmosfera serena e elegante, refeições substanciosas e preços acessíveis explicam a popularidade do Swagath. Oferece cozinha do Sul da Índia, mogul e chinesa, e é especializado em frutos-do-mar. Entre os destaques estão a galinha Chettinad, a galinha na manteiga, pitus grelhados e caranguejos com manteiga de alho.

DÉLHI The Big Chill — RsRsRs

68A Khan Market, 110 003 **Tel** *(011) 4175 7588*

Decorado com pôsteres de filmes e frequentado por jovens, este bistrô serve comida italiana e européia. Os melhores pratos são pitu e salada de abobrinha, galinha ao molho apimentado de *piri piri* e as pizzas. Os bolos aerados e frozen iogurtes são as sobremesas mais pedidas.

DÉLHI Dhaba — RsRsRsRs

The Claridges, 12 Aurangzeb Rd, 110 011 **Tel** *(011) 2301 0211*

O Dhaba imita os pequenos restaurantes de beira de estrada do Norte da Índia que servem autêntica cozinha de Punjab. Regale-se com a carne *balti* e o tandoori de pitus, entre outras opções condimentadas que excitam o paladar. Uma ótima experiência gastronômica.

Legenda dos símbolos *no final do guia*

DÉLHI Flavors Rs Rs Rs Rs

52-C Flyover Complex, Próximo ao Moolchand Flyover, Defence Colony, 110 024 ***Tel*** *(011) 2464 5644*

Tarsilo Nataloni é o afável *chef* e proprietário deste restaurante italiano. As pizzas, a massa com chouriço e o *sole mio* estão entre os melhores pratos do menu. Vegetarianos apreciam o ravióli de espinafre e ricota. De sobremesa, o cheesecake com manga e o creme brûlée são recomendados.

DÉLHI Nanking Rs Rs Rs Rs

Opp. Delhi Public School, Vasant Kunj, 110 070 ***Tel*** *(011) 2613 8936*

Tido como o melhor restaurante chinês da cidade, serve um pato fabuloso, caranguejo e outros frutos-do-mar em um ambiente espaçoso. A equipe é cordial e solícita. É também requisitado pelos almoços *dimsum* especiais compostos por iguarias vegetarianas e outras à base de carne.

DÉLHI Park Baluchi Rs Rs Rs Rs

Dentro do Deer Park, Hauz Khas, 110 016 ***Tel*** *(011) 2696 9829*

Em meio à area verde do Deer Park e perto do paraíso de consumo da Hauz Khas Village, o Park Baluchi serve fina cozinha da Fronteira Noroeste, especialmente apreciada por carnívoros. O *murgh potli* (peito de galinha recheado) e o *haryali choosa* (prato de galinha) são especialidades da casa.

DÉLHI The Great Kebab Factory Rs Rs Rs Rs

Hotel Radisson, National Highway-8, Mahipalpur, 110 037 ***Tel*** *(011) 2677 9191*

Restaurante especializado em suntuosos *kebabs*, tem também outras opções. Os *kebabs* mais populares são o *galouti* e o *gosht babri seekh*. O brócoli *malai* e a *pudina paneer tikka* (queijo cottage com menta) são recomendados para vegetarianos. Há também uma opção de "consumo ilimitado".

DÉLHI Aqua Rs Rs Rs Rs Rs

The Park,15 Parliament Street, 110 001 ***Tel*** *(011) 2374 3000*

Salão elegante ao lado de uma piscina, atrai uma clientela VIP pela privacidade de suas alcovas qua parecem tendas. Serve cozinha mediterrânea e grelhados, com destaque para o cogumelo grelhado com manjericão e a porção de falafel. As sobremesas também são excelentes.

DÉLHI Bukhara Rs Rs Rs Rs Rs

ITC Maurya Sheraton Hotel and Towers, Diplomatic Enclave, 110 021 ***Tel*** *(011) 2611 2233*

Destaque na capa da revista *Time*, o Bukhara tem numerosos políticos internacionais entre seus fãs. Aconchegante, tem encantadoras paredes de pedra com vigas de madeira escura. É famoso por seus apetitosos *kebabs* e *tikkas*, mas o *sikandari raan* (cordeiro marinado) e os *malai kebabs* de galinha também valem a pena.

DÉLHI Dum Pukht Rs Rs Rs Rs Rs

ITC Maurya Sheraton Hotel and Towers, Diplomatic Enclave, 110 021 ***Tel*** *(011) 2611 2233*

Com a melhor cozinha avadhi e hyderabadi da cidade, este restaurante aclamado pela crítica tem um menu excelente. Prove os leves *kakori kebabs* de cordeiro e os pitus grelhados. Seus famosos *dum pukht* *(pág. 164)* e *biryanis* são deliciosos. Ótima comida e o ambiente majestoso tornam a experiência inesquecível.

DÉLHI House of Ming Rs Rs Rs Rs Rs

Hotel Taj Mahal, 1 Mansingh Rd, 110 011 ***Tel*** *(011) 2302 6162*

Considerado o melhor restaurante chinês da cidade, serve os mais finos sabores de Sichuan e do Cantão. A sopa de barbatana de tubarão e os pitus crocantes, especialidades do *chef* Wang, são imperdíveis. O tenro espinafre frito é uma das várias iguarias vegetarianas. Encerre com o sorvete "frito".

DÉLHI La Piazza Rs Rs Rs Rs Rs

Hyatt Regency, Bhikaji Cama Place, Ring Rd, 110 066 ***Tel*** *(011) 2679 1234*

Uma extensa carta de vinhos, cozinha refinada preparada pelo chef italiano e uma decoração de bistrô fazem deste o melhor restaurante italiano da cidade. O vinho de Antorio Gavi, Pizza La Piazza, e o salmão grelhado são destaques do menu. Há brunches de preço fixo aos domingos.

DÉLHI Lodi – The Garden Restaurant Rs Rs Rs Rs Rs

Lodi Garden, Opp. Mausam Bhavan, Lodi Rd, 110 003 ***Tel*** *(011) 2465 5054*

Em meio a belas árvores e lanternas, este restaurante ajardinado assegura uma fina experiência gastronômica. Comece pela *salata dijaj* de galinha ou pelo cordeiro marroquino, a especialidade do *chef*. Para vegetarianos, a travessa de legumes é uma boa opção. Dispõe de uma renomada carta de vinhos internacional.

DÉLHI The Spice Route Rs Rs Rs Rs Rs

The Imperial, Janpath, 110 001 ***Tel*** *(011) 2334 1234*

Decorado para refletir a arte e a cultura ao longo da histórica rota que levou as especiarias do Sudeste Asiático para os países da Europa, este restaurante é um deleite visual e culinário. As exóticas refeições, que incluem o curry *marris* do Sri Lanka e *phad phak ruam mitr* (legumes mistos fritos), completam a experiência.

DÉLHI Threesixty Rs Rs Rs Rs Rs

The Oberoi, Dr. Zakir Hussain Marg, 110 003 ***Tel*** *(011) 2436 3030*

Aberto recentemente, este popular restaurante oferece diversas cozinhas. Os pratos japoneses são altamente recomendados e as pizzas assadas à lenha têm coberturas como chouriço e jalapeños. O bufê tem boas opções para uma refeição rápida. Boa gama de vinhos europeus e do Novo Mundo.

HARYANA E PUNJAB

AMRITSAR Crystal Restaurant ®®®

Crystal Chowk, Queen's Road, 143 001 ***Tel*** *(0183) 222 5555*

Este restaurante de cozinha chinesa, indiana e italiana orienta os clientes a pedirem os deliciosos pratos de carne regionais, incluindo ótimos tandooris e curries. O serviço pode ser lento, sobretudo à noite e no fim de semana, quando o restaurante fica lotado.

CHANDIGARH Chop Sticks ®®®

SCO 1085, Adjacent Hotel Piccadily, Sector 22-B, 160 022 ***Tel*** *(0172) 277 4181*

O ambiente e a decoração do restaurante são orientais, com dragões pintados nas paredes. A comida é preparada no estilo chinês original com legumes e carnes cortados em pequenos cubos. Prove a cestinha de legumes. Aberto para almoço e jantar.

CHANDIGARH Khyber Restaurant ®®®

SCO 333-34, Sector 35-B, 160 022 ***Tel*** *(0172) 260 7728*

Serviço eficiente e comida de alta qualidade. As *dal* (lentilhas), *kebabs* e tandooris são deliciosos. Os pedidos vêm em tigelas de cobre servidas por garçons com trajes *pathani*, de forma a manter o clima geral afegão. O que mais chama a atenção, porém, é a árvore bem no meio do restaurante.

CHANDIGARH Kwality ®®®

SCO 40, Punjab University Sector 14, 160 014 ***Tel*** *(0172) 254 1427*

Aberto em 1955, o Kwality integra a conhecida rede homônima de restaurantes do Norte da Índia. Um dos restaurantes mais antigos da cidade, foi o primeiro a oferecer sorvetes. Perfeito para famílias, assegura comida boa em um ambiente descontraído.

CHANDIGARH Mehfil ®®®

SCO 183-185, Sector 17-C, 160 017 ***Tel*** *(0172) 270 3539*

Um dos restaurantes mais antigos da cidade, serve cozinha variada e é famoso por seu clima vibrante. A autêntica cozinha de Punjab é preparada com esmero e os curries são especialmente recomendados. A decoração, que inclui iluminação forte, é um tanto exagerada.

CHANDIGARH Black Lotus ®®®®®

Taj Hotel, Block 9A, Sector 17, 160 017 ***Tel*** *(0172) 551 3000*

Este restaurante serve ótima comida de Sichuan no almoço e no jantar. O ambiente oriental contemporâneo se divide em um salão privado e um bar, ambos com pé-direito alto, paredes revestidas de tecidos e artefatos orientais. O menu apresenta várias iguarias vegetarianas e à base de carne, incluindo frutos-do-mar frescos.

HIMACHAL PRADESH

CHAIL Palace Hotel's Restaurant ®®®

Palace Hotel, 173 217 ***Tel*** *(01792) 248 141*

Este restaurante é especializado na cozinha da região, a exemplo de *sepu badi* (purê frito de grão-de-bico e lentilha) e *kadi* (curry de grão-de-bico e lentilha), mas também oferece pratos chineses e europeus. Tome chá ou café ao ar livre. O bar serve bebidas alcoólicas indianas e importadas.

CHAMBA Iravati Hotel ®®®

Próximo ao Main Sehgal, 176 310 ***Tel*** *(01899) 222 671*

Lindas vistas da montanha enriquecem a experiência neste restaurante com boa comida da região. O condimentado *guchi madara* de cogumelo e ervilhas é imperdível. Os carnívoros apreciam o cordeiro *daruwala* e a galinha *achari*. O café Ravi View serve comida do Sul da Índia e lanches leves.

DHARAMSALA Nick's Italian Kitchen ®®®

Kunga Guesthouse, 176 215 ***Tel*** *(01892) 221 180*

Este restaurante vegetariano no topo oferece excelentes vistas do Templo Vasu dedicado a Shiva. Serve suntuosos pratos italianos, mas a sopa tibetana de talharim e os *momos* *(pág. 264)* são muito pedidos. Fica fechado por três dias durante o Ano Novo Tibetano e em 6 de julho, dia do aniversário do Dalai Lama.

KALPA Kinner Villa Restaurant ®®

Hotel Kinner Villa, 172 108 ***Tel*** *(01786) 226 606*

Embora sirva comida chinesa e continental, a especialidade daqui é culinária indiana. É mais aconselhável pedir pratos básicos como *dal-roti* (lentilhas e pão). Caso o tempo esteja bom, acomode-se no jardim, que tem lindas vistas das montanhas.

Legendas dos preços *ver pág. 720* **Legenda dos símbolos** *no final do guia*

KULLU Silhouette

Hotel Le Grand, National Highway 21, Kullu Manali Rd, 175 101 ***Tel*** *(01902) 251414*

As cozinhas chinesa, européia e indiana estão presentes no Silhouette, assim como vários tandooris. Há comida vegetariana mediante pedido. O especial *kadhai paneer* de queijo cottage com pimenta e pães *rotis* quentes é uma das opções favoritas. Você pode pedir para ser servido no jardim.

MANALI Chopsticks

The Mall, Opp. Bus Stand, 175 131 ***Tel*** *(01902) 252 639*

Generosas porções de comida japonesa, chinesa e tibetana são servidas neste restaurante cordial. Peça com bastante antecedência o delicioso cozido tibetano *gyakok*, suficiente para até cinco pessoas. Outras especialidades daqui são iogurte e panquecas.

MANALI Johnson's Café

The Mall, 175 131 ***Tel*** *(01902) 252 316*

Conhecido por sua cozinha italiana, o Johnson's Café oferece excelentes massas, bolos, sucos e sorvetes caseiros. Peça a truta na manteiga de alho ou com manteiga, limão e ervas especiais. Encerre com uma fatia do excelente bolo de chocolate.

SHIMLA Baljees

The Mall, Opp. Town Hall, 171 001 ***Tel*** *(0177) 265 2313*

Um dos restaurantes locais mais antigos, oferece deliciosa comida indiana e ocidental. Vegetarianos apreciam o *rava masala dosa (pág. 554)* e o *chhola bhatura (pág. 67)*, ao passo que carnívoros não devem dispensar a galinha na manteiga e o *rarha* de cordeiro. Há diversos doces de sobremesa, com destaque para o *gulab jamun (pág. 67)*.

SHIMLA Davicos

The Mall, Near Telegraph Office, 171 001 ***Tel*** *(0177) 280 6335*

Uma instituição em Shimla, o restaurante no subsolo serve entradas apetitosas, bons *kebabs* e pratos continentais e chineses bem preparados. O belo café no piso térreo oferece deliciosos lanches e frapês de café. No primeiro andar há um bar bem sortido.

SHIMLA Cecil Restaurant

Oberoi Cecil, Chaura Maidan, 171 001 ***Tel*** *(0177) 280 4848*

Há serviço impecável e excelente comida asiática e européia neste elegante restaurante pertencente a Oberoi. As saladas e massas são muito boas, e vale a pena pedir a travessa de galinha na chapa. Encerre com os doces deliciosos ou uma salada de frutas.

LADAKH, JAMMU E CAXEMIRA

JAMMU Falak

KC Residency, Residency Rd, 180 001 ***Tel*** *(0191) 252 0770*

Restaurante giratório no alto de um edifício, oferece uma ampla variedade de comida indiana, mogul, continental, chinesa e regional. A cafeteria Café Sea Side e o bar Baron são ótimos para relaxar com uma xícara de café fumegante ou um copo de cerveja. Fechado de novembro a março.

LEH Amdo Cafeteria

Main Market, 194 101 ***Tel*** *(01982) 253 114*

Boa comida tibetana, chinesa e da Caxemira é servida nesta cafeteria no topo, com lindas vistas do Palácio Leh e do velho forte. Os rolinhos primavera são recheados com ingredientes à sua escolha e os talharins fritos são uma ótima pedida. Aberto para café-da-manhã, almoço e jantar.

LEH Budshah Inn Restaurant

Main Bazaar, 194 101 ***Tel*** *(01982) 252 813*

Peça o *wazawan*, um banquete da Caxemira composto por cordeiro, raízes de lótus e outras iguarias. Os preços são razoáveis e as porções generosas. O ambiente poderia ser um pouco melhor, mas a comida compensa amplamente. Fechado de novembro a março.

LEH Ibex Hotel Restaurant

Fort Rd, 194101 ***Tel*** *(01982) 252 281*

Este pequeno restaurante serve comida indiana e chinesa e prepara comida ocidental sob pedido. Os clientes costumam tomar cerveja durante as refeições. Os *seekh kebabs* (de cordeiro) vêm com um delicioso chutney de *pudina* (menta). Os excelentes curries de cordeiro e galinha são acompanhados por pão *naan* bem quente. Fechado de novembro a março.

LEH Summer Harvest Restaurant

Fort Rd, 194 101 ***Tel*** *(01982) 252 226*

Restaurante modesto dirigido por uma senhora tibetana, serve pratos tibetanos, de Ladakh, da Caxemira e alguns ocidentais. Peça os *momos (pág. 264)* preparados com legumes selecionados e servidos generosamente. Fechado de novembro a março.

LEH Café World Peace ®®®

Próximo ao New Gas Service, 194 101 ***Tel*** *(01982) 252 988*

O menu inclui apetitosa comida indiana, chinesa, ocidental e da Caxemira, mas os itens assados são os mais pedidos neste café, especialmente os rolos de canela e as tortas. A área ao ar livre, cercada pelas encostas verdes das montanhas, é espetacular. Aberto para almoço e jantar.

LEH Omasila Restaurant ®®®

Hotel Omasila, Changspa, 194 101 ***Tel*** *(01982) 252 119*

Este agradável restaurante ajardinado se orgulha de seus legumes orgânicos e de sua localização privilegiada em um cenário pitoresco. Tanto as especialidades regionais quanto as iguarias ocidentais são recomendadas.

LEH Penguin Bar and Restaurant ®®®

Fort Rd, 194 101 ***Tel*** *(01982) 251 523, 09469049658*

A padaria alemã é o destaque neste local descontraído em um grande pátio com plantas e trilha sonora suave. Serve café-da-manhã, almoço e jantar. Sob pedido, a equipe prepara refeições especiais para viagens e caminhadas em trilhas. Fechado de outubro a maio.

LEH Mentokling Garden Restaurant ®®®®

Zansti, 194 101 ***Tel*** *(01982) 252 992*

Distante da agitação e do barulho do tráfego da cidade, este belo restaurante ajardinado fica em um cenário idílico e tem mesas sob macieiras. Oferece pratos locais e ocidentais, e serve café-da-manhã, almoço e jantar. Fechado de novembro a fevereiro.

LEH High Life ®®®®

Fort Rd, 194 101 ***Tel*** *(01982) 251 013*

Este restaurante com decoração tibetana serve cozinha italiana, chinesa, tibetana e indiana. Aberto para café-da-manhã, almoço e jantar, é um pouco mais caro do que outros restaurantes da área, mas a experiência compensa. Fechado de outubro a abril.

UTTAR PRADESH E UTTARANCHAL

AGRA Only Restaurant ®®®

45 Taj Rd, 282 001 ***Tel*** *(0562) 222 6834*

Tradicional restaurante de cozinha variada, é ideal para famílias e para quem busca um lugar sossegado para desanuviar. A comida é simples, mas confiável. À noite há apresentações de música indiana. O bar é bem sortido e a equipe cordial e solícita.

AGRA Olive Garden ®®®®

Sanjay Palace, MG Rd, 282 002 ***Tel*** *(0562) 252 3460*

Bem no centro da cidade, o Olive Garden é fácil de achar e oferece uma mistura interessante de várias cozinhas internacionais. É conhecido pelos suntuosos bufês de café-da-manhã, almoço e jantar, assim como pela boa seleção de vinhos. Música ao vivo embala o ambiente.

AGRA Mughal ®®®®®

54 Taj Rd, Hotel Clarks Shiraz, 282 001 ***Tel*** *(0562) 222 6121*

Fazendo jus a seu nome, o restaurante parece saído diretamente da era Mogul, com seu cenário grandioso, serviço impecável e comida deliciosa. Seus dois bares servem bebidas finas do mundo inteiro. Fica bem perto do Taj Mahal.

ALLAHABAD Elchico ®®

24 MG Rd, Civil Lines, 211 001 ***Tel*** *(0532) 242 0753*

Um dos mais antigos da cidade, este restaurante serve bons pratos indianos e ocidentais. Frequentado por jovens e gente madura, também serve lanches leves e doces acompanhados por xícaras fumegantes de café. O ambiente é cálido e descontraído.

DEHRA DUN Kwality ®®®

19 B Rajpur Rd, 248 009 ***Tel*** *(0135) 265 7001*

Como outras filiais da rede de restaurantes Kwality, esta oferece pratos de Punjab saudáveis e saborosos. Tem boa cozinha chinesa e continental e serve bebidas alcoólicas. Próxima ao mercado, tem preços razoáveis e serviço ágil e eficiente.

FATEHPUR SIKRI Navratan Restaurant ®®®

Gulistan Tourist Complex, 283 110 ***Tel*** *(0561) 328 2490*

Aberto o dia inteiro, o restaurante fica perto dos famosos monumentos históricos de Fatehpur Sikri e tem lindas vistas. Popular ponto de parada, oferece lanches e refeições em um agradável jardim. É especializado em cozinha ocidental e serve bebidas alcoólicas.

Legendas dos preços *ver pág. 720* **Legenda dos símbolos** *no final do guia*

HARIDWAR Bestee Restaurant Rs

Jassa Ram Rd, 247 667 ***Tel*** *(0133) 427 210*

Aberto em 1988, o restaurante é famoso por suas vistas da cidade, assim como por seus lanches saborosos, frapês com frutas e *lassis* (bebida à base de iogurte). Serve um bom café-da-manhã e deliciosos pratos chineses e do Sul da Índia. A trilha sonora relaxante é de música ao vivo. É proibido fumar.

KANPUR Kwality RsRs

16/97 The Mall, 208 016 ***Tel*** *(0512) 231 2290*

Parte da rede de restaurantes Kwality, este conhecido restaurante oferece comida de Punjab saudável e saborosa a preços razoáveis, assim como cozinha ocidental. O bar também é animado. Não serve café-da-manhã. A equipe é cordial e eficiente.

LUCKNOW Tunde Ke Kebab RsRs

Aminabad Chowk, 226 001

Pessoas vêm de longe para comer os macios *kebabs* preparados pelo lendário cozinheiro Tunda, que só tem um braço. Atores de cinema indianos como Shah Rukh Khan e Dilip Kumar frequentam o local, que serve os melhores *kebabs* da cidade.

LUCKNOW Vyanjan Restaurant RsRs

Vinay Palace, 10 Ashok Marg, 226 002 ***Tel*** *(0522) 228 0537*

A comida vegetariana excelente e o ar-condicionado potente aumentam o prazer de comer neste restaurante. O menu, que enfoca especialidades regionais, é servido por uma equipe eficiente. A atmosfera tem a mesma descontração que caracteriza a cidade de Lucknow.

LUCKNOW Zaika RsRs

10 Rani Laxmi Bai, Hazratganj, 226 004 ***Tel*** *(0522) 400 4040*

Pratos avadhi como *biryani* e *korma* de cordeiro são as especialidades deste restaurante, que também serve outros tipos de cozinha. Os preços são razoáveis e o serviço é bom. Um ótimo lugar para uma refeição simples, porém substanciosa.

LUCKNOW Falaknuma RsRsRsRsRs

8 MG Marg, 226 001 ***Tel*** *(0522) 262 0131*

Este restaurante no topo tem lindas vistas da cidade e do rio, e serve deliciosa cozinha *dum pukht* tradicional. O serviço é eficiente e o ambiente agradável. A música ao vivo é uma atração à parte. Aberto para almoço e jantar.

LUCKNOW La Pavilion RsRsRsRsRs

6 Shahnajaf Rd, Hazratganj, 226 001 ***Tel*** *(0522) 400 4040*

No Park Inn Hotel, o La Pavilion é conhecido por servir bons pratos indianos e continentais. Seu bar executivo bem equipado tem iluminação suave que cria um clima relaxante. Há bons vinhos disponíveis.

LUCKNOW Oudhyana Restaurant RsRsRsRsRs

Vipin Khand, Gomti Nagar, 226 010 ***Tel*** *(0522) 239 3939*

O ambiente luxuoso complementa a régia cozinha avadhi servida no Oudhyana. As especialidades incluem *kebabs* e *pulao* de arroz. O bar Mehfil é conhecido por seus vinhos raros. *Ghazals* (*pág. 748*) volta e meia compõem a trilha sonora. A qualidade do serviço impressiona.

MATHURA Best Western Radha Ashok RsRsRsRs

Masani Bypass Rd, PO Chhatikara, 281 001 ***Tel*** *(0135) 263 2020*

Recuado em relação à rodovia Délhi-Agra e cercado por jardins, o Best Western Radha Ashok serve cozinhas variadas a preços razoáveis. O lado pio da cidade, local de nascimento de Krishna, faz parte do ambiente do restaurante. É proibido fumar.

MUSSOORIE Whispering Windows RsRsRsRs

Library Bazaar, The Mall, 248 179 ***Tel*** *(0135) 263 2020*

Com vistas do The Mall, este conhecido restaurante serve uma deliciosa galinha na manteiga ao estilo de Punjab e alguns pratos ocidentais. Vinhos e música ao vivo só sob pedido. Não aceita cartões de crédito. Aberto para café-da-manhã, almoço e jantar.

NAINITAL Kumaon Retreat RsRs

Grasmere Estate, Mallital, 262 402 ***Tel*** *(05942) 23 7341*

Com comida saudável e lindas vistas da cidade ao redor, este restaurante de cozinha variada proporciona uma experiência agradável. Especialidades regionais e pratos ocidentais são a melhor opção. O bar animado e bem sortido tem uma extensa carta de vinhos. Aberto para café-da-manhã, almoço e jantar.

RISHIKESH Chotiwala Rs

Swarg Ashram, Across Shivanand Jhula, 249 201 ***Tel*** *(0135) 243 0070*

Um dos restaurantes mais famosos da cidade, oferece delícias vegetarianas do Sul da Índia há mais de quatro décadas. Garçons simpáticos servem a comida com agilidade e eficiência. Prove o *aloo poori* (batatas e pão frito). Costuma estar lotado.

VARANASI Keshari Restaurant ®®®

D 14/90 Dasashvamedha, 221 001 ***Tel*** *(0542) 240 1472*

Conhecido por servir pratos vegetarianos típicos de Varanasi, seu menu tem mais de 80 tipos de legumes. Serve café-da-manhã, almoço e jantar. Há mesas ao ar livre e acesso para cadeiras de rodas. O serviço é bom. É proibido fumar.

VARANASI Chowk ®®®®®

Nadesar Palace Ground, 221 002 ***Tel*** *(0542) 250 3001*

Há vários favoritos internacionais à sua escolha neste elegante restaurante de cozinha variada, onde há pratos de carne e outros vegetarianos, além de bufês regulares. É também conhecido por seus concorridos festivais de gastronomia. O bar tem bons vinhos.

BIHAR E JHARKHAND

BODH GAYA Café Om ®®

Próximo ao Bank of India, 824 231

Este conhecido restaurante serve um excelente café-da-manhã e bolos deliciosos. É conhecido também por sua comida tibetana e japonesa. Abre diariamente na temporada de peregrinação, mas fecha de maio a outubro. O quadro de avisos tem informações úteis para explorar a cidade.

BODH GAYA Uruvelya Garden Restaurant ®®

Hotel Niranjana, 824 231 ***Tel*** *(0631) 240 0475*

Agradável restaurante que oferece pratos standard de várias cozinhas, com música relaxante ao fundo. Prepara comida vegetariana e regional sob pedido. Café-da-manhã, almoço e jantar disponíveis. Não serve álcool e aceita a maioria dos cartões de crédito. O ambiente é bem sossegado.

PATNA Darpan Restaurant cum Coffee Shop ®®

Beer Chand Patel Marg, 800 001 ***Tel*** *(0612) 222 6270*

Aqui você encontra cozinha indiana, chinesa e ocidental, assim como saborosos lanches. O rico aroma de café impregna o ar na parte interna e também há mesas ao ar livre. O Diwana Bar é ótimo para relaxar com seu drink favorito.

PATNA Samrat ®®®

Hotel Chanakya, 800 001 ***Tel*** *(0612) 222 0590*

O serviço discreto e eficiente complementa a ampla opção de comida indiana, chinesa e ocidental do Samrat. Aberto para café-da-manhã, almoço e jantar, prepara todas as refeições na hora. O bar serve excelente bebidas e coquetéis.

RAJGIR Centaur Hokke Restaurant ®®®®®

Centaur Hokke Hotel, 803 116 ***Tel*** *(06119) 25 5245*

Este estabelecimento se orgulha de sua autêntica comida japonesa preparada por *chefs* treinados no Japão. Prove os camarões frescos e *tempurás* (legumes ou frutos-do-mar empanados e fritos). Há também comida indiana. O interior aconchegante tem esteiras verdes, móveis de teca e luminárias exóticas que criam o clima de uma casa japonesa.

RANCHI Kaveri Restaurant ®®

11 GEL Church Complex, Main Rd, 834 001 ***Tel*** *(0651) 233 0330*

Restaurante vegetariano mais conhecido da cidade, serve porções generosas de comida simples e saudável a preços razoáveis. Bem no centro, é muito frequentado por executivos. Áreas separadas para fumantes.

MADHYA PRADESH E CHHATTISGARH

BANDHAVGARH Bandhavgarh Jungle Camp Restaurant ®®®

Bandhavgarh National Park, 484 661 ***Tel*** *(07627) 265 303*

Café-da-manhã inglês, almoço indiano e jantar continental são servidos nesta encantadora casa redonda com teto de palha. É possível encomendar jantares temáticos. Tome seu vinho favorito ouvindo os animais do parque nacional que fica por perto.

BHOPAL Jharokha Restaurant ®®®

Hotel Amer Palace, 209 Zone I, Maharana Pratap Nagar, 462 011 ***Tel*** *(0755) 2527 2110*

Bar bem sortido e pratos decentes de várias cozinhas fazem deste um restaurante muito requisitado. A padaria do lado de fora oferece ótimos doces, bolos, cookies, rocamboles e pizzas. Aberto para café-da-manhã, almoço e jantar. É proibido fumar em certas áreas.

Legendas dos preços *ver pág. 720* **Legenda dos símbolos** *no final do guia*

BHOPAL La Kuchina Rs Rs Rs Rs

157 Shamla Hills, Hotel Jehan Numa Palace, 462 013 ***Tel*** *(0755) 266 1100*

Ótima opção para quem gosta de cozinha italiana e outras internacionais, este é o único restaurante da cidade que serve massas de alta qualidade. Elegantemente decorado à moda italiana, tem um estoque impressionante de vinhos e destilados. Aberto para café-da-manhã, almoço e jantar. O serviço é cortês.

GWALIOR Daawat Restaurant Rs Rs Rs Rs

Hotel Gwalior Regency, Link Rd, 474 002 ***Tel*** *(0751) 234 0670*

Requisitado para almoços de negócios e reuniões familiares, este restaurante serve ótimos pratos moguls e de Punjab. A qualidade e o sabor da comida mantêm o mesmo padrão há anos e o serviço ágil é outro destaque. Aberto para café-da-manhã, almoço e jantar.

INDORE Ambrosia Rs Rs Rs Rs

Hotel Fortune Landmark, Near Meghdoot Gardens, Vijay Nagar, 452 010 ***Tel*** *(0731) 2398 8444*

Um dos restaurantes mais exclusivos de Indore, oferece diversas opções de comida chinesa, indiana e continental. O menu oferece um delicioso bufê de almoço a preço compatível e o lugar é perfeito para um relaxante jantar à la carte. Aceita os principais cartões de crédito.

JABALPUR Vatika Rs Rs Rs

Hotel Samdariya, Russel Chowk, 482 001 ***Tel*** *(0761) 241 3400*

Restaurante de cozinha indiana, chinesa e ocidental. Os pratos do Sul da Índia são especialmente recomendados. Serve apenas almoço e jantar, embora haja café-da-manhã para os hóspedes do hotel. Os preços são razoáveis. Aceita os principais cartões de crédito.

KHAJURAHO Raja Café Rs Rs

Opp entrance to Western Group of temples, 471 606 ***Tel*** *(07686) 272 307*

Perto dos templos, este popular ponto de encontro em Khajuraho é dirigido por uma simpática senhora indo-suíça. O ambiente é ótimo e há mesas em um grande pátio à sombra de árvores. Os sucos, massas e o bolo de chocolate são recomendados.

ORCHHA Hotel Sheesh Mahal Restaurant Rs Rs Rs

Hotel Sheesh Mahal, 472 246 ***Tel*** *(07680) 252 624*

Este restaurante charmoso dentro do palácio Sheesh Mahal do século 17 oferece refeições feitas na hora de variadas cozinhas, incluindo fartos bufês de almoço e jantar. Passou por uma reforma recente e tem decoração atrativa.

PANNA Machaan Restaurant Rs Rs Rs

Ken River Lodge, Village Mandla, 488 001 ***Tel*** *(07732) 27 5235*

Esta criativa casa em uma árvore (*machaan*) e apoiada em palafitas tem ambiente encantador e lindas vistas dos campos ao redor. Serve especialidades regionais e pratos ocidentais, tudo muito simples e saudável. O bar dispõe de muitas marcas de vinho conhecidas.

UJJAIN White House Rs Rs Rs

Hotel Surana Palace, 23 GDC Rd, Dusshera Maidan, 456 001 ***Tel*** *(0734) 253 0046*

Considerado por muitos como o melhor restaurante de Ujjain, o White House serve boa cozinha indiana e chinesa a preços razoáveis. As mesas ao ar livre descortinam lindas vistas da área ao redor. A equipe é cordial. Aberto para café-da-manhã, almoço e jantar.

KOLKATA

KOLKATA Chung Wah Rs

13A&B Chittaranjan Avenue, 700 072 ***Tel*** *(033) 2237 7003*

Aberto em 1920, o Chung Wah oferece excelente comida chinesa em estilo indiano. Prove a galinha com chilli, o arroz frito especial e o *chop suey* (carne e legumes fritos). Os preços são razoáveis e as porções generosas, mas o serviço precisa melhorar. Ainda recomendado para uma refeição rápida e acessível.

KOLKATA Suruchi Rs

89 Elliott Rd, 700 016 ***Tel*** *(033) 2229 1763*

Este pequeno restaurante é dirigido por um grupo feminino que ajuda mulheres carentes. A clientela predominante é do pessoal de escritórios. A comida é simples, saudável e a preço razoável. O curry *malai* de pitu, o *dal* *(pág. 67)* e o *mangsho* (cordeiro ao azeite e mostarda) são afamados. Apenas almoço.

KOLKATA Kewpie's Kitchen Rs Rs Rs

2 Elgin Lane, 700 020 ***Tel*** *(033) 2486 9929*

Em uma centenária mansão bengali que foi adaptada com bom gosto, esta "boutique gastronômica" serve pratos apetitosos, especialmente o *thali* (combinado) Kewpie. Lotado o dia inteiro, serve a melhor comida bengali da cidade e vende seu próprio livro de receitas, além de picles.

KOLKATA Mainland China ®®®

3A Gurusaday Rd, 700 019 ***Tel*** *(033) 2283 7964*

Famoso restaurante chinês de Kolkata, atrai clientes exigentes, sobretudo apreciadores de frutos-do-mar. As especialidades incluem pitus no espeto, pato de Pequim com condimentos tradicionais e *galinha ébria* ao vinho shaoxing.

KOLKATA Silver Grill ®®®

18E Park Street, 700 071 ***Tel*** *(033) 2229 4549*

Conhecido restaurante que serve comida indo-chinesa a preços razoáveis. Seu *wonton* (bolinho de massa) com galinha frita é altamente recomendado. Outros pratos saborosos são a galinha tostada e o peixe tailandês de Cingapura. O bar daqui também é popular. Aberto para almoço e jantar.

KOLKATA Tangerine ®®®

2/1 Outram Street, 700 017 ***Tel*** *(033) 2281 5450*

Este restaurante chinês é especializado em lagosta ao thermidor e *bhetki* (peixe) grelhado, mas os pitus também são bons. Há bons vinhos, o serviço é bem ágil e a equipe eficiente. O lugar é ideal para almoços de negócios. Não serve café-da-manhã.

KOLKATA Aheli ®®®®

The Peerless Inn, 12 Jawaharlal Nehru Rd, 700 013 ***Tel*** *(033) 2228 0301*

Um dos primeiros restaurantes bengali finos de Calcutá, o Aheli atrai uma vasta clientela com suas iguarias tradicionais, a exemplo do *hilsa* (peixe) no bafo, *macher sorse paturi* (peixe cozido com pasta de mostarda) e curry *chingri malai* (com pitus e leite de coco). A comida é servida pela equipe cortês em uma sala intimista de tom terracota.

KOLKATA Charnock's ®®®®

KB-26, Sector 3, Salt Lake City, 700 098 ***Tel*** *(033) 2335 1349*

No agitado pólo de informática da cidade, o Charnock's oferece amplas opções, desde fast-food a refeições de diversas cozinhas, passando por sucos de frutas e sorvetes. Tem também uma seleção de vinhos, ambiente agradável e serviço eficiente. Aberto para almoço e jantar.

KOLKATA Fire and Ice ®®®®

41 Chowringhee, 700 071 ***Tel*** *(033) 2288 4073*

Embora novo, o Fire and Ice já é conhecido por servir as melhores pizzas da cidade. Decorado com pôsteres de filmes de Hollywood e Bollywood, tem um ambiente típico de pizzaria. O menu também inclui outros clássicos italianos, todos com sabor bem autêntico.

KOLKATA Kwality ®®®®

17 Park Street, 700 016 ***Tel*** *(033) 2229 7681*

Este restaurante é famoso por sua comida do Norte da Índia, mas seus pratos ocidentais também são apreciados. Há especialidades como *masala kebab* de peixe e *sangam kebab* (uma combinação de cordeiro e galinha) e galinha tetrazzini. Os sundaes e cafés gelados também são recomendados.

KOLKATA Baan Thai ®®®®®

The Oberoi Grand Hotel, 15 Jawaharlal Nehru Rd, 700 013 ***Tel*** *(033) 2249 2323*

Para quem tem pressa, o Baan Thai serve o almoço no máximo em 45 minutos. Quem tem tempo pode saborear lentamente as amplas e excelentes opções tailandesas. A decoração segue o tradicional arranjo de assentos conhecido como "Khuntok". Aberto para almoço e jantar.

KOLKATA Zaranj e Jong's ®®®®®

26 Jawaharlal Nehru Rd, 700 087 ***Tel*** *(033) 2249 0369*

Zaranj e Jong's são dois restaurantes sofisticados que compartilham a mesma entrada. O Zaranj é renomado por sua cozinha de Punjab, com destaque para o *raan* (cordeiro marinado). O Jong's serve comida chinesa, japonesa, tailandesa e birmanesa. Prove os pitus com coco e brotos de bambu. Fechados às terça-feiras.

BENGALA OCIDENTAL E SIQUIM

DARJEELING Glenary's ®®

Nehru Rd, 734 101 ***Tel*** *(0354) 225 4122*

Este restaurante de cozinha variada é um ponto de encontro de turistas. A padaria anexa serve ótimos pães e doces, chá Darjeeling e pratos à base de queijo de Kalimpong. Em dias claros, oferece lindas vistas de Kanchendzonga.

DARJEELING The Park Restaurant ®®

41 Laden La Rd, 734 101 ***Tel*** *(0354) 225 4989*

O Park Restaurant serve a melhor cozinha indiana da cidade. O tentador bufê de almoço e o *biryani* de cordeiro estão entre os favoritos. Vale a pena também provar a comida tailandesa, especialmente o curry vermelho. Serve almoços para viagem sob pedido. Fica fechado de meados de janeiro a meados de fevereiro.

Legendas dos preços *ver pág. 720* **Legenda dos símbolos** *no final do guia*

DARJEELING Windamere Hotel Restaurant Rs Rs Rs Rs

Windamere Hotel, Observatory Hill, Mall Rd, 734 101 ***Tel*** *(0354) 225 4041*

O salão principal do Windamere comporta 80 pessoas e há três salas menores para refeições mais intimistas. A cozinha é continental, indiana, nepalesa e tibetana. Lindas vistas, chá Darjeeling e bolos excelentes neste estabelecimento da era Raji asseguram refeições memoráveis.

GANGTOK Dragon Hall Rs Rs Rs

Hotel Tashi Delek, 737 101 ***Tel*** *(03592) 202 991*

Belamente decorado com arte tradicional de Siquim, o Dragon Hall serve bufês com pratos tibetanos, de Siquim, indianos e chineses, além de opções ocidentais. O Yak Bar tem uma boa seleção de destilados e vinhos. Aberto para café-da-manhã, almoço e jantar.

GANGTOK Snow Lion Restaurant Rs Rs Rs

Hotel Tibet, Paljor Stadium Rd, 737 101 ***Tel*** *(03592) 203 468*

Lugar excelente para provar a comida tibetana e de Siquim. Os *momos* (bolinhos) e o peixe à la mandarim são especialmente recomendados. Há também pratos indianos, japoneses e continentais. O bar bem sortido é outro destaque. A decoração tibetana exala bom gosto.

GANGTOK The Tea House Bar and Restaurant Rs Rs Rs

Hotel Chumbi Residency, Tibet Rd, 737 101 ***Tel*** *(03592) 226 618*

Aprecie as luzes piscando na Rumtek Hill enquanto degusta boa comida tibetana, chinesa e indiana. O sabor autêntico do tandoor do Norte da Índia é uma atração especial para a maioria dos turistas. O bar é ideal para uma refeição informal e um drink revigorante.

GANGTOK Wild Orchid Restaurant Rs Rs Rs

Central Hotel, 31-A National Highway, 737 101 ***Tel*** *(03592) 202 105*

Decorado no estilo tradicional de Siquim, o Wild Orchid oferece comida chinesa, ocidental e do Sul da Índia. Serve bebidas alcoólicas e tem estrutura para banquetes. A equipe é ágil e cortês. Aberto para café-da-manhã, almoço e jantar, aceita pedidos até 20h. É proibido fumar.

GANGTOK The Oyster Restaurant Rs Rs Rs Rs

Hotel Sonam Delek, Tibet Rd, 737 101 ***Tel*** *(03592) 202 566*

A torrada francesa e a panqueca de banana daqui são merecidamente populares. As vistas magníficas de Kanchendzonga são outra atração. A cozinha prepara pratos indianos, chineses, continentais e de Siquim. Aberto para café-da-manhã, almoço e jantar.

KALIMPONG Kalimpong Park Hotel Rs Rs Rs

Rinkingpong Rd, 734 301 ***Tel*** *(03552) 255 304*

Aqui há a variedade usual de comida chinesa e de Siquim, opções de vinhos e, mediante pedido, alguns pratos nepaleses e tibetanos. O restaurante serve café-da-manhã, almoço e jantar. Tem salas amplas e é bem equipado para atender hóspedes executivos.

SILIGURI Amrapali Rs Rs Rs

Hotel Cindrella, 3rd Mile, Sevoke Rd, 734 401 ***Tel*** *(0353) 254 7136*

Este restaurante vegetariano serve um excelente café-da-manhã e almoço. Outros destaques são as mesas ao ar livre e o bar bem sortido. Prepara embalagens para viagem. A equipe é cortês e se esforça para agradar.

ORISSA

BHUBANESWAR Fish & Prawn Restaurant Rs Rs Rs

P-1 Jaydev Vihar, 751 015 ***Tel*** *(0674) 253 5771*

Como o nome sugere, este restaurante é famoso pelos frutos-do-mar frescos preparados de diversas maneiras. As porções são generosas e especialidades locais podem ser encomendadas com antecedência. Pitu Tai Pai, *samadri khazana*, peixe à florentina, frutos-do-mar na chapa, caranguejo de Sichuan e peixe ao curry tailandês vermelho são muito pedidos.

BHUBANESWAR Nakli Dhaba Rs Rs Rs

Mayfair Lagoon Hotel, 8-B Jaydev Vihar, 751 015 ***Tel*** *(0674) 255 9533*

Decorado à moda de um restaurante de estrada (*dhaba*), este local especializado em cozinha da Fronteira Noroeste serve um bom *tandoori* e comida vegetariana. A fast-food e os doces ocidentais também são apreciados. O ambiente é aconchegante. Aberto para almoço e jantar.

BHUBANESWAR Pushpanjali Rs Rs Rs

CB-1 Nayapali, 751 013 ***Tel*** *(0674) 230 1010*

Aberto o dia todo, este restaurante de cozinha variada oferece um apetitoso bufê e o prato do dia. A decoração, com tons terrosos e atmosfera étnica, é inspirada no interior dos templos de Orissa. O bar Madhushala serve drinks indianos e internacionais. Dispõe de um amplo estacionamento.

CHILIKA LAKE Panthanivas

Barkul, PO Balgaun, 752 030 ***Tel*** *(06756) 220 488*

Com lindas vistas do lago e uma brisa constante, o belo Panthanivas serve frutos-do-mar frescos preparados à moda local. O menu também tem alguns pratos ocidentais e chineses. Aberto para café-da-manhã, almoço e jantar.

CUTTACK Sagun

Hotel Akbari Continental, Haripur Rd, 753 001 ***Tel*** *(0671) 262 3264*

Comida regional e vegetariana pode ser preparada sob pedido, as o restaurante é mais conhecido por seus pratos moguls. Quando o tempo permite, há churrasco feito ao ar livre e, em ocasiões especiais, música ao vivo. Aberto para café-da-manhã, almoço e jantar.

GOPALPUR-ON-SEA Chilika – Swosti Palm Resort Restaurant

Beach Rd, 761 002 ***Tel*** *(0680) 224 2453*

Em uma das melhores praias da Índia, o Chilika serve cozinha variada. As especialidades de frutos-do-mar frescos são muito recomendadas. O restaurante tem vistas espetaculares e atmosfera descontraída. Dispõe de um bar e mesas ao ar livre.

KONARK Gitanjali Restaurant

Panthnivas, OTDC Ltd, 752 111 ***Tel*** *(06578) 235 831*

Este restaurante de preço acessível fica próximo ao Tempo do Sol e atrai muitos turistas. Oferece comida chinesa, indiana e ocidental, mas sua especialidade são frutos-do-mar. Há mesas ao ar livre.

PURI The Legend

SE Railways Hotel, CT Rd, 752 001 ***Tel*** *(06752) 222 063*

A comida daqui é um bom exemplo da cozinha Raj que remonta à ferrovia da época colonial. Serve refeições com vários pratos em horários fixos e a um preço excelente. Há também pratos ocidentais. Aberto para café-da-manhã, almoço e jantar.

ASSAM E O NORDESTE

AGARTALA Rajdarbar

Hotel Rajdhani, BK Rd, 799 001 ***Tel*** *(0381) 222 3387*

O interior do restaurante exibe cana e bambu seguindo a tradição de Tripura. O menu oferece saborosas opções indianas, chinesas e *tandooris*. É também um bom lugar para provar a cozinha tribal de Tripura, a exemplo do prato de arroz *vhanghui*. Realiza festivais gastronômicos em outubro e novembro.

DIMAPUR Hotel Tragopan

Circular Rd, 797 112 ***Tel*** *(03862) 230 351*

Próximo ao aeroporto e à estação ferroviária, oferece os usuais pratos indianos e chineses. O menu também apresenta o Tragopan Special –um curry de peixe ou galinha, e a tradicional comida Naga, na qual o porco ou o peixe é cozido com brotos de bambu.

GUWAHATI Tandoor

Dynasty Hotel, Lakhotia, 781 001 ***Tel*** *(0361) 251 6021*

Como o nome sugere, este restaurante é renomado por seus *tandooris*. O *chef* prepara *goshth pasandas* (cordeiro com um rico molho de cebola), *raan-e-gulmarg* (pernil de cordeiro recheado) e pitus *tandoori*, entre outras especialidades. O ambiente agradável tem vasos de plantas, uma fonte e música ao vivo. Aberto para almoço e jantar.

GUWAHATI Ushaban Restaurant and Coffee Shop

Hotel Brahmaputra Ashok, MG Rd, 784 001 ***Tel*** *(0361) 260 2281*

O restaurante tem decoração tradicional de Assam e o menu apresenta cozinha chinesa, indiana, continental e local. Vale a pena pedir o *masor tenga* (uma espécie de curry de peixe) e o *khar* de papaia, assim como o café excelente. Há mesas ao ar livre. Aberto para café-da-manhã, almoço e jantar.

IMPHAL The Host

Hotel Anand Continental, Khoyathong Rd, 795 001 ***Tel*** *(0385) 244 9422*

Restaurante simples e moderno, serve cozinha continental, mogul e indiana. É também um bom lugar para provar algumas especialidades regionais como *iromba* (peixe seco) e *nga thomba* (peixe ao curry). O serviço é cordial e eficiente. Não aceita cartões de crédito.

ITANAGAR Bhismak Restaurant and Coffee Shop

Hotel Donyi Polo Ashok, C-Sector, 791 111 ***Tel*** *(0360) 221 2626*

Em uma colina, este restaurante tem vistas panorâmicas e suntuosa comida indiana, chinesa e continental. A especialidade são os *tandooris*. Prepara pratos locais mediante pedido. Um bom lugar para lanches e refeições.

Legendas dos preços *ver pág. 720* **Legenda dos símbolos** *no final do guia*

KOHIMA Shilloi

Hotel Japhu, PR Hills, 797 001 ***Tel*** *(0370) 224 0211*

No alto de uma colina, este conhecido restaurante oferece mesas em um charmoso jardim. O menu variável oferece consagrados pratos indianos, chineses e continentais. Serve também a tradicional cozinha Naga, como porco com brotos de bambu.

SHILLONG Pinecone

Hotel Pinewood, European Ward, Rita Rd, 793 001 ***Tel*** *(0364) 222 3116*

Em um cenário tranquilo perto do lago Ward, este restaurante oferece bufês indianos e ocidentais. Aberto para café-da-manhã, almoço e jantar. A cafeteria daqui é conhecida por seus lanches e bebidas gostosos. O lounge bar The Cellar serve uma ampla gama de bebidas alcoólicas.

TEZPUR Gabharu

Hotel Luit, Ranu Singh Rd, 784 001 ***Tel*** *(03712) 224 708*

Equipe cordial, cenário atrativo e comida indiana, ocidental e chinesa a preços razoáveis tornam a vinda ao Gabharu muito agradável. Embora fique no meio da cidade, tem um ambiente sereno e silencioso. Aberto para café-da-manhã, almoço e jantar.

RAJASTHAN

AJMER Sheesh Mahal

Hotel Mansingh Palace, Vaishali Nagar., 305 001 ***Tel*** *(0145) 242 5956*

As refeições aqui são complementadas por vistas estupendas do lago Ana Sagar. O restaurante serve pratos continentais, chineses, moguls e do Rajasthan. O bar Sipehsalar é bem sortido e, à noite, há shows de marionetes e música folclórica.

BHARATPUR Laxmi Vilas Palace

Kakaji-Ki-Kothi, Civil Lines, 321 001 ***Tel*** *(05644) 223 523*

Legumes cultivados nas hortas do palácio são usados aqui, assim como o queijo cottage feito na queijaria interna. Os pratos autênticos do Rajasthan incluem o famoso doce *churma*. A família real supervisiona tudo pessoalmente, o que assegura um serviço de alto padrão.

BIKANER Hotel Bhanwar Niwas

Rampuria Street, 334 005 ***Tel*** *(0151) 252 9323*

Dunas de areia a perder de vista são o pano de fundo deste esplêndido restaurante em uma *haveli* (mansão). O menu oferece saborosa comida vegetariana e especialidades regionais e ocidentais. Todas as noites há um concerto no pátio. Dispõe de boa estrutura para negócios e banquetes.

BIKANER Manwar

Hotel Karni Bhawan, Gandhinagar, 334 001 ***Tel*** *(0151) 252 4701*

Autêntica cozinha marwari, comida do Rajasthan e pratos continentais simples são servidos neste antigo hotel e restaurante Art D éco tombado. O Maikada Bar tem uma ampla seleção de bebidas indianas e estrangeiras. Aberto para café-da-manhã, almoço e jantar.

JAIPUR Four Seasons

D-43/A Subash Marg, C-Scheme, 302 001 ***Tel*** *(0141) 237 5221*

Favorito das famílias locais, este restaurante de cozinha variada é mais conhecido por seus pratos vegetarianos. Prepara comida para viagem, entrega em domicílio e também dispõe de um amplo estacionamento. Devido à sua popularidade, há espera por mesas no fim de semana.

JAIPUR Laxmi Mishthan Bhandar (LMB)

Johari Bazaar, 302 003 ***Tel*** *(0141) 256 5844*

No centro da cidade, este restaurante vegetariano é uma instituição em Jaipur. Prove o *paneer tikka* (queijo e legumes marinados) e o cremoso *kulfi* de sobremesa. O *thali* vem com 15 itens da cozinha marwari. Há também pratos continentais e uma deliciosa variedade de *mithais* (doces).

JAIPUR Niros

MI Rd, 302 001 ***Tel*** *(0141) 221 8520*

É preciso fazer reserva neste popular restaurante, que serve excelente comida chinesa, *reshmi kebabs* (de galinha) e *paneer tikka*. O café gelado com uma bola de sorvete é outro favorito. Servindo comida de qualidade desde 1947, o Niros é apreciado pela maioria dos turistas.

JAIPUR Surabhi

Old Amber Rd, Subash Chowk, 302 016 ***Tel*** *(0141) 263 5954*

Autêntica cozinha do Rajasthan é servida neste restaurante charmoso em uma antiga *haveli (pág. 22).* Dê uma olhada na fascinante coleção de 200 turbantes à mostra. Enquanto aguarda sua refeição, você pode aprender a fazer um turbante.

JAISALMER Miraj Rs Rs Rs Rs

Hotel Narayan Niwas, 345 001 ***Tel*** *(02992) 252 408*

Este restaurante no topo tem vistas majestosas do deserto. A comida e o atendimento são excelentes e o menu oferece cozinhas variadas. A atmosfera se anima à noite com comida exótica e apresentações folclóricas. Aceita os principais cartões de crédito.

JAISALMER Trio Rs Rs Rs Rs

Gandhi Chowk, Near Amar Sagar Gate, 345 001 ***Tel*** *(02992) 252 738*

Perto do Portão Amar Singh, este restaurante serve deliciosa cozinha do deserto. O *chef* também cria variações interessantes de pratos típicos do Rajasthan. O serviço é excelente. Aberto para café-da-manhã, almoço e jantar. Aceita os principais cartões de crédito.

JODHPUR Kalinga Resturant Rs Rs Rs

Opp Sakar Bazaar, Station Rd, 342 001 ***Tel*** *(0291) 262 4066*

A especialidade daqui é comida rajasthani e gujarati tradicional. Há um menu especial para crianças, bons vinhos e deliciosas sobremesas. Os preços são bem razoáveis e o estabelecimento abre para café-da-manhã, almoço e jantar. O interior é colorido e animado.

JODHPUR Ranbanka Bagh Restaurant Rs Rs Rs

Near Circuit House, 342 006 ***Tel*** *(0291) 251 2801*

Restaurante ao ar livre junto a uma piscina, oferece uma ampla variedade de pratos internacionais. Peça o *murgh lahsuni tikka* (galinha ao alho) e *murgh malai kebab* (galinha grelhada). A equipe é ágil e atenciosa e o lugar comporta grandes banquetes e recepções. Aberto para café-da-manhã, almoço e jantar.

JODHPUR On the Rocks Rs Rs Rs Rs

Hotel Ajit Bhawan, Opp Circuit House, 342 006 ***Tel*** *(0291) 251 0410*

Este restaurante ajardinado com belo paisagismo tem um ambiente encantador. Serve saborosos pratos indianos e continentais, e os clientes podem optar entre grandes bufês e refeições à la carte. Danças tradicionais do Rajasthan animam as noites. Aberto para almoço e jantar.

MOUNT ABU Palace Hotel Restaurant Rs Rs Rs Rs

Palace Hotel, Bikaner House, Dilwara Rd, 307 501 ***Tel*** *(02974) 238 673*

O espaçoso e imponente salão de jantar do Palace Hotel oferece uma excelente variedade de pratos do mundo inteiro. Os do Rajasthan são especialmente saborosos. O restaurante funciona no café-da-manhã, almoço e jantar, e também prepara cestas de piquenique. Aceita os principais cartões de crédito.

PUSHKAR Shiva Rs Rs Rs

RTDC, Sarovar Hotel, 305 022 ***Tel*** *(0145) 277 2040*

Em um hotel administrado pelo governo, o Shiva serve refeições vegetarianas. O café-da-manhã de consumo ilimitado tem preço razoável e inclui cereais, frutas e pão com manteiga, geléia ou queijo. Não há álcool nesta cidade sagrada.

PUSHKAR Sunset Café Rs Rs Rs

Next to Pushkar Palace, 305 022 ***Tel*** *(0145) 277 2010*

Tome café-da-manhã ou chá aqui vendo o sol nascer ou se pôr, enquanto os sinos do templo ressoam e a vista do lago tranquilo acalma seus sentidos. Os *dosas (pág. 554)* e bolos são bons. O restaurante serve café-da-manhã, almoço e jantar, e é muito frequentado por turistas. Aceita os principais cartões de crédito.

UDAIPUR Jagat Niwas Palace Rs Rs Rs

Lal Ghat, Jagdish Mandir, 313 001 ***Tel*** *(0294) 242 2860*

Este restaurante ao ar livre tem vistas espetaculares do Palácio do Lago. As mesas são bem-arrumadas e as almofadas são dispostas de forma a criar alcovas para que você se acomode confortavelmente com sua refeição. A comida indiana daqui é bem saborosa e o ambiente encantador.

UDAIPUR Ambrai Rs Rs Rs Rs

Amit-Ki-Haveli, Outside Chandpol, 313 001 ***Tel*** *(0294) 243 1085*

A ótima localização ao lado de um lago, cozinha boa e variada, e um belo jardim tornam este restaurante requisitado. Sua comida do Norte da Índia usa muita carne e um molho feito de sementes de papoula e castanha. O *gulab jamun* (*pág. 67*) e os biscoitos *peda* são deliciosos. À noite, há música indiana ao vivo.

UDAIPUR Gallery Restaurant Rs Rs Rs Rs

Fateh Prakash Palace, City Palace, 313 001 ***Tel*** *(0294) 252 8016*

No Palácio Fateh Prakash, este restaurante serve cozinha continental e seu bar tem boas opções de bebidas. Oferece vistas estupendas do Lago Pichola e dos palácios ilhéus de Jagmandir e Jagniwas. Aberto para café-da-manhã, almoço e jantar.

UDAIPUR Jharokha Rs Rs Rs Rs

Lake Palace Hotel, Lake Pichola, 313 001 ***Tel*** *(0294) 252 7961*

O bufê servido no fabuloso interior do Jharokha é acompanhado por vistas encantadoras do lago. É essencial fazer reserva neste restaurante 24 horas que oferece cozinhas contemporâneas de várias partes do mundo, incluindo a cozinha tradicional do Rajasthan.

Legendas dos preços *ver pág. 720* **Legenda dos símbolos** *no final do guia*

GUJARAT

AHMEDABAD Swati Snacks

13 Gandhi Baug Society, Opp Nirman Bhavan, Law Garden, 380 009 ***Tel*** *(079) 2640 5900*

Este é o lugar certo para lanches indianos tradicionais e pizzas assadas em forno de lenha. Peça o combo de *moong khichdi* (lentilhas e arroz) e *kadhi* (curry de grão-de-bico e lentilha) ou o *dhan-shak* (carne e lentilha ao forno) com arroz. Há sorvetes caseiros de vários sabores e bebidas como ponche de coco e garapa.

AHMEDABAD RK Egg Eatery

Vision Complex, Panjarpole Char Rasta, 380 009 ***Tel*** *(079) 2415 3787*

Com mais de 150 pratos à base de ovo no menu, este estabelecimento é muito popular, especialmente junto aos jovens. O formato ovóide do restaurante e os pratos incomuns, como Omelete Abhijit ou Fritada Varsha (batizados com o nome de alunos do instituto de design onde o Egg Eatery começou), dão personalidade ao local.

AHMEDABAD Tomato's

Mardia Plaza, CG Rd, Navrangpura, 380 006 ***Tel*** *(079) 2646 1198*

Comida mexicana é a especialidade deste diner em estilo norte-americano, que também oferece pipoca grátis. A decoração é vintage e parte do restaurante é dedicada a Charlie Chaplin e Elvis Presley. Os clientes comandam a trilha sonora. Serve almoço e jantar.

AHMEDABAD Rajwadu

Near Jivaraj Park, 380 055 ***Tel*** *(079) 2664 3845*

Restaurante de comida vegetariana ao ar livre nos arredores da cidade, tem uma atmosfera rústica encantadora. Oferece excelente cozinha gujarati com especialidades como *bajri rotlas* (pão de painço) e *malpuas* (panquecas fritas) doces. O serviço é excelente. Só abre para jantar.

AHMEDABAD Vishalla

Opp Vasna Tolnaka, 380 055 ***Tel*** *(079) 2660 2422*

Este restaurante ao ar livre recria a atmosfera da área rural de Gujarat, com autêntica comida regional servida em cabanas rústicas. Tem também um ótimo museu de utensílios de cozinha antigos. À noite há apresentações de artes folclóricas.

AHMEDABAD Fortune Landmark

Usmanpura Crossroads, Ashram Rd, 380 008 ***Tel*** *(079) 3988 4444*

Composto por três restaurantes, este é um paraíso gastronômico. O grill Khyber serve deliciosa cozinha indiana e continental, ao passo que o Orchid, com cozinha variada, oferece apetitosos bufês de café-da-manhã, almoço e jantar. Já no café interno a pedida são os doces com café.

BHAVNAGAR Nilambagh Dining Hall

Nilambagh Palace Hotel, 364 002 ***Tel*** *(0278) 242 4241*

Parte de um hotel tombado, este restaurante luxuoso tem lustres e pratarias reluzentes. Prove os pratos regionais e os *tandooris*. No verão, os clientes podem acomodar-se em cadeiras de ferro batido e de balanço nos gramados.

DIU Apana Restaurant

Apana Guesthouse, Old Fort Rd, 362 520 ***Tel*** *(02875) 252 112*

Agradável restaurante no topo com vistas para o mar, o Aparna tem um menu com 263 pratos. Muito frequentado por turistas, oferece boa relação custo-benefício. A generosa travessa com frutos-do-mar é uma excelente pedida.

DIU Rivera Restaurant and Bar

Radhika Beach Resort, Nagoa Beach, 362 520 ***Tel*** *(02875) 251 553*

Este excelente restaurante oferece diversas cozinhas e é especializado em frutos-do-mar. A equipe é atenciosa e o cenário idílico. O bar bem sortido serve bebidas indianas e importadas. A cafeteria também é um conhecido ponto de encontro. Ideal para quem vem a negócios ou lazer.

JAMNAGAR The Orion Restaurant

Hotel Orbit Park Inn, Khambalia Highway, 361 006 ***Tel*** *(0288) 223 4484*

Há cozinha variada a preços modestos neste restaurante agradável, que monta fartos bufês para grupos sob pedido. A decoração usa tons naturais que deixam o ambiente bem relaxante. Aberto para café-da-manhã, almoço e jantar.

VADODARA Mandap

Hotel Express Towers, RC Dutt Rd, 123 303 ***Tel*** *(0265) 305 5000*

A decoração tradicional combina com as autênticas refeições gujarati que dão fama a este restaurante, ideal para almoços de negócios. A comida é vegetariana, a equipe muito solícita e o local também tem uma excelente confeitaria. É proibido fumar.

MUMBAI (BOMBAIM)

MUMBAI Rajdhani Restaurant

361 Sheikh Memon Street, Near Crawford Market, 400 002 ***Tel*** *(022) 2342 6919*

Perto do famoso Mercado Crawford, este é um ótimo refúgio para consumidores exaustos. O restaurante é especializado em cozinha indiana regional e oferece opções de Gujarat, Rajasthan, Maharashtra e Kathiawar. Aberto para almoço e jantar.

MUMBAI The Bharat Bar & Restaurant Excellensea

317 Bharat House, SBS Rd, Fort, 400 001 ***Tel*** *(022) 2267 2677*

Os clientes podem escolher frutos-do-mar ainda vivos neste local excelente. Um dos pratos mais pedidos é o curry de caranguejo. Deliciosos pães do Sul da Índia acompanham os molhos e há também pratos ocidentais. O restaurante, que tem uma área para não-fumantes, abre para almoço e jantar.

MUMBAI Ankur

Meadows House, Tamarind House, Fort, 400 001 ***Tel*** *(022) 2263 0393*

Velho restaurante que se reinventou, o Ankur agora serve pratos vegetarianos e outros de carne e frutos-do-mar. O *gassi* (curry de coco) com pitu e a *aadajina* de galinha são altamente recomendados. Próximo à Bombay House, este local atrai o pessoal dos escritórios da área e oferece serviço ágil e discreto.

MUMBAI Khyber

145 Mahatma Gandhi Rd, Fort, 400 001 ***Tel*** *(022) 2267 3227*

Restaurante charmoso com murais pintados pela renomada artista indiana Anjolie Ela Menon. Os garçons, vestidos como pathans, servem deliciosas carnes grelhadas, incluindo *kebabs* e Khyber *raan* (pernil de cordeiro). O menu oferece apenas pratos do Norte da Índia, sobretudo de Punjab.

MUMBAI Leopold Café

Colaba Causeway, 400 001 ***Tel*** *(022) 2287 3362*

Velho favorito dos turistas, este restaurante fundado em 1971 tem uma ampla seleção de pratos bem-feitos de variadas cozinhas. Os drinks com frutas e frapês são lendários. O ambiente singular tem mesas em estilo informal e pôsteres de filmes de Hollywood nas paredes. A equipe é prestativa e eficiente.

MUMBAI Ling's Pavilion

19/21 Mahakavi Bhushan Marg, behind Regal Cinema, 400 039 ***Tel*** *(022) 2285 0023*

Embora o interior seja decorado com vermelhos e verdes um tanto exagerados, a comida daqui é excelente, a exemplo dos populares lagostins. É essencial fazer reserva neste restaurante de gestão familiar. A equipe orienta na escolha dos pratos. Aberto para almoço e jantar.

MUMBAI Mahesh Lunch Home

8B Cawasji Patel Street, 400 001 ***Tel*** *(022) 2287 0938*

Este restaurante é especializado em frutos-do-mar deliciosos e tido como o responsável pela divulgação dos pratos de frutos-do-mar da Costa Konkan. Imensas porções de caranguejo e *rawas* (salmão) são ótimas pedidas, assim como a fritada de *surmai* (peixe), peixe com masala verde, *koliwada* (peixe marinado), *tandoori* de caranguejo e *sol kadi* (drink de *kokum* e coco).

MUMBAI Not Just Jazz By The Bay

Marine Drive, 400 020 ***Tel*** *(022) 2285 1876*

Há ótimos bufês de almoço com várias saladas e massas neste restaurante de temática musical. O lugar fica mais animado à noite e tem jazz ao vivo de quarta-feira a sábado. O piano logo na entrada, a iluminação suave, o bar em forma de violão e as notas musicais estilizadas na louça de barro tornam a experiência singular.

MUMBAI Bayview

29 Marine Plaza, Marine Drive, 400 020 ***Tel*** *(022) 2285 1212*

A vista das palmeiras e do mar complementa os ótimos bufês de almoço e jantar daqui. Há especialidades regionais e pratos ocidentais. À noite, os janelões de vidro têm lindas vistas do Colar da Rainha iluminado. O restaurante abre para café-da-manhã, almoço e jantar.

MUMBAI Café Royal

166 Mahatma Gandhi Rd, Opp Regal Cinema, 400 001 ***Tel*** *(022) 2288 3982*

Ótimo para carnívoros, este restaurante serve carne e legumes na chapa, sanduíches grelhados e burguers. Originalmente um restaurante iraniano, este local de iluminação suave ganhou fama quando Bill Clinton o visitou, ocasião registrada em muitas fotos na parede. Aberto para almoço e jantar.

MUMBAI Fountain Restaurant

57 Mahatma Gandhi Rd, 400 001 ***Tel*** *(022) 2267 5315*

Apesar do ar um tanto decadente, aqui você sempre conta com uma boa refeição. Os pratos de carne e legumes na chapa são altamente recomendados. Há steak e kebab de galinha (*shashlik*) e os populares legumes à moda da casa, tudo em porções generosas. O piso térreo tem uma área para não-fumantes. Aberto para almoço e jantar.

Legendas dos preços *ver pág. 720* **Legenda dos símbolos** *no final do guia*

MUMBAI Indigo Ⓡⓢ Ⓡⓢ Ⓡⓢ Ⓡⓢ

4 Mandlik Rd, Colaba, 400 001 ***Tel*** *(022) 6636 8999*

Todos os grandes nomes do showbiz frequentam este estabelecimento. Em uma velha mansão agradável, o Indigo tem interior elegante e *nouvelle cuisine* indo-inglesa. O carro-chefe é o risoto com lagosta e atum. Prove também o *rawas* (salmão indiano), o filé mignon e as tentadoras sobremesas.

MUMBAI Little Italy Ⓡⓢ Ⓡⓢ Ⓡⓢ Ⓡⓢ

18-B Hotel Atlantic, Juhu Tara Rd, 400 049 ***Tel*** *(022) 2660 8815*

Dirigido por um italiano, oferece comida vegetariana italiana. O *fettucine primavera* com pimenta, alcaparras e azeitonas, e o *risotto alla milanese* com açafrão são deliciosos, o que compensa a falta de carne. O restaurante também tem uma fina seleção de vinhos para acompanhar as refeições.

MUMBAI O Calcutta Ⓡⓢ Ⓡⓢ Ⓡⓢ Ⓡⓢ

Hotel Rosewood, Tulsiwadi Lane, Tardeo, 400 034 ***Tel*** *(022) 2496 3114*

Este restaurante pequeno e elegante oferece pratos de peixe regionais. Prove o *machher jhol* em estilo bengali e a flor de banana com *luchis* (pão frito). Seu apetitoso *rasmalai* (leite e queijo cottage) é uma ótima sobremesa. O bar bem sortido é muito animado. Aberto para almoço e jantar.

MUMBAI Soul Fry Casa Ⓡⓢ Ⓡⓢ Ⓡⓢ Ⓡⓢ

Currimjee Building, Opp Mumbai University, MG Rd, 400 001 ***Tel*** *(022) 2267 1421*

A melhor coisa deste local é a música ao vivo quase todas as noites. Há iguarias de Goa como *vindaloo* (curry de porco marinado), *balchao* (*pág. 441*) e *sorpotel* (sarapatel). O carro-chefe –pato frito à la Bombay– agrada a maioria dos turistas.

MUMBAI Vong Wong Ⓡⓢ Ⓡⓢ Ⓡⓢ Ⓡⓢ

Express Towers, First Floor, Nariman Point, 400 021 ***Tel*** *(022) 2287 5633*

No bairro de negócios de Mumbai, este restaurante oriental provavelmente tem o melhor interior da parte sul da cidade. Uma escada de madeira, janelões e arcos semicirculares tornam o lugar extremamente convidativo. O menu apresenta cerca de 300 pratos chineses e tailandeses.

MUMBAI Apoorva Ⓡⓢ Ⓡⓢ Ⓡⓢ Ⓡⓢ Ⓡⓢ

Noble Chambers, SA Brelvi Marg, Near Horniman Circle, Fort, 400 001 ***Tel*** *(022) 2287 0335*

Este excelente restaurante é especializado em frutos-do-mar de Konkan. Prove o peixe frito *surmai* e caranguejos e pitus com as leves *neer dosas* (panquecas de arroz e água). Os peixes preparados à moda de Kerala são particularmente bons. O bar tem um estoque impressionante de vinhos indianos e importados. Aberto para almoço e jantar.

MUMBAI Busaba Ⓡⓢ Ⓡⓢ Ⓡⓢ Ⓡⓢ Ⓡⓢ

4 Mandlik Rd, Off Colaba Causeway, 400 001 ***Tel*** *(022) 2204 3779*

Reformado há pouco, o Busaba agora exibe luminárias exóticas, sofás chiques, velas perfumadas e orquídeas. Prove os pitus ao vapor, *ghimbap* (sushi coreano) ou o *goop* de mostarda com *carpaccio*. O bartender é famoso por seus coquetéis criativos. Aberto para almoço e jantar.

MUMBAI Olive Bar and Kitchen Ⓡⓢ Ⓡⓢ Ⓡⓢ Ⓡⓢ Ⓡⓢ

14 Union Park, Pali Hill Tourist Hotels Pvt Ltd, Bandra (W), 400 052 ***Tel*** *(022) 2605 8228*

Restaurante novo e moderno serve iguarias caras como ostras, caviar e salmão. Há também opções mais prosaicas como um aveludado fudge de chocolate. Luminárias penduradas em árvores, velas e trilhas pavimentadas de seixos dão charme ao local.

MUMBAI Tetsuma Ⓡⓢ Ⓡⓢ Ⓡⓢ Ⓡⓢ Ⓡⓢ

41/44 Minoo Desai Marg, Colaba., 400 005 ***Tel*** *(022) 2287 6578*

O Tetsuma fica no exclusivo clube Athena, cujos membros incluem magnatas da indústria e astros de cinema. Iluminação suave, estátuas de Buda e até lagos decorativos entram na decoração japonesa. A cozinha é essencialmente oriental e japonesa.

MUMBAI The Pearl of The Orient Ⓡⓢ Ⓡⓢ Ⓡⓢ Ⓡⓢ Ⓡⓢ

The Ambassador, Churchgate, 400 020 ***Tel*** *(022) 2204 1131*

Este restaurante giratório tem lindas vistas do mar da Arábia e funciona 24 horas. A cozinha é predominantemente tailandesa, chinesa e japonesa. Há especialidades como a travessa de sushi, talharim coreano, sopa tom yum, curry tailandês vermelho e verde, milho tenro com chilli e chilli de queijo e gengibre. Aberto para almoço e jantar.

MUMBAI Trishna Bar and Restaurant Ⓡⓢ Ⓡⓢ Ⓡⓢ Ⓡⓢ Ⓡⓢ

7 Ropewalk Lane, Sai Baba Marg, Fort Rd, 400 024 ***Tel*** *(022) 2270 3213*

Outro excelente restaurante de frutos-do-mar da cidade, o Trishna atrai muitas celebridades. A lagosta em estilo Konkan e caranguejo e peixe no *tandoori* são excepcionais. Serve também cozinha chinesa. A decoração é meio enfadonha e o serviço pode ser lento, mas a comida vale a pena. Recomenda reservas.

MUMBAI Wasabi by Morimoto Ⓡⓢ Ⓡⓢ Ⓡⓢ Ⓡⓢ Ⓡⓢ

Taj Mahal Palace and Tower, Apollo Bunder, 400 001 ***Tel*** *(022) 6665 3366*

Primeiro restaurante japonês contemporâneo da cidade, dispõe de um sushi-bar com saquê. O menu oferece vários frutos-do-mar e pratos vegetarianos. Prove as ostras Kumamoto e o cheesecake de tofu. Vistas do mar da Arábia ajudam a tornar a refeição memorável.

MAHARASHTRA

AURANGABAD Foodwalas Tandoor

Shyam Chambers, Bansidal Nagar, 431 001 ***Tel*** *(0240) 232 8481*

Perto da estação ferroviária, este restaurante serve comida indiana, chinesa e continental há quase 20 anos. Os pratos de galinha suculentos e macios são recomendados. A decoração é dominada por estátuas egípcias. Aberto para almoço e jantar.

AURANGABAD Chinatown Restaurant

Hotel Amarpreet, Jalna Rd, 431 001 ***Tel*** *(0240) 233 2521*

No centro da cidade, este restaurante serve comida indiana, tailandesa, italiana, continental e chinesa. É conhecido sobretudo por seus pratos de arroz e peixe. Com decoração chinesa, tem um bar, mesas ao ar livre e bom serviço.

AURANGABAD Residency Restaurant

Taj Residency, 8-N-12 CIDCO, Rauza Bagh, 431 003 ***Tel*** *(0240) 238 1106*

Dentro do hotel palaciano Taj Residency e com vista para belos jardins, este restaurante serve uma ampla variedade de comida indiana, chinesa e ocidental. Vale a pena provar as especialidades regionais. Uma vez por mês promove um jantar temático ou um festival gastronômico. Aberto para café-da-manhã, almoço e jantar.

CHIPLUN Riverview Restaurant

Gateway Riverview Lodge, Dhamandivi Taluka Khed, Distt Ratnagiri, 415 707 ***Tel*** *(02355) 259 081*

Embora haja várias cozinhas à escolha, a especialidade daqui são os pratos marwaris e konkanis. O bar elegante também atrai as atenções. Os janelões deste lugar aconchegante têm lindas vistas que enriquecem a experiência.

LONAVLA Kailash Parbat Restaurant

Kaliash Parbat, Pune–Mumbai Rd, Valvan, 410 401 ***Tel*** *(02114) 273 086*

Aqui há uma ampla variedade de comida vegetariana, com ênfase em especialidades regionais. Até pratos simples como *paneer tikka* (queijo e legumes marinados) e *paneer Hyderabadi* (queijo marinado e especiarias) são divinos. Cogumelos em estilo *tandoori* são outro destaque. A cafeteria funciona 24 horas.

MAHABALESHWAR Brightland Holiday Village

Kates Point Rd, Distt Satara, 412 806 ***Tel*** *(2168) 260 700*

O Brightland Holiday Village tem vários restaurantes para agradar a todos os gostos. As opções são comida indiana, mogul, *tandoori* e grelhados. O Village Pub oferece tentadores coquetéis, ao passo que o clube noturno The Electric Mist é muito animado.

NAGPUR Ashoka Bar and Restaurant

Mount Rd, Sadar, 440 001 ***Tel*** *(0712) 253 1141*

Aberto em 1955, o Ashoka é o restaurante mais antigo da cidade. Mantém-se, porém, atualizado e usa até palmtops para anotar os pedidos, os quais são passados diretamente para a cozinha, agilizando assim o serviço. O menu é de cozinhas variadas e o salão é voltado para uma piscina em meio a um gramado verde.

NAGPUR Lahoree Deluxe Bar and Restaurant

Lahoree Deluxe Building, WHC Rd, Dharampeth, 440 010 ***Tel*** *(0712) 253 3808*

Substanciosa comida *tandoori* é a especialidade daqui, mas também há pratos chineses e ocidentais. O interior moderno tem ar-condicionado, há 25 mesas em um pequeno jardim e um bar animado e bem sortido. A trilha musical é gravada e dispõe também de televisão.

NASIK Panchratna

Taj Residency, P-17, MIDC Ambad, Mumbai–Agra Rd, 422 010 ***Tel*** *(0253) 660 4499*

Voltado para as pitorescas colinas Satpura, o romântico Panchratna serve comida excelente à luz de velas. Há pratos indianos e chineses, dos quais os mais populares são *murgh tikka lababdar* (curry de galinha) e *methi makai* (alforva, ervilhas e milho). Fechado para almoço no verão e na época das monções.

PUNE Hotel Vaishali

1218/1 Shivajinagar, Fergusson College Rd, 411 004 ***Tel*** *(020) 2553 1244*

Este agradável restaurante em um jardim serve boa comida do Sul da Índia a preços razoáveis, o que garante uma clientela fiel. Defronte ao Fergusson College, atrai também estudantes. Pratos simples como *chaat* (*pág. 66*) e *sev batata puri* (batata e grão-de-bico no pão frito) são de dar água na boca.

PUNE Arthur's Theme

No 2 Vrindavan Apartments, North Main Rd, Koregaon Park, 411 001 ***Tel*** *(020) 613 2710*

Este restaurante pequeno e aconchegante se orgulha de sua cozinha francesa e serve pratos de carne e vegetarianos. Sabores delicados e bela apresentação denotam a qualidade do serviço. O menu imaginativo torna as refeições instigantes. Reserve com antecedência.

Legendas dos preços *ver pág. 720* **Legenda dos símbolos** *no final do guia*

PUNE The Place

Clover Centre, Moledina Rd, 411 001 ***Tel*** *(020) 2613 2710*

Conhecido por sua galinha e seu cordeiro na chapa, este restaurante também oferece um delicioso sorvete caseiro. As porções são generosas e um prato na chapa é por si só uma refeição. O serviço é bom e discreto, e o bar tem bons vinhos. Aberto para almoço e jantar.

GOA

ASSAGO Axirwaad

483 Rue De Boa Vista, 403 107 ***Tel*** *(0832) 227 7331*

Esta interessante combinação de restaurante e clube privado tem até uma galeria de arte. A comida é sobretudo ocidental, mas há alguns pratos do Oriente Médio preparados pelo casal que gerencia o local. Comer aqui é uma experiência singular, pois as mesas ficam na areia, sob palmeiras. Aberto para almoço e jantar.

BAGA Britto's

Fim da Baga Beach, Próximo St Anthony's, 403 511 ***Tel*** *(0832) 227 7331*

Na ponta da praia Baga, o Britto's tem mesas junto ao mar. Os frutos-do-mar frescos são excelentes. Prove algum curry de peixe (dependendo da pesca do dia) com arroz. O *vindaloo* (curry de porco marinado) também é recomendado, seguido de uma mousse de chocolate alpino.

BENAULIM Miguel Arcanjo

Taj Exotica, Colwaddo, Benaulim, Salcette, 403 716 ***Tel*** *(0832) 668 3333*

Voltado para o mar da Arábia e nos arredores verdes do hotel Taj Exotica, o Miguel Arcanjo exala o charme do Velho Mundo. Este restaurante serve deliciosos pratos italianos, marroquinos e espanhóis. As especialidades incluem *mezze* libaneses como *falafel*, *babaghanouj* (pasta de páprica e berinjela), tabule e charutinhos *dolmas*.

CALANGUTE Valerio's

Hotel Baia Do Sol, Baga Beach, Calangute Bardez, 403 516 ***Tel*** *(0832) 227 6084*

Este restaurante com decoração contemporânea serve pratos continentais e de Goa. Os mais apreciados incluem torta de legumes com molho apimentado, martim-pescador grelhado com purê de beterraba e espinafre sauté. O churrasco no sábado à noite com música ao vivo é especialmente animado.

CALANGUTE O' Pescador Restaurant and Pub

Cobra Vaddo, Calangute Vardez, 403 516 ***Tel*** *(0832) 227 9447*

O menu deste restaurante é predominantemente continental e chinês. A travessa de frutos-do-mar, o grelhado *tandoori*, a galinha *tikka* e o cordeiro são altamente recomendados, assim como a ponta de costela ao molho de ameixa. Há karaokê nas noites de domingo. O restaurante fica fechado de maio a setembro.

CALANGUTE Bernard's Place

Cobra Vaddo, Baga Rd, Calangute, 403 511 ***Tel*** *(0832) 227 6712*

Aqui são servidas as cozinhas *tandoori*, chinesa e continental, mas os itens mais apreciados do menu são os pratos de frutos-do-mar. O assado domingueiro (de vaca, galinha ou porco) é servido diariamente. A torta de abacaxi com creme quente é uma sobremesa deliciosa.

CALANGUTE Cavala Seaside Resort Restaurant

Sauntavado, Baga Calangute, 403 516 ***Tel*** *(0832) 227 6090*

A um pulinho da praia Baga, este restaurante em um jardim é altamente recomendado por seus apetitosos frutos-do-mar. O local é muito requisitado devido a seu bar bem sortido, música ao vivo e churrascos noturnos. O serviço é excelente e há acesso para cadeiras de rodas.

CALANGUTE Fiesta Restaurant

Sauntavado, Baga Calangute, Bardez, 403 516 ***Tel*** *(0832) 227 9894*

A decoração estupenda em uma área aberta com lindas vistas para o mar contribui para a atmosfera relaxante. O menu deste restaurante inclui itens mediterrâneos, italianos, indianos e continentais. Os pitus ao vapor com vinho tinto são uma das melhores pedidas.

CALANGUTE Golden Nest

The Ronil Beach Resort, Sauntavado, Baga Calagute, 403 516 ***Tel*** *(0832) 227 6101*

Perto da praia Baga, o Golden Nest oferece cozinha indiana, continental e chinesa. As mesas ficam em um pátio revestido de pedra e salpicado de palmeiras. A música ao vivo (na alta temporada) e a equipe cordial completam a experiência memorável.

CALANGUTE Souza Lobo Bar and Restaurant

Umta Vaddo, Calangute Beach, Baga Bardez, 403 516 ***Tel*** *(0832) 227 6463*

Favorito local desde 1932, este restaurante voltado para o mar tem mesas dispostas em uma varanda. É conhecido por seus excelentes frutos-do-mar, especialmente pelos caranguejos recheados, *vindaloo*, *sorpotel*, peixe recheado e o martim-pescador no *tandoori*. De sobremesa peça *bebinka*, panquecas doces de coco típicas de Goa.

CALANGUTE Copper Bowl

Pousada Tauma, Porba Vaddo, Calangute, 403 516 ***Tel*** *(0832) 227 9061*

Um pavilhão aberto com uma colunata de pedra, bancos amplos e piso de mármore verde formam o Copper Bowl, que serve autêntica comida de Goa em recipientes de cobre. Galinha *xacuti* (curry) com coco, *balchao (pág. 441)* de pitu, tenros pitus e lagostins são algumas das delícias disponíveis. A cozinha de Konkan entrou recentemente no menu.

CANDOLIM Palm and Sand

Dando, Candolim, 403 515 ***Tel*** *(0832) 247 9171*

Bem na praia, este restaurante intimista tem lindas vistas do mar e oferece frutos-do-mar frescos e bem preparados. Há especialidades com caranguejo como *bisque*, rolinhos primavera e *xacuti* (curry). As costeletas de porco e o leitão recheado também são muito pedidos. De sobremesa peça torta de maçã ou panqueca de tâmara.

DONA PAULA Alfama Restaurant

Cidade de Goa Beach Resort, Vainguinim Beach, 403 004 ***Tel*** *(0832) 245 4545*

Provavelmente este é o único restaurante em Goa que serve cozinhas de antigas colônias portuguesas como o Brasil e Moçambique, além de comida continental. O bar tem uma extensa carta de vinhos. Uma banda local toca à noite tendo o mar da Arábia ao fundo.

PANJIM Rio Rico Restaurant

Hotel Mandovi, DB Marg, Panjim, 403 501 ***Tel*** *(0832) 242 6270*

No norte de Goa, este conceituado estabelecimento oferece pratos de Goa, indianos, continentais e portugueses. Sua especialidade são frutos-do-mar. Ampla opção de pratos, música ao vivo e mesas ao ar livre são atrativos para a clientela formada por famílias. É proibido fumar.

PANJIM Hotel Venite

31st January Rd, Sao Tome, 403 001 ***Tel*** *(0832) 242 5537*

Em um edifício de 200 anos, este agradável restaurante serve comida de Goa, portuguesa e mediterrânea. Entre seus pratos mais deliciosos estão o caranguejo recheado, filé de peixe na chapa, costeleta de porco ao molho de churrasco e steaks recheados com presunto e queijo. Não aceita cartões de crédito.

PANJIM Simply Fish

Marriot Hotel, PO Box 64, Miramar, 403 001 ***Tel*** *(0832) 246 3333*

Este é o restaurante interno do Marriot Hotel. As mesas ficam ao ar livre para que os clientes possam apreciar as vistas da baía. O menu oferece excelentes frutos-do-mar, incluindo *bisque* de lagosta e cozidos. Aberto apenas para jantar e fechado entre maio e outubro.

SALCETTE Martin's Corner

Binvaddo, Betalbatim, 403 731 ***Tel*** *(0832) 288 0061*

Os destaques do menu deste restaurante caseiro são o *caldin* de peixe com coco e temperos, a lagosta fresca e a caranha vermelha. Vale a pena provar o molho *pulao* típico de Goa. A equipe simpática, a música ao vivo e as mesas ao ar livre tornam as refeições ainda mais agradáveis.

SALCETTE Riverside

The Leela, Goa-GHM Mobor, Cavelossim, 403 731 ***Tel*** *(0832) 287 1234*

Como o nome indica, este restaurante ao ar livre no hotel The Leela fica em um gramado junto ao rio Sal. Há várias opções autenticamente italianas e mediterrâneas no menu. O ambiente é intimista e acolhedor e a equipe agradável.

SALIGAO Florentine

Pequeno Morod, 403 511 ***Tel*** *(0832) 240 9664*

Este restaurante pequeno e cordial fora do circuito turístico compensa a vinda por sua renomada cozinha de Goa e *tandoori*. Peça o excelente *cafreal* de galinha condimentada e marinada, acompanhado de pão. As porções generosas garantem uma refeição substanciosa.

SINQUERIM BARDEZ Banyan Tree

Taj Holiday Village, 403 519 ***Tel*** *(0832) 664 5858*

Atrás de uma figueira de 320 anos, este sofisticado restaurante é especializado em autêntica comida tailandesa, a exemplo da entrada de *som tham* (salada de papaia). Peça *tab tim grob* (castanhas com xarope açucarado e leite de coco) de sobremesa. As mesas ao ar livre e a música ao vivo tornam a refeição memorável.

KARNÁTAKA

BADAMI The Pulakeshi Dining Hall

Station Road, 587 201 ***Tel*** *(08357) 220 230*

O nome deste restaurante de cozinha variada é inspirado no grande rei chaulakiano Pulkesin. As especialidades regionais são recomendadas, mas também há pratos continentais. O interior tem ar-condicionado e há mesas ao ar livre. Aberto para café-da-manhã, almoço e jantar. É proibido fumar.

Legendas dos preços *ver pág. 720* **Legenda dos símbolos** *no final do guia*

BANGALORE Three Quarter Chinese Rs Rs Rs Rs

22 Church Street, 560 001 ***Tel** (080) 4112 1937*

A decoração deste restaurante dá a impressão de um ambiente subaquático cercado de ondas. Muito conhecido, serve pratos indianos e chineses. Peça a lagosta ao molho de Sichuan, pitus flambados ou peixe acompanhado de uvas.

BANGALORE 24/7 Rs Rs Rs Rs Rs

The Grand Ashok, Kumara Krupa High Grounds, 560 020 ***Tel** (080) 3052 7777*

Restaurante 24 horas do Grand Ashok, o 24/7 oferece um passeio pela culinária mundial, que varia da indiana e continental à pan-asiática. Voltado para a piscina e os gramados, serve bufê café-da-manhã, almoço e jantar. A equipe é acolhedora e atenciosa.

BANGALORE Bay Leaf Rs Rs Rs Rs Rs

123 Raheja Arcade, Kormangala, 560 029 ***Tel** (080) 2553 5050*

Com janelões, móveis de madeira e quadros de arte abstrata, o cosmopolita Bay Leaf é conhecido por sua excelente comida punjabi e a extensa carta de vinhos. Prove os *kebabs* e os *rotis* recheados. Boas opções tradicionais são o *zaffrani chawal* (arroz basmati com açafrão e especiarias) e o *murgh adraki* (curry de galinha e gengibre).

BANGALORE I-Talia Rs Rs Rs Rs Rs

The Park Hotel, 14/7 Mahatma Gandhi Rd, 560 001 ***Tel** (080) 2559 4666*

Desfrute a autêntica cozinha italiana neste restaurante apreciado por jovens e gente madura. Dirigido por um gourmet, o I-Talia oferece diversos pratos, incluindo pizzas em forno de lenha, massas caseiras, saladas e o sorbet especial de manga e Campari. O salão de bom gosto tem vista para um pequeno lago.

BIJAPUR Hotel Madhuvan International Restaurant Rs Rs

G-37 Brigade Garden, St Marks Rd, 586 101 ***Tel** (08352) 225 571*

Generosas porções de saudável comida vegetariana são servidas aqui em *thalis* (combinados) tradicionais. Os jardins no entorno são agradáveis. O restaurante abre para café-da-manhã, almoço e jantar e tem mesas ao ar livre. A equipe é cortês e eficiente. Dispõe de um amplo estacionamento.

CHIKMAGALUR The Peaberry Rs Rs Rs

Taj Garden Retreat, KM Rd, Jyothi Nagar, 577 101 ***Tel** (08262) 220 202*

Este atrativo restaurante oferece boa cozinha da costa e favoritos do Norte da Índia. O bar Mukhwada serve ótimos drinks. Junto às montanhas Sahyadri, o Peaberry é ideal para quem vem a negócios ou lazer. Aberto para café-da-manhã, almoço e jantar.

HAMPI Mango Tree Restaurant Rs Rs

400m (1,300 ft) O das ghats, em south bank, 583 201

Nas margens do rio e sob a sombra de uma mangueira, este restaurante serve comida simples e saudável em folhas de bananeira. Há deliciosas *dosas (pág. 554)*, panquecas de mel e *lassi* (bebida à base de iogurte). A equipe é cordial e prestativa. Um grande balanço pendurado em um galho da mangueira é um toque divertido.

HUBLI Lake Palace Rs Rs Rs Rs Rs

Hotel Naveen, Unkel, 580 025 ***Tel** (0836) 237 2939*

Restaurante caseiro com mesas redondas, oferece cozinha continental, chinesa, do Norte e do Sul da Índia. Os melhores pratos, porém, são os tradicionais do norte de Karnátaka, como *jawar roti* (wafers de trigo), *brinjal* (à base de berinjela), picles e molho. Há também um bar bem sortido. Aberto para almoço e jantar.

MANGALORE Cardamom Rs Rs Rs

Taj Manjarun Hotel, Near. DC Office, Old Port Rd, 567 001 ***Tel** (0824) 666 0420*

Oferece uma ampla gama de iguarias continentais, chinesas e indianas, incluindo a comida local tradicional. Um dos carros-chefes é o *neitha kori* (peixe marinado frito). O restaurante também dispõe de uma boa seleção de vinhos e charutos.

MYSORE The Green Hotel Restaurant Rs Rs Rs

2270 Vinoba Rd, JL Puram, 570 002 ***Tel** (0824) 666 0420*

Aqui há deliciosa comida à base de ingredientes frescos e temperada de forma sutil. Há mesas ao ar livre, em uma varanda charmosa e no jardim, todos com ambiente muito agradável. O forte deste restaurante são as especialidades regionais e as boas opções de vinhos. Aberto para café-da-manhã, almoço e jantar.

CHENNAI (MADRAS)

CHENNAI Amaravathi Rs Rs Rs

1 Cathedral Rd, 600 086 ***Tel** (044) 2811 6416*

Cozinha andhra a preços razoáveis é o chamariz do Amaravathi, que faz um *biryani* muito bom. O restaurante é claro e agradável e, embora sirva sobretudo pratos à base de carne e peixe, o odor desses ingredientes não impregna o ambiente. Há um amplo estacionamento para carros e bicicletas.

CHENNAI Annalakshmi ®®®

804 Anna Salai, 600 006 ***Tel*** *(044) 2852 5109*

Dirigido por voluntários, este restaurante beneficente tem o nome da deusa da comida –Annalakshmi. Serve suntuosos pratos vegetarianos com apresentação elegante em travessas de ouro e prata. Reservas e pedidos de especialidades devem ser feitos com antecedência. Fechado às segunda-feiras.

CHENNAI Karaikudi Chettinad Restaurant ®®®

84 Dr Radhakrishnan Salai, Mylapore, 600 004 ***Tel*** *(044) 2811 1893*

Recriando um ambiente regional tradicional, incluindo até o uniforme dos garçons, este restaurante tem especialidades como galinha *Pallathur*, galinha assada e apimentada *Chettiar* e *varuval* de pombo. Serve bebidas quentes e frias sem álcool e cerveja. Aberto para almoço e jantar.

CHENNAI Ponnuswamy Hotel ®®®

24-C IN Rd, Egmore, 600 012 ***Tel*** *(044) 2827 0784*

Aqui é servida autêntica comida chettinadi, incluindo vários pratos condimentados à base de codorna, caranguejo e coelho. O *biryani* é excelente e o picles com alho é fantástico. Há também comida continental e chinesa. Prove as sopas e saladas. Faz entregas em domicílio.

CHENNAI Benjarong ®®®®

148 TTK Rd, Alwarpet, 600 018 ***Tel*** *(044) 2432 2640*

Orquídeas decoram as mesas deste restaurante tailandês, cujos ingredientes frescos vêm diariamente de Bangkok. Os pratos principais incluem a condimentada sopa *tom yam*, que leva *goong* (cabeças de pitus) temperadas com gengibre, e um excelente pato grelhado. Há também sobremesas tentadoras.

CHENNAI Coastline ®®®®

84 Dr Radhakrishnan Rd, Mylapore, 600 004 ***Tel*** *(044) 2811 1893*

Restaurante relativamente novo, tem um interior que incita a apreciar as refeições sem pressa. Oferece pratos à base de frutos-do-mar frescos e só abre para almoço e jantar. É proibido fumar. Aceita os principais cartões de crédito e dispõe de um amplo estacionamento.

CHENNAI Copper Chimney ®®®®

74 Ground Floor, Cathedral Rd, 600 086 ***Tel*** *(044) 2811 5770*

Este restaurante impecável é conhecido pelos *tandooris* do Norte da Índia. Seus *kebabs* e sopas são altamente recomendados e há uma extensa carta de vinhos. Tem áreas separadas para fumantes. Aceita os principais cartões de crédito. Aberto para café-da-manhã, almoço e jantar.

CHENNAI Dhaba Express ®®®®

9 Cenotaph Rd, 600 004 ***Tel*** *(044) 2432 8212*

Aqui você desfruta uma experiência singular. Os assentos são *charpoys* (espécie de macas presas com cordas) e o ideal é acomodar-se ao ar livre. Os pratos são típicos dos restaurantes de beira de estrada do Norte da Índia. Peça o robusto *dal makhani* *(pág. 67)*. O restaurante abre para almoço e jantar.

CHENNAI Rice and Spice ®®®®

3 Kodambakkam High Rd, Nungambakkam, 600 034 ***Tel*** *(044) 2822 2211*

A decoração daqui é bem artística. Há diversas cozinhas, mas a autêntica comida andhra é a melhor e a que dá fama ao restaurante. O *bisibelabath* (arroz e legumes ao curry) e *pudina parathas* (pão pita com menta seca) são altamente recomendados. É preciso fazer reserva nos fins de semana. Aberto para almoço e jantar.

CHENNAI The Rain Tree ®®®®

Taj Connemara Hotel, 1 Binny Rd, 600 002 ***Tel*** *(044) 6600 1543*

Este charmoso restaurante ao ar livre tem mesas sob uma árvore imensa. O menu oferece vários pratos chettinadi. Shows culturais animam os jantares e o lugar é ideal para encontros de negócios. O bar retrô é muito agradável. Aberto apenas para jantar.

TAMIL NADU

KANCHIPURAM Kanchi Kudil ®®

53-A Sangeetha Vidwan, Nainar Pillai Street, 600 088 ***Tel*** *(04112) 2827 1100*

Um dos lugares mais conhecidos da cidade, o Kanchi Kudil surgiu da idéia de transformar uma propriedade antiga em um local de interesse público. Mantendo as tradições locais, esta casa belamente restaurada exibe e vende belos artefatos, e serve lanches vegetarianos do Sul da Índia. Aberto para café-da-manhã, almoço e jantar.

MADURAI Temple View Rooftop Restaurant ®®®®

Hotel Park Plaza, 114-5 West Perumal Mistry Street, 625 001 ***Tel*** *(0452) 234 2112*

Um dos melhores restaurantes da cidade, tem lindas vistas do templo. Os *chefs* preparam pratos indianos, continentais e chineses tradicionais. Prove a deliciosa fritada de galinha com alho. Aberto apenas para jantar. Aceita os principais cartões de crédito.

Legendas dos preços *ver pág. 720* **Legenda dos símbolos** *no final do guia*

MADURAI The View Rs Rs Rs Rs

Taj Garden Retreat, 40 TPK Rd, Pasumalai Hill, 625 003 ***Tel*** *(0452) 237 1601*

O ambiente tranquilo e a equipe eficiente tornam este lugar ideal para uma pausa entre as visitas às atrações desta cidade de templos. O menu oferece diversos pratos indianos, continentais e chineses, além de uma boa seleção de vinhos. Aberto para café-da-manhã, almoço e jantar.

MAMALLAPURAM Moonrakers Rs Rs Rs Rs

34 Othavadai Street, 603 104

Conhecido por seus *kebabs*, *koftas*, massas e galinha, este lugar é alegre e descontraído. Frutos-do-mar são a especialidade, mas também há saladas e lanches. Encerre a refeição com uma porção generosa de panquecas ou uma salada tropical. Os preços são bem razoáveis. Aberto para café-da-manhã, almoço e jantar.

OOTACAMUND Tandoori Mahal Rs

Commercial Rd, 643 101

Cerveja gelada com bons *tandoori* vegetarianos e pratos de carne é a grande pedida neste restaurante eficiente, que também tem especialidades regionais. A equipe é simpática e o serviço bom. Aberto para almoço e jantar. Tem um amplo estacionamento.

OOTACAMUND The Nilgiri Woodlands Restaurant Rs Rs

Ettines Rd, Opp Race Course, 643 001 ***Tel*** *(0423) 244 2551*

Em uma mansão colonial, este restaurante vegetariano mantém seu velho charme. Em meio a amplos gramados, tem cenário agradável e relaxante. Serve refeições do Sul da Índia, com boa relação custo-benefício. É proibido fumar.

PONDICHERRY Le Club Rs Rs Rs

Hotel de Pondicherry, 38 Rue Dumas Street, 605 001 ***Tel*** *(0413) 222 7409*

Este elegante restaurante francês serve drinks refrescantes, um bom *coq au vin*, pitus grelhados com manjericão, e steak *chateaubriand*. Seu *fondant* de chocolate também é recomendado. As paredes exibem pinturas e fotos de celebridades que já estiveram aqui.

PONDICHERRY Rendezvous Café Rs Rs Rs

30 Rue Suffren, 605 001 ***Tel*** *(0413) 233 9132*

Além de comida francesa, este café também oferece pratos italianos, indianos e chineses. Prove o steak *de capitaine* e os pitus grelhados. O café-da-manhã daqui também é muito bom. Mediante pedido com antecedência, prepara menus especiais e bufês elaborados para festas privadas e coquetéis.

PONDICHERRY Carte Blanche Rs Rs Rs Rs

Hotel de L'Orient, 17 Rue Romain Rolland, 605 007 ***Tel*** *(0413) 234 3067*

A decoração charmosa deste restaurante notável inclui mapas antigos de Pondicherry. Aqui você volta ao tempo em que *punkhawallas* (criados) abanavam seus senhores e especiarias indianas juntaram-se à habilidade francesa para criar a famosa cozinha creole. Os pratos são imaginativos e maravilhosos.

THANJAVUR Geetham Rs Rs

Hotel Parisutham, 613 001 ***Tel*** *(04362) 231 801*

Com preços moderados, equipe cordial e excelente serviço, o Geetham é muito requisitado. A comida vegetariana é servida em travessas *thalis* e o menu tem um repertório de 72 curries. Serve bebidas alcoólicas. Aberto para almoço e jantar.

ILHAS ANDAMAN

PORT BLAIR Mandalay Restaurant Rs Rs Rs

Bay Island Hotel, Marine Hill, 744 101 ***Tel*** *(03192) 234 101*

Na entrada do porto de Port Blair, este restaurante tem lindas vistas das ilhas Ross e Havelock. Há especialidades regionais e pratos indianos, chineses e continentais. O lounge Look Out serve diversos lanches e um panorama do mar sereno.

PORT BLAIR Waves Rs Rs

Corbyn's Cove, 744 101 ***Tel*** *(03192) 245 110*

Em um jardim agradável defronte à praia Carbyus Cove, este restaurante tem uma vista caleidoscópica das belas águas azuis. Há especialidades regionais, pratos ocidentais e bons vinhos. As mesas ao ar livre são ideais para desanuviar. Aberto apenas para jantar.

PORT BLAIR The Wild Orchid Havelock Island Rs Rs Rs

Vijaynagar, Havelock Island, 744 103 ***Tel*** *(03192) 282 472*

Estabelecimento composto por um restaurante e um bar. O Red Snapper Restaurant oferece pratos internacionais com sabores bem autênticos, além de outros excelentes à base dos frutos-do-mar locais. O bem sortido Emerald Gecko Bar tem bebidas indianas e importadas.

KERALA

ALAPPUZHA Chakara

Rs Rs Rs Rs Rs

Raheem Residency, Beach Rd, 688 012 ***Tel*** *(0477) 223 9767*

Defronte ao mar, o Chakara tem um clima sereno e oferece pratos continentais como galinha ao molho de laranja e menta. Outros favoritos são os peixes ao curry *Kuttanadan* ou *nadan* e peixe com menta. O carro-chefe é o peixe com curry e especiarias locais intitulado Alappuzha.

KOCHI The Fort House

Rs Rs

Calvathy Rd, Fort Cochin, 682 001 ***Tel*** *(0484) 221 7103*

Em um remanso tranquilo, este lugar de gestão familiar é bem sossegado. Serve comida regional caseira, incluindo excelentes legumes ao curry e pratos à base de frutos-do-mar frescos. Dispõe de bebidas. A equipe é eficiente.

KOCHI The Malabar Junction Restaurant

Rs Rs Rs Rs

The Malabar House, Fort Kochi, 682 018 ***Tel*** *(0484) 221 6666*

Ambiente sofisticado, tem mesas ao ar livre cobertas por um toldo de madeira à moda regional. À noite há música ao vivo no palco adjacente. O local serve excelente comida ocidental, sendo que os frutos-do-mar e os pratos mediterrâneos são especialmente bons.

KOCHI Bubble Café

Rs Rs Rs Rs Rs

Taj Residency, Ernakulam, 682 011 ***Tel*** *(0484) 237 1471*

O ideal é vir aqui na época das monções quando o teto transparente dá a impressão de que a chuva vai irromper no local. Há bufês regularmente com cozinhas do mundo inteiro. As saladas e sobremesas merecem destaque. O restaurante também serve vinhos excelentes.

KOTTAYAM Vembanad Restaurant

Rs Rs Rs

Vembanad Lake Resort, Kodimatha, 686 039 ***Tel*** *(0481) 236 0866*

Aqui há amplas opções de pratos indianos e internacionais, e este também é um dos melhores lugares da cidade para provar especialidades regionais. Os frutos-do-mar são muito frescos e saborosos. Dispõe de vistas esplêndidas do lago por perto e de um pequeno barracão que vende belas jóias.

KOTTAYAM Coconut Lagoon Restaurant

Rs Rs Rs Rs

Coconut Lagoon, PB No 2, Kumarakoram, 686 563 ***Tel*** *(0481) 252 5834*

Citado em *O deus das pequenas coisas*, best-seller de Arundhati Roy que ganhou o Booker Prize, este restaurante é renomado tanto por sua excelente cozinha regional quanto por seu cenário encantador em uma *tharavad* (casa antiga) belamente restaurada. Só se chega aqui de barco.

KOVALAM Rockholm

Rs Rs Rs

Hotel Rockholm, Lighthouse Rd, 695 521 ***Tel*** *(0471) 2481 0306*

Este restaurante fica em um terraço com vistas estupendas do mar e confortáveis mesas ao ar livre. Serve ótimos pratos indianos, chineses e continentais. Os frutos-do-mar e as receitas locais são muito bem preparados.

KOVALAM Octopus

Rs Rs Rs Rs Rs

Surya Samudra Beach Garden, Pulinkudi, 695 521 ***Tel*** *(0471) 248 0413*

Instalado em um grupo de velhas casas de madeira, este resort e restaurante tem uma atmosfera mágica. Tem renome pelos excelentes frutos-do-mar, legumes frescos, pratos regionais genuínos e bolos e sorvetes caseiros. Os hóspedes costumam passear nas redondezas para apreciar os belos remansos e templos locais.

KOZHIKODE Coral Reef Restaurant

Rs Rs Rs

Hotel Taj Residency, PT Usha Rd, 673 101 ***Tel*** *(0484) 266 9595*

Uma ampla variedade de cozinhas, incluindo chinesa, continental, do Norte da Índia, frutos-do-mar e pratos locais, é servida neste agradável restaurante. Há também comida saudável baseada em princípios ayurvédicos. Vistas magníficas do lago e o jardim com paisagismo são outras atrações. Aberto para almoço e jantar.

LAKSHADWEEP Restaurant Hut

Rs Rs Rs

Bangaram Island Resort, 682 552

Feito de bambu e copas de palmeiras, este restaurante é uma maravilha arquitetônica e tem um clima alegre. As refeições na praia são memoráveis e os churrascos noturnos deliciosos. Há especialidades regionais, pratos ocidentais e um bar bem sortido. Aberto para café-da-manhã, almoço e jantar.

THEKKADY Shalimar Spice Garden Resort Restaurant

Rs Rs Rs

Murikkady PO, 685 536 ***Tel*** *(0486) 232 2132*

Decorado no estilo tradicional de Kerala, este restaurante serve autêntica comida indiana e regional em folhas de bananeira. O *chef* também prepara bons pratos italianos e continentais, que podem ser acompanhados por diversos vinhos. A equipe é atenciosa e cordial.

Legendas dos preços *ver pág. 720* **Legenda dos símbolos** *no final do guia*

THIRUVANANTHAPURAM The Regency ®®®

The South Park, 695 001 ***Tel*** *(0471) 233 0377*

Recém-reformado, este restaurante oferece um excelente bufê de jantar. Para quem gosta de jantar sob as estrelas, há um jardim suspenso com mesas. O menu oferece diversas especialidades regionais e pratos ocidentais. Há também estrutura para negócios.

THIRUVANANTHAPURAM Zodiac ®®®

Hotel Saj Lucia, East Fort, 695 023 ***Tel*** *(0471) 246 3443*

O autêntico sabor de Kerala pode ser apreciado tanto na comida quanto no ambiente deste restaurante. O menu apresenta delícias continentais, indianas e chinesas. Frequentado por famílias, tem música de *ghazals* (*pág. 748*). É proibido fumar.

VARKALA Café Comorin ®®®®®

Taj Garden Retreat, Varkala, 695 141 ***Tel*** *(0470) 260 2296*

Como em outros restaurantes na linha Taj, aqui é o cenário vibrante que atrai a atenção. Este restaurante aconchegante voltado para gramados e uma piscina tem lindas vistas do mar. Oferece uma ampla variedade de cozinhas, incluindo chinesa, indiana e continental. O bar lounge tem vinhos finos.

ANDHRA PRADESH

HYDERABAD Minerva Coffee Shop ®®

6-3-1110 Amrutha Mall Somajiguda, 500 016 ***Tel*** *(040) 2340 4635*

Este lugar confortável tem ótimos lanches leves à noite. Macios *idlis* (empanados de arroz e lentilha), *dosas (pág. 554)* crocantes e pongal de arroz com chutney de coco são boas pedidas. Conforme o nome sugere, o café fumegante é a especialidade da casa.

HYDERABAD Dakhni ®®®®

Taj Banjara, 500 034 ***Tel*** *(040) 2330 5762*

Este restaurante serve autêntica cozinha hyderabadi e de Andhra. Prove o *usli* bijapuri, um curry de lentilha seca com pão *bajra*, e o *gosht gulbarga* (prato de cordeiro) com um delicioso molho de coco. Música ao vivo e uma boa carta de vinhos são outros destaques. É proibido fumar. Aberto para almoço e jantar.

HYDERABAD Dum Pukht ®®®®

Grand Kakatiya Sheraton, 6-3-1187, 500 016 ***Tel*** *(040) 2340 0132*

Perfeito para connoisseurs, o Dum Pukht oferece o sabor autêntico de uma tradição culinária de 200 anos, que se caracteriza pelos sabores e aromas sutis de pratos preparados em fogo baixo em *deghs* vedadas. Prove o *khwams*, que vem com três curries, o pão *sheermal*, cordeiro no espeto e coalhada cremosa.

TIRUPATI Bhima's Deluxe Restaurant ®®

Bhima's Deluxe Hotel, 38 Govind Raja Car Street, 517 501 ***Tel*** *(08754) 222 5521*

De acordo com a aura de devoção presente em Tirupati, este restaurante serve saudável comida indiana vegetariana, bebidas refrescantes e sucos de frutas feitos na hora. A comida, o serviço e o ambiente vão lhe dar vontade de voltar. Aberto para café-da-manhã, almoço e jantar.

VIJAYWADA Aromas ®®

Quality Inn DV Manor, MG Rd, 520 010 ***Tel*** *(0866) 247 4455*

Restaurante pequeno e aconchegante dirigido por um casal simpático, o Aromas atrai clientes locais e turistas. O menu oferece uma ampla variedade de comida indiana, mogul e sul-asiática, mas os pratos mais pedidos são os de Punjab. Aberto para almoço e jantar.

VISHAKHAPATNAM Dakshin Restaurant ®®®

Hotel Daspalla, 28-2-48 Suryabagh, 530 020 ***Tel*** *(0891) 256 4825*

Este restaurante é especializado na autêntica cozinha de Andhra, bem apimentada e temperada. Prove o cordeiro *gongura*. Há boa estrutura para negócios, com áreas separadas para fumantes. A trilha é de música gravada. Aberto para almoço e jantar.

VISHAKHAPATNAM Bamboo Bay ®®®®

The Park, Beach Rd, 530 022 ***Tel*** *(0891) 275 4488*

Único restaurante praiano ao ar livre da cidade, o Bamboo Bay serve sobretudo cozinha costeira –uma combinação de pratos de Andhra e Chettinad, com algumas inserções de *tandoori*. Prove a travessa que reúne peixe no *tandoori*, *gongura mamasam* e *yaar varuval*. Aberto apenas para jantar.

WARANGAL Kadambari Restaurant ®®

Hotel Ashoka, 6-1-242 Main Rd, Hanamkonda, 506 250 ***Tel*** *(08712) 257 8491*

Este restaurante simpático é especializado em cozinha de Kerala, mas também oferece saborosa comida chinesa e *tandoori*. A equipe é muito eficiente e ajuda na escolha dos pratos. A atmosfera é descontraída. Aberto para almoço e jantar.

LOJAS E MERCADOS

A grande tradição indiana em tecidos, objetos de arte e artesanato torna muito divertido fazer compras no país. As opções são muitas –bronzes e objetos de metal muito bem-feitos, belas sedas, jóias, pinturas em miniatura e tapetes feitos a mão, além de artefatos tribais e suvenires graciosos e baratos. O caleidoscópio de cores, texturas e aromas dos bazares e mercados locais, onde se vendem flores, produtos frescos e especiarias, é fascinante, assim como os muitos ambulantes nas calçadas vendendo roupas e acessórios. Você terá de aguentar o barulho e o caos, mas procurando nas bancas provavelmente encontrará boas ofertas. Bazares tradicionais coexistem com as lojas de departamentos e os shoppings da Índia urbana, onde todo tipo de produtos, locais ou importados, é vendido. Eles são muito procurados pelos locais para suas compras. Para detalhes sobre compras em Délhi, ver págs. 96-7; em Kolkata, págs. 282-3; em Mumbai, págs. 462-3; e em Chennai, págs. 574-5.

Boneca

HORÁRIO DE FUNCIONAMENTO

A maioria das lojas nas principais áreas de compras da Índia urbana abre entre 10h e 10h30. As lojas locais têm expediente mais longo e os mercados de alimentos ficam abertos do amanhecer até tarde da noite. Lojas do governo funcionam das 10h às 18, com intervalo para almoço das 13h às 14h. Os horários das lojas variam de cidade para cidade, assim como os feriados. O Dia da República (26 de janeiro), o Dia da Independência (15 de agosto) e o Dia do Nascimento do Mahatma Gandhi (2 de outubro) são feriados nacionais, e por lei todas as lojas e mercados do país têm de ficar fechados.

COMO PAGAR

A rupia é aceita em todos os lugares. Todas as grandes lojas hoje aceitam os cartões de crédito internacionais, como MasterCard e Visa, mas é bom levar algum dinheiro para compras em bazares e lojas menores. Algumas lojas aceitam traveller's cheques, mas exigem a apresentação do passaporte. Moedas internacionais podem ser usadas em certos lugares. Ao pagar com cartão de crédito, exija que o boleto seja preenchido na sua frente, para evitar fraudes. Para alguns itens, cobra-se um imposto (VAT), que varia de 4% a 12,5%, a não ser que se pague em moeda estrangeira ou com cartão de crédito com base no exterior.

Vendedor de flores exibe grinaldas na calçada, em Kolkata

Um shopping center em Gurgaon

DIREITOS E REEMBOLSOS

Ao comprar itens caros, como tapetes, jóias ou antiguidades, peça recibo ou canhoto de caixa. Isso é importante caso tenha de trocar ou devolver produtos com defeito, embora na Índia isso muitas vezes não seja muito fácil. Os reembolsos também são complicados.

Tome cuidado especial com compras que precisem ser despachadas. Verifique bem os custos, incluindo seguro, e certifique-se de que toda a papelada esteja em ordem. Serviços internacionais de entrega *(pág. 771)* podem ser uma boa opção para despachar compras grandes.

PECHINCHAR

Para obter bons resultados ao pechinchar, verifique o preço e a qualidade em vários locais. Em geral, as grandes lojas têm preços fixos que não admitem pechinchas, mas pode ser compensador dar uma olhada em bazares e pequenas lojas. Evite propor preços baixos demais para não perder oportunidades.

ALICIAR CLIENTES

Seja firme com aliciadores de clientes e não caia na tentação de ofertas fantásticas de antiguidades genuínas. Todos eles atuam à base de comissão, e levar clientes às lojas que eles escolhem é apenas um meio de ganhar um trocado a mais. Guias turísticos geralmente param em lojas selecionadas, mas você não é obrigado a comprar nada. Algumas lojas têm escrito "aprovadas pelo governo"; mas são empresas privadas, que não devem ser confundidas com lojas gerenciadas pelo governo.

BUTIQUES E LOJAS DE DEPARTAMENTOS

Lojas de departamentos, shoppings luxuosos e butiques de grife são hoje comuns nas maioria das grandes cidades. Elas vendem uma variedade de produtos, de roupas e peças de couro a objetos de cozinha, além de marcas internacionais de cosméticos, perfumes, acessórios, louças e aparelhos domésticos. As butiques vendem marcas de grife populares na Índia, incluindo alta moda em estilo ocidental e trajes indianos tradicionais.

LOJAS DO GOVERNO

Os governos estaduais têm lojas próprias, de tecidos e artesanato daquela região particular. Estes armazéns têm grandes instalações em todas as capitais e, embora a variedade e a qualidade dos itens varie, são bons locais para comprar presentes e lembranças. As melhores têm também filiais em outras grandes cidades, como a Poompuhar (Tamil Nadu), a Rajasthali (Rajasthan) e a Gurjari (Gujarat).

CENTROS DE ARTESANATO E BAZARES

A diversidade do artesanato tradicional indiano é uma das atrações do país. Cada região, cidade e vila se especializa em uma habilidade, seja cerâmica, tecelagem, trabalho

Pipas de papel colorido à venda em uma vila de Rajasthan

em metal ou pintura. Em vilas menores é possível observar artesãos em seu trabalho e comprar direto deles. Se não encontrar um centro de artesanato no seu itinerário, muitas cidades têm lojas de arte e artesanato local.

Comprar em bazares é uma experiência única. Situados no centro das cidades antigas, os bazares são quase sempre uma confusão de ruídos e cores, com pequenas lojas e bancas na calçada, vendendo artigos variados, de flores, legumes e verduras a objetos de cozinha, tecidos e jóias.

LOJAS ESPECIALIZADAS

As lojas especializadas devem sua reputação à qualidade dos seus produtos. A paixão por antiguidades fez proliferar lojas de bronzes, esculturas de pedra e artefatos de metal. Ao comprar antiguidades, consulte a Archaeological Survey of India *(pág. 759)*, pois objetos com mais de 100 anos não podem ser levados para fora do país. Mas sempre é fácil encontrar boas reproduções. Jóias finas de ouro e prata são fáceis de encontrar, mas é melhor procurar joalheiros estabelecidos. Jaipur é um ótimo local para comprar pedras preciosas e Hyderabad é famosa por suas pérolas de alta qualidade.

Rajasthan, particularmente Jaipur, Udaipur e Jodhpur, especializaram-se em miniaturas, pinturas populares e *pichhwais* religiosos sobre roupas. Pinturas como a tibetana *thangkas* e as pinturas Tanjore incrustradas de jóias, são vendidas em Ladakh, Himachal Pradesh e Tamil Nadu.

A renomada tradição têxtil da Índia vai dos belíssimos sáris de seda e brocados Varanasi do Sul da Índia aos finos algodões tecidos a mão, em grande variedade de cores e desenhos. Roupa casual barata pode ser comprada em bancas de rua. As butiques são um bom lugar para roupas de grife. Tapetes e artigos de lã, como os caros xales pashmina e *jamavar*, devem ser comprados apenas em lojas de confiança.

Chá, especiarias, ervas e incenso são também fáceis de achar. As especiarias de Kerala são famosas, e o chá pode ser comprado em toda a Índia. Cosméticos de ervas e incenso são vendidos em lojas comuns, e o *attar* (perfume tradicional) pode ser encontrado na maioria dos bazares.

O Chor Bazaar, de Mumbai, um tesouro de antiguidades

O que Comprar na Índia

Cabeça de pavão de madeira

Fazer compras na Índia é uma experiência fascinante, já que os bazares e butiques mostram a grande variedade das artes decorativas e do artesanato do país. A qualidade pode variar, mas o leque de escolhas é imenso, indo de jóias finas, tecidos coloridos e artesanato a especiarias e produtos de ervas. Há também elegantes versões contemporâneas de desenhos tradicionais. Em muitos lugares, os visitantes podem observar artesãos trabalhando e comprar diretamente deles.

Peças de laca
Tigelas e potes de laca vermelha e preta eram originalmente importados da Birmânia. Muitas peças ainda são encontradas em Chennai e na rua judaica de Kochi (pág. 643).

Peças de metal
Grande variedade de belos objetos rituais e utilitários, como caixinhas e lotas *(potes de água), que já foram parte essencial dos utensílios domésticos, hoje está disponível em lojas de antiguidades por toda a Índia.*

Prataria
Entre os elaborados artefatos de prata, esculpidos e em relevo, há bandejas, castiçais, travessas de nozes e objetos decorativos. Cada região da Índia se especializou em um tipo de artesanato. Orissa é conhecida por suas delicadas filigranas, e em Gujarat e Rajasthan artesãos da prata elaboram desenhos sobre uma base sólida.

Peças de pedra
Os trabalhos em pedra são fortemente influenciados pelos motivos em pietra dura *do Taj Mahal* (págs. 174-5). *Designers criaram uma linha selecionada de objetos de mesa para a casa moderna, usando mármore branco como base, com delicados padrões em ouro e prata.*

Joalheria
As joalherias vendem sofisticados kundan *com pedras preciosas incrustadas e* meenakari *esmaltados do Norte da Índia* (pág. 361), *além de enfeites de ouro do Sul. Também se encontram à venda jóias de prata em estilo tribal ou rural.*

Gargantilhas e braceletes de ouro

Tornozeleiras e braceletes de prata

Gargantilha *navratna* e brincos de esmeralda

Capas de almofada em seda impressa

Tecidos

Uma assombrosa variedade de tecidos impressos com carimbo, além de sedas e algodões e brocados de ouro podem ser comprados a metro ou em peças prontas, como lenços, sáris e acessórios para a casa. Também há xales jamavar *e pashmina de ótima qualidade nas boas lojas.*

Xale *jamavar*

Acolchoados de algodão leve

Tecidos e lenços de brocado

Produtos de bambu e junco

Os estados do nordeste são famosos por seu ótimo trabalho em bambu e junco. Além de objetos de uso diário, como grandes cestas para chaleiras, chapéus e utensílios variados, os artesãos criaram bandejas, cestos e caixas para o mercado contemporâneo. Mobília de boa qualidade também é fabricada para consumidores locais e estrangeiros.

Pintura em miniatura

Pinturas

Muitos lugares, como Jaipur, Jodhpur e Udaipur em Rajasthan, têm lojas e ateliês onde pintores recriam velhas miniaturas *(pág. 405). Cores modernas são usadas agora no lugar dos pigmentos naturais, mas os temas são ainda tradicionais. Eles vão de cenas da corte a histórias religiosas ou cenas mitológicas.*

Imagem em bronze

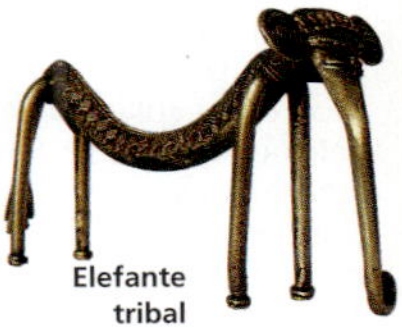

Elefante tribal

Artefatos

Excelentes reproduções de bronzes antigos (pág. 594) *estão à venda em muitas lojas. Entre elas há imagens de divindades hindus, como Krishna e Ganesha, além de objetos feitos por artesãos de tribos nativas.*

Produtos de Beleza e de Ervas

Remédios tradicionais à base de ervas foram adequados às exigências atuais de sabonetes, cosméticos, óleos e loções ecologicamente corretos. A aromaterapia é muito popular, e Auroville (pág. 589) *tem ampla linha de velas aromáticas e de incenso chinês.*

Incenso chinês ***(agarbatti)***

Velas de aromaterapia de Auroville

Sabonetes

Sais de banho

DIVERSÃO NA ÍNDIA

As opções de entretenimento na Índia fornecem vislumbres da diversidade religiosa, cultural e social do país. A vasta e complexa tradição de artes cênicas está intimamente ligada à religião e à mitologia. No início, a música e a dança clássicas eram parte do ritual do templo, enquanto o rico repertório de formas folclóricas emergiu como uma resposta a condições locais, à terra e à comunidade. Hoje, as opções de diversões incluem música e dança clássicas, dramas religiosos com dança, teatro contemporâneo e coloridas festas nos templos. Também há alternativas populares, especialmente o cinema, que apresenta os últimos filmes de Bollywood.

Dança Kathakali

FONTES DE INFORMAÇÕES

Jornais e revistas locais são uma boa fonte de informação, pois trazem a programação de eventos.

Em geral, os hotéis têm publicações próprias que também informam sobre as principais atrações. Se não, a agência de viagens poderá fornecer orientação. Além disso, pode-se recorrer às publicações e ao calendário anual de eventos dos escritórios e do site da India Tourism *(pág. 759)*. Boas agências de viagens também informam o que de melhor está acontecendo, e podem ajudar a preparar um roteiro de eventos culturais. Para detalhes sobre entretenimento em Délhi, ver págs. 96-7; em Kolkata, págs. 282-3; em Mumbai, págs. 462-3; e em Chennai, págs. 574–5.

RESERVA DE INGRESSOS

Para programas culturais e cinema, é bom reservar antes os ingressos no próprio local. O serviço de reserva de ingressos por telefone, em especial para os shows mais populares, nem sempre é confiável. Grandes lojas têm também balcões de ingressos; a organização do evento indica onde encontrá-los nos jornais locais. Operadoras de turismo e hotéis também fornecem ingressos.

MÚSICA E DANÇA CLÁSSICAS

A música e a dança clássicas da Índia são um reflexo dinâmico da rica herança cultural do país *(págs. 28-9)*. Apresentações regulares de Odissi, Bharat Natyam, Kuchipudi e Kathakali, teatro com dança de Kerala, são organizadas pelas secretarias de turismo e por organizações privadas em auditórios e hotéis. Nos anos recentes, festivais de dança tendo como cenário locais históricos tornaram-se populares. Tais eventos são hoje realizados em Ajanta e Ellora *(págs. 476-81)*, Konark *(págs. 310-2)*, Mamallapuram *(págs. 578-81)* e Khajuraho *(págs. 236-8)*, e são uma boa opção para apreciar as muitas formas de dança da Índia.

Músicos de Rajasthan tocando sarangis (instrumentos de cordas)

Concertos de música indiana clássica nos estilos do Norte da Índia (Hindustão) e do Sul da Índia (Karnátaka) atraem grande público. Também há muitos concertos de solistas e de grupos nas grandes cidades, sempre com uma viva interação entre os artistas e o público, que expressa sua apreciação com exclamações ou palmas várias vezes durante o concerto.

Música devocional, como os *qawwalis sufi* e os *bhajans* hindus também atraem muita gente, assim como os *ghazals*, poemas líricos em urdu, e as Rabindra Sangeet, canções do grande Rabindranath Tagore, poeta bengali *(pág. 292)*.

Dançarina clássica se apresenta no festival de dança de Mamallapuram

TEATRO, MÚSICA E DANÇA POPULARES

As tradições de teatro, música e dança populares e tribais são tão vibrantes como as

Cinema em Mumbai, com cartazes dos últimos lançamentos de Bollywood

formas clássicas. Houve época em que estas formas indígenas eram restritas à sua região de origem. Hoje, com incentivo de diversas organizações culturais, artistas populares vêm tendo maior exposição. Com isso, platéias urbanas podem ver a Chhau, uma dança com máscaras a cargo de homens, de Orissa, Bihar e Bengala Ocidental; os *bhopas* e *manganiyars* de Rajasthan; a *garba* de Gujarat; o *bhangra* do Punjab; o teatro de rua *(jatra)* de Bengala Ocidental; as tradicionais artes marciais de Kerala; e o *tamasha*, uma trupe de teatro com dançarinos e músicos de Maharashtra. No festival de Dussehra, as Ramlilas –encenações do *Ramayana* *(pág. 27)*– são realizadas em todo o norte da Índia. As mais elaboradas são montadas às margens do rio Ganges em Varanasi *(pág. 203)*.

TEATRO CONTEMPORÂNEO

Nas grandes cidades, há espetáculos ocidentais de boa qualidade. Mas há também uma tradição muito forte de teatro nas línguas indianas marata, gujarati, hindi e bengali. Encenam-se adaptações de obras atuais de autores indianos conhecidos, musicais e sátiras políticas. Muitas destas produções inspiram-se no rico repertório de formas clássicas e populares indianas.

TEATRO DE BONECOS

Há na Índia uma antiga tradição de teatro de bonecos, em especial em Orissa, Karnátaka *(pág. 535)*, Rajasthan, Tamil Nadu, Andhra Pradesh e Bengala Ocidental, nas quais grupos itinerantes populares usam marionetes, bonecos de fio e de luvas e sombras para contar histórias mitológicas para um público basicamente rural. Hoje muitos hotéis organizam programas culturais para hóspedes estrangeiros, que incluem um show de marionetes. Vem se tornando popular um movimento de teatro de bonecos que lida com temas sociais ligados a educação, saúde e sexualidade.

CINEMA

A forma de entretenimento mais popular na Índia é o cinema, principalmente com as extravagantes produções de Bollywood *(págs. 32-3)*. Alguns filmes excelentes em língua regional, que tocam em temas sociais ou políticos, são produzidos em Kerala, Bengala Ocidental, Tamil Nadu e Andhra Pradesh. Há cinemas que passam sessões especiais com filmes cult. Existem salas de cinema praticamente em todas as cidades, mesmo as pequenas, e nas grandes cidades há complexos (com lojas de fast-food) que oferecem tanto filmes de Bollywood como de Hollywood. Nestes os ingressos são mais caros.

Polo Lounge, um bar popular no Hyatt Regency Hotel, em Délhi

BARES E DISCOTECAS

A cena noturna indiana está ficando mais agitada. Vêm sendo muito divulgadas as casas noturnas de Mumbai *(pág. 463)*, a cultura de barzinhos de Bangalore e as festas de praia e raves em Goa, que duram a noite toda, mas as cidades mais conservadoras no resto do país têm hoje pelo menos alguns bares e discotecas.

INDIPOP

Canais internacionais de música como a MTV deram tremendo impulso à cena pop indiana. Conhecida como Indipop, a música de grupos como Indian Ocean e Euphoria e de cantores como Lucky Ali e Alisha Chinai fez deles astros tão populares como os do cinema. O estilo vai do fusion e do *bhangra* de inspiração popular até remixes de sucessos de filmes em hindi. Alguns cantores clássicos, como Shubha Mudgal, começam a fazer experimentos com música popular a fim de alcançar um público mais amplo, em particular a geração MTV.

FEIRAS E FESTAS

O ciclo constante de feiras e festas faz parte do estilo de vida indiano *(págs. 34-7)*. Da Holi, a festa da cor na primavera, à Diwali, a festa das luzes no início do inverno, há uma série de celebrações que marcam a mudança das estações ou eventos mitológicos, além das incontáveis festas nos templos. Os visitantes sempre têm muitas oportunidades de assistir a essas mostras da herança cultural e religiosa do país em suas viagens. Ser convidado a entrar em alguma casa durante uma festa ou celebração tradicional também é uma experiência rica.

Cada capítulo deste livro tem uma coluna destacando as principais festas regionais.

INTERESSES ESPECIAIS E ATIVIDADES AO AR LIVRE

A Índia oferece muitas opções de esportes e atividades ao ar livre. As cidades maiores têm instalações para golfe, tênis, natação e equitação. O inverno (out-fev) é a principal estação para pólo e críquete. Para os que gostam de aventura, há trilhas nos Himalaias, observação de tigres nas muitas reservas indianas e muitos rios para a prática do rafting. Safáris de camelo ou a cavalo são um modo inesquecível de explorar o deserto de Rajasthan. Para quem tem maior inclinação espiritual, há centros de meditação e ioga e a oportunidade de ter contato com renomados gurus em seus ashrams. Cada vez mais gente é atraída pelos spas ayurvédicos e outros centros de cura holística, que enfatizam tratamentos de medicina natural.

Jogador de críquete

ESPORTES COM PÚBLICO

Os indianos são fanáticos por críquete e não perdem a chance de assistir a uma partida. No inverno, times de nível mundial viajam pelo país para partidas e torneios em cidades como Délhi, Kolkata, Mumbai, Chennai, Bangalore e Kanpur. Durante essas partidas, público de todas as idades enche os estádios, onde predomina uma atmosfera de piquenique. Horários das partidas e informações sobre ingressos constam dos jornais.

O futebol não goza da mesma popularidade, mas em certos locais, como Kolkata, Goa e Kerala, ele é popular. O jogo cria grande histeria em Kolkata, e times profissionais como o Mohun Bagan e seu rival, o East Bengal, têm muitos torcedores. Veja nos jornais locais se há partidas na cidade. O hóquei, embora seja uma paixão nacional, ainda não tem dimensão para atrair eventos internacionais.

NATAÇÃO E TÊNIS

Todos os hotéis cinco-estrelas têm boas piscinas com academias anexas. Não-hóspedes podem usar a piscina do hotel pagando uma taxa. No Norte da Índia, as piscinas ao ar livre fecham no inverno. Hotéis de praia têm piscinas e acesso às praias. Antes de nadar no mar, veja com o salva-vidas se é seguro. Nadar e tomar banho de sol nu é probido.

Nos hotéis você encontra quadras de tênis de grama ou piso duro e pode também arranjar partidas em alguns clubes locais, especialmente nas cidades maiores. A Índia entrou para a Copa Davis em 1921 e sediou o evento muitas vezes. A **All India Tennis Association** também organiza torneios. Entre os destaques atuais da Índia está a jovem dupla Leander Paes e Mahesh Bhupathi, que levou o título de duplas do Aberto da França pela segunda vez em junho de 2001.

GOLFE

A vasta rede de clubes com pistas bem mantidas fez da Índia um destino popular para os amantes do golfe. O Royal Calcutta Golf Club foi criado em 1829, seguido por outros nas estâncias de montanhas e fazendas de chá da era Raj. Resorts exclusivos de golfe, como o ITC Classic Resort, perto de Manesar, projetado pelo golfista internacional Jack Nicklaus, são muito frequentados, em especial por altos executivos que gostam de alternar uma partida de golfe com sua atividade de negócios.

A **Indian Golf Union** em Kolkata organiza atividades variadas, de eventos de porte internacional a amistosos. Ele também pode providenciar associação temporária ao Royal Calcutta Golf Club e ao Delhi Golf Club.

Muitas cidades da Índia, como Jaipur, Agra e Ranikhet, têm campos de golfe bem conservados, cuidados pelo Exército, em áreas militares, que os estrangeiros podem usar pagando uma taxa. Por isso, informe-se a respeito ao chegar a em uma nova cidade.

PÓLO E EQUITAÇÃO

Esporte ainda bastante elitista, o pólo vive um ressurgimento graças ao patrocínio de empresas. O **Army Polo and Riding Club** em Délhi é o principal centro, e pode ser contatado para informações e

Golfista pratica com os parapeitos do Jaipur's Moti Doongri Fort ao fundo

horários das partidas. A temporada é no inverno, quando há jogos regulares em Délhi, Kolkata, Jaipur, Jodhpur e Mumbai.

Duas das principais equipes da Índia ainda defendem as bandeiras das antigas casas reais de Jodhpur e Kashmir, e o Exército Indiano continua sua longa associação com o pólo e tem sua própria equipe. O pólo é muito popular em Jaipur, onde as partidas acontecem no Rajasthan Polo Club, perto do Rambagh Palace Hotel. Em alguns hotéis do distrito de Shekhawati, em Rajasthan, ensina-se aos visitantes como jogar. Há variações, como o pólo com elefantes e com camelos (ambos jogados em Jaipur), e em Ladakh joga-se uma variedade de pólo com pôneis em vez de cavalos.

Para equitação, podem-se alugar cavalos puros-sangues em clubes de Délhi e Kolkata e no **Royal Equestrian Polo Centre** em Jaipur, depois de solicitação para associação temporária. E há cavalos para passeio na maior parte das estâncias e praias.

PASSEIOS DE HELICÓPTERO

A Deccan Aviation organiza passeios curtos mas muito agradáveis para destinos exóticos, como as cadeias de montanhas do norte e nordeste e em volta de Bangalore e Mumbai. O custo inclui comida e alojamento. Embora caros, tais passeios são perfeitos para turistas com muito dinheiro e pouco tempo. A **Pawan Hans Helicopters Ltd**, gerida pelo governo, também oferece viagens de helicóptero junto a hotéis e operadoras de turismo.

SAFÁRIS DE JIPE, CAMELO E CAVALO

O melhor jeito de conhecer lugares é se juntar a um dos muitos safáris. Os de jipe são comuns em Ladakh, como no Nubra Valley *(pág. 143)* e nos lagos Tso Moriri e Pangong Tso. Safáris de jipe são também populares em

Safáris a cavalo, uma deliciosa maneira de explorar o Rajasthan

Lahaul, Spiti e Kinnaur, em Himachal Pradesh. Uma boa base é Manali, onde ficam muitas operadoras. Entre elas, a **Himalayan Adventurers** é uma agência de prestígio que organiza safáris de jipe, além de trekking e rafting. Um dos trajetos populares é o de Manali até Leh, de dois dias.

Donos de camelos no deserto Thar, em Rajasthan, em torno de Jaisalmer, oferecem safáris de camelo entre outubro e fevereiro. Duram cerca de quatro dias, e a taxa mínima é de 400 rupias por dia (com comida e cobertores; barracas são pagas à parte). Entre as muitas operadoras está a **Desert Resort and Camp**, em Manvar, que oferece safáris de primeira linha em tendas luxuosas. Uma alternativa muito agradável são os safáris a cavalo em volta de Jodhpur, Shekhawati, Kumbhalgarh e Udaipur. Eles oferecem um vislumbre único da vida rural, que abrange fortes, palácios e vilas remotas. A **Ghanerao Safari Tours**, em Jaipur, é especialista em safáris a cavalo e oferece viagens tanto fáceis como cheias de aventura. Muitos hotéis em Rajasthan organizam safáris a cavalo. Safáris de elefante também são oferecidos *(pág. 753)*.

Trilha pela espetacular passagem Shingo-la em Zanskar, Ladakh

TREKKING

A Índia tem uma imensa variedade de opções para trilhas. Além dos Himalaias, os Nilgiris *(pág. 606)*, no Sul da Índia, e os Sahyadris *(pág. 473)*, em Maharashtra, têm muitas trilhas curtas.

Os Himalaias são o paraíso para quem gosta de trilhas. A **Ibex Expeditions**, uma agência de prestígio, organiza expedições a todos os Himalaias. Para detalhes sobre operadoras de trilhas e viagens de aventuras em Himachal Pradesh, ver págs. 114-5; em Ladakh e Zanskar, págs. 152-3; em Garhwal e Kumaon, págs. 188-9; e no oeste de Bengala e Sikkim, págs. 302-3.

Este guia divide as trilhas em três níveis de dificuldade. Há as "fáceis", com caminhadas relativamente fatigantes a altitudes médias e altas. As trilhas "moderadas" cobrem terrenos diversos e não devem ser tentadas por quem tem problemas cardíacos ou de outro tipo. Só alpinistas experientes devem tentar trilhas "difíceis", pois estas vão até grandes altitudes e requerem um preparo físico de alto nível. É obrigatório dispor de uma autorização *(pág. 758)* nas áreas próximas a fronteiras internacionais.

Parasailing, popular em Himachal Pradesh e Uttaranchal

CAMPING E ESPORTES RADICAIS

Férias que combinam camping e trekking podem ser muito agradáveis. Os **Banjara Camps** oferecem férias em campings na bela paisagem do vale do Sangla em Himachal Pradesh, e a **Jungle Lodges and Resorts** organiza acampamentos de luxo em Karnátaka.

A Índia também oferece oportunidades de praticar vários esportes radicais. Mas para isso é bom contar com uma cobertura adicional em seu plano de saúde.

Hang-gliding e parasailing são oferecidos em Himachal Pradesh, especialmente em Manali e Dharamsala, e perto de Billing, em Kangra. Ooty em Tamil Nadu é outro bom local para hang-gliding, e os Ghats Ocidentais em Maharashtra e Goa são ideais para parasailing. Agências de turismo locais em cada estado organizam esses esportes e podem ser contatadas para agendamentos e aluguel de equipamentos.

Para montanhismo e escalada de rochas, os Himalaias têm vários picos desafiadores, muitos deles a mais de 7.000m. Uttaranchal e Himachal Pradesh são as principais regiões de montanhismo da Índia, e Siquim oferece ainda escaladas nos Himalaias. A **Indian Mountaineering Foundation**, em Délhi, é a agência central; ela organiza expedições e tem um ativa fraternidade de escaladores de rochas. Além disso, dá informações sobre outras instituições do país, como o Himalayan Mountaineering Institute, em Darjeeling *(pág. 296)*, e o Nehru Institute of Mountaineering em Uttarkashi *(pág. 187)*, que também oferecem cursos.

Auli, em Uttaranchal, é o centro de esqui mais bem equipado da Índia e fica aberto de janeiro a março. Para reservas e informações, contate o **GMVN Office**, em Dehra Dun, ou o **GMVN Tourist Rest House**, em Auli, que também aluga equipamento. Solang Nala, 13km a noroeste de Manali, também tem encostas para esqui que abrem em fevereiro e março. O **Institute of Mountaineering and Allied Sports**, em Manali, aluga equipamento de esqui, dá cursos de montanhismo e também organiza expedições de caiaque no rio Beas.

CAIAQUE E RAFTING DE RIO

O desafio das corredeiras dos Himalaias faz da Índia um destino muito procurado para caiaque e rafting. Os rios têm níveis de I a VI, e só profissionais devem tentar as corredeiras acima de IV. Os destinos mais procurados são nos rios Indus e Zanskar em Ladakh, nos rios Beas e Satluj em Himachal Pradesh, no Ganges, Bhagirathi e Tons em Uttar Pradesh, e no rio Teesta em Siquim. As melhores épocas são entre setembro e dezembro, e entre fevereiro e abril.

Muitas agências promovem viagens e fornecem barracas, barcos, coletes salva-vidas e refeições. O Ganges perto de Rishikesh é um local popular *(pág. 185)*, pois fica a poucas horas de Délhi. Muitas empresas montaram campos de rafting e fornecem equipamento na temporada. A **Himalayan River Runners** e a **Aquaterra Adventures** são duas boas agências que administram vários campos de rafting em Uttaranchal e Ladakh.

ESPORTES AQUÁTICOS

Goa é muito procurada para esportes aquáticos. Suas competições de iatismo e regatas de windsurfe atraem gente do mundo todo. Esqui aquático, vela, windsurfe e parasailing são oferecidos por agências locais, em praias como Baga, Vainguinim, Sinquerim, Anjuna e Bogmalo. O **National Institute of Watersports**, em Panaji, oferece cursos de windsurfe, esqui aquático, vela e mergulho, e aluga barcos e equipamento.

O **Royal Bombay Yacht Club**, em Mumbai, organiza todo sábado passeios de vela para visitantes, e a popular praia de Kovalam, em Kerala, está equipada para receber fãs de surfe e mergulho. Em Tamil Nadu, foram abertos alguns centros de esportes aquáticos e hotéis que oferecem instalações para esportes aquáticos ao longo da costa entre Chennai e Mamallapuram.

As ilhas Lakshadweep, na costa de Kerala, têm ótimos centros para windsurfe, parasailing e esqui aquático, além de mergulho. **Lacadives,** na ilha Kadmat, tem o centro mais bem equipado *(pág. 647)*. Outro local excelente

Rafting no rio Ganges

Coloridas velas de windsurf em Goa

para mergulho e outros esportes aquáticos são as ilhas Andaman, na baía de Bengala. Mas é melhor checar antes, pois algumas modalidades podem não estar disponíveis por causa do tsunami de 2004. Você encontra equipamento de qualidade, como barcos com piso de vidro e equipamento de mergulho no **Andaman Water Sports Complex** *(pág. 618)*, em Port Blair.

PESCA

A rede de rios e lagos da Índia oferece muitas oportunidades para os amantes da pesca. A pesca na Índia requer autorização, que pode ser obtida do Fisheries Officer nos Fisheries Departments estatais. Mas é mais simples deixar que uma agência cuide disso para você. A Himalayan River Runners organiza estimulantes expedições de pesca *mahseer* no Ganges em fevereiro e março.

Os melhores locais no Norte da Índia são o rio Ramganga, fora do Corbett National Park; Gangalehri, saindo da estrada Haridwar-Rishikesh, no Ganges; e Pong Dam, no rio Beas, em Himachal Pradesh. Este estado oferece ainda excepcional pesca de truta no rio Beas em Katrain, e no belo vale do Sangla, no rio Baspa. No Sul da Índia, a **Jungle Lodges and Resorts** *(pág. 755)* administra o Kali River Camp, em Dandeli, e o Cauvery Fishing and Nature Camp, em Karnátaka. Estes são locais de luxo que atendem visitantes que procuram pescar nas férias mas com conforto moderno.

ECOTURISMO

Um conceito relativamente novo de turismo, que junta estudo da natureza e atividades de conservação, está cada vez mais popular na Índia. O país tem incrível diversidade de hábitats com imensa variedade de plantas e animais, incluindo espécies raras e em risco de extinção.

Hoje a Índia tem 70 parques nacionais e mais de 400 santuários naturais que cobrem 4,15% de seu território. Muitas instituições estão ativamente envolvidas em questões ambientais. O **World Wide Fund for Nature, India (WWF)**, com sede em Délhi, tem uma programação regular de atividades, como viagens com acampamento, exibição de filmes e seminários sobre a vida selvagem. A **Bombay Natural History Society (BNHS)** é uma das mais destacadas instituições conservacionistas do país. Seu primeiro presidente indiano foi o renomado ornitólogo Salim Ali *(pág. 466)*. A sociedade, que coloca ênfase no estudo de pássaros, também organiza oficinas. Outra instituição importante é a **Madras Naturalists' Society**. As muitas reservas naturais e santuários da Índia são ideais para ver espécies ameaçadas. A **Ibex Expeditions** organiza viagens ecoturísticas a parques de toda a Índia; a **Exotic Journeys** é outra agência de renome *(pág. 689)*. A Jungle Lodges and Resorts, em Karnátaka, administra numerosos campos de luxo nos santuários de Nagarhole e BRT *(pág. 520)*, com passeios em barquinhos, safáris de elefante e exibição de filmes aos visitantes.

O Corbett Park, em Uttaranchal *(págs. 192-3)*, Kanha, em Madhya Pradesh *(págs. 254-5)*, e Sunderbans, em Bengala Ocidental *(págs. 288-9)*, estão entre as maiores reservas de tigres da Índia. O Keoladeo Ghana National Park *(págs. 368-9)*, em Rajasthan, atrai aves migratórias no inverno e é um paraíso para observação de pássaros, enquanto Kaziranga, em Assam *(págs. 330-1)*, é um dos poucos lugares no mundo onde o rinoceronte indiano pode ser visto na natureza. O melhor parque para observar elefantes asiáticos é Periyar, em Kerala *(págs. 640-1)*, que tem a maior população de elefantes selvagens do país.

Algumas dicas devem ser observadas ao visitar as reservas naturais. Não jogue lixo fora, especialmente plásticos e material sintético. Leve binóculos, use botas reforçadas e não se disperse do grupo. Não buzine no estacionamento nem toque música alto, pois isso perturba os animais. Nos safáris, fale baixinho, para aumentar as chances de localizar vida selvagem.

Safári de elefante no Kaziranga National Park, lar do rinoceronte indiano

Massagem na cabeça com óleos ayurvédicos, na praia de Kovalam

IOGA E CURAS

Ioga, meditação e filosofia hindu são ensinados em centros espirituais na maioria das cidades indianas. Entre os melhores estão Rishikesh, onde os cursos são dados por gurus renomados em suas áreas. Destes, o **Sivananda Ashram** *(pág. 689)* é o mais famoso. A **Osho International Commune** *(pág. 470)* em Pune, criada na década de 1960 pelo carismático guru Bhagwan Rajneesh, oferece cursos de meditação e filosofia. O **Ramamani Iyengar Memorial Yoga Institute**, dirigido pelo conhecido Yogacharya BKS Iyengar, também fica em Pune e oferece vários cursos de *hatha* ioga. Entre os outros renomados centros de meditação e ioga indianos estão o **Sri Aurobindo Ashram**, em Pondicherry *(pág. 689)*, o **Chinmaya Mission**, em Mumbai, e a **Ramakrishna Mission**, em Belur Math *(pág. 689)*. Hotéis e agências de viagens podem informar sobre filiais locais de muitos desses centros.

A Índia também tem muitas instituições que oferecem cursos de meditação budista *vipassana*. Dharamsala e McLeodganj, o lar do Dalai Lama, têm alguns dos melhores centros. Cursos para residentes são oferecidos no **Tushita Meditation Centre**. A ayurveda e a naturopatia se apóiam nos poderes de cura de ervas e alimentos naturais e são amplamente praticadas na Índia. Os tratamentos ayurvédicos, usando óleos essenciais, parecem ter se originado em Kerala *(pág. 629)*, onde são muito difundidos. Quase todos os hotéis do estado têm centros de ayurveda, especialmente em Kovalam e Thiruvananthapuram. O **Kairali Ayurvedic Health Resort**, em Palakkad (com filiais em Délhi e Khajuraho), e o **Somatheeram Ayurvedic Resort** *(pág. 715)*, em Kovalam, estão entre os melhores. Para visitantes em busca de orientação médica e tratamento, a **Arya Vaidyasala**, em Kottakal *(pág. 652)*, é uma instituição pioneira.

Logotipo de um centro de ioga em Rishikesh

A Índia tem ainda alguns spas de luxo, com ênfase nas curas holísticas *(pág. 688)*. O **Institute of Naturopathy and Yogic Sciences**, em Bangalore, conhecido também como Jindal's Farm, dá tratamento especializado a pacientes de distúrbios respiratórios e estomacais, úlceras, enxaqueca e diabetes.

Outras práticas de cura, como reiki e cura prânica (que canalizam forças positivas pelos centros energéticos do corpo ou *chakras*), são oferecidas em muitas grandes cidades. Procure detalhes nas revistas locais. A *Life Positive*, revista mensal, é dedicada a técnicas de cura da nova era.

ATIVIDADES CULTURAIS

Música e dança clássicas indianas são ensinadas em instituições de todo o país. O **Triveni Kala Sangam** *(pág. 75)*, em Délhi, dá cursos de canto, dança e pintura clássica. O **Norbulingka Institute**, de Dharamsala, ensina arte e artesanato tibetanos, incluindo a pintura e bordados *thangka*. A vila de **Nrityagram**, perto de Bangalore, oferece cursos de longa duração de dança, coreografia, música e pintura clássicas. O **Kalakshetra**, em Chennai *(pág. 572)*, é um instituto de primeira linha para o ensino de música carnática e dança clássica, e o **Kerala Kala Mandalam** *(pág. 651)*, perto de Thrissur, é outro renomado centro para as artes cênicas.

Algumas agências de viagens têm roteiros sobre arquitetura e cultura tribais, arte e artesanato tradicional e culinária. Eles acomodam os itinerários ao gosto individual. A **Incent Tours** concentra-se em tecidos, arquitetura e comida, enquanto a **Travel Link** está voltada para roteiros tribais em Orissa.

Várias instituições por todo o país promovem as artes e o artesanato tradicional. No **Crafts Museum** *(págs. 80-1)*, em Délhi, e no **Dastkar Craft Centre**, perto de Ranthambhore, no Rajastão, podem-se ver artesãos em seu trabalho e aprender mais sobre seu estilo de vida.

Músicos Gujarati no Crafts Museum, em Nova Délhi

AGENDA

ESPORTES

All India Tennis Association
Tennis Stadium, Africa Avenue, Délhi.
Tel *(011) 2617 6280.*

Indian Golf Union
Room 1138–B, Jawaharlal Nehru Stadium, Gate 27, Lodi Rd, Délhi.
Tel *(011) 2436 7161.*

PÓLO E EQUITAÇÃO

Army Polo & Riding Club
C/o B Squadron, 61 Cavalry, Cariappa Marg, Délhi.
Tel *(011) 2569 9444.*
www.indianpolo.com

Royal Equestrian Polo Centre
Dundlod House, Civil lines, Jaipur.
Tel *(0141) 221 1276.*

HELICÓPTERO

Deccan Aviation
E–17 Anand Niketan, Délhi.
Tel *(011) 2410 3521.*
Fax *(011) 2410 3522.*
www.deccanair.com

Pawan Hans Helicopters Ltd.
Safdarjung Airport, Délhi.
Tel *(011) 2461 5711.*
Fax *(011) 2461 1801.*
www.pawanhans.com

SAFÁRIS DE JIPE, CAMELO E CAVALO

Desert Resort & Camp, Manvar
646 Hanuwant Nagar, 'A', BJS, Jodhpur.
Tel *(0291) 254 6188.*
Fax *(0291) 254 6188.*
www.manwar.com

Ghanerao Safari Tours
B–II/302 Kamal Apts, Bani Park, Jaipur.
Tel *(0141) 220 1209.*
Fax *(0141) 220 1209.*
www.horsesafari.com

Himalayan Adventurers
The Mall, Manali.
Tel *(01902) 252 365.*
Fax *(01902) 252 182.*
www.himalayanadventurersindia.com

TREKKING

Ibex Expeditions
G-66 East of Kailash, Délhi.
Tel *(011) 2691 2641.*
www.ibexexpeditions.com

CAMPING E ESPORTES RADICAIS

Banjara Camps
1 A Haus Khas Village, Délhi.
Tel *(011) 2686 1397.*
Fax *(011) 2685 5152.*

GMVN
74/1 Rajpur Rd, Dehradun.
Tel *(0135) 274 6817.*
Fax *(0135) 274 6847.*

GMVN Tourist Rest House, Auli
Tel *(01389) 223 208.*

Indian Mountaineering Foundation
6 Benito Juarez Marg, Délhi.
Tel *(011) 2467 7935.*
www.indmount.org

Institute of Mountaineering & Allied Sports
Manali.
Tel *(01902) 252 342.*

Jungle Lodges & Resorts
Shrungar Shopping Centre, MG Rd, Bangalore.
Tel *(080) 2559 7021.*
Fax *(080) 2558 6163.*
www.junglelodges.com

CAIAQUES E RAFTING DE RIO

Aquaterra Adventures
S–507 Greater Kailash II, Nova Délhi.
Tel *(011) 2921 2760.*
Fax *(011) 2921 2641.*
www.treknraft.com

Himalayan River Runners
N–8 Green Park, Délhi.
Tel *(011) 2685 2602.*
Fax *(011) 2686 5604.*
www.hrrindia.com

ESPORTES AQUÁTICOS

National Institute of Watersports
Sundial Apts, AS Rd, Altinho, Panaji, Goa.
Tel *(0832) 243 6550.*
Fax *(0832) 243 6400.*

Royal Bombay Yacht Club
Apollo Bunder, Mumbai.
Tel *(022) 2285 4259.*

ECOTURISMO

Bombay Natural History Society
Hornbill House, Shaheed Bhagat Singh Marg, Mumbai.
Tel *(022) 2282 1811.*
www.bnhs.org

Madras Naturalists' Society
8 Janaki Avenue, Abhiramapuram, Chennai.
Tel (044) 2499 5833.
www.blackbuck.org

World Wide Fund for Nature, India
172–B Lodi Estate, Délhi.
Tel *(011) 5150 4791.*
Fax *(011) 5150 4817.*
www.wwfindia.org

IOGA E CURAS

Arya Vaidyasala
Kottakkal.
Tel *(0423) 274 2216.*
Fax *(0423) 274 2210.*
www.aryavaidyasala.com

Chinmaya Mission
Central Chinmaya Mission Trust, Mumbai.
Tel *(022) 2857 2367.*
Fax *(022) 2857 3065.*
www.chinmayamission.com

Tushita Meditation Centre
McLeodganj.
Tel *(01892) 221 866.*

Institute of Naturopathy & Yogic Sciences
Jindal Nagar, Bangalore.
Tel *(080) 2371 7777.*
Fax *(080) 2371 7785.*
www.naturecure-inys.org

Kairali Ayurvedic Health Resort
Olassery, Post Kodumbu, Palakkad District.
Tel *(0492) 232 2553.*
Fax *(0492) 232 2732.*
www.kairali.com

Osho International Commune
17 Koregaon Park, Pune.
Tel *(020) 401 9999.*
www.osho.com

Ramamani Iyengar Memorial Yoga Institute
1107 B/1 Hare Krishna Mandir Rd, Model Colony, Shivaji Nagar, Pune.
Tel *(020) 565 6134.*
www.bksiyengar.com

ATIVIDADES CULTURAIS

Dastkar Craft Centre
Kutalpura Village.
Tel *(07462) 252 049.*

Incent Tours
C-4/41 Safdarjung Developmental Area, Délhi.
Tel *(011) 5165 7576.*
Fax *(011) 5165 7205.*
www.incent–tours.com

Norbulingka Institute
Dharamsala.
Tel *(01892) 246 402.*
Fax *(01892) 246 404.*

Nrityagram
The Dance Village, Hessaraghatta, Bangalore.
Tel *(080) 2846 6313.*
Fax *(080) 2846 6312.*

Travel Link
Metro House, Vani Vihar Square, Bhubaneswar.
Tel *(0674) 254 6591.*
Fax *(0674) 254 6595.*
www.travellink-india.com

MANUAL DE SOBREVIVÊNCIA

INFORMAÇÕES ÚTEIS

A Índia recebe mais de 4,4 milhões de visitantes por ano. A alta estação é de outubro a março, e é bom fazer reserva com antecedência. Fala-se inglês na maior parte do país, o que facilita a comunicação. A infra-estrutura de turismo (transporte, alojamento e restaurantes) tem padrão internacional nas grandes cidades; as áreas mais remotas oferecem acomodações básicas e algumas ainda não estão equipadas para atender o turista internacional, que precisa de bom serviço bancário ou pode preferir usar cartão de crédito. O Departamento de Turismo tem escritórios por todo o país *(pág. 781)* e também no exterior, que fornecem todas as informações. Há muitas agências de viagem na Índia, mas é bom procurar uma de renome para obter alojamento, ingressos e passeios guiados.

Logo do Ministry of Tourism & Culture

QUANDO VIAJAR

As viagens na Índia são determinadas em grande medida pelas condições do tempo. A melhor época é de outubro a março, quando o tempo é agradável em todo o país. Evite o verão (abr-jun), quente demais no Norte, e muito úmido no Sul. Evite também a estação chuvosa (jul-set), pois as chuvas pesadas podem dificultar as viagens, especialmente nos estados do Sudoeste, como Goa, Maharashtra e Kerala. A região do Himalaia é muito fria de novembro a janeiro. A melhor época para visitar a área ao pé das montanhas, que oferecem alívio para o calor das planícies, é entre março e junho, e de novo em setembro (após as chuvas). Veja mais a respeito de clima nas págs. 38-9.

O QUE LEVAR

As roupas que você irá levar dependerão da época do ano em que for visitar o país. No Norte da Índia, de novembro a fevereiro, você vai precisar de uma jaqueta quente, uma malha e meias, especialmente depois do pôr-do-sol, mas no Sul o clima é ameno nesta época. Em fevereiro e março, e de novo em outubro, traga roupas de lã leve. No verão e na estação das monções (abr-set) use só roupas bem folgadas de algodão. Traga sapatos fáceis de pôr e tirar, pois os templos exigem que você entre sem eles. Um estojo de primeiros socorros é obrigatório *(pág. 766)*. Uma capa ou guarda-chuva, um chapéu para se proteger do sol forte e uma lanterna também serão úteis.

RESERVAS

Procure confirmar as reservas antecipadas de alojamento e viagem, em especial na alta estação (out-mar). Passagens aéreas são fáceis de encontrar, mas as de trem –sempre lotados– devem ser feitas com antecedência de até dois meses. Insista na confirmação por escrito.

Um café de Goa, movimentado no inverno, quando o clima é ameno

VISTOS

Os brasileiros precisam de visto para entrar na Índia. Para obtê-lo é preciso procurar um dos consulados indianos no Brasil, em São Paulo, Belo Horizonte ou Brasília. No site do consulado é possível baixar o formulário de visto e obter mais informações. Os consulados emitem um visto turístico padrão de seis meses para várias entradas, para visitar países vizinhos como Nepal e Sri Lanka.

Estrangeiros que chegam à Índia com esse visto não precisam se registrar junto a uma autoridade local e podem viajar livremente por todas as áreas, exceto as "Restricted Areas", que exigem autorização especial.

Prorrogações do visto são fornecidas por quinze dias ou, excepcionalmente, para um período mais longo. O processo de requisição é complicado. Em Délhi, retire um formulário no **Ministry of Home Affairs**; leve-o ao **Foreigners Regional Registration Office (FRRO)**; ele finalmente será expedido pelo Ministry of Home Affairs. Em Mumbai, Chennai ou Kolkata, contate o FRRO local.

É bem difícil obter uma prorrogação do visto, e muitas vezes ela simplesmente não é concedida.

AUTORIZAÇÕES

Além de visto, você pode precisar de autorizações especiais para visitar as

◁ **O Blue Mountain Train em sua viagem para Ooty *(pág. 605)***

"Restricted Areas". Obter uma autorização é complicado. É melhor pedir que alguma agência de viagens confiável, em seu país ou na Índia, providencie para você, o que pode levar até quatro semanas, por isso planeje com antecedência. As autorizações também são expedidas por embaixadas da Índia e consulados no exterior; pela FRRO em Délhi, Kolkata, Mumbai e Chennai; e pelos escritórios do Resident Commissioner em Délhi. Você terá de mostrar estas autorizações ao viajar por áreas restritas e também precisará delas para trilhas nas regiões do Himalaia na fronteira com Paquistão, Tibete e China, e para trilhas em Uttaranchal *(págs. 188-9)*, Himachal Pradesh *(pág. 115)*, Ladakh *(págs. 142, 143 e 153)* e Bengala Ocidental e Siquim *(pág. 303)*. Todos os que visitam Sikkim têm de ter autorizações de viagem para 15 dias, pela sua proximidade com a fronteira da China.

Nos sete estados do Norte, não se exigem autorizações para Assam, Meghalaya e Tripura, mas são exigidas para Arunachal Pradesh, Mizoram, Manipur e Nagaland. Elas podem ser obtidas em qualquer um dos escritórios estatais de turismo. Em algumas áreas, elas são expedidas apenas para grupos de quatro ou mais pessoas –nesse caso, é melhor deixá-las a cargo de agências de viagem.

Estrangeiros precisam ter uma autorização válida por 30 dias para as ilhas Andaman, ficando excluídas as áreas tribais e algumas ilhas, como a Nicobar. As autorizações podem ser obtidas ao chegar ao balcão de imigração do aeroporto de Port Blair ou nos aeroportos de Kolkata e Chennai. Se viajar de barco, providencie a autorização em Port Blair ou nos escritórios do FRRO nas quatro cidades principais. Sobre autorizações para as ilhas Lakshadweep, ver pág. 647.

REPRESENTAÇÕES DIPLOMÁTICAS

O Brasil, assim como outros países, tem embaixada em Délhi. A embaixada pode dar assistência em emergências como roubo, detenção e hospitalização.

ALFÂNDEGA

Ao entrar na Índia, os visitantes têm uma isenção de imposto para 950ml de álcool e 200 cigarros. Para jóias, câmeras de vídeo, aparelhos de som e laptops, deve-se preencher um formulário, que compromete a devolver os artigos ao sair ou então a pagar uma taxa bem alta. No aeroporto é preciso ainda preencher uma declaração de entrada de dinheiro para mais de US$2.500 em dinheiro vivo ou traveller's cheques. A taxa por excesso de bagagem é de 60%. Antiguidades com mais de cem anos não podem ser exportadas, nem peles de animais, xales *shahtoosh* ou marfim. Consulte a **Archaeological Survey of India (ASI) e o Ministry of Environment and Forests** a respeito das normas.

Visto

VACINAÇÃO

Visitantes que vêm de países da África, América do Sul e Papua Nova Guiné têm de apresentar certificado de vacinação contra febre amarela. Mas os visitantes podem ter de se vacinar contra tétano, tifo e hepatite A e B. É bom tomar comprimidos antimalária ao viajar para a Índia, depois de consultar um médico *(pág. 767)*.

SEGURO

Antes de partir, providencie um seguro médico e contra roubo. Também é indispensável ter um seguro viagem se você pretende se dedicar a atividades de esporte ou de aventura durante a sua viagem.

AGENDA

FRRO

www.nic.in

Délhi
East Block 8, Level 2, Sector 1, RK Puram.
Tel *(011) 2671 1348.*

Mumbai
Annexe Building, Sayed Badruddin Rd.
Tel *(022) 2262 1169.*

Chennai
Shastri Bhavan Annexe, 26 Haddow Rd.
Tel *(044) 2354 4970.*

Kolkata
237 AJC Bose Rd.
Tel *(033) 2247 0549.*

MINISTRY OF HOME AFFAIRS

Délhi
Loknayak Bhawan, Khan Market.
Tel *(011) 2469 2731.*

REPRESENTAÇÕES DIPLOMÁTICAS

Embaixada do Brasil em Délhi
8 Aurangzeb Road, New Delhi
Tel *(009111) 2301 7301.*
@ brasindi@vsnl.com

Embaixada da Índia em Brasília
SHIS QL 08, conj. 08, casa 1, Lago Sul, Brasília, DF
Tel *(061) 3248 4006.*
www.indianembassy.org.br

Consulado da Índia em São Paulo
Av. Paulista, 925, 7° andar.
Tel *(011) 3171 0340.*
www.indianconsulate.org.br

Consulado da Índia em Belo Horizonte
Rua Paraíba, 523, Funcionários.
Tel *(011) 3264 5444.*

ASI

Janpath, Delhi.
Tel *(011) 2301 3574.*

MINISTRY OF ENVIRONMENT & FORESTS

Paryavaran Bhavan, CGO Complex, Lodhi Rd, New Delhi.
Tel *(011) 2436 0861.*

INFORMAÇÃO TURÍSTICA

Há escritórios de informação turística geridos pelo **Government of India Department of Tourism** *(pág. 781)* em todo o país e no exterior. Cada estado tem seu próprio departamento de turismo, que fornece orientação detalhada sobre atrações, viagens e estadias, além de livretos e mapas. Há também vários sites na internet com informações atualizadas e balcões de informações nos aeroportos, estações de trens e de ônibus.

Folhetos turísticos

INGRESSOS

A maioria dos museus, monumentos históricos e parques naturais cobra ingresso. Em geral é uma quantia pequena, mas a entrada em locais que são Patrimônio da Humanidade da Unesco é mais cara –estrangeiros pagam 970 rupias para entrar no Taj Mahal. Alguns locais aceitam dólares americanos, mas cobram uma taxa extra.

Costumam-se cobrar taxas adicionais para uso de câmeras, filmadoras e para shows como o Son et Lumières. Grande parte dos locais de culto não cobram ingresso, mas em geral há uma caixa de donativos. Se você pertencer a outro culto religioso, é bom perguntar se pode entrar *(pág. 762)*.

FERIADOS E HORÁRIOS DE FUNCIONAMENTO

Todo ano o governo emite uma nova lista de feriados *(pág. 35)* que inclui todas as principais festas religiosas, cujos dias podem variar de um ano para outro. Alguns são "feriados parciais", o que significa que, embora a repartição fique aberta, o pessoal que atende pode estar ausente. Bancos, escritórios e a maioria dos mercados fecham nos três feriados nacionais: O Dia da República (26 de janeiro), o Dia da Independência (15 de agosto) e o Dia do Nascimento de Mahatma Gandhi (2 de outubro). Monumentos e museus abrem das 10h às 18h com uma hora de intervalo para almoço, e em geral fecham às segundas e nos feriados nacionais. Mercados e lojas ficam abertos até pelo menos 19h. Os templos fecham entre 13h e 16h quando a divindade "descansa". As repartições do governo abrem de segunda a sexta, das 9h30 às 18h, com meia hora para almoço.

GUIAS

Todos os escritórios de turismo, agências de viagem e hotéis podem arrumar um guia certificado, pago por hora. Em alguns monumentos, guias amadores podem ser um incômodo. É melhor procurar guias que falem inglês, que usam um crachá de metal indicando aprovação pelo departamento de turismo do governo. Em destinos mais procurados também há guias que falam francês, italiano, espanhol, alemão, russo e japonês.

Visitantes em passeio guiado por lago no Ranganthittoo Bird Sanctuary

MOCHILEIROS

Para estudantes e para os mais jovens, a maioria das grandes cidades tem filiais da **Youth Hostels Association of India**, ou **YHAI** *(pág. 689)*. Não é necessário ser membro da International Association para se hospedar, mas seus membros têm prioridade e pagam menos.

As **YMCA** nas grandes cidades também têm alojamento barato para mochileiros. Além dessas, há ainda muitas opções baratas pelo país, mesmo nas cidades menores. É recomendável comprar um cadeado resistente, pois alguns hotéis baratos têm fechaduras frágeis. Muitos não têm ar-condicionado nem mosquiteiras –estas últimas são essenciais, e você pode adquiri-las no local. Não deixe dinheiro nem documentos no hotel; fique com eles o tempo todo. Cuidado com quem oferece alojamento barato e ofertas imperdíveis.

INSTALAÇÕES PARA DEFICIENTES

Instalações para deficientes ainda são muito básicas e os edifícios públicos e locais de interesse raramente têm rampas de acesso. Mas os aeroportos e as principais estações de trem têm cadeiras de rodas e rampas, e sempre há pessoal para carregar a bagagem. As calçadas são irregulares e pouco propícias para cadeiras de rodas. São poucos os hotéis equipados para as necessidades de deficientes. O pessoal, no entanto, sempre se mostra superatencioso.

INSTALAÇÕES PARA CRIANÇAS

Embora alguns hotéis de luxo tenham instalações para crianças pequenas, estes serviços são raros. Mas os indianos costumam ser muito tolerantes com crianças, que são acolhidas com carinho na maioria dos lugares. Se estiver viajando com crianças muito pequenas, é bom trazer sua própria comida e leite em pó. Fraldas descartáveis são hoje encontradas nas grandes cidades.

LÍNGUA

Embora o hindi seja a língua oficial da Índia, há ainda muitas línguas regionais. Fala-se bengali em Kolkata e em Bengala Ocidental, marati em Mumbai e Maharashtra, tâmil em Tamil Nadu, telugu em Andhra Pradesh e malaiala em Kerala. O inglês é muito difundido na maioria das cidades. Quase todo o pessoal que lida com turistas, como motoristas de táxi, guias, pessoal de hotel, balconistas de lojas e guardas, fala inglês. Placas e números em estradas também estão em inglês e na língua regional de cada estado. Nas págs. 820-4 há algumas frases básicas em hindi, bengali, marathi, tâmil e malaiala.

ELETRICIDADE

A corrente elétrica na Índia é de 220-240 volts, 50Hz. O fornecimento de energia é irregular nos meses de verão; a voltagem oscila e há longos cortes no fornecimento. As tomadas são de três pinos redondos, mas há adaptadores e transformadores à venda nas grandes lojas. Se usar laptop, leve um cabo de proteção contra picos de corrente.

HORA LEGAL E CALENDÁRIO NA ÍNDIA

Apesar de sua dimensão, a Índia tem apenas uma hora padrão, que está 5,5 horas à frente do Greenwich Mean Time (GMT), 4,5 horas atrás da Australian Eastern Standard Time, 10,5 horas à frente da US Eastern Standard Time e 8,5 horas à frente do horário de Brasília.

Utiliza-se o calendário ocidental gregoriano para todos os trabalhos oficiais, pois isso evita confusão com os calendários tradicionais, que variam conforme a região e a religião. Por exemplo, em 2003 o calendário oficial indiano (era Saka) indicava o ano de 1925 e equivalia no antigo calendário hindu (era Vikram) ao ano de 2060.

MEDIDAS E TABELA DE CONVERSÃO

O sistema métrico é o usado em todo o país.

Imperial para métrico
1 polegada = 2,5cm
1 pé = 30cm
1 milha = 1,6km
1 onça = 28g
1 libra = 454g
1 pint = 0,6l
1 galão = 4,5l

Métrico para imperial
1cm = 0,4 polegada
1m = 3 pés e 3 polegadas
1km = 0,6 milha
1g = 0,04 onça
1k = 2,2 libras
1l = 1,8 pint

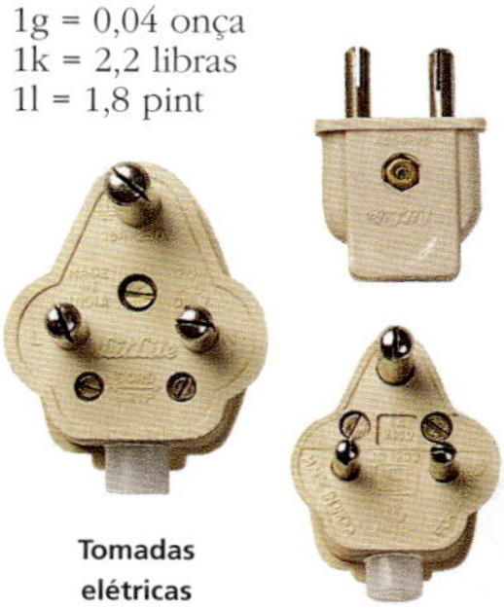

Tomadas elétricas

FOTOGRAFIA

Instalações sofisticadas para processamento de filmes são disponíveis mesmo nas cidades menores. Lembre-se de checar o prazo de validade ao adquirir baterias e filmes. As lojas de fotografia maiores também têm excelentes instalações para revelação e impressão e fazem o serviço com rapidez.

Tirar fotos de mulheres, de comunidades tribais e de locais de culto pode ferir suscetibilidades, por isso é bom perguntar antes. É proibido tirar fotos de áreas de segurança, como estações de trem, represas, aeroportos e instalações militares. Há placas indicando onde não é permitido tirar fotos.

AGENDA

ESCRITÓRIOS DE TURISMO DO GOVERNO NA ÍNDIA

Délhi
N–36, Connaught Place.
Tel (011) 2331 5322.
www.delhitourism.com

Goa
Dr Alvarez Costa Rd, Panaji.
Tel (0832) 222 6728.
www.goa-tourism.com

Himachal Pradesh
Próximo ao Victory Tunnel, Shimla.
Tel (0177) 265 4589.
www.hptdc.nic.in

Karnátaka
49, Khanija Bhavan,
Race Course Rd, Bangalore.
Tel (080) 2235 2901.
www.kstdc.nic.in

Kerala
Parkview Building,
Thiruvanthanapuram.
Tel (0471) 232 1132.
www.keralatourism.org

Madhya Pradesh
Paryatan Bhavan, Bhadbhada Rd, Bhopal.
Tel (0755) 277 8383.
www.mptourism.com

Maharashtra
CDO Hutments, Madame Cama Rd, Nariman Point, Mumbai.
Tel (022) 2202 6713.
www.mtdcindia.com

Rajasthan
Paryatan Bhawan, MI Rd, Jaipur.
Tel (0141) 511 0595.
www.rajasthantourism.gov.in

Tamil Nadu
TN Tourism Complex,
Omandurar Govt Estate,
Wallajah Rd, Chennai.
Tel (044) 2536 8358.
www.tamilnadutourism.org

Uttar Pradesh
C-13, Vipin Khand, Lucknow.
Tel (0522) 230 8017.
www.up-tourism.com

West Bengal
4,Shakespeare Sarai, Kolkata.
Tel (033) 2282 5813.
www.wbtourism.com

Etiqueta

A sociedade indiana ainda é tradicional, regida por fortes valores familiares. Nas cidades grandes você encontrará jovens vestidos de modo ocidental, com aparência moderna e cosmopolita, mas eles continuam tradicionais em muitos aspectos. E, embora cada casta, grupo social e religioso tenha seus costumes, eles compartilham certos valores. O respeito aos mais velhos é muito arraigado, por isso é importante tratá-los com cortesia especial. Os indianos são muito hospitaleiros e solícitos com visitantes –às vezes em um grau quase embaraçoso. É uma boa idéia retribuir isso levando flores para seus anfitriões ou um pequeno presente, embora este não seja um costume indiano. Se deparar com demoras, serviços ineficientes ou ficar emperrado em burocracia, é melhor ser firme, mas educado, e não perder as estribeiras.

Comendo em folhas de bananeira em uma festa cerimonial no templo

CUMPRIMENTOS

O cumprimento tradicional na Índia é o *namaskar* ou *namaste* ("namastê"), ao chegar e ao se despedir. As palmas das mãos são unidas, levadas até o rosto, e inclina-se a cabeça de leve para a frente. Cumprimentos e gestos variam um pouco de acordo com a religião ou região. Os muçulmanos levam a mão direita à testa dizendo *adaab* ou *salaam aleikum* (a resposta é *walekum salaam*). O aperto de mão ocidental também é muito usado, embora mulheres mais conservadoras ainda prefiram saudar visitantes com um *namaskar*.

O sufixo "*ji*" depois do nome de alguém indica respeito. O uso do primeiro nome é visto como familiar demais, por isso é melhor se dirigir a pessoas que acabamos de conhecer dizendo "senhor", "senhora" ou então "*ji*".

Pessoas mais velhas são tratadas com grande respeito, e os parentes mais jovens costumam cumprimentá-los tocando seus pés. Seu anfitrião não vai esperar que você faça isso, mas um cumprimento cortês é sempre importante.

Indianos não pensam duas vezes antes de fazer perguntas aparentemente muito pessoais, mesmo quando acabam de conhecer alguém, por isso não se ofenda se um quase estranho lhe perguntar quanto você ganha ou se você é casado. Tais perguntas são vistas como nada mais do que um interesse amistoso por um novo conhecido.

Namaskar, a saudação traditional

LINGUAGEM CORPORAL

Os pés são vistos como a parte mais baixa do corpo, e os sapatos tratados como algo sujo. As pessoas em geral tiram os sapatos antes de entrar em alguma casa. Colocar o pé em cima da mobília é visto como pouco apropriado, assim como tocar alguém sem querer com o pé. Se estiver sentado no chão, o que é usual, mantenha os pés embaixo do corpo em vez de esticados, e evite pisar nos outros.

A cabeça é considerada o centro espiritual da pessoa. Uma pessoa mais velha pode abençoar outra mais jovem tocando-a na cabeça.

Por viverem em locais apertados com a família e os vizinhos, os indianos têm um senso diferente de "espaço pessoal". Se você se sentir apertado, particularmente enquanto viaja, procure ser tolerante, pois o espaço costuma ser muito disputado.

Leve também em conta que a demonstração pública de afeto entre casais não é bem vista na sociedade indiana.

ROUPAS ADEQUADAS

Os indianos tendem a ser conservadores no modo de vestir e manter o corpo bem coberto. Em cidades pequenas, a maioria das mulheres veste sáris ou *salwar-kameez (pág. 30)*. Nas grandes cidades, jeans, saias e camisetas são comuns entre as jovens. Mas os homens tendem a arregalar os olhos diante de trajes sumários, por isso evite saias muito curtas, tops ou qualquer coisa que chame muita atenção.

É melhor se vestir de modo formal ao visitar uma casa na Índia. Na verdade, usar um traje indiano para a ocasião provavelmente vai deixar seu anfitrião encantado. É muito fácil encontrar roupas indianas prontas e baratas para homens e mulheres.

É aceitável para homens ir à praia sem camisa. Tomar banho de sol nu é proibido, e para as mulheres é aconselhável usar maiô inteiro ou sarongue por cima do biquíni. Se sair à noite, lembre-se de que as casas noturnas têm restrições para trajes e talvez você não entre se estiver de short ou tênis.

LOCAIS DE CULTO

Ao ir a um templo hindu, mosteiro budista, mesquita islâmica ou gurdwara sikh, certifique-se de comportar-se e vestir-se de acordo e peça sempre licença para tirar fotos. As mulheres devem usar roupas que cubram braços e ombros, de meia manga pelo menos, e cobrir a cabeça com um xale. Aceita-se que as mulheres andem de calça comprida. Os homens devem evitar short e podem ser solicitados a cobrir a cabeça com um gorro ou lenço (melhor do que um chapéu).

Os templos jainistas têm regras rígidas e proíbem o uso de peças de couro, até carteiras ou pulseiras de relógio. Em alguns templos do Sul da Índia, espera-se que os homens tirem a camisa e vistam um *dhoti* em vez da calça, que é fornecido na entrada do templo. Na maior parte dos locais de culto, devem-se tirar os sapatos e sentar com os pés não apontados para o santuário principal. Em um templo ou mosteiro, ande no sentido horário. Talvez lhe ofereçam *prasad* (alimento sagrado) na maioria dos templos e gurdwaras, que deve ser pego somente com a mão direita. A separação entre homens e mulheres é comum.

Em templos hindus, é usual devotos e visitantes levarem flores e incenso. Não sente nem encoste em muros de templos e santuários. Mesmo os que estão em ruínas e os simples túmulos à beira da estrada são considerados sagrados. Alguns templos hindus (em Kerala e uns poucos em Orissa) são vedados a não-hindus (não se ofenda se for barrado na entrada). Evite entrar em mesquitas nas orações das sextas-feiras, e os homens devem ficar longe dos recintos das mulheres.

Placa pedindo para tirar os sapatos

PECHINCHAS

Pechinchar é parte do estilo de vida indiano. A disputa pode ser acalorada, mas evite ser agressivo. Diga com firmeza quanto quer pagar e saia se o lojista não concordar. Se comprar no atacado, você pode pedir desconto especial. Os preços são fixos nas grandes lojas e nos armazéns do governo *(pág. 744)*.

COMER NO ESTILO INDIANO

Comer com os dedos talvez seja esquisito no início, mas é o melhor modo de apreciar a comida tradicional indiana. Na dúvida sobre como degustar um prato, não hesite em perguntar. É visto como falta de modos usar a mão esquerda para comer. É comum sentar no chão nas refeições, e no sul a folha de bananeira é muito usada no lugar do prato.

GORJETAS

Não há normas para gorjetas, ou *baksheesh*, como dizem os indianos. Porteiros em geral ficam contentes com 5 ou 10 rupias. Em restaurantes, verifique a conta antes de decidir a gorjeta, pois os maiores costumam incluir o serviço. Se não, 10% do total costuma ser adequado. Você pode ou não dar gorjetas em táxis ou riquixás. Mas, se alugar carro com motorista, a expectativa é que você lhe dê uma *baksheesh*. O mesmo vale para cabeleireiros, massagistas ou qualquer outro serviço pessoal.

FUMO E BEBIDA

Embora fumar em locais públicos seja oficialmente proibido em alguns estados (como Délhi e Kerala), essa regra em geral é amplamente desrespeitada. É proibido fumar em vôos domésticos e em alguns hotéis, restaurantes e escritórios. Fumar ou beber no recinto de um templo, gurdwara ou mesquita é um grande desrespeito, e em Amritsar não se permite fumar nos limites da cidade.

Bebida alcoólica é livre em toda a Índia, embora o estado de Gujarat seja "seco", assim como alguns locais religiosos e cidades-templos, como Haridwar, Rishikesh e Pushkar. Além disso, há certos dias chamados de "dias secos" em todo o país, como o do Aniversário do Mahatma Gandhi (2 de outubro) e o Dia da Independência (15 de agosto). Somente alguns restaurantes estão autorizados a servir bebidas, e não se pode beber em parques, ônibus e trens.

PEDINTES

Como estrangeiro na Índia, você terá um incômodo bem grande com pedintes nos semáforos, mercados e locais de culto ao ar livre. Pedintes podem ser muito insistentes. Embora seja muito difícil negar, os visitantes que derem dinheiro a um irão se ver logo rodeados por uma dezena. Tenha cuidado para que não lhe roubem a carteira nessa confusão. A melhor estratégia é ignorá-los e sair andando até que eles deixem você em paz. Se preciso, dê queixa a um policial. Se quiser auxiliar, o pessoal do hotel poderá indicar-lhe instituições de caridade às quais você possa fazer donativos.

Peregrinos hindus do lado de fora de um templo em Orissa

Segurança Pessoal e Saúde

Escudo de policial

Cada estado da Índia tem sua própria força policial, comandada por postos policiais locais (*thanas*). Se precisar dar queixa de algum crime, como um roubo, procure fazê-lo nas 24 horas seguintes ao incidente. Embora os policiais indianos sejam em geral prestativos, o sistema em si é muito burocrático e propenso à corrupção, por isso é melhor pedir antes ajuda e aconselhamento à sua embaixada ou consulado. Para uma visita sem problemas, é bom tomar algumas precauções. Fique de olho o tempo todo em seus valores e documentos, aloje-se e alimente-se em locais que pareçam limpos e tome apenas água mineral. Se precisar de cuidados médicos, é melhor optar por uma clínica particular e evitar os hospitais administrados pelo governo.

PRECAUÇÕES GERAIS

Viajar pela Índia é relativamente seguro para turistas. Tome medidas simples de segurança, como carregar dinheiro vivo, cheques e passaporte em uma bolsa presa por cinto por baixo da camisa. Proteja sua câmera e evite usar jóias ou carregar muito dinheiro em áreas movimentadas. Valores podem ser deixados no cofre do hotel, mas exija recibo. Nas compras, exija que os funcionários emitam boleto e processem o cartão de crédito na sua frente. Houve incidentes com turistas que foram drogados e roubados, especialmente em trens, por isso não aceite comida ou bebida de estranhos. Em viagens de trem, prenda sua bagagem no assento com um cadeado. É uma boa idéia informar seu hotel sobre aonde você está indo. Não ande por áreas desertas sozinho, em especial à noite, e evite dar caronas.

ÁREAS PERIGOSAS

As áreas de fronteira são zonas de alta segurança, por isso nas trilhas ou viagens pelos Himalaias esteja com o seu Inner Line Permit *(pág. 758)*. O estado de Jammu e a Caxemira têm vivido conflitos armados nos últimos anos e não são seguros para visitantes *(pág. 154)*. Bihar também tem problemas com a manutenção da ordem pública, e viveu incidentes com ônibus e carros roubados. Antes de viajar para essas áreas, é bom contatar o departamento de turismo estatal em Patna *(pág. 215)* para obter informação atualizada sobre a situação local. Em áreas restritas viaje sempre em grupos. Os distúrbios geralmente se limitam às partes mais antigas e populosas das cidades. É melhor evitar essas áreas se a situação política estiver instável e também durante as festas religiosas, que atraem grandes multidões.

Jipe da polícia

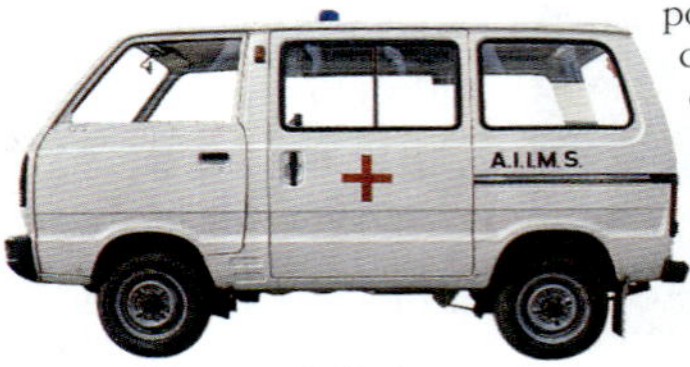

Ambulância

Policial em uniforme de verão coordena o trânsito em Kolkata

SEGURANÇA

Desde o ataque ao World Trade Center de Nova York em 2001, a segurança foi aumentada em toda a Índia, especialmente em aeroportos e estações de trem. Revistas são usuais na entrada de cinemas e auditórios. Nunca pegue bagagem não identificada e informe a polícia se vir algo suspeito.

DROGAS

Desde a década de 1960, a Índia integra o "circuito hippie", e a maconha sempre circulou com facilidade. Com a chegada do ecstasy e outras drogas pesadas na década de 1990, particularmente em locais como Goa, a lei ficou bem mais rigorosa. Posse, tráfico e uso de drogas (incluindo maconha) é hoje proibido por lei e passível de penas de prisão de no mínimo dez anos, sem atenuantes nem recursos. Nunca carregue nada para estranhos nem faça o check-in da bagagem de outra pessoa nos aeroportos. A Narcotic Drugs and Psychotropic Substances Court foi criada para lidar com crimes relacionados a drogas.

MULHERES EM VIAGEM

MULHERES, TANTO indianas como estrangeiras, têm de enfrentar atenções indesejadas por parte dos homens, mesmo que hoje o assédio sexual seja passível de punição. Ao viajarem sozinhas, as mulheres podem ter problemas que vão desde ser encaradas a um assédio mais ativo, com comentários sugestivos e contato corporal em ônibus em locais cheios de gente.

Siga as dicas dadas pelas mulheres indianas que continuam com seu estilo de vida independente apesar desses incômodos. Vista-se com discrição, evitando roupas que possam ser vistas como provocativas. Ignore homens reunidos nas esquinas e, se achar sua manifestação ofensiva, converse com algum policial. Evite andar sozinha em locais ermos e nas partes da cidade em que a barra é mais pesada. Ao usar carro ou táxi, peça ao hotel para chamá-lo e anote o número da placa. Nunca dê carona.

Ao fazer fila para bilhetes de trem ou de cinema, use a "fila das mulheres", que costuma ser mais curta. Em muitos ônibus e em alguns trens há compartimentos ou assentos "só para mulheres", que tornam a viagem mais segura.

ASSISTÊNCIA LEGAL

São raros os problemas legais com viajantes, mas ao ter algum problema contate a embaixada assim que possível. Leve sempre seu passaporte com você e guarde uma cópia xerox. Não deixe seus papéis de viagem com ninguém até que sua embaixada tenha sido informada. Alguns seguros cobrem os custos legais com emergências como acidentes.

BANHEIROS PÚBLICOS

Os banheiros públicos são pouco higiênicos e é melhor evitá-los. Mas existem hoje, embora em número reduzido, os chamados "Sulabh Shauchalayas", em ruas da cidade, que são um grande avanço cívico. Com desenho atraente, são fáceis de localizar, muito limpos e cobram pequena taxa. No entanto, são do tipo indiano, exigindo que a pessoa se agache, o que pode ser difícil para quem não está acostumado. Alguns hotéis permitem que não-hóspedes usem seus banheiros. Leve sempre papel higiênico com você.

HOSPITAIS E INSTALAÇOES MÉDICAS

Providencie um seguro médico abrangente antes de ir à Índia. As cidades grandes têm hospitais privados e públicos relativamente bons e ambulatórios com serviços 24 horas para lidar com casos de emergência. É sempre bom se informar com a sua embaixada sobre a lista de hospitais, clínicas, médicos e dentistas aprovados. Ela também pode fornecer orientação sobre sangue seguro para transfusões. Na dúvida, a **Indian Red Cross Society** (Cruz Vermelha) é uma das melhores opções para transfusão de sangue. Mesmo nos melhores hospitais, é obrigatório certificar-se de que o pessoal utiliza seringas descartáveis.

Farmácia local, ou "chemist shop"

FARMÁCIAS

A maioria dos grandes mercados em todas as cidades tem farmácias com bom estoque (ou "chemist shops", como são chamadas na Índia). Elas têm produtos de perfumaria, higiene, comida para bebês e fraldas descartáveis. Farmacêuticos podem também sugerir medicações simples. Para uma medicação especial, leve a receita ou mostre a embalagem com o nome genérico se a marca não for conhecida, para que o farmacêutico possa sugerir uma alternativa adequada. Antibióticos são vendidos só com receita. As farmácias em geral abrem entre 9h e 19h30. Muitos hospitais têm farmácias 24 horas.

AGENDA

TELEFONES DE EMERGÊNCIA

Tel *Police 100.*
Tel *Fire Brigade 101.*
Tel *Ambulance/Emergency 102.*

HOSPITAIS E INSTALAÇÕES MÉDICAS

Délhi
Indraprastha Apollo, Sarita Vihar, Mathura Rd.
Tel *(011) 2692 5858.*

Indian Red Cross Society
1 Red Cross Rd.
Tel *(011) 2371 6424.*
www.ifrc.org

Mumbai
Breach Candy Hospital, 60 Bhulabhai Desai Rd.
Tel *(022) 2367 1888.*

Kolkata
Woodlands Hospital and Medical Centre, 8/5 Alipur Rd.
Tel *(033) 2456 7075.*

Chennai
Apollo Hospitals, 21 Greams Lane, Off Greams Rd.
Tel *(044) 2829 0200.*

Ambulatórios dos Viajantes (São Paulo, Brasil)
Centro de imunização do Hospital das Clínicas, prédio dos ambulatórios
Tel *+ 55 (11) 3061 5633 r. 287.*
www.sucen.sp.gov.br/saude_viajante

EMBAIXADAS

Brasil
SHIS QL 8, conj. 8, casa 1
Lago Sul, Brasília DF
Tel *(061) 3248 4006*
www.indiaembassy.org.br

Consulado Geral
Av. Paulista, 925, 7º andar São Paulo
Tel *(011) 3171 0340*
www.indiaconsulate.org.br

Embaixada do Brasil em Nova Délhi
8 Aurangzeb Rd, Nova Délhi
Tel *(09111) 2301 7301*
brasindi@vsnl.com

CALOR E UMIDADE

O Norte, o Centro e o Oeste da Índia têm um calor escaldante *(págs. 38-9)* no verão (abr-jun). O Leste e o Sul não são tão quentes, mas podem ficar opressivamente úmidos durante as monções.

Tenha paciência durante alguns dias até se acostumar. Para evitar desidratação, tome muito líquido e ponha uma pitada a mais de sal na comida. Procure não ficar ao sol nas horas mais quentes do dia e se estiver ao ar livre use chapéu de aba larga e óculos de sol, além de filtro solar para proteger a pele. Exposição prolongada ao sol pode causar insolação, um problema sério, com alta temperatura corporal, dores de cabeça fortes e tonturas.

Roupas sintéticas e sapatos fechados com meias podem reter o suor e causar irritação e infecções por fungo, em especial no couro cabeludo, entre os dedos do pé (pé-de-atleta), na virilha e outras partes sensíveis do corpo. A maioria das farmácias vende produtos antifungo. A melhor prevenção é usar roupas leves e folgadas de algodão e sandálias abertas e se secar bem após o banho.

No inverno (out-fev), as cidades têm muita poluição, pois esta tende a ficar retida. Isso agrava problemas respiratórios, por isso os viajantes devem sempre trazer consigo sua medicação, embora alguns inaladores sejam prontamente disponíveis com receita em toda a Índia.

Leque de mão

KIT DE PRIMEIROS SOCORROS

Um kit básico de primeiros socorros para viajar para a Índia deve incluir todos os remédios pessoais, aspirinas ou analgésicos e antitérmicos, comprimidos contra enjôo, anti-sépticos e loção de calamina para cortes e mordidas, pomada antifungo, esparadrapo e bandagens, tesouras, repelente de inseto e pinças. Leva também anti-histamínicos para alergias, comprimidos antidiarréicos e para purificar a água, seringas descartáveis e termômetro. A maioria desses itens também pode ser adquirida em farmácias indianas, que também têm estoque de eficientes remédios à base de ervas; compre apenas marcas que tenham sido recomendadas por médico ou farmacêutico de confiança.

DISTÚRBIOS ESTOMACAIS E DIARRÉIA

A diarréia, geralmente provocada por uma mudança na dieta, na água e no clima, é comum entre visitantes. A comida apimentada da Índia costuma criar distúrbios estomacais, e nesse caso o melhor é consumir comida fervida até que a crise se aplaque e tomar muito líquido. Evite saladas cruas, frutas já picadas, frios, sucos e iogurte. Nunca tome água da torneira, apenas água mineral de marca conhecida. As marcas mais conhecidas de refrigerantes também são vendidas, e a água-de-coco também é segura. Comida de rua parece tentadora, mas é melhor evitá-la.

Um bom farmacêutico pode sugerir medicação padrão para diarréia, mas se a crise for forte procure um médico. Além disso, tome sais reidratantes, que na Índia têm os nomes comerciais de Electral ou Electrobion. Um remédio caseiro eficiente é meia colher de chá de sal e três colheres de chá de açúcar misturadas em água fervida.

DOENÇAS POR COMIDA E ÁGUA CONTAMINADAS

Os visitantes devem ter cuidado com a disenteria. A por bacilo dura uma semana e é acompanhada por fortes dores estomacais, vômito e febre, enquanto a disenteria por amebas tem sintomas similares, mas leva mais tempo para se manifestar. Se não for tratada, pode se tornar crônica.

Água mineral em garrafa

O mesmo vale para a giardíase, um tipo de diarréia provocado por água contaminada. É bom tomar vacina contra hepatite A antes de ir à Índia. Os sintomas dessa doença incluem febre, fadiga, tremores e icterícia. O único tratamento é descanso e uma dieta estritamente controlada. Outras doenças decorrentes do consumo de água, como cólera (que predomina em áreas atingidas por inundações) e tifo, também são prevenidas com vacina.

Vermes intestinais, comuns em áreas tropicais, incluem a tênia, encontrada em carnes mal cozidas e folhas verdes. Outros, como os ancilóstomos, podem ser contraídos andando descalço em chão contaminado. Certifique-se de que toda a comida foi bem cozida e use sempre sapatos em áreas remotas ou alagadas. A infestação por vermes é tratada com medicação e normalmente não reaparece.

Água de coco verde, boa para tratar distúrbios estomacais

DOENÇAS SEXUALMENTE TRANSMISSÍVEIS E OUTRAS INFECCIOSAS

A Índia tem bom programa para enfrentar doenças sexualmente transmissíveis como o HIV, que causa a Aids. Mas os testes nos bancos de sangue ainda não são confiáveis, e para transfusões de sangue é melhor contatar a **Indian Red Cross Society** *(pág. 765)*. A hepatite B é também transmitida por sangue infectado, contato sexual, agulhas não esterilizadas, tatuagens e navalhas de barbeiros. Mas pode ser prevenida com uma vacina. A camisinha é essencial para se proteger contra as doenças sexualmente transmissíveis.

As precauções gerais a seguir são: antes de qualquer inoculação, compre uma seringa descartável ou insista para que uma nova seringa e agulha sejam abertas na sua frente. Nunca faça a barba em barbeiros de beira de estrada e evite manicures e pedicures em salões de beleza de má aparência, pois podem causar infecções. Evite se submeter a procedimentos que usem agulhas, como tatuagem e piercing, em locais de higiene duvidosa.

A vacinação contra o tétano é essencial ao viajar. A tuberculose, embora comum na Índia, não oferece grande risco aos visitantes. Já a meningite, transmitida por gotículas infectadas, é uma ameaça mais real –e requer atenção médica imediata. Os sintomas são febre, pescoço duro e forte dor de cabeça.

RAIVA

Mordidas de animais, como cães e macacos, podem causar a raiva. Limpe a mordida com solução anti-séptica e procure auxílio médico na hora (o tratamento envolve várias injeções). Há uma vacina que oferece proteção parcial contra a raiva, mas ela só é indicada se você for para áreas de alto risco. E você só deve tomá-la se o seu médico o aconselhar a isso.

DOENÇAS POR INSETOS

A malária ocorre nas principais regiões da Índia durante o verão e as monções (jul-set). O parasita é levado por um mosquito, e os sintomas são tremores, febre alta e suores. Procure o médico imediatamente. Você deve tomar uma medicação preventiva antimalária antes, durante e depois da viagem. Para informação sobre essa medicação, contate um médico ou consulte o Ambulatório dos Viajantes *(pág. 765)*.

Outra doença grave trazida por mosquito é a dengue, com sintomas similares aos da malária, incluindo dores fortes nas juntas e nos músculos e erupções. Procure o médico se achar que foi infectado. A encefalite B japonesa é uma perigosa infecção viral do cérebro, e têm havido surtos dela na área rural. Também é trazida por mosquito e tem sintomas similares aos da malária, às vezes com perda da consciência. Embora exista uma vacina, ela não é sempre disponível na Índia.

Espiral e creme repelente de mosquitos

Para se proteger contra mordidas de mosquito, use repelente de insetos e cubra sua cama com uma rede ao dormir. Se ficar ao ar livre à noite, use sapatos e roupas que cubram braços e pernas e passe loção repelente de mosquitos nas partes expostas da pele. Como regra, leve sempre repelente de mosquitos aonde for.

CORTES E MORDIDAS

Mordidas de insetos são comuns, especialmente em áreas propensas a fortes chuvas, como a costa, as montanhas Nilgiri, partes de Kerala e os estados do Nordeste. Para evitar mordidas de insetos e formigas, evite dormir no chão. Carrapatos, piolhos e ácaros são portadores de tifo e da doença de Lyme. Use repelente de insetos, evite ficar em locais de pouca higiene e se for mordido aplique um creme anti-séptico. Um anti-histamínico é o melhor antídoto para picada de vespa ou abelha. As florestas geralmente são infestadas de sanguessugas que aderem à pele. Nunca tente removê-las pois sua cabeça fica embutida na pele. Você pode tentar tirá-las salpicando sal ou pondo um cigarro aceso em cima delas. Depois, limpe a mordida e passe anti-séptico.

Em caso de mordida de cobra, amarre bem apertado uma bandagem de pano, e faça um torniquete acima da mordida para estancar o sangue. Mantenha o membro imobilizado, anote a hora da mordida, e corra atrás de auxílio médico. Picadas de escorpião também são graves, e às vezes a vítima fica em estado de choque. O tratamento é similar ao da mordida de cobra. Se for atingido por uma água-viva ao nadar, vinagre ou suco de limão, loção de calamina e anti-histamínicos reduzem a dor e o inchaço. Limpe a área com loção anti-séptica.

ENJÔO DE ALTITUDE

A rarefação do oxigênio a altitudes acima de 2.500m pode causar ataques de "enjôo agudo de montanha" –Acute Mountain Sickness (AMS). Isso traz fortes dores de cabeça, tontura e perda de apetite e passa em um dia ou dois, mas se os sintomas persistirem procure um médico imediatamente. Alguns receitam Acetaolamide (Diamox) e dexamethasone, mas são remédios controvertidos e é melhor evitar tomá-los.

Para evitar a AMS, suba bem devagar. Depois dos 3.000m, aumente a altitude do camping até 300m por dia, tome muito líquido e evite álcool e sedativos.

Bancos e Moeda Local

Logo do State Bank of India

A Índia conta com ampla rede de serviços bancários e de câmbio, com atendentes que falam inglês. Há terminais bancários nas grandes cidades, em aeroportos internacionais, hotéis, agências bancárias, agências de viagem e escritórios de câmbio credenciados. O câmbio paralelo oferece taxas tentadoras, mas funciona com operadores ilegais e é melhor evitá-los. Os traveller's cheques são o modo mais seguro de carregar dinheiro, mas é sempre bom ter dinheiro vivo para telefonemas, gorjetas, transporte e compras, especialmente em cidades menores, onde cartões de crédito e traveller's cheques nem sempre são aceitos.

BANCOS E HORÁRIO BANCÁRIO

A maioria dos bancos internacionais tem hoje filiais em todas as grandes cidades do país. O banco indiano com a maior rede de agências é o **State Bank of India**, mas há outros grandes bancos de âmbito nacional, que podem, entre outros serviços, transferir dinheiro para o exterior.

O horário bancário é de 9h30/10h-14h (seg-sex), e de 9h30/10h-12 (sáb). Procure chegar cedo para evitar as longas filas. Os bancos fecham sempre nos feriados regionais e nacionais *(pág. 35)* e às vezes sem qualquer aviso diante de protestos públicos ou greves.

CÂMBIO

Na Índia, os bancos pagam as melhores taxas de câmbio, mas a maioria dos bons hotéis também troca dinheiro para seus hóspedes. A **LKP Forex Limited** é uma operadora estrangeira de câmbio, e há muitas outras que também trocam dinheiro pelas taxas oficiais para as principais moedas. As taxas de câmbio estão sujeitas a flutuações, por isso consulte os jornais diários para saber a taxa do dia. O mercado "paralelo" da Índia, que opera com milhares de agentes, oferece taxas bem melhores que as do câmbio oficial, mas é sempre melhor lidar com operadoras autorizadas.

TRAVELLER'S CHEQUES

Traveller's cheques são práticos, mais seguros do que carregar muito dinheiro, e pagam melhores taxas de câmbio do que dinheiro. Todas as grandes marcas de traveller's cheques são aceitas na Índia (o **American Express** e o **Thomas Cook** são os mais difundidos). As moedas mais usadas são o dólar e a libra. Os bancos têm a sobretaxa mais baixa e pagam melhor. Eles cobram uma pequena taxa por cheque, por isso compensa mais usar cheques nominais de valores altos. É fácil descontar traveller's cheques nas grandes cidades. As cidades pequenas, embora não todas, também têm operadoras credenciadas. Mantenha um registro da numeração dos cheques e dos comprovantes de compra para o caso de perda ou roubo. Guarde também o

AGENDA

STATE BANK OF INDIA

Délhi
11 Sansad Marg.
Tel *(011) 2336 2741.*

Mumbai
State Bank Bhavan, Madame Cama Rd.
Tel *(022) 2202 2426.*

Kolkata
Middleton Row.
Tel *(033) 2229 5811.*

Chennai
Circle Top House, 21 Rajaji Salai.
Tel *(044) 2522 0141.*

CITIBANK

Délhi
Jeevan Bharti Building, 124 Connaught Circus.
Tel *(011) 2371 4211.*

Mumbai
Bandra Karla Complex.
Tel *(022) 2653 5757.*

Kolkata
Kanak Building, Chowringhee Rd.
Tel *(033) 2288 2484.*

Chennai
2 Clubhouse Rd.
Tel *(044) 2846 1151.*

HSBC

Délhi
15 Kasturba Gandhi Marg.
Tel *(011) 2373 9696.*

Mumbai
SK Ahire Marg, Worli.
Tel *(022) 2491 0001.*

Kolkata
25-A Shakespeare Sarani.
Tel *(033) 2243 8686.*

Chennai
30 Rajaji Salai.
Tel *(044) 2526 9696.*

CASAS DE CÂMBIO

American Express
A Block, Wenger House, Connaught Place, Délhi.
Tel *(011) 2332 5221.*
Oriental Building, 364 Dr Dadabhai Naoroji Rd, Mumbai.
Tel *(022) 2204 3361.*
21 Old Court House St, Kolkata.
Tel *(033) 2210 5151.*
187 Anna Salai, Chennai.
Tel *(044) 2851 5800.*

Thomas Cook
C–33 Connaught Place, Nova Délhi.
Tel *(011) 2341 6585.*
Dr Dadabhai Naoroji Rd, Fort, Mumbai.
Tel *(022) 2204 8556.*
19B Shakespeare Sarani, First Floor, Kolkata.
Tel *(033) 2282 4711.*
Ceebros Centre, 45 Monthieth Rd, Egmore, Chennai.
Tel *(044) 2855 4600.*

LKP Forex Limited
1101 Hemkunt Tower, 98 Nehru Place, Nova Délhi.
Tel *(011) 2629 2410.*
22/B Cusrow Baug, Colaba Causeway, Mumbai.
Tel *(022) 2288 5586.*
Shop 41–A, Park Mansions, 57A Park St, Kolkata.
Tel *(033) 2216 0055.*
G15C & 20 Spencer Plaza, 769 Anna Salai, Chennai.
Tel *(044) 2849 5001.*

registro das conversões, pois talvez precise deles para reconverter rupias em outras moedas ao sair do país.

CARTÕES DE CRÉDITO

Os cartões de crédito são hoje amplamente aceitos nos grandes restaurantes, hotéis e lojas. Os mais usados são Visa, MasterCard, Diner's Club e American Express. Passagens aéreas e de trem podem ser pagas com cartão de crédito e também é possível fazer saques do banco matriz. Por exemplo, quem tem conta no Citibank pode acessá-la diretamente com o cartão desse banco. Mas muitos estabelecimentos de menor porte, mesmo nas grandes cidades, aceitam apenas dinheiro vivo. As fraudes com cartão de crédito vêm aumentando, por isso mantenha seus cartões em local seguro e insista para que os comprovantes sejam emitidos na sua presença.

TERMINAIS DE SAQUE

A maioria dos bancos estrangeiros, e muitos indianos, têm terminais 24 horas. As instruções são em inglês, e o dinheiro é liberado em rupias. Verifique com seu banco, no seu país, quais os bancos indianos que irão aceitar seu cartão, pois nem todas as máquinas são compatíveis. Alguns terminais só liberam dinheiro com cartões de crédito. Cartões com um símbolo PLUS ou CIRRUS são aceitos nos terminais do Citibank, Standard Chartered e Hong Kong e Shanghai Bank.

MOEDAS

A rupia indiana (Rs) divide-se em 100 *paisas*. As moedas mais usadas são as de 50 *paisa*, 1, 2 e 5 rupias. As cédulas têm os valores de Rs5, 10, 20, 50, 100, 500 e 1.000. Cuidado para não confundir as notas de 100 com as de 500 rupias, pois são parecidas. Atenção para não aceitar notas rasgadas ou danificadas, já que as lojas e até os bancos às vezes relutam em aceitá-las ou trocá-las. Os bancos com frequência fornecem cédulas grampeadas em grandes maços. Peça que removam os grampos, pois talvez seja difícil você conseguir fazer isso sem rasgá-las.

Indianos que vivem no exterior não podem trazer ou levar moeda indiana para dentro ou fora do país.

Cédulas
Todo o dinheiro é emitido pelo Reserve Bank of India. As notas trazem o Mahatma Gandhi ou o símbolo do leão Ashoka em um dos lados.

Nota de 10 rupias

Nota de 20 rupias

Nota de 50 rupias

Nota de 100 rupias

Nota de 500 rupias

Nota de 1000 rupias

Moedas
É bom andar com dinheiro trocado. Algumas variações antigas destas moedas de prata ainda circulam.

50 paisas

1 rupia

Rs2

Rs5

Comunicações

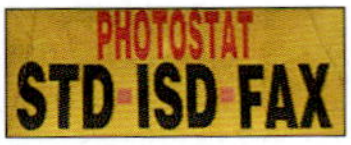

Placa de cabine de telefone público

O sistema postal indiano é bem eficiente, com muitas opções, desde cartas registradas a serviços de entrega rápida confiáveis, prestados pelas agências de correio em todo o país. Os sistemas de telecomunicações são sofisticados mesmo nas cidades menores: todos os grandes hotéis possuem centros de negócios e a maioria dos mercados tem lojas e cabines de onde se podem fazer ligações internacionais, mandar e-mails e acessar a internet. Há muitos jornais e revistas em inglês, e jornais e revistas estrangeiros são vendidos em livrarias, em especial nas grandes cidades.

Selos de correio no valor de 5 rupias

LIGAÇÕES LOCAIS E INTERNACIONAIS

Todos os grandes hotéis oferecem o Subscriber Trunk Dialling (STD), para ligações dentro da Índia, e o International Subscriber Dialling (ISD), para ligações internacionais. Ligações de longa distância também podem ser feitas de telefones privados. Ligações feitas das cabines STD/ISD, identificadas pela cor amarela, saem mais baratas do que nos hotéis. As ligações internacionais têm tarifas fixas, mas as tarifas STD dependem da distância da cidade chamada e da hora do dia (as ligações mais baratas são entre 11h e 18h). Uma tarifa intermediária é cobrada entre 20h e 23h. Ligações locais de cabines públicas gastam uma moeda nova de 1 rupia para cada três minutos.

A governamental Mahanagar Telephone Nigam Limited (MTNL) vende cartões para chamadas STD e ISD. Para ligar dentro da Índia, você pode comprar cartões de Rs200, Rs500 ou Rs1.000. Há uma taxa de serviço de 5%. Para informações, ligue 1600 11 1111 ou contate as principais operadoras. Hoje o serviço está disponível em Délhi e Mumbai.

ALUGUEL DE CELULAR

Você pode alugar um celular em balcões nos aeroportos internacionais ou lojas credenciadas nas grandes cidades. Em Délhi, a Airtel e a Essar são as principais operadoras, em Mumbai a telefonia celular é oferecida pela BPL e pela Orange. Kolkata tem a Usha e a Modi Telstra, e Chennai, a RPG Cellular e a Skycell. O aluguel varia de Rs100 e Rs300 por dia, incluindo um cartão SIM (as tarifas são mais caras para cartões roaming) e o celular. Se alugar o aparelho, você vai pagar um depósito de valor razoável, reembolsável.

FAX, E-MAIL E ACESSO À INTERNET

Existem serviços de fax e telégrafo nas principais agências de correio e também em cabines locais STD/ISD que têm preço mais alto. Os centros de negócios de todos os grandes hotéis também têm serviços de comunicação centralizados só para hóspedes.

A internet é amplamente usada na Índia. A maioria dos grandes hotéis oferece acesso à rede aos hóspedes em seus centros de negócios e há *lan houses* particulares com as mais modernas instalações em mercados e áreas comerciais da maioria das grandes cidades. Mesmo cidades menores costumam ter pequenos locais para acesso à internet. Algumas agências de correio maiores e muitas cabines telefônicas STD/ISD também oferecem acesso à internet. Todos esses locais cobram preço fixo por hora ou por meia hora.

SERVIÇOS POSTAIS

São muitos os serviços oferecidos pela Indian Postal Service –correio simples e registrado, pacotes, posta restante e um serviço especial de entrega rápida, o EMS-Speed Post. As caixas de correio têm código de cores: cartas locais, verde; capital e outras cidades, assim como exterior, vermelho; e o Quick Mail Service (QMS), amarelo. Suas agências abrem de segunda a sexta das 10h às 17h, e aos sábados até meio-dia. Alguns serviços, como cartas registradas, fecham mais cedo. As cartas enviadas como posta restante ficam no **General Post Office** até um mês, e você deverá se identificar –de preferência com o passaporte– para resgatar sua correspondência. O serviço é oferecido também pela **Foreign Post Offices** nas quatro principais cidades, bem como pela American Express na maioria das grandes cidades. No envelope, use letras maiúsculas e sublinhe o sobrenome, escrevendo Poste Restante, mais nome e endereço da agência.

Cyber-café em Bangalore

Pacotes para o exterior não podem pesar mais de 20kg. Verifique os detalhes na agência. O Book Post é uma alternativa mais barata para documentos, livros e material impresso. O peso máximo admitido é de 5kg. Alguns hotéis vendem selos e podem se dispor a enviar cartas e pacotes. Verifique sempre se colou bem os selos e coloque você mesmo cartões-postais e cartas na caixa de correio.

ENDEREÇOS

Na Índia, os endereços sempre começam com o número da casa, seguido do nome da rua, da cidade e do código postal. As áreas residencias mais novas dividem-se em quadras, e o número da quadra geralmente aparece junto ao da casa. Assim, B4/88 Safdarjung Enclave indica: casa número 88 na quadra B4 da Safdarjung Enclave Colony. Cada estado e cada cidade têm suas variações, o que pode gerar confusão, especialmente ao tentar localizar o número da casas. Com frequência, às vezes não há nem placa na rua. Se você se perder, pode perguntar a algum passante, mas o melhor é se informar com um motorista de táxi ou riquixá.

Típica caixa de correio

SERVIÇOS DE COURIER

Há serviços de courier no país inteiro, menos nas áreas rurais e mais afastadas. Embora seja melhor despachar itens maiores, como mobília, por meios regulares de transporte por terra, mar ou ar, cartas, documentos e pequenos pacotes podem ser enviados por agências de entrega, mesmo que saia mais caro. A **United Parcel Service (UPS), a Federal Express** e **DHL Worldwide Express** são agências internacionais de entrega, com uma ampla rede em toda a Índia e no mundo todo. Muitas lojas oferecem enviar as compras por esse serviço, mas, exceto nos armazéns estatais e lojas bem conhecidas, você acabará fazendo isso por sua conta.

JORNAIS E REVISTAS

Os principais jornais indianos em língua inglesa são *The Times of India*, *Hindustan Times*, *The Indian Express*, *The Hindu* e o *The Asian Age*. No leste, *The Statesman* e *The Telegraph* são muito lidos. Há jornais regionais com notícias locais. Você encontra ainda muitos jornais internacionais, como o *International Herald Tribune* e *Financial Times*, além de revistas semanais de notícias indianas, como a *India Today* e a *Outlook*. A *Time* e a *Newsweek* são encontradas nas grandes cidades. Para notícias e eventos culturais locais, os jornais dão uma razoável cobertura.

TELEVISÃO E RÁDIO

A rede de tevê estatal Doordarshan tem programas em inglês e nas principais línguas regionais. Com a chegada da tevê por satélite, a escolha ficou bem mais ampla. Tevê a cabo é hoje também disponível em toda parte, para canais internacionais como BBC World Service, CNN, Discovery, National Geographic e a rede Star, com sede em Hong Kong. Star Sports e ESPN são canais só de esportes e as Channel V e a MTV são os principais canais de música. A maioria dos canais de tevê indianos exibe filmes populares hindus ou sequências de música e dança; também há muitos canais em línguas regionais.

A Índia também tem muitas rádios, com programas em inglês e nas línguas locais. O rádio ainda é a melhor forma de comunicação, especialmente nas áreas rurais. Os grandes jornais diários trazem a programação de rádio e tevê.

AGENDA

Foreign Post Office
Kotla Marg, Near ITO, Délhi.
Tel *(011) 2323 1281.*
Ballard Estate, Mumbai.
Tel *(022) 2261 4488.*
Church Lane, Kolkata.
Tel *(033) 2248 1523.*
Anna Salai, Chennai.
Tel *(044) 2852 1947.*

General Post Offices
Ashok Rd, Délhi.
Tel *(011) 2336 4111.*
Nagar Chowk, Mumbai.
Tel *(022) 2262 0693.*
1 Koilaghat St, Kolkata.
Tel *(033) 2210 5451.*
25 Rajaji Salai, Chennai.
Tel *(044) 2521 6766.*

UPS Courier Service
Tel *(011) 2678 4343, Délhi.*
Tel *(022) 2685 0202, Mumbai.*
Tel *(033) 2227 0835, Kolkata.*
Tel *(044) 2431 4741, Chennai.*

Federal Express
Tel *(011) 5167 2272, Délhi.*
Tel *(022) 5679 7777, Mumbai.*
Tel *(044) 2825 9495, Chennai.*

DHL Worldwide Express
Tel *(011) 2375 2700, Délhi.*
Tel *(022) 5678 9001, Mumbai.*
Tel *(033) 2282 6914, Kolkata.*
Tel *(044) 2855 3047, Chennai.*

CÓDIGOS DE DISCAGEM E NÚMEROS ÚTEIS

- Para ligar de uma cidade a outra, disque o código STD da cidade e o número. Para Délhi, 011; Mumbai, 022; Kolkata, 033; Chennai, 044.
- Para ligação internacional (ISD), disque 00, código do país, da área e número.
- Códigos de países: Reino Unido 44; França 33; EUA e Canadá 1; Austrália 61; Irlanda 353; Nova Zelândia 64; África do Sul 27; Japão 81.
- Disque 180 para chamada a distância no país, e 186 para ligação internacional.
- Disque 197 para obter um número de telefone de Délhi, Mumbai, Kolkata e Chennai.

INFORMAÇÃO DE VIAGEM

A maior parte dos visitantes chega à Índia de avião, mas há também estradas e barcos que ligam o país a seus vizinhos Paquistão, Bangladesh, Nepal e Sri Lanka. Pode-se viajar pela Índia de avião, trem, carro e, em alguns lugares, de barco e ferryboat. Até as regiões remotas são acessíveis. Mas, seja qual for o meio de transporte, prepare-se para atrasos e desvios inesperados que podem exigir muita paciência. A estatal Indian Airlines tem a maior rede de linhas áereas. Empresas privadas, como a Sahara e a Jet Airways, também cobrem algumas cidades e oferecem ótimos serviços. A Indian Railways é uma das maiores ferrovias do mundo, e viajar de primeira classe por ela é um bom jeito de conhecer o país. Para longas distâncias há um trem de luxo com ar-condicionado que pode ser uma boa opção.

O Maharaja, mascote da Air India

CHEGADA DE AVIÃO

Não existe vôo direto entre o Brasil e a Índia. No entanto há diversas opções de vôos para Délhi, Kolkata ou Mumbai com uma ou duas escalas na Europa ou na África do Sul.

A Tam opera vôos com escala em Londres para Délhi e Mumbai, em parceria com a companhia indiana Jet Airways, e para Kolkata, em parceria com a Air India. Há também vôos da Tam para Kolkata com duas escalas: Paris e Dubai. Essa última opção, em parceria com a Emirates, é mais demorada, mas pode ser mais econômica.

As européias Air France, British Airways e Lufthansa oferecem vôos para Délhi, Mumbai ou Kolkata, com escalas em Paris, Londres ou Frankfurt.

Também há a opção de voar para a Índia pela South African, com escala em Johanesburgo, na África do Sul.

VÔOS E AEROPORTOS INTERNACIONAIS

Os quatro maiores aeroportos internacionais ficam em Délhi, Mumbai, Kolkata e Chennai. Outros aeroportos internacionais com vôos para destinos específicos estão em Hyderabad (Kuwait, Mascate, Sharjah e Kuala Lumpur), Bangalore (Mascate, Sharjah, Cingapura, Kuala Lumpur, Londres, Frankfurt e alguns vôos via Mumbai para Paris, Golfo Pérsico e Nova York), Goa (Reino Unido e Alemanha), Ahmedabad (Reino Unido e EUA), Kochi e Thiruvananthapuram (Golfo Pérsico, Cingapura, Sri Lanka e Ilhas Maldivas). Também há vôos internacionais operando de Kozhikode, Amritsar, Varanasi, Lucknow, Guwahati, Tiruchirapalli, Jaipur e Agra. Esses são chamados de "aeroportos de alfândega" e permitem o pouso de aviões charter e de alguns vôos internacionais.

Indira Gandhi International Airport, em Délhi

TARIFAS AÉREAS

As tarifas aéreas variam segundo a linha aérea e a temporada. É bom fazer reservas com antecedência na alta estação (outubro-março). Nesta época os vôos para a Índia estão lotados, já que, além de turistas, famílias indianas instaladas no exterior e estudantes universitários fazem sua visita anual ao lar.

AO CHEGAR

Antes do pouso, visitantes devem preencher um formulário, a ser apresentado com o passaporte no balcão de imigração. Os aeroportos internacionais têm agências de câmbio, guarda-volumes, salões de espera com ar-condicionado, lojas duty-free, restaurantes, centros de negócios e salas de descanso com acesso para deficientes. Além disso, há balcões para táxi pré-pago e aluguel de veículos e de celulares. Agências de viagem dentro da área de chegada podem ajudar com itinerários de viagem, reservas de hotel e de outros vôos. Há também um balcão de informações do Tourism Department.

ALFÂNDEGA

O Green Channel é para quem não tem bens a declarar, conforme lista do Immigration Certificate. O Red Channel é para passageiros com bens que pagam imposto, incluindo dinheiro além de US$2.500.

SAINDO DO AEROPORTO

Há ônibus ligando o aeroporto à cidade. Táxis pré-pagos com tarifas fixas podem ser conseguidos nos balcões fora da área de chegadas. Também há auto-riquixás com taxímetro. Certifique-se de concordar com a tarifa antes de pegar um e peça ao policial do aeroporto para anotar a placa. Se reservou alojamento, verifique se o seu hotel não tem serviço grátis de coleta de hóspedes.

TRANSLADO DE AEROPORTO

Visitantes que vão seguir viagem para outras cidades da Índia têm de se trasladar para terminais domésticos. Veja se vai ter tempo suficiente de ir de um terminal a outro. Em todos os grandes aeroportos há um sistema de traslado gratuito entre terminais. O Aeroporto Internacional Indira Gandhi (IG), em Délhi, tem dois terminais: o Terminal I (vôos domésticos) fica a 7km do Terminal II (internacional). Em Mumbai, o terminal internacional em Sahar fica a 4km do terminal doméstico. O Aeroporto Internacional Netaji Subhash Chandra Bose, em Kolkata, tem os terminais internacional e doméstico no mesmo edifício, assim como o de Thiruvananthapuram. O Aeroporto Internacional Aringar Anna, em Chennai, é vizinho ao Aeroporto Doméstico de Kamaraj.

Placa amarela de táxi

CHECK-IN

Para vôos internacionais, o check-in costuma ser feito três horas antes da partida. Algumas companhias aéreas admitem o tele-check-in para passageiros de primeira classe e classe executiva. A maioria das companhias permite aos passageiros da classe econômica levar 20kg de bagagem e mais uma bagagem de mão. Verifique se sua bagagem está no limite de peso definido por sua companhia aérea, pois as taxas para excesso de peso são altas.

TAXA DE EMBARQUE

Ao sair da Índia, paga-se uma taxa de viagem ao exterior de Rs500-750 (US$10-15), a não ser que já esteja incluída na sua passagem. Para países vizinhos como Nepal, Paquistão ou Sri Lanka, paga-se apenas Rs150 (US$3).

AGENDA

COMPANHIAS AÉREAS

TAM
Tel *4002 5200 (Brasil-capitais).*
Tel *0800 570 5700*
Brasil - outras localidades
www.tam.com.br

Air India
Tel *(011) 2331 8737, Délhi.*
Tel *(022) 2202 4142, Mumbai.*
Tel *(033) 2282 1187, Kolkata.*
Tel *(044) 2855 4477, Chennai.*

Air France
Tel *4003 9955*
Brasil - capitais.
Tel *0800 888 99 55*
Brasil - outras localidades
www.airfrance.com.br

British Airways
Tel *(11) 4004 4440 (Brasil).*
Tel *(011) 2565 2078, Délhi.*
Tel *(022) 2682 8806, Mumbai.*
Tel *(033) 2511 8424, Kolkata.*
Tel *(044) 2256 0952, Chennai.*
www.ba.com

Lufthansa
Tel *(11) 3048-5800 (Brasil).*
Tel *(011) 2565 4000, Délhi.*
Tel *(022) 2682 9898, Mumbai.*
Tel *(044) 2256 9393, Chennai.*
Tel *(080) 2522 9617, Bangalore.*
www.lufthansa.com.br

South African
Tel *(11) 3065 5115 (Brasil).*
Tel *(011) 335 4422, Délhi.*
Tel *(022) 282 3450, Mumbai.*
www.flysaa.com

AEROPORTO	INFORMAÇÕES	DISTÂNCIA ATÉ O CENTRO	TEMPO MÉDIO DE VIAGEM
Délhi: IG International (Terminal II)	(011) 2567 5126	20km	Carro: 45-60 minutos
Mumbai: Sahar International	(022) 2615 6600	30km	Carro: 50 minutos
Kolkata: Netaji Subhash Chandra Bose International	(033) 2511 8787	20km	Carro: 30-60 minutos
Chennai: Aringar Anna International	(044) 2256 0551	12km	Carro: 30 minutos
Thiruvananthapuram: International Airport	(0471) 501 312	6km	Carro: 20 minutos
Bangalore: International Airport	(080) 2522 8011	8km	Carro: 20 minutos
Goa: Dabolim International Airport	(0832) 540 806	29km	Carro: 50 minutos
Kochi: Kochi International Airport	(0484) 261 0115	30km	Carro: 45-60 minutos

Vôos Domésticos

Logo da Indian Airlines

Embora mais caro do que viajar de trem, viajar de avião pela Índia é a alternativa mais confortável e prática, especialmente se forem consideradas as enormes distâncias entre as cidades. Existem nada menos do que 115 aeroportos domésticos no país, e muitos deles receberam melhoras em tecnologia e atendimento ao cliente. As cidades principais, Délhi, Mumbai, Kolkata e Chennai, são bem ligadas a todos os aeroportos domésticos do país. A empresa aérea estatal é a Indian Airlines, que junto com sua subsidiária Alliance Air oferece a melhor escolha de rotas e os serviços mais frequentes. Se você fez reserva de vôos domésticos para viajar pelo país durante sua estada, confirme ao chegar. Alguns horários costumam ser alterados e é comum haver cancelamentos de vôos devido ao mau tempo durante o inverno (dez-jan), portanto lembre-se de confirmar de novo não só a sua passagem mas também o horário do vôo.

COMPANHIAS DOMÉSTICAS

A empresa estatal **Indian Airlines** tem o maior número de rotas e os vôos mais frequentes. Duas grandes empresas aéreas particulares, a **Jet Airways** e a **Kingfisher Airlines**, também fazem conexões entre várias cidades. A empresa aérea internacional indiana **Air India** faz vôos entre Délhi-Mumbai, Délhi-Kolkata, Mumbai-Kolkata e Mumbai-Chennai. Algumas empresas aéreas regionais, como a Archana Airways, a Jagson Airlines e a Gujarat Airways, com operações limitadas dentro da Índia, têm rotas aéreas de acesso. O limite de bagagem é de 30kg para a classe executiva e de 20kg para a classe econômica.

AEROPORTOS DOMÉSTICOS

Os aeroportos das quatro principais cidades, Délhi, Mumbai, Kolkata e Chennai, e de cidades como Agra, Bhubaneswar, Hyderabad, Kochi e Bangalore, têm modernos terminais. Já os de cidades menos visitadas, como Dehra Dun, têm aeroportos pequenos com infra-estrutura reduzida.

CHEGADA E SAÍDA DOS AEROPORTOS

A distância entre o aeroporto e o centro da cidade varia, e é bom checar isso de antemão. Considere também atrasos imprevistos nos vôos. Há linhas regulares de ônibus, pagas, entre o aeroporto e o centro. Táxis pré-pagos podem ser agendados em balcões logo ao sair da área de chegada. Também há riquixás com taxímetro. Veja se o taxímetro funciona, ou então combine antes o preço da corrida. Se tiver reserva de hotel, veja se este pode enviar uma van para buscá-lo no aeroporto.

CHECK-IN

Para a maioria dos vôos domésticos, o check-in é uma hora antes da partida. Nas viagens para áreas de tensão política, como Caxemira, Jammu, Leh e alguns dos estados do Nordeste, as revistas de segurança são mais rigorosas e geram atrasos. Certifique-se de que todas as malas estão identificadas e não carregue baterias, isqueiros ou objetos cortantes, nem tesouras, lixas ou cortadores de unhas. Como parte das medidas de segurança em algumas rotas, você será solicitado a identificar sua bagagem na pista antes de embarcar.

RESERVAS

Todas as companhias domésticas têm suas agências de reservas na cidade, além do balcão no aeroporto (geralmente apenas nas maiores cidades). Podem-se reservar passagens através das agências de viagens *(pág. 759)*. A Indian Airlines faz reservas pela internet e tem postos de informações de vôo por todo o país, mesmo nas cidades menores. Podem-se pagar as passagens em dólar ou libra, e também em rupias ou com cartão de crédito. As companhias pedem para você reconfirmar sua passagem 72 horas antes da partida. Há tarifas especiais para bebês e crianças, estudantes com carteira internacional de identificação têm 25% de desconto e indianos com mais de 65 anos têm 50% de abatimento. O cancelamento de passagens deve ser feito até pelo menos duas horas antes da partida. Algumas empresas cobram taxas para cancelar vôos. Se você não cancelar em tempo hábil, pode perder o valor integral da passagem. Se o vôo for cancelado ou atrasar, você pode pedir reembolso.

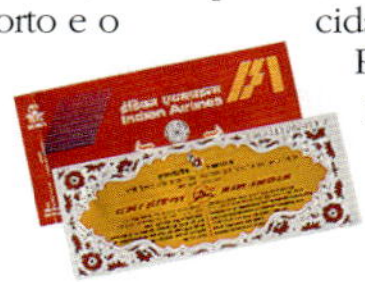

Passagens aéreas da Indian Airlines

Passageiros na sala de espera do aeroporto de Délhi

AGENDAS

VÔOS DOMÉSTICOS

Indian Airlines
***Tel** (011) 2463 1337, Délhi.*
***Tel** (022) 2202 3031, Mumbai.*
***Tel** (033) 2211 6869, Kolkata.*
***Tel** (044) 2345 3302, Chennai.*

Air India
***Tel** (011) 2331 9068, Délhi.*
***Tel** (022) 2279 6666, Mumbai.*
***Tel** (033) 2282 6014, Kolkata.*
***Tel** (044) 2855 4477, Chennai.*

Jet Airways
***Tel** (011) 3989 3333, Délhi.*
***Tel** (022) 3989 3333, Mumbai.*
***Tel** (033) 3989 3333, Kolkata.*
***Tel** (044) 3989 3333,Chennai.*

Kingfisher Airlines
***Tel** (011) 2373 0238, Délhi.*
***Tel** (022) 3021 2656, Mumbai.*
***Tel** (033) 2248 6551, Kolkata.*
***Tel** (044) 2858 4360, Chennai.*

Informações
***Tel** (011) 2567 5433, Délhi.*
***Tel** (022) 2615 6400, Mumbai.*
***Tel** (033) 2511 9721, Kolkata.*
***Tel** (044) 2330 289, Chennai.*

PACOTES DE VIAGEM

As companhias indianas oferecem dois pacotes de viagem se o pagamento for em dólar. O "Discover India Fare", por 15 a 21 dias, fica em torno de US$500-750 e permite viagens com algumas restrições de rotas. O "India Wonder Fare" custa cerca de US$300 e vale para sete dias de viagem em uma só região. Não inclui as ilhas Andaman. As companhias particulares Jet Airways e Sahara Airlines também oferecem pacotes especiais para estrangeiros. O "Visit India", oferecido pela Jet Airways, custa entre US$550-800 para viajar de classe econômica em um período de 15-20 dias. A Sahara Airlines tem o similar "Discover India", por US$475-725, de 15 ou 21 dias. As companhias estão dando descontos em passagens e brindes, como estadas grátis e jantares, para enfrentar a concorrência, por isso pesquise antes de comprar a passagem.

Viajar de Trem

Logo da Indian Railways

Para a maioria dos visitantes, as viagens de trem abrem uma nova dimensão à sua experiência da Índia –é uma das melhores maneiras de ficar conhecendo as pessoas e de ver o interior do país. A rede da Indian Railways é a quarta maior do mundo, com 108.513km de trilhos que ligam 7.150 estações. Mais de 10 mil trens partem todo dia, transportando em média 13 milhões de pessoas. Os trens vivem lotados, por isso compre os bilhetes com antecedência. Nas estações há balcões de bilhetes computadorizados, e a maioria das agências de viagem pode também obter os bilhetes.

MALHA FERROVIÁRIA

A malha ferroviária da Índia, inaugurada em 1853, cobre todo o país. Ela se divide por regiões e possui 16 zonas. Délhi é atendida pela Northern Railways, Mumbai pela Central e pela Western Railways, Kolkata pela Eastern Railways e Chennai pela Southern Railways. As quatro cidades têm duas ou três estações principais, por isso confirme de que estação o trem parte. A Indian Railways emprega mais de 1,6 milhão de pessoas, o que faz dela o maior empregador individual do mundo.

TRENS E HORÁRIOS

Dos três tipos de trem (passageiros, expresso e correio), o melhor é escolher os trens expressos com ar-condicionado, pois fazem menos paradas e têm serviços e instalações melhores. As conexões são rápidas e pontuais para as mais importantes cidades da Índia. O Rajdhani Express liga a capital, Délhi, à maioria das grandes cidades, como Mumbai, Kolkata, Chennai, Thiruvananthapuram e outras. O trem super-rápido Shatabdi Express liga as principais cidades a destinos turísticos conhecidos, com conexões como Chennai-Bangalore, Délhi-Dehra Dun e Délhi-Agra. A recém-criada Konkan Railway *(pág. 437)*, na costa oeste, faz conexões rápidas para Maharashtra, Goa, Karnátaka e Kerala.

Os trens têm um nome e um número. Ao consultar o quadro de informações, verifique ambos, pois pode haver mais de um "Shatabdi", por exemplo. Os trens têm carros de primeira e segunda classe e vagões-dormitório com duas ou três camas sobrepostas. Vagões com ar-condicionado são mais caros. Nos vagões-dormitório as camas são recolhidas durante o dia para virar assentos. As tarifas para trens expressos como o Shatabdi ou o Rajdhani incluem refeições e água mineral, e o Rajdhani também oferece roupa de cama aos passageiros noturnos. Ambulantes vendem lanches, jornais e revistas durante o trajeto. Tente ficar com o assento da janela ou a cama mais alta. Os toaletes são no estilo indiano e ocidental. Leve papel higiênico, sabonete e toalha.

Os horários de trem estão sujeitos a mudanças. Pode-se conseguir um horário impresso na maioria das livrarias das estações ou então consultar o site oficial: www.indianrail.gov.in

Churchgate Station, Mumbai, em horário de pico

BILHETES DE TREM, TARIFAS E RESERVAS

Faça as reservas com antecedência. Agora as estações de trem têm balcões de bilhetes informatizados, e o balcão de viagens do seu hotel ou seu agente de viagens podem reservar cobrando uma taxa. Não compre de intermediários, pois é ilegal e inseguro.

Podem-se comprar os bilhetes até seis meses antes e as taxas de reserva são nominais. Vão perguntar sua idade e sexo, pois esses detalhes constam do bilhete, além do número do vagão e do assento. Na estação, localize seu vagão e verifique seu nome e número de assento, em geral exibidos em uma lista na parte de fora do vagão. Se estiver na lista de espera, chegue à estação cedo para aproveitar desistências de última hora. O chefe da estação poderá ajudá-lo.

Se não houver bilhetes disponíveis para reserva, você pode conseguir um bilhete RAC (Reservation Against Cancellation). Ele permite embarcar no trem e conseguir espaço para sentar. Pode ser que lhe arrumem uma cama, mas não há garantia. Os bilhetes reservados podem ser cancelados pagando-se uma taxa. Ao cancelar com mais de um dia de antecedência, cobra-se uma taxa nominal. Até quatro horas antes da partida do trem, cobram-se 25% da tarifa, e se o tempo for menor você perde 50% do valor.

Estações em Délhi, Mumbai, Kolkata e Chennai, assim como em outras grandes cidades, têm balcões especiais de bilhetes para estrangeiros, os "Tourist Bureaus", dentro dos principais guichês de reserva. Eles dão informações sobre reservas e itinerários. Paga-se em dólar ou libra, ou o equivalente em rupias, e você deve exibir seu passaporte. Você conseguirá prioridade de reserva e ficará isento das taxas de reserva. Na estação de trens de Nova Délhi, o International Tourist Bureau fica no primeiro andar da sala principal.

O INDRAIL PASS

Para quem vai viajar muito, o Indrail Pass é uma boa opção. Ele permite viajar sem limites por todo o país, de segunda ou primeira classe e em diversos períodos (meio dia, dois dias, quatro dias e qualquer período entre sete e 90 dias). É vendido na Índia ou fora, mas deve ser pago em moeda estrangeira. Você pode comprar Indrail Passes em agentes no exterior e também em agências da Indian Airlines e da Air India fora da Índia. Eles também estão à venda nos Tourist Bureaus das principais estações de trem e em agentes de viagens em Délhi, Mumbai, Kolkata e Chennai. Só compensa ter o passe se você for viajar muito. Mesmo com ele você precisará reservar assento.

Carregador oficial de camisa vermelha

SERVIÇOS

Na estação, procure os carregadores licenciados, ou coolies, que usam camisa vermelha e uma tira no braço com uma placa de metal onde consta o número de licença. Os carregadores sempre estão informados sobre atrasos e mudanças de plataforma que podem não constar do quadro. Decore o número do seu carregador, pois você pode perdê-lo de vista na multidão. O que ele cobra varia com o peso, mas algo entre Rs10 e Rs20 por peça é aceitável.

As estações indianas são cheias de gente e confusas. Mantenha a calma e fique de olho em batedores de carteira. As salas de espera das estações de trem (em especial as de primeira classe) são um bom lugar para passar a noite se estiver exausto. Você precisa de um bilhete válido ou do Indrail Pass para isso.

Há também salas de espera só para mulheres e guarda-volumes, ou cloakrooms, na maioria das estações.

As cantinas das estações são razoavelmente limpas e vendem água mineral e refeições embaladas com higiene.

AGENDA

ESTAÇÕES DE TREM

www.indianrail.gov.in

Délhi
Tel *(011) 131.*

Mumbai
Tel *(022) 131, Western Railways.*
Tel *(022) 134, Central Railways.*

Kolkata
Tel *(033) 2220 3545.*

Chennai
Tel *(044) 131, 132, 133.*

CENTROS DE RESERVA DE TRENS ESPECIAIS

Darjeeling Himalayan Railway
West Bengal Tourist Centre, Baba Kharak Singh Marg, Délhi.
Tel *(011) 2374 2840.*

Matheran Hill Railway
Govt of India Tourist Office, 123 M Karve Rd, Mumbai.
Tel *(022) 2203 3144.*

Palace On Wheels
Bikaner House, Délhi.
Tel *(011) 2338 1884.*

The Shivalik Queen
Divisional Railway, Ambala.
Tel *(0171) 645 500.*

Blue Mountain Railway
Chennai Central Railway, Chennai.
Tel *(044) 53303535.*

Royal Orient
Tourism Corp of Gujarat Ltd, Baba Kharak Singh Marg, Délhi.
Tel *(011) 2336 44724*

Fairy Queen
Rail Museum, Délhi.
Tel *(011) 2688 1816.*

TRENS ESPECIAIS

Você pode viajar em grande estilo em alguns trens de luxo da Índia, particularmente o **Palace on Wheels** e o **Royal Orient**. Os dois fazem passeios de uma semana, entre setembro e abril. O primeiro cobre basicamente Rajasthan, e passa por Jaipur, Udaipur, Jaisalmer e Agra. O segundo cruza Rajasthan e vai até Ahmedabad, em Gujarat. O **Fairy Queen**, locomotiva a vapor restaurada, com 150 anos de idade, é a mais antiga do mundo e consta do *Guinness Book of Records*. Ela vai de Délhi a Alwar entre outubro e fevereiro. Entre os graciosos "trens de brinquedo" da Índia, ligando várias estâncias de montanha com trilhos dispostos sobre encostas íngremes, está a **Darjeeling Himalayan Railway** *(pág. 294)*, Patrimônio da Humanidade, que liga New Jalpaiguri a Darjeeling. A **Shivalik Queen** liga Kalka a Shimla *(págs. 110-11)*, e a Kangra Valley Railway vai de Pathankot a Jogindernagar *(pág. 120)*. Outro trenzinho, o **Matheran Hill Railway**, vai de Neral Junction a Matheran *(pág. 472)*, e o luxuoso **Blue Mountain Railway**, de 1898, oferece vistas espetaculares das montanhas Nilgiri, subindo até Ooty *(pág. 605)*.

Serviço real no Palace on Wheels

Como Viajar de Carro

Logo da Automobile Association

A Índia tem uma ampla rede de estradas principais e secundárias, além de muitas rodovias nacionais bem conservadas ligando as principais cidades. Guia-se pela pista da esquerda e os carros têm a direção do lado direito. O trânsito, em especial nas cidades, é caótico, por isso é melhor alugar um motorista junto com o carro. Os serviços de aluguel de carro são fornecidos por diversas empresas internacionais, e os hotéis e táxis também oferecem ótimos serviços de aluguel de carros. Em caso de quebra, há um serviço mecânico de beira de estrada muito bom.

HABILITAÇÃO

Deve-se ter carteira internacional de habilitação para dirigir na Índia. Se não, a **Automobile Association of India (AAI)** tem várias filiais pelo país que emitem carteiras temporárias, desde que você tenha passaporte e uma carteira de habilitação do seu país. Isso pode levar um dia ou dois. É preciso ter mais de 25 anos de idade e pagar um seguro reembolsável de Rs10.000. Você pode ser solicitado a fazer um teste de condução.

ESTRADAS

A Índia tem uma malha rodoviária de mais de 3 milhões de quilômetros de estradas. As principais, as rodoviais nacionais, cobrem 52.000km e abrigam 45% do trânsito total do país. As rodovias estatais totalizam 128.600km. A National Highway Authority of India está melhorando as conexões entre as quatro maiores cidades do país: Délhi, Mumbai, Chennai e Kolkata.

O interior é cruzado por inúmeras estradas principais e secundárias cuja qualidade oscila bastante. Algumas estradas são pouco mais do que trilhas de terras cheias de buracos. Prepare-se então para poeira e solavancos.

A maioria das rodovias e estradas principais é bem equipada de motéis, postos de gasolina e cabines de telefone STD/ISD. Pontos de descanso e *dhabas (pág. 179)* são bem sinalizados com placas e oferecem comida limpa e banheiros.

LOCADORAS DE CARROS

Várias empresas renomadas de locação de veículos, como **Avis, Budget, International Travel House Limited e Autoriders International Limited**, operam na Índia. Elas oferecem carros com motorista ou sem, que podem ser alugados em guichês nos grandes hotéis, escritórios de turismo, agências de viagens ou diretamente dessas companhias. A maioria delas opera em colaboração com empresas locais. A Avis tem parceria com o Oberoi Group, enquanto a Budget opera por meio da Sapna Travel Agency. A Autoriders International Limited, uma confiável empresa indiana, era antes parceira da Hertz. Serviços locais de aluguel e táxis particulares também são disponíveis em pontos de táxi das cidades e em agências. Eles são geralmente obtidos pelo seu hotel ou por meio de um agente de viagens local confiável *(pág. 759)*.

ALUGUEL DE CARRO COM MOTORISTA

As condições do trânsito e das estradas na Índia podem ser um desafio para quem não está familiarizado com elas. Contratar um motorista é a alternativa mais segura, e não fica tão caro assim. Todos os táxis e também os carros alugados de agências se distinguem pela placa amarela. A maioria dos pontos de táxi tem carros particulares para alugar, que geralmente são brancos com placa amarela. Todas as locadoras de carros com o "All India Tourist Permits" têm permissão de fazer viagens interestaduais.

Todos os motoristas conhecem bem as regras de trânsito da Índia, mas insista em contratar algum que conheça bem a área que você pretende visitar. Além disso, teste o motorista e o carro antes de empreender uma viagem longa.

Carros com motorista para viagens de longa distância geralmente cobram por quilômetro, com um mínimo de 250km por dia mais taxas adicionais por quilômetro extra. Se você fizer só a viagem de ida, as taxas adicionais serão computadas para a viagem de volta, já que o carro vai voltar vazio. Os custos também variam de acordo com o modelo do carro e a região. Os carros

Tráfego na Marine Drive, em Mumbai

mais caros são os que têm ar-condicionado. Para viajar para fora do estado ou da cidade, cobra-se um adicional, além de taxas interestaduais. Se o motorista tiver de pernoitar, você terá de pagar alojamento e comida, por isso é bom estipular o preço antes. Nas regiões de montanha o aluguel de carros é mais caro.

Em algumas áreas, há táxis compartilhados para longas viagens, que saem mais em conta. Algumas empresas exigem que estrangeiros paguem em moeda de seu país, mas a maioria aceita também rupias.

COMBUSTÍVEL

Rodovias e estradas principais têm postos bem conservados, em intervalos regulares, em geral perto das cidades. Muitos postos nas cidades e nas estradas ficam abertos 24 horas e vendem gasolina com chumbo e sem, além de diesel, que é mais barato. A maioria dos carros é a gasolina, mas alguns novos modelos usam também diesel, como a maioria dos táxis. Gasolina sem chumbo não é encontrada em toda parte, em especial em regiões afastadas, portanto encha o tanque ao visitar essas áreas. Muitos postos nas principais cidades têm lojas de conveniência, com água, refrigerantes, bebidas leves, revistas e lanches. Geralmente têm também banheiro e telefone.

Desde 2001, a maioria dos táxis, riquixás e ônibus de Délhi e Mumbai roda com gás –CNG, Compressed Natural Gas–, em um esforço para diminuir a poluição.

MAPAS E SINALIZAÇÃO

A Automobile Association of India, a Survey of India e os guichês da State Tourism oferecem informações e mapas sobre todas as cidades e regiões da Índia. Mas a sinalização nas estradas não é perfeita e às vezes as placas estão na língua regional, e não em inglês. Uma boa idéia é parar e perguntar várias vezes, se necessário –as pessoas sempre são solícitas.

Típica bomba de gasolina indiana em um posto de Délhi

REGRAS DE TRÂNSITO

Se você pretende dirigir na Índia, terá de se adaptar às caóticas condições do trânsito. Existem regras de trânsito definidas, como se manter na mesma pista e evitar farol alto, mas na maioria das vezes elas não são respeitadas. Os carros andam no lado esquerdo da rua, mas é comum encontrar uma carroça –ou uma vaca– vindo na contramão. Nas rodovias, cuidado com os caminhões, que muitas vezes empurram os outros para fora da pista nas ultrapassagens. Como regra, fique longe de ônibus e de caminhões.

São poucos os motoristas que respeitam as normas de ultrapassagem, que deve ser pela direita. Muitos veículos ultrapassam pela esquerda, sem avisar. Evite guiar à noite por rodovias, exceto quando não houver outro jeito, pois há muitos caminhões trafegando. Também é bom evitar dar carona a estranhos, pois isso pode ser muito perigoso. Recomenda-se fazer uso da buzina sem restrições. Se você for pego em excesso de velocidade ou atravessando no sinal vermelho, terá de pagar uma multa na hora.

Nas cidades, estacione sempre em local permitido, caso contrário seu carro poderá ser guinchado até uma delegacia policial e liberado só depois do pagamento de uma pesada multa. Os funcionários dos estacionamentos fornecem um tíquete com o valor a ser pago. O preço geralmente varia entre Rs5 e Rs10.

AGENDA

AUTOMOBILE ASSOCIATION OF INDIA

Délhi
AA of Upper India, C-8 Institutional Area.
Tel *(011) 2696 5397.*
www.aaui.org

Mumbai
Western India AA, Lalji Narainji Memorial Bldg, 76 Vir Nariman Rd.
Tel *(022) 2204 1085.*
www.wiaaindia.com

Kolkata
AA of Eastern India, 13 Promothesh Barua Sarani.
Tel *(033) 2475 5131.*

Chennai
AA South India, 187 Anna Salai.
Tel *(044) 2852 4061.*
www.pppindia.com/aasi

LOCAÇÃO DE CARROS

Avis
www.avis.com
The Oberoi, Délhi.
Tel *(011) 2389 0505.*
@ crsdelhi@avis.co.in
The Oberoi, Mumbai.
Tel *(022) 6632 4142.*
@ crsmumbai@avis.co.in
The Oberoi Grand, Kolkata.
Tel *(033) 2249 2323.*
@ rahulsen@avis.co.in
The Trident, Chennai.
Tel *(044) 2234 4747.*
@ crschennai@avis.co.in

Budget
78/4 Janpath, Délhi.
Tel *(011) 2331 8600.*
@ bracindia@hotmail.com

Autoriders International Limited
97, Street No. 9, Mahipalpur Extn. Nova Délhi.
Tel *(011) 2678 8693.*
@ ail.del@autoriders.sril.in
Santa Cruz, Mumbai.
Tel *(022) 5608 7613.*
@ ail.bom@autoriders.sril.in
10–A, Ho Chi Min Sarani, Kolkata.
Tel *(033) 2282 3561, 9164.*
@ ail.cal@autoriders.sril.in
281, Anna Salai, Chennai.
Tel *(044) 2433 0014, 0057.*
@ ail.mad@autoriders.sril.in

International Travel House Limited
Bhikaji Cama Place, Délhi.
Tel *(011) 4165 9468.*

Como Viajar de Ônibus e Barco

Logo da India Tourism Development Corporation (ITDC)

A Índia tem uma extensa rede de ônibus oferecendo excelentes conexões para a maioria das cidades e também para as áreas mais remotas do país. Há ônibus urbanos para o transporte normal, mais baratos e que trafegam dentro das cidades. E também ônibus mais confortáveis, com ar-condicionado, que geralmente fazem passeios turísticos ou viagens mais longas. A vantagem de viajar de ônibus em vez de trem é que você tem maior escolha de horários, paradas e itinerários. Uma movimentada rede de barcos de passageiros serve localidades das costas leste e oeste da Índia, e cruzeiros luxuosos ligam o continente às ilhas Lakshadweep e Andaman.

ÔNIBUS DE EMPRESAS DE TRANSPORTES ESTATAIS

Os diversos departamentos estaduais de transportes da Índia controlam serviços de ônibus interestaduais. O Interstate Bus Terminus (ISBT), em Délhi, é o principal ponto de partida para Punjab, Haryana, Himachal Pradesh, Uttar Pradesh e Rajasthan. Os ônibus para Agra saem de Sarai Kale Khan, perto da estação de trem de Nizamuddin. O Central Bus Stand de Mumbai dá informações sobre a Maharashtra Road Transport Corporation, que atende todas as grandes cidades do estado, assim como Goa, Ahmedabad, Vadodara, Mangalore, Indore e Hyderabad. Kolkata tem também uma extensa rede por todo Bengala Ocidental e pelos estados vizinhos de Bihar, Orissa e Siquim. Guwahati é a principal porta de entrada para quem visita os estados do nordeste. A Assam State Transport Corporation controla ônibus urbanos e para os estados vizinhos. O Paltan Bazaar Bus Stand fornece todas as informações sobre esses serviços.

Reservas pela internet podem ser feitas nos **Government of India Tourism Offices** nas quatro principais cidades da Índia.

Os terminais interestaduais, em sua maioria, são lugares caóticos, por isso chegue cedo para comprar passagens. Veja no balcão de informações onde fica a plataforma da qual sai seu ônibus e prepare-se para o empurra-empurra de gente procurando os melhores assentos.

ÔNIBUS E PACOTES DO TURISMO ESTATAL

Alguns dos melhores passeios guiados, tanto urbanos como para cidades vizinhas, são oferecidos pelo Government of India Tourism Department e por vários departamentos de turismo estaduais *(pág. 761)*. Os Government of India Tourist Offices da maioria das cidades oferecem informação atualizada sobre horários, trajetos e locais de embarque É recomendável comprar passagens antecipadas mesmo sendo possível comprá-las na hora. Operadoras de ônibus podem ainda adaptar itinerários conforme o tamanho e o destino do grupo.

Ônibus controlados pelos departamentos de turismo são bem mais limpos e confortáveis. Os passeios tendem a incluir um guia, por isso é menos provável que você se veja rodeado de guias "amadores" no seu destino.

OPERADORAS PRIVADAS E PACOTES TURÍSTICOS

As operadoras privadas e as agências de viagens também oferecem ampla variedade de viagens de ônibus aos visitantes. Elas são uma boa opção se você quiser gastar menos e não tiver muito tempo disponível.

As agências normalmente trabalham com ônibus de 18 ou de 35 assentos, luxuosos, com ar-condicionado e assentos reclináveis. As tarifas dependem da qualidade do serviço e do itinerário. O preço da passagem costuma incluir um guia e um pernoite em hotel como parte do pacote. A maioria dos agentes de viagens tem parceria com empresas de ônibus de luxo que atendem turistas de hotéis indicados. As reservas podem ser feitas tanto na recepção do hotel como em uma das agências locais recomendadas por ele.

PASSAGENS E TARIFAS DE ÔNIBUS

As tarifas de ônibus são mais baratas que as de trem e dependem do tipo de transporte escolhido. Viajar de ônibus comum não é recomendável para turistas. Os ônibus deluxe são um pouco melhores, mas, no verão, a melhor opção são os ônibus deluxe com ar-condicionado (a/c). Muitos ônibus deluxe, conhecidos

Ônibus de luxo da Rajasthan Tourism

Barco de passageiros perto de Gateway of India, Mumbai

como "video coaches" tocam música alto e passam filmes hindi durante a noite. Se puder escolher, opte por um ônibus que não seja "video coach". Se escolher um ônibus deluxe ou a/c deluxe, você poderá reservar o bilhete com antecedência e também escolher o assento.

Os preços de pacotes turísticos de ônibus costumam incluir o trajeto do aeroporto, pedágio, pernoite, guias e ingressos para monumentos e museus.

FERRYBOATS E BARCOS

As linhas de ferryboat atendem algumas das mais exóticas ilhas da Índia e cidades ao longo da costa. Elas são disponíveis de Kolkata a Chennai e de Mumbai a Goa. Há ainda um serviço de catamarã entre Mumbai e Goa, inativo durante as monções, de julho a setembro. Barcos de passageiros também operam partindo de Chennai ou Kolkata para as ilhas Andaman, assim como de Kochi para Lakshadweep. O preço de muitos cruzeiros de luxo inclui refeições a bordo, traslados de barco do navio até as ilhas, mirantes, passeios e alojamento em terra. Eles são bastante populares, por isso reserve com pelo menos dois meses de antecedência.

Dois barcos de passageiros, o *MV Nancowry* e o *MV Akbar*, da **Shipping Corporation of India** (SCI), operam entre Chennai e Port Blair, nas ilhas Andaman, a cada dez dias, e outro navio SCI vai até Port Blair uma vez por mês saindo de Visakhapatnam. Nas Andaman, há quatro ferryboats de passageiros e carga ligando Port Blair às outras ilhas. Também há barcos entre Kochi e Lakshadweep. A **S.P.O.R.T.S.**, Society for Promotion of Nature Tourism and Sports, agência oficial de turismo das ilhas Lakshadweep, opera dois barcos, o *MV Bharatseema* e o *MV Tipu Sultan*, entre Kochi e Lakshadweep. A Goa Tourism Development Corporation *(pág. 761)* opera cruzeiros nos rios do estado, enquanto em Kerala cruzeiros de meio dia ou dia inteiro pelos remansos são organizados pelo Kollam (Quilon) District Tourism Promotion Council *(págs. 634-5)*. A Kerala Tourism Development Corporation, em Kochi *(pág. 761)*, também organiza cruzeiros pelos belos remansos do estado. As opções vão de casas flutuantes em tradicionais *kettuvallams* (barcos de arroz) a modernos barcos-safári de 12 assentos.

Passagem de ônibus

Em Goa e Kerala, viajar de barco é mais rápido do que de carro. Barcos conectam o continente às ilhas próximas, como Ernakulam e Willingdon. Em Lakshadweep e nas ilhas Andaman, eles oferecem a única conexão para quem quer viajar entre as ilhas. Nos estados do Nordeste, há passeios de barco pelo rio Brahmaputra, em Guwahati. Em Varanasi, podem-se alugar barcos no rio Ganges. Mumbai tem barcos-táxi entre Gateway of India e Elephanta Island.

AGENDA

ESCRITÓRIOS DE TURISMO DO GOVERNO DA ÍNDIA

Délhi
88 Janpath.
Tel *(011) 2332 0005.*

Mumbai
123 M Karve Rd.
Tel *(022) 2203 3144.*

Kolkata
4 Shakespeare Sarani.
Tel *(033) 2282 1475.*

Chennai
154 Anna Salai.
Tel *(044) 2846 1459.*

RODOVIÁRIAS

Délhi
ISBT, Ring Rd.
Tel *(011) 2386 8836.*

Sarai Kale Khan
Tel *(011) 2435 8092.*

Mumbai
MTDC, Madame Cama Rd.
Tel *(022) 2202 6713.*

Kolkata
Esplanade Terminus, Calcutta State Transport Corporation
Tel *(033) 2248 1916.*
North Bengal State Transport Corporation
Tel *(033) 2243 0736.*

Chennai
State Express Bus Stand
Parry's Circle.
State Express Transport Corporation
Tel *(044) 2536 6063.*
Pallavan Transport Corporation
Tel *(044) 2536 6063.*

APSRTC
Tel *(044) 2479 2233.*

PASSEIOS DE BARCO

ESPORTES
Lakshadweep Tourism,
Indira Gandhi Rd,
Willingdon Island, Kochi.
Tel *(0484) 266 8387.*

Shipping Corporation of India
Appeejay House,
4th floor, Dinsha Wacha Rd,
Mumbai.
Tel *(022) 2282 2101.*

Shipping Corporation of India
Jawahar Building, Rajaji Salai,
Chennai.
Tel *(044) 2523 1401.*

Transporte Local em Cidades

Taxímetro

As opções de transporte variam segundo as cidades. Nas grandes, há serviços confiáveis de ônibus, táxi e riquixás. As principais cidades têm também trens suburbanos que fazem conexão rápida entre áreas dentro dos limites da cidade. Há ainda outros tipos de transporte, em especial nas cidades menores e nos bairros antigos de cidades, onde é melhor optar por um veículo pequeno e leve capaz de andar por ruelas congestionadas. Há moto-riquixás, auto-riquixás, vikrams (versões maiores do auto-riquixá) tempos e jipes na maioria das cidades, e algumas têm ainda carroças puxadas a cavalo *(tongas)* e a camelo.

TÁXIS E AUTO-RIQUIXÁS

Táxis pretos com teto amarelo trafegam nas principais cidades, exceto em Kolkata, onde são amarelos, e em Bangalore, onde são pretos. Estes táxis podem ser parados na rua ou chamados do ponto local. Fazem serviço ponto a ponto ou a preço fixo: por meio dia, que equivale a quatro horas ou 40km; ou por um dia inteiro, ou seja, oito horas ou 80km. O Ambassador é o modelo favorito, embora as vans Maruti estejam ficando cada vez mais populares.

Táxis especiais (alguns com ar-condicionado) costumam ser de cor branca e também são encontrados em alguns pontos de táxi padrão. Em algumas cidades, não há táxis de teto amarelo, mas podem-se alugar táxis especiais em agências ou hotéis. Há pouco, foram introduzidos rádiotáxis em Délhi e Mumbai. São mais caros que os táxis comuns, pois têm ar-condicionado.

Os auto-riquixás (chamados popularmente de autos, scooters ou *phat-phats*), que são vistos por toda parte, são o meio de transporte mais comum na maioria dos lugares. Os autos são mais baratos que o táxis, mas prepare-se porque alguns motoristas fazem coisas de arrepiar –eles adoram se espremer entre ônibus. Em Délhi e Mumbai, o esforço antipoluição levou a introduzir veículos que andam com Compressed Natural Gas (CNG). Táxis e autos que fizeram a conversão para CNG têm uma faixa verde sobre o amarelo e preto usual. Todos os autos novos são a CNG e vêm pintados de amarelo e verde, em vez de amarelo e preto.

Um auto-riquixá, barato, rápido e às vezes de tirar o fôlego

TARIFAS

Todos os táxis e autos têm taxímetro, mas as tarifas variam segundo o preço do combustível. É comum os taxímetros não estarem atualizados e os motoristas levam uma tabela para converter a tarifa antiga para a nova. A tarifa noturna é mais alta que a diurna e paga-se à parte pela bagagem. Os motoristas costumam cobrar a mais dos passageiros. O argumento mais comum é que o taxímetro não está funcionando. O melhor é esclarecer o preço antes e insistir em ver a tabela de conversão. Você pode também combinar o preço da corrida inteira antes de entrar no carro. Leve dinheiro trocado, pois os motoristas costumam dizer que não têm troco. Eles também gostam de fazer o caminho mais longo, por isso, se possível, descubra antes qual é o melhor trajeto.

ÔNIBUS

Embora as linhas de ônibus urbanos sejam muito extensas, andar neles não é uma experiência agradável. Vivem superlotados e é uma luta conseguir abrir caminho, mesmo que seja até o motorista, para comprar seu bilhete. Os ônibus que vêm lotados dificilmente param nos pontos, que costumam ficar cheios de gente esperando. Os motoristas são conhecidos pelo seu jeito insano de guiar. Mesmo os chamados ônibus de luxo correm a velocidade assustadora. A não ser que não haja outro jeito, é melhor usar outro tipo de transporte.

TRENS SUBURBANOS E METRÔ

Mumbai tem a melhor rede de trens suburbanos da Índia, com conexões eficientes e a preço compatível. Mas os trens vêm superlotados e é melhor evitá-los no horário de pico. As mulheres devem usar o compartimento "ladies only".

O motorista em pé na porta de um ônibus urbano de Kolkata superlotado

Mototáxis, uma maneira prática de se locomover em Goa

São três linhas principais. A mais popular delas sai de Churchgate e passa por Mumbai Central e Andheri. As outras começam em Victoria Terminus (VT).

Em Chennai, os trens suburbanos oferecem conexões rápidas de Egmore a Central Station ou George Town, e para Guindy ou para o aeroporto.

O primeiro metrô da Índia é o de Kolkata. Foram abertas linhas limitadas nos setores norte e sul e as linhas estão sendo ampliadas. O serviço é limpo e eficiente e os trens correm entre 7h e 22h todos os dias. As principais estações ficam em frente ao Oberoi Grand e perto da Dr. M. Ishaque Road. Alguns trechos dos trens locais ao ar livre de Chennai, o Mass Rapid Transit System (MRTS), já estão operando. O metrô tem 3 linhas que cobrem a cidade e está sendo expandido para os arredores.

MOTOS E BICICLETAS

Em geral, a melhor maneira de explorar cidades pequenas e seus arredores é de moto ou bicicleta.

Em Goa, as mototáxis são identificadas pelos pára-lamas amarelos e pela placa branca, e é fácil encontrá-las. Se você preferir viajar por sua conta, também há motos para alugar por dia. Cidades como Pondicherry, Hampi, Belur e Halebid podem ser exploradas de bicicleta, que pode ser alugada a preços razoáveis.

OUTROS MEIOS DE TRANSPORTE

Outras opções de transporte são os miniônibus, as moto-riquixás e as carroças a cavalo. As moto-riquixás são um meio de transporte prático e popular para cruzar os bolsões congestionados dos bairros antigos das cidades. São vistos em maior número nas cidades menores, onde podem manobrar com facilidade por ruas estreitas e *galis*. É melhor negociar as tarifas de antemão, embora alguns cobrem preço fixo por passeios definidos.
Os tempos são veículos em forma de vagão movidos a eletricidade, equipados com assentos da metade para trás. Sem conforto e lotados, cobram preço fixo por trajetos fixos. Carroças a cavalo (*tongas* ou *ikkas*) são também muito comuns em pequenas cidades e em volta de estações de trem, e oferecem passeios de lazer. Em Rajasthan também há carroças puxadas por camelos –uma novidade meio cheia de solavancos.

Jipes e vans podem ser alugados nas cidades *(pág. 779)* para pequenas viagens de exploração dos arredores. Eles são o principal meio de transporte em Ladakh. Jipes são também a melhor maneira de explorar as montanhas. Muitas cidades compartilham jipes-táxi, que saem mais baratos do que jipes particulares. Cobra-se geralmente uma taxa fixa, que inclui quaisquer outros gastos de viagem. Geralmente não se permite a circulação de carros particulares nas montanhas, onde as opções mais fáceis são alugar moto-riquixás ou andar a pé.

NOMES DE RUAS

Na maioria das cidades, especialmente nas quatro principais, muitas ruas com nomes de personalidades da era Raj foram renomeadas para homenagear indianos e estrangeiros bem conhecidos. Isso pode gerar confusão, pois os mapas trazem só os novos nomes, enquanto os locais ainda usam os antigos. Na dúvida, pergunte a duas ou três pessoas.

Riquixás puxados a mão, encontrados apenas em certas áreas do centro de Kolkata

Índice Geral

O número de páginas em **negrito** se referem às entradas principais

B

G

H

I

J

N

O

P

Q

R

T

Agradecimentos

Dorling Kindersley agradece às pessoas mencionadas a seguir, que contribuíram na preparação deste livro.

Principais Colaboradores

Roshen Dalal tem Ph.D. em História da Índia Antiga pela Jawaharlal Nehru University, Délhi e é autor de *A History of India for Children.*
Partho Datta ensina História da Índia na Delhi University.
Divya Gandhi é ambientalista e geógrafo, e atualmente faz pesquisa para doutorado na University of Michigan.
Premola Ghose viajou muito, em especial por Madhya Pradesh e Maharashtra. É chefe de Programa do India International Centre, Délhi.
Ashok Koshy é servidor civil graduado que viveu muitos anos em Gujarat e Kerala.
Abha Narain Lambah é arquiteto conservacionista, Diretor da Bombay Collaborative, empresa pioneira na área de projetos urbanos e preservação em Mumbai.
Annabel Lopez é arquiteta e historiadora de arquitetura, co-autora do livro *Houses of Goa.*
Sumita Mehta é jornalista e escritora de livros de viagem residente em Délhi, e tem trabalhado em projetos de conservação em Rajasthan.
Rudrangshu Mukherji é um destacado colunista, jornalista e escritor residente em Kolkata.
Meenu Nageshwaran dirige uma agência de viagens, Incent Tours, em Délhi.
Rushad R. Nanavatty é um experiente montanhista das trilhas do norte, centro e leste da Índia.
Ira Pande é administradora editorial da Dorling Kindersley em Délhi. Foi também professora da Punjab University, em Chandigarh.
Usha Raman é escritor freelancer e editor, residente em Hyderabad.
Janet Rizvi, fez Ph.D. em Cambridge, é uma destacada autoridade sobre Ladakh e autor de dois livros, *Ladakh, Crossroads of High Asia* e *Trans-Himalayan Caravans: Merchant Princes and Peasant Traders in Ladakh.*
Ranee Sahaney é um conhecido escritor de livros de viagem e colaborador regular da *outlooktraveller.com.*
Deepak Sanan é funcionário civil graduado que trabalhou muitos anos em Himachal Pradesh. Ele escreveu extensivamente sobre a região.
Darsana Selvakumar é pós-graduado em História da Índia Antiga e arqueologia.
Sankarshan Thakur é jornalista e autor de um livro sobre Bihar.
Shikha Trivedi é uma autoridade em artesanato tradicional. Está atualmente trabalhando num importante canal de telenotícias.
Lakshmi Viswanathan é uma dançarina de Bharat Natyam residente em Chennai. Ela também participa do corpo diretor da Music Academy Madras, uma das principais organizações culturais do sul da Índia.

Consultores

George Michell é historiador de arquitetura e cultura especializado em Índia. Entre suas muitas publicações estão livros sobre templos hindus, palácios reais, o Império Vijayanagar e arte e arquitetura do Decão.

Colaboradores Adicionais

John Abraham, Anvar Alikhan, Usha Balakrishnan, Manini Chatterjee, Anuradha Chaturvedi, Rta Kapur Chishti, Anna Dallapiccola, Dharmendar Kanwar, Ranjana Sengupta.

Ilustrações Adicionais

Naveed Ahmed Vali, Ampersand.

Fotografias Adicionais

Akhil Bakshi, Benu Joshi, Aditya Patankar, Ram Rahman.

Revisão e Índice

Anita Roy, Ranjana Saklani.

Apuração

Ranee Sahaney.

Assistência Editorial, DTP e Assistência Cartográfica (DK Londres)

Brigitte Arora, Jo Cowen, Emily Hatchwell, Jason Little, Casper Morris, Dave Pugh, Vivien Stone.

Gerente de Publicações

Anna Streiffert.

Diretor de Arte

Gillian Allan.

Publisher

Douglas Amrine.

Assistentes Especiais

Mahesh Buch; Tarun Chhabria; Manosh De; Sharada Dwivedi; Asit Gopal; G. M. Kakpori; Vijayan Kannampilly; Meenal Kshirsagar; Ritu Kumar; Anna Madhavan; Aditi Mehta; Milan Moudgill; Sunil Philip; Nihar Rao; Anita Roy; K. J. Ravinder; Samit Roychoudhury; Shweta Sachdeva; Lalit Sharma; Parvati Sharma; Tara Sharma; Yuthika Sharma; Luiyo Shimray; Dr. A. Jaya Thilak; Maharao Brijraj Singh de Kotah; Maharaja Gaj Singh II de Jodhpur; Vijay Singh. American Institute of Indian Studies. Archaeological Survey of India, Nova Délhi.
Architecture Autonomous, Goa: Gerard da Cunha e Amit Modi.
Architectural Conservation Cell of the Associated Cement Companies Ltd.
Aurobindo Ashram.
Central Cottage Industries.
Department of Culture, Government of India: Kasturi Gupta Menon, secretário-adjunto.
Department of Tourism, Nova Délhi: Rekha Khosla, Diretor; Ashwini Lohani, diretor.
Indian Institute of Public Administration.
Indian Museum, Kolkata: Dr. S. K. Chakravarty, diretor; Chanda Mukherjee.
Indian National Trust for Art and Cultural Heritage: Martand Singh.
Maharana Mewar Historical Publications Trust, Mewar: Shriji Arvind Singhji, presidente e administrador-curador.

Mehrangarh Museum Trust, Jodhpur: Curadores; Mahendra Singh, CEO.
Sangath: B. V. Doshi.
Tibet House, Nova Délhi.
Tibetan Institute of Performing Arts, Dharamsala.
Wildlife Trust of India: Vivek Menon.
World Wide Fund: Krishna Kumar.

Assistência Especial em Fotografia

Archaeological Survey of India, Nova Délhi:
Komal Anand, diretor geral;
Dr. K. M. Poonacha, diretor (Monumentos);
Dr. R. C. Aggarwal, diretor (Museus);
Mr. Bakshi, diretor assistente (Monumentos).
Crafts Museum, Nova Délhi: Dr. Jyotindra Jain.
Government Museum, Chennai: R. Kannan.
Khuda Baksh Oriental Library, Patna: H. R. Chigani.
Mathura Museum, Mathura: Jitendra Kumar.
Maharaja Fatehsingh Museum Trust, Baroda.
National Museum, Nova Délhi:
R. D. Chowdhourie; U. Dass; J. C. Grover; Dr. Daljeet Kaur.
Prince of Wales Museum of Western India, Mumbai: Dr. Kalpana Desai, Diretor.
Rampur Raza Library, Rampur: W. H. Siddiqi.
Sarabhai Foundation, Calico Museum of Textiles, Ahmedabad: D.S. Mehta, secretário; A. Sen Gupta.
Sanskriti Museum, Nova Délhi: O. P. Jain.
State Museum, Patna: Naseena Akhtar.

Dorling Kindersley gostaria de agradecer a todos os escritórios de turismo regionais e locais da Índia por sua inestimável ajuda. Agradecimentos especiais a Ravi Babu; Chandana Khan, secretário, Tourism & Culture Department, Hyderabad; Victoria Memorial, Kolkata: C. R. Panda; Indian Museum, Kolkata: Shyamalkanti Chakravarti; The Asiatic Society, Kolkata: Ms. Sarkar; Kunjo Tashi; Rajiv Mehrotra; Tenzin Geyche Tethong, secretário de Sua Santidade, o Dalai Lama, Dharamsala; Chief PRO, Central Railways, Mumbai: Mukul Marwah; Quila House, Patna: B. M. Jalan; secretário, Department of Cultural Affairs, Thiruvananthapuram: Prof. H. V. Pradhan; INTACH (Pune); R. K. Saini.

Fotos de Comida

Dorling Kindersley gostaria de agradecer a Bhicoo Manekshaw; Farsaan, Uma Singh, Nova Délhi; Marriott WelcomHotel, Nova Délhi: Monisha Mukundan, Gerente de Relações Públicas, Vijay Wanchoo, administrador-geral; Oberoi Hotel, Nova Délhi: Aruna Dhir, gerente de Comunicações, Bruno Cerdan, Chef e Chef Pankaj Mehra, Kandahar; pela sua supervisão pessoal da apresentação dos pratos neste livro.

Permissões de Fotografia

Dorling Kindersley gostaria de agradecer a todos as pessoas nos templos, fortes, palácios, museus, restaurantes, lojas e outras atrações pela sua cooperação e contribuição para esta publicação. O Editor gostaria também de agradecer às seguintes pessoas pela sua assistência e gentil permissão de fotografar seus estabelecimentos: Brindavan, Nova Délhi; Crafts Museum, Nova Délhi; Good Earth, Nova Délhi; Annie Kumar, Regalia, India Tea House, Nova Délhi; Ramji Bharany, Bharany's, Nova Délhi. Agradecimentos especiais também a Urmila Dongre e Vivek Narang por sua gentil permissão de fotografar seus produtos.

Créditos das Fotos

a = alto; ae = alto à esquerda; cae = centro, alto, à esquerda; ac = alto, centro; ad = alto, à direita; cea = centro, à esquerda, acima; ca = centro, alto; cad = centro, alto, à direita; ce = centro, à esquerda; c = centro; cd = centro, à direita; ceb = centro, à esquerda, embaixo; cb = centro, embaixo; cdb = centro, à direita, embaixo; be = embaixo, à esquerda; b = embaixo; bc = embaixo, centro; bce = embaixo, centro, à esquerda; bd = embaixo, à direita; bd = embaixo à direita; d = detalhe.

Os editores agradecem às seguintes pessoas, bancos de imagens e empresas pela autorização de reproduzir suas fotografias:

AMR Vastra Kosh Trust, Nova Délhi 317bd/be/c.
Arya, Aditya 214c, 217c, 225cd, 233a/c/b, 239cd, 242be/bd, 246a, 252a, 261c, 338c, 457b, 459a, 748a, 777b.
Bagla, Pallava 17b, 19ad, 24-25d, 28ad, 65be, 162ce, 193b, 221ce, 250b, 371c, 377cb, 641b.
Bahuguna, Manu 16a, 34b, 75b, 85c, 328 e 329, 408, 430ad, 445b, 454ad, 471be, 521b, 543bd, 556, 559c, 570a, 572a, 607a, 616, 618b, 619a, 622a, 646c, 750b, 752a, 753a.
Bakshi, Akhil 14c, 28b/bd, 29be, 186b, 219bd, 391b, 436a, 770b, 778b.
Balan, M 18cdb, 30bd, 369b, 520b, 550a, 624, 626b, 627a, 628ae/ad, 629be, 630ae/ad, 631ae, 633c/be, 634-635c, 635ae/bd, 640ae/cb, 641ae/cd, 646bd, 647a/c/bd, 648c, 649a/c, 650ce, 652b, 654a/c, 656a/c, 657a/cd/c, 688b, 719b.
Barkakoti, Kakoli 324c, 325bd, 333a.
Bartholomew, Pablo/Mediaweb India 262ce, 262-263c.
Behl, Benoy 42a, 47ad, 136a/c, 137ad/b, 138ad/ce/cd/bd, 139ae/ce/b, 140b, 141be/b/bd, 143ce/ceb, 144ae/ad/ce/cd/b, 145ad/c/b, 146c/b, 147ce/b, 151c/b, 476ad/cb, 477a/c, 478a, 479a/b, 480a/ce/c/cd/ceb/cdb/be/b/bd, 481cd/be/bd, 565b, 566c.
Bhargava, Subhash 23ceb, 56be, 179c, 346bd, 358c/be, 364b, 367a/c, 373a, 377ce/bc/b, 378a, 379a, 380ae, 381b, 386a, 387a, 390b, 398ad, 401be, 402a/b, 403a, 404a, 407a, 751a.
Bhojani, Namas 442.
Bihar School of Yoga Ganga Darshan, Munger, 217a.
Brown, Dean K 78b.
Chandola, Ashish 62a, 368b.
Chhabra, Tarun 607ce.
Chishti, Rta Kapur 209a/c/ceb/cdb/be/bd (a, b, c, d), 583a/c/cb/cdb, 673cd (a, b, c, d, e, f).
Chopra, Tarun 14t.
Chundawat RS 13a, 18bd, 19ce/bd, 64cea, 136b, 140a, 142c, 143a, 152a, 153b, 186a, 188a, 192c/cb, 194b, 255cdb, 295b, 321c, 371b, 423bd, 520cdb.

Costumes & Textiles of Royal India, Ritu Kumar 30ce.
Crafts Museum 80ad/c/cb, 81ae/ac/cdb, 252c.
Crampes, Gilles 123ce.
Das, Tanmoy 318be.
Das, Vivek 262be/bd.
Dasgupta, Prosenjit 316ae.
Deen Dayal Trust 665ceb.
Dilwali, Ashok 112a, 113c/bd, 114b, 115ad, 116c, 117cd, 118c/b, 120a/c/b, 121a/c, 122a, 123ad, 124c, 125c/b, 126a/c, 127be, 128c/be, 129a/c/b, 130adb, 131bd, 158a, 163c, 170a, 180ae, 182ae, 187a, 189b, 191b, 259b, 299cdb, 300a, 301b, 302a/b, 618a/c, 619c, 620ceb, 621b, 623a/c/b.
Dix, Thomas 226, 230 e 231, 236ad/c, 237b, 346-347c, 350, 371cd, 392 e 393, 394a, 397ad/be, 414ad/ce/cd, 415ad/ce/b, 418ae/ad/c/cb, 419ad/c, 422a, 424 e 425, 464, 476ae/c/b, 477b, 478b, 481a/ce/cdb, 679bd.
DK Classic Cookbook 718a.
DK Picture Library Andy Crawford 27ad/be, 141cd (Wimbledon Buddhist Temple, Londres); Geoff Dann (Ashmolean Museum, Oxford) 679ca; Gables 21c; Ellen Howdon (Glasgow Museum, Glasgow) 467c; Dave King 163b; Linda Whitwam 646ae.
Dongre, Urmila 3 (inserção), 24ae/c, 25ae/b, 44a, 597ad, 746ae/ce (a, b, c, d).
Dube, DN 50cea, 172c, 173cd, 180ad, 181ae, 182ad/c.
Dubey, Suman 132 e 133.
Fotomedia Picture Library 32-33c, 55ad, 59(inserção), 142a, 152b, 196b, 284, 286b, 433(inserção), 471ce; Jyoti M. Banerjee 193a, 334c; François Gautier 396ce, 441bd, 754a/b, 783a; Nihal Mathur 406ad; Sanjiv Mishra 37b; Sundeep Nayak 368c; Christine Pemberton 22ce, 158b, 195a, 306ad, 308b, 443b, 444a, 454c, 473ad, 718b; Otto Pfister 130be, 368a/cb, 369ae/c; Sanjay Saxena 185c, 303c, 355be; Satish Sharma 467a; Mathew Titus 55ae; Henry Wilson 203bd.
Gaur, RK 61b, 258a, 326b, 333b, 336ce,
Ghosh, Ashim 48be, 183bd.
Gruisen, Joanna van 18ceb/be/be, 19ad, 34a, 64ae, 65ad, 127c, 138ceb, 142ce/cd, 193cb, 224c, 254a, 288ad, 319a/c/b, 326c, 330ae, 388ae, 390c, 406ce, 520cd, 640ae/be, 641ad.
Gupta, Nath 33bd.
Tradition & Beyond: Handcrafted Indian Textiles, Roli Books India 2001 by Rta Kapur Chishti & Rahul Jain 317a/ce/cd (a) e (b)/bd.
Husain, Fawzan 436b.
Hyatt Regency 749b.
Image Bank/London 64-65c.
India Today Magazine 17c, 32ad/ce/ceb/be, 33ae/ad/cd/be, 428b, 447b, 665ce.
Israni, Prakash 18ad, 36c, 63a, 101b, 183be, 309c, 467b, 472c/b.
Kaimal, Ravi 124a.
Kapoor, Prem 42c, 56bd, 57bd, 128a, 195be, 632a, 639c, 748b.
Kapoor, Kanika 30-31c.
Kasliwal, Sudhir 360b, 361a/ceb/be/b, 746be.
Khanna, Dinesh 12, 30be, 31be, 105b, 162ae, 163ae, 179b, 202ce/c/cd/b, 203ce/c/be, 206ce, 207cd/be, 313ad/bd, 345a, 377c, 380ad, 421c, 437c, 438bd, 439ae/ac/bc/bd, 484, 494 e 495, 506b, 551a, 663ae, 665be, 746cd.
Khazanchi, BN 15bd, 34c, 36b, 37c, 327ad, 369cb.
Khokar, Ashish 28ce, 253bd.
Khullar, Rupinder 30a,103b, 104b, 200 e 201, 221ceb, 225b, 304, 312b, 318bd, 321a/bd, 458a, 459b.
Kohli, Bobby 263ae.
Kumar, Krishna 620a/ce/cd/cdb, 622b.
Kumar, Poonam A 15be.
Lewis, Karoki 204a, 207ae/ce.
Mandhani, Pradeep 17a, 750a.
Mehrangarh Fort, Jodhpur 382b, 383b.
Mehta, Dalip 377be, 299a/cd/c/ceb.
Mehta Hemant/Picture India 31cd.
Mishra, Vishwanath 439be.
Muthuraman, V 2 e 3, 6 e 7, 15a, 16b, 22b, 24ce, 25cd/bd, 36a, 38b, 45be, 47ae/be/bd, 54bd, 204be/bd, 205ae/td, 206be, 207ad, 208a/b, 210a, 220a/b, 221b, 222c/bd, 237c, 238c, 262ae, 267b, 269a, 271cdb, 274ad/b, 275a, 281c, 324a, 334b, 335a/c, 516b, 517a/bd, 518b, 519ae/ad, 524cd/cdb/b, 535cea/ce/ceb, 546 e 547, 548a/c, 551c/b, 554adb, 560a/b, 565a, 566be/bd, 569a/c/b, 571bd, 576, 578a, 582a/b, 583ce/cd/ceb/b, 584a/be/bd, 585a/c/b, 586ad, 587ae/ad/c, 588c, 589be/bd, 590b, 591bd, 592a, 593a/c/b, 594a/c/b, 595a/be/bd, 596a/c/b, 597ae, 598b, 599a/c, 600a/c, 601a/c/b, 602 e 603, 604a/b, 605a/c/b, 606a/be/bd, 607c/cd/cdb/be/bd, 608a/c/b, 609a, 610a/b, 611a/c/b, 612a/ce/cd/ceb/cdb/be/bd, 613a/b, 614a/b, 615a/b, 628b, 633cb, 636 e 637, 642a, 650a/ceb, 652a, 653a/b, 654b, 655a/c/b, 656b, 657ce/be/bd, 753b, 762a.
Nath, Aman 45bd, 50bd.
Nath, Ashok 327ae, 332b, 336ac.
National Museum, Nova Délhi 24bd, 26bea, 40, 41a/be, 43a/bd/bc, 48bd, 49a, 50ae/c/ceb, 51c/cdb, 53be, 76ae/td/c/ceb/be/bd, 77a, 141ce, 249b, 405cd/be, 665bd; J.C. Arora 52be; R.C. Dutta Gupta 29ae, 42b, 44b, 52a;. P. Roy 361cdb (a) e (b)
National School of Drama, Nova Délhi 26cdb.
Nehru Memorial Library, Teen Murti, Nova Délhi 57a.
Pasricha, Amit 18cd, 31bd, 38a, 39a, 44c, 55be, 60a, 98, 140c, 141a, 162bd, 221cdb, 256 e 257, 336be/b, 337ae, 338a/b, 341(inserção), 385a/cd/b, 400ad, 426b, 427a/b, 587b.
Pasricha, Avinash 28c/cd, 29ce/cd/bc/bd, 102a, 313be, 514a, 550b, 557b, 595ce/c/cd/cdb/cda/bc, 772b, 775b.
Patankar, Aditya 28ae, 228ae/ad/c/b, 229a/ce/cd/b, 346ae/ceb/be, 347cd, 356ad, 372a/c, 390a, 403b, 748c.
Prabhakar, K 663ad/c/b, 665a, 666a, 667c, 669a/cd.
Prince of Wales Museum of Western India, Mumbai 450ae/ad/c/b, 451c/b.
Press Information Bureau 56a.
Rahman, Ram 72be.
Rajamani, VK 25ad, 46ae/ad/be/bd, 46-47c, 552c/be, 553ae/be, 561b, 564c, 565c, 747cb.
Ramamrutham, Bharath 515 a/ce/c/ca/be/b/bd.
Rao, CR Anantha Padmanabha 652c.
Rao, E Hanumantha 19be, 288ae, 407cb/b, 650cd.
Reshi Maryam 35a, 63b, 154a/c, 155a/c, 400ae,

430ae/c, 431c.
Rizvi, Janet 147a/cd.
Roli Books 27ce, 31ae, 236ae/b, 388b.
Sahai, Kamal 43be.
Saith, Sanjeev 60b, 100b, 103a, 116b, 154b, 162ad, 163cb, 187b, 188c, 190a/c/b, 191a, 197c, 207cdb, 209ce, 216c, 224a/b, 260a, 288c, 300b, 411c, 752b.
Sanan, Deepak 118a, 119a/c, 327b, 332a, 333c, 337ce.
Sanctuary Features & Photo Library 438cb, 439ad; Parvish Pandya 622c; Shailendra Yashwant 467ce.
Sanghvi, Hemen 23ad/ce/cd/cdb/be, 261b, 324b, 325a, 334a, 336ae, 337ad/b, 339a/c/b.
Sankaran, R 619b.
Saran Shalini 13b, 35b, 48c, 50be, 51ae/b, 52bd, 54be, 77c/b, 91b, 95a, 160a, 168ae, 170b, 171b, 183ae, 184b, 194a/c, 199bd, 207bd, 221a/ac, 240ad, 242c, 244ad/c/cb, 245a/be/bd, 248b, 251bd, 374ae, 405cdb, 429a, 431ae/ac/ad/bc, 685 (inserção), 757 (inserção).
Sarabhai Foundation, Calico Museum of Textiles, Ahmedabad 412ae/ad/c/b, 413a/c/b.
Satyan, TS 19bd, 26ae, 27cd, 29ad, 165bd (a, b), 517be, 518ad/c, 535be/bd, 590a, 635ad, 762b.
Sekhsaria, Pankaj 369ad.
Seth, Pepita 216b, 649b.
Sethi, Ajay & Mugdha 101a, 164bd, 165ceb, 174c/bda, 175ce/be, 203a, 205b, 206bd, 281b, 291bd, 631ad, 760a, 769bea.
Siddharth 263b.
Sinclair, Toby 7(inserção), 18ce/bda, 19ae/ceb/cdb/b, 20ae, 25be, 31ad, 113be, 124b, 139ad, 155b, 157(inserção), 159b, 161b, 163ad, 187c, 192a/b, 193c, 211a/b, 237a, 238a/b, 239a/ce/ceb/cdb/b, 254ce/ceb/b, 255a, 257(inserção), 261a, 288b, 289a/c/b, 291a, 292a, 298a/c, 299ce, 307a, 309a, 321be, 322, 325be, 326a, 330ad/c/b, 331a/cb, 335b, 336ad, 379c, 381a, 384b, 396b, 397cd, 401ad, 404b, 406ae/c/b, 407c, 416a, 423be, 429c/b, 439bda, 461ae, 520a, 524a, 547(inserção), 578b, 580ad, 621c, 631c, 634ce/bd, 640c, 643ad, 644ae, 645c, 646be, 647be, 650cdb, 670c/b, 679bc, 687a, 689a, 756 e 757, 760b, 781a.
Singh, NP 354be.
Singh, Dhruv 394b, 396ae.
Singh, Hashmat 58 e 59, 62b, 64ceb, 108, 114c, 115ae/b, 116ae/ad, 119b, 123ceb/be, 125a, 126b, 127bd, 130ad/c/bd, 131ae/ce/be, 139cd, 143cd, 150a, 151a, 152c/cb, 153a, 189a, 262ad/ceb, 294a, 296a, 297a/c/b, 298b, 301a, 302c, 303a/b, 345b, 377a, 381c, 395b, 397ae/cdb, 688a.
Singh, Thakur Dalip 18ae, 19bc, 65cd/bda/bd, 112c, 186c, 191c, 295c, 299be, 331c, 482b, 520ce/ceb.
Stock Transparency Services 460b, 466a/c, 471c, 482a, 483a.
Talwar, Amar 57be, 65adb, 113a, 114a, 117bd, 127a, 161a, 163cda, 182b, 188b, 225a, 248cd, 253ce, 428a, 430bd, 431be.
The Statesman/R De 37a.
V & A Museum, Londres (Cortesia do Board of Trustees) 50ad, 53b.
Varuni, Ritu 336cd/bd, 337cd.
Verma Bimla 23ae, 26ad, 27cdb, 102c, 123cdb/bd, 162cd, 217b, 221cd, 253a/cd/cb/ceb, 295a, 306ae, 308a, 309b, 312c, 320a, 398c, 431bd, 470c, 679a/be.
Wadhwa, Rajinder Kumar 313a.
Walia, BPS 101ce/ca, 103c, 104a/c, 105a/c, 106ae/ad/ce/cd/b, 107a/c/b, 121b, 123ae/a/cd (a) e (b), 141c, 199be, 243c, 244ae/b, 245ad, 247a/c, 248ad/ae/ce, 249ae/ad, 255cd, 306b, 308cb, 310ce, 340 e 341, 396ad, 397bd, 423a, 458b, 524ce.
Wedding Affair Magazine 31ce.
Whitaker, Rom 621a.
World Wildlife Fund 330cb, 331b.

Obras de arte foram reproduzidas com permissão das seguintes detentores de copyright
© National Gallery of Modern Art, Nova Délhi 55bd; Curadores do Rao Madho Singh Trust Museum, Kotah 405bd; Cortesia de Shriji Arvind Singhji Mewar, Presdiente e Administrador Curador, Maharana Mewar Historical Publications Trust 405ce; Ramachandra Maharana, Puri, Orissa 313c; Mundrika Devi, Madhubani, Bihar 27ae;

CAPA:
Frente - DK PICTURE LIBRARY: M. Balan ce; Amit Pashricha cd; B. P. S. Walia bc; GETTY IMAGES: Anthony Cassidy imagem principal. Verso - DK PICTURE LIBRARY: Amit Pashricha ae, bd. Spine - GETTY IMAGES: Anthony Cassidy a.

Todas as outras imagens © Dorling Kindersley. Para informações adicionais acesse www.dkimages.com

Glossário

ARQUITETURA

amalaka pedra circular com nervuras, em torre de templo hindu
apsara donzela celeste *(pág. 236)*
bagh jardim
bangaldar telhado curvo, como o das cabanas de palha de Bengala *(pág. 290)*
baoli poço com escadas de pedra e galerias laterais *(veja vav)*
baradari pavilhão com 12 pilares
bhavan morada, residência
bhulbhulaiya labirinto
chaitya santuário budista escavado na rocha
chaitya griha salão de oração num *chaitya* *(pág. 20)*
charbagh jardim mogul dividido em quatro partes *(pág. 21)*
chhatri, **cenotáfio** monumento fúnebre, com cúpula; não contém o corpo, que foi cremado
chorten santuário budista mahayana ou stupa memorial
chowk pátio de palácio ou forte; também praça principal
dargah santuário de santo muçulmano
darwaza porta ou portal
Diwan-i-Aam salão de audiência pública
Diwan-i-Khas salão de audiência privada
dukhang salão de mosteiro budista mahayana
dvarapala divindades guardiãs dispostas na entrada de templos hindus *(pág. 24)*
garbhagriha santuário interior em templo hindu
garh forte
ghat escadaria à margem de rio; também cadeia de montanhas
gompa mosteiro budista em Himachal Pradesh, Ladakh e Arunachal Pradesh
gonkhang templo de divindades guardiãs em *gompa*
gopura portal piramidal, alto, nos templos hindus do Sul da Índia *(pág. 610)*
gurdwara templo sique *(pág. 21)*
hamam banho turco a vapor
haveli mansões tradicionais com pátio interno *(pág. 387)*
jali tela ornamental vazada ou em treliça de pedra *(pág. 175)*
jharokha sacada decorativa *(pág. 387)*
kalasha remate no alto de torre em templo hindu *(pág. 21)*
khirkee janela
kund tanque ou lago
lhakhang templo budista em Ladakh e Himachal Pradesh
mahal palácio
mandapa salão com pilares que leva a um santuário de templo hindu
mandir templo hindu
pedras mani / paredes mani pedras entalhadas com cantos sagrados budistas mahayanas
masjid mesquita
mihrab nicho em arco em uma mesquita, voltado para Meca
pol portão fortificado
prakara muro em volta de templo hindu no Sul da Índia
qila forte
salabhanjika ninfa da árvore *(pág. 245)*
shikhara torre espiralada de templo hindu *(pág. 20)*
tharavad casa ancestral em Kerala; clã matriarcal
torana portal cerimonial para local religioso
tshog-khang/jokhang salão secundário de mosteiro budista em Ladakh ou Himachal Pradesh
vav poço com escada em Gujarat *(pág. 414)*
vihara mosteiro budista
vimana espiral piramidal acima do santuário interior de templo hindu no Sul da Índia
yakshi criada
yali feroz criatura mítica leonina
yogini manifestação de Devi, uma forma de Parvati
zenana ala de segregação feminina de uma casa ou palácio

CULTURA E ARTES

asanas posições na ioga
Ayurveda antiga medicina indiana, que usa plantas *(pág. 629)*
Baramasa série de pinturas ou versos que retratam as estações; literalmente, 12 meses
dhurrie tapetinhos de algodão
ganjifa cartas de jogar, redondas e pintadas *(pág. 26)*
gharana escola de música e dança clássicas *(pág. 28)*
ikat tecido cuja trama é feita de fios total ou parcialmente tintos *(pág. 319)*
jauhar suicídio em massa, no qual as mulheres rajputs se imolaram para escapar da desonra nas mãos dos invasores
-ji sufixo honorífico adicionado ao nome da pessoa
kundankari incrustação de pedras preciosas *(pág. 361)*
kushti luta livre indiana
meenakari trabalho de esmaltação *(pág. 361)*
mela feira, festa
Natya Shastra antigo tratado em sânscrito sobre dança
nautanki teatro de variedades
pattachitra pintura religiosa de Orissa *(pág. 313)*
phad longo panô pintado, de Rajasthan *(pág. 381)*
pichhwai pintura em tecido, de Rajasthan, que retrata 27 cenas da lenda de Krishna *(pág. 399)*
pundit erudito, conhecedor de sânscrito; grupo que mapeou o Tibete e a Ásia Central
qawwals músicos sufis
raga melodia com sequência fixa de notas musicais
rasa estado de espírito; emoção; essência
sati costume em que a viúva se imolava na pira funerária do marido
satyagraha forma de protesto moral, não-violento, iniciada por Mahatma Gandhi
Shilpa Shastra antigo tratado sânscrito sobre escultura
shishya discípulo
tala ritmo/ciclo rítmico na música clássica indiana
thangka panô de seda pintado, que representa divindades do budismo mahayana *(pág. 123)*
thumri música clássica leve, cantada no Norte da Índia

TRAJES

bindi marca circular na testa
chappal chinelo de couro feito a mão; sandália
chikankari algodão finamente bordado, de Lucknow
choli blusa justa
ghaghara/lehenga saia franzida feminina *(pág. 31)*
juttis calçado de couro, pontiagudo ou com bico levantado
kurta saia costurada *(pág. 31)*
mukut coroa
odhni/dupatta véu feminino ou echarpe longa *(pág. 30)*
pallav parte final do sári *(pág. 30)*
safa/pagri turbante *(pág. 30)*
salwar pantalona folgada, amarrada no tornozelo *(pág. 30)*
sarpech jóia que enfeita o turbante *(pág. 665)*
sherwani casaco masculino, comprido e formal *(pág. 31)*
topi boné *(pág. 31)*
zardozi elaborado bordado com fios de ouro *(pág. 171)*
zari fio de ouro

RELIGIÃO

aarti ritual de preces hindus, com lamparinas
ahimsa doutrina da não-violência
alams modelos cerimoniais usados por xiitas durante o Muharram *(pág. 669)*
amrit néctar da imortalidade
ashram centro espiritual ou retiro hindu
avatar encarnação de divindade hindu *(pág. 679)*
bhajan cântico religioso hindu
bhakti culto de devoção pessoal a Deus, sem sacerdotes
bodhisattvas seres iluminados do budismo mahayana que renunciam ao nirvana e se devotam a servir aos outros
chador tecido cerimonial para cobrir a sepultura de santo muçulmano; literalmente, lençol
chakra disco ou roda; também, símbolo budista da roda de oito raios, que representa o Caminho de Oito Passos da Retidão
darshan visão auspiciosa de divindade hindu, religioso, templo ou rio sagrado; audiência formal de governante ou homem santo
devadasi dançarino de templo hindu
dharamshala hospedarias para peregrinos
dorje raio: símbolo no budismo mahayana
dukka tanque de abluções em mesquitas
Gangajal água santa do Ganges
gopis ordenhadoras dedicadas a Krishna
hinayana escola de budismo do "Veículo Pequeno", praticado em partes da Índia, Sri Lanka e Tailândia –prioriza o estilo de vida ascético, monástico
imame líder religioso muçulmano
imambara santuário de homem santo xiita; salões cerimoniais xiitas no Muharram *(pág. 197)*
Contos de Jataka coletânea de lendas sobre as vidas de Buda *(pág. 480)*
jyotirlinga linga que simboliza a energia de Shiva; acredita-se que tenha se materializado milagrosamente da luz; encontrado nos 12 locais mais sagrados ligados a Shiva
kumbh vaso cósmico com o néctar da imortalidade *(amrit)*
linga símbolo fálico que representa Shiva, deus hindu
madrasa escola teológica islâmica
mahayana escola de budismo do "Veículo Grande", que enfatiza a importância dos bodhisattvas
mandala diagrama circular, símbolo do universo, usado na meditação de budistas
mantra cântico de meditação hindu ou budista
matha centro religioso hindu ou jainista
maya conceito hindu de ilusão
moksha termo hindu para "salvação"
mudra gestos simbólicos com as mãos
namaaz preces diárias islâmicas
navaratri período de jejum de nove dias que precede os festivais hindus de Ramnavami e Dussehra
Om sílaba sagrada budista e hindu, que invoca o divino
parikrama circuito no sentido horário em volta de local sagrado hindu ou budista
prasad alimento especialmente consagrado de um templo hindu ou sique
puja ritual hindu de orações
ratha carruagem de templo
samadhi plataforma memorial em local de cremação hindu
sangam confluência sagrada de rios
shaivista devoto de Shiva
sufi filosofia mística islâmica
sunita seita islâmica à qual pertence a maioria dos muçulmanos indianos; os sunitas seguem a lei islâmica tradicional, que se acredita derivar das palavras e dos atos de Maomé
takhts principais centros do siquismo
tandava nritya dança cósmica destruidora de Shiva *(pág. 590)*
tazia torre decorada de madeira, metal e papel, levada por xiitas no Muharram
thiru/tiru santo/a
tirtha local santo hindu, em geral perto de rio ou tanque sagrado
tirthankaras os 24 mestres venerados pelos jainistas
trishul tridente de Shiva
tuk grupo fortificado de templos jainistas
tulsi manjericão sagrado
Urs festival que celebra um santo muçulmano
vahanas veículos de deuses hindus
vaishnava devoto de Vishnu
Vedas textos indianos mais antigos que se conhecem, escritos em sânscrito, que codificam crenças e princípios arianos
vibhuti cinzas sagradas
xiita seita muçulmana que reverencia Ali, sobrinho de Maomé e seu sucessor como verdadeiro imame
yagna sacrifício ritual hindu
yatra peregrinação hindu

MISCELÂNEA

adivasi membro de tribo
akash céu
attar/ittar perfume, em geral destilado de flores
badal nuvem
bagh tigre
basti assentamento ou favela; complexo de templos jainistas
chaugan antiga forma de pólo persa, jogado com bastão curvo
diya lamparina
dhaba restaurante/lanchonete de beira de estrada *(pág. 179)*
durbar cortejo ou reunião real; audiência de governante
dzo cruzamento de iaque e vaca
gali viela; ruela
ghee manteiga clarificada
gulal pó colorido, usado no festival Holi *(pág. 35)*
haat feira livre, quase sempre semanal
howdah cadeirinha no dorso de elefantes
kettuvallam barco de arroz de Kerala *(pág. 633)*
kheda curral de elefantes
machaan posto elevado de observação em uma floresta
mahout treinador de elefantes
marg estrada/rua principal
mayil/mayur pavão
nababo príncipe muçulmano
nava ratna princípio das nove pedras preciosas
paan folha de bétele, um digestivo *(pág. 165)*
pandal tenda ou palco decorado, feito de tecido e bambu
padma lótus
prithvi terra
purnima lua cheia
pushpa flor
pyav fonte de água potável
rumal lenço ou pano quadrado
sagar lago grande ou represa; oceano ou mar
shikar expedição de caça
shila pedra
tal lago
taluka subdistrito
thakur chefe hindu
thali travessa
thuggees assaltantes de estrada
vayu ar
zamindar latifundiário

Frases

A Índia tem 18 línguas regionais principais, muitas delas com escrita própria. Embora o hindi, falado por 30% das pessoas e compreendido em praticamente toda a Índia, seja a língua oficial do país, outras línguas têm predomínio nas suas respectivas regiões. Este capítulo cobre cinco línguas, quatro delas faladas nas quatro maiores cidades do país e nas regiões em volta: o hindi (falado em Délhi); o bengali (falado em Kolkata); o marati (falado em Mumbai); e o tâmil (falado em Chennai). A quinta língua, o malaiala, é falado em Kerala. O hindi, o bengali e o marati são línguas indo-européias, descendentes do sânscrito; o tâmil e malaiala são línguas dravídicas, não relacionadas ao grupo indo-europeu, embora tenham sofrido influência do sânscrito ao longo dos séculos. O inglês é muito difundido e compreendido em todo o país e serve como uma língua de conexão entre as diferentes regiões. É possível se fazer entender em inglês praticamente em qualquer lugar da Índia, mas os indianos geralmente ficam encantados e apreciam calorosamente quando algum visitante faz uma tentativa de se comunicar na língua deles.

Hindi

Em Emergências

Socorro!	**Bachao!**
Pare!	**Roko!**
Chame um médico!	**Doctor ko bulao!**
Onde fica o telefone mais próximo?	**Yahan phone kahan hai?**

Comunicação Essencial

Sim	**Haan**
Não	**Na/Naheen**
Obrigado	**Dhanyavad/Shukria**
Por favor	**Kripaya/Meharbani sé**
Com licença/ Desculpe	**Kshama karen/ Maaf karen**
Olá/Adeus	**Namasté**
Pare	**Rook jao**
Vamos	**Chalo**
Em frente	**Seedha**
Grande/Pequeno	**Bara/Chhota**
Este/Aquele	**Yeh/Voh**
Perto/Longe	**Paas/Door**
Caminho	**Raasta**
Rua	**Sarak**
Ontem	**Beeta hua kal**
Hoje	**Aaj**
Amanhã	**Aane wala kal**
Aqui	**Yahaan**
Ali	**Wahaan**
O quê?	**Kya?**
Onde?	**Kahaan?**
Quando?	**Kab?**
Por quê?	**Kyon?**
Como?	**Kaisé?**
Para cima	**Upar**
Para baixo	**Neeché**
Mais	**Aur zyada**
Um pouco	**Thora**
Antes	**Pehlé**
Em frente	**Saamné**
Muito	**Bahut**
Menos	**Kam**
Mais alto /Mais forte	**Zor sé**
Suavemente	**Dheeré sé**
Vá	**Jao**
Venha	**Aao**

Frases Úteis

Como vai?	**Aap kaisé hain?**
Qual é o seu nome?	**Aapka naam kya hai?**
Meu nome é ...	**Mera naam ... hai**
Você fala inglês?	**Angrezi ati hai?**
Eu entendo	**Samajh gaya (male)/ gayi (female)**
Eu não entendo	**Nahin samjha (m)/ samjhi (f)**
Que horas são?	**Kya baja hai?**
Onde fica...?	**Kahaan hai?**
O que é isto?	**Yeh kya hai?**
Depressa	**Jaldi karo**
Qual a distância...?	**Kitni door hai?**
Eu não sei	**Pata nahin**
Tudo bem	**Achha/Theek hai**
Agora/Já	**Abhi/Isi waqt**
Muito bem!	**Shabash!**
Até logo	**Phir milengé**
Vá embora!	**Hat jao/Hato**
Eu não quero isto	**Mujhe nahin chahiye**
Não agora	**Abhi nahin**

Palavras Úteis

Qual?	**Kaun sa?**
Quem?	**Kaun?**
Quente	**Garam**
Frio	**Thanda**
Bom	**Achha**
Ruim	**Kharaab**
Bastante	**Bus/Kafi hai**
Aberto	**Khula**
Fechado	**Bundh**
Esquerda	**Baayan**
Direita	**Daayan**
Direto	**Seedha**
Perto	**Paas/Nazdeek**
Rapidamente	**Jaldi**
Atrasado	**Der sé**
Mais tarde	**Baad mein**
Entrada	**Pravesh**
Saída	**Nikas**
Atrás	**Peechhé**
Cheio	**Bhara**
Vazio	**Khali**
Banheiro	**Shauchaalaya**
Grátis	**Nih shulka/Muft**
Endereço	**Disha**
Livro	**Kitaab**
Jornal	**Akhbaar**

Fazendo Compras

Quanto custa isto?	**Iska kya daam hai?**
Eu gostaria de...	**Mujhe ... chahiye**
Vocês têm...?	**Kya aap ké paas ... hai?**
Estou procurando	**Abhi dekh rahen hain**
Vocês têm em outras cores?	**Yeh dooserey rangon main bhi aata hai kya?**
Este aqui	**Yeh wala**
Aquele lá	**Voh wala**
Preto	**Kaala**
Azul	**Neela**
Branco	**Safed**
Vermelho	**Lal**
Amarelo	**Peela**
Verde	**Hara**
Marrom	**Bhura**
Barato	**Sasta**
Caro	**Mehanga**
Alfaiate	**Darzi**

Pechinchar

Quanto custa?	**Yeh kitne ka hai?**
Quanto você pode descontar?	**Kya logé?**
Ainda está um pouco caro	**Yeh to mehanga hai**
Poderia baixar o preço?	**Daam thoda kam kariyé**
Que tal xx rupias?	**xx rupeye laingé?**
Eu compro por xx rupias	**xx rupeye mein dena hai to dijiyé**

No Hotel

Vocês têm quartos vagos?	**Aapke hotel mein khali kamre hain kya?**
Qual é o preço por noite?	**Ek raat ka kiraya kya hai?**
Posso ver o quarto primeiro?	**Kya mein pehle kamra dekh sakta hoon?**
Chave	**Chaabhi**
Sabonete	**Sabun**
Toalha	**Tauliya**
Água quente/ Fria	**Garam/Thanda pani**

No Restaurante

Café-da-manhã	**Nashta**
Comida	**Khaana**
Água	**Pani**
Gelo	**Baraf**
Chá	**Chai**
Café	**Kaufi**
Açúcar	**Cheeni**
Sal	**Namak**
Leite	**Doodh**
Iogurte	**Dahi**
Ovo	**Anda**
Fruta	**Phal**
Legumes	**Sabzi**
Arroz	**Chaawal**
Leguminosas (lentilha, ervilha etc.)	**Dal**
Cardápio de preço fixo	**Ek daam menu**
É apimentado?	**Mirch-masala tez hai kya?**
Com pouca pimenta, por favor	**Mirch-masala kam, theek hai?**
Faca	**Chhuri**
Garfo	**Kanta**
Colher	**Chammach**
Pronto	**Khatam**

Números

1	**Ek**
2	**Do**
3	**Teen**
4	**Char**
5	**Panch**
6	**Chhé**
7	**Saat**
8	**Aath**
9	**Nau**

10	**Dus**
11	**Gyarah**
12	**Barah**
13	**Terah**
14	**Chaudah**
15	**Pandrah**
16	**Solah**
17	**Satrah**
18	**Atharah**
19	**Unnees**
20	**Bees**
30	**Tees**
40	**Chalees**
50	**Pachaas**
60	**Saath**
70	**Sattar**
80	**Assi**
90	**Nabbé**
100	**Sau**
1.000	**Hazar**
100.000	**Lakh**
10.000.000	**Karod (crore)**

Tempo

Um minuto	**Ek minit**
Uma hora	**Ek ghanta**
Meia hora	**Aadha ghanta**
Quinze minutos	**Pauna ghanta**
Uma e meia	**Derh**
Duas e meia	**Dhai**
Um dia	**Ek din**
Uma semana	**Ek haftah**
Segunda	**Somwar**
Terça	**Mangalwar**
Quarta	**Budhwar**
Quinta	**Veerwar**
Sexta	**Shukrawar**
Sábado	**Shaniwar**
Domingo	**Raviwar**
Manhã	**Subah**
Tarde	**Dopahar**
Início da noite	**Shaam**
Noite	**Raat**

Bengali

Em emergências

Socorro!	**Shahaajjo korun!**
Pare!	**Thamun!**
Chame o médico!	**Daktar dakun!**
Onde fica o telefone mais próximo?	**Ekhanay phone kothai?**

Comunicação Essencial

Sim	**Haen**
Não	**Na**
Obrigado	**Dhonnobad**
Por favor	**Doya koray**
Com licença/ Desculpe	**Maap korben**
Olá/Adeus	**Nomoshkar**
Pare	**Thamun**
Vamos	**Cholun**
Em frente	**Shoja**
Grande/Pequeno	**Boro/Chhoto**
Este/Aquele	**Eta/Ota**
Perto/Longe	**Kaachhé/Dooré**
Caminho	**Raasta**
Rua	**Raasta**
Ontem	**Goto kaal**
Hoje	**Aaj**
Amanhã	**Kaal**
Aqui	**Ekhaané**
Ali	**Okhaané**
O quê?	**Ki?**
Onde?	**Kothayé?**
Quando?	**Kokhon?**
Por quê?	**Kaeno?**
Como?	**Ki koray?**
Para cima	**Opor**
Para baixo	**Neeché**
Mais	**Aaro**
Um pouco	**Ektu**
Antes	**Aagey**
Diante de	**Shaamney**
Muito	**Khoob**
Menos	**Kom**
Mais alto/ Mais forte	**Jorey**
Suavemente	**Aastey**
Vá	**Jao**
Venha	**Esho**

Frases Úteis

Como vai?	**Kaemon aachhen?**
Qual é o seu nome?	**Aapnaar naam ki?**
Meu nome é ...	**Aamaar naam ...**
Você fala inglês?	**Ingriji bolen?**
Eu entendo	**Bujhi**
Eu não entendo	**Bujhi na**
Que horas são?	**Kota bajé?**
Onde fica...?	**... Kothhai?**
O que é isto?	**Eta ki?**
Depressa	**Taarataari**
A que distância...?	**... Koto door?**
Eu não sei	**Jaani na**
Tudo bem	**Theek achhey**
Agora/Já	**Ekkhuni**
Muito bem!	**Bah!**
Até logo	**Aashi**
Vá embora!	**Jao**
Eu não quero isto	**Chai na**
Não agora	**Ekhon na**

Palavras Úteis

Qual?	**Konta?**
Quem?	**Kay?**
Quente	**Gorom**
Frio	**Thanda**
Bom	**Bhalo**
Ruim	**Khaaraap**
Bastante	**Bus**
Aberto	**Khola**
Fechado	**Bondho**
Esquerda	**Baayen**
Direita	**Daayiné**
Direto	**Shojaa**
Perto	**Kaachhey**
Rapidamente	**Taarataari**
Atrasado	**Deri**
Mais tarde	**Porey**
Entrada	**Probesh**
Saída	**Prosthaan**
Atrás	**Pechhoney**
Cheio	**Bhora**
Vazio	**Khaali**
Banheiro	**Shauchaalaya**
Grátis	**Bina poisha**
Endereço	**Disha**
Livro	**Boi**
Revista	**Potrika**
Jornal	**Khoborer kagoj**

Fazendo Compras

Quanto custa isto?	**Koto?**
Eu gostaria de...	**Aami chaai**
Vocês têm...?	**Aapnaar kaachhe aachhe?**
Estou procurando	**Shudhu dekchhi**
Vocês têm isto em outras cores?	**Aaro rong aachhey?**
Este aqui	**Eta**
Aquele lá	**Ota**
Preto	**Kaalo**
Azul	**Neel**
Branco	**Shaadaa**
Vermelho	**Laal**
Amarelo	**Holud**
Verde	**Shobuj**
Marrom	**Khoiri**
Barato	**Shostaa**
Caro	**Daami**
Alfaiate	**Dorji**

Pechinchar

Quanto custa isto?	**Eta koto?**
Quanto você pode descontar?	**Koto neben?**
Ainda está um pouco caro	**Beshi daam**
Pode baixar o preço?	**Ektu komaan**
Que tal xx rupias?	**xx taka cholbé?**
Fico com ele por xx rupias	**xx takar beshi debo na**

No Hotel

Vocês têm quartos vagos?	**Ghor khaali aachhey?**
Qual é o preço por noite?	**Ek raater bhaara koto?**
Posso ver o quarto primeiro?	**Aagey ghor dekhte paari?**
Chave	**Chaabi**
Sabonete	**Shaabaan**
Toalha	**Towaaley**
Água quente/fria	**Gorom/Thanda jol**

No Restaurante

Café-da-manhã	**Jolkhaabaar**
Comida	**Khaabaar**
Água	**Jol**
Gelo	**Borof**
Chá	**Chaa**
Café	**Koffee**
Açúcar	**Cheeni**
Sal	**Noon**
Leite	**Doodh**
Iogurte	**Dohi**
Ovos	**Deem**
Frutas	**Phol**
Legumes	**Shobji**
Arroz	**Bhaat**
Leguminosas (lentilha, ervilha etc.)	**Daal**
Cardápio de preço fixo	**Ek daam menu**
É apimentado?	**Jhaal ki?**
Com menos pimenta, por favor.	**Beshi jhaal chaai na**
Faca	**Chhuri**
Garfo	**Kanta**
Colher	**Chaamoch**
Pronto	**Shesh**

Números

1	**Ek**
2	**Dooi**
3	**Teen**
4	**Chaar**
5	**Paanch**
6	**Chhoy**
7	**Shaat**
8	**Aath**
9	**Noy**
10	**Dosh**
11	**Egaro**
12	**Baaro**
13	**Tero**
14	**Chaudoh**
15	**Ponero**
16	**Sholo**
17	**Shotero**
18	**Aathero**
19	**Unneesh**
20	**Kuri/Beesh**

30	Tirish
40	Cholleesh
50	Ponchaash
60	Shaat
70	Shottor
80	Aashi
90	Nobboi
100	Eksho
1.000	Haajaar
100.000	Lakh
10.000.000	Koti

Tempo

Um minuto	**Ek minit**
Uma hora	**Ek ghonta**
Meia hora	**Aadh ghonta**
Quinze minutos	**Pauney ghonta**
Uma e meia	**Derh**
Duas e meia	**Aadhai**
Um dia	**Ek din**
Uma semana	**Ek shopta**
Segunda	**Shombar**
Terça	**Mongolbar**
Quarta	**Budhbar**
Quinta	**Bishuttbar**
Sexta	**Shukkurbar**
Sábado	**Shonibar**
Domingo	**Robibar**
Manhã	**Shokaal**
Tarde	**Duphur**
Início da noite	**Bikel**
Noite	**Raat**

Marati

Em Emergências

Socorro!	**Vachva!**
Pare!	**Thamba!**
Chame o médico!	**Doctorana bolwaa!**
Onde fica o telefone mais próximo?	**Ithé jawal phone kuthé aahé?**

Comunicação Essencial

Sim	**Ho**
Não	**Nahi**
Obrigado	**Dhanyavad**
Por favor	**krupaya**
Com licença/ Desculpe	**Kshama pahijé**
Olá/ Adeus	**Namaskar**
Pare	**Thamba**
Vamos	**Chala**
Em frente	**Saral**
Grande/Pequeno	**Mota/Lahan**
Este/Aquele	**Hé/Thé**
Perto/Longe	**Zawal/Laamb**
Caminho	**Marga**
Rua	**Rastha**
Ontem	**Kaal**
Hoje	**Aaj**
Amanhã	**Udya**
Aqui	**Ithé**
Ali	**Tithé**
O quê?	**Kay?**
Onde?	**Kuthé?**
Quando?	**Kenhvah?**
Por quê?	**Ka?**
Como?	**Kasè?**
Para cima	**Varti**
Para baixo	**Khali**
Mais	**Aankhi**
Um pouco	**Thodé**
Antes	**Aadhi**
Diante de	**Samor**
Muito	**Khoop**
Menos	**Kami**
Mais alto/Mais forte	**Mothyané/Zorané**
Gentilmente	**Haloo**
Vá	**Za**
Venha	**Ya**

Frases Úteis

Como vai?	**Kasa Kain?**
Qual é o seu nome?	**Apla nao?**
Meu nome é ...	**Maajhe nao ...**
Você fala inglês?	**Inglish yeté ka?**
Eu entendo	**Samazté**
Eu não entendo	**Kalale nahin**
Que horas são?	**Kiti vajlé?**
Onde fica...?	**Kuthé aahé?**
O que é isto?	**Hé kay aahé?**
Depressa	**Aatpa lavkar**
A que distância...?	**Kiti laamb aahé?**
Eu não sei	**Mahiti nahin**
Tudo bem	**Theek aahé**
Agora/Já	**Aathach**
Muito bem!	**Chhan!**
Até logo	**Bhétuya**
Vá embora!	**Chalta ho**
Eu não quero isto.	**Nakoy malaa**
Não agora	**Aatha naahin**

Palavras Úteis

Qual?	**Konté?**
Quem?	**Kon?**
Quente	**Garam**
Frio	**Thanda**
Bom	**Changla**
Ruim	**Vait**
Bastante	**Puré**
Aberto	**Ughadé**
Fechado	**Banda**
Esquerda	**Davikadé**
Direita	**Uzavikadé**
Direto	**Saral**
Perto	**Zawal**
Rapidamente	**Lavkar**
Atrasado	**Ushira**
Mais tarde	**Nanthar**
Entrada	**Pravesh**
Saída	**Baaher**
Atrás	**Maagé**
Cheio	**Bharalelé**
Vazio	**Rikamé**
Banheiro	**Shauchaalaya**
Grátis	**Mophat**
Endereço	**Disha**
Livro	**Pusthak**
Revista	**Maasik**
Jornal	**Vartaman patra**

Fazendo Compras

Quanto custa isto?	**Hé kevdyala?**
Eu gostaria de...	**Mala... hava hotha**
Vocês têm...?	**Tumechyakadé ... aahé ka?**
Estou procurando	**Ajun bagté/Aahé bagto**
Vocês têm em outras cores?	**Aankhi ranga aahetka?**
Este aqui	**Hé**
Aquele lá	**Té**
Preto	**Kaala**
Azul	**Neelé**
Branco	**Pandhra**
Vermelho	**Lal**
Amarelo	**Piwala**
Verde	**Hirvva**
Marrom	**Chocoleti**
Barato	**Svastha**
Caro	**Mahaag**
Alfaiate	**Shimpi**

Pechinchar

Quanto custa isto?	**He kevdhyala?**
Quanto você pode descontar?	**Kithi dyayché?**
Ainda está um pouco caro	**Zara mahaag aahe**
Poderia baixar um pouco o preço?	**Zara kami karana ka?**
Que tal xx rupias?	**Xx rupyé thik aahé?**
Fico com ele por xx rupias	**Xx barobar aahé**

No Hotel

Vocês têm quartos vagos?	**Tumchya hotel madhé jagaa aahé ka?**
Qual é o preço por noite?	**Eka ratri ché kiti**
Posso ver o quarto primeiro?	**Mee aadhi kholi baghoon ka?**
Chave	**Killi**
Sabonete	**Saban**
Toalha	**Towel**
Água quente/fria	**Garam/Thanda pani**

No Restaurante

Café-da-manhã	**Nasta**
Comida	**Jewan**
Água	**Pani**
Gelo	**Barpha**
Chá	**Chaha**
Café	**Kofi**
Açúcar	**Saakhar**
Sal	**Mith**
Leite	**Doodh**
Iogurte	**Dahi**
Ovo	**Andé**
Fruta	**Phal**
Legumes	**Bhaji**
Arroz	**Bhath**
Leguminosas (lentilha, ervilha etc)	**Dal**
Cardápio de preço fixo	**Ekach bhav**
É apimentado?	**Tikhat aahé ka?**
Por favor, com menos pimenta	**Har tikhat nakon bara ka?**
Faca	**Suri**
Garfo	**Kata**
Colher	**Chammcha**
Pronto	**Samplé**

Números

1	**Ek**
2	**Don**
3	**Teen**
4	**Char**
5	**Pach**
6	**Saha**
7	**Sath**
8	**Aath**
9	**Nou**
10	**Daha**
11	**Akara**
12	**Barah**
13	**Terah**
14	**Chawda**
15	**Pandhra**
16	**Solah**
17	**Satara**
18	**Atharah**
19	**Ekonees**
20	**Vees**
30	**Tees**
40	**Chalees**
50	**Pannas**
60	**Saath**
70	**Sattar**
80	**Aishi**
90	**Nauwad**
100	**Shambhar**

1.000	Hazaar
100.000	Lakh
10.000.000	Koti

TEMPO

Um minuto	Ek minit
Uma hora	Ek taas
Meia hora	Ardha taas
Quinze minutos	Pandhra minit
Uma e meia	Deed
Duas e meia	Adhich
Um dia	Ek divas
Uma semana	Ek athavda
Segunda	Somwar
Terça	Mangalwar
Quarta	Budhwar
Quinta	Guruwar
Sexta	Shukrawar
Sábado	Shaniwar
Domingo	Raviwar
Manhã	Sakali
Tarde	Dupari
Início da noite	Sandhyakali
Noite	Ratri

Tâmil

Em Emergências

Socorro!	Udhaivi véndum!
Pare!	Nillu!
Chame o médico!	Doctor koopiddunga!
Onde fica o telefone mais próximo?	Pakkatatillé phone engu irrukku?

Comunicação Essencial

Sim	Aama/Seri
Não	Illai/Véndaam
Obrigado	Nanri
Por favor	Daivusaidhu
Com licença /Desculpe	Mannikavum
Olá/Adeus	Vannakkam/ Paankalaam
Pare	Nillu
Vamos	Pohalaam
Em frente	Néré
Grande/Pequeno	Perisu/Chinannadu
Este/Aquele	Idhu/Adhu
Perto/Longe	Pakkatilai/Dooram
Caminho	Vazhi
Rua	Theruvu
Ontem	Nétru/Néthiku
Hoje	Inru/Innikki
Amanhã	Naallai/Naallaiku
Aqui	Ingé
Ali	Angé
O quê?	Ennai?
Onde?	Engé?
Quando?	Eppo?
Por quê?	Ain?
Como?	Eppiddi?
Para cima	Mélai
Para baixo	Kizhai
Mais	Unnum konjam
Um pouco	Konjam
Antes	Minaalai
Diante de	Edhirai
Muito	Romba
Menos	Kammi
Mais alto/Mais forte	Perisa/Unnum ongi
Gentilmente	Molla
Vá	Pongo/Po
Venha	Vaango/Vaa

Frases Úteis

Como vai?	Neenga eppudi irukénga?
Qual é seu nome?	Onge peyar enna?
Meu nome é...	Enodia peyar ...
Você fala inglês?	English pése theriyuma?
Eu entendo	Ennakku puriyum
Eu não entendo	Ennakku puriyadu
Que horas são?	Ippo ena mani?
Onde fica ...?	... Enga irrukku?
O que é isto?	Idhu ennadhu?
Depressa	Seekrama vaango
A que distância...?	... Evallavu dooram?
Eu não sei	Ennaku theriyadu
Tudo bem	Seri
Agora/Já	Ippovai
Muito bem!	Shabash!
Até logo	Apram parkalaam
Vá embora!	Poividu!
Eu não quero isto	Ennaku véndaam
Não agora	Ippo illai

Palavras Úteis

Qual?	Edhu?
Quem?	Yaaru?
Quente	Soodu
Frio	Kulluru
Bom	Nalladhu
Ruim	Kettadhu
Bastante	Porum
Aberto	Thirandurikku
Fechado	Moodirukku
Esquerda	Edudhu
Direita	Valadhu
Direto	Nérai
Perto	Pakkatillai
Rapidamente	Seekrama
Atrasado	Nerama
Mais tarde	Apram
Entrada	Varuvu
Saída	Velivaasal
Atrás	Pinalai
Cheio	Rombiruku
Vazio	Kaali
Banheiro	Kaizhupu arai
Grátis	Ilevasaasam
Endereço	Disai/Pakkam
Livro	Pustagam
Revista	Patrigai
Jornal	Samachara patrigai

Fazendo Compras

Quanto custa isto?	Idhodiya vilai ennai?
Eu gostaria de...	Ennakku idhu venum ...
Vocês têm...?	... onga kitta irrukka?
Estou procurando	Naan summa paakaren
Vocês têm em outras cores?	Idh vera colouril kidaikuma?
Este aqui	Idhu
Aquele lá	Adhu
Preto	Karuppu
Azul	Neelam
Branco	Vellai
Vermelho	Seguppu
Amarelo	Manjhal
Verde	Pachchai
Marrom	Kappi niram
Barato	Maluvu
Caro	Vilai jasti
Alfaiate	Theyalkaran

Pechinchar

Quanto custa isto?	Idhu enna vilai?
Quando você pode descontar?	Neengu evalave edithipél?
Ainda está um pouco caro	Adhu konjam vilai jasti
Poderia baixar o preço um pouco?	Vilai konjam kurrakkai mudduyuma?
Que tal xx rúpias?	xx rubaai seria?
Fico com ele por xx rupias	xx rubaai tharuven

No Hotel

Vocês têm quartos vagos?	Kaali arai irruka?
Qual é o preço por noite?	Oru raatriku evaluvu caasu?
Posso ver o quarto primeiro?	Naan mudulai araiya parrakalama?
Chave	Chaavi
Sabonete	Soapu
Toalha	Thundu
Água quente/fria	Soodu/Jillu thanni

No Restaurante

Café-da-manhã	Kaalai chittrundi
Comida	Saapadu
Água	Thanni/Jalam
Gelo	Ice
Chá	Chai
Café	Coffee
Açúcar	Shakarai
Sal	Uppu
Leite	Paal
Iogurte	Thairu
Ovo	Muttai
Fruta	Pazham
Legumes	Kayagiri
Arroz	Arusi
Grãos (lentilha etc.)	Paruppu
Cardápio de preço fixo	Ore vilai menu
É apimentado?	Naraya masala irukka?
Por favor, com menos pimenta	Masala seriya irukka?
Faca	Kaththi
Garfo	Fork
Colher	Spoon/Theikarandi
Pronto	Mudivu

Números

1	Onru/Onu
2	Erundu
3	Moonru
4	Naangu/Naalu
5	Anju/Aindhu
6	Aaru
7	Yezhu
8	Ettu
9	Ombodhu
10	Pathu
11	Pathinonru
12	Panandu
13	Pathimoonru
14	Pathinaalu
15	Pathinainthu
16	Pathnaaru
17	Pathinezhu
18	Pathinettu
19	Pathombadhu
20	Iravadhu
30	Mupaddu
40	Napadhu
50	Aimbadhu
60	Aravadhu
70	Yezhuvadu
80	Yenbadhu
90	Thonnuru
100	Nooru
1.000	Aayiram
100.000	Latcham
10.000.000	Kodi

Tempo

Um minuto	Oru nimisham
Uma hora	Oru manéram
Meia hora	Ara manéram
Quinze minutos	Kaal manéram
Uma e meia	Onre mani
Duas e meia	Erendarai mani
Um dia	Oru naal
Uma semana	Oru vaaram
Segunda	Thingakazhamai
Terça	Sevvaikazhami
Quarta	Budhankazhami
Quinta	Viyaikazhami
Sexta	Vellikazhami
Sábado	Nyayatrikazhami
Manhã	Kaalai
Tarde	Madhyanam
Início da noite	Sayankaalam
Noite	Raatri

Malaiala

Em Emergências

Socorro! — **Sahayikoo!**
Pare! — **Nilku/Nirthu!**
Chame o médico! — **Doctore viliku!**
Onde fica o telefone mais próximo? — **Evide annu aduth phone?**

Comunicação Essencial

Sim — **Athe/Seri**
Não — **Illa/Alla/Véndaa**
Obrigado — **Nanni**
Por favor — **Dayavuchaidu**
Com licença /Desculpe — **Kshamikkanam**
Olá/Adeus — **Namaskaram/ Veendum kanaam**
Pare — **Nilku**
Vamos — **Namuku pokaam**
Em frente — **Néré povuu**
Grande/Pequeno — **Valudu/Cherudu**
Este/Aquele — **Idhe/Adhe**
Perto/Longe — **Aduthu/Akalé**
Caminho — **Vazhi**
Rua — **Patha/Road**
Ontem — **Innalé**
Hoje — **Innu**
Amanhã — **Naallé**
Aqui — **Evidé**
Ali — **Avidé**
O quê? — **Entha?**
Onde? — **Evidé?**
Quando? — **Eppol?**
Por quê? — **Entha/Enthukonda?**
Como? — **Engané?**
Para cima — **Mukalil**
Para baixo — **Kizhé/Thazhé**
Mais — **Eniyum kooduthal**
Um pouco — **Kurachu/Alpam**
Antes — **Munpé/Munnil**
Diante de — **Edhirvasam/Edhirai**
Muito — **Valaré**
Menos — **Kurachu/Kuravu**
Mais alto/Mais forte — **Uchchathil/Urakké**
Suavemente — **Pathiyé/Swaram thazhthi**
Vá — **Pokoo/Po**
Venha — **Varoo/Vaa**

Frases Úteis

Como vai? — **Sukhamano?**
Qual é o seu nome? — **Ningaludé peru entha?**
Meu nome é... — **Ente peru ...**
Você fala inglês? — **Ningal English samsarikumo?**
Eu entendo — **Enikku manasilayi**
Eu não entendo — **Enikku manasilakilla**
Que horas são? — **Samayam enthai?**
Onde fica...? — **Evideyanu ...?**
O que é isto? — **Idhu enthanu?**
Depressa — **Vegamakatté**
A que distância...? — **Ethra dooramundu...?**
Eu não sei — **Enikku ariyilla**
Tudo bem — **Seri**
Agora/Já — **Ippol thanné**
Muito bem! — **Kémamai!/Nannai!**
Até logo — **Pinne kanaam**
Vá embora! — **Dooré po!**
Eu não quero isto — **Enikku véndaa**
Não agora — **Ippo illa/Véndaa**

Palavras Úteis

Qual? — **Edhu?**
Quem? — **Aaré?**
Quente — **Choodé**
Frio — **Thanuppé/Kulluré**
Bom — **Nalladhé**
Ruim — **Cheetha/Mosam**
Bastante — **Madhi**
Aberto — **Thurannu**
Fechado — **Adachu**
Esquerda — **Edadhu**
Direita — **Valadhu**
Direto — **Néré**
Perto — **Aduthu**
Rapidamente — **Végum**
Atrasado — **Vaiki**
Mais tarde — **Pinné/Pinneedu**
Entrada — **Munvasam/ Parvésana vathil**
Saída — **Purathékkulla vazhi**
Atrás — **Pinnalé/Pinnil**
Cheio — **Nirayé**
Vazio — **Kaali**
Banheiro — **Moothrappura**
Grátis — **Saujanyam**
Endereço — **Dikku**
Livro — **Pustakam**
Revista — **Masika/Varika**
Jornal — **Newspaper**

Fazendo Compras

Quanto custa isto? — **Idhinu enthu vila?**
Eu gostaria de... — **Enikku idhu venum ...**
Vocês têm...? — **... Ningaludé p akkal ondo?**
Estou procurando — **Naan veruthé nokukayanu**
Vocês têm em outras cores? — **Idhu vereyum colouril kittumo?**
Este aqui — **Idhu**
Aquele lá — **Adhu**
Preto — **Karuppé**
Azul — **Neela**
Branco — **Vella**
Vermelho — **Chuvappé**
Amarelo — **Manja**
Verde — **Pachcha**
Marrom — **Kappi niram**
Barato — **Vilakuravu**
Caro — **Vilakuduthal**
Alfaiate — **Thayalkaran**

Pechinchar

Quanto custa isto? — **Idhinu enthu vila?**
Quanto você pode descontar? — **Idhu enthu vilaku tharum?**
Ainda é um pouco caro — **Vila kurachu kooduthalanu**
Poderia baixar o preço um pouco? — **Vila kurachu kuraikumo?**
Que tal xx rupias? — **xx rupaku tharumo?**
Fico com ele por xx rupias — **Njyan xx rupaku edukkam**

No Hotel

Vocês têm quartos vagos? — **Muri (room) ozhivundo?**
Qual é o preço por noite? — **Oru raatriku entha vaadaka?**
Posso ver o quarto primeiro? — **Eniku aadyam muri kaanan sadhikumo?**
Chave — **Thakol**
Sabonete — **Soap**
Toalha — **Thorthé/Towel**
Água quente/fria — **Choodu/Thanutha véllam**

No Restaurante

Café-da-manhã — **Prathal**
Comida — **Aaharam/ Bhakshanam**
Água — **Véllam**
Gelo — **Ice katta**
Chá — **Chaya**
Café — **Kaapi**
Açúcar — **Panchasaara**
Sal — **Uppé**
Leite — **Paal**
Iogurte — **Thairé**
Ovos — **Mutta**
Frutas — **Pazham**
Legumes — **Pachchakari**
Arroz — **Ari/Chorué**
Leguminosas (lentilha, ervilha etc.) — **Parippé**
Cardápio de preço fixo — **Otta vila menu/ Krithya vila menu**
É apimentado? — **Ithu frivullathano?**
Por favor, com menos pimenta — **Erivu kooduthal vendaa?**
Faca — **Kaththi**
Garfo — **Mullé/Fork**
Colher — **Spoon**
Pronto — **Kazhinju/Theernu**

Números

1 — **Onné/Oru**
2 — **Randé**
3 — **Moonné**
4 — **Naalé**
5 — **Anché**
6 — **Aaré**
7 — **Yezhé**
8 — **Etté**
9 — **Onpadhé**
10 — **Paththé**
11 — **Pathinonné**
12 — **Panthrandé**
13 — **Pathimoonné**
14 — **Pathinaalé**
15 — **Pathinanché**
16 — **Pathinaaré**
17 — **Pathinezhé**
18 — **Pathinetté**
19 — **Pathompadhé**
20 — **Irupadhé**
30 — **Muppaddé**
40 — **Nappadhé**
50 — **Ambadhé**
60 — **Arupadhé**
70 — **Yezhupadé**
80 — **Yenpadhé**
90 — **Thonnuré**
100 — **Nooré**
1.000 — **Aayiram**
100.000 — **Laksham**
10.000.000 — **Kodi**

Tempo

Um minuto — **Oru nimisham/ Minute**
Uma hora — **Oru manikoor**
Meia hora — **Ara manikoor**
Quinze minutos — **Kaal manikoor**
Uma e meia — **Onnara mani**
Duas e meia — **Randara mani**
Um dia — **Oru divasam**
Uma semana — **Oru aazhcha**
Segunda — **Thingal**
Terça — **Chovva**
Quarta — **Budhan**
Quinta — **Vyazham**
Sexta — **Velli**
Sábado — **Sani**
Manhã — **Raavilé**
Tarde — **Uchcha**
Início da noite — **Vaikunneram**
Noite — **Raatri**

GUIA VISUAL FOLHA DE S.PAULO

TÍTULOS PUBLICADOS

Guias Visuais
Os Guias que Mostram o que os Outros Só Contam

África do Sul • Alemanha • Austrália • Barcelona e Catalunha • Brasil • Califórnia • Canadá • China Croácia • Cuba • Egito • Espanha • Estados Unidos Europa • França • Ilhas Gregas e Atenas • Índia Inglaterra, Escócia e País de Gales • Itália • Japão Londres • Madri • México • Nova York • Nova Zelândia Paris • Peru • Portugal, Madeira e Açores • Praga Roma • Walt Disney World® Resort & Orlando

Guias Visuais de Bolso
Guia e Mapa – A Cidade na Palma da Mão

Berlim • Londres • Madri • Nova York Paris • Praga • Roma • Sydney

Guias de Conversação para Viagem

Alemão • Árabe • Chinês • Espanhol Europa • Francês • Grego • Inglês • Italiano Japonês • Portuguese • Russo

Acompanhe os próximos lançamentos no site da Publifolha
www.publifolha.com.br

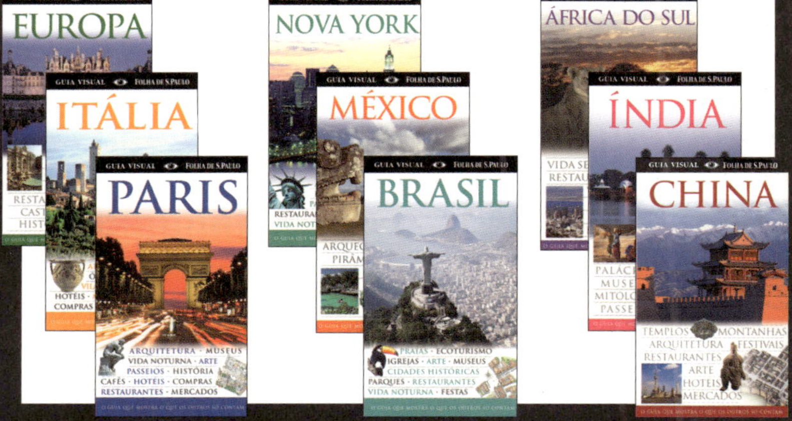

Ferrovias da Índia